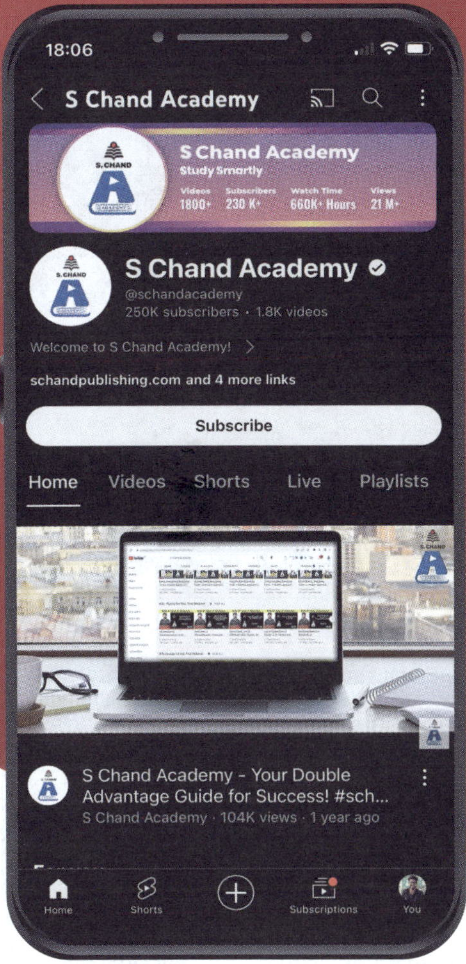

ACADEMY

S CHAND ACADEMY

चैप्टर वाइज वीडियो देखें और अपनी तैयारी को बूस्ट करें

चैनल पर जाएँ

Scan QR

Subscribe Now

हम वितरित करते हैं:

- क्वालिटी एजुकेशनल कंटेंट्स
- फ्री लर्निंग रिसोर्सेज
- कम्युनिटी एंड इंटरेक्शन
- डाइवर्स सब्जेक्ट्स और टॉपिक्स
- स्टडी किसी भी समय, कहीं भी

S. CHAND PUBLISHING
S. CHAND PUBLISHING
A Division of S Chand And Company Ltd.
(ISO 9001 Certified Company)
Customer Care (toll free) No.: 1800-103-1926

https://twitter.com/SchandHigher
https://www.facebook.com/SChand-Publishing-Higher-education
https://www.instagram.com/schandhigher/
https://www.linkedin.com/company/schand-higher
+91-7291975264
info@schandpublishing.com
www.schandpublishing.com

द्वितीय संस्करण 2025-26

भारतीय अर्थव्यवस्था

(सामान्य अध्ययन-UPSC सिविल सेवा परीक्षा)

"सूचना विस्फोट के इस युग में यह पुस्तक सटीक, व्यापक, प्रासंगिक और विश्लेषणात्मक सामग्री प्रस्तुत करने का एक प्रयास है"

विवेक सिंह

S.CHAND
PUBLISHING

एस चन्द एण्ड कम्पनी लिमिटेड

(ISO 9001 Certified Company)

एस चन्द एण्ड कम्पनी लिमिटेड

S. CHAND PUBLISHING

(ISO 9001 Certified Company)

Head Office: D-92, Sector–2, Noida 201301, U.P. (India), Ph. 91-120-4682700

Registered Office: A-27, 2nd Floor, Mohan Co-operative Industrial Estate, New Delhi – 110 044
Phone: 011-49731800

www.schandpublishing.com; e-mail: info@schandpublishing.com

मार्केटिंग ऑफिसः

चेन्नई	:	Ph: 23632120, chennai@schandpublishing.com
गुवाहाटी	:	Ph: 2738811, 2735640 guwahati@schandpublishing.com
हैदराबाद	:	Ph: 40186018, hyderabad@schandpublishing.com
जालंधर	:	Ph: 4645630, jalandhar@schandpublishing.com
कोलकाता	:	Ph: 23357458, 23353914, kolkata@schandpublishing.com
लखनऊ	:	Ph: 4003633, lucknow@schandpublishing.com
मुम्बई	:	Ph: 25000297, mumbai@schandpublishing.com
पटना	:	Ph: 4011400, patna@schandpublishing.com

प्रथम संस्करण 2025
द्वितीय संस्करण 2026

ISBN: 978-93-6958-578-6

Product Code: H1BAG47ECON10HIAB26T

भारत में,
विकास पब्लिशिंग हाउस प्राइवेट लिमिटेड, प्लाट नं. 20/4, साइट-4, इंडस्ट्रियल एरिया, साहिबाबाद, गाजियाबाद-201010
द्वारा मुद्रित एवं एस चंद एण्ड कम्पनी लिमिटेड, ए-27, द्वितीय तल, मोहन कोऑपरेटिव इंडस्ट्रियल एस्टेट,
नई दिल्ली-110 044 द्वारा प्रकाशित।

प्रस्तावना

भारतीय अर्थव्यवस्था पर लिखी यह पुस्तक यूपीएससी सिविल सेवा परीक्षा की तैयारी कर रहे अभ्यर्थियों के लिए एक व्यापक मार्गदर्शिका के रूप में आपके समक्ष प्रस्तुत है। इसमें सामान्य अध्ययन के दोनों भाग, प्रारंभिक और मुख्य परीक्षा के प्रश्न-पत्र III शामिल किए गए हैं, जिसमें आर्थिक विकास पर विशेष ध्यान दिया गया है। इसमें 2025-26 का नवीनतम बजट और आर्थिक सर्वेक्षण-2024-25 को भी शामिल किया गया है जो न केवल प्रासंगिक है बल्कि अद्यतन भी है। पुस्तक में वर्तमान आर्थिक मुद्दों के साथ-साथ स्थिर (Static) और अवधारणात्मक (Conceptual) विषयों को संतुलित रूप से प्रस्तुत किया गया है, जिसका उद्देश्य अभ्यर्थियों को विषय-वस्तु की गहरी समझ प्रदान करना है। वैचारिक स्पष्टता पर बल देते हुए पुस्तक में पाठकों के ज्ञान में वृद्धि करने के लिए आरेख, ग्राफ, फ्लोचार्ट और कई उदाहरणों का प्रयोग किया गया है।

यूपीएससी पाठ्यक्रम को समाहित करने के अतिरिक्त यह पुस्तक नवीनतम आर्थिक आँकड़ों और सरकारी योजनाओं के साथ पूरी तरह से अद्यतन है। इसमें परीक्षा पैटर्न और प्रश्नों के ट्रेंड की स्पष्ट समझ प्रदान करने के लिए पिछले वर्षों के यूपीएससी प्रारंभिक और मुख्य परीक्षा के प्रश्न भी शामिल किए गए हैं। पुस्तक के अंत में संदर्भ के लिए आर्थिक शब्दावली को संकलित किया गया है, और महत्वपूर्ण तथ्यों को चिह्नांकित किया गया है। पुस्तक यूपीएससी (सीएसई) पाठ्यक्रम के प्रासंगिक अध्यायों के साथ-साथ राज्य पीएससी परीक्षाओं और आरबीआई, नाबार्ड और सेबी के पाठ्यक्रम को भी समाहित करती है। इस तरह यह पुस्तक अन्य विभिन्न प्रतियोगी परीक्षाओं के लिए भी उपयोगी है।

अर्थव्यवस्था से संबंधित सभी नवीनतम अपडेट के लिए, आप लेखक के टेलीग्राम चैनल से जुड़ सकते हैं:

"Economy by Vivek Singh" (https://t.me/VivekSingh_Economy) *या आप viveksingheconomy@gmail.com पर मेल कर सकते हैं।*

विवेक सिंह

भारतीय अर्थव्यवस्था – UPSC (CSE) पाठ्यक्रम और अध्याय

प्रारंभिक परीक्षा का पाठ्यक्रम:

- आर्थिक और सामाजिक विकास– सतत विकास, निर्धनता, समावेशन, जनसांख्यिकी, सामाजिक क्षेत्र की पहलें, आदि। *[अध्याय 1, 2 और 4 में मुख्य पाठ्यक्रम शामिल है, लेकिन आपको शेष अध्याय भी पढ़ने होंगे।]*

मुख्य परीक्षा का पाठ्यक्रम:

- भारतीय अर्थव्यवस्था और नियोजन, संसाधनों का जुटाव, विकास, विकास और रोजगार से संबंधित मुद्दे *[अध्याय 6, 7 और 8]*
- समावेशी विकास और इससे उत्पन्न होने वाले मुद्दे *[अध्याय 8]*
- सरकारी बजट *[अध्याय 4]*
- देश के विभिन्न भागों में प्रमुख फसलें–फसल पैटर्न, – विभिन्न प्रकार की सिंचाई और सिंचाई प्रणालियाँ, कृषि उपज का भंडारण, परिवहन व विपणन व मुद्दे तथा संबंधित बाधाएँ; किसानों की सहायता के रूप में ई–प्रौद्योगिकी *[अध्याय 10 और 11]*
- प्रत्यक्ष और अप्रत्यक्ष कृषि सब्सिडी और न्यूनतम समर्थन मूल्य से संबंधित मुद्दे; सार्वजनिक वितरण प्रणाली– उद्देश्य, कार्यप्रणाली, सीमाएँ, सुधार; बफर स्टॉक और खाद्य सुरक्षा के मुद्दे; प्रौद्योगिकी मिशन; पशुपालन का अर्थशास्त्र *[अध्याय 9, 10 और 11]*
- भारत में खाद्य प्रसंस्करण और संबंधित उद्योग– दायरा और महत्व, स्थान, अपस्ट्रीम और डाउनस्ट्रीम आवश्यकताएँ, आपूर्ति श्रृंखला प्रबंधन *[अध्याय 12]*
- भारत में भूमि सुधार *[अध्याय 5]*
- अर्थव्यवस्था पर उदारीकरण के प्रभाव, औद्योगिक नीति में परिवर्तन और औद्योगिक विकास पर उनके प्रभाव *[अध्याय 6 और 7]*
- आधारभूत संरचना : ऊर्जा, बंदरगाह, सड़कें, हवाई अड्डे, रेलवे आदि। *[अध्याय 14]*
- निवेश मॉडल *[अध्याय 14]*

विषय-सूची

1

समष्टि अर्थशास्त्र के मूल तत्त्व
(Fundamentals of Macro Economy)

1.1 परिचय (Introduction)

अर्थशास्त्र इस बात का अध्ययन है कि समाज किस तरह दुर्लभ संसाधनों का उपयोग मूल्यवान वस्तुओं और सेवाओं का उत्पादन करने और उन्हें विभिन्न व्यक्तियों के बीच वितरित करने के लिए करता है। कुछ यूरोपीय और उत्तरी अमेरिकी देश बहुत अमीर हैं (उनकी प्रति व्यक्ति आय अधिक है जिससे उनका जीवन स्तर उच्च है) जबकि अफ्रीका और लैटिन अमेरिका के देश गरीब हैं। क्या आपने कभी इसके पीछे मूल कारण के बारे में सोचा है? भले ही अफ्रीकी देश कोयला, लौह अयस्क, अन्य धातुओं जैसे खनिज संसाधनों में बहुत समृद्ध हों, लेकिन वे काफी गरीब हैं। जबकि अगर आप जापान को देखें, तो उसके पास बहुत कम प्राकृतिक संसाधन हैं, लेकिन उसकी प्रति व्यक्ति आय उच्च है। इन देशों के जीवन स्तर में इस अंतर के पीछे मूल कारण यह है कि इन विकसित/समृद्ध देशों में सरकार और लोगों ने अपने लोगों की बेहतरी और विकास के लिए भूमि, श्रम और पूँजी के **सीमित संसाधनों का कुशलतापूर्वक दोहन** किया है।

अर्थशास्त्र को दो प्रमुख उपक्षेत्रों में विभाजित किया गया है: व्यष्टि अर्थशास्त्र (Microeconomics) और समष्टि अर्थशास्त्र (Macroeconomics)।

व्यष्टि अर्थशास्त्र उन निर्णयों का अध्ययन है जो लोग और व्यवसाय *(आर्थिक अभिकर्ता)* संसाधनों के आवंटन और वस्तुओं और सेवाओं की कीमतों के संबंध में करते हैं। उदाहरण के लिए, किसी व्यक्ति द्वारा किसी निश्चित राशि से खरीदे जाने वाले उत्पादों के मिश्रण का अध्ययन व्यष्टि अर्थशास्त्र का हिस्सा है। व्यष्टि अर्थशास्त्र यह देखता है कि कोई विशेष कंपनी चाहे वह छोटी हो या बड़ी, अपने उत्पादन और क्षमता को अधिकतम कैसे कर सकती है ताकि वह कीमतों को कम कर सके और अपने प्रतिस्पर्धियों के साथ बेहतर प्रतिस्पर्धा कर सके।

दूसरी ओर, समष्टि अर्थशास्त्र **राष्ट्रीय अर्थव्यवस्था का समग्र रूप से** अध्ययन है। समष्टि अर्थशास्त्र कई तरह के क्षेत्रों की जाँच करता है, जैसे कि अर्थव्यवस्था में कुल निवेश और खपत कैसे निर्धारित किए जाते हैं, केंद्रीय बैंक पैसे और ब्याज दरों का प्रबंधन कैसे करते हैं, अंतरराष्ट्रीय वित्तीय संकटों का कारण क्या है, शुद्ध निर्यात में वृद्धि/कमी से किसी देश के पूँजी खाते पर क्या प्रभाव पड़ेगा और क्यों कुछ देश तेजी से विकास करते हैं जबकि अन्य मंद पड़ जाते हैं। राष्ट्र के स्तर पर चरों का अध्ययन जैसे सकल घरेलू उत्पाद (जीडीपी) और बेरोजगारी दर, ब्याज दर और मूल्य स्तरों में परिवर्तन से यह कैसे प्रभावित होता है, समष्टि अर्थशास्त्र के अध्ययन का भाग है।

यूपीएससी का पाठ्यक्रम समष्टि अर्थशास्त्र से संबद्ध है, जो अर्थव्यवस्था के समग्र प्रदर्शन से संबंधित है।

1.2 आर्थिक संगठन (तीन समस्याएँ (Economic Organisation (the three problems)

प्रत्येक मानव समाज—चाहे वह एक उन्नत औद्योगिक राष्ट्र हो, एक केंद्रीय रूप से नियोजित अर्थव्यवस्था हो, या एक अलग-थलग आदिवासी राष्ट्र हो–को तीन मूलभूत आर्थिक

समस्याओं का सामना करना ही पड़ता है तथा उन्हें उनका समाधान करना चाहिए। हर समाज के पास यह निर्धारित करने का एक तरीका होना चाहिए कि किन वस्तुओं का उत्पादन किया जाना है? इन वस्तुओं को कैसे बनाया जाना है? और उनका उत्पादन किसके लिए किया जाना है? वास्तव में, आर्थिक संगठन के ये तीन मूलभूत प्रश्न - **क्या, कैसे, और किसके लिए** - आज भी उतने ही महत्त्वपूर्ण हैं जितने कि वे मानव सभ्यता के आरंभ में थे। आइए उन पर अधिक सूक्ष्मता से दृष्टि डालें:

कौन-सी वस्तुओं का उत्पादन किया जाना है और कितनी मात्रा में? समाज को यह तय करना होगा कि वह संभावित वस्तुओं और सेवाओं में से प्रत्येक का कितना उत्पादन करेगा और उनका उत्पादन कब किया जाएगा। क्या हम आज पिज्जा या कमीज बनाएँगे? कुछ उच्च गुणवत्ता वाली कमीज या कई सस्ती कमीज? क्या हम कई उपभोग वस्तुओं (जैसे पिज्जा) का उत्पादन करने के लिए दुर्लभ संसाधनों का उपयोग करेंगे? या हम कम उपभोग वस्तुओं और अधिक पूँजीगत वस्तुओं (जैसे पिज्जा बनाने वाली मशीनें) का उत्पादन करेंगे, जो भविष्य में उत्पादन और खपत को बढ़ावा देंगे?

वस्तुओं का उत्पादन **कैसे** किया जाना है? यह समाज को तय करना होगा कि कौन उत्पादन करेगा, किन संसाधनों से उत्पादन करेगा और कौन-सी उत्पादन तकनीक का उपयोग करेगा। खेती कौन करता है और कौन पढ़ाता है? क्या बिजली तेल से, कोयले से या सूरज से पैदा करनी है? क्या कारखाने लोगों या रोबोटों द्वारा चलाए जाएँगे?

किसके लिए वस्तुओं का उत्पादन किया जाता है? आर्थिक गतिविधि का फायदा कौन उठाता है? क्या आय और धन का वितरण निष्पक्ष और न्यायसंगत है? राष्ट्रीय उत्पाद को विभिन्न घरेलू क्षेत्रों में कैसे विभाजित किया जाता है? क्यों बहुत से लोग गरीब हैं और कुछ अमीर हैं? उच्च आय कौन प्राप्त करता है- शिक्षक या एथलीट अथवा ऑटोवर्कर्स या पूँजीपति? क्या समाज गरीबों को न्यूनतम उपभोग उपलब्ध कराएगा, या लोगों को भोजन की प्राप्ति के लिए काम करना होगा?

1.3 आर्थिक प्रणालियाँ (Economic Systems)

समाज किस तरह से क्या, कैसे और किसके लिए जैसे सवालों का जवाब दे सकता है? विभिन्न समाज वैकल्पिक आर्थिक प्रणालियों के माध्यम से संगठित होते हैं, और अर्थशास्त्र विभिन्न तंत्रों का अध्ययन करता है जिनका उपयोग समाज अपने दुर्लभ संसाधनों को आवंटित करने के लिए कर सकता है।

साधारणतया हम अर्थव्यवस्था का प्रबंध करने के दो मौलिक रूप से अलग-अलग तरीकों में अंतर करते हैं। एक ओर अतिवादी तरीके से सरकार अधिकांश आर्थिक निर्णय लेती है, जिसमें पदानुक्रम के शीर्ष पर रहने वाले लोग नीचे के लोगों को आर्थिक आदेश देते हैं। दूसरी प्रकार से, निर्णय बाजारों में किए जाते हैं, जहाँ व्यक्ति या उद्यम स्वेच्छा से आमतौर पर पैसे के भुगतान के माध्यम से वस्तुओं और सेवाओं का आदान-प्रदान करने के लिए सहमत होते हैं। आइए आर्थिक संगठन के इन दो रूपों में से प्रत्येक की संक्षेप में जाँच करें।

संयुक्त राज्य अमेरिका में, और तेजी से दुनियाभर में, अधिकांश आर्थिक प्रश्न बाजार तंत्र द्वारा हल किए जाते हैं। इसलिए उनकी आर्थिक प्रणालियों को बाजार अर्थव्यवस्था कहा जाता है। एक **बाजार अर्थव्यवस्था** वह है जिसमें व्यक्ति और निजी फर्म उत्पादन और उपभोग के बारे में प्रमुख निर्णय लेते हैं। कीमतों, बाजारों, मुनाफे और घाटे, प्रोत्साहन और पुरस्कारों की एक प्रणाली क्या, कैसे और किसके लिए निधारित करती है। फर्म उन वस्तुओं का उत्पादन करती हैं जो सबसे अधिक लाभ देती हैं (क्या) उत्पादन की उन तकनीकों द्वारा जो सबसे कम खर्चीली होती हैं (कैसे)। उपभोग व्यक्तियों के इस निर्णय से निर्धारित होता है कि वे अपने श्रम और संपत्ति के स्वामित्व से उत्पन्न मजदूरी और संपत्ति आय को कैसे खर्च करें (किसके लिए)। बाजार अर्थव्यवस्था का वह अतिवादी मामला, जिसमें सरकार आर्थिक निर्णय से अपने हाथ खींच लेती है, उसे **अहस्तक्षेप (laissez-faire)** अर्थव्यवस्था कहा जाता है।

इसके विपरीत, एक **निर्देशित अर्थव्यवस्था** वह है जिसमें सरकार उत्पादन और वितरण से संबंधित सभी महत्त्वपूर्ण निर्णय लेती है। एक कमांड अर्थव्यवस्था में, जैसे कि बीसवीं सदी के अधिकांश समय में सोवियत संघ में संचालित, सरकार उत्पादन के अधिकांश साधनों (भूमि और पूँजी) का स्वामित्व रखती थी; यह अधिकांश उद्योगों में उद्यमों के संचालन का स्वामित्व और निर्देशन भी करती थी: यह अधिकांश श्रमिकों का नियोक्ता होती है और उन्हें बताती है कि उन्हें अपना काम कैसे करना है; और यह तय करती है कि समाज के उत्पादन को विभिन्न लोगों के बीच कैसे विभाजित किया जाए। संक्षेप में, एक कमांड अर्थव्यवस्था में, सरकार संसाधनों के अपने स्वामित्व और निर्णयों को लागू करने की अपनी शक्तियों के माध्यम से क्या, कैसे और किसके लिए जैसे प्रमुख आर्थिक प्रश्नों का उत्तर देती है।

कोई भी समकालीन समाज पूरी तरह से इन एकतरफा श्रेणियों में से किसी में नहीं आता है। बल्कि, सभी समाज **मिश्रित अर्थव्यवस्थाएँ** हैं, जिनमें बाजार और कमांड दोनों के तत्त्व होते हैं। आज विकसित और विकासशील अर्थव्यवस्थाओं में अधिकांश निर्णय बाजार में किए जाते हैं। लेकिन सरकार बाजार के कामकाज की देखरेख में भी महत्त्वपूर्ण भूमिका निभाती है; सरकारें ऐसे कानून पारित करती हैं जो आर्थिक जीवन को नियंत्रित करते हैं तथा वे वस्तुओं का उत्पादन करते हैं तथा शैक्षिक और पुलिस सेवाएँ प्रदान करती हैं। अधिकांश समाज मिश्रित अर्थव्यवस्थाओं के रूप में काम करते हैं।

कमांड/समाजवादी अर्थव्यवस्था ⟷ बाजार/पूँजीवादी अर्थव्यवस्था

मिश्रित अर्थव्यवस्था

1.4 अर्थव्यवस्था के चार क्षेत्र (Four Sectors of Economy)

आर्थिक दृष्टिकोण से, एक मिश्रित अर्थव्यवस्था चार क्षेत्रों में विभाजित होती है।

1. निजी क्षेत्र:

निजी व्यक्तियों या व्यक्तियों के समूह के स्वामित्व वाले **सभी उद्यम** निजी क्षेत्र के अंतर्गत आते हैं। निजी क्षेत्र में भारत में ऐसी कंपनियाँ/फर्म/उद्यम शामिल हैं, जिनका स्वामित्व सरकार के पास नहीं है।

2. सरकारी क्षेत्र:

इस क्षेत्र में लोक प्रशासन, पुलिस, रक्षा, कानून निर्माण और उन्हें लागू करना शामिल है। कर लगाने और विभिन्न बुनियादी ढाँचे और स्वास्थ्य सेवाओं और शिक्षा आदि पर पैसा खर्च करने के अलावा, सरकार कोल इंडिया लिमिटेड (CIL), नेशनल थर्मल पावर कॉरपोरेशन (NTPC) आदि जैसी अपनी कंपनियों के माध्यम से उत्पादन की गतिविधियां भी करती है। इसलिए, केंद्र या राज्य सरकारों के स्वामित्व वाली सभी कंपनियाँ यानी सार्वजनिक क्षेत्र के उपक्रम (PSU) भी सरकारी क्षेत्र से संबंधित हैं।

3. घरेलू क्षेत्र:

लोगों का एक समूह जो आमतौर पर एक साथ रहते हैं और एक ही रसोई से खाना खाते हैं, घर कहलाता है। एक घर का आकार घर में कुल व्यक्तियों की संख्या है। हमें हमेशा याद रखना चाहिए कि घर लोगों से मिलकर बनता है। ये लोग फर्मों में काम करते हैं और मजदूरी करके धनार्जन करते हैं। इनमें वे लोग भी शामिल हैं जो सरकारी विभागों में काम करते हैं और वेतन पाते हैं और वे फर्मों के मालिक हैं और लाभ कमाते हैं। **इसलिए, सभी मनुष्य (जनसंख्या) घरेलू क्षेत्र से संबंधित होते हैं।**

मान लीजिए कि 'जॉन' नामक एक व्यक्ति 'कोल इंडिया लिमिटेड (सीआईएल)' में काम करता है, जो एक सरकारी कंपनी है, तो जॉन घरेलू क्षेत्र से संबंधित है और कंपनी सीआईएल सरकारी क्षेत्र से संबंधित है।

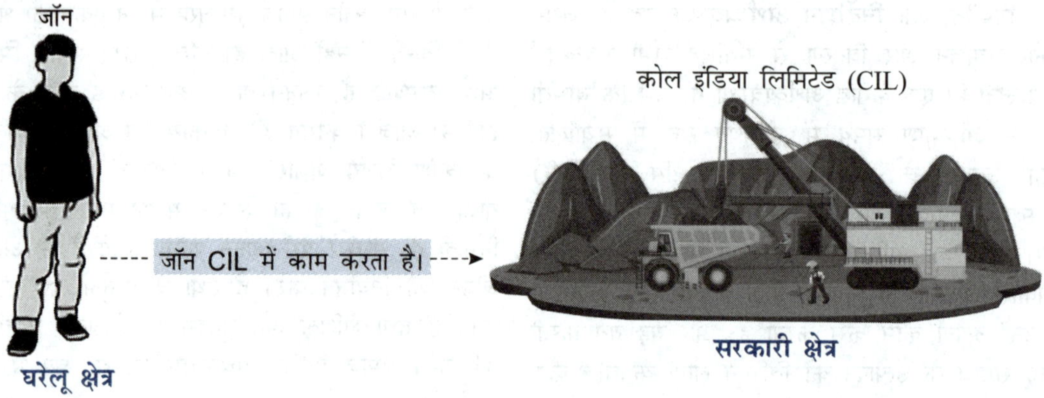

रिलायंस इंडस्ट्रीज लिमिटेड (आरआईएल) का स्वामित्व मुकेश अंबानी के पास है, लेकिन मुकेश अंबानी घरेलू क्षेत्र से संबंधित हैं और 'आरआईएल' (जो एक निष्क्रिय वस्तु है और जिसके नाम पर सारा कारोबार किया जा रहा है) निजी क्षेत्र से संबंधित है।

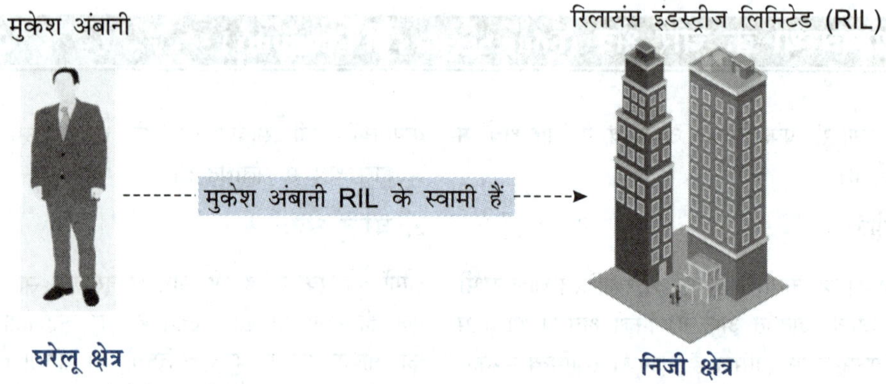

4. बाहरी क्षेत्र:

इस क्षेत्र में देश में या देश से बाहर जाने वाली वस्तुओं और सेवाओं का निर्यात और आयात शामिल होता है। इसमें घरेलू देश से और देश में वित्तीय प्रवाह भी शामिल होता है।

आइए पहले निजी क्षेत्र को विस्तार से समझते हैं।

1.5 निजी क्षेत्र (Private Sector)

निजी व्यक्तियों या उद्यमियों के स्वामित्व वाली सभी फर्म या उपक्रम निजी क्षेत्र से संबंधित हैं और उनका मूल कार्य वस्तुओं और सेवाओं का उत्पादन करना है। आउटपुट का उत्पादन करने के लिए, किसी भी उपक्रम को कुछ इनपुट की आवश्यकता होगी। एक उपक्रम को इनपुट की आवश्यकता हो सकती है या वांछित आउटपुट का उत्पादन करने के लिए सैकड़ों इनपुट की आवश्यकता हो सकती है। एक उपक्रम को जिन सभी इनपुटों की आवश्यकता हो सकती है, उन्हें मोटे तौर पर चार श्रेणियों में विभाजित किया जाता है, अर्थात उद्यमी, पूँजी, प्राकृतिक संसाधन और श्रम।

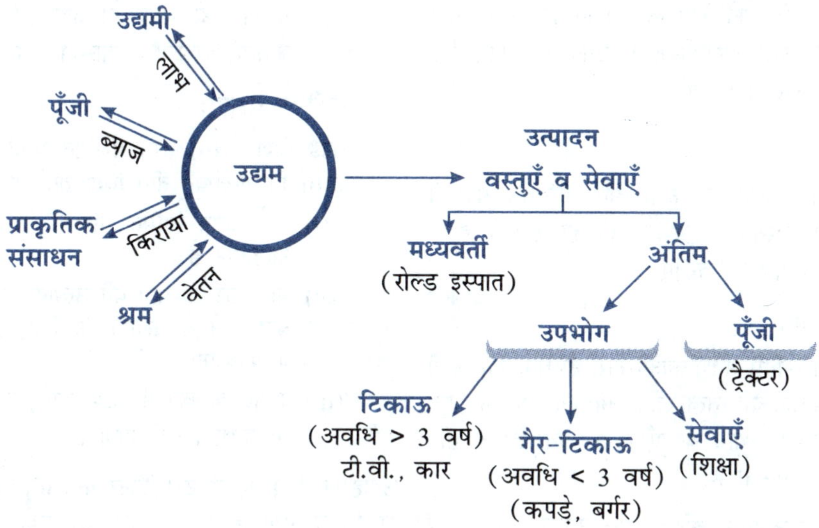

चित्र: उत्पादन के चार कारक/इनपुट एक साथ मिलकर आउटपुट उत्पन्न करते हैं और आउटपुट (वस्तुओं और सेवाओं) का उपभोग और पूँजीगत वस्तुओं में वर्गीकरण करते हैं।

किसी उद्यम को आउटपुट (वस्तुएँ और सेवाएँ) बनाने के लिए जिन चार इनपुट की आवश्यकता होती है, उन्हें चार 'उत्पादन के कारक' या 'उत्पादन के इनपुट' कहा जाता है। उत्पादन के ये चार कारक निम्नलिखित हैं (जैसा कि चित्र में दिखाया गया है):

1. उद्यमी:

उद्यमी वह व्यक्ति है जो जोखिम उठाता है और एक नया व्यवसाय शुरू करता है। यह व्यक्ति उद्यम के रूप में पूँजी, श्रम और प्राकृतिक संसाधनों को एक साथ लाने का जोखिम उठाता है और बदले में **'लाभ'** की आशा करता है। उद्यमी एक मानव होता है और वह घरेलू क्षेत्र से संबंधित है।

2. पूँजी:

आज की दुनिया में, पूँजी भौतिक, वित्तीय या बौद्धिक हो सकती है। लेकिन आर्थिक दृष्टिकोण से, केवल भौतिक पूँजीगत वस्तुओं को ही पूँजी माना जाता है। इसलिए, पूँजी में भवन, मशीनरी, उपकरण आदि शामिल होते हैं। पूँजी के लिए रिटर्न को **'ब्याज'** कहा जाता है।

3. प्राकृतिक संसाधन:

प्राकृतिक संसाधनों में भूमि और कच्चे माल शामिल होते हैं जो प्राकृतिक रूप से उपलब्ध हैं और मानव निर्मित प्रक्रियाओं के माध्यम से उत्पादित नहीं होते हैं। प्राकृतिक संसाधनों के लिए रिटर्न को **'किराया'** कहा जाता है।

4. श्रम:

यह मानवीय श्रम है जो शारीरिक या मानसिक हो सकता है, यानी यह अकुशल, अर्ध-कुशल या कुशल हो सकता है। जब कोई इंसान उद्यम को अपना श्रम प्रदान करता है, तो बदले में वह **'मजदूरी'** की अपेक्षा करता है। *श्रमिक (जो श्रम सेवाएँ प्रदान कर रहा है) एक इंसान है और घरेलू क्षेत्र से संबंधित है।*

1.6 वस्तुओं के प्रकार (Types of Goods)

मध्यवर्ती वस्तुएँ

ये अर्धनिर्मित वस्तुएँ हैं जो एक प्रक्रिया द्वारा उत्पादित किए गए हैं, लेकिन उन्हें उसी रूप में उपयोग नहीं किया जा सकता है और अंतिम वस्तु में परिवर्तित होने के लिए आगे की उत्पादन प्रक्रिया से गुजरना पड़ता है। उदाहरण के लिए,

स्टील शीट। स्टील शीट को उसी रूप में उपयोग नहीं किया जा सकता है और उन्हें ऑटोमोबाइल, उपकरण आदि जैसे अंतिम उत्पादों में बदलना पड़ता है।

अंतिम वस्तुएँ

ये वस्तुएँ उत्पादन प्रक्रिया में किसी और परिवर्तन से नहीं गुजरती हैं। अंतिम वस्तुएँ दो प्रकार की हो सकती हैं - उपभोग वस्तुएँ और पूँजीगत वस्तुएँ

1. उपभोग वस्तुएँ:

वे वस्तुएँ जो अंतिम उपभोक्ताओं द्वारा उपभोग की जाती हैं या उपभोक्ता की तत्कालीन आवश्यकता को पूरा करती हैं, उन्हें उपभोग वस्तुएँ कहा जाता है। ये तीन प्रकार की हो सकती हैं।

(i) **टिकाऊ उपभोग की वस्तुएँ:** उपभोग की वस्तुएँ जो तुरंत समाप्त नहीं होती हैं लेकिन लंबे समय तक चलती रहती हैं उन्हें उपभोक्ता टिकाऊ वस्तुएँ कहा जाता है। उपभोक्ता टिकाऊ वस्तुओं का जीवन आमतौर पर 3 वर्ष से अधिक होता है। उदाहरण के लिए, घरेलू उपकरण, उपभोक्ता इलेक्ट्रॉनिक्स, फर्नीचर आदि।

(ii) **गैर-टिकाऊ उपभोग वस्तुएँ:** उपभोग वस्तुएँ जिनका तुरंत उपभोग किया जाता है और जिनका जीवन आमतौर पर 3 वर्ष से कम होता है। उदाहरण के लिए, सौंदर्य प्रसाधन, भोजन, ईंधन, कागज, कपड़े आदि।

(iii) **सेवाएँ:** सेवाएँ अमूर्त होती हैं और एक तरह की उपभोग वस्तुएँ ही होती हैं, क्योंकि इनका तुरंत उपभोग हो जाता है। उदाहरण के लिए, शिक्षा, बैंकिंग, दूरसंचार, स्वास्थ्य सेवा आदि।

2. पूँजीगत वस्तुएँ:

कोई विशेष वस्तु तभी पूँजीगत प्रकृति की होगी, जब उसमें निम्नलिखित तीन विशेषताएँ हों:

(i) यह मानव-निर्मित प्रक्रिया से उत्पादित टिकाऊ आउटपुट है

(ii) यह फिर से आगे की उत्पादन प्रक्रिया (बाजार में बेचे जाने के लिए) के लिए इनपुट के रूप में कार्य करता है

(iii) इनपुट के रूप में कार्य करते समय, यह रूपांतरित या उपभोग नहीं होता है

उदाहरण के लिए, ट्रैक्टर। ट्रैक्टर का उत्पादन किसी कारखाने में किया गया होगा, इसलिए यह एक उत्पादित टिकाऊ आउटपुट है। ट्रैक्टर फिर से गेहूँ और चावल जैसे कृषि उत्पादों के उत्पादन में एक इनपुट के रूप में कार्य करता है। और इनपुट के रूप में कार्य करते समय यह रूपांतरित नहीं होता है और जैसा है वैसा ही रहता है। *(ट्रैक्टर में टूट-फूट लंबे समय तक होती है, लेकिन हम यह नहीं कह सकते कि ट्रैक्टर में बदलाव हो रहा है या वह खराब हो रहा है)*

वस्तुतः अर्थशास्त्री केवल भौतिक पूँजी को ही पूँजी मानते हैं, लेकिन आज की दुनिया में अमूर्त पूँजी (intangible capital) का महत्त्व लगातार बढ़ रहा है। इसलिए, पूँजी को तीन श्रेणियों में विभाजित किया जा सकता है।

(i) भौतिक पूंजी (पूँजीगत सामान)

(ii) वित्तीय पूँजी (धन)

(iii) बौद्धिक पूंजी (पेटेंट, कॉपीराइट आदि)

उपभोग और पूँजीगत वस्तुएँ

*कोई भी विशेष वस्तुएँ उपभोग के साथ-साथ पूँजीगत वस्तुएँ भी हो सकती हैं। उदाहरण के लिए, वॉशिंग मशीन। जब कोई व्यक्ति अपने घर पर कपड़े धोने के लिए वॉशिंग मशीन का उपयोग करता है, तो यह उपभोग वस्तुओं के रूप में कार्य करेगा। लेकिन अगर वही वॉशिंग मशीन किसी व्यवसायी द्वारा कपड़े धोने की सेवाएँ प्रदान करने के लिए खरीदी जाती है, तो यह पूँजीगत वस्तु के रूप में कार्य करेगी। क्योंकि इस मामले में, वॉशिंग मशीन का उपयोग **बाजार** के लिए धुले हुए कपड़े बनाने के लिए किया जा रहा है, न कि अपने उपभोग के लिए। इसलिए, कोई वस्तु उपभोग है या पूँजीगत, यह उस उद्देश्य पर भी निर्भर करता है उसका उपयोग कैसे किया जा रहा है। यदि किसी वस्तु का उपयोग **बाजार में** बेचे जाने वाले कुछ अन्य वस्तुओं/सेवाओं के उत्पादन के लिए किया जा रहा है, तो यह पूँजीगत वस्तु होगी। उदाहरण के लिए, जब हम अपने घर के लिए कार खरीदते हैं तो यह उपभोग वस्तु है, लेकिन जब 'ओला कैब्स' बाजार के लिए परिवहन सेवाएँ प्रदान करने के लिए कार खरीदते हैं, तो कार पूँजीगत वस्तु बन जाती है।*

मध्यवर्ती और अंतिम वस्तुः

कोई विशेष वस्तु अंतिम भी हो सकती है और मध्यवर्ती भी। उदाहरण के लिए, 'चाय की पत्ती'। जब कोई व्यक्ति अपने घरेलू उपयोग के लिए 'चाय की पत्ती' खरीदता है, तो 'चाय की पत्ती' अंतिम वस्तु होगी। लेकिन जब कोई चाय बेचने वाला 'चाय' बनाने और उसे बाजार में बेचने के लिए 'चाय की पत्ती' खरीद रहा है, तो 'चाय की पत्ती' मध्यवर्ती वस्तु होगी और 'चाय' अंतिम वस्तु होगी। किसी वस्तु के अंतिम या मध्यवर्ती होने की पहचान करने वाली विशेषता ***'बाजार में अंतिम लेन-देन'*** *है। चाय बेचने वाले के मामले में, बाजार में अंतिम लेन-देन चाय का होता है, इसलिए 'चाय' अंतिम वस्तु है। लेकिन घर के उपयोग के लिए चाय की पत्ती खरीदने वाले व्यक्ति के मामले में, 'चाय की पत्ती' बाजार में अंतिम लेन-देन वाली वस्तु है, इसलिए 'चाय की पत्ती' अंतिम वस्तु होगी।*

1.7 निवेश (Investment)

अंतिम उत्पादन का वह हिस्सा जिसमें भौतिक पूँजीगत वस्तु शामिल होती है, सकल निवेश कहलाता है। इसलिए, किसी देश में निवेश को किसी व्यवसाय या किसी आर्थिक गतिविधि में लगाए गए पैसे के रूप में नहीं मापा जाता है, बल्कि यह मूल रूप से अंतिम उत्पादन (जीडीपी) का वह हिस्सा होता है जिसमें पूँजीगत वस्तुएँ शामिल होती हैं।

निम्नलिखित आरेख पर विचार करें

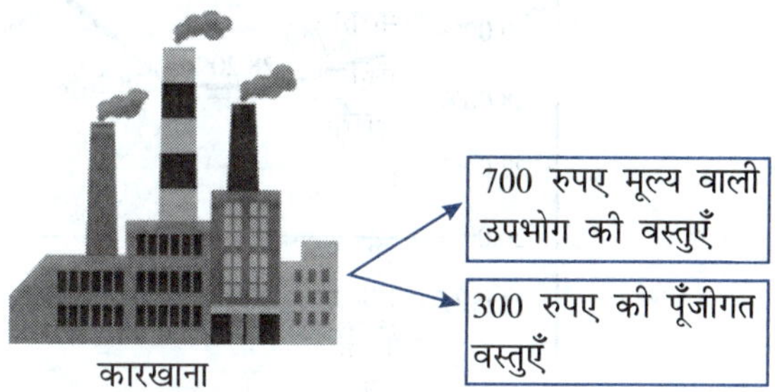

कारखाना
(1 लाख का मूल्य)

मान लीजिए कि किसी देश में सिर्फ एक कारखाना (पूँजीगत वस्तु) है, जिसकी कीमत एक लाख रुपए है और जो किसी अर्थव्यवस्था में एक विशेष वर्ष (मान लीजिए 2019-20) में 700 रुपए मूल्य की उपभोग वस्तुएँ और 300 रुपए मूल्य की पूँजीगत वस्तुएँ उत्पादित कर रहा है। इसका अर्थ है कि 2019-20 में सकल घरेलू उत्पाद 1000 रुपए होगा (जो उपभोग और पूँजीगत वस्तुओं दोनों का कुल **उत्पादन** है) और अर्थव्यवस्था में सकल निवेश 300 रुपए या (300 रुपए/1000 रुपए) 30% होगा, क्योंकि निवेश को **उत्पादन** के प्रतिशत के रूप में मापा जाता है जिसमें पूँजीगत वस्तुएँ शामिल होती हैं।

उपरोक्त उदाहरण में, यदि देश वर्ष 2019-20 में 100 रुपए मूल्य की पूँजीगत वस्तुओं का आयात करता है तो सकल निवेश 300 रुपए + 100 रुपए अर्थात 400 रुपए होगा तथा निवेश प्रतिशत 400 रुपए/1000 रुपए = 40% होगा। ऐसा इसलिए है क्योंकि 400 रुपए मूल्य की पूँजीगत वस्तुएँ अर्थव्यवस्था में जुड़ रही हैं। लेकिन यदि हम 40 रुपए मूल्य की पूँजीगत वस्तुओं का निर्यात भी करते हैं तो सकल निवेश 300 रुपए + (100 रुपए - 40 रुपए) अर्थात 360 रुपए होगा तथा निवेश प्रतिशत 36% होगा। अर्थव्यवस्था में निवेश को सकल पूँजी निर्माण भी कहा जाता है।

सकल पूँजी निर्माण = सकल स्थिर पूँजी निर्माण (मशीनरी + उपकरण + नया निर्माण + बौद्धिक संपदा) + सोना, चाँदी, प्लेटिनम, रत्न और पत्थर जैसी मूल्यवान धातुओं का शुद्ध अधिग्रहण + स्टॉक/इन्वेंट्री में परिवर्तन

अब जब कारखाने में एक वर्ष तक कार्य होता है तो इसमें टूट-फूट भी होती है जिसे मूल्यह्रास कहते हैं। मूल्यह्रास को भौतिक पूँजी के उपभोग के रूप में भी परिभाषित किया जाता है। उपरोक्त उदाहरण में एक लाख रुपए के पूँजीगत सामान से 700 रुपए की उपभोग वस्तुओं और 300 रुपए की पूँजीगत वस्तुओं का उत्पादन होता है, लेकिन इस उत्पादन प्रक्रिया के दौरान मान लीजिए फैक्ट्री में 50 रुपए की टूट-फूट होती है। इसका मतलब यह है कि 700 रुपए की उपभोग वस्तुओं और 300 रुपए की पूँजीगत वस्तुओं का उत्पादन करने पर अर्थव्यवस्था में पूँजीगत वस्तु का 50 रुपए का नुकसान होता है, अर्थात अर्थव्यवस्था में पूँजीगत वस्तु (निवेश) का शुद्ध उत्पादन 300 रुपए में से 50 रुपए घटाने पर प्राप्त होगा।

शुद्ध निवेश = सकल निवेश - मूल्यह्रास = 300 रुपए - 50 रुपए = 250 रुपए

निम्न चार्ट पिछले कुछ वर्षों में भारत के सकल स्थिर पूँजी निर्माण (निवेश) को दर्शाता है:

2015-16	2016-17	2017-18	2018-19	2019-20	2020-21	2021-22	2022-23	2023-24
28.70%	28.20%	28.20%	29.50%	28.50%	27.30%	29.60%	30.70%	30.80%

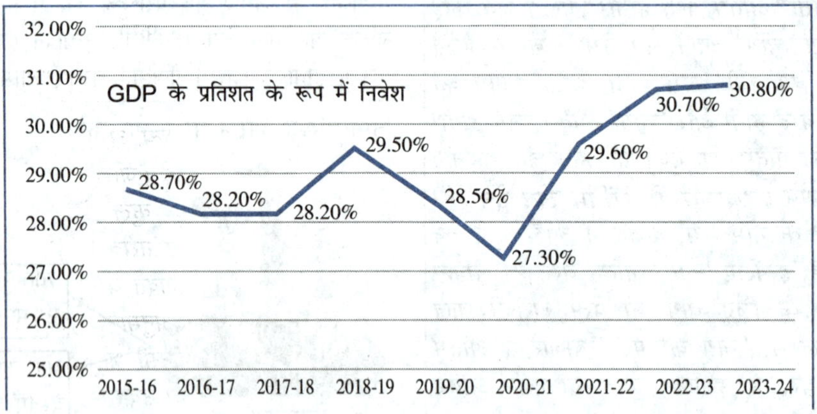

1.8 चक्राकार प्रवाह (Circular Flow)

मान लीजिये अर्थव्यवस्था में अभी कोई सरकारी और विदेशी या बाहरी क्षेत्र नहीं है और केवल निजी क्षेत्र और घरेलू क्षेत्र ही मौजूद हैं।

स्थिति I

मान लीजिए कि घरेलू क्षेत्र कुछ भी नहीं बचा रहा है और इसलिए निजी क्षेत्र द्वारा उत्पादित सभी वस्तुओं और सेवाओं का उपभोग घरेलू क्षेत्र द्वारा किया जाएगा। (पहले A चरण होगा, फिर B, फिर C और फिर D)

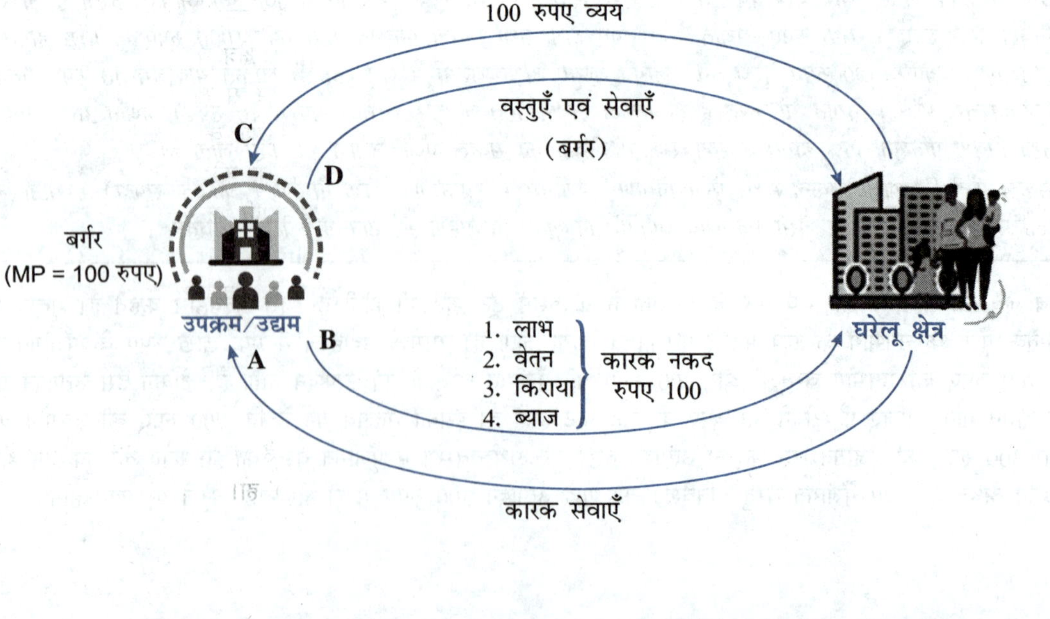

मान लीजिए उपक्रम बर्गर का उत्पादन करता है क्योंकि यह घरेलू क्षेत्र के लोगों की माँग है। बर्गर का उत्पादन करने के लिए उपक्रम को उद्यमी (उद्यम का मालिक), पूँजी (बर्गर बनाने की मशीन), प्राकृतिक संसाधन (भूमि और पानी और अन्य मध्यवर्ती वस्तुएँ गेहूँ, नमक आदि) और मजदूरों जैसे कुछ आगतों की आवश्यकता होगी। उद्यमी और मजदूर घरेलू क्षेत्र से संबंधित होते हैं। मान लीजिए कि पूँजी और प्राकृतिक संसाधन भी कुछ ऐसे व्यक्तियों द्वारा प्रदान किए जा रहे हैं जो घरेलू क्षेत्र से संबंधित हैं। अत: **ये सभी चार कारक सेवाएँ** (उद्यमी, पूँजी, प्राकृतिक संसाधन और श्रम) **घरेलू क्षेत्र से संबंधित व्यक्तियों द्वारा प्रदान की जा रही हैं** और जिन्हें उपरोक्त चित्र में तीर A द्वारा दर्शाया गया है।

इन इनपुट का उपयोग करके, मान लीजिए उद्यम एक बर्गर का उत्पादन करता है जिसे वह **बाजार में 100 रुपए** (बाजार मूल्य = 100 रुपए) **में बेचना चाहता है।** बर्गर की बिक्री से प्राप्त 100 रुपए **उन लोगों में वितरित किए जाएँगे जो चार कारक सेवाएँ प्रदान कर रहे हैं**, अर्थात उद्यमिता, श्रम, पूँजी और प्राकृतिक संसाधन। **चूँकि बर्गर का उत्पादन इन चार कारकों (आगतों) के योगदान से किया जा रहा है, इसलिए इसे बाजार में बेचने से प्राप्त 100 रुपए अंततः इन चार सेवा प्रदाताओं के बीच लाभ** (मान लीजिए 40 रुपए), मजदूरी/वेतन (10 रुपए), किराया (20 रुपए) और ब्याज (30 रुपए) के रूप में वितरित किए जाएँगे और घरेलू क्षेत्र में जाएँगे। इसलिए, **ब्याज, किराया, मजदूरी और लाभ को उत्पादित उत्पाद के मूल्य में जोड़ना चाहिए, अर्थात 100 रुपए।**

घरेलू क्षेत्र अब इस 100 रुपए (तीर C द्वारा) को उद्यम द्वारा उत्पादित 100 रुपए मूल्य के बर्गर को खरीदने के लिए खर्च करेगा और उद्यम घरेलू क्षेत्र को 100 रुपए का बर्गर वापस कर देगा (तीर D द्वारा)। वस्तुओं और सेवाओं के समग्र (कुल) मूल्य को दर्शाने वाली धनराशि एक चक्राकार तरीके से घूम रही है और इस प्रकार यह अर्थव्यवस्था में **आय के चक्राकार प्रवाह को** दर्शाती है।

ऊपर के दो तीर (C और D) वस्तुओं और सेवाओं के बाजार को दर्शाते हैं - तीर C वस्तुओं और सेवाओं के लिए भुगतान के प्रवाह को दर्शाता है, तीर D घरेलू क्षेत्र में वस्तुओं और सेवाओं के प्रवाह को दर्शाता है। आरेख के नीचे के दो तीर (A और B) इसी तरह उत्पादन के कारकों के बाजार को दर्शाते हैं। घरेलू क्षेत्र से फर्मों की ओर जाने वाला तीर A उन सेवाओं के बाजार को दर्शाता है जो घरेलू क्षेत्र उद्यमों को प्रदान कर रहे हैं और उद्यम इन सेवाओं का उपयोग उत्पादन के निर्माण के लिए कर रहे हैं। उद्यमों से घरेलू क्षेत्र की ओर जाने वाला तीर B घरेलू क्षेत्र द्वारा प्रदान की गई सेवाओं के लिए फर्मों द्वारा घरेलू क्षेत्र को किए गए भुगतान को दर्शाता है।

बर्गर का 100 रुपए मूल्य अर्थात उस वर्ष के लिए देश का सकल घरेलू उत्पाद (जीडीपी) कहा जाता है। चूँकि वस्तुओं और सेवाओं के कुल मूल्य का प्रतिनिधित्व करने वाली धनराशि चक्राकार तरीके से घूम रही है, अगर हम एक वर्ष के दौरान उत्पादित वस्तुओं और सेवाओं के कुल मूल्य (जीडीपी) का अनुमान लगाना चाहते हैं, तो हम आरेख में दिखाई गई किसी भी रेखा पर प्रवाह के वार्षिक मूल्य को माप सकते हैं। उदाहरण के लिए, यदि हम फर्मों द्वारा उत्पादित अंतिम वस्तुओं और सेवाओं के लिए प्राप्त व्यय के कुल मूल्य से जीडीपी को मापते हैं (रेखा C द्वारा) तो इस विधि को व्यय विधि कहा जाता है। यदि हम सभी फर्मों द्वारा उत्पादित अंतिम वस्तुओं और सेवाओं के कुल मूल्य को मापकर D पर प्रवाह को मापते हैं, तो इसे उत्पाद विधि (मूल्य वर्धित) कहा जाता है। यदि हम B पर कुल कारक भुगतान को मापते हैं तो इसे आय विधि कहा जाता है। इस प्रकार, हम कुल उत्पादन (जीडीपी) को तीन तरीकों से माप सकते हैं।

उपरोक्त मामले में, घरेलू क्षेत्र बर्गर का उत्पादन कर रहे थे और उसी बर्गर को उद्यम से खरीदकर उसका उपभोग कर रहे थे। वे उत्पादन प्रक्रिया के दौरान अर्जित अपनी सारी आय वस्तुओं और सेवाओं की खरीद पर खर्च कर रहे थे। वे बिल्कुल भी बचत नहीं कर रहे थे। **ऐसी स्थिति में, अर्थव्यवस्था में उत्पादन स्थिर रहेगा** अर्थात वे हर साल 100 रुपए का एक ही बर्गर बनाएँगे और उपभोग करेंगे। अब, मान लीजिए कि घरेलू क्षेत्र बर्गर की अपनी खपत बढ़ाना चाहते हैं। लेकिन यह तभी संभव होगा जब निजी क्षेत्र अर्थात उद्यम अधिक बर्गर का उत्पादन करेंगे। और बर्गर का उत्पादन तभी बढ़ाया जा सकता है जब अर्थव्यवस्था में अधिक बर्गर मशीनें (पूँजीगत वस्तुएँ) हों। **इसलिए, भविष्य में अधिक**

बर्गर का उत्पादन करने के लिए निजी क्षेत्र को पहले बर्गर बनाने वाली मशीनों का उत्पादन करना चाहिए।

आइए देखें कि यह कैसे संभव है।

स्थिति II

घरेलू क्षेत्र अब अपने उपभोग के उद्देश्य के लिए केवल 70 रुपए खर्च करने का फैसला करता है और अर्जित कुल 100 रुपए में से 30 रुपए बचाता है।

घरेलू क्षेत्र वही कारक सेवाएँ प्रदान करेगा (उनके द्वारा किए गए कार्य का मूल्य समान है अर्थात 100 रुपए) और उद्यम कुल 100 रुपए मूल्य की वस्तुओं का उत्पादन करेगा, लेकिन अब उद्यम 70 रुपए मूल्य के बर्गर (क्योंकि अब घरेलू क्षेत्र केवल 70 रुपए मूल्य के बर्गर का उपभोग करना चाहता है) और 30 रुपए मूल्य के अन्य वस्तु का उत्पादन करेगा। **तीर B द्वारा उद्यम घरेलू क्षेत्र को कारक भुगतान के रूप में 100 रुपए लौटाएगा। घरेलू** क्षेत्र तीर C के माध्यम से 70 रुपए खर्च करेगा और उद्यम तीर D के माध्यम से घरेलू क्षेत्र को 70 रुपए मूल्य के बर्गर लौटाएगा। इस बर्गर का घरेलू क्षेत्र द्वारा उपभोग किया जाएगा।

अब घरेलू क्षेत्र के पास 30 रुपए की बचत बची है (जिसे वे बैंकों जैसे वित्तीय संस्थान में जमा कर सकते हैं) और उद्यमों के पास 30 रुपए (पूँजीगत वस्तुएँ) हैं। निजी क्षेत्र में मौजूद अन्य उद्यम बैंकों से 30 रुपए उधार लेंगे (जिसे घरेलू क्षेत्र ने बैंकों में बचत के रूप में रखा है) और उद्यमों से 30 रुपए की पूँजीगत वस्तुएँ खरीदेंगे। *उद्यमों द्वारा उत्पादित 30 रुपए की वस्तुएँ प्रकृति में पूँजीगत वस्तुएँ होंगी और उपभोग की वस्तुएँ नहीं होंगी क्योंकि इसे निजी क्षेत्र के लिए उत्पादित किया गया है (न कि घरेलू क्षेत्र के लिए)।* पूँजीगत वस्तुएँ (जो बर्गर मशीन हो सकते हैं) के ये 30 रुपए भविष्य के वर्षों में बर्गर के उत्पादन को बढ़ाने में मदद करेंगे।

इसलिए, यदि घरेलू क्षेत्र 30 रुपए की बचत करेगा, तो अर्थव्यवस्था में पूँजीगत वस्तुओं का समान मूल्य उत्पादित होगा। **यदि घरेलू क्षेत्र केवल 60 रुपए की उपभोग वस्तुएँ खरीदता है और 40 रुपए बचाता है, तो उद्यम घरेलू क्षेत्र के लिए 60 रुपए की उपभोग वस्तुएँ उत्पादित करेंगे और शेष 40 रुपए की वस्तुएँ वे निजी क्षेत्र के लिए उत्पादित करेंगे जो पूँजीगत वस्तुएँ होंगी।** इसका अर्थ यह है कि, अर्थव्यवस्था में बचत पूँजीगत वस्तुओं के उत्पादन के बराबर है *(जब कोई सरकार और विदेशी/बाहरी क्षेत्र नहीं है)*। इसलिए, यदि कोई अर्थव्यवस्था अधिक पूँजीगत वस्तुओं का उत्पादन करना चाहती है, तो उसे अधिक बचत भी करनी होगी। अर्थव्यवस्था में जितनी अधिक बचत होगी, पूँजीगत वस्तुओं का उत्पादन भी उतना ही अधिक होगा। जैसा कि हम जानते हैं, अंतिम उत्पादन का वह हिस्सा जिसमें पूँजीगत वस्तुएँ शामिल हैं, उसे निवेश भी कहा जाता है, इसलिए बचत निवेश के बराबर होगी और बचत जितनी अधिक होगी, निवेश भी उतना ही अधिक होगा।

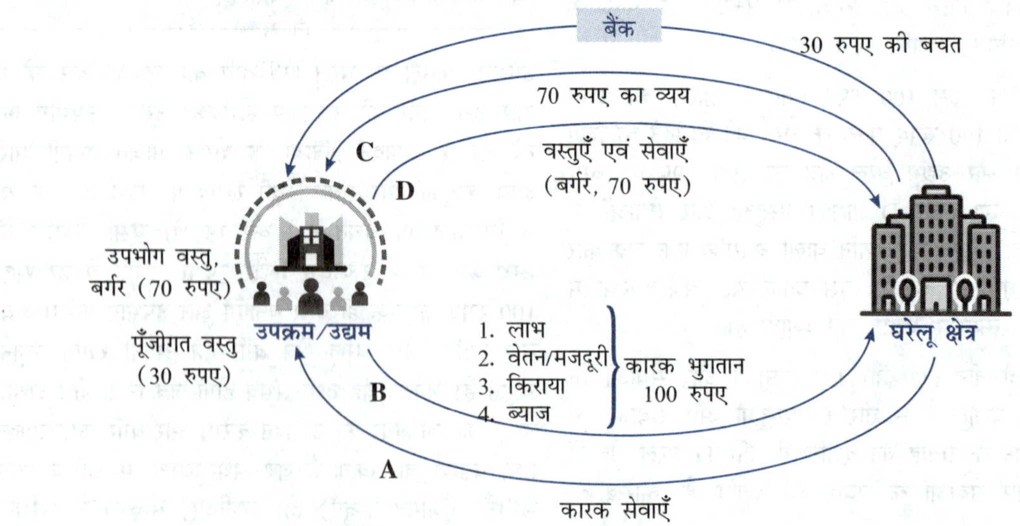

इससे ज्ञात होता है कि यदि कोई अर्थव्यवस्था भविष्य में अधिक वस्तुओं और सेवाओं का उत्पादन करना चाहती है, तो उसे पहले पूँजीगत वस्तुओं (अर्थात निवेश) का उत्पादन करना होगा, जिसका अर्थ है कि अर्थव्यवस्था को अधिक बचत करनी चाहिए। बचत जितनी अधिक होगी, अर्थव्यवस्था में पूँजीगत वस्तुओं का उत्पादन भी उतना ही अधिक होगा, जो अर्थव्यवस्था को उच्च विकास के पथ पर आगे बढ़ाएगा।

जब भारत को स्वतंत्रता मिली, तब हमारी अर्थव्यवस्था 95% उपभोग वस्तुओं और 5% पूँजीगत वस्तुओं का उत्पादन कर रही थी, अर्थात बचत केवल 5% थी। उस समय, हम लाखों भूखी आबादी की सेवा करने के लिए अर्थव्यवस्था के उत्पादन को बढ़ाना चाहते थे और इसलिए हमने अधिक बचत करना शुरू कर दिया। अधिक बचत से अर्थव्यवस्था में पूँजीगत वस्तुओं के उत्पादन में वृद्धि हुई, जिससे वस्तुओं और सेवाओं के उत्पादन में और वृद्धि हुई। 2019-20 में, भारत की बचत सकल घरेलू उत्पाद का लगभग 28% थी, जिसका अर्थ है कि भारत लगभग 72% उपभोग वस्तुओं और 28% पूँजीगत वस्तुओं अर्थात निवेश का उत्पादन कर रहा था। चीन लगातार अपनी अर्थव्यवस्था के कुल उत्पादन (जीडीपी) में से 40% से अधिक पूँजीगत वस्तुओं का उत्पादन करने में सक्षम रहा है, जिसने चीन को दुनिया की सबसे तेजी से बढ़ती अर्थव्यवस्थाओं में शामिल कर दिया है।

1.9 सकल घरेलू उत्पाद (Gross Domestic Product)

किसी देश के घरेलू क्षेत्र में निश्चित समयावधि (समान्यतया एक वित्तीय वर्ष) में उत्पादित वस्तुओं और सेवाओं के कुल अंतिम मूल्य को सकल घरेलू उत्पाद कहा जाता है। सकल घरेलू उत्पाद की गणना तीन तरीकों से की जा सकती है:

1. उत्पाद या मूल्य-वर्धित विधि

इस विधि में हम उत्पादित वस्तुओं और सेवाओं के कुल वार्षिक मूल्य की गणना करते हैं और इसे जानने के लिए हम किसी अर्थव्यवस्था में सभी फर्मों द्वारा उत्पादित सभी वस्तुओं और सेवाओं के मूल्य को जोड़ते हैं। आइए एक उदाहरण लेते हैं:

मान लीजिए कि अर्थव्यवस्था में केवल दो प्रकार के उत्पादक विद्यमान हैं। एक किसान है जो गेहूँ उपजाता है और दूसरा बेकर है जो रोटी बनाता है। मान लें कि गेहूँ पैदा करने वाले किसान को शारीरिक श्रम के अलावा किसी अन्य इनपुट की आवश्यकता नहीं होती है। मान लें कि किसान 100 रुपए का गेहूँ उपजाता है, जिसमें से वह 50 रुपए के गेहूँ का उपभोग करता है और 50 रुपए का गेहूँ बेकर को बेचता है। और मान लें कि बेकर को किसान से खरीदे गए 50 रुपए के गेहूँ के अलावा किसी अन्य आगत की आवश्यकता नहीं है। बेकर इस 50 रुपए के गेहूँ का पूरा उपयोग करता है और 200 रुपए की रोटी बनाता है।

किसान	50 रु.	+	50 रु. (उपभोग)	= 100 रु. गेहूँ का उत्पादन
	↓			
बेकर	खरीद	+	मूल्य-वर्धन	= 200 रु. की रोटी का उत्पादन

किसान ने 100 रुपए का गेहूँ उत्पादित किया है जिसके लिए उसे किसी इनपुट की सहायता की आवश्यकता नहीं थी। इसलिए सही मायने में किसान का योगदान या मूल्य संवर्धन पूरे 100 रुपए है। लेकिन बेकर द्वारा उत्पादित 200 रुपए की रोटी पूरी तरह से उसका अपना योगदान नहीं है क्योंकि इस रोटी को बनाने के लिए बेकर ने किसान से 50 रुपए का गेहूँ खरीदा है। इसलिए बेकर द्वारा जोड़ा गया मूल्य फर्म (बेकर) के उत्पादन के मूल्य - फर्म द्वारा उपयोग किए जाने वाले मध्यवर्ती माल के मूल्य के बराबर होगा।

चूँकि, अर्थव्यवस्था में केवल दो फर्म हैं, एक बेकर और दूसरा किसान, इसलिए जीडीपी की गणना करने के लिए हम इन दोनों फर्मों द्वारा किए गए मूल्य संवर्धन को जोड़ेंगे।

जीडीपी = बेकर द्वारा मूल्य संवर्धन + किसान द्वारा मूल्य संवर्धन

= (200 रुपए – 50 रुपए) + (100 रुपए)

= 150 रुपए + 100 रुपए

= 250 रुपए

किसान द्वारा किया गया मूल्य संवर्धन 100 रुपए है। मूल्य संवर्धन इस बात पर निर्भर नहीं करता कि किसान बाजार में गेहूँ बेच रहा है या खुद उपभोग कर रहा है। *मूल्य संवर्धन मूल रूप से 'किसी के काम से बाजार में मिलने वाला मूल्य/कीमत' है और इसमें लाभ भी शामिल है।*

मानक परिभाषा के अनुसार, जीडीपी अर्थव्यवस्था में उत्पादित सभी वस्तुओं और सेवाओं के अंतिम मूल्य के बराबर होनी चाहिए। इसलिए, हम उपरोक्त उदाहरण की जाँच कर सकते हैं।

जीडीपी = उत्पादित सभी वस्तुओं का अंतिम मूल्य

= गेहूँ का अंतिम मूल्य + रोटी का अंतिम मूल्य

= 50 रुपए + 200 रुपए

= 250 रुपए *(जो मूल्य-वर्धित विधि से गणना की गई उपरोक्त विधि के समान है)*

किसान द्वारा उत्पादित 100 रुपए के गेहूँ में से किसान द्वारा उपभोग किया गया केवल 50 रुपए का गेहूँ अंतिम वस्तु है। किसान द्वारा बेकर को 50 रुपए का बेचा गया गेहूँ एक मध्यवर्ती वस्तु है न कि अंतिम वस्तु।

2. व्यय विधि

जीडीपी की गणना करने का एक वैकल्पिक तरीका सभी क्षेत्रों के व्यय पक्ष को देखना है। अर्थव्यवस्था में जो भी वस्तुएँ और सेवाएँ उत्पादित की जाती हैं, उन्हें अंततः अर्थव्यवस्था के चार क्षेत्रों अर्थात घरेलू क्षेत्र, सरकारी क्षेत्र, निजी क्षेत्र और बाहरी क्षेत्र द्वारा खरीदा जाता है। इसलिए, यदि हम घरेलू क्षेत्र में फर्मों द्वारा उत्पादित अंतिम वस्तुओं और सेवाओं की खरीद पर इन चार क्षेत्रों द्वारा किए गए व्यय को जोड़ते हैं, तो यह देश के सकल घरेलू उत्पाद के बराबर होगा।

- घरेलू क्षेत्र केवल उपभोग्य वस्तुओं पर खर्च करता है (C' द्वारा दर्शाया गया)
- निजी क्षेत्र केवल पूँजीगत वस्तुओं (निवेश) पर खर्च करता है, कुछ अपवादों को छोड़कर जब फर्म अपने अतिथियों या अपने कर्मचारियों के लिए उपभोग्य वस्तुएँ खरीदती हैं (I' द्वारा दर्शाया गया)
- सरकारी क्षेत्र पूँजीगत और उपभोग दोनों वस्तुओं को खरीदता है (G' द्वारा दर्शाया गया)
- विदेशी/बाहरी क्षेत्र भी हमारी अर्थव्यवस्था से उपभोग और पूँजीगत दोनों वस्तुओं को खरीदता है, जिसे मूल रूप से भारत से निर्यात कहा जाता है (X द्वारा दर्शाया गया)।

$$\begin{aligned}
GDP &= C' + I' + G' + X \\
&= C - C_m + I - I_m + G - G_m + X \\
&= C + I + G + X - (C_m + I_m + G_m) \\
&= C + I + G + X - M
\end{aligned}$$

$$GDP = C + I + G + X - M$$

C', I' और G' सभी **घरेलू रूप से उत्पादित** अंतिम वस्तुओं पर व्यय हैं क्योंकि हम जीडीपी की गणना करने की कोशिश कर रहे हैं। और C, I और G तीनों क्षेत्रों द्वारा **घरेलू और आयातित दोनों** अंतिम वस्तुओं पर व्यय हैं।

- चूँकि C' घरेलू क्षेत्र द्वारा **घरेलू रूप से** उत्पादित उपभोग वस्तुओं पर व्यय है, इसलिए इसे घरेलू और आयातित दोनों उपभोग वस्तुओं पर व्यय (C) – आयातित उपभोग वस्तुओं पर व्यय (C_m) के रूप में भी लिखा जा सकता है $C - C_m$

  इसी तरह, $I - I_m$ **घरेलू रूप** से उत्पादित पूँजीगत वस्तुओं पर निजी क्षेत्र द्वारा व्यय को प्रदर्शित करेगा अर्थात निवेश व्यय; और
- $G - G_m$ **घरेलू रूप से उत्पादित** उपभोग और पूँजीगत वस्तुओं पर सरकारी क्षेत्र द्वारा व्यय को प्रदर्शित करेगा।
- और $C_m + I_m + G_m$ घरेलू, निजी और सरकारी क्षेत्र को मिलाकर देश द्वारा कुल आयात को प्रदर्शित करता है।

जीडीपी का उपरोक्त सूत्र इस प्रकार भी लिखा जा सकता है:

जीडीपी = निजी उपभोग (C) + निजी निवेश (I) +

सरकारी निवेश और उपभोग (G) + निर्यात (X) – आयात (M)

सकल घरेलू उत्पाद (जीडीपी) = [निजी उपभोग + सरकारी उपभोग] + [निजी निवेश + सरकारी निवेश] + निर्यात – आयात

सकल घरेलू उत्पाद (जीडीपी) = कुल उपभोग + कुल निवेश + निर्यात – आयात

सकल घरेलू उत्पाद (जीडीपी) में, प्रमुख घटक निजी उपभोग है जो जीडीपी का लगभग 60% है, सरकारी उपभोग लगभग 12% है, कुल निवेश लगभग 32% है और निर्यात-आयात लगभग -4% है।

जब सरकार और विदेशी क्षेत्र अर्थव्यवस्था में मौजूद होते हैं, तो बचत और निवेश अलग-अलग हो सकते हैं, लेकिन बचत में वृद्धि से आमतौर पर निवेश में वृद्धि होती है और चक्रीय प्रवाह हमेशा सही रहेगा।

घरेलू क्षेत्र को जो भी आय प्राप्त होती है, या तो वे इसे उपभोग के लिए खर्च करते हैं या इसे बचाते (S) हैं या करों (T) का भुगतान करते हैं।

इसलिए, सकल घरेलू उत्पाद (जीडीपी) $= C + S + T$

$C + I + G + X - M = C + S + T$

$I + G + X - M = S + T$

$\mathbf{(I - S) + (G - T) = M - X}$

यदि कोई सरकार नहीं है और कोई विदेशी/बाहरी क्षेत्र नहीं है, तो $G = T = M = X = 0$ *और इसलिए,* $\mathbf{I = S}$

3. आय विधि

यह पहले ही कहा जा चुका है कि अर्थव्यवस्था में उत्पादित अंतिम वस्तुओं का योग उत्पादन के सभी चार कारकों अर्थात मजदूरी, किराया, ब्याज और लाभ से प्राप्त आय के बराबर होना चाहिए। यह इस सरल विचार से निकलता है कि सभी फर्मों द्वारा अर्जित राजस्व को उन लोगों में वितरित किया जाना चाहिए जिन्होंने उत्पादन प्रक्रिया में योगदान दिया है जो मूल रूप से उत्पादन के चार कारक हैं - उद्यमिता, श्रम, पूँजी और प्राकृतिक संसाधन।

सकल घरेलू उत्पाद (जीडीपी)

= सभी फर्मों द्वारा अर्जित लाभ
+ सभी लगाई गई पूँजी से प्राप्त ब्याज
+ प्राकृतिक संसाधनों के लिए प्राप्त किराया
+ सभी मजदूरों द्वारा अर्जित मजदूरी

सकल घरेलू उत्पाद (जीडीपी)

= लाभ + ब्याज + किराया + मजदूरी

घरेलू क्षेत्र (आर्थिक क्षेत्र) की अवधारणा किसी देश के भौगोलिक या राजनीतिक क्षेत्र से अलग होती है। किसी देश के घरेलू क्षेत्र में निम्नलिखित शामिल होते हैं:

- *देश की राजनीतिक सीमाएँ, जिसमें उसका प्रादेशिक जल भी शामिल होता है।*
- *देश के निवासियों द्वारा दो या दो से अधिक देशों के बीच संचालित जहाज और विमान, उदाहरण के लिए, विभिन्न देशों के बीच एयर इंडिया की सेवाएँ।*
- *देश के निवासियों द्वारा अंतर्राष्ट्रीय जल में संचालित मछली पकड़ने के जहाज, तेल और प्राकृतिक गैस रिग और फ्लोटिंग प्लेटफॉर्म या ऐसे क्षेत्रों में निष्कर्षण में लगे हुए हैं जहाँ देश के पास संचालन के विशेष अधिकार हैं।*
- *अन्य देशों में स्थित देश के दूतावास, वाणिज्य दूतावास और सैन्य प्रतिष्ठान, उदाहरण के लिए, यू.एस.ए., जापान आदि में भारतीय दूतावास। इसमें अन्य देशों के सभी दूतावास, वाणिज्य दूतावास और सैन्य प्रतिष्ठान और भारत में स्थित अंतर्राष्ट्रीय संगठनों के कार्यालय शामिल नहीं हैं।*

इस प्रकार, घरेलू क्षेत्र को देश की राजनीतिक सीमाओं के रूप में परिभाषित किया जा सकता है, जिसमें देश के क्षेत्रीय जल, जहाज, विमान, देश के निवासियों द्वारा संचालित मछली पकड़ने वाले जहाज, विदेशों में स्थित दूतावास और वाणिज्य दूतावास आदि शामिल हैं।

1.10 एनएसओ द्वारा जीडीपी गणना पद्धति (GDP Calculation Methodology by NSO)

एनएसओ मूल्यवर्धित विधि और व्यय विधि दोनों द्वारा जीडीपी की गणना करता है। मूल्य वर्धित विधि के अंतर्गत, यह विभिन्न आर्थिक गतिविधियों द्वारा किए गए मूल्य वर्धन की गणना करता है जैसे:

- कृषि, वानिकी और मत्स्य पालन
- खनन और उत्खनन
- विनिर्माण
- बिजली, गैस, जल आपूर्ति और अन्य उपयोगिता सेवाएँ
- निर्माण
- व्यापार, होटल और परिवहन, और संचार और प्रसारण से संबंधित सेवाएँ
- वित्तीय, बीमा, अचल संपत्ति और पेशेवर सेवाएँ
- लोक प्रशासन और रक्षा और अन्य सेवाएँ

व्यय विधि के अंतर्गत, यह व्यय के विभिन्न घटकों को जोड़ता है जैसे:

- निजी (अंतिम) उपभोग व्यय *(यह मूल रूप से घरेलू व्यय है)* [60%]
- सरकारी (अंतिम) उपभोग व्यय [12%]
- सकल स्थिर पूँजी निर्माण (निजी और सरकारी का निवेश व्यय) [32%]
- शुद्ध निर्यात और आयात [-4%]

हालाँकि किसी भी तरफ से मापा गया जीडीपी समान होना चाहिए, क्योंकि निजी उपभोग व्यय के लिए विश्वसनीय आँकड़े उपलब्ध नहीं हैं।, जीडीपी को मापने के दो तरीकों में हमेशा अंतर होता है। अंतर को आमतौर पर जीडीपी को मापने के व्यय दृष्टिकोण में 'विसंगतियों' के रूप में रखा जाता है।

***भारत का जीडीपी** = सभी राज्यों का सकल घरेलू उत्पाद (एसजीडीपी) + रेलवे, रक्षा, केंद्रीय राजमार्ग आदि जैसी केंद्र विशिष्ट गतिविधियों से उत्पादन + अन्य देशों में स्थित दूतावास + अंतरराष्ट्रीय जल क्षेत्र में देश के निवासियों द्वारा संचालित मछली पकड़ने के जहाज, तेल और प्राकृतिक गैस रिग, फ्लोटिंग प्लेटफॉर्म आदि।*

1.11 समष्टि अर्थशास्त्र चर (Macroeconomic Variables)

सकल घरेलू उत्पाद (जीडीपी) एक वर्ष के दौरान देश के घरेलू क्षेत्र में होने वाले अंतिम वस्तुओं और सेवाओं के कुल उत्पादन को मापता है। लेकिन यह संभव हो सकता है कि भारत के भीतर काम करने वाले विदेशी नागरिकों ने उस जीडीपी उत्पादन में योगदान दिया हो।

इसलिए, अब हम केवल भारतीय निवासियों द्वारा भारत या विदेश में किए गए उत्पादन/आय को मापते हैं, जिसे सकल राष्ट्रीय उत्पाद (जीएनपी) कहा जाता है। जीएनपी वह आय या उत्पाद है जो आर्थिक अभिकर्ताओं को प्राप्त होता है जो **देश के निवासियों** (जैसे, अनिवासी भारतीयों (एनआरआई) द्वारा अर्जित आय भारत के जीएनपी का हिस्सा नहीं होगी)

जीएनपी की गणना करने के लिए, हम जीडीपी में विदेशों से भारतीयों की कारक आय जोड़ते हैं और भारत के जीडीपी में विदेशियों के योगदान को घटाते हैं।

सकल राष्ट्रीय उत्पाद (जीएनपी) =	जीडीपी + शेष विश्व में नियोजित घरेलू उत्पादन कारकों द्वारा अर्जित कारक आय - घरेलू अर्थव्यवस्था में नियोजित शेष विश्व के उत्पादन कारकों द्वारा अर्जित कारक आय

जीएनपी = जीडीपी + विदेश से शुद्ध कारक आय (NFAI)

*साधन आय मूल रूप से उत्पादन के चार कारकों अर्थात लाभ, किराया, ब्याज और मजदूरी द्वारा अर्जित आय है, लेकिन इसमें हस्तांतरण भुगतान शामिल नहीं होता है। इस प्रकार, जीएनपी **जीडीपी** और **कारक आय** का योग है और इसमें शेष विश्व से प्राप्त हस्तांतरण भुगतान (मुफ्त धन) शामिल नहीं है (उदाहरण के लिए वित्त-प्रेषण)।*

राष्ट्रीय व्यय योग्य आय = राष्ट्रीय आय + शेष विश्व से हस्तांतरण भुगतान

प्रस्तुत चित्र विभिन्न समष्टि आर्थिक चरों के बीच संबंधों का आरेखीय निरूपण प्रस्तुत करता है।

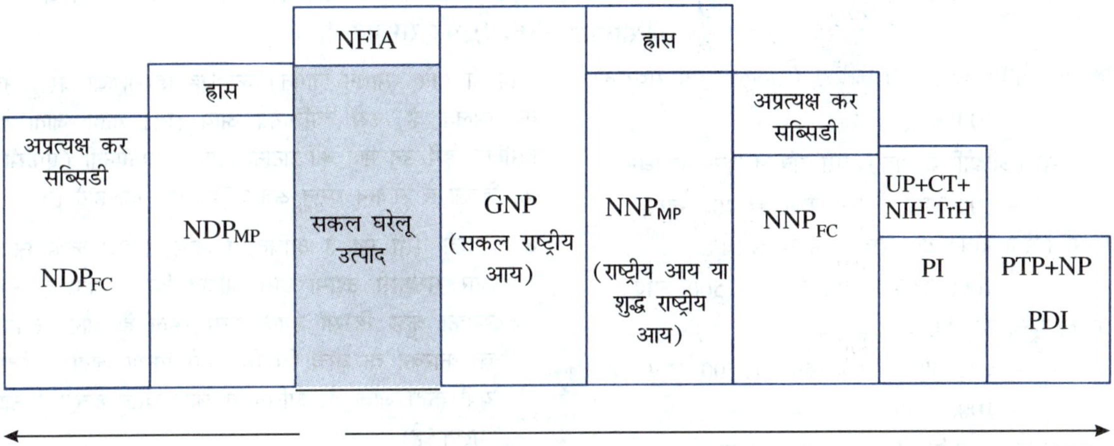

सकल घरेलू उत्पाद (जीडीपी) + एनएफआईए = सकल राष्ट्रीय उत्पाद (जीएनपी)

सकल घरेलू उत्पाद (जीडीपी) – मूल्यह्रास = शुद्ध घरेलू उत्पाद (एनडीपी)

सकल राष्ट्रीय उत्पाद (जीएनपी) – मूल्यह्रास = शुद्ध राष्ट्रीय उत्पाद (एनएनपी)

'सकल राष्ट्रीय उत्पाद (जीएनपी) को सकल राष्ट्रीय आय भी कहा जाता है; और शुद्ध राष्ट्रीय उत्पाद (एनएनपी) को शुद्ध राष्ट्रीय आय या सिर्फ राष्ट्रीय आय भी कहा जाता है।'

आइए साधन लागत और बाजार कीमतों को समझने की कोशिश करें

मान लीजिए कुछ लोगों ने बर्गर बनाया और वे इसे बाजार में 100 रुपए में बेचना चाहते हैं यानी वे बर्गर बनाने में अपनी मेहनत के लिए 100 रुपए चाहते हैं। इसका अर्थ है कि बर्गर की कुल **साधन लागत** जो कि लाभ + ब्याज + किराया + मजदूरी के बराबर है, 100 रुपए के बराबर होगी। तो इस मामले में **साधन लागत** पर जीडीपी 100 रुपए के बराबर होगी।

लेकिन जब वे बर्गर बेचने के लिए बाजार गए तो सरकार ने बर्गर पर 10 रुपए का अप्रत्यक्ष कर लगा दिया। इस प्रकार अब उन्हें बाजार में बर्गर 110 रुपए की कीमत पर बेचना होगा, ताकि वे बाजार से 110 रुपए प्राप्त कर सकें जिसमें से वे 100 रुपए अपने पास रखेंगे **(साधन लागत)** और 10 रुपए सरकार को कर के रूप में देंगे।

इस प्रकार, बाजार मूल्य = साधन लागत + अप्रत्यक्ष कर
= 100 रुपए + 10 रुपए
= 110 रुपए

इसी तरह, अगर सरकार सब्सिडी देती है, तो बाजार मूल्य = साधन लागत – सब्सिडी

इस तरह, बाजार मूल्य = साधन लागत + (अप्रत्यक्ष कर – सब्सिडी)

आइए मूल्य-वर्धित विधि (value-added method) का एक और उदाहरण लेते हैं।

मान लीजिए कि एक किसान ने 100 रुपए में गेहूँ बेचा, जिसे आईटीसी ने खरीदा और गेहूँ को आटे (आशीर्वाद आटा) में बदल दिया और इसे 500 रुपए में एक रेस्तराँ में बेच दिया। रेस्तराँ ने आटे को रोटी में बदल दिया और एक ग्राहक को 1000 रुपए में रोटी बेची। ग्राहक ने कुल 1100 रुपए (अर्थात 1000 रुपए और 10% कर) का भुगतान किया।

अगर हमें बाजार मूल्य पर जीडीपी की गणना करनी है, तो पहले हम साधन लागत/मूल कीमतों पर सकल मूल्य संवर्धन (जीवीए) की गणना करेंगे और फिर अलग से कर-सब्सिडी जोड़ेंगे।

GDP_{MP} = $GVA_{\text{साधन लागत/आधार कीमतें}}$ + अप्रत्यक्ष कर – सब्सिडी

किसान (कृषि क्षेत्र) द्वारा जीवीए (सकल मूल्य संवर्धन)
= 100 रुपए

आईटीसी (औद्योगिक क्षेत्र) द्वारा सकल मूल्य संवर्धन
= 500 रुपए – 100 रुपए = 400 रुपए

रेस्तराँ (सेवा क्षेत्र) द्वारा सकल मूल्य संवर्धन
= 1000 रुपए – 500 रुपए = 500 रुपए

सकल मूल्य $\text{संवर्धन}_{\text{लागत/आधार कीमतें}}$
= 100 रुपए + 400 रुपए + 500 रुपए
= 1000 रुपए

अप्रत्यक्ष कर – सब्सिडी = 100 रुपए

GDP_{MP} = 1100 रुपए

> वास्तव में, सकल मूल्य $\text{संवर्धन}_{\text{आधार कीमतों}}$ और सकल मूल्य $\text{संवर्धन}_{\text{साधन लागत}}$ के बीच थोड़ा अंतर है।
>
> $GVA_{\text{आधार कीमतें}}$ = $GVA_{\text{साधन लागत}}$ + उत्पादन कर – उत्पादन सब्सिडी
>
> GDP_{MP} = $GVA_{\text{आधार कीमतें}}$ + उत्पाद कर – उत्पाद सब्सिडी
>
> भूमि राजस्व एक तरह का उत्पादन कर है और रेलवे सब्सिडी एक तरह की उत्पादन सब्सिडी है। उत्पादन कर और उत्पादन सब्सिडी वास्तविक उत्पादन की मात्रा से अलग है।
>
> उत्पादन कर – उत्पादन सब्सिडी अन्य मापदंडों की तुलना में नगण्य है, इसलिए हम इसे अनदेखा कर सकते हैं और इसलिए सभी व्यावहारिक उद्देश्यों के लिए, हम कह सकते हैं कि
>
> जीवीए $(GVA)_{\text{आधार कीमतें}}$ = $\text{जीवीए}_{\text{साधन लागत}}$

*भारत **में (जनवरी 2015 के बाद से)** हम जीडीपी की गणना साधन लागत के बजाय बाजार मूल्य पर करते हैं। जिस तरह से हम बाजार मूल्य और साधन लागत पर जीडीपी की गणना कर रहे हैं, उसी तरह एनडीपी की गणना भी बाजार मूल्य और **साधन लागत** पर की जा सकती है और जीएनपी और एनएनपी को भी बाजार मूल्य और **साधन लागत** पर मापा जा सकता है।*

आइए व्यक्तिगत आय (PI) और व्यक्तिगत प्रयोज्य आय (PDI) को समझते हैं

एनएनपी (FC-साधन लागत) का वह हिस्सा जो घरेलू क्षेत्र को मिलता है, उसे व्यक्तिगत आय (PI) कहा जाता है। इसलिए, हमें उन मदों को घटाना होगा जो एनएनपी (एफसी) का हिस्सा हैं लेकिन घरेलू क्षेत्र में शामिल नहीं होते हैं।

- पहली ऐसी मद है अवितरित लाभ (UP)। लाभ निजी और सरकारी उद्यमों द्वारा अर्जित किया जाता है और इसका कुछ हिस्सा उनके पास रहता है और उत्पादन के कारकों के बीच वितरित नहीं किया जाता है जिसे यूपी कहा जाता है। अवितरित लाभ घरेलू क्षेत्र को नहीं मिलता है।
- इसी तरह, निगम कर, जो फर्मों द्वारा की गई कमाई पर लगाया जाता है, उसे भी एनएनपी (FC) से घटाना होगा, क्योंकि यह घरेलू क्षेत्र को नहीं मिलता है।
- घरेलू क्षेत्र को निजी उद्यमों और सरकार से उनके द्वारा दिए गए पिछले ऋणों पर ब्याज भुगतान प्राप्त होता है। और घरेलू क्षेत्र को फर्मों और सरकार को भी ब्याज देना पड़ सकता है, अगर उन्होंने दोनों में से किसी से भी पैसे उधार लिए हों। इसलिए, हमें घरेलू क्षेत्र द्वारा फर्मों और सरकार (एनआईएच) को दिए गए शुद्ध ब्याज को घटाना होगा।
- घरेलू क्षेत्र को सरकार और फर्मों से हस्तांतरण भुगतान प्राप्त होता है (उदाहरण के लिए पेंशन, छात्रवृत्ति, पुरस्कार आदि) जिन्हें परिवारों की व्यक्तिगत आय की गणना करने के लिए जोड़ना होगा।

इस प्रकार, व्यक्तिगत आय (PI) = NNP (FC) – अवितरित लाभ (UP) – निगम कर (CT) – घरेलू क्षेत्र द्वारा किए गए शुद्ध ब्याज भुगतान (NIH) + सरकार और फर्मों द्वारा घरेलू क्षेत्र को किए गए हस्तांतरण भुगतान (TrH)

हालाँकि, व्यक्तिगत आय (PI) भी वह आय नहीं है जिस पर परिवारों का पूरा नियंत्रण होता है। उन्हें व्यक्तिगत आय (PI) से कर चुकाना पड़ता है। यदि हम व्यक्तिगत आय (PI) से व्यक्तिगत आयकर भुगतान और गैर-कर भुगतान (जैसे जुर्माना) घटाते हैं, तो हमें व्यक्तिगत प्रयोज्य आय (PDI) प्राप्त होती है।

इस प्रकार, व्यक्तिगत प्रयोज्य आय (PDI) = व्यक्तिगत आय (PI) – व्यक्तिगत कर भुगतान (PTP) – गैर-कर भुगतान (NP)

व्यक्तिगत प्रयोज्य आय परिवारों की होती है, जिसमें से कुछ हिस्सा वे उपभोग कर सकते हैं और बाकी वे बचा सकते हैं।

प्रति व्यक्ति सकल घरेलू उत्पाद (Per capita GDP):

यदि किसी विशेष वर्ष जैसे 2020-21 में देश की जनसंख्या P है और सकल घरेलू उत्पाद Y है, तो प्रति व्यक्ति सकल घरेलू उत्पाद Y/P होगा। अब, अगर हमारे देश की जनसंख्या वृद्धि 1% (2021-22 में) है और देश की जीडीपी वृद्धि 8% (2021-22 में) है, तो 2021-22 में प्रति व्यक्ति जीडीपी (1.08 Y)/(1.01 P) = 1.069 Y/P होगी। इसलिए, प्रतिशत के अनुसार 2021-22 में प्रति व्यक्ति जीडीपी **वृद्धि** 6.9% होगी।

वर्ष	2020-21		2021-22
जी डी पी	Y		1.08 Y
जनसंख्या	P		1.01 P
प्रति व्यक्ति जी डी पी	Y/P		1.088 Y/ 1.01 P
प्रति व्यक्ति जी डी पी वृद्धि		1.08/1.01 (=6.9%)	

1.12 सांकेतिक और वास्तविक जीडीपी (Nominal and Real GDP)

वास्तविक जीडीपी वृद्धि केवल **मात्रा में** वृद्धि को मापती है और सांकेतिक जीडीपी **मूल्य** में वृद्धि को मापती है (जिसमें मात्रा और मूल्य दोनों शामिल होते हैं)।

अब, मान लीजिए कि एक अर्थव्यवस्था गेहूँ और चावल का उत्पादन करती है। उत्पादित मात्रा और बाजार मूल्य निम्न तालिका में दिए गए हैं।

	2011-12	2012-13	2013-14	2014-15
गेहूँ	*10 किग्रा. × 10 रु./किग्रा.*	*11 किग्रा. × 10.5 रु./किग्रा.*	*12 किग्रा. × 11 रु./किग्रा.*	*12.5 किग्रा. × 12 रु./किग्रा.*
चावल	*8 किग्रा. × 12 रु./किग्रा.*	*9 किग्रा. × 12.5 रु./किग्रा.*	*10 किग्रा. × 13 रु./किग्रा.*	*10.5 किग्रा. × 13.5 रु./किग्रा.*
सांकेतिक जीडीपी	*10 × 10 + 8 × 12 = 196 रु.*	*11 × 10.5 + 9 × 12.5 = 228 रु.*	*12 × 11 + 10 × 13 = 262 रु.*	*12.5 × 12 + 10.5 × 13.5 = 291.75 रु.*
वास्तविक जीडीपी की गणना के लिए हम किसी भी वर्ष की कीमत को स्थिर मानते हैं और उसे आधार वर्ष घोषित करते हैं। तो, मान लीजिए कि हम 2011-12 को आधार वर्ष घोषित करते हैं तो हम आगामी वर्षों में वास्तविक सकल घरेलू उत्पाद की गणना करने के लिए अगले सभी वर्षों में गेहूँ की कीमत स्थिर रूप में 10 रुपए किलोग्राम और चावल की कीमत 12 रुपए किलोग्राम लेंगे।				
वास्तविक GDP	10 × **10** + 8 × **12** = 196 रु.	11 × **10** + 9 × **12** = 218 रु.	12 × **10** + 10 × **12** = 240 रु.	12.5 × **10** + 10.5 × **12** = 251 रु.

जनवरी 2015 से सांख्यिकी और कार्यक्रम कार्यान्वयन मंत्रालय (MoSPI) के तहत राष्ट्रीय सांख्यिकी कार्यालय (NSO) ने जीडीपी की गणना के लिए आधार वर्ष को बदलकर 2011-12 कर दिया है। इसलिए, यदि हम 2014-15 के लिए भारत के वास्तविक जीडीपी की गणना करना चाहते हैं, तो हमें 2014-15 में उत्पादित मात्रा और 2011-12 (आधार वर्ष) की कीमतें माननी होंगी। और यदि हम 2014-5 के सांकेतिक जीडीपी की गणना करना चाहते हैं, तो हमें 2014-15 में उत्पादित मात्रा और उसी वर्ष अर्थात 2014-15 के बाजार मूल्य मानने होंगे।

2015 से पहले, राष्ट्रीय सांख्यिकी कार्यालय जीडीपी की गणना करने के लिए बाजार मूल्यों का उपयोग नहीं कर रहा था, बल्कि यह अप्रत्यक्ष करों और सब्सिडी को छोड़कर साधन लागत जैसे, बाजार मूल्य का उपयोग कर रहा था। अब, वैश्विक सर्वोत्तम प्रथाओं और बाजार मूल्यों पर जीडीपी के आधार पर विश्व आर्थिक मंच (IMF) के विश्व आर्थिक आउटलुक अनुमानों के अनुसार, भारत ने बाजार मूल्यों पर जीडीपी गणना की अपनी पद्धति बदल दी है।

भारत में **आर्थिक विकास** को **वास्तविक सकल घरेलू उत्पाद** अर्थात **स्थिर** बाजार मूल्यों पर सकल घरेलू उत्पाद द्वारा मापा जाता है।

उपरोक्त तालिका पर एक बार फिर से विचार करें।

	2011-12		2012-13		2013-14		2014-15
सांकेतिक जी.डी.पी.	196 रु.		228 रु.		262 रु.		291.75 रु.
सांकेतिक जी.डी.पी. में परिवर्तन		16.3%		14.9%		11.4%	
वास्तविक जी.डी.पी.	196 रु.		218 रु.		240 रु.		251 रु.
वास्तविक जी.डी.पी. में परिवर्तन		11.2%		10.1%		4.6%	

इसलिए, 2011-12 से 2012-13 तक आर्थिक वृद्धि को वास्तविक जीडीपी (सांकेतिक जीडीपी नहीं) में परिवर्तन से मापा जाएगा जो 11.2% है।

उपर्युक्त उदाहरण में, सांकेतिक जी.डी.पी. 2011-12 से 2014-15 तक लगातार बढ़ रही है, लेकिन 'वास्तविक जीडीपी में परिवर्तन' 11.2% से घटकर 4.6% हो गया है। (और सांकेतिक जी.डी.पी. के लिए भी यही सत्य है)। ऊपर आर्थिक वृद्धि का मामला है क्योंकि **वास्तविक जीडीपी** बढ़ रही है।

एनएसओ द्वारा जारी नवीनतम अनुमानों के अनुसार, वर्तमान बाजार मूल्य (नाममात्र) पर भारत की जीडीपी 2023-24 के लिए लगभग **295 लाख करोड़ रुपए** है, जबकि 2022-23 में यह 270 लाख करोड़ रुपए थी, तथा 9.6 प्रतिशत की (नाममात्र) वृद्धि को दर्शाता है।

वर्तमान बाजार मूल्य (सांकेतिक) पर भारत का सकल राष्ट्रीय उत्पाद 2023-24 के दौरान लगभग **291 लाख करोड़** रुपए है।

वर्ष 2023-24 में स्थिर बाजार मूल्य (2011-12) पर भारत की जीडीपी लगभग 174 लाख करोड़ रुपए है, जबकि 2022-23 में यह 161 लाख करोड़ रुपए थी, जो 8.2 प्रतिशत की वृद्धि दर्शाता है।

निम्नलिखित चार्ट पिछले कुछ वर्षों में भारत की वास्तविक जीडीपी वृद्धि दर को दर्शाता है :

2015-16	2016-17	2017-18	2018-19	2019-20	2020-21	2021-22	2022-23	2023-24
8.00%	8.30%	6.80%	6.50%	3.90%	–5.80%	9.10%	7.00%	8.20%

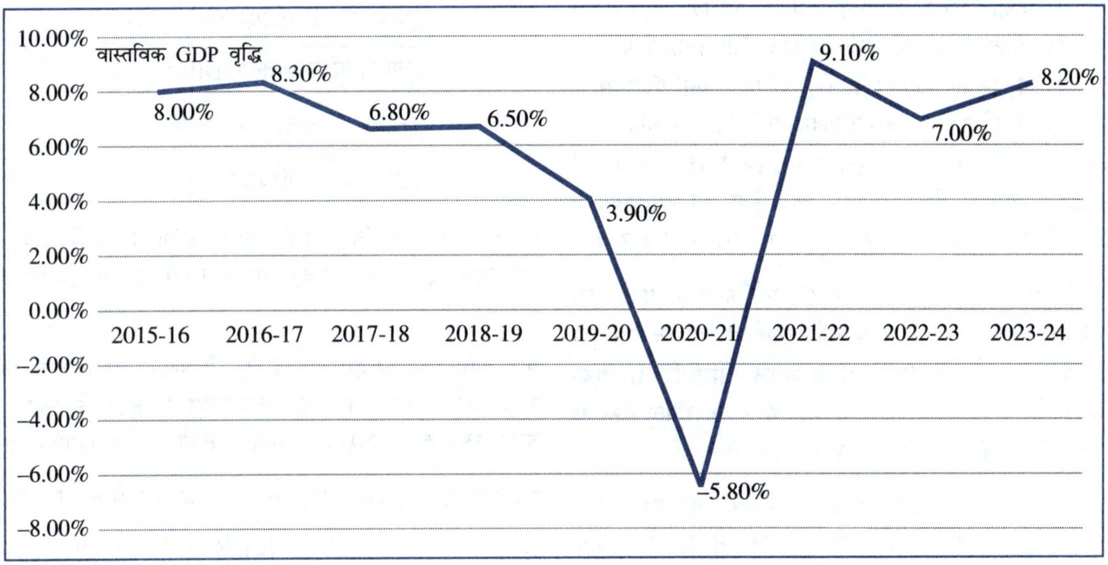

1.13 उत्पादकता, पूँजी उत्पादन अनुपात और आईसीओआर (Productivity, Capital Output Ratio and ICOR)

सबसे पहले हम औसत उत्पादकता और सीमांत उत्पादकता की सामान्य अवधारणा को समझते हैं।

1 एकड़ भूमि
5 श्रमिक
2 टन उत्पादन

यदि एक एकड़ भूमि 2 टन खाद्यान्न पैदा करती है, तो;

भूमि की उत्पादकता

$$= \frac{\text{आउटपुट}}{\text{इनपुट (भूमि)}} = \frac{2 \text{ टन}}{1 \text{ एकड़}} = 2 \text{ टन/एकड़}$$

श्रमिक की उत्पादकता

$$= \frac{\text{आउटपुट}}{\text{इनपुट (श्रमिक)}} = \frac{2 \text{ टन}}{5 \text{ श्रमिक}} = 0.4 \text{ टन/श्रमिक}$$

उपर्युक्त दोनों मूल रूप से **औसत** उत्पादकता हैं।

यदि एक अतिरिक्त श्रमिक जोड़ने पर उत्पादन में 0.2 टन की वृद्धि होती है, तो

श्रम की **सीमांत** उत्पादकता

$$= \frac{\text{उत्पादन में परिवर्तन}}{\text{श्रमिक में परिवर्तन}} = \frac{0.2 \text{ टन}}{1 \text{ श्रमिक}}$$

$$= 0.2 \text{ टन/श्रमिक}$$

इसी तरह, हम पूँजी की उत्पादकता की गणना कर सकते हैं $= \frac{\text{उत्पादन}}{\text{पूँजी}}$

पूँजी की उत्पादकता जितनी अधिक होगी, यह अर्थव्यवस्था के लिए उतना ही अच्छा होगा।

'पूँजी की उत्पादकता' का व्युत्क्रम पूँजी/उत्पादन अनुपात है। पूँजी उत्पादन अनुपात पूँजी और उत्पादन का अनुपात है। यह मापता है कि उत्पादन की प्रति इकाई में कितनी पूँजी की आवश्यकता है। इसलिए, यदि उत्पादन की प्रति इकाई में अधिक पूँजी की आवश्यकता होती है, तो पूँजी की दक्षता कम होती है। इसलिए, यह पूँजी की (औसत) दक्षता को भी मापता है (लेकिन यह उत्पादकता/दक्षता का व्युत्क्रम है)।

$$\text{पूँजी उत्पादन अनुपात} = \frac{\text{पूँजी}}{\text{उत्पादन}}$$

उत्पादन पूँजी/उत्पादन अनुपात जितना अधिक होगा, यह अर्थव्यवस्था के लिए सही नहीं है। यदि पूँजी/उत्पादन अनुपात 3/1 है, तो इसका मतलब है कि 3 रुपए की पूँजी से 1 रुपए की इकाई उत्पादन का उत्पादन होता है। और यदि पूँजी/उत्पादन अनुपात 4/1 है, तो इसका मतलब है कि 1 रुपए की इकाई उत्पादन के लिए 4 रुपए की पूँजी की आवश्यकता है। इसलिए, अर्थव्यवस्था के लिए 3/1, 4/1 से बेहतर है।

हमने पूँजी/उत्पादन अनुपात मापा क्योंकि हम पूँजी की उत्पादकता को मापने में रुचि **नहीं** रखते हैं, बल्कि हम यह जानना चाहते हैं कि **भारत में उत्पादन/जीडीपी की एक इकाई (एक रुपया) का उत्पादन करने के लिए कितनी (औसत) पूँजी की आवश्यकता होती है।**

हमारा लक्ष्य चर **'उत्पादन/जीडीपी'** है और हम हमेशा यह जानने में रुचि रखते हैं कि अगर हमें उत्पादन की एक इकाई का उत्पादन करना है तो कितनी पूँजी की आवश्यकता होगी।

इसलिए, अब हम यह जानना चाहते हैं कि उत्पादन की **एक नई/अतिरिक्त पूँजी** (रुपए में) बढ़ाने के लिए कितनी नई/अतिरिक्त पूँजी (मूल्य/रुपए में) की आवश्यकता होगी। ऐसा इसलिए है क्योंकि जब भी कोई नई सरकार आती है, तो वह नए निवेश को आकर्षित करने की कोशिश करती है और इसलिए यह जानने में अधिक रुचि रखती है कि अगर उसे जीडीपी को **एक अतिरिक्त इकाई** से बढ़ाना है तो कितनी **अतिरिक्त पूँजी** की आवश्यकता होगी। और इसके लिए हमारे पास **वृद्धिशील पूँजी उत्पादन अनुपात** (ICOR) नामक एक और शब्द है। *(हमारा लक्ष्य चर जीडीपी/उत्पादन है, इसलिए हम/सरकार हमेशा यह जानना चाहते हैं कि उत्पादन की एक अतिरिक्त इकाई का उत्पादन करने के लिए कितनी अतिरिक्त पूँजी की आवश्यकता होगी)।*

वृद्धिशील पूँजी उत्पादन अनुपात (ICOR) को इस प्रकार परिभाषित किया जाता है कि उत्पादन की एक **अतिरिक्त** इकाई का उत्पादन करने के लिए कितनी **अतिरिक्त** पूँजी की आवश्यकता होगी।

$$\text{ICOR} = \frac{\text{पूँजी में परिवर्तन}}{\text{उत्पादन में परिवर्तन}}$$

$$= \frac{(\text{पूँजी में परिवर्तन/GDP})}{(\text{उत्पादन में परिवर्तन/GDP})}$$

$$= \frac{\text{जीडीपी में निवेश \%}}{\text{जीडीपी में \% परिवर्तन}}$$

ICOR दर्शाता है कि किसी देश में उत्पादन के लिए **नई/अतिरिक्त पूँजी** का कितनी कुशलता से उपयोग किया जा रहा है।

यदि भारत का ICOR = 5 है, तो इसका मतलब है कि भारत को 1 रुपए का अतिरिक्त उत्पादन करने के लिए 5 रुपए मूल्य के अतिरिक्त पूँजीगत वस्तुओं की आवश्यकता है।

जीडीपी में निवेश% = 'ICOR' × "जीडीपी में % परिवर्तन"

उपर्युक्त सूत्र से, यदि हमारा ICOR 5 है और हम 8% की आर्थिक वृद्धि चाहते हैं तो हमें 40% निवेश करना होगा। लेकिन अगर किसी तरह, हम अपने ICOR को 4 तक कम करने में सक्षम होते हैं (स्वयं को अधिक कुशल बनाकर) तो हम केवल 32% निवेश के साथ वही 8% आर्थिक वृद्धि प्राप्त कर सकते हैं।

वृद्धिशील पूँजी उत्पादन अनुपात एक व्यापक अभिव्यक्ति है। **यह शासन, श्रम की गुणवत्ता जैसे कई कारकों पर निर्भर करता है जो पुनः शिक्षा और कौशल विकास के स्तर और प्रौद्योगिकी आदि पर निर्भर करता है।** उदाहरण के लिए, यदि श्रमिक कुशल नहीं है और वह मशीनों का ठीक से उपयोग करने में सक्षम नहीं है, तो हमारा उत्पादन कम होगा और मशीन/पूँजी में कोई समस्या न होने पर भी हमारा ICOR बढ़ेगा।

1.14 संभावित जीडीपी (Potential GDP)

संभावित जीडीपी उन वस्तुओं और सेवाओं का वास्तविक मूल्य है जो किसी देश के उत्पादन के कारकों के पूरी तरह से उपयोग में आने पर उत्पादित की जा सकती हैं। यह उत्पादन का अधिकतम संधारणीय स्तर है जिसे कोई अर्थव्यवस्था उत्पादित कर सकती है। जब कोई अर्थव्यवस्था अपनी क्षमता (प्रवृत्ति) पर काम कर रही होती है, तो श्रम शक्ति और पूँजी स्टॉक का उपयोग उच्च स्तर पर होता है।

संभावित उत्पादन अर्थव्यवस्था की उत्पादक क्षमता से

निर्धारित होता है जो उपलब्ध आगतों (पूँजी, भूमि, श्रम आदि) और अर्थव्यवस्था की तकनीकी दक्षता पर निर्भर करता है। संभावित जीडीपी धीरे-धीरे बढ़ती है क्योंकि श्रम और पूँजी जैसी आगतें और प्रौद्योगिकी का स्तर समय के साथ बहुत धीरे-धीरे बदलता है।

संभावित जीडीपी वृद्धि भी समय के साथ धीरे-धीरे बदलती रहती है, जो राजनीतिक व्यवस्था, शासन, बुनियादी ढाँचे, लोगों के स्वास्थ्य और शिक्षा, पूँजी के उपयोग आदि जैसे विभिन्न कारकों पर निर्भर करती है। आर्थिक सर्वेक्षण 2015–16 के अनुसार, हमारे देश की संभावित जीडीपी वृद्धि 8% से 10% के बीच है।

वास्तविक जीडीपी व्यापार चक्र के उतार-चढ़ाव पर निर्भर है, यानी उतार-चढ़ाव के चक्र पर। मंदी के दौरान, वास्तविक जीडीपी संभावित स्तर से नीचे गिर जाती है और उछाल के दौरान, वास्तविक जीडीपी संभावित जीडीपी स्तर से ऊपर उठ जाती है।

तकनीकी रूप से, मंदी को देश के वास्तविक जीडीपी द्वारा मापी गई नकारात्मक आर्थिक वृद्धि की (कम से कम) दो लगातार तिमाहियों के रूप में परिभाषित किया जाता है। मंदी कुल उत्पादन, आय और रोजगार में महत्त्वपूर्ण गिरावट की अवधि होती है, जो प्राय: 6 महीने से 18 महीने तक चलती है और अर्थव्यवस्था के कई क्षेत्रों में व्यापक संकुचन द्वारा चिह्नित होती है। एक गंभीर और लंबी मंदी को अवसाद कहा जाता है।

आर्थिक (विकास) मंदी को आमतौर पर उस चरण के रूप में माना जाता है जब अर्थव्यवस्था की जीडीपी वृद्धि दर घट रही होती है लेकिन यह अभी भी सकारात्मक हो सकती है।

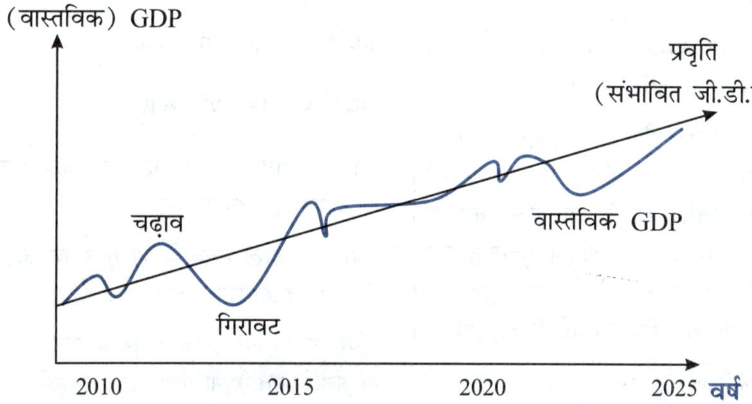

आइये मंदी को समझने के लिए हम एक उदाहरण को समझते हैं।

वर्ष	2012		2013		2014		2015
वास्तविक GDP	*100 रु.*		*108 रु.*		*112 रु.*		*115 रु.*
वास्तविक GDP सवृद्धि		*8%*		*3.7%*		*2.7%*	

उपरोक्त उदाहरण में देश किसी मंदी से नहीं गुजर रहा है क्योंकि अर्थव्यवस्था का वास्तविक जीडीपी (उत्पादन) अभी भी बढ़ रहा है, भले ही जीडीपी की वृद्धि दर घट रही हो। मंदी तब होती है जब जीडीपी की वृद्धि दर नकारात्मक हो जाती है या उत्पादन घटने लगता है। उपरोक्त मामला ऑर्थिक (विकास) निम्न गति का है, मंदी का नहीं।

भारत ने पाँच बार मंदी का सामना किया है: 1957-58 (–1.2%) [सूखा], 1965-66 (–3.66%) [सूखा/युद्ध], 1972-73 (–0.32%) [सूखा/तेल संकट] और 1979-80 (–5.2%) [सूखा/राजनीतिक अस्थिरता] और 2020-21 (–6.6%) [कोविड-19]।

1.15 सांकेतिक, क्रय शक्ति समता (PPP) और वास्तविक विनिमय दरें (Nominal, PPP and Real Exchange Rates)

1. सांकेतिक विनिमय दर (NER)

NER = एक मुद्रा की कीमत दूसरी मुद्रा के संदर्भ में।

उदाहरण के लिए, अगर हम बाजार में 80 रुपए देकर एक डॉलर खरीद सकते हैं, तो इसका मतलब है कि सांकेतिक विनिमय दर (NER) है: \$1 = 80 रुपए

अब इस विनिमय दर को 80 रु./\$ **या** \$.0125/रुपए के रूप में भी लिखा जा सकता है। लेकिन 'घरेलू' के संबंध में 'विदेश' का मानक अपनाया जाता है। इसलिए, हम मानक प्रारूप का उपयोग करेंगे:

इस प्रकार, \$1 = 80 रुपए, इसका मतलब है कि नाममात्र विनिमय दर (NER) **'\$.0125 प्रति रुपए'** है।

सांकेतिक विनिमय दर (NER) माँग और आपूर्ति की बाजार शक्तियों पर निर्भर करता है। अगर अधिक से अधिक लोग विनिमय बाजार में डॉलर खरीद रहे हैं, तो डॉलर की माँग बढ़ जाती है और डॉलर मजबूत हो जाएगा। लेकिन अगर अधिक से अधिक पर्यटक भारत आ रहे हैं और अपने डॉलर को बदल रहे हैं और रुपए की माँग कर रहे हैं तो रुपए की कीमत बढ़ेगी।

2. क्रय शक्ति समता (PPP) विनिमय दर

मान लीजिए सांकेतिक विनिमय दर (NER) + 1 = 80 रुपए है और भारत और अमेरिका केवल एक-एक बर्गर बनाते हैं जो मात्रा और गुणवत्ता में बिल्कुल समान हैं।

	भारत	अमेरिका
और, बर्गर की कीमत है	40 रुपए	\$1

क्रय शक्ति समता (PPP विनिमय दर का मतलब है कि अगर 1 डॉलर में अमेरिका में एक बर्गर खरीदा जा सकता है तो वही बर्गर भारत में कितने रुपए में खरीदा जा सकता है।

उपर्युक्त मामले में पीपीपी विनिमय दर की गणना करने के लिए, हमें बस दोनों देशों में बर्गर की कीमतों की तुलना करने की जरूरत है।

उपर्युक्त मामले में भारत और अमेरिका में बर्गर की कीमतों की तुलना करके, हमें मिलता है, \$1 = 40 रुपए। तो, \$1 = 40 रुपए पीपीपी विनिमय दर है (या इसे **\$.025/रुपए** के रूप में भी लिखा जा सकता है)। इसका मतलब है कि भारत में 40 रुपए से जो कुछ भी खरीदा जा सकता है, वही वस्तु/वस्तुएँ अमेरिका में \$1 में खरीदी जा सकती हैं यानी भारत में 40 रुपए की क्रय शक्ति अमेरिका में \$1 की क्रय शक्ति के बराबर है। या हम यह भी कह सकते हैं कि अमेरिका में \$.025 की क्रय शक्ति भारत में 1 रुपए की क्रय शक्ति के बराबर है, इसलिए पीपीपी विनिमय दर \$.025 प्रति रुपए है।

तो, पीपीपी विनिमय दर है: \$1 = रु. 40

अर्थात \$ (1.40) प्रति रुपए

अर्थात \$ 0.025 प्रति रुपए

इसलिए, PPP विनिमय दर इस प्रकार निकाली जा सकती है = विदेश मूल्य/घरेलू मूल्य

(हम इसे घरेलू मूल्य/विदेश मूल्य के रूप में भी लिख सकते हैं, लेकिन मानक विदेश/घरेलू है)।

ऊपर दिया गया उदाहरण सिर्फ एक उत्पाद का मामला था। लेकिन, अगर दोनों देश कई वस्तुओं का उत्पादन कर रहे हैं तो PPP विनिमय दर की गणना करने के लिए, दोनों देशों में उत्पादित वस्तुओं की एक ही टोकरी पर विचार करें और कीमतों की तुलना करें, जो भी हमें मिलेगा वह PPP विनिमय दर होगी।

निम्न उदाहरण पर विचार कीजिये:

भारत	अमेरिका
100 वस्तुओं की एक इकाई वाली एक टोकरी पर विचार करें	100 वस्तुओं की एक इकाई वाली वैसी ही टोकरी पर विचार करें

मान लीजिए कि भारत में वस्तुओं की टोकरी की कीमत 2000 रुपए है और अमेरिका में वस्तुओं की उसी टोकरी की कीमत 100 डॉलर है। इसका अर्थ है कि भारत में 2000 रुपए की क्रय शक्ति अमेरिका में 100 डॉलर की क्रय शक्ति के बराबर है।

तो, PPP विनिमय दर $100 = 2000 रु. अर्थात $1 = 20 रु.

अर्थात $.05 प्रति रु. (विदेशी मूल्य/घरेलू मूल्य)

इसका मतलब है कि हम भारत में जो कुछ भी 1 रुपए में खरीद सकते हैं, वही सामान अमेरिका में $.05 में खरीदा जा सकता है।

अगर दोनों देशों में मुद्रास्फीति की दर अलग-अलग है तो क्रय शक्ति समता (PPP) विनिमय दर समय के साथ बदल जाएगी। लेकिन अगर दोनों देशों में मुद्रास्फीति की दर समान है या मुद्रास्फीति शून्य है तो PPP विनिमय दरें स्थिर रहेंगी।

जब सांकेतिक विनिमय दर PPP विनिमय दर के बराबर हो जाती है, तो हम कहते हैं कि दोनों देशों की मुद्राएँ क्रय शक्ति समता पर हैं।

आईएमएफ के अनुसार, 'दो देशों के बीच क्रय शक्ति समता वह दर है जिस पर एक देश की मुद्रा को दूसरे देश की मुद्रा में परिवर्तित करने की आवश्यकता होती है, ताकि यह सुनिश्चित किया जा सके कि पहले देश की मुद्रा की एक निश्चित राशि से दूसरे देश में भी उतनी ही मात्रा में वस्तुओं और सेवाओं की खरीद हो सकेगी जितनी पहले देश में।'

3. वास्तविक विनिमय दर (RER)

निम्न उदाहरण पर विचार कीजिये:

सांकेतिक विनिमय दर (NER)$1 = 80 रु. ($. 0125/रु.)

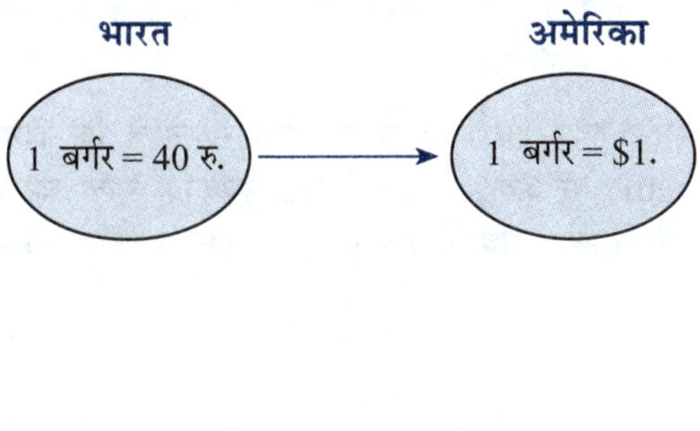

उपरोक्त उदाहरण में, हम देख सकते हैं कि अमेरिका में बर्गर की कीमत $1 है जबकि भारत में बर्गर 40 रुपए या $0.5 में खरीदा जा सकता है। इसलिए, हम कह सकते हैं कि भारतीय बर्गर सस्ते हैं या भारतीय बर्गर अधिक प्रतिस्पर्धी हैं और इसलिए उपरोक्त मामले में भारत बर्गर निर्यात करेगा जबकि अमेरिका बर्गर आयात करेगा। तो, आइए व्यापार प्रतिस्पर्धात्मकता की गणना करें यानी, किस देश का व्यापार अधिक प्रतिस्पर्धी है?

व्यापार प्रतिस्पर्धात्मकता तीन मापदंडों पर निर्भर करेगी:

- भारत में बर्गर की कीमत (घरेलू कीमत)
- अमेरिका में बर्गर की कीमत (विदेशी कीमत)
- सांकेतिक विनिमय दर (NER)

चूँकि हम घरेलू के संबंध में विदेशी मानक का पालन कर रहे हैं, इसलिए हम भारत के संबंध में अमेरिका की व्यापार प्रतिस्पर्धात्मकता की गणना करेंगे।

भारत के संदर्भ में अमेरिका की व्यापार प्रतिस्पर्धात्मकता

$\propto$ भारत में बर्गर की कीमत

$\propto$ 1/अमेरिका में बर्गर की कीमत

$\propto$ सांकेतिक विनिमय दर

तो, भारत के संबंध में अमेरिका की व्यापार प्रतिस्पर्धात्मकता

$$= \frac{\text{घरेलू मूल्य} \times \text{सांकेतिक विनिमय दर}}{\text{विदेशी मूल्य}}$$

$$= \frac{\text{सांकेतिक विनिमय दर}}{\text{विदेशी मूल्य/घरेलू मूल्य}}$$

$$= \frac{\text{एनईआर}}{\text{पीपीपी}}$$

$$= \frac{40\text{ रु.} \times \$.0125/\text{रु.}}{\$1}$$

$$= 1/2$$

और यह 'वास्तविक विनिमय दर' *(RER)* भी कहलाता है, अर्थात, *RER = NER/PPP* (भारत के संदर्भ में अमेरिका)

- भारत के संबंध में अमेरिका की व्यापार प्रतिस्पर्धात्मकता ½ (<1) है, इसका अर्थ यह है कि अमेरिकी उत्पाद भारत की तुलना में कम प्रतिस्पर्धी हैं, जिसका अर्थ यह भी है कि 'किसी भी राशि में, हम भारत से जो कुछ भी खरीद सकते हैं, हम अमेरिका से केवल आधी वस्तुएँ ही खरीद पाएँगे'।
- अगर यह ½ बढ़ने लगेगा, तो इसका मतलब है कि अमेरिका की व्यापार प्रतिस्पर्धात्मकता बढ़ रही है (लेकिन भारत से कम हो सकती है) और एक बार जब यह 1 पर पहुँच जाता है तो इसका मतलब है कि दोनों देशों का व्यापार समान रूप से प्रतिस्पर्धी है यानी किसी भी राशि में, हम भारत और अमेरिका से समान (मात्रा में) उत्पाद खरीद पाएँगे और व्यापार बंद हो सकता है।
- अगर भारत की तुलना में अमेरिका की व्यापार प्रतिस्पर्धात्मकता भारत 2 (>1) है, इसका मतलब है कि अमेरिकी उत्पाद भारत की तुलना में दोगुने प्रतिस्पर्धी हैं, जिसका मतलब है कि किसी भी राशि में अगर हम भारत से कुछ आइटम खरीदने में सक्षम हैं, तो उसी पैसे में हम अमेरिका में दोगुने आइटम खरीद पाएँगे।
- और एक बात हमें समझने की जरूरत है कि अगर कोई मुद्रा बढ़ रही है तो इसका मतलब है कि उसका मूल्य बढ़ रहा है और उस मुद्रा को खरीदना महँगा होगा और इसलिए उस देश से सामान खरीदना महँगा होगा (उस देश की मुद्रा खरीदकर) और फिर हम कहते हैं कि उस देश का व्यापार कम प्रतिस्पर्धी हो रहा है। **इसलिए, जब कोई मुद्रा बढ़ती है (वास्तविक या नाममात्र शर्तों में) तो इसका मतलब है कि उसका व्यापार कम प्रतिस्पर्धी हो रहा है।**
- एनईआर के मामले में, यदि विनिमय दर $.0125 रुपया है और यदि इसका मूल्य $.025 रुपया तक बढ़ रहा है तो इसका मतलब है कि हमें प्रति रुपए अधिक डॉलर मिल रहे हैं और इसलिए हम कहते हैं कि रुपया बढ़ रहा है और इसका मतलब है कि रुपए का व्यापार कम प्रतिस्पर्धी हो रहा है।
- इसी तरह, यदि वास्तविक विनिमय दर के मामले में ½ (विदेश में घरेलू के सापेक्ष) का मूल्य बढ़ रहा है, तो इसका मतलब है कि रुपया मजबूत हो रहा है और चूँकि रुपया मजबूत हो रहा है, इसलिए भारतीय व्यापार कम प्रतिस्पर्धी बन रहा है या अमेरिकी व्यापार अधिक प्रतिस्पर्धी बन रहा है।

- अब यदि हम वास्तविक विनिमय दर का सूचकांक बनाना चाहते हैं और ½ के मूल्य को 100 से प्रदर्शित करना चाहते हैं, तो यदि ½ बढ़ रहा है (दिए गए चित्र को देखें) तो इसका मतलब है कि वास्तविक सूचकांक संख्या 100 बढ़ेगी, और हम कहेंगे कि रुपया मजबूत हो रहा है (वास्तविक रूप में) और रुपया (भारतीय) व्यापार कम प्रतिस्पर्धी बन रहा है।
- और यदि ½ घट रहा है, तो संख्या 100 घट जाएगी (दिए गए चित्र को देखें) जिसका मतलब होगा कि रुपया वास्तविक रूप में कमजोर हो रहा है और इसलिए (भारतीय) निर्यात अधिक प्रतिस्पर्धी बन जाएगा। इसलिए, वास्तविक विनिमय दर व्यापार प्रतिस्पर्धात्मकता के बारे में बताती है और इसमें पहले से ही सांकेतिक विनिमय दर (NER) का प्रभाव शामिल होता है।
- *यदि भारत अपने व्यापारिक भागीदारों के संबंध में अपनी निर्यात प्रतिस्पर्धात्मकता को केवल एक पैमाने के साथ मापना चाहता है, तो वह वास्तविक प्रभावी विनिमय दर (REER) की गणना करता है जो उसके व्यापारिक भागीदारों की वास्तविक विनिमय दरों का भारित औसत (व्यापार मूल्य के संबंध में) है। इसी तरह, यदि भारत अन्य देशों के समूह के संबंध में अपनी सांकेतिक विनिमय दर की गणना करना चाहता है, तो वह सांकेतिक प्रभावी विनिमय दर (NEER) की गणना कर सकता है।*
- जब वास्तविक विनिमय दर = 1, सांकेतिक विनिमय दर = PPP विनिमय दर, और हम कहते हैं कि **मुद्राएँ क्रय शक्ति समता (PPT) पर हैं।** इसका मतलब है कि एक ही मुद्रा में मापे जाने पर दो देशों में वस्तुओं की कीमत समान होती है।
- नीचे दिए गए चित्र से हम देख सकते हैं कि दिसंबर 2017 से अक्टूबर 2018 तक, सूचकांक मूल्य घट रहा है, इसका अर्थ है कि रुपए में REER और NEER

दोनों शब्दों में गिरावट आई है, इसका मतलब है कि व्यापार भागीदारों का व्यापार कम प्रतिस्पर्धी हो गया है और भारत का व्यापार अधिक प्रतिस्पर्धी हो गया है। तथा अक्टूबर 2018 से जनवरी 2019 तक रुपए में REER और NEER दोनों दृष्टियों से वृद्धि हुई है।

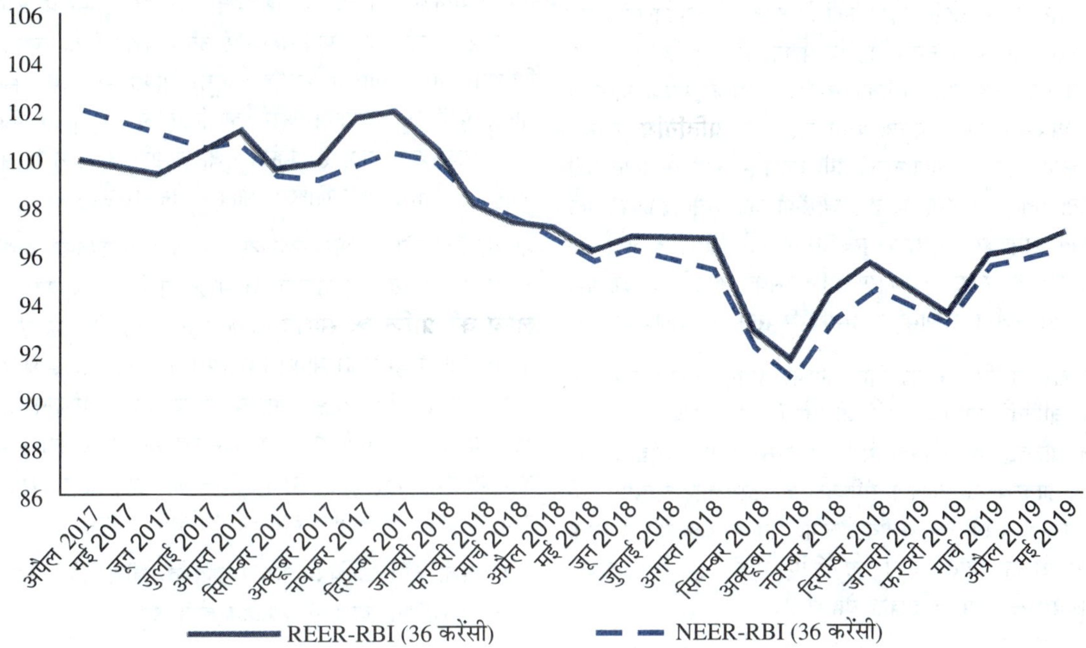

चित्र: आरईईआर और एनईईआर में सूचकांकों का उतार-चढ़ाव (2017-18 = 100)

1.16 जीडीपी, कल्याण, विकास और मानव पूँजी (GDP, Welfare, Development and Human Capital)

जीडीपी एक वर्ष में अर्थव्यवस्था में उत्पादित वस्तुओं और सेवाओं के कुल बाजार मूल्य को मापता है। यह कल्याण या भलाई या असमानता या खुशी को मापने का दावा नहीं करता है।

एक अर्थव्यवस्था में असमानता का स्तर बढ़ सकता है, लोकतांत्रिक मानदंडों का स्तर गिर सकता है, नागरिक स्वतंत्रता का स्तर गिर सकता है, वायु और जल प्रदूषण बढ़ सकता है, लैंगिक समानता बिगड़ सकती है आदि और फिर भी जीडीपी का स्तर बढ़ सकता है। प्रश्न यह है: क्या इनमें से किसी (या सभी) बुराइयों के अस्तित्व का अर्थ यह है कि जीडीपी सभी अंतिम वस्तुओं और सेवाओं के कुल बाजार मूल्य का एक दोषपूर्ण मापक है? उत्तर है: नहीं।

जीडीपी एक सरल उपाय है और सामाजिक या नैतिक मानदंडों के आधार पर इसका मूल्याँकन करके इसकी आलोचना करना जीडीपी के उपयोग के उद्देश्य को पूरी तरह से अनदेखा करना होगा।

यह सच है कि जीडीपी अक्सर उन सभी चीजों को ध्यान में रखने में विफल रहता है जो हमारे कल्याण को कम करती हैं और हमारी भलाई को कम करती हैं। उदाहरण के लिए, जीवाश्म ईंधन के उपयोग से होने वाला नुकसान। लेकिन फिर जीडीपी अक्सर सभी कल्याण लाभों को भी पर्याप्त रूप से ध्यान में नहीं रखता है।

जहाँ तक लोगों की भलाई के व्यापक प्रश्न का सवाल है, बेशक, जीडीपी अपर्याप्त है, लेकिन फिर भी, संरचना में जीडीपी में इसका **वितरण, बाहरी प्रभाव** और घरेलू **गतिविधियाँ** शामिल नहीं हैं। दूसरे शब्दों में, यदि कोई धन

के वितरण, वायु प्रदूषण की स्थिति या यहाँ तक कि खुशी के बारे में जानना चाहता है, तो उसे अन्य उपायों को मापने की आवश्यकता होगी।

जिस तरह से जीडीपी बाजार आर्थिक उत्पादन का वर्णन करता है, उस तरह से कल्याण के हर पहलू को एक ही संख्या में दर्शाने का कोई सरल तरीका नहीं है। इसके कारण जीडीपी का उपयोग लोगों के कल्याण के लिए एक **प्रतिनिधि** के रूप में किया जाता है, लेकिन जीडीपी को इस कार्य के लिए नहीं बनाया गया था। इसलिए हमें जीडीपी को संकेतकों के एक व्यापक समुच्चय के साथ पूरक करने की आवश्यकता है जो समाज में कल्याण के वितरण और इसके सामाजिक, आर्थिक और पर्यावरणीय आयामों में इसकी स्थिरता को दर्शाएगा।

यह सच है कि केवल जीडीपी पर ध्यान केंद्रित करने से ऐसी नीतियाँ बन सकती हैं जो लोगों की व्यापक भलाई के प्रति प्रतिबद्ध हैं, लेकिन यह भी सच है कि जीडीपी का योग्य प्रतिस्थापन खोजना मुश्किल है। इसलिए, जीडीपी की आलोचना करने के बजाय, लोगों की भलाई की अधिक सूक्ष्म समझ प्राप्त करने के लिए एक चर के व्यापक समुच्चय के रूप में देखना बेहतर है।

आर्थिक विकासः आर्थिक विकास आर्थिक संवृद्धि (जीडीपी) से कहीं अधिक व्यापक अवधारणा है। विकास सामाजिक और आर्थिक प्रगति को दर्शाता है और इसके लिए आर्थिक संवृद्धि की आवश्यकता होती है। आर्थिक संवृद्धि विकास के लिए एक महत्त्वपूर्ण और आवश्यक शर्त है, लेकिन यह पर्याप्त शर्त नहीं है क्योंकि यह विकास की गारंटी नहीं दे सकती।

विकास प्रति व्यक्ति आय में वृद्धि, बेहतर स्वास्थ्य और शिक्षा सुविधाएँ, बेहतर बुनियादी ढाँचा, गरीबी में कमी, रोजगार सृजन आदि के संदर्भ में लोगों के समग्र कल्याण में सुधार करने पर केंद्रित होता है।

विकास के अवरोधकों में गरीबी, आर्थिक अवसरों की कमी, भ्रष्टाचार, कुशासन, शिक्षा की कमी और स्वास्थ्य की कमी शामिल हैं।

मानव पूँजीः

जिस तरह एक देश भूमि जैसे भौतिक संसाधनों को कारखानों जैसी भौतिक पूँजी में बदल सकता है, उसी तरह वह छात्रों जैसे मानव संसाधनों को भी इंजीनियर और डॉक्टर जैसी मानव पूँजी में बदल सकता है। समाजों को सबसे पहले पर्याप्त मानव पूँजी की आवश्यकता होती है – सक्षम लोगों के रूप में जो स्वयं प्रोफेसर और अन्य पेशेवरों के रूप में शिक्षित और प्रशिक्षित हुए हों। दूसरे शब्दों में, हमें अन्य मानव पूँजी का उत्पादन करने के लिए अच्छी मानव पूँजी की आवश्यकता होती है। मानव पूँजी निर्माण के स्रोत शिक्षा, स्वास्थ्य, नौकरी पर प्रशिक्षण आदि में निवेश हैं।

मानव पूँजी शिक्षा और स्वास्थ्य को श्रम उत्पादकता बढ़ाने के साधन के रूप में मानती है। मानव पूँजी मनुष्य को एक **लक्ष्य की प्राप्ति के साधन** के रूप में मानती है; यह लक्ष्य उत्पादकता में वृद्धि है। मानव विकास इस विचार पर आधारित है कि शिक्षा और स्वास्थ्य मानव कल्याण के **अभिन्न** अंग हैं, क्योंकि जब लोगों में पढ़ने और लिखने की क्षमता होगी और वे एक लंबा और स्वस्थ जीवन जीने की क्षमता रखेंगे, तभी वे अन्य महत्त्वपूर्ण विकल्पों को चुन पाएँगे।

मानव पूँजी और आर्थिक/आय संवृद्धि के बीच कार्य-कारण संबंध किसी भी दिशा में प्रवाहित होता है:

- उच्च आय ⟶ उच्च स्तर की मानव पूँजी का निर्माण
- उच्च स्तर की मानव पूँजी ⟶ आय में वृद्धि

हरित जीडीपीः

पारिस्थितिकी तंत्र संसाधन जैसे खनिज भंडार, जल संसाधन, मिट्टी के पोषक तत्त्व, जीवाश्म ईंधन आदि पूँजीगत संपत्ति हैं, लेकिन पारंपरिक राष्ट्रीय खातों में इन संसाधनों की कमी के उपाय शामिल नहीं होते हैं। इसका अर्थ है कि कोई देश कारखाना लगाने के लिए अपने जंगलों को काट सकता है और अपनी मत्स्यपालन को समाप्त कर सकता है, और जो अंततः संपत्ति में इसी तरह की गिरावट दर्ज किए बिना जीडीपी में केवल सकारात्मक लाभ के रूप में दिखाई देगा। यहीं पर हरित जीडीपी काम आती है। हरित जीडीपी उस वृद्धि या विकास के पर्यावरणीय परिणामों को ध्यान में रखते हुए जीडीपी वृद्धि का माप है। हरित जीडीपी जैव विविधता

के मौद्रिक नुकसान, जलवायु परिवर्तन आदि के कारण होने वाली लागतों को ध्यान में रखता है। हरित जीडीपी किसी विशेष देश की आर्थिक वृद्धि का सूचकांक है जो आर्थिक गतिविधियों के पर्यावरणीय परिणामों को भी सुनिश्चित करता है। यह इस बात का मापन है कि कोई देश सतत विकास के लिए कितना तैयार है।

कार्बन कर:

वर्तमान में, भारत में पूरे देश में कार्बन कराधन की एक (स्पष्ट) समान प्रणाली नहीं है; हालाँकि, राज्य सरकारों ने नकारात्मक बाहरी प्रभावों की लागत को कवर करने के लिए अपने स्वयं के कर लगाए हैं - जैसे कि गोवा में लागू किया गया ग्रीन उपकर और मसूरी में प्रवेश करने वाले वाहनों पर इकोकर।

भारत सरकार द्वारा 2010 में शुरू किया गया एक उपाय स्वच्छ ऊर्जा उपकर था जिसका उद्देश्य कोयले की खपत की लागत बढ़ाकर और एकत्रित राजस्व के एक हिस्से का उपयोग अनुसंधान और स्वच्छ ऊर्जा परियोजनाओं को धनराशि देकर स्वच्छ ईंधन के उपयोग को प्रोत्साहित करना था। हालाँकि, 2017 में माल और सेवा कर (जीएसटी) की शुरूआत के साथ, स्वच्छ ऊर्जा उपकर को समाप्त कर दिया गया; इसके स्थान पर, कोयला उत्पादन पर 400 रुपए प्रति टन की दर से (जीएसटी) मुआवजा उपकर लगाया गया। लेकिन मुआवजा उपकर केवल कोयले के उपयोग पर कर लगाता है, कोयले के उपयोग से होने वाले कार्बन उत्सर्जन की मात्रा पर नहीं।

कार्बन करों के कई लाभ हैं जैसे कि यह अत्यधिक उत्सर्जन करने वाली सामग्रियों/ऊर्जा के स्रोतों की खपत को हतोत्साहित करता है और ऊर्जा के नवीकरणीय स्रोतों के उपयोग को प्रोत्साहित करता है और यह कार्बन उत्सर्जन की बाहरी लागत को जनता पर नहीं बल्कि प्रदूषक पर डालता है।

1.17 विश्व बैंक और आईएमएफ द्वारा देशों का वर्गीकरण (World Bank & IMF Classification of Countries)

विश्व बैंक सांकेतिक विनिमय दर के आधार पर प्रति व्यक्ति सकल राष्ट्रीय आय (जीएनआई) के अनुमानों के आधार पर दुनिया की अर्थव्यवस्थाओं को वर्गीकृत करता है। जीएनआई प्रति व्यक्ति अनुमानों का उपयोग विश्व बैंक की अर्थव्यवस्थाओं के परिचालन वर्गीकरण के लिए इनपुट के रूप में भी किया जाता है जो ऋण पात्रता निर्धारित करता है। 2023 के आँकड़ों के अनुसार, विश्व अर्थव्यवस्थाओं का वर्गीकरण निम्नलिखित है:

➤ उच्च आय		$14,005 < जी.एन.आई. प्रति व्यक्ति
➤ मध्यम आय	→ उच्च मध्यम	$4,516 < = जी.एन.आई. प्रति व्यक्ति < = $14,005
	→ निम्न मध्यम	$1,146 < जी.एन.आई. प्रति व्यक्ति < = $4,515
➤ निम्न आय		जी.एन.आई. प्रति व्यक्ति <= $1,145

भारत 'निम्न मध्यम' समूह के अंतर्गत आता है क्योंकि सांकेतिक विनिमय दर के संदर्भ में इसकी प्रति व्यक्ति जीएनआई $2700 (2.15 लाख रुपए) है। पीपीपी विनिमय दर के अनुसार, भारत की प्रति व्यक्ति जीएनआई लगभग $9180 है।

विश्व आर्थिक परिदृश्य (WEO, IMF) दुनिया को दो प्रमुख समूहों में वर्गीकृत करता है:

- ➢ विकसित/उन्नत अर्थव्यवस्थाएँ
- ➢ उभरते बाजार और विकासशील अर्थव्यवस्थाएँ

यह उपरोक्त वर्गीकरण तीन मापदंडों पर आधारित है:

- प्रति व्यक्ति आय (पीपीपी विनिमय दर का उपयोग करके)

- निर्यात विविधीकरण
- वैश्विक वित्तीय प्रणाली में एकीकरण की मात्रा

1.18 मुद्रास्फीति सूचकांक (Inflation Indices)

एक सूचकांक एक संख्या है जिसे समय-समय पर किसी गतिविधि/घटना के स्तर में सापेक्ष परिवर्तन को मापने के लिए बनाया गया है। एक सूचकांक का उपयोग शेयर बाजार, मजदूरी, कीमतों आदि जैसे विभिन्न क्षेत्रों में परिवर्तनों को मापने के लिए किया जाता है। एक मुद्रास्फीति सूचकांक एक उपकरण है जिसका उपयोग किसी अर्थव्यवस्था में मुद्रास्फीति की दर को मापने के लिए किया जाता है।

अर्थव्यवस्था में मूल्य वृद्धि को मापने के लिए, किसी विशेष वर्ष के लिए आधार वर्ष के रूप में मुद्रास्फीति सूचकांक को चुना जाता है। आमतौर पर, आधार वर्ष में सूचकांक 100 के रूप में लिया जाता है। अगले वर्ष जब अर्थव्यवस्था में मुद्रास्फीति बढ़ती है, तो क्षेत्र से एकत्र किए गए आँकड़ों के आधार पर इस सूचकांक को भी आनुपातिक रूप से बढ़ाया जाता है।

उदाहरण के लिए, मान लीजिए कि हम वर्ष 2010 (आधार वर्ष) में मुद्रास्फीति सूचकांक को 100 के रूप में मानते हैं। हमें यह ध्यान में रखना होगा कि 100 वर्ष 2010 में मूल्य स्तर का प्रतिनिधित्व करता है, न कि औसत मूल्य और हम इस संख्या को 1000 या 100,000 से भी शुरू कर सकते हैं, इससे कोई फर्क नहीं पड़ेगा। यदि वर्ष 2011 में अर्थव्यवस्था में मुद्रास्फीति 10% बढ़ जाती है, तो 100 की यह सूचकांक संख्या 110 हो जाती है। यदि वर्ष 2012 में अर्थव्यवस्था में मुद्रास्फीति 5% है, तो यह सूचकांक संख्या 115.5 हो जाती है और इसी तरह आगे भी होती रहती है।

किसी विशेष वस्तु की कीमत में वृद्धि या वस्तुओं की एक टोकरी की औसत कीमत वृद्धि को मापने के लिए एक सूचकांक तैयार किया जा सकता है। चूँकि विभिन्न वस्तुओं की कीमतों में भिन्नता अलग-अलग हो सकती है, इसलिए हम मुद्रास्फीति को मापने के लिए वस्तुओं की एक टोकरी की कीमतों में भारित औसत वृद्धि लेते हैं।

भारत में, हम वस्तुओं की एक टोकरी के लिए औसत मूल्य वृद्धि को मापने के लिए मुख्य रूप से निम्नलिखित सूचकांकों का उपयोग करते हैं।

1. उपभोक्ता मूल्य सूचकांक (CPI):

CPI खुदरा बाजार में अंतिम उपभोक्ताओं द्वारा भुगतान की गई कीमतों में परिवर्तन को मापता है। चूंकि उपभोक्ताओं के विभिन्न वर्ग के उपभोग पैटर्न अलग-अलग होते हैं, इसलिए एक वर्ग के लोगों द्वारा उपभोग की जाने वाली वस्तुओं की टोकरी में दूसरे वर्ग/समूह से मूल्य वृद्धि में अंतर हो सकता है। इसलिए, भारत में हमारे पास अलग-अलग श्रेणी/वर्ग के लोगों के लिए कई CPI सूचकांक हैं:

- **उपभोक्ता मूल्य सूचकांक - औद्योगिक श्रमिक (CPI &IW):** यह सूचकांक औद्योगिक श्रमिकों द्वारा उपभोग की जाने वाली वस्तु टोकरी की कीमत में परिवर्तन को मापता है।
- **उपभोक्ता मूल्य सूचकांक - कृषि श्रमिक (CPI &AL):** यह सूचकांक कृषि श्रमिकों द्वारा उपभोग की जाने वाली वस्तु टोकरी की कीमत में परिवर्तन को मापता है।
- **उपभोक्ता मूल्य सूचकांक - ग्रामीण श्रमिक:** यह सूचकांक ग्रामीण श्रमिकों द्वारा उपभोग की जाने वाली वस्तु टोकरी की कीमत में परिवर्तन को मापता है।

ये सूचकांक श्रम और रोजगार मंत्रालय के तहत श्रम ब्यूरो द्वारा पूरे भारत के साथ-साथ राज्यों और केंद्र शासित प्रदेशों के लिए मासिक रूप से प्रकाशित किए जाते हैं।

चूँकि उपरोक्त तीनों सूचकांक केवल जनसंख्या के एक हिस्से को समाहित करते हैं, न कि पूरे देश को, इसलिए हमने उपभोक्ता मूल्य सूचकांक के तीन और सूचकांक तैयार किए हैं:

उपभोक्ता मूल्य सूचकांक - ग्रामीण: यह सूचकांक ग्रामीण आबादी द्वारा उपभोग की जाने वाली वस्तु टोकरी की कीमत में परिवर्तन को मापता है

उपभोक्ता मूल्य सूचकांक - शहरी: यह सूचकांक शहरी आबादी द्वारा उपभोग की जाने वाली वस्तु टोकरी की कीमत में परिवर्तन को मापता है

उपभोक्ता मूल्य सूचकांक - संयुक्त: इसकी गणना CPI ग्रामीण और CPI शहरी सूचकांक को मिलाकर की जाती है

उपर्युक्त तीनों सूचकांकों का आधार वर्ष 2011-12 है और इन्हें राष्ट्रीय सांख्यिकी कार्यालय (NSO) द्वारा पूरे भारत के साथ-साथ राज्यों और केंद्रशासित प्रदेशों के लिए मासिक रूप से प्रकाशित किया जाता है।

खुदरा विक्रेताओं द्वारा उन वस्तुओं पर किए गए व्यय के आधार पर विभिन्न वस्तुओं के लिए उपभोक्ता मूल्य सूचकांक की टोकरी में भार निर्धारित किया जाता है। और ये भार आधार वर्ष के दौरान एक बार निर्धारित किए जाते हैं और फिर आधार वर्ष के संशोधित होने तक स्थिर रहते हैं।

उपभोक्ता मूल्य सूचकांक में 'खाद्य और पेय' का भार सबसे अधिक 45.86% होता है। इसलिए खाद्य पदार्थों में कोई भी उतार-चढ़ाव उपभोक्ता मूल्य सूचकांक को बड़े पैमाने पर प्रभावित करता है। सीपीआई में अप्रत्यक्ष करों का प्रभाव **शामिल** होता है।

उपभोक्ता खाद्य मूल्य सूचकांक (CFPI): उपभोक्ता खाद्य मूल्य सूचकांक आबादी द्वारा उपभोग किए जाने वाले खाद्य पदार्थों की खुदरा कीमतों में परिवर्तन को मापता है। इसे ग्रामीण, शहरी और संयुक्त (अखिल भारतीय आधार पर) मासिक रूप से जारी किया जाता है।

2. थोक मूल्य सूचकांक (WPI):

थोक मूल्य सूचकांक बाजार में कीमतों में परिवर्तन को मापता है, जहाँ वस्तुओं का थोक में कारोबार होता है। इसे वाणिज्य और उद्योग मंत्रालय के तहत उद्योग और आंतरिक व्यापार संवर्धन विभाग (DPIIT) के आर्थिक सलाहकार कार्यालय द्वारा मासिक रूप से प्रकाशित किया जाता है।

थोक मूल्य सूचकांक आधारित खुदरा मुद्रास्फीति उपभोक्ता द्वारा वस्तुओं और सेवाओं को खरीदने के लिए चुकाई जाने वाली कीमत को देखती है, जबकि थोक मूल्य सूचकांक (WPI) उन कीमतों को ट्रैक करता है जो उत्पादक को थोक या फैक्ट्री गेट/मंडी स्तर पर मिलती हैं।

थोक मूल्य और खुदरा मूल्य के बीच, मूल रूप से अंतर यह है कि थोक मूल्य केवल परिवहन लागत, अप्रत्यक्ष करों और खुदरा मार्जिन आदि से रहित मूल कीमतों को ट्रैक करता है। थोक मूल्य सूचकांक में केवल वस्तुओं के मूल्य परिवर्तन को शामिल किया जाता है, सेवाओं को नहीं, क्योंकि सेवाओं का थोक बाजारों में कारोबार नहीं होता है।

थोक मूल्य सूचकांक वस्तुओं को तीन प्रमुख समूहों में विभाजित किया जाता है:

	प्राथमिक वस्तुएँ (जैसे कृषि वस्तुएँ और खनिज)	**ईंधन और बिजली**	**निर्मित उत्पाद**
वजन	22.62%	13.15%	64.23%

थोक मूल्य सूचकांक टोकरी में लगभग 697 मदें हैं और उनका भार 'उस मद के घरेलू उत्पादन और शुद्ध आयात' के आधार पर निर्धारित किया जाता है जिसे 'शुद्ध व्यापार मूल्य' भी कहा जाता है। और यह वजन तब तक स्थिर रखा जाता है जब तक हम आधार वर्ष को संशोधित करके नई श्रृंखला शुरू नहीं कर देते। थोक मूल्य सूचकांक के लिए वर्तमान आधार वर्ष 2011-12 है।

WPI में खाद्य वस्तुओं का भार 24.4% है

3. जीडीपी मूल्य अपस्फीति कारक

जीडीपी मूल्य अपस्फीतिकारक को समझने के लिए, एक उदाहरण पर विचार करें जहाँ भारत 2012 में 10 रुपए के बाजार मूल्य पर 10 किलोग्राम गेहूँ और 2013 में 10.5 रुपए के बाजार मूल्य पर 11 किलोग्राम गेहूँ का उत्पादन कर रहा है।

	2012	2013
गेहूँ	10 कि.ग्रा. × 10 रु.	11 कि.ग्रा. × 10.5 रु.

अगर हम 2012 से 2013 तक की मुद्रास्फीति जानना चाहते हैं तो हम देख सकते हैं कि यह 5% (10 रुपए से 10.5 रुपए) है। लेकिन मुद्रास्फीति की गणना दूसरे तरीके से भी की जा सकती है, जिसमें दोनों वर्षों में मात्रा स्थिर रखी जाती है।

उपर्युक्त उदाहरण में, 2013 की सांकेतिक जीडीपी

= 11 किग्रा × 10.5 रुपए = 115.5 रुपए

और, 2013 का वास्तविक जीडीपी

= 11 किग्रा × 10 रुपए = 110 रुपए

अगर हम 2013 के सांकेतिक जीडीपी को 2013 के वास्तविक जीडीपी से विभाजित करते हैं, तो हमें कीमत में बदलाव मिलता है क्योंकि सांकेतिक जीडीपी और 2013 के वास्तविक जीडीपी में, मात्रा समान/स्थिर है अर्थात 11 किग्रा। इसलिए 2012 से 2013 तक कीमत में बदलाव

$$= \frac{\text{2013 का सांकेतिक जीडीपी}}{\text{2013 का वास्तविक जीडीपी}}$$

$$= \frac{\text{11 किग्रा} \times \text{10.5 रुपए}}{\text{11 किलो} \times \text{10 रुपए}}$$

$$= \frac{\text{115.5 रुपए}}{\text{110 रुपए}} = \frac{1.05}{1}$$

इसका अर्थ है कि 2012 से 2013 तक कीमतों में 1.05 गुना वृद्धि हुई है यानी मुद्रास्फीति 5% है। और सांकेतिक जीडीपी/वास्तविक जीडीपी के इस अनुपात को **'जीडीपी मूल्य अपस्फीति कारक'** कहा जाता है;

$$\text{तो, जीडीपी मूल्य अपस्फीति कारक} = \frac{\text{सांकेतिक जीडीपी}}{\text{वास्तविक जीडीपी}}$$

NSO द्वारा तिमाही आधार पर जीडीपी डिफ्लेटर प्रकाशित किया जाता है।

राष्ट्रीय आय समुच्चयों का अनुमान वर्तमान और स्थिर कीमतों पर लगाया जाता है। जीडीपी की गणना के उत्पादन (मूल्य वर्धित) दृष्टिकोण के तहत:

- कुछ गतिविधियों के लिए, अनुमान वर्तमान कीमतों पर तैयार किए जाते हैं और स्थिर मूल्य अनुमान उपयुक्त मूल्य संकेतक का उपयोग करके प्राप्त किए जाते हैं
- कुछ गतिविधियों के लिए, अनुमान स्थिर कीमतों पर तैयार किए जाते हैं और वर्तमान मूल्य अनुमान उपयुक्त मूल्य संकेतक का उपयोग करके प्राप्त किए जाते हैं
- कुछ अन्य गतिविधियों के लिए, मात्रा का अनुमान स्वतंत्र रूप से लगाया जाता है

वर्तमान/स्थिर मूल्य से स्थिर/वर्तमान मूल्य में परिवर्तित करने के लिए उपयोग किया जाने वाला मूल्य संकेतक आमतौर पर WPI या CPI (समग्र या विघटित स्तर पर) होता है या यह दोनों का मिश्रण हो सकता है।

सभी गतिविधियों के अनुमानों को स्थिर और वर्तमान मूल्य दोनों पर अलग-अलग GVA अनुमानों पर पहुँचने के लिए एकत्रित किया जाता है और बाजार मूल्य पर GDP पर पहुँचने के लिए करों को घटाकर सब्सिडी के लिए समायोजित किया जाता है।

इस प्रकार प्राप्त वर्तमान से स्थिर मूल्य अनुमान (जीडीपी या जीवीए का) का अनुपात अंतर्निहित जीडीपी या जीवीए मूल्य अपस्फीतिकारक है, जो अर्थव्यवस्था में उत्पादित सभी वस्तुओं और सेवाओं में समग्र मुद्रास्फीति को दर्शाता है। [स्रोत: RBI]

उपभोक्ता मूल्य सूचकांक (CPI), थोक मूल्य सूचकांक (WPI) और सकल घरेलू उत्पाद (GDP) मूल्य अपस्फीतिकारक में कुछ बुनियादी अंतर निम्नलिखित हैं:

- थोक बाजार में सेवाओं का कारोबार नहीं होता है, इसलिए थोक मूल्य सूचकांक (WPI) सेवाओं में मुद्रास्फीति को शामिल नहीं करता है, जबकि सीपीआई और जीडीपी डिफ्लेटर सेवाओं में मुद्रास्फीति को भी शामिल करते हैं।
- खुदरा बाजार में उपभोक्ताओं द्वारा खरीदे गए सामान देश में उत्पादित सभी वस्तुओं का प्रतिनिधित्व नहीं करते हैं (जैसे इनपुट, मध्यवर्ती और पूँजीगत वस्तुएँ कंपनियों द्वारा खरीदे जाते हैं), इसलिए सीपीआई इन वस्तुओं को शामिल नहीं करता है, लेकिन डब्ल्यूपीआई ऐसी सभी वस्तुओं को शामिल करता है।
- CPI और WPI में घरेलू स्तर पर उत्पादित और आयातित दोनों वस्तुओं की कीमतें शामिल होती हैं, लेकिन जीडीपी मूल्य अपस्फीतिकारक में आयातित वस्तुओं की कीमतें शामिल नहीं होती हैं।
- CPI और WPI सूचकांक में भार स्थिर रहता है (आधार वर्ष संशोधित होने तक), लेकिन वे जीडीपी मूल्य अपस्फीतिकारक में प्रत्येक वस्तु और सेवाओं के उत्पादन स्तर के अनुसार भिन्न होते हैं।

विगत वर्षों के प्रश्न

प्रारंभिक परीक्षा

1. मुद्रास्फीति की दर में तेजी से वृद्धि को कभी-कभी 'आधार प्रभाव (base effect)' के लिए जिम्मेदार ठहराया जाता है। 'आधार प्रभाव' क्या है? [2011]
   (a) यह फसलों की विफलता के कारण आपूर्ति में भारी कमी का प्रभाव है
   (b) यह तीव्र आर्थिक विकास के कारण माँग में वृद्धि का प्रभाव है
   (c) यह मुद्रास्फीति दर की गणना पर पिछले वर्ष के मूल्य स्तरों का प्रभाव है
   (d) इस संदर्भ में ऊपर दिए गए कथनों (a), (b) और (c) में से कोई भी सही नहीं है

2. एक "बंद अर्थव्यवस्था" एक ऐसी अर्थव्यवस्था है जिसमें [2011]
   (a) मुद्रा आपूर्ति पूरी तरह से नियंत्रित होती है
   (b) घाटे का वित्तपोषण होता है
   (c) केवल निर्यात होता है
   (d) न तो निर्यात होता है और न ही आयात होता है

3. भारतीय अर्थव्यवस्था के संदर्भ में, निम्नलिखित कथनों पर विचार करें: [2011]
   (i) पिछले पाँच वर्षों में सकल घरेलू उत्पाद की वृद्धि दर में लगातार वृद्धि हुई है
   (ii) पिछले पाँच वर्षों में प्रति व्यक्ति आय में वृद्धि दर में लगातार वृद्धि हुई है

   ऊपर दिए गए निम्नलिखित कथनों में से कौन-सा सही है/हैं?
   (a) केवल (i)
   (b) केवल (ii)
   (c) दोनों (i) और (ii)
   (d) न तो (i) और न ही (ii)

4. देश X में आर्थिक वृद्धि अनिवार्य रूप से तब होगी जब [2013]
   (a) विश्व अर्थव्यवस्था में तकनीकी प्रगति हो
   (b) X में जनसंख्या वृद्धि हो
   (c) X में पूँजी निर्माण हो
   (d) विश्व अर्थव्यवस्था में व्यापार की मात्रा बढ़े

5. निम्नलिखित में से कौन "औद्योगिक श्रमिकों के लिए उपभोक्ता मूल्य सूचकांक संख्या" जारी करता है? [2015]
   (a) भारतीय रिजर्व बैंक
   (b) आर्थिक मामलों का विभाग
   (c) श्रम ब्यूरो
   (d) कार्मिक और प्रशिक्षण विभाग

6. पूर्ण और प्रति व्यक्ति वास्तविक जीएनपी में वृद्धि आर्थिक विकास के उच्च स्तर को नहीं दर्शाती है, यदि [2018]
   (a) औद्योगिक उत्पादन कृषि उत्पादन के साथ तालमेल रखने में विफल रहता है।
   (b) कृषि उत्पादन औद्योगिक उत्पादन के साथ तालमेल रखने में विफल रहता है।
   (c) गरीबी और बेरोजगारी में वृद्धि होती है।
   (d) आयात निर्यात की तुलना में तेजी से बढ़ता है।

7. उच्च बचत अर्थव्यवस्था होने के बावजूद, पूँजी निर्माण के परिणामस्वरूप उत्पादन में उल्लेखनीय वृद्धि नहीं हो सकती है, इसका कारण है [2018]
   (a) कमजोर प्रशासनिक मशीनरी
   (b) निरक्षरता
   (c) उच्च जनसंख्या घनत्व
   (d) उच्च पूँजी-उत्पादन अनुपात

8. निम्नलिखित कथनों पर विचार करें [2019]
   (i) क्रय शक्ति समता (PPP) विनिमय दरों की गणना विभिन्न देशों में वस्तुओं और सेवाओं की एक ही टोकरी की कीमतों की तुलना करके की जाती है

(ii) PPP डॉलर के संदर्भ में, भारत दुनिया की छठी सबसे बड़ी अर्थव्यवस्था है

ऊपर दिए गए कथनों में से कौन सा सही है/हैं?

(a) केवल (i)

(b) केवल (i) और (ii)

(c) दोनों (i) और (ii)

(d) न तो (i) और न ही (ii)

9. निम्नलिखित कथनों पर विचार करें: **[2020]**

1. उपभोक्ता मूल्य सूचकांक (CPI) में खाद्य पदार्थों का भार थोक मूल्य सूचकांक (WPI) की तुलना में अधिक होता है।
2. WPI सेवाओं की कीमतों में परिवर्तन को नहीं दर्शाता है, जबकि CPI दर्शाता है।
3. भारतीय रिजर्व बैंक ने अब मुद्रास्फीति के अपने प्रमुख उपाय के रूप में और प्रमुख नीति दरों में बदलाव करने का निर्णय लेने के लिए थोक मूल्य सूचकांक (WPI) को अपनाया है।

ऊपर दिए गए कथनों में से कौन-सा सही है/हैं?

(a) केवल 1 और 2

(b) केवल 2

(c) केवल 3

(d) 1, 2 और 3

10. अन्य बातें अपरिवर्तित रहने पर, किसी वस्तु की बाजार माँग बढ़ सकती है यदि: **[2021]**

(i) इसके स्थानापन्न की कीमत बढ़ जाती है

(ii) इसके पूरक की कीमत बढ़ जाती है

(iii) वस्तु घटिया है और उपभोक्ताओं की आय बढ़ जाती है

(iv) इसकी कीमत गिर जाती है

उपर्युक्त कथनों में से कौन सा सही है?

(a) केवल (i) और (iv)

(b) केवल (ii), (iii) और (iv)

(c) केवल (i), (iii) और (iv)

(d) केवल (i), (ii) और (iii)

11. भारतीय अर्थव्यवस्था के संदर्भ में, निम्नलिखित कथनों पर विचार करें: **[2022]**

1. सांकेतिक प्रभावी विनिमय दर (NEER) में वृद्धि रुपए की सराहना को इंगित करती है।
2. वास्तविक प्रभावी विनिमय दर (REER) में वृद्धि व्यापार प्रतिस्पर्धा में सुधार को इंगित करती है।
3. अन्य देशों में मुद्रास्फीति के सापेक्ष घरेलू मुद्रास्फीति में वृद्धि की प्रवृत्ति से सांकेतिक प्रभावी विनिमय दर (NEER) और वास्तविक प्रभावी विनिमय दर (REER) के बीच बढ़ते विचलन की संभावना है।

उपर्युक्त कथनों में से कौन-सा सही है?

(a) केवल 1 और 2 (b) केवल 2 और 3

(c) केवल 1 और 3 (d) 1, 2 और 3

12. भारतीय अर्थव्यवस्था में भौतिक पूँजी के संदर्भ में, निम्नलिखित युग्मों पर विचार करें: **[2024]**

	मद	श्रेणी
1.	कृषक का हल	कार्यशील पूँजी
2.	कंप्यूटर	स्थायी पूँजी
3.	बुनकर द्वारा प्रयुक्त सूत	स्थायी पूँजी
4.	पेट्रोल	कार्यशील पूँजी

उपर्युक्त कथनों में से कौन-सा सही सुमेलित है?

(a) केवल एक (b) केवल दो

(c) केवल तीन (d) चारों

उत्तर

1. (c) **2.** (d) **3.** (d) **4.** (c) **5.** (c) **6.** (c) **7.** (d) **8.** (a) **9.** (a) **10.** (a).
11. (c) **12.** (b)

मुख्य परीक्षा

1. संभावित जीडीपी को परिभाषित करें और इसके निर्धारकों की व्याख्या करें। वे कौन से कारक हैं जो भारत को अपनी संभावित जीडीपी को साकार करने से रोक रहे हैं? [2020]

2. वर्ष 2015 से पहले और वर्ष 2015 के बाद भारत के सकल घरेलू उत्पाद (जीडीपी) की कंप्यूटिंग पद्धति के बीच अंतर की व्याख्या करें। [2021]

3. क्या आप इस बात से सहमत हैं कि भारतीय अर्थव्यवस्था ने हाल ही में वी-आकार की रिकवरी का अनुभव किया है? अपने उत्तर के समर्थन में कारण बताएँ। [2021]

OOO

2

मुद्रा और बैंकिंग: भाग-I

(Money and Banking: Part-I)

2.1 परिचय (Introduction)

पहले के समय में, आर्थिक लेन-देन वस्तु विनिमय के रूप में होते थे, अर्थात एक वस्तु का दूसरी वस्तु के साथ विनिमय किया जाता था। लेकिन वस्तु विनिमय के लिए **इच्छाओं का दोहरा संयोग** होना चाहिए, अर्थात विनिमय करने वाले दोनों पक्षों की माँग बिल्कुल विपरीत होनी चाहिए। उदाहरण के लिए, मान लीजिए कि किसी व्यक्ति के पास चावल का अधिशेष है जिसे वह गेहूँ के बदले में देना चाहता है। अगर वह इतना भाग्यशाली नहीं है, तो उसे कोई दूसरा व्यक्ति नहीं मिल सकता है जिसके पास स्पष्ट रूप से चावल की माँग हो और बदले में गेहूँ का अधिशेष हो। बड़ी अर्थव्यवस्था के मामले में यह प्रक्रिया बहुत बोझिल हो सकती है। लेन-देन को सुचारु बनाने के लिए, एक मध्यवर्ती 'वस्तु' आवश्यक है जो दोनों पक्षों को स्वीकार्य हो। फिर व्यक्ति इस वस्तु के लिए अपनी उपज बेच सकते हैं और इस वस्तु का उपयोग अपनी जरूरत की अन्य वस्तुएँ खरीदने के लिए कर सकते हैं। अब इस वस्तु की विशेषताएँ क्या होनी चाहिए?

मान लीजिए कि इस मध्यवर्ती 'वस्तु' को 'लोहा' या 'पानी' माना जाता है। फिर ऐसे में अगर देश में पानी और लोहा आसानी से/मुफ्त में उपलब्ध है, तो इतनी मेहनत से चावल पैदा करने वाला व्यक्ति कभी भी अपने चावल को लोहे या पानी के बदले में देने को तैयार नहीं होगा, क्योंकि उसे अर्थव्यवस्था में लोहा और पानी आसानी से/मुफ्त में मिल सकता है। इसका मतलब है कि मध्यवर्ती 'वस्तु' ऐसी होनी चाहिए जिसकी आपूर्ति बहुत सीमित हो और उसे पाना मुश्किल हो। इसलिए, हमने इस मध्यवर्ती 'वस्तु' को सोना या चाँदी के रूप में तय किया क्योंकि दोनों की आपूर्ति बहुत सीमित थी और सोने और चाँदी के बदले में वस्तुओं की खरीद-बिक्री शुरू की। ऐसी वस्तु को मुद्रा कहा जाता है। सोने और चाँदी की यह व्यवस्था लंबे समय तक चलती रही।

लेकिन इसके साथ भी कुछ समस्याएँ जुड़ी हुई थीं। मान लीजिए कि कोई देश (अर्थव्यवस्था) है जहाँ लोग सोने के सिक्कों की मदद से वस्तुओं और सेवाओं की खरीद-बिक्री कर रहे हैं। अगर वस्तुओं और सेवाओं का उत्पादन (जीडीपी) हर वर्ष बढ़ रहा है तो देश को बढ़ी हुई वस्तुओं और सेवाओं के लेन-देन के लिए अधिक सोने के सिक्कों की आवश्यकता हो सकती है। अगर सोने के सिक्कों की आपूर्ति वस्तुओं और सेवाओं की वृद्धि के साथ तालमेल नहीं रख रही है तो लेन-देन प्रक्रिया में फिर से समस्याएँ हो सकती हैं। और इस प्रणाली से जुड़ी दूसरी समस्या यह थी कि जब भी कोई व्यक्ति कोई वस्तु खरीदता है, तो उसे अपने साथ सोना ले जाना पड़ता है।

अब, मान लीजिए कि अर्थव्यवस्था में एक व्यक्ति X है जिस पर सभी भरोसा करते थे। एक दिन एक व्यक्ति, मान लीजिए A ने अपना सोना उस व्यक्ति X के पास जमा कर दिया और उसने व्यक्ति A को एक कागज की पर्ची दी, जिस पर उसके हस्ताक्षर थे और उस पर्ची पर सोने की मात्रा लिखी थी (मान लीजिए 1 मिलीग्राम)। जब यह व्यक्ति A, व्यक्ति B से 1 मिलीग्राम (mg) सोने का सामान खरीदने के लिए बाजार गया, तो A ने 1 मिलीग्राम सोना देने की बजाय, B को वह कागज की पर्ची दी जिस पर X ने हस्ताक्षर किए थे। B ने A से वह कागज की पर्ची सहर्ष स्वीकार कर ली क्योंकि B भी उस व्यक्ति X को जानता था और उस पर

भरोसा करता था, और उसे भरोसा था कि जब भी वह X के पास जाएगा और उसे कागज की पर्ची देगा, तो उसे 1 मिलीग्राम सोना मिलेगा। इसी तरह अर्थव्यवस्था में सभी ने अपना सोना उस भरोसेमंद व्यक्ति X के पास जमा कर दिया और बदले में उसे कागज की पर्चियाँ मिलीं और इन कागज की पर्चियों से सामान खरीदना और बेचना शुरू कर दिया। ये कागज की पर्चियाँ मुद्रा 'रुपया' बन गई और X RBI है।

फिर भी, **यदि हर साल वस्तुओं और सेवाओं का उत्पादन बढ़ रहा है, तो हमें अधिक रुपयों की आवश्यकता होगी** और यदि हमारे पास सोना नहीं है, तो हम रुपया कैसे प्राप्त करेंगे? ऐसी स्थिति में, RBI भौतिक सोना जमा किए बिना (लेकिन कुछ अन्य संपत्ति रखकर) कागज की पर्चियाँ जारी करता था। इसलिए, यदि अर्थव्यवस्था में वस्तुओं और सेवाओं का उत्पादन (अर्थात आउटपुट) बढ़ रहा है, तो RBI अर्थव्यवस्था में लेन-देन को सुविधाजनक बनाने के लिए अधिक रुपया करेंसी नोट (सरकारी प्रतिभूतियों, विदेशी मुद्रा जैसी कुछ अन्य संपत्तियों को स्वीकार करके) जारी कर सकता है। तर्क यह है कि यदि RBI करेंसी नोट जारी कर रहा है, तो यह किसी भौतिक या वित्तीय संपत्ति (जरूरी नहीं कि सोना) द्वारा समर्थित होना चाहिए। अब हमारी आबादी बहुत बड़ी है और अगर सभी लोग RBI से रुपए के नोट या सोना जमा करने के लिए लेन-देन करने जा रहे हैं, तो RBI के लिए उन्हें प्रबंधित करना बहुत मुश्किल होगा। इसलिए, RBI और जनता के बीच वाणिज्यिक बैंकों की एक शृंखला/परत बनाई गई।

लोग (बैंकों द्वारा सहायता) | वाणिज्यिक बैंक (आर.बी.आई. द्वारा सहायता) | भारतीय रिजर्व बैंक

किसी विशेष वर्ष में, मान लीजिए कि अर्थव्यवस्था में कुछ स्तर का उत्पादन/जीडीपी और कुछ स्तर की मुद्रा आपूर्ति है। अब, अगले वर्ष, RBI दो कारकों के आधार पर अर्थव्यवस्था में मुद्रा आपूर्ति बढ़ाने की कोशिश करता है; एक है अपेक्षित वास्तविक जीडीपी वृद्धि और दूसरा मुद्रास्फीति का स्तर (जिसे RBI अर्थव्यवस्था में बनाए रखना/लक्षित करना चाहता है)। इसलिए, मूल रूप से मुद्रा आपूर्ति अपेक्षित सांकेतिक जीडीपी के अनुपात में बढ़ जाती है।

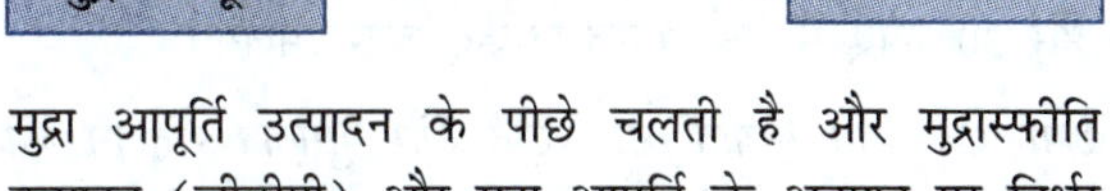

मुद्रा आपूर्ति उत्पादन के पीछे चलती है और मुद्रास्फीति उत्पादन (जीडीपी) और मुद्रा आपूर्ति के अनुपात पर निर्भर करेगी। निम्नलिखित परिदृश्य संभव है:

- जब उत्पादन घटता है या स्थिर रहता है,और मुद्रा आपूर्ति बढ़ जाती है, तो कीमतें बढ़ सकती हैं
- यदि उत्पादन बढ़ता है या स्थिर रहता है, जबकि मुद्रा आपूर्ति घट जाती है, तो कीमतें कम हो सकती हैं
- यदि मुद्रा आपूर्ति स्थिर रहती है और उत्पादन घटता है, तो कीमतें बढ़ सकती हैं
- यदि मुद्रा आपूर्ति स्थिर रहती है और उत्पादन बढ़ता है, तो कीमतें कम हो सकती हैं

2.2 मुद्रा के कार्य (Functions of Money)

अर्थव्यवस्था में मुद्रा तीन महत्त्वपूर्ण भूमिकाएँ/कार्य निभाती है।

(i) मुद्रा विनिमय के माध्यम के रूप में कार्य करती है। विनिमय/लेनदेन की सुविधा मुद्रा की सबसे महत्त्वपूर्ण भूमिका है।

(ii) मुद्रा खाते की एक सुविधाजनक इकाई के रूप में भी कार्य करती है। इसका अर्थ है कि सभी वस्तुओं और सेवाओं का मूल्य मौद्रिक इकाइयों में व्यक्त किया जा सकता है। जब हम कहते हैं कि एक पुस्तक का मूल्य 300 रुपए है, तो हमारा अर्थ है कि पुस्तक को मुद्रा की 300 इकाइयों के लिए बदला जा सकता है, जहाँ इस मामले में इकाई रुपया है। इसलिए, सभी वस्तुओं और सेवाओं का मूल्य रुपए के रूप में व्यक्त किया जा सकता है।

(iii) मुद्रा *मूल्य के भंडार* के रूप में कार्य करती है। इसका मतलब है कि भविष्य में उपयोग के लिए धन को मुद्रा के रूप में संग्रहीत किया जा सकता है। मुद्रा नाशवान नहीं है और इसके भंडारण की लागत भी काफी कम है और किसी भी समय सभी के लिए स्वीकार्य है। यह ध्यान दिया जा सकता है कि मुद्रा के अलावा कोई भी संपत्ति जैसे सोना, संपत्ति आदि भी मूल्य के भंडार के रूप में कार्य कर सकती है। हालाँकि, वे आसानी से अन्य वस्तुओं में परिवर्तित नहीं हो सकते हैं और उनकी सार्वभौमिक स्वीकार्यता नहीं है। यदि कीमतें तेजी से बढ़ रही हैं तो मुद्रा की क्रय शक्ति कम हो जाती है और मुद्रा के 'मूल्य के भंडार' कार्य से समझौता हो जाता है क्योंकि मुद्रा अपना मूल्य खोना शुरू कर देता है।

2.3 विनिमय दर प्रणाली (Exchange Rate Systems)

1947 ($1 = 1 रु.) → निश्चित व समायोज्य → **1993** ($1 = Rs. 31) → प्रबंधित फ्लोट → वर्तमान ($1 = 80 रु.)

1993 से पहले

स्वतंत्रता के बाद से लेकर 1993 तक भारत डॉलर और अन्य प्रमुख मुद्राओं के संबंध में अपनी विनिमय दर तय करता था और आर्थिक स्थिति के आधार पर, जब भी आवश्यकता होती थी, वह रुपए को समायोजित या अवमूल्यन करता था। इसे 'स्थिर और समायोज्य' विनिमय दर प्रणाली कहा जाता है।

1947 में, नाममात्र विनिमय दर $1 = 1 रुपए थी, लेकिन लगातार प्रतिकूल भुगतान संतुलन (BoP) स्थिति और अन्य प्रमुख व्यापारिक भागीदारों की तुलना में भारत में अपेक्षाकृत उच्च मुद्रास्फीति के कारण, हम रुपए का अवमूल्यन करते थे, जिसके कारण 1993 तक यह $1 = 31 रुपए पर पहुँच गया। (कोई देश अपनी प्रतिकूल भुगतान संतुलन स्थिति को ठीक करने के लिए अपनी मुद्रा का अवमूल्यन करता है ताकि उसका निर्यात सस्ता हो जाए और आयात महँगा हो जाए)। आइए एक उदाहरण से समझते हैं:

मान लीजिए नाममात्र विनिमय दर $1 = 20 रुपए है

	भारत	अमेरिका
बर्गर की कीमत	10 रु.	$1

इस स्थिति में अमेरिका भारत से बर्गर आयात करेगा क्योंकि $1 में उन्हें 20 रुपए मिलेंगे और 20 रुपए में उन्हें भारत में 2 बर्गर मिलेंगे, इसलिए भारत अमेरिका को बर्गर निर्यात करेगा।

लेकिन अगर मुद्रास्फीति के कारण भारत में बर्गर की कीमत 20 रुपए हो जाती है तो भारत से निर्यात बंद हो जाएगा (यानी भारत में मुद्रास्फीति उसके निर्यात को कम प्रतिस्पर्धी बना रही है)।

लेकिन उस स्थिति में जब कीमत बढ़कर 20 रुपए हो जाती है, अगर RBI विनिमय दर को $1 = 30 रुपए पर अवमूल्यित करता है तो फिर से भारत से निर्यात शुरू हो जाएगा। क्योंकि अब विदेशियों को $1 में 30 रुपए मिलेंगे और 30 रुपए में उन्हें भारत में डेढ़ बर्गर मिलेगा।

इसलिए, अपने निर्यात को बढ़ाने और भुगतान संतुलन की स्थिति में सुधार करने के लिए, भारत ने 1993 तक लगातार अपनी मुद्रा का अवमूल्यन किया।

1993 के बाद

1993 के बाद, RBI ने रुपए को माँग और आपूर्ति की बाजार शक्तियों यानी अस्थिर विनिमय दर पर छोड़ दिया। अस्थिर विनिमय दर का अर्थ है कि इसका मूल्य बाजार में मुद्रा की माँग और आपूर्ति की बाजार शक्तियों के अनुसार निर्भर/अस्थिर होगा और देश का केंद्रीय बैंक इसमें बदलाव नहीं करेगा। उदाहरण के लिए, यदि अधिक से अधिक विदेशी निवेशक निवेश के उद्देश्य से भारत आने की कोशिश कर रहे हैं, तो वे अपनी विदेशी मुद्रा बेचने और रुपए खरीदने की कोशिश करेंगे क्योंकि वे भारत में केवल भारतीय रुपए में ही निवेश कर सकते हैं। जैसे-जैसे वे अधिक से अधिक भारतीय रुपए खरीदने की कोशिश करेंगे, रुपए की माँग बढ़ेगी और यह मजबूत होगा। यदि इसके विपरीत स्थिति होती है और निवेशक भारत छोड़ना शुरू करते हैं, तो वे भारत में अपने निवेश को रुपए में बेच देंगे और विदेशी मुद्रा खरीद लेंगे जिससे विदेशी मुद्रा की माँग में वृद्धि होगी और रुपया कमजोर होने लगेगा।

आइए यह समझने के लिए एक और उदाहरण लेते हैं कि 1993 के बाद डॉलर के मुकाबले रुपए में लगातार गिरावट क्यों आई:

मान लीजिए नाममात्र विनिमय दर $1 = 40 रु. है

	भारत	अमेरिका
बर्गर की कीमत	20 रु.	$1

इस मामले में अमेरिका भारत से बर्गर आयात करेगा क्योंकि $1 में उन्हें 40 रु. मिलेंगे और 40 रु. में उन्हें भारत में 2 बर्गर मिलेंगे, इसलिए भारत अमेरिका को बर्गर निर्यात करेगा।

लेकिन अगर मुद्रास्फीति के कारण भारत में बर्गर की कीमत बढ़ने लगी और 30 रुपए हो गई तो भारत से निर्यात में कमी आने लगेगी जिसका दूसरा अर्थ यह है कि रुपए की माँग में कमी आने लगेगी। रुपए की माँग में गिरावट से रुपए की विनिमय दर में गिरावट आएगी और यह $1 = 50 रुपए हो सकती है जो फिर से भारत से बर्गर के निर्यात को बढ़ावा देगी क्योंकि अमेरिकी लोगों को $1 = 40 रुपए की तुलना में $1 = 50 विनिमय दर पर अधिक बर्गर मिलेंगे।

इसलिए, जब हमारी विनिमय दर स्थिर और समायोज्य थी (1993 से पहले) और भारत में तुलनात्मक रूप से उच्च मुद्रास्फीति या BoP मुद्दे थे, तब RBI ने हमारे निर्यात को प्रतिस्पर्धी बनाने के लिए रुपए का अवमूल्यन किया। अब 1993 के बाद, जब भारत को अन्य देशों की तुलना में उच्च मुद्रास्फीति का सामना करना पड़ा, तो इसकी मुद्रा (रुपया) माँग और आपूर्ति का बाजार शक्तियों के कारण स्वचालित रूप से मूल्यह्रास हो गया।

लचीली विनिमय दरें दो प्रकार की होती हैं:

- **मुक्त लचीली प्रणाली:** इस प्रणाली के तहत, देश का केंद्रीय बैंक कभी भी विदेशी मुद्रा बाजार में हस्तक्षेप नहीं करता है और मुद्रा की कीमत पूरी तरह से माँग और आपूर्ति शक्तियों यानी बाजार की शक्तियों पर छोड़ दी जाती है। उदाहरण के लिए, अमेरिका, जापान और कुछ यूरोपीय देश।
- **प्रबंधित लचीली प्रणाली:** इस प्रणाली के तहत, केंद्रीय बैंक कभी-कभी घरेलू मुद्रा के बहुत अस्थिर होने की स्थिति में विदेशी मुद्राओं को खरीदने और बेचने के लिए बाजार में हस्तक्षेप करता है। उदाहरण के लिए, भारतीय रुपया **प्रबंधित फ्लोट** है। इसलिए, यदि रुपया बहुत अस्थिर हो गया है और डॉलर के मुकाबले गिर रहा है, तो आरबीआई डॉलर की कीमत में वृद्धि को रोकने और रुपए को स्थिर रखने तथा इसके मूल्यह्रास को रोकने के लिए अपने विदेशी मुद्रा भंडार से बाजार में डॉलर बेचना शुरू कर देता है। भारत के मामले में, आरबीआई रुपए में अस्थिरता को नियंत्रित करने और कोई मूल्य बैंड निर्धारित करने के लिए नहीं बल्कि चुनिंदा सार्वजनिक क्षेत्र के बैंकों (ये बैंक, बदले में, बाजार में आरबीआई की ओर से खरीद या बिक्री करते हैं) के माध्यम से आमतौर पर अप्रत्यक्ष रूप से विदेशी मुद्रा बाजार में हस्तक्षेप करता है।

2.4 प्रतिभूतियाँ (Securities)

प्रतिभूतियाँ वित्तीय साधन (रसीदें/पर्चियाँ) हैं जो भविष्य में रिटर्न (भुगतान) का वादा करती हैं और जिनका व्यापार किया जा सकता है। उदाहरण के लिए, मान लीजिए कि किसी ने अपने खाते में 1 लाख रुपए जमा किए और उसे खाता विवरण/पासबुक मिली। खाता विवरण रखने वाले व्यक्ति को भविष्य में ब्याज मिलेगा लेकिन उसे इस कागज

(खाता विवरण) को बाजार में बेचने की अनुमति नहीं है। इसलिए खाता विवरण को सख्त अर्थों में प्रतिभूति नहीं माना जाता है। प्रतिभूतियों को मोटे तौर पर दो श्रेणियों में वर्गीकृत किया जा सकता है, जैसे इक्विटी और ऋण।

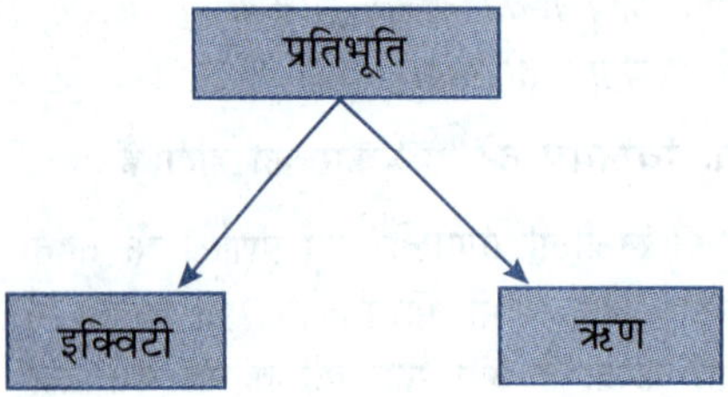

1. **इक्विटी सिक्योरिटी** (स्टॉक/शेयर) किसी कंपनी/निगम में शेयरधारकों (मालिकों) द्वारा रखे गए स्वामित्व को दर्शाती है। इक्विटी सिक्योरिटी के धारकों को **लाभ**/लाभांश और पूँजीगत लाभ (शेयर मूल्य वृद्धि) प्राप्त होता है। इक्विटी सिक्योरिटीधारक को आनुपातिक आधार पर कंपनी के कुछ नियंत्रण का अधिकार देती है, यानी इक्विटीधारकों को वोटिंग अधिकार मिलते हैं और इस प्रकार व्यवसाय पर कुछ नियंत्रण मिलता है।
2. **ऋण सिक्योरिटी** उस मुद्रा/धन को दर्शाती है जिसे उधार लिया जाता है और उसे उधार ली गई राशि, ब्याज दर और परिपक्वता तिथि को परिभाषित करने वाली शर्तों के साथ चुकाया जाना चाहिए। ऋण सिक्योरिटी के धारकों को **ब्याज** और मूलधन का पुनर्भुगतान मिलता है।

सिक्योरिटी जारी करने वाली इकाई (कंपनी) को सिक्योरिटी जारीकर्ता के रूप में जाना जाता है।

जब भी कोई व्यक्ति किसी कंपनी/प्रोजेक्ट में निवेश (पैसा लगाता है) करता है, तो यह निवेश व्यापक रूप से दो तरीकों से किया जा सकता है।

1. **इक्विटी सिक्योरिटी खरीदकर:** इस मामले में निवेशक कंपनी में पैसा लगाता है और कंपनी के स्वामित्व में हिस्सा प्राप्त करता है। इस मामले में व्यक्ति को कोई निश्चित रिटर्न नहीं मिलता है, लेकिन कंपनी के प्रदर्शन के आधार पर लाभ/लाभांश प्राप्त होता है। यह निवेशक द्वारा कंपनी की इक्विटी प्रतिभूतियों की खरीद का रूप है।
2. **ऋण प्रतिभूतियों की खरीद के द्वारा:** इस मामले में निवेशक एक निश्चित अवधि के लिए एक निश्चित ब्याज दर पर कंपनी में पैसा लगाता है और परिपक्वता अवधि के अंत में ब्याज (नियमित रूप से) और मूलधन वापस प्राप्त करता है। यह निवेशक द्वारा कंपनी की ऋण प्रतिभूतियों की खरीद का रूप है।

प्रतिभूतियों को बेहतर तरीके से समझने के लिए आइए एक नई पंजीकृत कंपनी "XYZ प्रा. लिमिटेड" का उदाहरण लेते हैं। कंपनी अपना खाता बैलेंस शीट (नीचे दिखाया गया है) के रूप में बनाए रखती है और बैलेंस शीट में कंपनी की संपत्ति और देनदारियाँ हमेशा बराबर होती हैं। शुरुआत में कंपनी के पास कोई पैसा/पूँजी नहीं होती है और अपने पैसे रखने के लिए एक विशेष बैंक में खाता खोला जाता है।

मालिक/उद्यमी शुरू में कंपनी में कुछ पैसा लगाता है जैसे कि 1 करोड़ रुपए (जो कंपनी के खाते में जमा हो जाएगा) और बदले में कंपनी उसे एक ''स्वामित्व दस्तावेज''/शेयर जारी करती है। कंपनी के खाते में मौजूद नकदी कंपनी के लिए एक परिसंपत्ति होगी क्योंकि कंपनी उस 1 करोड़ की नकदी के साथ कुछ भी कर सकती है। इस राशि के विरुद्ध कंपनी मालिक को एक दस्तावेज जारी करेगी जो कंपनी में 100% स्वामित्व का प्रतिनिधित्व करेगा, और कंपनी के दायित्व पक्ष में 'मालिक का पैसा' या 'शेयर धारकों का पैसा' के रूप में दर्शाया जाएगा। स्वामित्व दस्तावेज या शेयर मालिक के लिए परिसंपत्ति है लेकिन कंपनी के लिए देयता के रूप में कार्य करेगा। यह लेनदेन निम्नलिखित जैसा दिखेगा:

"XYZ प्रा. लिमिटेड"

परिसंपत्ति	देयता
नकद = 1 करोड़ रु.	स्वामी का धन = 1 करोड़ रु.
1 करोड़ रु.	1 करोड़ रु.

अगर कंपनी अपने कारोबार का विस्तार कर रही है और उसे और अधिक फंड चाहिए तो वह बैंक से संपर्क कर सकती है। मान लीजिए कि बैंक ने कंपनी को 2 करोड़ रुपए का ऋण दिया है। कंपनी को जो नकद मिला है वह कंपनी के लिए एक परिसंपत्ति होगी लेकिन कंपनी को 2 करोड़ रुपए के ऋण को दर्शाने वाले 'लोन डॉक्यूमेंट' पर हस्ताक्षर

करने होंगे और यह लोन डॉक्यूमेंट कंपनी के लिए एक देनदारी होगा (देनदारी पक्ष में बैंक लोन के रूप में दर्शाया गया है) और बैंक के लिए परिसंपत्ति होगी। यह लेनदेन इस तरह दिखेगा:

'XYZ प्रा. लिमिटेड'

परिसंपत्ति	देयताएँ
नकद = 1 करोड़ रु.	मालिक का धन = 1 करोड़ रु.
नकद = 2 करोड़ रु.	बैंक ऋण = 2 करोड़ रु.
3 करोड़ रु.	3 करोड़ रु.

अगर कंपनी को ज्यादा फंड चाहिए, तो वह व्यक्तियों यानी खुदरा बाजार से कंपनी में एक **विशेष/तय ब्याज** दर पर पैसा लगाने के लिए संपर्क कर सकती है (जिस तरह लोग बैंकों में पैसा लगाते हैं)। मान लीजिए कि कंपनी ने 1 लाख लोगों से संपर्क किया, जो 10% की तय ब्याज दर पर कंपनी में 5 साल के लिए 100-100 रुपए (कुल = 1 करोड़ रुपए) निवेश कर सकते हैं (मान लें कि बैंक 9% ब्याज दर दे रहे थे, इसलिए कंपनी ने 1% ज्यादा की पेशकश की)। लोगों ने बैंकों के बजाय कंपनी में पैसा लगाने का फैसला किया है क्योंकि कंपनी बैंकों की तुलना में ज्यादा ब्याज दर दे रही थी। इस लेन-देन से कंपनी की संपत्ति में 1 करोड़ रुपए की वृद्धि होगी और कंपनी की देनदारियों में भी 1 करोड़ रुपए की वृद्धि होगी। कंपनी व्यक्तियों को 100 रुपए की कागज की 'पर्चियाँ' जारी करेगी जो व्यक्तियों के लिए संपत्ति होगी लेकिन कंपनी के लिए देनदारियों के रूप में काम करेगी।

पर्चियाँ इस तरह दिखेंगी।

''पर्चियाँ''

XYZ प्रा. लिमिटेड
मूल्य = 100 रु.
समय = 5 वर्ष
ब्याज दर = 10%

बैंक ब्याज दर = 9%

अब, कुछ समय बाद, यदि आर्थिक स्थितियों में परिवर्तन के कारण बैंक अपनी ब्याज दर बढ़ाकर 12% कर देते हैं, तो 'पर्ची' रखने वाले लोग पर्ची से छुटकारा पाने की कोशिश करेंगे क्योंकि पर्ची उन्हें केवल 10% ब्याज दर दे रही है। लेकिन यदि वे पर्ची बेचने के लिए बाजार में जाएँगे, तो कोई भी व्यक्ति 100 रुपए में इन पर्ची को खरीदने के लिए तैयार नहीं होगा, क्योंकि कोई भी व्यक्ति 10% ब्याज दर पर पर्ची क्यों खरीदेगा, जबकि वे बैंकों में 100 रुपए जमा कर सकते हैं और 12% ब्याज दर कमा सकते हैं। इसलिए, पर्चीधारक यदि इसे बाजार में बेचना चाहते हैं, तो वे छूट/कम कीमत पर पर्ची की पेशकश करेंगे। लेकिन वह कम कीमत क्या होगी।

कोई भी व्यक्ति पर्ची खरीदने के लिए तैयार होगा यदि उन्हें बाजार में दी जा रही दर यानी 12% की तुलना में पर्ची पर अधिक ब्याज दर मिल सके। मान लीजिए कि कोई खरीदार बाजार से यह पर्ची 80 रुपए में खरीदता है। आइए उसकी कमाई या ब्याज दर देखते हैं।

पर्ची खरीदने में क्रेता द्वारा खर्च किया गया पैसा = 80 रुपए

खरीदार द्वारा प्राप्त वार्षिक ब्याज = 10 रुपए (100 रुपए का 10%)

खरीदार द्वारा अर्जित प्रभावी ब्याज दर = 10 रुपए/80 रुपए = 12.5%

इसलिए क्रेता इस पर्ची को 80 रुपए में खरीदेगा क्योंकि उसे 12% की बैंक ब्याज दर की तुलना में 12.5% का उच्च रिटर्न (जिसे यील्ड भी कहा जाता है) मिल रहा है। जिस व्यक्ति ने शुरू में पर्ची खरीदी थी, वह पर्ची को 80 रुपए में क्यों बेचेगा? क्योंकि उसे लगता है कि अगर बैंक ब्याज दर 13% या 14% तक बढ़ जाती है, तो कोई भी 80 रुपए में भी पर्ची खरीदने को तैयार नहीं होगा। (सभी व्यापारिक गतिविधियाँ भविष्य के अनुमानों के आधार पर होती हैं)। इन पर्चियों को **बॉन्ड कहा** जाता है। इसलिए, जब बैंक ब्याज दर बढ़ती है तो बाजार में बॉन्ड की कीमतें कम हो जाती हैं। और जब बैंक ब्याज दर गिरती है तो बाजार में बॉन्ड की कीमतें बढ़ जाती हैं। कंपनी की बैलेंस शीट इस तरह दिखेगी:

'XYZ प्रा. लि.'

परिसंपत्ति	देयताएँ
नकद = 1 करोड़ रु.	स्वामी का धन = 1 करोड रु.
नकद = 2 करोड़ रु.	बैंक का ऋण = 2 करोड़ रु.
नकद = 1 करोड़ रु.	बॉन्ड्स = 1 करोड़ रु.
4 करोड़ रुपए	4 करोड़ रुपए

यदि कंपनी अपनी बैलेंस शीट को इमारत और बैलेंस खरीदने में संशोधित करती है तो यह इस प्रकार दिखाई देगी:

'XYZ प्रा. लि.'

परिसंपत्ति	देयताएँ
इमारत 1 = 1 करोड़ रु.	स्वामी का धन = 1 करोड रु.
इमारत 2 = 2 करोड़ रु.	बैंक का ऋण = 2 करोड़ रु.
मशीनरी 1 = 1 करोड़ रु.	बॉन्ड्स = 1 करोड़ रु.
4 करोड़ रुपए	4 करोड़ रुपए

अब मान लीजिए कि कंपनी लाभ कमा रही है और अधिक से अधिक लोग कंपनी में निवेश करना चाहते हैं और मालिक बनना चाहते हैं। मान लीजिए कि एक लाख लोगों ने कंपनी में मालिक बनने के लिए 100-100 रुपए (कुल 1 करोड़ रुपए) निवेश किए और कंपनी ने इस 1 करोड़ रुपए की नकदी से मशीनरी खरीदी। बैलेंस शीट इस तरह दिखेगी:

'XYZ प्रा. लि.'

परिसंपत्ति	देयता
इमारत 1 = 1 करोड़ रु.	स्वामी का धन = 1 करोड़ रु.
इमारत 2 = 2 करोड़ रु.	स्वामी का धन = 1 करोड़ रु.
मशीनरी 1 = 1 करोड़ रु.	बैंक का ऋण = 2 करोड़ रु.
मशीनरी 2 = 1 करोड़ रु.	बॉन्ड्स = 1 करोड़ रु.
5 करोड़ रुपए	5 करोड़ रुपए

अब कंपनी में मालिकों का मूल्य 2 करोड़ रुपए होगा, जो 100% स्वामित्व दर्शाता है। और नए मालिक अपने स्वामित्व के अनुपात में स्वामित्व/शेयर दस्तावेज रखना चाहेंगे। इसलिए, प्रारंभिक उद्यमी के पास जो स्वामित्व दस्तावेज था (जिसका मूल्य अब 2 करोड़ रुपए हो गया है) उसे दो लाख टुकड़ों में विभाजित किया जाएगा।

तो अब, 100% स्वामित्व = 2 करोड़ रुपए = 2 लाख शेयर × प्रत्येक शेयर का मूल्य

इसलिए, प्रत्येक शेयर का मूल्य = 100 रुपए

उद्यमी के पास 50% स्वामित्व और 100 रुपए प्रत्येक के एक लाख शेयर होंगे।

और नए एक लाख मालिकों के पास 100 रुपए प्रत्येक के एक शेयर के साथ संयुक्त 50% स्वामित्व होगा।

अब, यदि कंपनी की संपत्ति इमारत के मूल्याँकन में वृद्धि या कंपनी के लाभ कमाने के कारण बढ़ती है, तो प्रत्येक शेयर का मूल्य बढ़ जाएगा। उदाहरण के लिए, यदि कंपनी 100 रुपए प्रत्येक का निवेश करती है, तो प्रत्येक शेयर का मूल्य बढ़ जाएगा। यदि कंपनी का लाभ 2 करोड़ रुपए है, तो यह लाभ कंपनी की संपत्ति (कंपनी के खाते में जमा) होगी और दो लाख शेयरों का मूल्य 4 करोड़ रुपए हो जाएगा, इसलिए शेयर की कीमत बढ़कर 200 रुपए प्रति शेयर हो जाएगी। इसलिए **लाभ** में वृद्धि के साथ कंपनी के शेयर की कीमत भी बढ़ जाती है। बैलेंस शीट इस प्रकार दिखाई देगी:

"XYZ प्रा. लि."

परिसंपति	देयता	
इमारत 1 = 1 करोड़ रु. इमारत 2 = 2 करोड़ रु.	शेयरधारक का धन = 4 करोड़ रु. *(दो लाख शेयर × 200 रुपए प्रत्येक)*	**इक्विटी**
मशीनरी 1 = 1 करोड़ रु. मशीनरी 2 = 1 करोड़ रु. नकद (लाभ से) = 2 करोड़ रु.	बैंक का ऋण = 2 करोड़ रु. बॉन्ड्स = 1 करोड़ रु.	**ऋण**
7 करोड़ रुपए	7 करोड़ रुपए	

उपरोक्त उदाहरण में, निवेशक निम्नलिखित दो तरीकों से कंपनी में पैसा लगा रहे हैं:

- एक विशेष/निश्चित ब्याज दर पर और ***ऋण प्रतिभूति*** प्राप्त करते हैं
- लाभ या हानि पर और मालिक बन जाते हैं और **इक्विटी प्रतिभूति** प्राप्त करते हैं

इसलिए, कुल परिसंपत्तियों के विरुद्ध, कंपनी निवेशकों को ऋण या इक्विटी प्रतिभूतियाँ जारी करती है और उन्हें कंपनी की खाता बही में देयता पक्ष में दर्शाया जाता है।

2.5 सरकारी प्रतिभूतियाँ (Government Securities)

- सरकारी प्रतिभूति (जी-सेक) केंद्र सरकार या राज्य सरकारों द्वारा जारी किया जाने वाला एक व्यापार योग्य साधन है। जी-सेक (Government Securities) में व्यावहारिक रूप से डिफॉल्ट का कोई जोखिम नहीं होता है और इसलिए, इन्हें जोखिम-मुक्त गिल्ट-एज्ड साधन कहा जाता है। सरकार केवल ऋण प्रतिभूतियाँ जारी करती है।
- जी-सेक (Government Securities) RBI द्वारा आयोजित नीलामी के माध्यम से जारी किए जाते हैं। नीलामी RBI के कोर बैंकिंग सॉल्यूशन (CBS) प्लेटफॉर्म ई-कुबेर नामक इलेक्ट्रॉनिक प्लेटफॉर्म पर आयोजित की जाती है। इसलिए, मूल रूप से ई-कुबेर एक ऐसा प्लेटफॉर्म है जहाँ प्राथमिक बाजार लेनदेन होता है।
- वाणिज्यिक बैंक, अनुसूचित शहरी सहकारी बैंक, प्राथमिक डीलर, बीमा कंपनियाँ और भविष्य निधि, जो RBI के पास निधि खाता (चालू खाता) और प्रतिभूति खाता रखते हैं, इस इलेक्ट्रॉनिक प्लेटफॉर्म के सदस्य हैं। ई-कुबेर के सभी सदस्य इस इलेक्ट्रॉनिक प्लेटफॉर्म के जरिए नीलामी में अपनी बोलियाँ लगा सकते हैं।
- सरकारी प्रतिभूतियों में एक सक्रिय द्वितीयक बाजार है और नेगोशिएटेड डीलिंग सिस्टम-ऑर्डर मैचिंग (NDS-OM) ऐसा ही एक बाजार/प्लेटफॉर्म है। स्टॉक एक्सचेंज भी सरकारी प्रतिभूतियों के लिए एक द्वितीयक बाजार है।

सरकारी प्रतिभूतियाँ चार तरह की होती हैं।

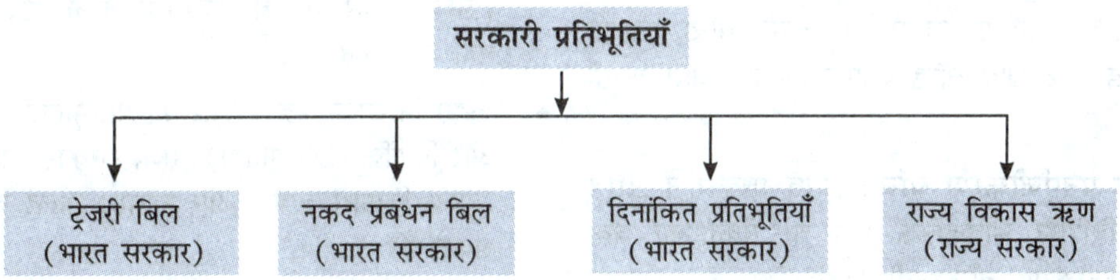

1. **ट्रेजरी बिल या टी-बिल:** ये भारत सरकार द्वारा एक वर्ष से कम की परिपक्वता के लिए जारी किए गए अल्पकालिक ऋण साधन हैं। ट्रेजरी बिल शून्य कूपन प्रतिभूतियाँ हैं और इन पर कोई ब्याज नहीं मिलता है। इसके बजाय, उन्हें छूट पर जारी किया जाता है और परिपक्वता पर अंकित मूल्य पर भुनाया जाता है। उदाहरण के लिए, 100/-रुपए (अंकित मूल्य) का 91-दिवसीय ट्रेजरी बिल 98.20 रूपए पर जारी किया जा सकता है, यानी, 1.80 रुपए की छूट पर और 100/- रुपए के अंकित मूल्य पर भुनाया जाएगा। (ट्रेजरी बिलों का कारोबार मुद्रा बाजार में होता है)।
2. **नकद प्रबंधन बिल (सीएमबी):** 2010 में, भारत सरकार ने आरबीआई के परामर्श से भारत सरकार के नकदी प्रवाह में अस्थायी बेमेल को पूरा करने के लिए एक नया अल्पकालिक साधन पेश किया, जिसे नकद प्रबंधन बिल (सीएमबी) के रूप में जाना जाता है। सीएमबी में टी-बिल की सामान्य विशेषता होती है, लेकिन इन्हें 91 दिनों से कम की परिपक्वता अवधि के लिए जारी किया जाता है और इनका कारोबार मुद्रा बाजार में होता है।

3. **दिनाँकित प्रतिभूतियाँः** ये मूल रूप से केंद्र सरकार द्वारा जारी की जाने वाली दीर्घकालिक प्रतिभूतियाँ हैं और आम तौर पर इनकी अवधि 5 वर्ष से 50 वर्ष होती है। ये विभिन्न श्रेणियों में हो सकती हैं:

   - **निश्चित दर वाले बॉन्डः** परिपक्वता तक ब्याज दर तय होती है
   - **फ्लोटिंग दर वाले बॉन्डः** ब्याज/कूपन दर तय नहीं होती है और इसे ट्रेजरी बिल के परिणाम से जोड़ा जा सकता है
   - **मुद्रास्फीति सूचकांक वाले बॉन्डः** ब्याज और मूलधन दोनों मुद्रास्फीति से सुरक्षित होते हैं और इन्हें सीपीआई या डब्ल्यूपीआई जैसे किसी भी मुद्रास्फीति सूचकांक से जोड़ा जा सकता है। हर वर्ष मुद्रास्फीति सूचकांक के अनुसार मूलधन में वृद्धि की जाती है और ब्याज बढ़े हुए मूलधन पर दिया जाता है।
   - **विशेष प्रतिभूतियाँः** बाजार उधार कार्यक्रम के तहत, भारत सरकार समय-समय पर तेल विपणन कंपनियों, उर्वरक कंपनियों, भारतीय खाद्य निगम आदि जैसी संस्थाओं को नकद सब्सिडी के बदले में मुआवजे के रूप में विशेष प्रतिभूतियाँ (जिन्हें लोकप्रिय रूप से क्रमशः तेल बॉन्ड, उर्वरक बॉन्ड और खाद्य बॉन्ड कहा जाता है) जारी करती है।
   - **बैंक पुनर्पूंजीकरण बॉन्डः** भारत सरकार ने 2018 में विशिष्ट सार्वजनिक क्षेत्र के बैंकों को बैंक पुनर्पूंजीकरण बॉन्ड भी जारी किए हैं। (इसके बारे में 'बैंक पुनर्पूंजीकरण' में विस्तार से चर्चा की गई है)
   - **सॉवरेन स्वर्ण बॉन्ड (एसजीबी):** एसजीबी अद्वितीय उपकरण हैं, जिनकी कीमतें कमोडिटी की कीमत यानी सोने से जुड़ी होती हैं। एसजीबी का बजट भी बाजार उधार के बदले में बनाया जाता है।

4. **राज्य विकास ऋण (एसडीएल):** जब राज्यों को पैसे की आवश्यकता होती है, तो वे एक वर्ष से अधिक की परिपक्वता अवधि के दीर्घकालिक बॉन्ड या दिनांकित प्रतिभूतियाँ जारी करते हैं जिन्हें एसडीएल कहा जाता है।

उपर्युक्त सभी चार प्रकार की सरकारी प्रतिभूतियाँ एसएलआर के लिए योग्य हैं।

सरकारी प्रतिभूति बाजार:

इस बाजार को RBI द्वारा विनियमित और प्रबंधित किया जाता है। जब सरकार (केंद्र या राज्य) को धन की आवश्यकता होती है, तो RBI सरकारी प्रतिभूति बाजार में प्रतिभूतियाँ/बाँड जारी करके उनके लिए पैसे जुटाता है। पहली बार प्रतिभूतियाँ सरकारी प्रतिभूति बाजार (मूल रूप से प्राथमिक बाजार लेनदेन) में जारी की जाती हैं और फिर द्वितीयक बाजार में लेनदेन होते हैं। सभी चार प्रकार की सरकारी प्रतिभूतियाँ यानी 'नकद प्रबंधन बिल', 'ट्रेजरी बिल', 'दिनांकित प्रतिभूतियाँ' और 'राज्य विकास ऋण' का सरकारी प्रतिभूति बाजार में कारोबार होता है। 'ट्रेजरी बिल', 'दिनांकित प्रतिभूतियों' और 'राज्य विकास ऋण' का भी बीएसई/एनएसई जैसे पूँजी बाजार में कारोबार किया जाता है।

रिटेल डायरेक्ट स्कीम (RBI की):

- खुदरा निवेशक व्यक्तिगत रूप से RBI के साथ रिटेल डायरेक्ट गिल्ट (RDG) खाता खोल सकेंगे।
- खुदरा निवेशक प्राथमिक बाजार के साथ-साथ द्वितीयक बाजार में भी सीधे सरकारी प्रतिभूतियाँ खरीद सकेंगे। [लेकिन फिर भी, वे प्रतिस्पर्धी बोली प्रक्रिया में भाग नहीं ले सकते हैं]।
- खुदरा निवेशक केंद्र सरकार की प्रतिभूतियाँ (ट्रेजरी बिल और दिनांकित प्रतिभूतियाँ), राज्य सरकार की प्रतिभूतियाँ (राज्य विकास ऋण) और सॉवरेन गोल्ड बॉन्ड खरीद सकते हैं।
- यह योजना देश में निवेश के अवसरों का विस्तार करेगी और सरल और सुरक्षित तंत्र के साथ पूँजी बाजारों तक आसान पहुँच सुनिश्चित करेगी।
- यह योजना अर्थव्यवस्था में सभी को शामिल करने पर बल देगी क्योंकि यह मध्यम वर्ग, कर्मचारियों, छोटे व्यापारियों और वरिष्ठ नागरिकों को उनकी छोटी बचत के साथ सीधे और सुरक्षित रूप से सरकारी प्रतिभूतियों में लाएगी।
- सरकारी प्रतिभूतियों में गारंटीकृत निपटान का प्रावधान है; इससे छोटे निवेशकों को सुरक्षा का आश्वासन मिलता है।

भारत सरकार की प्रतिभूतियों का ग्लोबल बॉन्ड इंडेक्स में शामिल होना

- जेपी मॉर्गन और ब्लूमबर्ग (जून 2024 में) भारत सरकार के बॉन्ड/सिक्योरिटीज को अपने ''ग्लोबल बॉन्ड इंडेक्स'' में शामिल कर लिया है। इससे भारत सरकार को विदेशी ऋण पूँजी तक आसानी से पहुँच मिल सकेगी।
- ''बॉन्ड इंडेक्स'' में विभिन्न निगमों और सरकारों जैसी विभिन्न संस्थाओं के बॉन्ड शामिल होते हैं।
- कोई निवेशक या तो किसी एक संस्था/कंपनी/सरकार के बॉन्ड में निवेश कर सकता है या फिर वे 'बॉन्ड इंडेक्स (फंड)' में निवेश कर सकते हैं, जहां 'बॉन्ड इंडेक्स' में विभिन्न बॉन्ड के वजन के अनुसार आनुपातिक रूप से विभिन्न संस्थाओं/सरकारों के बॉन्ड में पैसा लगाया जाएगा।
- यदि कोई विदेशी निवेशक भारत सरकार के बॉन्ड खरीदना चाहता है, तो उसे सेबी की मंजूरी की आवश्यकता होती है। लेकिन यदि विदेशी निवेशक बॉन्ड इंडेक्स (फंड) के माध्यम से निवेश कर रहे हैं, तो प्रत्येक विदेशी निवेशक को सेबी की मंजूरी की आवश्यकता नहीं होती है, बल्कि केवल (जेपी मॉर्गन) बॉन्ड इंडेक्स (फंड) के माध्यम से निवेश करना होता है।
- इससे भारत के रुपया-नामित सरकारी ऋण में अरबों डॉलर का निवेश हो सकता है।
- बाकी सब कुछ समान रहने पर, विदेशी निवेशकों की माँग का एक वृद्धिमान स्रोत सरकार की उधार लेने की लागत को कम करेगा और घरेलू वित्तपोषकों के लिए अधिक उत्पादक परिसंपत्तियों में निवेश करने के लिए तरलता को मुक्त करेगा। इससे भारत सरकार की प्रतिभूतियों में भी तरलता बढ़ेगी।
- लेकिन यह देश को विनिमय दर के जोखिम की अधिक मात्रा के लिए भी प्रवृत्त कर सकता है और संभावित रूप से रुपए में अस्थिरता पैदा कर सकता है यदि बाहरी परिस्थितियाँ प्रतिकूल हो जाती हैं।
- पहले इस बात की एक सीमा/निर्धारण था कि गैर-निवासी (विदेशी) निवेशक भारत में बॉन्ड में कितना निवेश कर सकते हैं। लेकिन ग्लोबल बॉन्ड इंडेक्स में सरकारी प्रतिभूतियों को शामिल करने के लिए इस सीमा को हटाने की आवश्यकता है। इसलिए, RBI ने मार्च 2020 में ''पूरी तरह से सुलभ मार्ग'' के तहत सरकारी प्रतिभूतियों में गैर-निवासियों (NRI, FPI) द्वारा निवेश के लिए इस सीमा को हटा दिया। कॉर्पोरेट ऋण/बाँन्ड पर सीमा हटाने की भी योजना है।
- आरबीआई का वित्तीय बाजार विनियमन विभाग अंतर्राष्ट्रीय मंच 'यूरोक्लियर' पर वैश्विक बॉन्ड बाजार में भारत सरकार की प्रतिभूतियों की सूची को संभालेगा।

2.6 भारत में कॉर्पोरेट बॉन्ड बाजार (Corporate Bond Market in India)

एक गहन और तरल कॉर्पोरेट ऋण/बॉन्ड बाजार के अस्तित्व में भारत को कम असुरक्षित बनाने की क्षमता है, विशेष रूप से अस्थिर पूँजी प्रवाह के लिए। क्योंकि, एक उचित रूप से अच्छी तरह से विकसित बॉन्ड बाजार लंबी अवधि के पूँजी निवेश और परिसंपत्ति निर्माण के लिए कॉर्पोरेट क्षेत्र की आवश्यकताओं को पूरा करने में बैंकिंग प्रणाली को पूरक बनकर सहायता कर सकता है। यह वित्त का एक स्थिर स्रोत प्रदान कर सकता है; खासकर जब इक्विटी/शेयर बाजार अस्थिर हो और कॉर्पोरेट संस्थाओं की संसाधन संबंधी आवश्यकताएँ बड़ी हों। कॉर्पोरेट बॉन्ड बाजार का विकास अब विशेष रूप से अगले कुछ वर्षों के दौरान देश में बुनियादी ढाँचे के विकास के लिए बड़ी मात्रा में संसाधन जुटाने की आवश्यकता को देखते हुए महत्त्वपूर्ण हो गया है।

भारत में कॉर्पोरेट बॉन्ड बाजार की धीमी वृद्धि के लिए निम्नलिखित कारक जिम्मेदार हैं।

- केवल कुछ ही कॉर्पोरेट संस्थाएँ हैं जो पारदर्शिता और शासन मानकों के संदर्भ में निवेशकों की आवश्यकताओं को पूरा करने में सक्षम हैं। इसके परिणामस्वरूप भारत में कॉर्पोरेट बॉन्ड की माँग और आपूर्ति के बीच एक बड़ा अंतर पैदा हो गया है। कॉर्पोरेट प्रशासन और उपलब्ध प्रकटीकरण मानक निवेशकों को बैंकों के विपरीत बॉन्ड में निवेश करने के लिए पर्याप्त आत्मविश्वास प्रदान नहीं करते हैं।

- बॉन्ड की सार्वजनिक पेशकश (प्रक्रिया) महंगी, अधिक समय लेने वाली और प्रक्रिया उन्मुख होने के कारण, कॉर्पोरेट्स को बैंकों से उधार लेना या अपने बॉन्ड का निजी प्लेसमेंट (आम जनता/निवेशक के बजाय कुछ चुनिंदा निवेशकों के लिए) करना आसान लगता है।
- निवेशकों की सुरक्षा सुनिश्चित करने के लिए दिवालियापन कानूनों की अनुपलब्धता ने भी कॉर्पोरेट बॉन्ड बाजार के मंद विकास में योगदान दिया है (आईबीसी 2016 के आने के साथ अब यह चुनौती हल हो गई है)।
- एक अच्छी तरह से विकसित बॉन्ड बाजार के लिए आवश्यक बुनियादी ढाँचे का निर्माण महत्त्वपूर्ण समय और संसाधन लागत के अधीन है, जिसे भारत ने अब तक नहीं लगाया है।

देश में एक जीवंत, गतिशील और गहन कार्पोरेट ऋण/बॉन्ड बाजार बनाने के लिए सरकार द्वारा प्रयास किए जा रहे हैं। इस दिशा में कुछ कदम निम्नलिखित हैं।

- सरकार ने आरबीआई के परामर्श से कार्पोरेट बॉन्ड में विदेशी पोर्टफोलियो निवेशकों (एफपीआई) की अधिकतम सीमा को मौजूदा 9% से बढ़ाकर 15% कर दिया है। इसका तात्पर्य है कि कुल कार्पोरेट बॉन्ड (वर्तमान में जारी) का जो भी मूल्य बकाया है, उसका 15% एफपीआई द्वारा रखा जा सकता है।
- सरकार एक निवेशक चार्टर तैयार कर रही है जो निवेशकों के अधिकारों, जिम्मेदारियों और शिकायत निवारण तंत्र पर ध्यान केंद्रित करेगा। निवेशक चार्टर न केवल निवेश प्रक्रिया में अधिक पारदर्शिता लाने में मदद करेगा बल्कि निवेशकों को बेहतर जानकारी के साथ निवेश करने के लिए प्रोत्साहित भी करेगा।
- सरकार ने बजट 2021-22 में 'बैकस्टॉप सुविधा' बनाने की घोषणा की है। [बैकस्टॉप एक वित्तीय व्यवस्था है जो प्राथमिक स्रोत की विद्यमान जरूरतों को पूरा करने के लिए पर्याप्त न होने की स्थिति में धन का एक द्वितीयक स्रोत बनाती है। इसे एक बीमा पॉलिसी के रूप में भी माना जा सकता है जो धन के स्रोत की अपर्याप्तता को पूरा करती है]। 'बैकस्टॉप सुविधा' निवेशकों के बॉन्ड/ऋण पत्रों की खरीद करेगी जो निवेश ग्रेड के हैं (निवेश ग्रेड प्रतिभूतियों का मतलब है जिनकी क्रेडिट रेटिंग अपेक्षाकृत बेहतर है और जो कम जोखिमपूर्ण हैं। निवेश ग्रेड का विपरीत जंक ग्रेड है जो तनावयुक्त और सामान्य दोनों समय में, बॉन्ड बाजार के विकास में मदद करेगा।

2.7 वित्तीय बाजार (Financial Markets)

वित्तीय बाजार एक ऐसा बाजार है जो खरीदारों और विक्रेताओं को वित्तीय प्रतिभूतियों या परिसंपत्तियों जैसे स्टॉक, बॉन्ड, डेरिवेटिव, मुद्राओं आदि में व्यापार करने के लिए एक साथ लाता है। वित्तीय बाजार मोटे तौर पर दो प्रकार के होते हैं।

- वित्तीय बाजार
  - पूँजी बाजार
    - प्राथमिक बाजार
    - द्वितीयक बाजार
  - मुद्रा बाजार
    - प्राथमिक बाजार
    - द्वितीयक बाजार

1. पूँजी बाजार:

पूँजी बाजार **ऋण और इक्विटी प्रतिभूति** को खरीदने और बेचने के लिए वित्तीय बाजार है। इस बाजार में (आमतौर पर) एक साल से ज्यादा की मध्यम और लंबी अवधि की प्रतिभूतियों को खरीदा और बेचा जाता है। पूँजी बाजार दो प्रकार के होते हैं:

(i) **प्राथमिक बाजार:** यह पूँजी बाजार को संदर्भित करता है जहाँ प्रतिभूतियाँ बनाई जाती हैं। इसी बाजार में कंपनियाँ पहली बार नए शेयर और बॉन्ड बेचती हैं (आरंभिक सार्वजनिक पेशकश, IPO)। इस बाजार में लेन-देन प्रतिभूति जारीकर्ता (कंपनी) और निवेशक के बीच होता है। पहले दिए गए प्रतिभूतियों के उदाहरण में, जिस बाजार में कंपनी ने पहली बार एक लाख निवेशकों को बॉन्ड जारी किए, वह प्राथमिक बाजार है।

(ii) **द्वितीयक बाजार:** एक बार प्राथमिक बाजार में जारीकर्ता द्वारा प्रतिभूतियाँ जारी किए जाने के बाद, इसका द्वितीयक बाजार में निवेशकों के बीच कारोबार किया जाता है। इस बाजार में, निवेशक प्रतिभूति जारीकर्ता (कंपनी) की भागीदारी के बिना पहले से जारी प्रतिभूतियों का आपस में व्यापार करते हैं। उदाहरण, बॉम्बे स्टॉक एक्सचेंज। प्रतिभूतियों के उदाहरण में, जिस बाजार में निवेशकों ने आपस में बॉन्ड खरीदना और बेचना शुरू किया, वह द्वितीयक बाजार है।

2. मुद्रा बाजार:

वित्तीय बाजार का एक खंड जिसमें **उच्च तरलता** और बहुत कम परिपक्वता (**एक वर्ष से कम**) वाले वित्तीय साधनों का कारोबार होता है। मुद्रा **बाजार इंस्ट्रूमेंट** मूल रूप से ऋण साधन हैं और इसमें कॉल/नोटिस मनी, रेपो, ट्रेजरी बिल, कैश मैनेजमेंट बिल, कमर्शियल पेपर, सर्टिफिकेट ऑफ डिपॉजिट और कोलैटरलाइज्ड बॉरोइंग एंड लेंडिंग ऑब्लिगेशन (CBLO) शामिल होते हैं। मुद्रा बाजार में कारोबार करने वाले खिलाड़ी वित्तीय संस्थान, वाणिज्यिक बैंक, केंद्रीय बैंक और उच्च श्रेणी की कॉर्पोरेट कंपनियाँ हैं। ये बाजार कम जोखिम वाले हैं। मुद्रा बाजार के लेनदेन को प्राथमिक और द्वितीयक के रूप में भी वर्गीकृत किया जा सकता है।

- **कॉल/नोटिस मनी:** कॉल मनी में, फंड का लेन-देन रातोंरात और नोटिस मनी के तहत किया जाता है; फंड का लेन-देन 2 दिनों से 14 दिनों के बीच की अवधि के लिए किया जाता है। ये असुरक्षित साधन हैं। प्रतिभागियों में वाणिज्यिक और सहकारी बैंक, प्राथमिक डीलर (पीडी), विकास वित्त संस्थान, बीमा कंपनियाँ और चुनिंदा म्यूचुअल फंड शामिल हैं।
- **जमा प्रमाणपत्र (सीडी):** सीडी परक्राम्य/ व्यापार योग्य, असुरक्षित मुद्रा बाजार साधन हैं जो ज्यादातर अनुसूचित वाणिज्यिक बैंकों द्वारा बैंक में जमा धन के विरुद्ध एक वर्ष तक की परिपक्वता अवधि के लिए जारी किए जाते हैं।
- **वाणिज्यिक पत्र (सीपी):** वाणिज्यिक पत्र एक असुरक्षित मुद्रा बाजार साधन है जो वचन पत्र (promissory note) (भविष्य में भुगतान करने का वादा) के रूप में जारी किया जाता है। वाणिज्यिक पत्र की परिपक्वता सात दिनों से एक वर्ष के बीच होगी। एनबीएफसी, विकास वित्तीय संस्थान (जैसे नाबार्ड, सिडबी आदि), सहकारी समितियाँ, सरकारी संस्थाएँ (पीएसयू) और अन्य कंपनियाँ मुद्रा बाजार में धन जुटाने के लिए वाणिज्यिक पत्र जारी कर सकती हैं।

2.8 कंपनी के प्रकार (Types of Company)

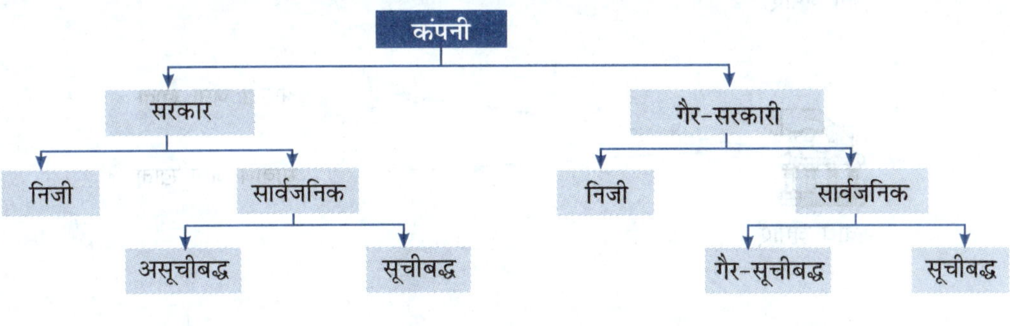

- **सरकारी कंपनी** का अर्थ है कोई भी कंपनी जिसमें कम से कम 51% शेयर केंद्र सरकार या किसी राज्य सरकार या सरकारों के पास या आंशिक रूप से केंद्र सरकार और आंशिक रूप से एक या अधिक राज्य सरकारों के पास हों और इसमें सरकारी कंपनी की सहायक कंपनी भी शामिल है।
- **गैर-सरकारी कंपनियाँ** वे हैं जो सरकारी कंपनियाँ नहीं हैं और उन्हें ऐसी कंपनियों के रूप में परिभाषित किया जाता है जहाँ सरकारी स्वामित्व 49% से कम है और अधिकांश स्वामित्व निजी व्यक्तियों/कंपनियों के पास है।
- एक **निजी कंपनी** या क्लोज कॉरपोरेशन एक ऐसी कंपनी है जहाँ सदस्यों की संख्या 200 तक सीमित है और शेयरों के हस्तांतरण पर प्रतिबंध है। शेयर आम जनता के लिए उपलब्ध नहीं होते हैं, बल्कि निजी तौर पर स्वामित्व और विनिमय किए जाते हैं। (यहाँ निजी शब्द का अर्थ निजी स्वामित्व नहीं है, बल्कि यह बताता है कि कंपनी के शेयर सार्वजनिक रूप से खरीदे/बेचे जा सकते हैं या नहीं)।
- **सार्वजनिक कंपनी** एक ऐसी कंपनी होती है जो निजी नहीं होती है।
- **गैर-सूचीबद्ध सार्वजनिक कंपनी** का अर्थ एक सार्वजनिक कंपनी है जिसकी प्रतिभूतियों का किसी भी स्टॉक एक्सचेंज में कारोबार नहीं होता है।
- **सूचीबद्ध सार्वजनिक कंपनी** का अर्थ है ऐसी कंपनी जिसकी कोई भी प्रतिभूति (शेयर/बॉन्ड) किसी मान्यता प्राप्त स्टॉक एक्सचेंज में सूचीबद्ध है। लेकिन भारत में, सूचीबद्ध का उपयोग शेयर/इक्विटी प्रतिभूतियों के संदर्भ में किया जाता है।

एक निजी कंपनी आरंभिक सार्वजनिक पेशकश (आईपीओ) आयोजित करके सार्वजनिक रूप से सूचीबद्ध कंपनी बन सकती है, जिसके तहत कंपनी ट्रेडिंग के उद्देश्य से स्टॉक एक्सचेंज के माध्यम से पहली बार आम जनता को अपने शेयर देती है।

2.9 खाते और जमाराशियाँ (Accounts and Deposits)

अगर किसी के पास पैसा है, तो उसे बैंकिंग सिस्टम में मुख्य रूप से दो तरीकों से रखा जा सकता है। डिमांड फॉर्म यानी डिमांड डिपॉजिट और टाइम फॉर्म यानी टाइम डिपॉजिट या टर्म डिपॉजिट। अगर कोई डिमांड फॉर्म में पैसा जमा करना चाहता है, तो दो तरह के खाते खोले जा सकते हैं जैसे-चालू खाता और बचत खाता। और अगर कोई समय पर पैसा जमा करना चाहता है, तो फिर से दो तरह के खाते खोले जा सकते हैं जैसे, सावधि जमा खाता और आवर्ती जमा खाता।

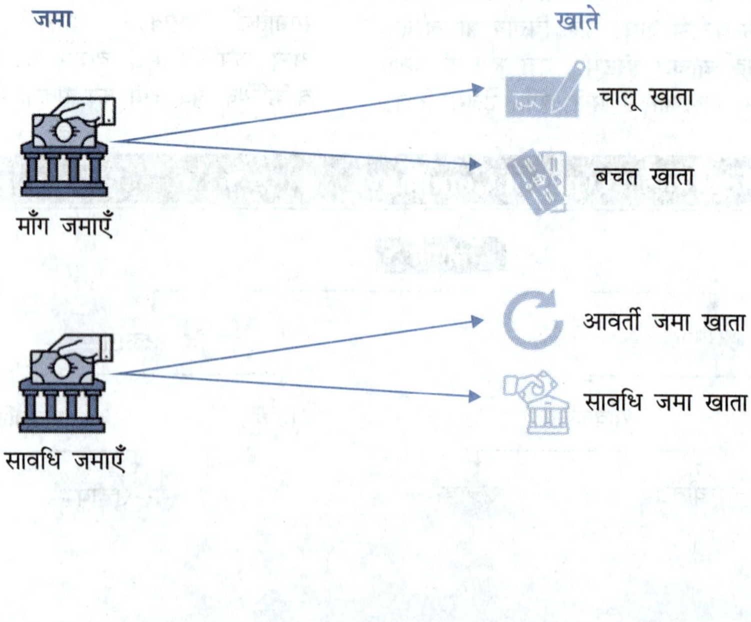

जमा के प्रकार:

1. माँग जमा: माँग जमाएँ (Demand Deposits) में रखे गए फंड को डिपॉजिटरी संस्थान को बिना किसी अग्रिम सूचना के किसी भी समय माँग पर निकाला जा सकता है। माँग जमा की माँग खाताधारक द्वारा किसी भी समय की जा सकती है और डिमांड डिपॉजिट के लिए परिपक्वता की कोई निश्चित अवधि नहीं होती है। बैंक इस तरह की जमाराशियों पर चेक जारी करते हैं और इन जमाराशियों पर चेक निकाले जा सकते हैं और इसलिए डिमांड डिपॉजिट को चेक-योग्य जमाराशियाँ भी कहा जाता है।
2. सावधि जमाराशि: सावधि जमाराशि में रखे गए फंड को डिपॉजिटरी संस्थान को अग्रिम सूचना देकर ही निकाला जा सकता है। जमाराशियाँ एक निर्दिष्ट समय अवधि या परिपक्वता के लिए रखी जाती हैं। बैंक इस तरह की जमाराशियों पर चेक जारी नहीं करते हैं और इसलिए ये गैर-चेक-योग्य जमाराशियाँ हैं। इन्हें सावधि जमाराशि भी कहा जाता है।

खातों के प्रकार:

1. चालू खाता: यह हमेशा एक डिमांड डिपॉजिट खाता होता है और बैंक माँग पर पैसे का भुगतान करने के लिए बाध्य होता है। लेन-देन की संख्या और लेन-देन के मूल्य की कोई सीमा नहीं होती है और ये सबसे अधिक तरल जमाराशियाँ होती हैं। चालू खाते का उपयोग मुख्य रूप से व्यावसायिक उद्देश्य/कंपनियों के लिए किया जाता है और कभी भी बचत उद्देश्य के लिए उपयोग नहीं किया जाता है। इन खातों पर बैंकों द्वारा कोई ब्याज नहीं दिया जाता है और बैंक इन खातों पर कुछ सेवा शुल्क लेते हैं। बैंक इन खातों पर सुविधाजनक परिचालन सुविधाएँ प्रदान करते हैं और चेकबुक भी जारी करते हैं।
2. बचत खाता: यह खाता मुख्य रूप से व्यक्तियों के लिए है। ये भी माँग जमाएँ (Demand Deposits) हैं, लेकिन इनमें एक निश्चित अवधि के दौरान लेन-देन की संख्या और लेन-देन के मूल्य पर प्रतिबंध हैं। बैंक आमतौर पर ऐसे जमाओं को बनाए रखने और उनकी सेवा करने की लागत के लिए खातों में न्यूनतम शेष राशि निर्धारित करते हैं। इन खातों में जमा राशि पर ब्याज मिलता है।
3. आवर्ती जमा खाता: ये सावधि जमा हैं जो उन लोगों के लिए उपयुक्त हैं जिनके पास बचत की एकमुश्त राशि नहीं है, लेकिन वे हर महीने या तिमाही या छमाही में छोटी राशि बचाने के लिए तैयार होते हैं। इस तरह की जमा राशि पर पहले से जमा राशि पर ब्याज मिलता है, जैसा कि सावधि जमा पर लागू होता है। यह बच्चे की शिक्षा या शादी के उद्देश्य के लिए सबसे उपयुक्त है। परिपक्वता आमतौर पर 6 महीने से 10 साल के बीच होती है।
4. सावधि जमा खाता: ये सावधि जमा हैं जिनकी अवधि 7 दिनों से लेकर 10 साल तक होती है। ये जमा निश्चित अवधि के लिए होते हैं, लेकिन बैंक को अग्रिम सूचना देकर और कुछ जुर्माना देकर समय से पहले निकाले जा सकते हैं।

भारत में NRI/PIO (NRI भारत के बाहर रहने वाला व्यक्ति होता है, जो भारत का नागरिक होता है या भारतीय मूल का व्यक्ति होता है, द्वारा रखे जा सकने वाले विभिन्न प्रकार के खाते हैं:

1. विदेशी मुद्रा अनिवासी (FCNR) खाता: यह खाता किसी भी स्वतंत्र रूप से परिवर्तनीय विदेशी मुद्रा में रखा जा सकता है, लेकिन केवल सावधि जमा के रूप में। ब्याज और मूलधन गैर-कर योग्य और स्वतंत्र रूप से प्रत्यावर्तनीय (repatriable) हैं।
2. अनिवासी बाह्य (NRE) खाता: यह खाता चालू, बचत, आवर्ती या सावधि जमा के रूप में **रुपए में** रखा जा सकता है। ब्याज और मूलधन गैर-कर योग्य और स्वतंत्र रूप से प्रत्यावर्तनीय हैं।
3. अनिवासी साधारण (NRO) खाता: यह खाता चालू, बचत, आवर्ती या सावधि जमा के रूप में **रुपए में** रखा जा सकता है। मूलधन और ब्याज कर योग्य होते हैं और प्रत्यावर्तनीयता सीमित होती है। भारतीय स्रोतों जैसे कि किराया, लाभांश, पेंशन से अर्जित आय को केवल इसी खाते में जमा किया जा सकता है।

2.10 मुद्रा आपूर्ति (Money Supply)

किसी अर्थव्यवस्था में, मुद्रा में मुख्य रूप से **करेंसी नोट, सिक्के** और बैंकों में जनता की **जमा राशि** शामिल होती है। भारत में सिक्के और करेंसी नोट भारतीय रिजर्व बैंक (RBI) द्वारा प्रचलन के लिए जारी किए जाते हैं, जो भारत में मौद्रिक प्राधिकरण (या केंद्रीय बैंक) है। एक रुपए का नोट और सभी सिक्के और सहायक सिक्के, जिनका आकार अपेक्षाकृत छोटा है, भारत सरकार द्वारा ढाले/मुद्रित किए जाते हैं, जबकि अन्य सभी करेंसी नोट RBI द्वारा मुद्रित किए जाते हैं। सभी करेंसी नोट और सिक्के केवल **RBI के माध्यम से प्रचलन** में लाए जाते हैं, जो भारत में **करेंसी** और **सिक्के जारी करने का एकमात्र प्राधिकरण है**।

एक रुपए के नोट पर वित्त सचिव द्वारा हस्ताक्षर किए जाते हैं (और सरकार द्वारा मुद्रित किए जाते हैं) यह इस बात का प्रमाण है कि यह मुद्रा प्रणाली की आधार इकाई है।

सिक्के और एक रुपए के नोट भारत सरकार द्वारा ढाले/मुद्रित किए जाते हैं और इसलिए वे भारत सरकार की देनदारी बनते हैं। संचलन प्रक्रिया के भाग के रूप में, RBI भारत सरकार से एक रुपए का नोट और ढाले गए सिक्के खरीदता है और इसलिए सिक्के और एक रुपए का नोट RBI की बैलेंस शीट के परिसंपत्ति अनुभाग के अंतर्गत आते हैं।

RBI द्वारा जारी किए गए सभी बैंक नोट (एक रुपए के नोट को छोड़कर) RBI अधिनियम, 1934 की धारा 33 में परिभाषित सोने, सरकारी प्रतिभूतियों और विदेशी मुद्रा परिसंपत्तियों जैसी परिसंपत्तियों द्वारा ***समर्थित*** *हैं।*

'मैं धारक को ... रुपए की राशि का भुगतान करने का वचन देता हूँ' बैंक नोट के धारक के प्रति RBI की ओर से दायित्व को दर्शाता है कि RBI बैंक नोट के मूल्य का भुगतान करने के लिए उत्तरदायी है। RBI अधिनियम, 1934 की धारा 26 के अनुसार RBI की इस देयता की भारत सरकार द्वारा **गारंटी** दी गई है।

करेंसी नोट और सिक्कों का मूल्य इन वस्तुओं पर केंद्र सरकार द्वारा दी गई गारंटी से प्राप्त होता है। प्रत्येक करेंसी नोट पर RBI का यह वचन या वादा लिखा होता है कि यदि कोई व्यक्ति RBI या किसी अन्य वाणिज्यिक बैंक को नोट प्रस्तुत करता है, तो RBI उस व्यक्ति को नोट पर मुद्रित मूल्य के बराबर क्रय शक्ति/मूल्य देने के लिए जिम्मेदार होगा। सिक्कों के लिए भी यही सच है। **करेंसी नोट और सिक्कों का आंतरिक मूल्य नहीं होता है,** यानी रुपए के नोट के मामले में कागज का टुकड़ा या सिक्के के मामले में लोहे का कोई मूल्य नहीं होता है, लेकिन यह RBI के वादे से अपना मूल्य प्राप्त करता है। इसलिए करेंसी नोट और सिक्कों को **कागजी मुद्रा (fiat money)** कहा जाता है। उन्हें **वैध मुद्रा (legal tender)** भी कहा जाता है क्योंकि देश के किसी भी नागरिक द्वारा ऋण के भुगतान/मुक्ति के लिए उन्हें अस्वीकार नहीं किया जा सकता है (उदाहरण के लिए: क्या एक ऑटोवाला सवारी के लिए आपके करेंसी नोट को स्वीकार करने के लिए बाध्य है? जरूरी नहीं है! यदि आप अभी तक ऑटो में नहीं बैठे हैं, तो ऑटोवाला वैध मुद्रा होने के बावजूद आपको मना कर सकता है। लेकिन एक बार जब आप यात्रा करते हैं, और आप पर ऋण हो जाता है, तो वह आपके करेंसी नोट को लेने से इनकार नहीं कर सकता है।) लेकिन चेक को कोई भी भुगतान के तरीके के रूप में अस्वीकार कर सकता है और इसलिए यह वैध मुद्रा नहीं है।

मुद्रा = नोट + सिक्के

चलन में मुद्रा = **जनता** के पास मुद्रा + **बैंकों** के पास मुद्रा

किसी विशेष समय पर **जनता** के बीच प्रचलन में मुद्रा के कुल स्टॉक को **मुद्रा आपूर्ति** कहा जाता है। इसलिए, **मुद्रा आपूर्ति जनता का पैसा है जो या तो नकद रूप में या जमा के रूप** में होता है। RBI मुद्रा आपूर्ति के चार वैकल्पिक उपायों के लिए आँकड़े प्रकाशित करता है। वे इस प्रकार हैं:

M1 = जनता के पास मुद्रा + बैंकों के पास जनता की माँग जमा + [*RBI के पास अन्य जमा]

M2 = M1 + डाकघर बचत बैंक के पास बचत जमा

M3 = M1 + बैंकों के पास जनता की सावधि जमा

M4 = M3 + डाकघर बचत बैंक के पास कुल जमा

*[*RBI के पास अन्य जमा में विदेशी केंद्रीय बैंकों, बहुपक्षीय संस्थानों, वित्तीय संस्थानों आदि से जमा शामिल हैं। व्यावहारिक उद्देश्यों के लिए इसे अनदेखा किया जा सकता है]*

बैंकों द्वारा रखे गए केवल जनता (व्यवसायों सहित) की जमाएँ ही मुद्रा आपूर्ति का हिस्सा हैं और अंतर-बैंक जमा को बाहर रखा गया है। वाणिज्यिक बैंकों के नकद भंडार को मुद्रा आपूर्ति के घटक के रूप में नहीं माना जाता है, क्योंकि मुद्रा के निर्माता/आपूर्तिकर्ता **(आरबीआई, सरकार और बैंक)** द्वारा रखी गई नकदी को कभी भी मुद्रा आपूर्ति के घटक के रूप में नहीं माना जाता है।

M1 सबसे अधिक तरल है और M4 सबसे कम तरल है। M1 और M2 को संकीर्ण मुद्रा कहा जाता है और M3 और M4 को व्यापक मुद्रा कहा जाता है। M3 मुद्रा आपूर्ति का सबसे अधिक इस्तेमाल किया जाने वाला उपाय है और इसे **'समग्र मौद्रिक संसाधन'** भी कहा जाता है।

1 से 4 तक की संख्या तरलता के घटते क्रम में है।
(अब ज्यादातर M1 और M3 शब्द RBI द्वारा उपयोग किए जाते हैं)

2.11 मुद्रा परिसंचरण (Money Circulation)

अब हम यह समझने की कोशिश करेंगे कि व्यक्तियों/जनता, बैंकों और RBI के बीच धन कैसे प्रसारित होता है। मान लीजिए कि किसी व्यक्ति के पास 500 रुपए का सोना है। वह इस सोने को RBI के पास जमा करता है और RBI उसे 500 रुपए का करेंसी नोट जारी करता है। (वैकल्पिक रूप से, यह भी कहा जा सकता है कि, RBI ने बाजार से 500 रुपए का सोना खरीदा और जनता/व्यक्ति को 500 रुपए का नोट जारी किया)। इसे निम्नलिखित रूप में दर्शाया जा सकता है।

व्यक्ति

500 रुपए का नोट

वाणिज्यिक बैंक

परिसंपत्तियाँ	देनदारियाँ

भारतीय रिजर्व बैंक

परिसंपत्तियाँ	देनदारियाँ
सोना = 500 रु.	जनता के पास मुद्रा = 500 रु.
500 रु.	500 रु.

मुद्रा आपूर्ति = 500 रु.

मान लीजिए कि व्यक्ति सोचता है कि उसे केवल नकद लेनदेन के लिए 200 रुपए की आवश्यकता है और वह 300 रुपए बैंक में सुरक्षा उद्देश्य और ब्याज अर्जित करने के लिए जमा करता है। इसे निम्नलिखित रूप में दर्शाया जा सकता है:

व्यक्ति

खाते में 200 रुपए का नोट + 300 रुपए

वाणिज्यिक बैंक

परिसंपत्तियाँ	देनदारियाँ
तिजोरी की नकदी = 300 रु.	जनता का जमा = 300 रु.
300 रु.	300 रु.

भारतीय रिजर्व बैंक

परिसंपत्तियाँ	देनदारियाँ
सोना = 500 रु.	जनता द्वारा धारित मुद्रा = 200 रु. बैंक द्वारा धारित नकदी = 300 रु.
500 रु.	500 रु.

मुद्रा आपूर्ति = 500 रु.

मान लीजिए कि बैंक को जनता की रोजमर्रा की नकदी की माँग को पूरा करने के लिए केवल 100 रुपए की आवश्यकता है और वह 200 रुपए की शेष राशि को आरबीआई के पास जमा कर देता है इसे इस प्रकार दर्शाया जा सकता है।

व्यक्ति

खाते में 200 रुपए का नोट + 300 रुपए

वाणिज्यिक बैंक

परिसंपत्तियाँ	देनदारियाँ
तिजोरी की नकदी = 100 रु. RBI के पास जमाएँ = 200 रु.	जनता की जमाएँ = 300 रु.
300 रु.	300 रु.

भारतीय रिजर्व बैंक

परिसंपत्तियाँ	देनदारियाँ
सोना = 500 रु.	जनता द्वारा धारित मुद्रा = 200 रु. बैंक द्वारा धारित तिजोरी की नकदी = 100 रु. बैंक की जमाएँ = 200 रु.
500 रु.	500 रु.

मुद्रा आपूर्ति = 500 रु.

मौद्रिक आधार = जनता द्वारा रखी गई मुद्रा + बैंकों द्वारा रखी गई मुद्रा + **RBI** के पास बैंक की जमाराशि + [***RBI** के पास अन्य जमाराशियाँ] = 200 रु. + 100 रु. + 200 रु. = 500 रु.

*[*RBI के पास अन्य जमाराशि में विदेशी केंद्रीय बैंकों, बहुपक्षीय संस्थानों, वित्तीय संस्थानों आदि से जमाराशि शामिल होती है। व्यावहारिक उद्देश्यों के लिए इसे अनदेखा किया जा सकता है]*

'मौद्रिक आधार' को 'उच्च शक्ति वाली मुद्रा' या 'आरक्षित मुद्रा' या 'आधार मुद्रा' या 'केंद्रीय बैंक मुद्रा' या 'MO' भी कहा जाता है।

मौद्रिक आधार और मुद्रा आपूर्ति दो अलग-अलग शब्द हैं।

मान लीजिए सरकार व्यक्ति से 50 रुपए कर के रूप में वसूलती है और यह पैसा आरबीआई के पास रखती है तो 'मुद्रा आपूर्ति' के साथ-साथ 'मौद्रिक आधार' दोनों कम हो जाएँगे

व्यक्ति

150 रुपए का नोट + खाते में 300 रुपए

वाणिज्यिक बैंक

परिसंपत्तियाँ	देनदारियाँ
तिजोरी नकदी = 100 रु.	जनता की जमाएँ = 300 रु.
RBI के पास जमाएँ = 200 रु.	
300 रु.	300 रु.

भारतीय रिजर्व बैंक

परिसंपत्तियाँ	देनदारियाँ
सोना = 500 रु.	जनता द्वारा धारित मुद्राएँ = 150 रु. बैंकों द्वारा द्वारा धारित मुद्राएँ = 100 रु.
	बैंकों की जमाएँ = 200 रु. सरकार की जमाएँ (तिजोरी जमाएँ) = 50 रु.
500 रु.	500 रु.

मुद्रा आपूर्ति = 450 रु.

मौद्रिक आधार = 150 रु. + 100 रु. + 200 रु. = 450 रु.

आरबीआई विदेशी मुद्रा भंडार या सरकारी प्रतिभूतियों को खरीदने के लिए अपनी सोने की संपत्ति का कुछ हिस्सा बेच सकता है। इसे इस प्रकार दर्शाया जा सकता है।

व्यक्ति	वाणिज्यिक बैंक		भारतीय रिजर्व बैंक	
	परिसंपत्तियाँ	**देनदारियाँ**	**परिसंपत्तियाँ**	**देनदारियाँ**
 150 का नोट + 300 रुपए खाते में	तिजोरी की नकदी = 100 रु. RBI के पास जमाएँ = 200 रु.	जनता की जमाएँ = 300 रु.	सोना = 100 रु. विदेशी मुद्रा भंडार = 200 रु. सरकारी प्रतिभूतियाँ = 200 रु.	जनता द्वारा धारित मुद्रा = 150 रु. बैंक द्वारा धारित तिजोरी नकदी = 100 रु. बैंक की जमाएँ = 200 रु. सरकार की जमाएँ (तिजोरी की जमाएँ) = 50 रु.
	300 रु.	300 रु.	500 रु.	500 रु.

मुद्रा आपूर्ति = 450 रु.

मौद्रिक आधार = 450 रु.

विमुद्रीकरण (Demonetization)

8 नवंबर, 2016 को, केंद्र सरकार ने 500 और 1000 रुपए के नोटों का विमुद्रीकरण किया, जो प्रचलन में नकदी/मुद्रा का 86% हिस्सा थे। यह RBI अधिनियम 1934 के अनुसार किया गया था, जिसमें कहा गया है कि "RBI के केंद्रीय बोर्ड की सिफारिश पर, केंद्र सरकार यह घोषणाकर सकती है कि किसी भी मूल्यवर्ग के बैंक नोटों की कोई भीशृंखला कानूनी निविदा नहीं रहेगी'। विमुद्रीकरण के कारण RBI की देनदारी में कमी आई, क्योंकि पुराने नोट बैंकिंग प्रणाली में वापस नहीं आए। और इस प्रकार इसने अवैध काले धन के धारकों से धन को सार्वजनिक क्षेत्र में स्थानांतरित कर दिया।

अल्पावधि में विमुद्रीकरण का प्रभाव:

तरलता पर

- विमुद्रीकरण के कारण तरलता (प्रचलन में प्रभावी नकदी) की कमी हो गई क्योंकि पुराने 1000 और 1000 रुपए के नोटों को प्रचलन में वापस नहीं लाया गया। और नए नोटों की निकासी पर प्रतिबंध था।
- बैंकिंग प्रणाली में, विमुद्रीकरण से तरलता में वृद्धि हुई (यहाँ तरलता का अर्थ है बैंकों में जमा राशि) जिसके परिणामस्वरूप बाजार ब्याज दरों में कमी आई है।

मुद्रा आपूर्ति पर

- अर्थशास्त्री मुद्रा आपूर्ति को व्यापक उपायों के रूप में परिभाषित करते हैं जो नकदी और बैंक जमा दोनों को शामिल करते हैं, क्योंकि यह बहुत करीबी विकल्प हैं। हालाँकि, 8 नवंबर के विमुद्रीकरण का एक प्रमुख पहलू यह है कि नकदी और बैंक जमा के बीच परिवर्तनीयता बाधित हुई। नकदी को आसानी से बैंक खातों में जमा नहीं किया जा सकता था, जबकि निकासी सख्त सीमाओं के अधीन थी। इसलिए, हम कह सकते हैं कि विमुद्रीकरण ने अर्थव्यवस्था में मुद्रा आपूर्ति में कमी की।

जीडीपी पर

- एक समग्र माँग आघात/झटका, क्योंकि विमुद्रीकरण ने धन की आपूर्ति को कम कर दिया और निजी संपत्ति को प्रभावित किया (विशेष रूप से बेहिसाब धन रखने वालों और अचल संपत्ति के मालिक)
- एक समग्र आपूर्ति आघात, यहाँ तक कि नकदी आर्थिक गतिविधि के लिए एक आवश्यक इनपुट थी (उदाहरण के लिए कृषि उत्पादकों को श्रमिकों को भुगतान करने के लिए नकदी की आवश्यकता होती है)।

2.12 धन सृजन (Money Creation)

- मुद्रा जमा अनुपात (सीडीआर)

$$= \frac{\text{जनता द्वारा रखी गई मुद्रा}}{\text{बैंकों में जनता की जमाराशि}} = 1 \text{ (माना)}$$

सीडीआर 1 के बराबर है, इसका मतलब है कि जब भी किसी व्यक्ति को कुछ नकद राशि मिलती है, जैसे कि 100 रुपए, तो वह 50 रुपए नकद और 50 रुपए बैंकों में जमा के रूप में रखेगा, ताकि हाथ में नकदी और बैंकों में जमा का अनुपात 50 रुपए/50 रुपए = 1 हो।

- रिजर्व जमा अनुपात (आरडीआर)

$$= \frac{\text{बैंकों के रिजर्व}}{\text{बैंकों में जनता की जमाराशि}}$$

= 0.2 (20%) (अनुमानित)

आरडीआर 0.2 या 20% के बराबर है, इसका अर्थ है कि जब भी कोई व्यक्ति बैंक में कुछ निश्चित राशि जमा करता है, जैसे कि 100 रुपए, तो बैंक को 20 रुपए आरक्षित धन के रूप में रखने होंगे और बाकी 80 रुपए वे किसी और को उधार दे सकते हैं। बैंक रिजर्व को या तो अपने पास (SLR) या आरबीआई (CRR) के पास रख सकते हैं। इस प्रकार rdr CRR और SLR का योग है।

अब हम मौद्रिक प्राधिकरण यानी RBI द्वारा धन सृजन के तंत्र को समझेंगे।

मान लीजिए RBI अर्थव्यवस्था में धन आपूर्ति बढ़ाना चाहता है। मान लीजिए कि RBI बाजार से H रुपए मूल्य की कुछ संपत्तियाँ, जैसे सरकारी बॉन्ड या सोना खरीदता है और बदले में उस व्यक्ति (P1) को H रुपए मूल्य का करेंसी नोट जारी करता है। तो, इस स्थिति में, धन आपूर्ति H है और मौद्रिक आधार भी H है।

अब, चूँकि हमने मान लिया है कि अर्थव्यवस्था में cdr 1 है, इसलिए पहला व्यक्ति (P1) आधा पैसा नकद के रूप में रखेगा और आधा बैंक में जमा करेगा। और अगर बैंक ने जमा किए गए सभी पैसे को नकद के रूप में अपनी तिजोरी में रखा, तो धन आपूर्ति H होगी।

	जनता के पास मुद्रा	तिजोरी की नकदी	जनता की जमाएँ	कुल मुद्रा आपूर्ति
P1	H/2	H/2 ←	H/2	H

लेकिन चूँकि आरडीआर 20% है, इसलिए बैंक अपनी तिजोरियों में जमा धन का केवल 20% ही नकद (आरक्षित धन) के रूप में रखेगा और बाकी को किसी अन्य व्यक्ति (P2) को उधार देगा। तो, अब पहले व्यक्ति के पास H (नकद के रूप में H/2 और जमा के रूप में H/2) है और दूसरे व्यक्ति (P2) के पास 0.8 (H/2) यानी 0.4 H है। तो, अर्थव्यवस्था में कुल मुद्रा आपूर्ति H से H + 0.4H = 1.4H तक बढ़ जाती है। यह इसलिए संभव हुआ है क्योंकि बैंकों को जमा धन का केवल एक अंश ही अपनी तिजोरियों में आरक्षित रखने की स्वतंत्रता दी गई है और बाकी को वे दूसरों को उधार दे सकते हैं। (इसे 'आंशिक आरक्षित बैंकिंग' कहा जाता है)। इसलिए, **आंशिक आरक्षित बैंकिंग** के माध्यम से अतिरिक्त धन बनाया जा रहा है। इसे निम्न तालिका में दर्शाया गया है:

	जनता के पास मुद्रा	तिजोरी नकदी	जनता की जमाएँ	कुल धन आपूर्ति
P1	H/2	0.2 (H/2) ←	H/2	H
P2	0.8 (H/2) ←	धन सृजन		

अब व्यक्ति P2 फिर से बैंक से प्राप्त धन का केवल आधा हिस्सा नकद के रूप में रखेगा और बाकी बैंक में जमा कर देगा। बैंक फिर से जमा धन का केवल 20% हिस्सा अपनी तिजोरी में सुरक्षित रखेगा और बाकी किसी तीसरे व्यक्ति (P3) को उधार दे देगा। तीसरा व्यक्ति P3 फिर से बैंक से प्राप्त धन का केवल आधा हिस्सा नकद के रूप में रखेगा और बाकी बैंक में जमा कर देगा और यह प्रक्रिया अर्थव्यवस्था में अंतहीन रूप से चलती रहेगी। इसे निम्न तालिका में दर्शाया गया है:

	जनता के पास मुद्रा	तिजोरी नकदी	जनता की जमाएँ	कुल मुद्रा आपूर्ति
P1	H/2	0.2 (H/2) ←	H/2	H
P2	1/2 (0.8 (H/2)) ←	0.2/2 (0.8 (H/2)) ←	1/2(0.8 (H/2))	0.8 (H/2)
P3	0.8/2 (0.8 (H/2)) ←	.	.	.
P4	.	.	.	.
.	.			
.	.	.	.	.
कुल	1/2 (5H/3)	0.2/2 (5H/3)	1/2 (5H/3)	5H/3

अब, मुद्रा आपूर्ति = 5 H/3

और, मौद्रिक आधार = H

$$\text{मुद्रा गुणक} = \frac{\text{मुद्रा आपूर्ति (M3)}}{\text{मौद्रिक आधार (M0)}} = \frac{(5H/3)}{H} = 5/3$$

इसलिए, H मौद्रिक आधार और H मुद्रा आपूर्ति के साथ, RBI आंशिक रिजर्व बैंकिंग के माध्यम से मुद्रा आपूर्ति को 5H/3 तक बढ़ाने/बनाने में सक्षम रहा है। इसलिए, अब मुद्रा आपूर्ति मौद्रिक आधार का 5/3 गुना है, इसलिए मुद्रा गुणक 5/3 है।

मुद्रा गुणक का मूल्य दो चरों पर निर्भर करता है:

- मुद्रा-जमा अनुपात (cdr); और
- रिजर्व-जमा अनुपात (rdr) जो आवश्यक रिजर्व और अतिरिक्त रिजर्व के बराबर है

जबकि मुद्रा जमा अनुपात जनता के व्यवहार पर निर्भर करता है, रिजर्व जमा अनुपात सीआरआर और एसएलआर पर आरबीआई के नियमों पर निर्भर करता है। इसलिए, मुद्रा गुणक को इस प्रकार भी परिभाषित किया जा सकता है:

मुद्रा गुणक = (1 + सीडीआर)/(सीडीआर + आरडीआर)

= (1 + 1)/(1 + 0.2)

= 2/1.2 = 20/12

= 5/3

2.13 मौद्रिक नीति (Monetary Policy)

मौद्रिक नीति वह प्रक्रिया है जिसके द्वारा किसी देश का मौद्रिक प्राधिकरण (आरबीआई) अर्थव्यवस्था में मुद्रा के निर्माण और आपूर्ति को नियंत्रित करता है।

समय के साथ, भारत में मौद्रिक नीति के उद्देश्यों में मूल्य स्थिरता बनाए रखना, आर्थिक विकास को समर्थन देने और वित्तीय स्थिरता प्राप्त करने के लिए अर्थव्यवस्था के उत्पादक क्षेत्रों को ऋण का पर्याप्त प्रवाह सुनिश्चित करना शामिल है। व्यापक आर्थिक और वित्तीय स्थितियों के अपने आकलन के आधार पर, आरबीआई मौद्रिक नीति और मौद्रिक उपायों के रुख पर निर्णय लेता है। आरबीआई मौद्रिक नीति वक्तव्य जारी करता है जो आरबीआई की बदलती परिस्थितियों और प्राथमिकताओं और भविष्य के लिए नीति उपायों के जोर को दर्शाता है।

भारत में मौद्रिक नीति ढाँचा, जैसा कि वर्तमान में है, पिछले कुछ वर्षों में विकसित हुआ है। फरवरी 2015 में भारत सरकार और RBI के बीच एक नए **'मौद्रिक नीति ढाँचे'** समझौते पर हस्ताक्षर किए गए। नए मौद्रिक नीति ढाँचे के समझौते के अनुसार, निम्नलिखित महत्त्वपूर्ण बिंदु हैं:

- मौद्रिक नीति का उद्देश्य मुख्य रूप से **मूल्य स्थिरता** बनाए रखना है, जबकि विकास के उद्देश्य को ध्यान में रखना है।
- मौद्रिक नीति ढाँचे का संचालन RBI द्वारा किया जाता है।
- मुद्रास्फीति लक्ष्य +/- 2% के बैंड के साथ 4% है।
- मुद्रास्फीति का लक्ष्य भारत सरकार द्वारा RBI के परामर्श से तय किया जाता है। केंद्र सरकार ने 31 मार्च, 2026 तक की अवधि के लिए उपरोक्त मुद्रास्फीति लक्ष्य को अधिसूचित किया है। RBI अधिनियम 1934 में भारत सरकार द्वारा प्रत्येक पाँच वर्ष में एक बार रिजर्व बैंक के परामर्श से मुद्रास्फीति लक्ष्य निर्धारित करने का प्रावधान है।
- मुद्रास्फीति **'उपभोक्ता मूल्य सूचकांक (सीपीआई) - संयुक्त'** है। सांख्यिकी और कार्यक्रम कार्यान्वयन मंत्रालय (एनएसओ) द्वारा प्रकाशित।
- यदि मुद्रास्फीति लगातार तीन तिमाहियों के लिए 6% से अधिक या 2% से कम है, तो आरबीआई को लक्ष्य को पूरा करने में विफल माना जाएगा।
- यदि आरबीआई लक्ष्य को पूरा करने में विफल रहता है, तो उसे विफलता के कारणों, किए जाने वाले उपचारात्मक कार्यों और अनुमानित समय अवधि को स्पष्ट करते हुए भारत सरकार को एक लिखित रिपोर्ट देनी होगी, जिसके भीतर लक्ष्य हासिल किया जाएगा।

भारत सरकार ने सितंबर 2016 में **'मौद्रिक नीति समिति' (एमपीसी)** का गठन किया, जो अब मुद्रास्फीति लक्ष्य को प्राप्त करने के लिए आवश्यक नीति (रेपो) दर निर्धारित करती है।

- आरबीआई को एक वर्ष में मौद्रिक नीति समिति (एमपीसी) की कम से कम चार बैठकें आयोजित करनी चाहिए। वर्तमान में आरबीआई साल में 6 बार यानी द्विमासिक रूप से एमपीसी की बैठकें आयोजित करता है। लेकिन अगर स्थिति की माँग हो तो एमपीसी की 'ऑफ-साइकिल' बैठक भी हो सकती है।
- एमपीसी में 6 सदस्य होते हैं, जिनमें से तीन आरबीआई (आरबीआई गवर्नर सहित) से होते हैं और 3 भारत सरकार द्वारा नियुक्त किए जाते हैं। सभी सदस्यों के पास एक वोट होता है और वोटों के बराबर होने की स्थिति में गवर्नर को दूसरा या निर्णायक वोट मिलता है।
- एमपीसी का निर्णय आरबीआई पर **बाध्यकारी** होता है। एमपीसी के पास केवल रेपो दर तय करने का अधिकार है, न कि रिवर्स रेपो, सीआरआर, एसएलआर आदि।

एमपीसी के ढाँचे में दो घटक होते हैं: मुद्रास्फीति और विकास की आवश्यकताए। एमपीसी के निर्णय इन दो जुड़वाँ उद्देश्यों पर आधारित होते हैं, जिसमें मूल्य स्थिरता को प्राथमिकता दी जाती है। मुद्रा बाजार में उतार-चढ़ाव, रुपए का मूल्यह्रास या मूल्यवृद्धि एमपीसी के लिए विचार करने योग्य कारक नहीं है। और उन स्थितियों से निपटने के लिए, आरबीआई के पास अन्य उपकरण हैं जिन्हें आवश्यकता के अनुसार प्रयुक्त किया जाता है।

आरबीआई अपनी मौद्रिक नीति के संचालन के लिए निम्नलिखित प्रमुख उपकरण/उपकरणों का उपयोग करता है:

1. **रेपो दर:** वह ब्याज दर जिस पर आरबीआई लिक्विडिटी एडजस्टमेंट फैसिलिटी (LAF) के तहत सरकारी और अन्य स्वीकृत प्रतिभूतियों के संपार्श्विक के विरुद्ध बैंकों को एक निश्चित सीमा (उनके NDTL का 0.25%) तक ओवरनाइट लिक्विडिटी प्रदान करता है।

   रेपो 'पुनर्खरीद समझौते' का संक्षिप्त रूप है। जब बैंक आरबीआई से रेपो दर पर उधार लेते हैं, तो बैंक आरबीआई के पास सरकारी प्रतिभूतियाँ रखते हैं और बदले में नकद प्राप्त करते हैं, इस वादे के साथ कि वे (ओवरनाइट के बाद) यह नकद आरबीआई को वापस कर देंगे और आरबीआई सरकारी प्रतिभूतियों को बैंकों को वापस कर देगा।

   रेपो दर को 'नीति दर' भी कहा जाता है।

2. **रिवर्स रेपो दर:** वह ब्याज दर जिस पर रिजर्व बैंक एलएएफ (LLF) के तहत पात्र सरकारी प्रतिभूतियों के संपार्श्विक के विरुद्ध बैंकों से ओवरनाइट आधार पर तरलता अवशोषित करता है।

   वर्तमान में, बैंक रिवर्स रेपो दर पर असीमित राशि जमा कर सकते हैं, लेकिन यदि आवश्यक हो तो आरबीआई इस पर नियंत्रण कर सकता है।

3. **स्थायी जमा सुविधा (SDF):** अप्रैल 2022 में आरबीआई अधिनियम 1934 में संशोधन करके शुरू की गई इस सुविधा की महत्त्वपूर्ण विशेषताएं निम्नलिखित हैं:

   - बैंक आरबीआई के पास रातभर के लिए कोई भी राशि रेपो दर – 0.25% (यह बदल सकती है) पर जमा कर सकते हैं (भविष्य में यह लंबी अवधि के लिए भी हो सकती है)।
   - चूँकि एसडीएफ के तहत आरबीआई पर कोई बाध्यता नहीं है, इसलिए यह मौद्रिक नीति के परिचालन ढाँचे को मजबूत करेगा
   - तरलता प्रबंधन में अपनी भूमिका के अलावा एसडीएफ एक वित्तीय स्थिरता वाला उपकरण भी है।
   - *एसडीएफ बैंकों के विवेक पर होगा और पूरे साल सप्ताह के सभी दिनों में उपलब्ध रहेगा, जबकि रेपो और रिवर्स रेपो आरबीआई के विवेक पर उपलब्ध हैं।*

4. **सीमांत स्थायी सुविधा (MSF):** यह 2011 में शुरू की गई एक सुविधा है, जिसके तहत अनुसूचित वाणिज्यिक बैंक अपने विवेक से *अपने SLR पोर्टफोलियो में एक सीमा* (NDTL का 2%) तक की कटौती करके दंडात्मक ब्याज दर पर रिजर्व बैंक से ओवरनाइट मनी (रेपो दर के माध्यम से उनके लिए उपलब्ध राशि के अतिरिक्त) की अतिरिक्त राशि उधार ले सकते हैं। यह बैंकिंग प्रणाली को अप्रत्याशित तरलता झटकों से एक सुरक्षा वाल्व प्रदान करता है।

   जब बैंक RBI से रेपो दर पर ऋण लेते हैं, तो बैंकों को RBI के पास सरकारी प्रतिभूतियाँ रखनी होती है, लेकिन यह सुरक्षा SLR के तहत आवश्यकता के अतिरिक्त होती है। बैंक RBI से रेपो दर पर ऋण प्राप्त करने के लिए SLR प्रतिभूतियाँ नहीं रख सकते।

   लेकिन MSF के तहत, बैंक SLR रिजर्व में कटौती करके RBI से उधार ले सकते हैं। इसका मतलब है कि बैंक SLR प्रतिभूतियों का 2% RBI के पास रख सकते हैं (यानी, SLR सामान्य SLR आवश्यकता से NDTL के 2% तक कम हो सकता है) और RBI से नकद उधार ले सकते हैं। इसे सीमांत स्थायी सुविधा (MSF) कहा जाता है।

एमएसएफ दर = रेपो दर + 0.25%

5. बैंक दर यह वह मानक दर है जिस पर रिजर्व बैंक ऋण साधन खरीदने के लिए तैयार रहता है। एलएएफ की शुरुआत के बाद रिजर्व बैंक ने इस परिचालन को बंद कर दिया। परिणामस्वरूप, मौद्रिक प्रबंधन के साधन के रूप में बैंक दर निष्क्रिय हो गई। अब इसे एमएसएफ दर के अनुरूप बनाया गया है और नकद आरक्षित अनुपात (CRR) और वैधानिक तरलता अनुपात (SLR) में चूक पर दंड की गणना के लिए इसका उपयोग किया जाता है। उदाहरण के लिए, रिजर्व में कमी पर वर्तमान दंड दर बैंक दर + 3 प्रतिशत है।

बैंक दर = MSF दर

6. तरलता समायोजन सुविधा (LAF):

एलएएफ (LAF) आरबीआई के संचालन को संदर्भित करता है जिसके माध्यम से वह बैंकिंग प्रणाली में/से तरलता को इंजेक्ट/अवशोषित करता है। इसमें ओवरनाइट के साथ-साथ टर्म रेपो/रिवर्स रेपो (फिक्स्ड और साथ ही परिवर्तनीय दरें), एसडीएफ और एमएसएफ शामिल होते हैं।

एलएएफ (LAF) के अतिरिक्त, तरलता प्रबंधन के साधनों में एकमुश्त खुले बाजार परिचालन (ओएमओ), विदेशी मुद्रा स्वैप और बाजार स्थिरीकरण योजना (एमएसएस) शामिल होते हैं।

आवधिक रेपो का उद्देश्य अंतर-बैंक टर्म मनी मार्केट को विकसित करने में मदद करना है, जो बदले में ऋण और जमा के मूल्य निर्धारण के लिए बाजार आधारित बेंचमार्क निर्धारित कर सकता है, और इस प्रकार मौद्रिक नीति के प्रसारण में सुधार कर सकता है। रिजर्व बैंक बाजार की स्थितियों के अनुसार परिवर्तनीय ब्याज दर **रिवर्स रेपो नीलामी** भी संचालित करता है।

- **दीर्घ अवधि रेपो परिचालन (LTRO):** आरबीआई बैंकों को रेपो दर पर केवल रातभर के लिए बैंक के NDTL की सीमा तक उधार देता है। आरबीआई समय-समय पर अपने विवेक से रेपो दर पर या उससे ऊपर दीर्घ अवधि के लिए भी उधार देता है। यदि आरबीआई रेपो दर से ऊपर उधार देना चाहता है तो ब्याज दर नीलामी द्वारा तय की जाती है, यानी यदि बैंक अधिक पैसा चाहते हैं, तो ब्याज दर अधिक हो जाएगी, यदि कुछ बैंक आरबीआई के पैसे के लिए प्रतिस्पर्धा कर रहे हैं, तो ब्याज दर कम हो सकती है लेकिन यह रेपो दर से ऊपर होगी। इसे 'दीर्घकालिक रेपो ऑपरेशन (LTRO)' कहा जाता है, जिसका अर्थ है कि RBI एक निश्चित दीर्घ अवधि के लिए धन देता है। LTRO आमतौर पर नीलामी द्वारा तय की गई रेपो दर से ऊपर होता है, लेकिन यह रेपो दर पर भी हो सकता है। (सरकारी प्रतिभूति की संपार्श्विक सुनिश्चितता आवश्यक है, लेकिन 100% नहीं)।
- इसी तरह, **परिवर्तनीय दीर्घ-अवधि रिवर्स रेपो नीलामी** भी की जाती है, जहाँ बोलियाँ रेपो दर से नीचे और रिवर्स रेपो दर से ऊपर होनी चाहिए।
- लक्षित LTRO विशिष्ट क्षेत्रों को लक्षित करके किया जाता है, जहाँ RBI बैंकों के माध्यम से विशिष्ट क्षेत्रों के लिए धन उपलब्ध कराता है।

7. एलएएफ (LAF) कॉरिडोर: एमएसएफ दर और रिवर्स रेपो दर 'भारित औसत राशि' में दैनिक आंदोलन के लिए नीति/एलएएफ कॉरिडोर निर्धारित करती है।

स्थायी जमा सुविधा (एसडीएफ) की शुरुआत के साथ, नीति/LAF गलियारा बदल गया है और अब यह एसडीएफ और एमएसएफ है जहाँ एसडीएफ तल है और एमएसएफ ऊपरी छोर है कॉरिडोर जबकि नीति रेपो दर कॉरिडोर के बीच में है।

8. रिजर्व आवश्यकताएँ (आंशिक रिजर्व बैंकिंग): नकद रिजर्व अनुपात (सीआरआर) अनुसूचित वाणिज्यिक बैंकों को अपने एनडीटीएल (पाक्षिक आधार पर) के संबंध में आरबीआई के पास नकदी की वह राशि बनाए रखने की आवश्यकता होती है जिसे सीआरआर कहा जाता है। "आरबीआई अधिनियम, 1934 की धारा 42(1) के अनुसार, रिजर्व बैंक देश में मौद्रिक स्थिरता सुनिश्चित करने की जरूरतों को ध्यान में रखते हुए

एससीबी के लिए बिना किसी न्यूनतम या अधिकतम दर के सीआरआर निर्धारित करता है"

वैधानिक तरलता अनुपात (एसएलआर) अनुसूचित वाणिज्यिक बैंकों को अपने एनडीटीएल के संबंध में सरकारी प्रतिभूतियों, सोने और नकदी जैसी सुरक्षित और तरल परिसंपत्तियों में दैनिक आधार पर अपने पास जो आरक्षित राशि रखनी होती है, उसे एसएलआर कहा जाता है। अतिरिक्त सीआरआर शेष राशि को भी एसएलआर के उद्देश्य से तरल संपत्ति के रूप में माना जाता है, यानी एसएलआर को आरबीआई के पास नकद शेष के रूप में बनाए रखा जा सकता है। बैंकिंग विनियमन अधिनियम 1949 के अनुसार अनुसूचित वाणिज्यिक बैंकों को एसएलआर बनाए रखना आवश्यक है। एसएलआर की अधिकतम सीमा 40% है।

जनता की जमाराशि बैंकों की देनदारी है। जनता की माँग जमाराशि बैंक की माँग देयता है और सावधि जमाराशि बैंकों की सावधि देयता है और जनता की कुल माँग और सावधि जमाराशि को बैंकों की 'शुद्ध माँग और सावधि देयताएँ (एनडीटीएल)' कहा जाता है।

सीआरआर और एसएलआर आरबीआई को बैंकों द्वारा बनाए जा सकने वाले धन की मात्रा को नियंत्रित करने और सार्वजनिक जमाराशियों को सुरक्षित और तरल बनाने में सक्षम बनाते हैं। यह सुनिश्चित करता है कि जब खाताधारक भुगतान करना चाहते हैं तो बैंकों के पास निकालने के लिए परिसंपत्तियों का एक सुरक्षित सहारा हो। सीआरआर और एसएलआर की आवश्यकताओं के अभाव में, अधिक लाभ कमाने के लिए बैंक अधिकांश जमाराशियाँ उधार दे सकते हैं और यदि अचानक निकासी की भीड़ हो जाती है, तो बैंकों को पुनर्भुगतान पूरा करने में संघर्ष करना पड़ेगा।

सभी वाणिज्यिक और सहकारी बैंकों (चाहे अनुसूचित हों या गैर-अनुसूचित) को सीआरआर और एसएलआर बनाए रखना आवश्यक है। अनुसूचित बैंकों के लिए, सीआरआर का रखरखाव भारतीय रिजर्व बैंक अधिनियम 1934 के माध्यम से नियंत्रित होता है और गैर-अनुसूचित बैंकों के लिए सीआरआर बैंकिंग विनियमन अधिनियम 1949 के माध्यम से नियंत्रित होता है। बैंकिंग विनियमन अधिनियम 1949 (धारा 24) सभी बैंकों (अनुसूचित और गैर-अनुसूचित) वाणिज्यिक और सहकारी के लिए एसएलआर के रखरखाव को नियंत्रित करता है।

9. खुला बाजार परिचालन (ओएमओ): अर्थव्यवस्था में टिकाऊ तरलता के अवशोषण और इंजेक्शन के लिए आरबीआई द्वारा खुले बाजार (द्वितीयक बाजार) में बैंकों/वित्तीय संस्थानों को सरकारी प्रतिभूतियों की बिक्री या खरीद को खुला बाजार परिचालन कहा जाता है। यदि अर्थव्यवस्था में मुद्रास्फीति अधिक है तो मुद्रास्फीति को नियंत्रित करने के लिए आरबीआई सरकारी प्रतिभूतियों को बेचकर धन की आपूर्ति कम कर देता है। और यदि आरबीआई धन की आपूर्ति बढ़ाना चाहता है तो वह बैंकों/वित्तीय संस्थानों से सरकारी प्रतिभूतियाँ खरीदता है और उन्हें सरकारी प्रतिभूतियों के बदले में पैसे का भुगतान करता है जो अंततः अर्थव्यवस्था में धन की आपूर्ति बढ़ाता है।

   मुक्त बाजार संचालन (ओएमओ) दो प्रकार के होते हैं।

   - आउटराइट ओएमओ: ये स्थायी प्रकृति के होते हैं। जब केंद्रीय बैंक इन प्रतिभूतियों को खरीदता/बेचता है, तो वह बाद में उन्हें बेचने/खरीदने का कोई वादा नहीं करता।
   - एलएएफ ओएमओ: यह एक प्रकार का ऑपरेशन है, जिसमें जब केंद्रीय बैंक प्रतिभूतियों को खरीदता/बेचता है, तो समझौते में इस प्रतिभूति के पुनर्विक्रय/पुनर्खरीद की तिथि और कीमत के बारे में भी विवरण होता है। इस प्रकार के समझौते को पुनर्खरीद समझौता या रेपो कहा जाता है।

10. बाजार स्थिरीकरण योजना (MSS)/बंध्याकरण: कई विकासशील देशों ने हाल के वर्षों में बढ़ते पूँजी प्रवाह से अच्छे लाभ प्राप्त किए हैं। इसे व्यापक रूप से एक बहुत ही स्वागत योग्य घटना माना जाता है, जो निवेश के स्तर को बढ़ाता है और आर्थिक विकास को प्रोत्साहित करता है। लेकिन बढ़ते पूँजी प्रवाह से अस्थिरता पैदा करने वाले दुष्प्रभाव भी हो सकते हैं, जिसमें स्थानीय मुद्रा के मूल्य में वृद्धि, निर्यात उद्योगों

की प्रतिस्पर्धात्मकता को कम करना और संभावित रूप से मुद्रास्फीति को बढ़ावा देना शामिल है। मुद्रास्फीति क्यों? जब विदेशी निवेशक विदेशी मुद्रा/डॉलर लाते हैं, तो अंततः यह डॉलर RBI के पास आता है और RBI द्वारा निवेशकों को नया पैसा/मुद्रा दी जाती है, जिससे उत्पादन में वृद्धि के बिना अर्थव्यवस्था में धन की आपूर्ति (और मौद्रिक आधार) बढ़ जाती है: बहुत अधिक धन होने से बहुत कम वस्तुओं और सेवाओं का उपभोग होता है, जिसके परिणामस्वरूप मुद्रास्फीति होती है।

मुद्रा मूल्यवृद्धि या मुद्रास्फीति के खतरे को कम करने के लिए, केंद्रीय बैंक अक्सर पूँजी प्रवाह के **'बंध्याकरण'** के रूप में जाने जाने वाले प्रयास करते हैं। एक सफल बंध्याकरण परिचालन, कम से कम अस्थायी रूप से पूँजी के प्रवाह को पूरा करने के लिए मौद्रिक आधार/मुद्रा आपूर्ति के घरेलू घटक को कम किया जाता है। सिद्धांत रूप में, यह विदेशों में निजी निवेश को प्रोत्साहित करके या विदेशियों को स्थानीय बाजार से उधार लेने की अनुमति देकर प्राप्त किया जा सकता है। लेकिन, बंध्याकरण का शास्त्रीय रूप, हालाँकि, **खुले बाजार संचालन** के उपयोग के माध्यम से रहा है, अर्थात, मौद्रिक आधार/मुद्रा आपूर्ति के घरेलू घटक को कम करने के लिए आरबीआई द्वारा ट्रेजरी बिल और अन्य प्रतिभूतियों की बिक्री।

[*रिवर्स रेपो और एकमुश्त खुले बाजार संचालन बिक्री ने आरबीआई के पास सरकारी प्रतिभूतियों के पर्याप्त स्टॉक की उपलब्धता की माँग की, जो पूँजी प्रवाह की मात्रा के विस्तार के साथ बंध्याकरण संचालन में एक बाधा कारक बन गया। इसके अलावा, रिवर्स रेपो परिचालन में बंध्याकरण लागत शामिल थी, जिससे आरबीआई के लाभ पर असर पड़ा, जिसका आरबीआई की परिचालन स्वतंत्रता पर प्रभाव पड़ा। बंध्याकरण के साधन के रूप में एलएएफ का उपयोग करने से मार्जिन पर काम करने वाले दिन-प्रतिदिन के तरलता समायोजन उपकरण के रूप में इसकी उपयोगिता कम हो गई। इसी संदर्भ में आरबीआई ने 2004 में बाजार स्थिरीकरण योजना (MSS) शुरू की।*]

एमएसएस बंध्याकरण का एक साधन है, जिसने आरबीआई को तरलता अवशोषण के उद्देश्य से सरकारी ट्रेजरी बिल और मध्यम अवधि की दिनांकित प्रतिभूतियाँ **जारी** करने का अधिकार दिया। मौद्रिक प्रबंधन का यह साधन 2004 में बड़े पूँजी प्रवाह से उत्पन्न होने वाली अधिक स्थायी प्रकृति की अधिशेष तरलता को अवशोषित करने के लिए पेश किया गया था। यह योजना ट्रेजरी बिलों और दिनांकित सरकारी प्रतिभूतियों की नीलामी से प्राप्त आय को आरबीआई द्वारा निर्मित और संचालित एक अलग पहचान योग्य MSS नकद खाते में जब्त/लेकर काम करती है। साथ ही, उन संस्थानों को ब्याज भुगतान दिया जाना है जो बाजार स्थिरीकरण बांड (MSB) (सरकार के ट्रेजरी बिल और दिनांकित प्रतिभूतियाँ) खरीदते हैं। यहाँ ब्याज भुगतान के लिए सरकार अपने बजट से आरबीआई को धन आवंटित करती है। MSB के लिए ब्याज भुगतान की सेवा के लिए इस व्यय को वहन लागत कहा जाता है। MSB बेचकर MSS नकद खाते में जमा की गई राशि केवल MSS के तहत जारी किए गए ट्रेजरी बिलों/दिनांकित प्रतिभूतियों के मोचन/वापस खरीदने के उद्देश्य से विनियोजित की गई थी। MSS की शुरुआत एलएएफ को दैनिक तरलता प्रबंधन के अपने इच्छित कार्य में बहाल करने में व्यापक रूप से सफल रही।

मौद्रिक नीति या तो **विस्तारवादी या संकुचनकारी** हो सकती है। विस्तारवादी मौद्रिक नीति मुद्रा की आपूर्ति को बढ़ाती है जबकि संकुचनकारी नीति मुद्रा आपूर्ति को कम करती है। विस्तारवादी नीति को 'डोविश' या 'समायोजनकारी' या 'आसान धन नीति' भी कहा जाता है। संकुचनकारी नीति को 'हॉकिश' या 'तंग धन नीति' या 'प्रतिबंधात्मक नीति' भी कहा जाता है।

2.14 भारतीय वित्तीय प्रणाली (Indian Financial System)

भारतीय वित्तीय प्रणाली के संबंध में महत्त्वपूर्ण बिंदु निम्नलिखित हैं (चित्र देखें):

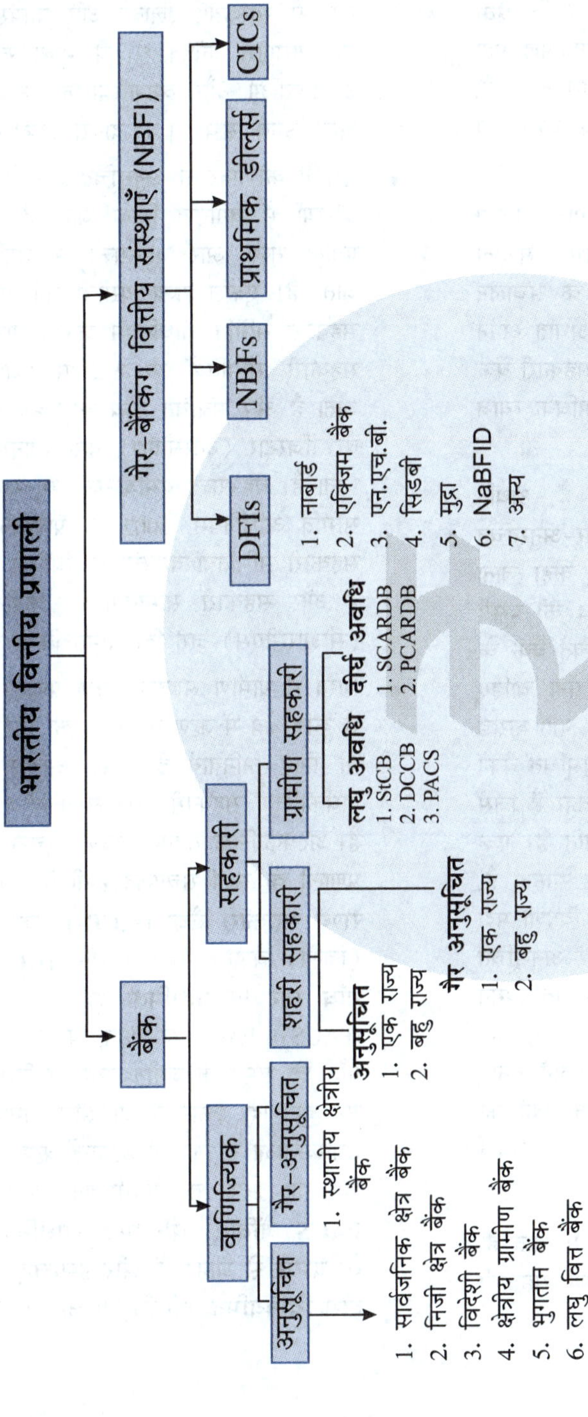

1. StCB: राज्य सहकारी बैंक
2. DCCB: जिला केंद्रीय सहकारी बैंक
3. PACS: प्राथमिक कृषि क्रेडिट सोसायटी
4. SCARDB: राज्य सहकारी कृषि एवं ग्रामीण विकास बैंक
5. PCARDB: प्राथमिक सहकारी कृषि एवं ग्रामीण विकास बैंक
6. DFIs: विकास वित्त संस्थान जिन्हें अखिल भारतीय वित्तीय संस्थान भी कहा जाता है
7. CICs: क्रेडिट सूचना कंपनियाँ

1. भारत में वित्तीय संस्थानों को व्यापक रूप से दो श्रेणियों में विभाजित किया गया है, अर्थात बैंक और गैर-बैंकिंग वित्तीय संस्थान (एनबीएफआई)। बैंक और एनबीएफआई के बीच आधारभूत अंतर यह है कि **बैंक माँग जमा स्वीकार करते हैं** और एनबीएफआई माँग जमा स्वीकार नहीं करते हैं। बैंक चेक जारी करते हैं, लेकिन एनबीएफआई खुद पर आहरित चेक जारी नहीं कर सकते।

2. बैंकों को **वाणिज्यिक** और **सहकारी** में वर्गीकृत किया जाता है। वाणिज्यिक बैंक वाणिज्यिक (लाभ) सिद्धांतों पर काम करते हैं, जबकि सहकारी बैंकों के संचालन का आधार सहकारी आधार पर होता है, अर्थात अपने सदस्यों और समाज को सेवा प्रदान करना। सहकारी बैंक वाणिज्यिक बैंकों की तुलना में जमा पर अधिक ब्याज दर प्रदान करते हैं।

3. **वाणिज्यिक बैंक** दो श्रेणियों में आते हैं, अर्थात अनुसूचित वाणिज्यिक बैंक और गैर-अनुसूचित वाणिज्यिक बैंक। अनुसूचित बैंक इसलिए कहा जाता है क्योंकि इसे आरबीआई अधिनियम 1934 की दूसरी अनुसूची में शामिल किया गया है। अनुसूचित बैंक के लिए अन्य शर्तें हैं कि यह एक निगम होना चाहिए और इसकी चुकता शेयर पूँजी कम से कम 500 करोड़ रुपए होनी चाहिए। अनुसूचित और गैर-अनुसूचित बैंकों के बीच अंतर बैंकिंग गतिविधि का वह प्रकार है जिसे उन्हें भारत में परिचालन करने की अनुमति है। एक गैर-अनुसूचित बैंक सीमित परिचालन कर सकता है, उदाहरण के लिए, गैर-अनुसूचित बैंकों को विदेशी मुद्रा में लेन-देन करने की अनुमति नहीं है। गैर-अनुसूचित बैंकों को आरक्षित आवश्यकताएँ (बैंकिंग विनियमन अधिनियम 1949 के अनुसार) बनाए रखना जरूरी होता है, लेकिन RBI के साथ रिजर्व आवश्यकताएँ बनाएँ रखना जरूरी नहीं हो सकता है। अनुसूचित बैंकों को RBI अधिनियम 1934 के अनुसार RBI के साथ रिजर्व आवश्यकताएँ बनाए रखना जरूरी है।

4. **सहकारी बैंक:** सहकारी बैंक दो श्रेणियों में आते हैं, शहरी सहकारी बैंक (UCB) और ग्रामीण सहकारी बैंक।

- शहरी सहकारी बैंक (UCB) (जिन्हें **प्राथमिक सहकारी बैंक** भी कहा जाता है) शहरी और अर्ध-शहरी क्षेत्रों में स्थित होते हैं और पारंपरिक रूप से समुदायों, इलाकों और कार्यस्थल समूहों के आसपास केंद्रित थे। वे मुख्य रूप से छोटे उधारकर्ताओं और व्यापारियों को उधार देते थे। आज, उनके संचालन का दायरा काफी बढ़ गया है।
- यूसीबी को फिर से अनुसूचित और गैर-अनुसूचित श्रेणियों में वर्गीकृत किया जाता है, जिन्हें फिर एकल राज्य और बहु-राज्य में वर्गीकृत किया जाता है। एकल राज्य यूसीबी को राज्य सरकार सहकारी समिति अधिनियम के प्रावधानों के तहत सहकारी समितियों के रूप में पंजीकृत किया जाता है और संबंधित राज्य के सहकारी समितियों के रजिस्ट्रार (आरसीएस) द्वारा विनियमित किया जाता है। बहु-राज्य यूसीबी को बहु-राज्य सहकारी समिति अधिनियम, 2002 के प्रावधानों के तहत सहकारी समितियों के रूप में पंजीकृत किया जाता है और सहकारी समितियों के केंद्रीय रजिस्ट्रार (सीआरसीएस) द्वारा विनियमित किया जाता है।
- भारत में ग्रामीण सहकारी ऋण प्रणाली मुख्य रूप से कृषि क्षेत्र में ऋण के प्रवाह को सुनिश्चित करने के लिए अनिवार्य है। इसमें अल्पकालिक और दीर्घकालिक सहकारी ऋण संरचनाएँ शामिल होती हैं। अल्पकालिक सहकारी ऋण संरचना तीन-स्तरीय प्रणाली के साथ संचालित होती है। राज्य स्तर पर **राज्य सहकारी बैंक (StCBs)**, **जिला स्तर** पर (जिला) केंद्रीय सहकारी बैंक **(DCCBs)** और **गाँव स्तर** पर **प्राथमिक कृषि ऋण समितियाँ** (PACS)। PACS का गठन किसी गाँव या छोटे गाँवों के समूह के जमीनी स्तर पर किया जाता है। यह बुनियादी इकाई है जो सीधे ग्रामीण (कृषि) उधारकर्ताओं से निपटती है, उन्हें ऋण देती है और दिए गए ऋणों का पुनर्भुगतान एकत्र करती है। **PACS बैंकिंग विनियमन अधिनियम, 1949 के दायरे से बाहर हैं और इसलिए आरबीआई द्वारा विनियमित नहीं हैं।** StCBs/DCCBs (State

Cooperative Banks/Central Cooperative Banks) संबंधित राज्य के राज्य सहकारी समिति अधिनियम के प्रावधानों के तहत पंजीकृत हैं और राज्य **सरकारों और आरबीआई के दोहरे विनियमन** के अंतर्गत आते हैं। सभी ग्रामीण सहकारी बैंकों की निगरानी नाबार्ड (आरबीआई ने अपनी पर्यवेक्षी शक्ति सौंपी है) और राज्य के सहकारी समितियों के रजिस्ट्रार द्वारा की जाती है।

यद्यपि बैंकिंग विनियमन अधिनियम 1949 में लागू हुआ, लेकिन बैंकिंग कानून सहकारी समितियों पर बैंकिंग विनियमन अधिनियम, 1949 में संशोधन के माध्यम से 1966 में ही लागू किए गए। तब से, सहकारी बैंकों (शहरी और ग्रामीण दोनों) पर सहकारी समितियों के राज्य रजिस्ट्रार/सहकारी समितियों के केंद्रीय रजिस्ट्रार और आरबीआई के बीच **'नियंत्रण का द्वंद्व'** है। आरबीआई बैंकिंग विनियमन अधिनियम, 1949 के माध्यम से यूसीबी/एसटीसीबी/डीसीसीबी के बैंकिंग कार्यों और समामेलन और परिसमापन को विनियमित और पर्यवेक्षण करता है और पंजीकरण, प्रबंधन, प्रशासन और भर्ती जैसे गैर-बैंकिंग पहलुओं को राज्य/केंद्र सरकारों द्वारा विनियमित और पर्यवेक्षण किया जाता है।

100 करोड़ रुपए या उससे अधिक जमा राशि वाले सभी प्राथमिक/शहरी सहकारी बैंकों (यूसीबी) के मामले में अध्यक्ष/पूर्णकालिक निदेशक/प्रबंध निदेशक/सीईओ की नियुक्ति के लिए आरबीआई की मंजूरी की आवश्यकता होती है। सार्वजनिक हित में और जमाकर्ताओं के हितों की रक्षा के लिए, यदि आवश्यक हो, तो आरबीआई बहु-राज्य शहरी/प्राथमिक सहकारी बैंकों के बोर्ड को हटा सकता है।

PACS और दीर्घकालिक ऋण सहकारी समितियाँ (SCARDB and PCARDB) बैंकिंग विनियमन अधिनियम, 1949 के दायरे से बाहर हैं और इसलिए आरबीआई द्वारा विनियमित और पर्यवेक्षित नहीं हैं। नाबार्ड एससीएआरडीबी, शीर्ष-स्तरीय सहकारी समितियों और संघों का स्वैच्छिक निरीक्षण करता है।

- आरबीआई की पूर्व स्वीकृति के साथ, सहकारी बैंक (या तो सार्वजनिक या निजी प्लेसमेंट के माध्यम से) कम से कम 10 वर्ष की परिपक्वता अवधि के साथ इक्विटी शेयर और बॉन्ड या असुरक्षित डिबेंचर या कोई अन्य प्रतिभूति जारी कर सकते हैं

5. **सार्वजनिक क्षेत्र के बैंक:** केंद्र या राज्य सरकारों के स्वामित्व वाले बैंक सरकार के पास जिनका 51% से अधिक स्वामित्व है। उदाहरण के लिए, एसबीआई और उसके सहयोगी, पंजाब नेशनल बैंक, बैंक ऑफ इंडिया आदि। राष्ट्रीयकृत बैंक (सरकार द्वारा अधिग्रहित निजी बैंक) जिनका 1969 और 1980 के दशक में राष्ट्रीयकरण किया गया था, वे भी सार्वजनिक क्षेत्र के बैंक हैं क्योंकि सरकार की इन बैंकों में 51% से अधिक की हिस्सेदारी होती है।
6. **निजी क्षेत्र के बैंक:** निजी व्यक्तियों के स्वामित्व वाले बैंक, उदाहरण के लिए आईसीआईसीआई बैंक, एक्सिस बैंक आदि।
7. **विदेशी बैंक:** भारत में स्थापित बैंक, लेकिन विदेशी संस्था/संस्थाओं के स्वामित्व में हैं, उदाहरण के लिए सिटी बैंक। ये मूल रूप से निजी बैंक हैं, जिनका स्वामित्व केवल विदेशी संस्थाओं के पास है।
8. **क्षेत्रीय ग्रामीण बैंक** (आरआरबी) की स्थापना 1975 में क्षेत्रीय ग्रामीण बैंक अधिनियम, 1976 के प्रावधानों के तहत की गई थी, जिसका उद्देश्य ग्रामीण क्षेत्रों में कृषि, व्यापार, वाणिज्य, उद्योग और अन्य उत्पादक गतिविधियों के विकास के उद्देश्य से, विशेष रूप से छोटे और सीमांत किसानों, कृषि मजदूरों, कारीगरों और छोटे उद्यमियों को ऋण और अन्य सुविधाएँ प्रदान करके ग्रामीण अर्थव्यवस्था को विकसित करना था। आरआरबी का स्वामित्व केंद्र सरकार, संबंधित राज्य सरकार और प्रायोजक बैंक के पास 50:15:35 के अनुपात में होता है (प्रत्येक आरआरबी किसी विशेष बैंक द्वारा प्रायोजित होता है)। आरआरबी को प्राथमिकता वाले क्षेत्रों को 75% ऋण प्रदान करना होता है। आरआरबी नाबार्ड के अंतर्गत होते हैं।
9. **स्थानीय क्षेत्रीय बैंक (LAB)** की स्थापना 1996 में घोषित भारत सरकार की योजना के अनुसार की गई

थी। सरकार का इरादा दो या तीन समीपवर्ती जिलों पर अधिकार क्षेत्र वाले नए निजी स्थानीय बैंक स्थापित करना था। स्थानीय क्षेत्रीय बैंकों की स्थापना का उद्देश्य स्थानीय संस्थानों द्वारा ग्रामीण बचत को जुटाना और उन्हें स्थानीय क्षेत्रों में निवेश के लिए उपलब्ध कराना था। भारत में केवल चार स्थानीय क्षेत्रीय बैंक हैं जो गैर-अनुसूचित बैंकों के रूप में मौजूद हैं, इसका एक उदाहरण आंध्र प्रदेश के विजयवाड़ा में तटीय स्थानीय क्षेत्रीय बैंक है।

10. अखिल भारतीय वित्तीय संस्थान (AIFI), गैर-बैंकिंग वित्तीय कंपनियाँ (NBFC) और प्राथमिक डीलर (PD) भारत में गैर-बैंकिंग वित्तीय संस्थानों (NBFI) के तीन महत्त्वपूर्ण खंड हैं, जिन्हें RBI द्वारा विनियमित और पर्यवेक्षित किया जाता है। क्रेडिट सूचना कंपनियाँ (CIC) भी RBI द्वारा विनियमित गैर-बैंकिंग वित्तीय संस्थानों की एक श्रेणी हैं।

11. अखिल भारतीय वित्तीय संस्थान (AIFI) संस्थागत तंत्र का गठन करते हैं, जिन्हें क्षेत्र-विशिष्ट दीर्घकालिक वित्त-पोषण प्रदान करने का काम सौंपा जाता है। वर्तमान में, चार AIFI हैं जिन्हें विकास वित्तीय संस्थान (DFI) भी कहा जाता है, जिन्हें RBI द्वारा विनियमित और पर्यवेक्षित किया जाता है।

12. नाबार्ड:

- नाबार्ड की स्थापना 1982 में राष्ट्रीय कृषि और ग्रामीण विकास बैंक अधिनियम 1981 के प्रावधानों के तहत की गई थी।
- नाबार्ड ग्रामीण क्षेत्रों में कृषि, लघु उद्योग, कुटीर और ग्रामोद्योग, हस्तशिल्प और अन्य ग्रामीण शिल्प तथा अन्य संबद्ध आर्थिक गतिविधियों को बढ़ावा देने के लिए ऋण प्रदान करता है।
- नाबार्ड ग्रामीण ऋण संस्थाओं जैसे कि आरआरबी और ग्रामीण सहकारी बैंकों के संचालन में समन्वयक/पर्यवेक्षक के रूप में कार्य करता है (आरबीआई ने ग्रामीण क्षेत्र के मामले में अपनी पर्यवेक्षी शक्तियाँ नाबार्ड को सौंप दी हैं, जबकि अपनी नियामक शक्तियों को बरकरार रखा है)
- नाबार्ड कृषि ऋण और ग्रामीण विकास से संबंधित मामलों पर भारत सरकार, आरबीआई और राज्य सरकारों की नीति निर्माण में सहायता करता है।
- ग्रामीण विकास से संबंधित मामलों में बैंकों, सहकारी समितियों और संगठनों के लिए प्रशिक्षण और अनुसंधान सुविधाएँ प्रदान करता है
- यह व्यक्तिगत स्तर पर प्रत्यक्ष ऋण नहीं देता है, बल्कि पुनर्वित्त के माध्यम से अप्रत्यक्ष वित्तीय सहायता प्रदान करता है (नाबार्ड उन संस्थाओं को वित्त-पोषित करता है जो ग्रामीण क्षेत्र को वित्तीय सहायता प्रदान करती हैं)। नाबार्ड संस्थाओं को केन्द्र सरकार अनुमोदित प्रत्यक्ष वित्त प्रदान करता है

13. राष्ट्रीय आवास बैंक (एनएचबी):

- राष्ट्रीय आवास बैंक की स्थापना 1988 में राष्ट्रीय आवास बैंक अधिनियम, 1987 के तहत की गई थी।
- राष्ट्रीय आवास बैंक स्थानीय और क्षेत्रीय दोनों स्तरों पर आवास वित्त संस्थानों को बढ़ावा देने और ऐसे संस्थानों को वित्तीय और अन्य सहायता प्रदान करने के लिए एक प्रमुख एजेंसी के रूप में कार्य करता है।
- यह व्यक्तिगत स्तर पर प्रत्यक्ष ऋण नहीं देता है, बल्कि पुनर्वित्त के माध्यम से अप्रत्यक्ष वित्तीय सहायता प्रदान करता है (अर्थात, राष्ट्रीय आवास बैंक उन संस्थानों को वित्त प्रदान करता है जो व्यक्तिगत उधारकर्ताओं, बिल्डरों आदि को वित्त प्रदान करते हैं)

14. एक्जिम बैंक:

- एक्जिम बैंक की स्थापना 1982 में भारतीय निर्यात आयात बैंक अधिनियम 1981 के तहत की गई थी।
- एक्जिम बैंक का उद्देश्य निर्यातकों और आयातकों को वित्तीय सहायता प्रदान करना है, और देश के अंतर्राष्ट्रीय व्यापार को बढ़ावा देने के उद्देश्य से वस्तुओं और सेवाओं के निर्यात और आयात को वित्त-पोषित करने में लगे संस्थानों के कामकाज को समन्वयित करने के लिए प्रमुख वित्तीय संस्थान के रूप में कार्य करना है।

- EXIM बैंक विदेशी वित्तीय संस्थानों, क्षेत्रीय विकास बैंकों, संप्रभु सरकारों और विदेशों में अन्य संस्थाओं को भी ऋण देता है, ताकि उन देशों में खरीदार भारत से वस्तुओं और सेवाओं का आयात कर सकें। यह स्वयं और भारत सरकार के आदेश और समर्थन से भी ऋण देता है।
- यह निर्यातकों/आयातकों को प्रत्यक्ष वित्तीय सहायता और पुनर्वित्त के माध्यम से अप्रत्यक्ष वित्तीय सहायता दोनों प्रदान करता है

15. भारतीय लघु उद्योग विकास बैंक (SIDBI):
    - SIDBI की स्थापना 1990 में भारतीय लघु उद्योग विकास अधिनियम 1989 के प्रावधानों के तहत की गई थी
    - SIDBI सूक्ष्म, लघु और मध्यम उद्यम (MSME) क्षेत्र के प्रचार, वित्तपोषण और विकास और इसी तरह की गतिविधियों में लगे संस्थानों के कार्यों के समन्वय के लिए प्रमुख वित्तीय संस्थान के रूप में कार्य करता है
    - SIDBI मुख्य रूप से MSME को आगे ऋण देने के लिए वित्तीय संस्थानों को अप्रत्यक्ष वित्तीय सहायता (पुनर्वित्त के माध्यम से) प्रदान करता है।

16. मुद्रा बैंक:
    - मुद्रा (माइक्रो यूनिट्स डेवलपमेंट एंड रिफाइनेंस एजेंसी लिमिटेड) भारत सरकार द्वारा सूक्ष्म इकाई उद्यमों के विकास और पुनर्वित्तपोषण के लिए स्थापित एक वित्तीय संस्था है। मुद्रा बैंक के लिए अधिनियम के लागू होने तक, मुद्रा लिमिटेड के रूप में एक गैर-बैंकिंग वित्त कंपनी की स्थापना सिडबी की सहायक कंपनी के रूप में की गई है।
    - मुद्रा का उद्देश्य ग्रामीण और शहरी क्षेत्रों में **गैर-कॉर्पोरेट (अनौपचारिक क्षेत्र)** छोटे व्यवसाय क्षेत्र जैसे कि छोटी विनिर्माण इकाइयाँ, दुकानदार, फल और सब्जी विक्रेता, हेयर सैलून, ब्यूटी पार्लर, ट्रक ऑपरेटर, फेरीवाले, कारीगरों को 10 लाख रुपए तक की वित्तीय आवश्यकताओं के साथ वित्त-पोषण प्रदान करना है।
    - मुद्रा सभी अंतिम छोर के वित्त-पोषकों जैसे सूक्ष्म वित्तीय संस्थान, एनबीएफसी, सोसायटी, ट्रस्ट, कंपनियाँ, सहकारी समितियां, एसएफबी, अनुसूचित वाणिज्यिक बैंक और आरआरबी को **पुनर्वित्तपोषित** करने के लिए जिम्मेदार होगी जो विनिर्माण, व्यापार और सेवा गतिविधियों में लगे सूक्ष्म/लघु व्यवसाय संस्थाओं को उधार देने के व्यवसाय में हैं *(पुनर्वित्तपोषित करने का अर्थ है कि मुद्रा ऋण बैंकों/एनबीएफसी/एमएफआई के माध्यम से उपलब्ध होंगे न कि प्रत्यक्ष ऋण के माध्यम से)*।
    - मुद्रा ऋण तीन श्रेणियों में उपलब्ध हैं। छोटे व्यवसायों के लिए, 'शिशु' श्रेणी के अंतर्गत 50,000/- रुपए तक का ऋण, 'किशोर' श्रेणी के अंतर्गत 50,000 रुपए से अधिक और 5 लाख रुपए तक का ऋण और 'तरुण' श्रेणी के अंतर्गत 5 लाख रुपए से 10 लाख रुपए के बीच ऋण उपलब्ध हैं।

इन उत्पादों को उद्यम स्पेक्ट्रम के निम्न छोर पर कार्य करने वाले ग्राहकों की आवश्यकताओं को पूरा करने के लिए बनाया गया है।

17. हाल ही में सरकार द्वारा 20,000 करोड़ रुपए के साथ **नेशनल बैंक फॉर फाइनेंसिंग इंफ्रास्ट्रक्चर एंड डेवलपमेंट (NaBFID)** नामक एक DFI की स्थापना की गई है। वर्तमान में सरकार के पास 100% इक्विटी है, लेकिन बाद में यह अपनी हिस्सेदारी/स्वामित्व को घटाकर 26% कर देगी।

18. गैर-बैंकिंग वित्तीय कंपनियाँ (NBFC):
    - NBFC कंपनी अधिनियम, 1956/2013 के तहत पंजीकृत एक कंपनी है जो ऋण और अग्रिम, सरकार या स्थानीय प्राधिकरण द्वारा जारी किए गए शेयरों/स्टॉक/बॉन्ड/डिबेंचर/प्रतिभूतियों के अधिग्रहण या इसी तरह की प्रकृति की अन्य विपणन योग्य प्रतिभूतियों, पट्टे, किराया-खरीद, बीमा व्यवसाय, चिट व्यवसाय के व्यवसाय में लगी हुई है, लेकिन इसमें कोई भी संस्था शामिल नहीं है जिसका मुख्य व्यवसाय कृषि गतिविधि, औद्योगिक गतिविधि, किसी भी सामान की खरीद या बिक्री (प्रतिभूतियों के अलावा) या कोई सेवा प्रदान करना और अचल संपत्ति की बिक्री/खरीद/निर्माण है। NBFC मुख्य रूप से निजी क्षेत्र की संस्थाएँ हैं।

- आरबीआई अधिनियम 1934 के अनुसार, कोई भी एनबीएफसी आरबीआई से पंजीकरण प्रमाणपत्र प्राप्त किए बिना कारोबार नहीं कर सकती है। हालांकि, आरबीआई को दिए गए अधिकारों के अनुसार, दोहरे विनियमन को हटाने के लिए, एनबीएफसी की कुछ श्रेणियों को आरबीआई के साथ पंजीकरण की आवश्यकता से छूट दी गई है, उदाहरण के लिए:
  - ❖ वेंचर कैपिटल फंड, मर्चेंट बैंकिंग कंपनियाँ, सेबी के साथ पंजीकृत स्टॉक ब्रोकिंग कंपनियां,
  - ❖ आईआरडीए द्वारा जारी पंजीकरण का वैध प्रमाण पत्र रखने वाली बीमा कंपनी,
  - ❖ कंपनी अधिनियम के तहत पंजीकृत निधि कंपनियाँ और कॉर्पोरेट मामलों के मंत्रालय द्वारा विनियमित
  - ❖ चिट फंड अधिनियम, 1982 में परिभाषित चिट कंपनियाँ और संबंधित राज्य सरकारों द्वारा विनियमित
- एनबीएफसी - एमएफआई एनबीएफसी - माइक्रो फाइनेंशियल इंस्टीट्यूशंस हैं जो एनबीएफसी के ही एक प्रकार हैं, लेकिन उनका 85% ऋण गरीब परिवारों (ग्रामीण या शहरी) को दिया जाना चाहिए

माइक्रोफाइनेंस (माइक्रो + फाइनेंस) अर्थात सूक्ष्म वित्त गरीब और कम आय वाले परिवारों को वित्तीय सेवाओं का प्रावधान है। इन वित्तीय सेवाओं में छोटे ऋण/क्रेडिट, बचत, बीमा, फंड ट्रांसफर/प्रेषण सुविधाएँ आदि शामिल हैं। माइक्रोफाइनेंस एक आर्थिक उपकरण है जिसे वित्तीय समावेशन को बढ़ावा देने के लिए बनाया गया है जो गरीब और कम आय वाले परिवारों को गरीबी से बाहर आने, उनकी आय के स्तर को बढ़ाने और समग्र जीवन स्तर में सुधार करने में सक्षम बनाता है।

माइक्रोफाइनेंस ऋण (माइक्रो-क्रेडिट) को 3,00,000 रुपए तक की वार्षिक घरेलू आय वाले परिवार को दिए जाने वाले संपार्श्विक-मुक्त ऋण के रूप में परिभाषित किया गया है। इस उद्देश्य के लिए, परिवार का अर्थ एक व्यक्तिगत परिवार इकाई होगा, अर्थात पति, पत्नी और उनके अविवाहित बच्चे। कम आय वाले परिवारों, यानी 3,00,000 रुपए तक की वार्षिक आय वाले परिवारों को प्रदान किए गए सभी संपार्श्विक-मुक्त ऋण, अंतिम उपयोग और माध्यम (भौतिक या डिजिटल चैनलों के माध्यम से) की परवाह किए बिना, माइक्रोफाइनेंस ऋण के रूप में माना जाएगा। बैंकों/एनबीएफसी को माइक्रोफाइनेंस ऋणों पर लागू ब्याज दर और अन्य सभी शुल्कों की अधिकतम सीमा का स्पष्ट रूप से उल्लेख करना चाहिए।

माइक्रोफाइनेंस ऋण/क्रेडिट (माइक्रोफाइनेंस के अंतर्गत आने वाली सेवाओं में से एक) विभिन्न संस्थागत चैनलों जैसे वाणिज्यिक और सहकारी बैंकों, एनबीएफसी, एनबीएफसी-एमएफआई आदि के माध्यम से प्रदान किया जाता है।

- ***पीयर टू पीयर (व्यक्ति से व्यक्ति को) ऋणदाता:*** *पी2पी मध्यस्थ एनबीएफसी का नया वर्ग है जो उधारकर्ताओं और व्यक्तिगत ऋणदाताओं को जोड़ने वाला प्लेटफॉर्म प्रदान करता है। पी2पी ऋण के साथ, उधारकर्ता व्यक्तिगत निवेशकों से ऋण लेते हैं जो निर्धारित ब्याज दर पर अपना पैसा उधार देने के लिए तैयार होते हैं। उधारकर्ता की प्रोफाइल आमतौर पर एक पी2पी ऑनलाइन प्लेटफॉर्म पर प्रदर्शित की जाती है जहाँ निवेशक इन प्रोफाइलों का पुनर्मूल्याँकन कर सकते हैं ताकि यह निर्धारित किया जा सके कि वे उधारकर्ता को पैसे उधार देने का जोखिम उठाना चाहते हैं या नहीं। पुनर्भुगतान भी NBFC-P2P के माध्यम से किया जाता है जो ऋण में निवेश करने वाले ऋणदाताओं को भुगतान की प्रक्रिया और अग्रेषण करता है। पी2पी ऋण को सामाजिक ऋण या क्राउड फंडिंग (Crowd funding) भी कहा जाता है।*

पी2पी ऋण के संबंध में आरबीआई के दिशा-निर्देश (2017):

- पी2पी ऋण मंच पर प्रतिभागियों के बीच निधि हस्तांतरण एनबीएफसी-पी2पी द्वारा संचालित एस्क्रो खाते (दो पक्षों के बीच लेनदेन की प्रक्रिया के दौरान किसी तीसरे पक्ष द्वारा रखा गया एक अस्थायी पास-थ्रू खाता (Pass through Accounts) तंत्र के माध्यम से होगा। सभी निधि हस्तांतरण बैंक खातों के माध्यम से और बैंक खातों से होंगे और नकद लेनदेन पूरी तरह से प्रतिबंधित है।
- इस बात की सीमाएँ हैं कि कोई ऋणदाता कितना उधार दे सकता है (कुल मिलाकर 50 लाख रुपए) और कोई उधारकर्ता कितना उधार ले सकता है और समय अवधि की भी सीमा है।
- **एनबीएफसी-पी2पी:**
  - पीयर-टू-पीयर ऋण में शामिल प्रतिभागियों को एक ऑनलाइन मार्केटप्लेस या प्लेटफॉर्म प्रदान करने वाले मध्यस्थ के रूप में कार्य करेगा;
  - जमा राशि नहीं जुटाएगा और न ही खुद से ऋण देगा
  - कोई ऋण गारंटी नहीं देगा
  - अपने प्लेटफॉर्म से जुड़े किसी भी सुरक्षित ऋण को सुविधाजनक नहीं बनाएगा या अनुमति नहीं देगा
  - प्रतिभागियों पर उचित परिश्रम करेगा;
  - उधारकर्ताओं का ऋण मूल्यांकन और जोखिम प्रोफाइलिंग करना तथा उनके संभावित ऋणदाताओं को इसका खुलासा करना;
  - अपनी ऋण जानकारी तक पहुँचने के लिए प्रतिभागी की पूर्व और स्पष्ट सहमति की आवश्यकता होती है;
  - ऋण समझौतों और अन्य संबंधित दस्तावेजों का दस्तावेजीकरण करना;
  - ऋण राशि के संवितरण और पुनर्भुगतान में सहायता प्रदान करना;
  - प्लेटफॉर्म पर दिए गए ऋणों की वसूली के लिए सेवाएँ प्रदान करना।
- **NBFC-P2P निम्नलिखित का खुलासा करेगा:**
  - ऋणदाता को - उधारकर्ता/ओं के बारे में विवरण जिसमें व्यक्तिगत पहचान, आवश्यक राशि, माँगी गई ब्याज दर और NBFC-P2P द्वारा प्राप्त क्रेडिट स्कोर शामिल है; और ऋण की सभी शर्तों और नियमों के बारे में विवरण, जिसमें संभावित रिटर्न, शुल्क और कर शामिल हैं;
  - उधारकर्ता को - ऋणदाता/ओं के बारे में विवरण जिसमें प्रस्तावित राशि व प्रस्तावित ब्याज दर शामिल हैं, लेकिन व्यक्तिगत पहचान और संपर्क विवरण शामिल नहीं है

19. प्राथमिक डीलर (PDS): प्राथमिक डीलर आरबीआई के साथ पंजीकृत संस्थाएँ हैं जिनके पास सरकारी प्रतिभूतियों को खरीदने और बेचने का लाइसेंस है। ये प्राथमिक बाजार में सरकार से सीधे सरकारी प्रतिभूतियाँ खरीदते हैं (आरबीआई सरकार की ओर से इन सरकारी प्रतिभूतियों को जारी करता है), जिसका उद्देश्य उन्हें द्वितीयक बाजार में अन्य खरीदारों को फिर से बेचना होता है। इसलिए, वे प्राथमिक और द्वितीयक सरकारी प्रतिभूति बाजारों को बढ़ावा देने में महत्त्वपूर्ण भूमिका निभाते हैं। 30 जून 2015 तक, सात स्वचलित प्राथमिक डीलर और तेरह बैंक विभागीय रूप से PD व्यवसाय करने के लिए अधिकृत हैं।

20. क्रेडिट सूचना कंपनियाँ (सीआईसी): सीआईसी एक स्वतंत्र संगठन है जो बैंकों, एनबीएफसी और वित्तीय संस्थानों को अपने सदस्यों के रूप में जोड़ता है और अपने सदस्यों से व्यक्तिगत उपभोक्ताओं और व्यवसायों के लिए डेटा और पहचान की जानकारी एकत्र करता है। सीआईसी बैंकों को सूचित करते हैं कि क्या संभावित उधारकर्ता अपने पिछले भुगतान ट्रैक रिकॉर्ड के आधार पर ऋण योग्य है या नहीं। सूचना की गुणवत्ता उधारदाताओं की जोखिम का मूल्यांकन करने और उपभोक्ताओं की प्रतिस्पर्धी दरों पर ऋण प्राप्त करने की क्षमता को परिभाषित करती है

सीआईसी को क्रेडिट सूचना कंपनी (विनियमन) अधिनियम 2005 के अनुसार आरबीआई द्वारा विनियमित किया जाता है और लाइसेंस दिया जाता है। वर्तमान में भारत में चार सीआईसी कार्यरत हैं: ट्रांसयूनियन क्रेडिट इन्फॉर्मेशन ब्यूरो ऑफ इंडिया लिमिटेड (सिबिल), इक्विफैक्स, एक्सपेरियन और हाई मार्क क्रेडिट इन्फॉर्मेशन सर्विसेज।

21. भुगतान बैंक:

- अगस्त 2015 में, RBI ने भुगतान बैंकों के लिए 11 आवेदकों को लाइसेंस प्रदान किया।
- RBI ने भुगतान बैंकों द्वारा व्यक्तिगत ग्राहकों से प्राप्त की जाने वाली जमाराशि पर 2 लाख रुपए की सीमा तय की है। यह प्रतिबंध केवल उन कंपनियों को भुगतान बैंक लाइसेंस प्राप्त करने की अनुमति देगा जो वास्तव में निर्धनों को लक्षित करने में रुचि रखते हैं। इसलिए, भुगतान बैंकों के लिए मुख्य लक्ष्य प्रवासी मजदूर, स्वरोजगार, कम आय वाले परिवार आदि होंगे क्योंकि वे कम लागत वाले बचत खाते और प्रेषण सेवाएँ प्रदान करेंगे ताकि जो लोग अब केवल नकद में लेन-देन करते हैं वे औपचारिक बैंकिंग प्रणाली में अपना पहला कदम रख सकें (भुगतान बैंकों को **ऋण देने और क्रेडिट कार्ड जारी करने की अनुमति नहीं होगी।** भुगतान बैंक केवल माँग जमा स्वीकार करेंगे यानी केवल बचत खाता और चालू खाता सुविधा उपलब्ध होगी)
- भुगतान बैंक अपनी विभिन्न सेवाओं को पूरा करने के लिए मोबाइल प्रौद्योगिकी और अनुप्रयोगों का लाभ उठाएंगे और प्रौद्योगिकी के उपयोग से वे लागत कुशल हो सकते हैं।
- भुगतान बैंक अपने प्रतिस्पर्धियों के बजाय पहले से स्थापित बैंकों के लिए अतिरिक्त बैंक के रूप में कार्य करेंगे।

22. लघु वित्त बैंक:

- सितंबर 2015 में, RBI ने लघु वित्त बैंकों के लिए 10 आवेदकों को लाइसेंस प्रदान किया, जो वित्तीय समावेशन को आगे बढ़ाने की दिशा में एक कदम है।
- लघु वित्त बैंक मुख्य रूप से जमा स्वीकार करने और छोटे व्यवसाय इकाइयों, छोटे और सीमांत किसानों, सूक्ष्म और लघु उद्योगों और असंगठित क्षेत्र की संस्थाओं सहित असेवित (unserved) और अलग और कमयोग्य (underserved) वर्गों को ऋण देने जैसी बुनियादी बैंकिंग गतिविधियाँ करेंगे।
- लघु वित्त बैंकों के परिचालन के क्षेत्र में कोई प्रतिबंध नहीं होगा।
- लघु वित्त बैंकों को अपने कुल ऋण का 75% RBI द्वारा प्राथमिकता क्षेत्र ऋण (PSL) के रूप में वर्गीकरण के लिए पात्र क्षेत्रों को देना होगा।
- इसके ऋण पोर्टफोलियो का कम से कम 50% 25 लाख रुपए तक के ऋण से निर्मित होना चाहिए
- भुगतान बैंक और लघु वित्त बैंक दोनों ही **विशिष्ट या विभेदित बैंक हैं**, अर्थात कुछ बैंकिंग कार्यों में विशेषज्ञता प्राप्त हैं और सार्वभौमिक नहीं हैं।

2.15 भारतीय रिजर्व बैंक और इसके कार्य (RBI and its Functions)

भारतीय रिजर्व बैंक देश का केंद्रीय बैंक है। केंद्रीय बैंक अपेक्षाकृत नवोन्मेष हैं और अधिकांश केंद्रीय बैंक, जैसा कि हम आज जानते हैं, बीसवीं सदी की शुरुआत में स्थापित किए गए थे।

भारतीय रिजर्व बैंक की स्थापना हिल्टन यंग आयोग की सिफारिशों के आधार पर की गई थी। भारतीय रिजर्व बैंक अधिनियम, 1934 बैंक के कामकाज का वैधानिक आधार प्रदान करता है, जिसने 1 अप्रैल, 1935 को परिचालन शुरू किया था।

बैंक ने सरकार से मुद्रा नियंत्रक द्वारा किए जा रहे कार्यों और इंपीरियल बैंक ऑफ इंडिया से सरकारी खातों और सार्वजनिक ऋण के प्रबंधन को अपने हाथ में लेकर अपना परिचालन शुरू किया। रिजर्व बैंक, जिसे मूल रूप से एक शेयरधारक/निजी बैंक के रूप में स्थापित किया गया था, का 1949 में राष्ट्रीयकरण कर दिया गया था।

भारतीय रिजर्व बैंक की एक दिलचस्प विशेषता यह है कि इसकी शुरुआत से ही रिजर्व बैंक को विकास, खासकर कृषि के संदर्भ में एक विशेष भूमिका निभाते हुए देखा गया था। जब भारत ने अपने योजना प्रयासों की शुरुआत की, तो रिजर्व बैंक की विकास भूमिका ध्यान में आई, खासकर साठ के दशक में जब रिजर्व बैंक ने कई मायनों में विकास को उत्प्रेरित करने के लिए वित्त का उपयोग करने की अवधारणा और व्यावहारिकता का बीड़ा उठाया। रिजर्व बैंक ने संस्थागत विकास में भी महत्त्वपूर्ण भूमिका निभाई और देश के वित्तीय बुनियादी ढाँचे के निर्माण के लिए भारतीय जमा बीमा और ऋण गारंटी निगम, भारतीय यूनिट ट्रस्ट, भारतीय औद्योगिक विकास बैंक, राष्ट्रीय कृषि और ग्रामीण विकास बैंक, भारतीय डिस्काउंट और वित्त गृह आदि जैसी संस्थाओं की स्थापना में मदद की। उदारीकरण के साथ, बैंक का ध्यान मौद्रिक नीति, बैंक पर्यवेक्षण और विनियमन और भुगतान प्रणाली की देखरेख और वित्तीय बाजारों के विकास जैसे मुख्य केंद्रीय बैंकिंग कार्यों पर वापस चला गया है।

*आरबीआई का उद्देश्य 'भारत में **मौद्रिक स्थिरता** को सुरक्षित रखने और आम तौर पर देश की मुद्रा और ऋण प्रणाली को अपने लाभ के लिए संचालित करने की दृष्टि से बैंक नोटों को निर्गत (जारी करना) और भंडार को विनियमित करना है; बढ़ती हुई जटिल अर्थव्यवस्था की चुनौतियों का सामना करने के लिए आधुनिक मौद्रिक नीति ढाँचा तैयार करना, विकास के उद्देश्य को ध्यान में रखते हुए **मूल्य स्थिरता** बनाए रखना; **व्यापक आर्थिक स्थिरता** और **वित्तीय स्थिरता** बनाए रखना।*

आरबीआई के विभिन्न मामलों को एक केंद्रीय निदेशक मंडल (गवर्नर और चार डिप्टी गवर्नर सहित अधिकतम 21 सदस्य जो केंद्रीय बोर्ड में भी होते हैं) द्वारा नियंत्रित किया जाता है, जिन्हें भारत सरकार द्वारा भारतीय रिजर्व बैंक अधिनियम 1934 के अनुसार 4 वर्ष की अवधि के लिए नियुक्त किया जाता है। आरबीआई भारत का केंद्रीय बैंक है और इसे भारतीय मौद्रिक प्राधिकरण भी कहा जाता है।

आरबीआई के विभिन्न कार्य निम्नलिखित हैं:

1. मौद्रिक प्रबंधन/प्राधिकरण:

   केंद्रीय बैंकों का सबसे महत्त्वपूर्ण कार्य मौद्रिक नीति का निर्माण और क्रियान्वयन है (*जिस पर मौद्रिक नीति विषय में विस्तार से चर्चा की गई है*) ताकि भारत में मौद्रिक स्थिरता सुनिश्चित करने और आम तौर पर देश की मुद्रा और ऋण प्रणाली को अपने लाभ के लिए संचालित करने के उद्देश्य से आरबीआई नोटों के जारी करने और भंडार रखने को विनियमित किया जा सके।

2. **बैंकिंग और गैर-बैंकिंग वित्तीय संस्थाओं का विनियमन और पर्यवेक्षण:**

   इस कार्य का उद्देश्य बैंकिंग परिचालनों के व्यवस्थित विकास और संचालन तथा बैंकों की तरलता और शोधन क्षमता के लिए एक प्रभावी विवेकपूर्ण विनियामक ढाँचे के माध्यम से जमाकर्ताओं के हितों की रक्षा करना और विभिन्न नीतिगत उपायों के माध्यम से समग्र वित्तीय स्थिरता बनाए रखना है। RBI को ये शक्तियाँ RBI अधिनियम 1934 और बैंकिंग विनियमन अधिनियम 1949 से प्राप्त होती हैं। RBI के विनियामक और पर्यवेक्षी कार्य न केवल भारतीय बैंकिंग प्रणाली तक बल्कि गैर-बैंकिंग वित्तीय संस्थाओं तक भी विस्तृत हैं।

   वाणिज्यिक बैंकों, सहकारी बैंकों, क्षेत्रीय ग्रामीण बैंकों, वित्तीय संस्थानों, NBFC, प्राथमिक डीलरों, CIC आदि के संबंध में RBI के विभिन्न कार्य निम्नलिखित हैं:

वाणिज्यिक बैंक

- बैंकिंग परिचालन शुरू करने, नई बैंक शाखाएँ खोलने और शाखाओं को बंद करने या मौजूदा शाखाओं के स्थान में परिवर्तन करने के लिए RBI से लाइसेंस की आवश्यकता होती है। RBI बैंकों के विलय, समामेलन और समापन को नियंत्रित करता है। (शहरी शाखाओं के स्थानांतरण, विलय और बंद करने के लिए अब किसी अनुमोदन की आवश्यकता नहीं है)
- RBI बैंकों के निदेशकों के लिए विभिन्न दिशा-निर्देश जारी करता है और उसके पास बैंकिंग कंपनी के बोर्ड में अतिरिक्त निदेशकों को नियुक्त करने का अधिकार भी है। वाणिज्यिक बैंकों (PSB-सार्वजनिक क्षेत्र के बैंक को छोड़कर) को अध्यक्ष, पूर्णकालिक निदेशकों, प्रबंध निदेशक और CEO की नियुक्ति/पुनर्नियुक्ति/समाप्ति के लिए RBI की पूर्व स्वीकृति की आवश्यकता होती है। RBI वाणिज्यिक बैंकों (PSB को छोड़कर) में अतिरिक्त

निदेशकों की नियुक्ति कर सकता है। RBI केंद्र सरकार के परामर्श से वाणिज्यिक बैंकों (PSB को छोड़कर) के निदेशक मंडल को हटा सकता है।

- सार्वजनिक क्षेत्र के बैंक (PSB) केंद्र सरकार और RBI के दोहरे विनियमन के अधीन हैं। RBI की शक्तियों को PSB के संबंध में सीमित कर दिया गया है, जहाँ RBI निदेशकों और प्रबंधन को हटा नहीं सकता है, बैंकों के बोर्ड को हटा नहीं सकता है और विलय को बाध्य करने या परिसमापन को गति देने का अधिकार नहीं रखता है। इसके अतिरिक्त, PSB की बैंकिंग गतिविधि के लिए RBI से लाइसेंस की आवश्यकता नहीं होती है और इसलिए RBI PSB का लाइसेंस रद्द नहीं कर सकता है।
- RBI बैंकों को CRR और SLR के रूप में कुछ रिजर्व रखने के लिए नियंत्रित करता है
- जमा और उधार की अधिकांश श्रेणियों पर ब्याज दर को नियंत्रणमुक्त कर दिया गया है और इन्हें बड़े पैमाने पर बैंकों द्वारा निर्धारित किया जाता है, लेकिन RBI NRI जमाएँ, निर्यात ऋण (ऋण) और कुछ अन्य श्रेणियों पर ब्याज दर को नियंत्रित करता है।
- RBI बैंकों द्वारा अपने परिचालन के कई क्षेत्रों में पालन किए जाने वाले विवेकपूर्ण मानदंड निर्धारित करता है। कुछ विवेकपूर्ण मानदंड परिसंपत्ति वर्गीकरण, आय, प्रावधान, पूँजी पर्याप्तता आदि हैं (इन मानदंडों में विस्तार से जाने की आवश्यकता नहीं है)
- बैंकिंग प्रणाली के माध्यम से मनी लॉन्ड्रिंग को रोकने के लिए, बैंकों को अपने सभी ग्राहकों के लिए अपने ग्राहक को जानें (KYC) अभ्यास करने की आवश्यकता होती है ताकि उनकी पहचान स्थापित की जा सके और अधिकारियों को संदिग्ध लेनदेन की सूचना दी जा सके।
- RBI ने बैंक **विफलताओं/दिवालियापन** के मामले में छोटे जमाकर्ताओं के हितों की रक्षा के लिए (100% सहायक) जमा बीमा और ऋण गारंटी निगम (DICGC) की स्थापना की है। DICGC सभी पात्र बैंक जमाकर्ताओं को 5 लाख रुपए तक का बीमा कवर प्रदान करता है। 5 लाख (मूलधन और ब्याज मिलाकर) प्रति बैंक प्रति जमाकर्ता। DICGC बीमा प्रदान करने के लिए बैंकों से प्रीमियम लेता है। यदि किसी व्यक्ति के पास बैंक में अलग-अलग खाते हैं जैसे बचत, सावधि, आवर्ती और चालू, तो कोई फर्क नहीं पड़ता, उसका कुल बीमा कवर अधिकतम पाँच लाख रुपए है। लेकिन अगर किसी व्यक्ति के पास अलग-अलग बैंकों में खाता है, तो उसे प्रत्येक बैंक में अलग-अलग पाँच लाख रुपए का बीमा कवर मिलता है। विदेशी बैंकों और यूसीबी/एसटीसीबी/डीसीसीबी की शाखाओं सहित सभी वाणिज्यिक बैंक विदेशी सरकारों की जमाराशियों, केंद्र और राज्य सरकारों की जमाराशियों और अंतर-बैंक जमाराशियों को छोड़कर कवर किए जाते हैं।
- भले ही कोई बैंक दिवालिया न हुआ हो, लेकिन उसका **प्रदर्शन अच्छा नहीं है** और RBI ने बैंक की स्थिति सुधारने के लिए जमाराशियों की निकासी पर रोक/प्रतिबंध लगा दिए हैं, तो उस स्थिति में भी DICGC को जमाकर्ताओं को 90 दिनों के भीतर 5 लाख रुपए (अधिकतम, आपके खाते में कितनी राशि है, इस पर निर्भर करता है) का भुगतान करना होगा। जमाकर्ताओं के लिए यह एक बड़ा मुद्दा था क्योंकि पिछले कुछ वर्षों में कई बैंकों में धोखाधड़ी से संबंधित मामले सामने आए थे और उनका प्रदर्शन अच्छा नहीं था और RBI ने सार्वजनिक जमा निकासी पर रोक/प्रतिबंध लगा दिए थे। (यह 2021 में DICGC अधिनियम में संशोधन करके किया गया था)।
- RBI ने बैंकों को म्यूचुअल फंड व्यवसाय, बीमा व्यवसाय, उद्यम पूँजी आदि जैसी पैरा-बैंकिंग (गैर-पारंपरिक बैंकिंग) गतिविधियाँ करने की अनुमति दी है।

सहकारी बैंक

- सहकारी बैंक RBI और सरकार के दोहरे विनियमन के अधीन हैं। बैंकिंग से संबंधित कार्यों को RBI द्वारा विनियमित किया जाता है और प्रबंधन से संबंधित कार्यों को, जैसा भी मामला हो संबंधित राज्य सरकारों या केंद्र सरकार द्वारा विनियमित किया जाता है।

वित्तीय संस्थान, गैर बैंकिंग वित्तीय कंपनी प्राथमिक डीलर और क्रेडिट सूचना कंपनियाँ (CIC)

- चार अखिल भारतीय वित्तीय संस्थान - NABARD, NHB, EXIM बैंक और SIDBI RBI के पूर्ण विनियमन

और पर्यवेक्षण के अधीन हैं। NBFC, प्राथमिक डीलर और CIC भी RBI के विनियमन और पर्यवेक्षण के अधीन हैं।

RBI बैंकों और NBFC दोनों को नियंत्रित करता है, लेकिन जुलाई 2019 तक RBI के पास बोर्ड को हटाने की शक्तियाँ थीं।

RBI बैंकों और NBFC दोनों को नियंत्रित करता है, लेकिन जुलाई 2019 तक RBI के पास केवल बैंकों के बोर्ड (किसी कुप्रबंधन/डिफॉल्ट के मामले में) को हटाने का अधिकार था, NBFC को नहीं। जुलाई 2019 में, RBI अधिनियम 1934 में संशोधन किया गया ताकि RBI को सार्वजनिक हित में NBFC के बोर्ड को भी हटाने (और प्रशासक नियुक्त करने) की अनुमति मिल सके।

3. विदेशी मुद्रा बाजार, सरकारी प्रतिभूति बाजार और मुद्रा बाजार का विनियमन:

   विदेशी मुद्रा बाजार: लंबे समय तक, भारत में विदेशी मुद्रा को इसकी सीमित उपलब्धता के कारण एक नियंत्रित वस्तु के रूप में माना जाता था। देश में विदेशी मुद्रा प्रबंधन के शुरुआती चरणों में विदेशी मुद्रा की सीमित आपूर्ति के कारण माँग को विनियमित करके विदेशी मुद्रा के नियंत्रण पर ध्यान केंद्रित किया गया था, जिसके लिए विदेशी मुद्रा विनियमन अधिनियम (FERA), 1973 द्वारा वैधानिक शक्तियाँ प्रदान की गई थीं। 1991 से शुरू किए गए उदारीकरण उपायों और विदेशी मुद्रा भंडार में पर्याप्त वृद्धि, विदेशी व्यापार में वृद्धि, विदेशों में भारतीय निवेशों का उदारीकरण और भारतीय शेयर बाजार में विदेशी संस्थागत निवेशकों की भागीदारी जैसे बाहरी क्षेत्र में विकास से प्रेरित होकर, जून 2000 से FERA 1973 को बदलने के लिए 1999 में विदेशी मुद्रा प्रबंधन अधिनियम (FEMA) लागू किया गया था। इसलिए अब, RBI भारत में विदेशी मुद्रा बाजार की देखरेख करता है और FEMA अधिनियम 1999 के प्रावधानों के माध्यम से इसका पर्यवेक्षण और विनियमन करता है।

   सरकारी प्रतिभूति बाजार, जो केंद्र और राज्य सरकारों द्वारा जारी प्रतिभूतियों का व्यापार करता है, RBI द्वारा विनियमित किया जाता है जिसके लिए RBI को RBI अधिनियम 1934 से अपनी शक्तियाँ प्राप्त होती हैं।

   मुद्रा बाजार (वित्तीय बाजारों के विषय में समझाया गया), जो अल्पकालिक और अत्यधिक तरल ऋण प्रतिभूतियों का व्यापार करता है के विदेशी मुद्रा भंडार का प्रबंधन भी RBI द्वारा विनियमित किया जाता है, जिसके लिए RBI को RBI अधिनियम 1934 से शक्तियाँ प्राप्त होती हैं।

4. विदेशी मुद्रा भंडार का प्रबंधन:

   विदेशी मुद्रा भंडार में विदेशी मुद्रा परिसंपत्तियाँ (FCA), विशेष आहरण अधिकार (SDR) और सोना शामिल हैं। देश के विदेशी मुद्रा भंडार के संरक्षक के रूप में RBI को उनके निवेश के प्रबंधन की जिम्मेदारी सौंपी गई है। विदेशी मुद्रा भंडार के प्रबंधन को नियंत्रित करने वाले कानूनी प्रावधान RBI अधिनियम 1934 में निर्धारित किए गए हैं। RBI अधिनियम RBI को इन भंडारों को निम्नलिखित प्रकार के साधनों में निवेश करने की अनुमति देता है:

   - बैंक फॉर इंटरनेशनल सेटलमेंट और अन्य केंद्रीय बैंकों के पास जमा राशि
   - विदेशी वाणिज्यिक बैंकों के पास जमा राशि
   - संप्रभु या संप्रभु गारंटीकृत देयता का प्रतिनिधित्व करने वाले ऋण साधन
   - RBI के केंद्रीय बोर्ड द्वारा अनुमोदित अन्य साधन

   विदेशी मुद्रा भंडार प्रबंधन के लिए RBI की नीतियों के मूल पैमाने सुरक्षा, तरलता और रिटर्न हैं। RBI पारंपरिक रूप से आयात कवर के संदर्भ में भंडार की पर्याप्तता का आकलन करता था, लेकिन अब यह उन बाहरी झटकों के प्रकार को भी देखता है जिनसे अर्थव्यवस्था संभावित रूप से कमजोर है। इसका उद्देश्य यह सुनिश्चित करना है कि रिजर्व की मात्रा अर्थव्यवस्था की विकास क्षमता, पूँजी प्रवाह के आकार और राष्ट्रीय सुरक्षा आवश्यकताओं के अनुरूप हो।

5. चालू खाता और पूँजी खाता प्रबंधन:

आरबीआई चालू खाता और पूँजी खाता प्रबंधित करता है, जिसे भुगतान संतुलन विषय के अंतर्गत विस्तार से समझाया गया है।

6. केंद्र और राज्य सरकारों का बैंकर:

- सरकार के बैंकर के रूप में, आरबीआई विभिन्न सरकारी विभागों की ओर से धन प्राप्त करता है और उसका भुगतान करता है। चूँकि इसके केवल 27 स्थानों पर कार्यालय हैं, इसलिए आरबीआई सरकारों की ओर से बैंकिंग व्यवसाय करने के लिए अन्य बैंकों को अपने एजेंट (एजेंट बैंक) के रूप में नियुक्त करता है।

  पहले अनुसूचित सार्वजनिक क्षेत्र के बैंकों और केवल कुछ बड़े निजी क्षेत्र के बैंकों को करों का संग्रह, पेंशन भुगतान और पीपीएफ, किसान विकास पत्र, सुकन्या समृद्धि योजना आदि जैसी छोटी बचत योजनाओं जैसे सरकारी संबंधित व्यवसाय करने की अनुमति थी। लेकिन निजी क्षेत्र के बैंकों पर यह प्रतिबंध हटा दिया गया है और अब सभी सार्वजनिक और निजी क्षेत्र के अनुसूचित वाणिज्यिक बैंक आरबीआई के एजेंट बैंक के रूप में कार्य कर सकते हैं।
- RBI समेकित निधि, आकस्मिकता निधि और सार्वजनिक खाते जैसे केंद्र और राज्य सरकार के फंडों के लिए खातों को देखता है।
- RBI अग्रिम तरीके और साधन (Ways and Means Advances) भी प्रदान करता है–यह केंद्र और राज्य/केंद्र शासित प्रदेशों को सरकार के बैंकर के रूप में एक अस्थायी ऋण सुविधा है। तरीके और साधन योजना सरकार की प्राप्तियों और भुगतानों में अस्थायी असंतुलन को पूरा करने के लिए बनाई गई है। यह सुविधा सरकार द्वारा तब ली जा सकती है जब उसे RBI से तत्काल नकदी की आवश्यकता हो। तरीके और साधन RBI से 90 दिनों के लिए एक ऋण सुविधा है जिसका अर्थ है कि सरकार को 90 दिनों के बाद सुविधा खाली करनी होगी। तरीके और साधन के लिए ब्याज दर वर्तमान में रेपो दर पर ली जाती है। तरीके और साधन की सीमाएँ RBI और भारत सरकार द्वारा परस्पर तय की जाती हैं। WMA केवल एक ऋण पत्र है और **गैर-व्यापार योग्य है** (T-बिल, दिनांकित प्रतिभूतियाँ, SDL और नकद प्रबंधन बिल व्यापार योग्य हैं)। WMA का उपयोग राजकोषीय घाटे को निधि देने के लिए नहीं किया जाता है।
- इसके अलावा यह पोर्टफोलियो मैनेजर के रूप में सरकारों के अधिशेष नकदी शेष के निवेश की व्यवस्था करता है।
- आरबीआई मौद्रिक और बैंकिंग संबंधी मामलों पर सरकार के सलाहकार के रूप में भी कार्य करता है, जब भी ऐसा करने के लिए कहा जाता है।

7. केंद्र और राज्य सरकारों के ऋण प्रबंधक:

आरबीआई सार्वजनिक ऋण का प्रबंधन करता है और केंद्र और राज्य सरकारों की ओर से नए ऋण जारी करता है। आरबीआई की ऋण प्रबंधन नीति का उद्देश्य उधार लेने की लागत को कम करना, जोखिम को कम करना, ऋण की परिपक्वता संरचना को सुचारू बनाना है।

8. बैंकों का बैंकर:

- RBI बैंकों को वैधानिक आरक्षित आवश्यकताओं (CRR और SLR) के रखरखाव के लिए RBI के साथ अपने (चालू) खाते खोलने में सक्षम बनाता है।
- RBI विभिन्न बैंकों के लिए एक सामान्य बैंकर के रूप में कार्य करता है ताकि निधियों के अंतर-बैंक हस्तांतरण का निपटान किया जा सके।
- RBI विशिष्ट उद्देश्यों के लिए बैंकों को अल्पकालिक ऋण और अग्रिम प्रदान करता है।
- RBI अंतिम उपाय के ऋणदाता के रूप में कार्य करता है।
- RBI ऐसे बैंक की सहायता करता है जो (दिवालिया नहीं हुआ है लेकिन अस्थायी रूप से तरलता (धन) की समस्याओं का सामना कर रहा है। उसे दंडात्मक ब्याज दर पर अच्छे संपार्श्विक के बदले बहुत आवश्यक निधि प्रदान करके वह ऐसे बैंक की

सहायता करता है। RBI यह आपातकालीन तरलता सहायता तभी प्रदान करता है जब संकटग्रस्त वित्तीय संस्थान ने बाजार से और RBI की नियमित तरलता सुविधाओं जैसे LAF, MSF आदि से प्राप्त सभी संसाधनों को समाप्त कर दिया हो। RBI बैंक के जमाकर्ताओं के हितों की रक्षा करने और बैंक की संभावित विफलता को रोकने के लिए यह सुविधा प्रदान करता है, जो बदले में अन्य बैंकों और संस्थानों को भी प्रभावित कर सकता है और व्यापक आर्थिक और वित्तीय स्थिरता पर प्रतिकूल प्रभाव डाल सकता है।

बैंक रन एक ऐसी स्थिति है जो तब होती है जब हर कोई बैंक के रिजर्व खत्म होने से पहले अपने बैंक खाते से पैसा निकालना चाहता है। जैसे-जैसे ज्यादा से ज्यादा लोग अपने पैसे निकालते हैं, डिफॉल्ट की संभावना बढ़ती जाती है, जिससे ज्यादा से ज्यादा लोग अपनी जमा राशि निकालने के लिए प्रेरित होते हैं। चरम स्थिति में, बैंक के रिजर्व निकासी को कवर करने के लिए पर्याप्त नहीं हो सकते हैं। बैंक रन आमतौर पर घबराहट का नतीजा होता है जो अंतत: डिफॉल्ट का कारण बन सकता है। ऐसी स्थिति में, RBI वाणिज्यिक बैंकों के साथ गारंटर के रूप में खड़ा होता है और बैंकों की सॉल्वेंसी सुनिश्चित करने के लिए ऋण देता है। (*सॉल्वेंसी किसी कंपनी की अपनी दीर्घकालिक वित्तीय बाध्यताओं को पूरा करने की क्षमता है जो व्यवसाय में बने रहने के लिए आवश्यक है*)। गारंटी की यह प्रणाली व्यक्तिगत खाताधारकों को आश्वस्त करती है कि संकट की स्थिति में उनके बैंक उनके पैसे वापस कर सकेंगे और घबराने की कोई जरूरत नहीं है, जिससे बैंक रन से बचा जा सके। RBI की इस भूमिका को 'अंतिम उपाय का ऋणदाता' भी कहा जाता है।

9. मुद्रा जारीकर्ता:

- आरबीआई, भारत सरकार के साथ मिलकर, देश की मुद्रा के डिजाइन, उत्पादन और समग्र प्रबंधन के लिए जिम्मेदार है, जिसका लक्ष्य स्वच्छ और वास्तविक नोटों की पर्याप्त आपूर्ति सुनिश्चित करना है। सरकार के परामर्श से, आरबीआई नियमित रूप से सुरक्षा मुद्दों को संबोधित करता है और मुद्रा नोटों की जालसाजी के जोखिम को कम करने के लिए सुरक्षा सुविधाओं को बढ़ाने के तरीकों को लक्षित करता है।
- RBI अपने मुद्रा प्रबंधन विभाग (मुंबई), देशभर में स्थित 19 निर्गम कार्यालयों और अपनी कोच्चि शाखा में मुद्रा तिजोरी के माध्यम से मुद्रा प्रबंधन कार्य करता है। देश भर में नोटों और रुपए के सिक्कों के वितरण की सुविधा के लिए, RBI ने बैंकों की चुनिंदा शाखाओं को मुद्रा तिजोरी स्थापित करने के लिए अधिकृत किया है (मुद्रा तिजोरी वे भंडारगृह हैं जहाँ RBI की ओर से बैंक नोट और रुपए के सिक्के रखे जाते हैं)।

10. भुगतान और निपटान प्रणालियों की निगरानी:

किसी भी देश का केंद्रीय बैंक आमतौर पर राष्ट्रीय भुगतान प्रणालियों के विकास में प्रेरक शक्ति होता है। भारत के केंद्रीय बैंक के रूप में भारतीय रिजर्व बैंक (RBI) इस विकासात्मक भूमिका को निभा रहा है और देश में सुरक्षित, सुदृढ़, कुशल, सुलभ और अधिकृत भुगतान प्रणालियों के लिए कई पहल की है।

भारत में, भुगतान और निपटान प्रणाली को भुगतान और निपटान प्रणाली अधिनियम, 2007 (PSS अधिनियम) द्वारा विनियमित किया जाता है। PSS अधिनियम की धारा 4 के अनुसार, RBI के अलावा कोई भी व्यक्ति RBI द्वारा अधिकृत किए बिना भारत में भुगतान प्रणाली शुरू या संचालित नहीं कर सकता है।

भारत में कई वर्षों से बैंक भुगतान प्रणाली का विस्तार करने के लिए पारंपरिक प्रवेश द्वार रहे हैं। समय के साथ, विभिन्न भुगतान सेवाओं की माँग को देखते हुए और तकनीकी परिवर्तनों की तेज गति को ध्यान में रखते हुए, गैर-बैंक संस्थाओं को भी भुगतान क्षेत्र में पहुँच की अनुमति दी गई है। ये गैर-बैंक बैंकों के साथ सहयोग कर रहे हैं, साथ ही, या तो बैंकों को प्रौद्योगिकी सेवा प्रदाता के रूप में या सीधे खुदरा **इलेक्ट्रॉनिक भुगतान सेवाएँ** प्रदान करके बैंकों के साथ प्रतिस्पर्धा भी कर रहे हैं । यह ध्यान देने योग्य है कि लाइसेंस प्राप्त बैंकों को **भुगतान प्रणाली** स्थापित करने और संचालन करने के लिए RBI से विशिष्ट अनुमति प्राप्त करने की भी आवश्यकता होती है। ऐसा इसलिए है क्योंकि बैंकिंग

कार्य अलग है और **'भुगतान प्रणाली'** (जो एक इकाई से दूसरी इकाई को भुगतान की सुविधा प्रदान करती है) का संचालन अलग है। रिजर्व बैंक ने तब से विभिन्न प्रकार के भुगतान प्रणाली संचालकों को अधिकृत किया है, जिनमें से कुछ का उल्लेख नीचे किया गया है:

1. वित्तीय बाजार अवसंरचना (क्लियरिंग कॉरपोरेशन ऑफ इंडिया)
2. खुदरा भुगतान (नेशनल पेमेंट कॉरपोरेशन ऑफ इंडिया)
3. कार्ड भुगतान नेटवर्क (मास्टरकार्ड, वीजा)
4. प्रीपेड इंस्ट्रूमेंट्स (अमेज़ॅनपे)
5. क्रॉस बॉर्डर मनी ट्रांसफर (यूएई एक्सचेंज सेंटर)

नेशनल पेमेंट्स कॉरपोरेशन ऑफ इंडिया (एनपीसीआई) एक **गैर-बैंक भुगतान प्रणाली संचालक है**, जिसे पीएसएस अधिनियम 2007 के तहत निम्नलिखित भुगतान प्रणालियों को संचालित करने के लिए आरबीआई द्वारा अधिकृत किया गया है।

- नेशनल फाइनेंशियल स्विच
- तत्काल भुगतान प्रणाली (आईएमपीएस)
- एकीकृत भुगतान इंटरफेस (यूपीआई)
- आधार सक्षम भुगतान प्रणाली (एईपीएस)
- रुपे कार्ड
- नेशनल ऑटोमेटिक क्लियरिंग हाउस (एसीएच)
- पूरे भारत में एटीएम को जोड़ना (कुछ अन्य संचालक भी इसमें शामिल हैं)
- नेशनल इलेक्ट्रॉनिक टोल संग्रह (यह ग्राहकों को राष्ट्रीय, राज्य स्तर पर भुगतान करने के लिए इलेक्ट्रॉनिक भुगतान सुविधा प्रदान करता है और शहर के टोल प्लाजा पर वाहन की पहचान फास्टैग के माध्यम से विशिष्ट रूप से करके)

एनपीसीआई एक 'गैर-लाभकारी' कंपनी है, जिसमें 51% हिस्सेदारी सार्वजनिक क्षेत्र के बैंकों के पास है।

11. विकासात्मक भूमिका:

आरबीआई की विकासात्मक भूमिका में अर्थव्यवस्था के उत्पादक क्षेत्रों को ऋण सुनिश्चित करना, वित्तीय अवसंरचना के निर्माण के लिए संस्थानों का निर्माण करना और सस्ती वित्तीय सेवाओं तक पहुँच का विस्तार करना शामिल है। निम्नलिखित योजनाएँ आरबीआई की विकासात्मक भूमिका के अंतर्गत आती हैं:

(i) **प्राथमिकता क्षेत्र ऋण:**

प्राथमिकता क्षेत्र अर्थव्यवस्था के उन क्षेत्रों को संदर्भित करते हैं जिन्हें इस विशेष योजना की अनुपस्थिति में समय पर और पर्याप्त ऋण नहीं मिल सकता है। प्राथमिकता क्षेत्र के दिशा-निर्देश प्राथमिकता क्षेत्र के ऋणों के लिए कोई अधिमान्य ब्याज दर निर्धारित नहीं करते हैं। आमतौर पर, ये समाज/अर्थव्यवस्था के उन क्षेत्रों के लिए छोटे मूल्य के ऋण होते हैं जो आबादी के बड़े हिस्से और कमजोर वर्गों को और उन क्षेत्रों को जो रोजगार गहन हैं प्रभावित करते हैं, जैसे कृषि और छोटे उद्यम।

प्राथमिकता प्राप्त क्षेत्र को ऋण देने में किसी प्रकार की कमी वाले बैंकों को नाबार्ड द्वारा स्थापित ग्रामीण अवसंरचना विकास निधि (आरआईडीएफ) तथा नाबार्ड/एनएचबी/सिडबी/मुद्रा लिमिटेड की अन्य निधियों में अंशदान के लिए राशि आवंटित की जाती है।

विदेशी बैंकों सहित वाणिज्यिक बैंक	क्षेत्रीय ग्रामीण बैंक	लघु वित्त बैंक	भुगतान बैंक	शहरी (प्राथमिक) सहकारी बैंक	ग्रामीण सहकारी बैंक
40%	75%	75%	वे ऋण नहीं देते	60% *(31 मार्च 2025 तक 65% और 31 मार्च 2026 तक 75%)*	*ऐसे में कोई दिशा-निर्देश नहीं हो सकता क्योंकि वे पहले से ही ग्रामीण क्षेत्रों पर ध्यान केंद्रित कर रहे हैं*

प्राथमिकता क्षेत्र हैं:

1. कृषि:
   - किसानों और किसान उत्पादक संगठनों को ऋण
   - सभी प्रकार की कृषि और संबद्ध गतिविधियों के लिए फसल ऋण, मशीनरी ऋण शामिल हैं
   - कृषि के अंतर्गत खाद्य और कृषि-प्रसंस्करण गतिविधियों के लिए ऋण भी शामिल हैं
   - सौर संयंत्रों की स्थापना और ग्रिड से जुड़े पंपों के सौर्यीकरण के लिए ऋण
   - संपीड़ित बायो गैस संयंत्र स्थापित करना
2. एमएसएमई
3. निर्यात
4. शिक्षा
5. आवास
6. नवीकरणीय ऊर्जा
7. सामाजिक अवसंरचना
   - स्कूल, पेयजल सुविधाएँ, स्वच्छता सुविधाएँ, स्वास्थ्य देखभाल सुविधाएँ स्थापित करना
8. अन्य
   - साहूकारों से लिए गए ऋण के समय से पहले भुगतान के लिए परेशान व्यक्ति
   - स्टार्ट-अप (50 करोड़ रुपए तक का ऋण)
9. कमजोर वर्ग
   - छोटे और सीमांत किसान, कारीगर, ग्रामीण और कुटीर उद्योग, एससी/एसटी, एसएचजी, विकलांग व्यक्ति, अल्पसंख्यक समुदाय आदि।

प्राथमिकता क्षेत्र ऋण (PSL) लक्ष्यों को पूरा करने के लिए नए लागू मॉडल

1. **ऑन-लेंडिंग मॉडल:**

   विभिन्न प्राथमिकता क्षेत्रों के लिए माइक्रो/फाइनेंस इंस्टीट्यूशंस (MFI) सहित पंजीकृत गैर-बैंकिंग वित्त कंपनियों (NBFC) द्वारा आगे दिए जाने वाले ऋण को प्राथमिकता क्षेत्र ऋण माना जाएगा।

   RBI ने जरूरतमंद उधारकर्ताओं को ऋण बढ़ाने के लिए उपरोक्त परिवर्तन किए हैं। संशोधित ऑन-लेंडिंग मॉडल के तहत, बैंक केवल बैंक उधार में से NBFC द्वारा स्वीकृत नए ऋणों को प्राथमिकता क्षेत्र ऋण के रूप में वर्गीकृत कर सकते हैं। ऑन-लेंडिंग के लिए NBFC को बैंक ऋण निरंतर आधार पर व्यक्तिगत बैंक के कुल प्राथमिकता क्षेत्र ऋण के पाँच प्रतिशत की सीमा तक की अनुमति दी जाएगी।

2. **'चिह्नांकित जिलों' में वृद्धिशील प्राथमिकता क्षेत्र ऋण के लिए उच्च बल**

   RBI के अनुसार 'जिला स्तर पर प्राथमिकता क्षेत्र ऋण के प्रवाह में क्षेत्रीय असमानताओं को दूर करने के लिए, प्राथमिकता क्षेत्र में प्रति व्यक्ति ऋण प्रवाह के आधार पर जिलों को रैंक करने और तुलनात्मक रूप से कम ऋण प्रवाह वाले जिलों के लिए एक प्रोत्साहन ढाँचा

और तुलनात्मक रूप से अधिक प्राथमिकता क्षेत्र ऋण प्रवाह वाले जिलों के लिए एक हतोत्साहन ढांचा बनाने का निर्णय लिया गया है। तदनुसार, वित्त वर्ष 2021-22 से, पहचाने गए जिलों में वृद्धिशील प्राथमिकता क्षेत्र ऋण को अधिक बल (125%) दिया जाएगा, जहाँ ऋण प्रवाह तुलनात्मक रूप से कम है (प्रति व्यक्ति पीएसएल 6000 रुपए से कम), और पहचाने गए जिलों में वृद्धिशील प्राथमिकता क्षेत्र ऋण के लिए कम भार (90%) दिया जाएगा जहाँ ऋण प्रवाह तुलनात्मक रूप से अधिक है (प्रति व्यक्ति पीएसएल 25,000 रुपए से अधिक)।' RBI ने जिलों की विभिन्न श्रेणियों की सूची दी है।

स्पष्टीकरण:

मान लीजिए कि एक बैंक ने कुल 100 रुपए का ऋण दिया तो उसे प्राथमिकता वाले क्षेत्रों को 40 रुपए देने होंगे।

लेकिन, मान लीजिए, बैंक ने किसी ऐसे जिले को केवल 32 रुपए का ऋण दिया, जहाँ प्रति व्यक्ति पीएसएल ऋण 6000 रुपए से कम है, तो इसका भार 125% है, जिसका मूल रूप से मतलब है कि इसे 32 रुपए *1.25 = 40 रुपए के रूप में गिना जाएगा और इसलिए यह माना जाएगा कि बैंक ने 40% के पीएसएल मानदंड को पूरा किया है।

इसी तरह, यदि बैंक उच्च प्रति व्यक्ति ऋण वाले जिलों को ऋण दे रहा है, तो उसे प्राथमिकता वाले क्षेत्रों को 40% से अधिक ऋण देना होगा क्योंकि भार 90% ही है।

और यह 1 अप्रैल 2021 से दिए जाने वाले नए (वृद्धिशील) ऋणों पर लागू होगा। यह समावेशी विकास का एक बहुत ही अभिनव तरीका है। RBI का यह कदम व्यापक रूप में भी विकास को समावेशी बनाएगा, जो पहले केवल क्षेत्रों पर केंद्रित था।

3. बैंकों और एनबीएफसी द्वारा सह-उधार मॉडल

*आरबीआई ने **नवंबर 2020** में प्राथमिकता वाले क्षेत्र को ऋण देने के लिए बैंकों और एनबीएफसी द्वारा सह-उधार (या सह-उत्पत्ति) के संबंध में दिशानिर्देश जारी किए। इससे पहले (2018 में) आरबीआई ने ऋणों की सह-उत्पत्ति के लिए दिशानिर्देश जारी किए थे, जिन्हें अब सह-उधार दिशानिर्देशों द्वारा प्रतिस्थापित किया गया है।*

1. ऋणों का सह-उधार औपचारिक ऋणदाताओं को एक साथ आने और सभी हितधारकों के लिए एक आकर्षक प्रस्ताव बनाने के लिए अपनी **सहक्रियाओं** को साझा करने का एक अनूठा अवसर प्रदान करता है। यह **बैंकों** और गैर-बैंकिंग वित्त कंपनियों **(एनबीएफसी)** को एक ऐसी व्यवस्था में प्रवेश करने में सक्षम बनाता है, जहाँ जोखिम और पुरस्कार ऋण के पूरे जीवनचक्र के दौरान सह-उधार समझौते के सभी पक्षों द्वारा पूर्व-निर्धारित अनुपात के अनुसार साझा किए जाते हैं।
2. एनबीएफसी को अक्सर ऋण देने के उद्देश्यों के लिए धन तक सस्ती पहुँच प्राप्त करने में चुनौतियों का सामना करना पड़ता है, जिसके परिणामस्वरूप उनके उधारकर्ताओं के लिए उच्च ब्याज दरें होती हैं और इसलिए उनके ऋणों की माँग कम होती है; जबकि बड़े वाणिज्यिक बैंकों को कुछ स्थानों पर अपनी पहुँच का विस्तार करना मुश्किल और महँगा लगता है, जहां एनबीएफसी की मजबूत उपस्थिति है। सह-उधार इन अंतरालों को पाटने में मदद करता है।
3. सह-उधार मॉडल ऋण पारिस्थितिकी तंत्र के कई हितधारकों को सशक्त बनाता है। जबकि एनबीएफसी स्थानीय बाजारों में अपनी मजबूत उपस्थिति का लाभ उठा सकते हैं, वाणिज्यिक बैंकों के पास ऋण वितरण के लिए धन की सस्ती उपलब्धता है। इस साझेदारी का एक और लाभ यह है कि एनबीएफसी ने कुछ खास ग्राहक खंडों की ऋण पात्रता का आकलन करने की कला में महारत हासिल कर ली है, जिसे बैंक मुख्य रूप से अपने मुख्य लक्ष्य खंड और ऋण जोखिम प्रबंधन दृष्टिकोण में अंतर के कारण अनदेखा कर रहे हैं। एनबीएफसी ऋण जोखिम मूल्याँकन के लिए कई नवीन तंत्रों का उपयोग करते हैं, जिसमें डेटा के गैर-पारंपरिक स्रोतों का उपयोग, किसी व्यक्ति के काम करने के तरीके और काम पर नकदी प्रवाह का निरीक्षण करना, छोटे-टिकट वाले खुदरा और एमएसएमई खंड दोनों के लिए अनुकूलित स्कोरकार्ड बनाना आदि शामिल हैं। यह बैंकों के लिए एक बड़ी उपलब्धि है।

4. लेकिन आरबीआई के मौजूदा दिशा-निर्देश सह-उधार को प्राथमिकता क्षेत्र को ऋण देने की पहल के रूप में उजागर करते हैं, लेकिन इस मॉडल में प्राथमिकता क्षेत्रों को ऋण देने से कहीं आगे जाने की व्यापक संभावना है।

5. उदाहरण/स्पष्टीकरण:

- ग्राहक को दिया गया कुल ऋण (ग्राहक को अलग-अलग राशियों के बारे में पता नहीं होगा) = 50 लाख रुपए
- एनबीएफसी ने 10% की दर से 10 लाख रुपए दिए (जो एनबीएफसी के खातों में दर्ज होंगे)
- बैंक ने 8% की दर से 40 लाख रुपए दिए (जो बैंक के खातों में दर्ज होंगे)
- तो, ग्राहक देखेगा कि उसे **8.4%** की दर से (10 लाख रुपए का 10% = 1 लाख रुपए और 40 लाख रुपए का 8% = 3.2 लाख रुपए) पर 50 लाख रुपए का ऋण मिला है। इसलिए, 50 लाख रुपए के ऋण पर कुल ब्याज = 4.2 लाख रुपए/वर्ष। इसलिए, प्रभावी ब्याज दर होगी (4.2 लाख रुपए/50 लाख रुपए)* 100% = **8.4%**) होगी।
- बैंक अपने ऋण के हिस्से यानी 40 लाख रुपए के संबंध में प्राथमिकता क्षेत्र की स्थिति का दावा कर सकते हैं।

6. संयुक्त ऋण/सह-उधार में, बैंकों को पूर्व समझौते के आधार पर सभी पंजीकृत NBFC के साथ संयुक्त ऋण/सह-उधार देने की अनुमति है। **संयुक्त ऋण/सह-उधार दोनों भागीदारों को ऋण के अपने हिस्से की कीमत अपनी इच्छानुसार तय करने में सक्षम बनाता है।** सह-उधार देने वाले बैंक अपने खाते में व्यक्तिगत ऋणों का अपना हिस्सा (बैक-टू-बैक आधार पर) लेंगे। हालांकि, NBFC को अपने खातों में व्यक्तिगत ऋणों का न्यूनतम **20 प्रतिशत** हिस्सा बनाए रखना होगा।

(ii) लीड बैंक योजना:

लीड बैंक योजना दिसंबर 1969 में आरबीआई द्वारा शुरू की गई थी। इस योजना का उद्देश्य प्राथमिकता वाले क्षेत्र और अन्य क्षेत्रों में बैंक वित्त के प्रवाह को बढ़ाने और ग्रामीण क्षेत्र के समग्र विकास में बैंकों की भूमिका को बढ़ावा देने के उद्देश्य को प्राप्त करने के लिए विभिन्न मंचों के माध्यम से बैंकों और अन्य विकास एजेंसियों की गतिविधियों का समन्वय करना है। जिले में गतिविधियों के समन्वय के लिए, एक विशेष बैंक को जिले के लीड बैंक की जिम्मेदारी सौंपी जाती है जो क्षेत्र में सभी बैंकों और अन्य एजेंसियों के संघ का नेतृत्व करता है। लीड बैंक से स्थानीय विकास के मामलों में ऋण संस्थानों और सरकार के प्रयासों के समन्वय के लिए नेतृत्व की भूमिका निभाने की उम्मीद की जाती है और उन्हें विकास केंद्रों की पहचान करने, जमा क्षमता और ऋण अंतराल का आकलन करने और प्रत्येक जिले में ऋण परिनियोजन के लिए एक समन्वित दृष्टिकोण विकसित करने की जिम्मेदारी सौंपी जाती है।

2009 में एक उच्च स्तरीय समिति ने नोट किया कि यह योजना शाखा विस्तार, जमा जुटाने और प्राथमिकता वाले क्षेत्रों, विशेष रूप से ग्रामीण/अर्ध शहरी क्षेत्रों में ऋण देने में सुधार के अपने मूल उद्देश्यों को प्राप्त करने में उपयोगी रही है। लीड बैंक योजना (एलबीएस) को महानगरीय क्षेत्रों के जिलों तक विस्तारित किया गया है, जिससे पूरा देश लीड बैंक योजना के दायरे में आ गया है।

लीड बैंक योजना 1969 से आरबीआई द्वारा संचालित की जाती है। प्रत्येक जिले में नामित बैंकों को लीड बैंक की जिम्मेदारी आरबीआई द्वारा इस उद्देश्य के लिए तैयार की गई विस्तृत प्रक्रिया का पालन करते हुए सौंपी जाती है। 30 जून, 2017 तक, देश के 706 जिलों में 25 सार्वजनिक क्षेत्र के बैंकों और एक निजी क्षेत्र के बैंक को लीड बैंक की जिम्मेदारी सौंपी गई है।

(iii) किसान क्रेडिट कार्ड (केसीसी):

किसानों को कृषि से संबन्धित सामान खरीदने और अपनी उत्पादन आवश्यकताओं के लिए नकदी निकालने में सक्षम बनाने के लिए वर्ष 1998-99 में केसीसी योजना शुरू की गई थी। बाद में इस योजना को कृषि और संबद्ध गतिविधियों के लिए दीर्घकालिक ऋण के साथ-साथ कार्यशील पूँजी (दिन-प्रतिदिन की गतिविधि) ऋण और उपभोग आवश्यकताओं के लिए एक उचित घटक को कवर करने के लिए संशोधित किया गया था।

यह योजना किसानों की ऋण आवश्यकताओं को समय पर और परेशानीमुक्त तरीके से पूरा करने के लिए एक नया ऋण वितरण तंत्र है।

यह योजना पूरे देश में वाणिज्यिक बैंकों, आरआरबी, लघु वित्त बैंकों और सहकारी समितियों को शामिल करते हुए व्यापक संस्थागत ऋण ढाँचे द्वारा कार्यान्वित की जा रही है और बैंकरों और किसानों के बीच इसे व्यापक स्वीकृति मिली है। इस योजना के तहत, परिचालन भूमि जोत, फसल पैटर्न और वित्त के पैमाने के आधार पर सीमाएँ तय की जाती हैं। ब्याज दर आरबीआई के दिशा-निर्देशों के अनुसार है।

किसान क्रेडिट कार्ड योजना का उद्देश्य किसानों को उनकी निम्नलिखित आवश्यकताओं के लिए एकल खिड़की के तहत औपचारिक बैंकिंग प्रणाली से पर्याप्त और समय पर ऋण सहायता प्रदान करना है:

- फसलों की खेती के लिए अल्पकालिक ऋण आवश्यकताओं को पूरा करना।
- कटाई के बाद के खर्च।
- उपज विपणन ऋण।
- किसान के परिवार की उपभोग आवश्यकताएँ।
- कृषि परिसंपत्तियों और कृषि से जुड़ी गतिविधियों जैसे डेयरी पशु, अंतर्देशीय मत्स्य पालन आदि के रखरखाव के लिए कार्यशील पूँजी।
- कृषि और संबद्ध गतिविधियों जैसे पंप सेट, स्प्रेयर, डेयरी पशु आदि के लिए निवेश (दीर्घकालिक) ऋण आवश्यकता।

इस योजना के लिए निम्नलिखित लोग पात्र हैं:

- सभी किसान - व्यक्तिगत/संयुक्त उधारकर्ता जो मालिकाना खेती करते हैं
- किरायेदार किसान, मौखिक पट्टेदार और बटाईदार
- किसानों के स्वयं सहायता समूह या संयुक्त देयता समूह

यह सुनिश्चित करने के लिए कि किसान बैंकों को न्यूनतम ब्याज दर का भुगतान करें, भारत सरकार ने किसानों को रियायती ब्याज दरों पर अल्पकालिक ऋण प्रदान करने के लिए संशोधित ब्याज अनुदान योजना (ISS) शुरू की है। इस योजना के तहत, कृषि और पशुपालन, डेयरी, मुर्गीपालन, मत्स्यपालन आदि सहित अन्य संबद्ध गतिविधियों में लगे किसानों को 3 लाख रुपए तक का अल्पकालिक कृषि ऋण 7 प्रतिशत प्रतिवर्ष की दर से उपलब्ध है। ऋण के शीघ्र और समय पर पुनर्भुगतान के लिए किसानों को अतिरिक्त 3 प्रतिशत अनुदान (शीघ्र पुनर्भुगतान प्रोत्साहन) भी दिया जाता है। इसलिए, यदि कोई किसान समय पर अपना ऋण चुकाता है, तो उसे 4 प्रतिशत प्रति वर्ष की दर से ऋण मिलता है। यह योजना सार्वजनिक और निजी क्षेत्र के बैंकों और आरआरबी और सहकारी समितियों के माध्यम से कार्यान्वित की जाती है।

इसलिए, जबकि 'केसीसी' आरबीआई द्वारा कार्यान्वित किया जाता है, 'ब्याज छूट' भारत सरकार (कृषि मंत्रालय) की योजना है। केसीसी केवल किसानों को क्रेडिट कार्ड देने की बात करता है ताकि वे परेशानीमुक्त ऋण प्राप्त कर सकें, जबकि ब्याज छूट भारत सरकार द्वारा दी जाने वाली ब्याज छूट है। इसलिए अगर किसी किसान के पास केसीसी नहीं है, तो भी वह ब्याज छूट योजना का लाभ उठा सकता है, और अगर किसी किसान के पास केसीसी है, तो वह केसीसी के माध्यम से ब्याज छूट का लाभ उठा सकता है।

12. उपभोक्ता शिक्षा और संरक्षण

उपभोक्ता शिक्षा और संरक्षण आरबीआई के पूर्ण-सेवा केंद्रीय बैंकिंग कार्यों का एक अभिन्न अंग है। उपभोक्ता शिक्षा और संरक्षण विभाग (सीईपीडी), जिसे 2006 में ग्राहक सेवा विभाग (सीएसडी) के रूप में स्थापित किया गया था, उपभोक्ता संरक्षण के लिए नीतिगत दिशा-निर्देश तैयार करता है और आरबीआई लोकपाल के 22 कार्यालयों और 30 उपभोक्ता शिक्षा और संरक्षण प्रकोष्ठों के कामकाज की देखरेख करता है।

13. फिनटेक

गतिशील रूप से बदलते परिदृश्य के साथ तालमेल बनाए रखने के लिए, रिजर्व बैंक व्यापक सार्वजनिक कल्याण के लिए फिनटेक क्षेत्र में नवाचार को सुविधा-जनक बनाने के लिए सचेत प्रयास कर रहा है। तदनुसार, जनवरी 2022 में फिनटेक क्षेत्र पर अधिक ध्यान देने, नवाचार को सुविधाजनक बनाने और गतिशील रूप से बदलते वित्तीय परिदृश्य के साथ तालमेल रखने के उद्देश्य से एक फिनटेक विभाग की स्थापना की गई थी। फिनटेक क्षेत्र में रचनात्मक नवाचारों और इनक्यूबेशन की सुविधा से संबंधित सभी मामले, जिनका वित्तीय

क्षेत्र/बाजारों पर व्यापक प्रभाव हो सकता है और जो बैंक के दायरे में आते हैं, उन्हें फिनटेक विभाग द्वारा निपटाया जा रहा है।

14. नीति अनुसंधान और डेटा प्रसार

RBI ने समय के साथ नीति-उन्मुख अनुसंधान की एक मजबूत और समृद्ध परंपरा और डेटा और सूचना के प्रसार के लिए एक प्रभावी तंत्र स्थापित किया है। RBI में किए जाने वाले शोध राष्ट्रीय और अंतर्राष्ट्रीय स्तर पर वर्तमान परिवेश में उत्पन्न होने वाले मुद्दों और समस्याओं के इर्द-गिर्द घूमते हैं, जिनका भारतीय अर्थव्यवस्था पर महत्त्वपूर्ण प्रभाव पड़ता है।

RBI कई प्रकाशनों, प्रेस विज्ञप्तियों और अपनी वेबसाइट के माध्यम से नियमित रूप से डेटा और सूचना प्रसारित करता है। भारत डेटा जारी करने के उद्देश्य से IMF द्वारा परिभाषित **विशेष डेटा प्रसार मानकों (SDDS-Special Data Dissemination Standards)** का एक हस्ताक्षरकर्ता है।

आरबीआई हर वर्ष दो रिपोर्ट प्रकाशित करने के लिए कानूनी रूप से बाध्य है:

- *वार्षिक रिपोर्ट (आरबीआई अधिनियम 1934 के अनुसार)*
- *भारत में बैंकिंग की प्रवृत्ति और प्रगति पर रिपोर्ट (बैंकिंग विनियमन अधिनियम 1949 के अनुसार)*

इसके अलावा, मौद्रिक नीति पर समय-समय पर बयान, आधिकारिक प्रेस विज्ञप्तियाँ और शीर्ष प्रबंधन द्वारा दिए गए भाषण और साक्षात्कार हैं जो अर्थव्यवस्था और इसकी नीतियों के बारे में आरबीआई के आकलन को स्पष्ट करते हैं।

आरबीआई तिमाही आधार पर 'उपभोक्ता विश्वास सर्वेक्षण' आयोजित करता है जिसमें आरबीआई सामान्य आर्थिक स्थिति, रोजगार परिदृश्य, समग्र मूल्य स्थिति और उनकी अपनी आय और व्यय पर परिवारों की धारणाओं और अपेक्षाओं पर प्रतिक्रियाएँ एकत्र करता है।

आरबीआई तिमाही आधार पर परिवारों का 'मुद्रास्फीति प्रत्याशा सर्वेक्षण' आयोजित करता है जिसमें आरबीआई तीन महीने और एक साल आगे की अवधि के लिए मुद्रास्फीति के बारे में परिवारों की अपेक्षाओं का आकलन करता है। इन सर्वेक्षणों का उपयोग मौद्रिक नीति उद्देश्य के लिए किया जाता है।

2.16 आरबीआई की आय के स्रोत और आर्थिक पूँजी ढाँचा (RBI's Sources of Income and Economic Capital Framework)

आरबीआई की आय के विभिन्न स्रोत निम्नलिखित हैं:

- **सेग्नोरेज (Seigniorage)** सेग्नोरेज से तात्पर्य धन सृजन **से होने वाले लाभ से है** और इस प्रकार, यह सरकारों के लिए पारंपरिक कर लगाए बिना राजस्व उत्पन्न करने का एक तरीका है। सेग्नोरेज वह लाभ है जो केंद्रीय बैंकों को निम्नलिखित तरीकों से प्राप्त होता है:
  - ➢ मुद्रा जारी करते समय, आरबीआई अपने पास जो रिजर्व/बैकअप रखता है, ये रिजर्व आरबीआई को प्रचलन में मौजूद कुल मुद्रा (मुद्रा मुद्रण की लागत घटाकर) पर ब्याज आय देते हैं।
  - ➢ केंद्रीय बैंकों के पास बैंक बैलेंस से मिलने वाला ब्याज उन फंडों से उत्पन्न होता है जिन्हें बैंकों को अपनी रिजर्व आवश्यकताओं (सीआरआर) को पूरा करने के लिए केंद्रीय बैंकों के पास रखना पड़ता है, या तो ब्याज-मुक्त बैलेंस के रूप में या बाजार ब्याज दरों से कम पर।
  - ➢ मुद्रास्फीति कर अवधारणा जिसे मुद्रास्फीति दर और मौद्रिक आधार के उत्पाद के रूप में मापा जाता है। (मुद्रास्फीति के कारण जनता के पास मौजूद करेंसी नोट का मूल्य कम हो जाता है जिससे आरबीआई की देनदारी कम हो जाती है)
- विदेशी मुद्रा परिसंपत्तियाँ (FCA) विदेशी मुद्रा भंडार का लगभग 90% है। RBI ने इस FCA को अमेरिकी सरकार के बॉन्ड में निवेश किया है और उस पर ब्याज कमाता है। इसने कुछ FCA को अन्य केंद्रीय बैंकों के पास भी जमा किया है। (सेग्नोरेज का एक उदाहरण)
- जब RBI OMO से भारतीय सरकार के बॉन्ड खरीदता है, तो उसे सरकारी बॉन्ड/सिक्योरिटीज की होल्डिंग पर ब्याज मिलता है (सेग्नोरेज का एक उदाहरण)
- बैंकों को रेपो दर पर उधार देना

- RBI केंद्र सरकार और राज्य सरकार के 'ऋण प्रबंधक' के रूप में कार्य करता है जिसके लिए उसे कमीशन/आय मिलती है।

आर्थिक पूँजी पूँजी के संदर्भ में जोखिम का एक उपाय है। विशेष रूप से, यह पूँजी की वह राशि है जो किसी कंपनी (आमतौर पर वित्तीय सेवाओं में) को यह सुनिश्चित करने के लिए चाहिए कि वह अपने जोखिम प्रोफाइल को देखते हुए **विलायक (दिवालिया के विपरीत)** बनी रहे। आर्थिक पूँजी की गणना कंपनी द्वारा आंतरिक रूप से की जाती है और यह वह पूँजी राशि है जो फर्म के पास किसी भी जोखिम को वहन करने के लिए होनी चाहिए।

आरबीआई अधिनियम 1934, धारा 47 के अनुसार, आर्थिक पूँजी ढाँचे (ईसीएफ) के लिए दो स्पष्ट उद्देश्य हैं।

- पहला, आरबीआई एक व्यापक आर्थिक संस्था के रूप में वित्तीय प्रणाली में किसी भी संकट से लड़ने की जिम्मेदारी रखती है और ऐसे संकट से निपटने के लिए, आरबीआई के पास पूँजी रिजर्व के तहत पर्याप्त धनराशि होनी चाहिए।
- और, दूसरा है शुद्ध आय का शेष भाग सरकार को हस्तांतरित करना।

इसके अनुसार, आरबीआई ने अपने पूँजी रिजर्व में धन के आवंटन को निर्धारित करने के लिए एक आर्थिक पूँजी ढाँचा (ईसीएफ) विकसित किया है ताकि किसी भी जोखिम आकस्मिकता को पूरा किया जा सके और साथ ही आरबीआई के लाभ को सरकार को हस्तांतरित किया जा सके।

पूँजी रिजर्व में धन जोड़ने की प्रक्रिया एक वार्षिक प्रक्रिया है जहाँ आरबीआई अपनी शुद्ध आय में से पूँजी रिजर्व में धन आवंटित करता है। प्रत्येक वर्ष पूँजी रिजर्व में कितना धन जोड़ा जाएगा यह वित्तीय प्रणाली और अर्थव्यवस्था में जोखिमपूर्ण स्थिति पर निर्भर करता है। पूँजी रिजर्व में धन आवंटित करने के बाद, RBI की शेष शुद्ध आय लाभ के रूप में सरकार को हस्तांतरित की जाती है (RBI भारत सरकार की 100% सहायक कंपनी है, इसलिए हर साल यह अपना लाभ/लाभांश भारत सरकार को हस्तांतरित करती है)।

पूँजी रिजर्व में प्रावधान या आवंटित की जाने वाली धनराशि का निर्धारण एक कठिन और तकनीकी कार्य है। और इसलिए **'बिमल जालान'** समिति नियुक्त की गई जिसने अगस्त 2019 में अपनी सिफारिशें दीं। और सिफारिश के अनुसार, RBI को आकस्मिक जोखिम बफर के रूप में बैलेंस शीट (संपत्तियों/देनदारियों का मूल्य) का 5.5% से 6.5% बनाए रखना चाहिए। समिति ने यह भी सिफारिश की कि 'सरकार और RBI के उद्देश्यों में हमेशा सामंजस्य होना चाहिए'।

पिछले 10 वर्षों में RBI द्वारा सरकार को अधिशेष हस्तांतरण को दर्शाने वाला ग्राफ नीचे दिया गया है:

आरबीआई द्वारा सरकार को करोड़ों रुपए का अधिशेष हस्तांतरण

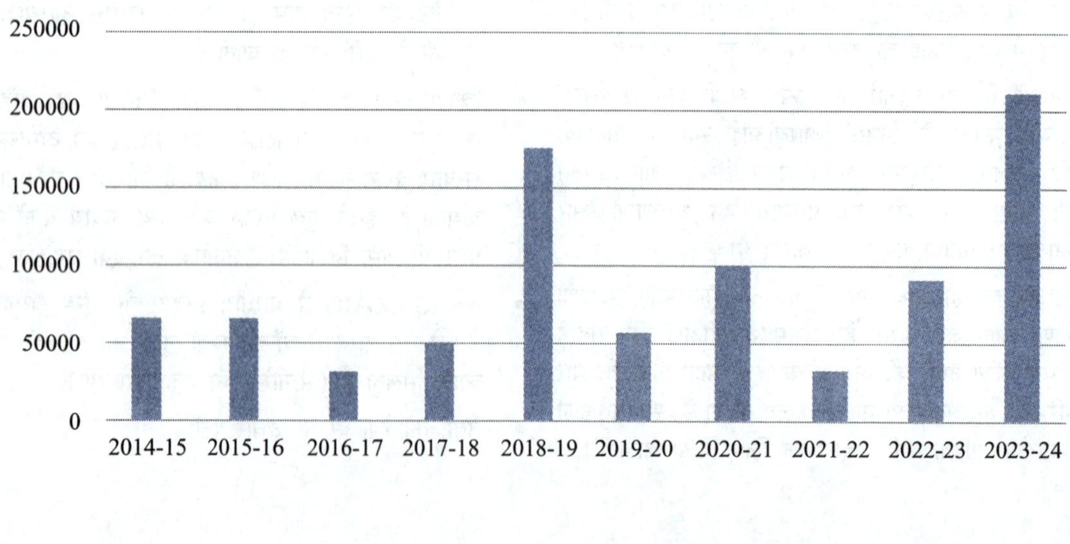

2.17 क्रिप्टो करेंसी और सेंट्रल बैंक डिजिटल करेंसी (CBDC) (Crypto Currency and Central Bank Digital Currency)

क्रिप्टो करेंसी क्या हैं?

- क्रिप्टो करेंसी सोने, चाँदी जैसी एक तरह की संपत्ति है जिस पर सरकार का कोई नियंत्रण नहीं है। जैसे आप बाजार में सोने में भुगतान करके सब्जियाँ नहीं खरीद सकते हैं, वैसे ही आप क्रिप्टो करेंसी के जरिए भी खरीद नहीं सकते हैं, लेकिन आप रुपए के जरिए खरीद सकते हैं। तो, इस अर्थ में क्रिप्टो करेंसी कोई 'मुद्रा' नहीं है (यह शब्द असंगत है)। सोना/क्रिप्टो करेंसी आमतौर पर लेन-देन में स्वीकार नहीं की जाती हैं (वे कानूनी निविदा नहीं हैं) लेकिन ये संपत्ति हैं। जैसे लोग 'वस्तु विनिमय प्रणाली' में चाहें तो किसी भी वस्तु को दूसरे के साथ स्वीकार कर सकते हैं, उसी तरह लोग किसी भी लेन-देन के उद्देश्य से इन क्रिप्टो करेंसी और सोने को भी स्वीकार कर सकते हैं क्योंकि इस तरह से वे प्रतिबंधित नहीं हैं और क्रिप्टो करेंसी या सोने में लेन-देन करना अवैध नहीं है।
- क्रिप्टो करेंसी सरकार या RBI द्वारा जारी नहीं की जाती हैं, बल्कि इकाइयों की संख्या बनाने और नियंत्रित करने और इसके विनिमय को सत्यापित करने के लिए एन्क्रिप्शन तकनीकों का उपयोग किया जाता है। क्रिप्टो करेंसी के साथ, निजी कंप्यूटरों की एक श्रृंखला - एक नेटवर्क - जटिल क्रिप्टोग्राफिक पहेलियों को हल करके लेन-देन को प्रमाणित करने की दिशा में लगातार काम कर रहा है। पहेलियों को हल करने के लिए, इन प्रणालियों को क्रिप्टो करेंसी से पुरस्कृत किया जाता है। इस प्रक्रिया को माइनिंग कहा जाता है। इन लेन-देन के पीछे ब्लॉकचेन नामक तकनीक है।
- क्रिप्टो करेंसी का अपना मूल्य इसलिए है क्योंकि उन्हें सीमित संख्या में ही माइन/जनरेट किया जा सकता है। लोगों की इसे धारण/कब्जे में रखने की इच्छा क्रिप्टो करेंसी (संपत्ति) की कीमत को उसी तरह प्रभावित करती है जैसे सोने की कीमत प्रभावित होती है।
- वे न तो वैध मुद्रा हैं और न ही फिएट करेंसी।
- किसी भी वर्चुअल डिजिटल संपत्ति (क्रिप्टो) के हस्तांतरण से होने वाली किसी भी आय पर 30 प्रतिशत की दर से कर लगाया जाता है। लेन-देन के विवरण को कैप्चर करने के लिए, वर्चुअल डिजिटल संपत्ति के हस्तांतरण के संबंध में किए गए भुगतान पर 1% का टीडीएस काटा जाता है।

केंद्रीय बैंक डिजिटल मुद्राएँ (ई-रुपी) क्या हैं?

- ई-रुपी एक केंद्रीय बैंक द्वारा डिजिटल रूप में जारी की जाने वाली वैध मुद्रा है। यह फिएट करेंसी के समान है और नकदी से अलग नहीं है तथा इसे फिएट करेंसी (बैंक नोट/नकदी) के साथ विनिमय किया जा सकता है। केवल इसका स्वरूप भिन्न है, अर्थात डिजिटल।
- RBI ने हाल ही में थोक और खुदरा बाजारों के लिए पायलट आधार पर ई-रुपी लॉन्च किया है।
- RBI अधिनियम 1934 में संशोधन करके ई-रुपी को 'बैंक नोट' में शामिल किया गया है तथा अब यह वैध मुद्रा है।

RBI ने ई-रुपी क्यों लॉन्च किया?

- कई केंद्रीय बैंक चिंतित हैं कि इन स्वतंत्र क्रिप्टो करेंसी को व्यापक रूप से अपनाने से वित्तीय प्रणाली पर उनका नियंत्रण कमजोर हो सकता है। इससे वित्तीय अस्थिरता पैदा हो सकती है, खासकर इसलिए क्योंकि क्रिप्टो करेंसी में वह कानूनी या विनियामक सुरक्षा नहीं होती जो केंद्रीय बैंक के पैसे में होती है, इसलिए क्यों न अपनी खुद की डिजिटल करेंसी जारी की जाए।
- केंद्रीय बैंक डिजिटल करेंसी के लिए जनता की जरूरत को पूरा करना चाहते हैं, जो निजी आभासी करेंसी के बढ़ते उपयोग में प्रकट होती है, तथा इस तरह ऐसी निजी करेंसी के अधिक हानिकारक परिणामों से बचना चाहते हैं।
- केंद्रीय बैंक, कागजी मुद्रा के घटते उपयोग का सामना करते हुए, ई-रुपी जैसी मुद्रा के अधिक स्वीकार्य इलेक्ट्रॉनिक रूप को लोकप्रिय बनाना चाहते हैं।

ई-रुपी कैसे काम करेगा?

- ई-रुपी नकदी की जगह नहीं लेगा, बल्कि यह उसका पूरक होगा

- यह उसी मूल्यवर्ग में जारी किया जाएगा, जिस मूल्यवर्ग में वर्तमान में कागजी मुद्रा और सिक्के जारी किए जाते हैं
- ई-रुपी को बिचौलियों यानी बैंकों के माध्यम से वितरित किया जाएगा और इसे बैंक में जमा जैसे अन्य रूपों में परिवर्तित किया जा सकता है
- यदि मैं नकदी रखता हूँ और किसी को भुगतान करता हूँ, तो इसके लिए किसी तीसरे पक्ष के साथ किसी भी तरह के निपटान की आवश्यकता नहीं होती है और आरबीआई की देयता मुझसे हटकर उस व्यक्ति पर चली जाती है, जिसे मैंने भुगतान किया है। लेकिन जब मैं चेक/कार्ड के माध्यम से भुगतान करता हूँ, तो इसके लिए अंतर-बैंक निपटान (विभिन्न बैंकों के मामले में आरबीआई के माध्यम से) की आवश्यकता होती है। ई-रुपी नकदी की तरह ही होगा, और मैं ई-रुपी के माध्यम से किसी को भी भुगतान कर सकता हूँ और आरबीआई की देयता दूसरे व्यक्ति पर चली जाएगी। और अंतर-बैंक निपटान की आवश्यकता समाप्त हो जाएगी।
- लेन-देन व्यक्ति से व्यक्ति और व्यक्ति से व्यापारी दोनों के बीच हो सकता है (व्यापारियों को भुगतान क्यूआर कोड का उपयोग करके किया जा सकता है)
- उपयोगकर्ता भाग लेने वाले बैंकों द्वारा पेश किए गए डिजिटल वॉलेट के माध्यम से ई-रुपी के साथ लेन-देन करने में सक्षम होंगे और मोबाइल फोन और अन्य उपकरणों पर संग्रहीत होंगे
- जिस तरह हम अपने बैंक जमा से नकदी निकालते हैं, उसी तरह हम अपने बैंक जमा को सीबीडीसी वॉलेट में स्थानांतरित कर सकते हैं और यह लेन-देन बैंक के कोर बैंकिंग सॉल्यूशन (सीबीएस) में दर्ज किया जाता है।
- लेकिन जब एक सीबीडीसी वॉलेट से दूसरे सीबीडीसी वॉलेट में लेन-देन किया जाता है तो यह लेन-देन बैंक के सीबीएस में दर्ज नहीं होता है और गुमनाम रहता है। यह ठीक वैसा ही है जैसे कोई व्यक्ति किराने की दुकान पर नकद भुगतान कर रहा हो। इसका कोई निशान नहीं होता है। और इसलिए यह कर के दायरे में नहीं आता है। दैनिक उद्देश्य के लिए सीबीडीसी का उपयोग करने में ग्राहक विश्वास बनाने के लिए लेन-देन गुमनाम होना महत्त्वपूर्ण है।
- ई-रुपी एक वाहक साधन होगा, अर्थात जो भी ई-रुपी धारण करेगा, उसे किसी भी समय इसका मालिक माना जाएगा
- ई-रुपी पर नकदी की तरह कोई ब्याज नहीं मिलेगा।

CBDC के लाभ

वाणिज्यिक बैंकों में हमारी बचत के विपरीत, जो बैंक के वादे को पूरा करने पर निर्भर करती है, CBDC को कानून द्वारा मान्यता प्राप्त है और केंद्रीय बैंक द्वारा समर्थित है जो दिवालिया नहीं हो सकता। उदाहरण के लिए, यदि कोई वाणिज्यिक बैंक बंद हो जाता है, तो हमारी बचत संभावित रूप से खत्म हो सकती है, लेकिन CBDC के साथ ऐसा नहीं होगा, जिसे हम डिजिटल रूप में अपने पास रख सकते हैं और उस पर नकदी की तरह भरोसा किया जा सकता है।

- CBDC भुगतान ऐप की तरह ही सुविधाजनक होगा और यह उसी ब्लॉकचेन तकनीक (डिस्ट्रिब्यूटेड लेजर टेक्नोलॉजी) से भी लाभान्वित होगा जो क्रिप्टो करेंसी को सपोर्ट करती है।
- भुगतान बिना किसी देरी के तेज और आसान होगा क्योंकि इसमें निपटान संबंधी कोई समस्या नहीं होगी।
- कानूनी निविदा-आधारित भुगतान जो कुशल, विश्वसनीय और विनियमित होगा।
- मुद्रण, परिवहन/वितरण और कागजी मुद्रा के भंडारण की कम लागत के कारण उच्च सेग्नोरेज।
- CBDC की शुरुआत से अधिक मजबूत, कुशल, विश्वसनीय, विनियमित और कानूनी निविदा-आधारित भुगतान विकल्प उपलब्ध होंगे।
- ई-रुपी में भौतिक नकदी जैसी विशेषताएँ होंगी जैसे कि भरोसा, सुरक्षा और निपटान सुविधा।

CBDC से जुड़े जोखिम

- वित्तीय संकट के बाद जैसी चरम स्थिति में, अगर जमाकर्ता/बचतकर्ता अपनी बचत बैंक खातों से CBDC में स्थानांतरित कर देते हैं (सिर्फ एक माउस क्लिक के साथ) तो बैंकों को फंडिंग की समस्या हो सकती है जिसका असर पूरी अर्थव्यवस्था के वित्त-पोषण पर पड़ सकता है।

- CBDC पारिस्थितिकी तंत्र साइबर हमलों के लिए उसी तरह के जोखिम में हो सकते हैं जैसे कि मौजूदा भुगतान प्रणालियों के सामने हैं। भारत जैसे देशों में जहाँ वित्तीय साक्षरता का स्तर कम है, डिजिटल भुगतान से संबंधित धोखाधड़ी में वृद्धि CBDC तक भी फैल सकती है।

ई-रुपी: यह सीबीडीसी से अलग है, यह सिर्फ एक वाउचर है

जब कोई सरकारी एजेंसी या कॉर्पोरेट इकाई कुछ विशिष्ट लाभार्थियों को कुछ लाभ प्रदान करना चाहती है, तो वह बैंकों (सार्वजनिक और निजी दोनों) से संपर्क कर सकती है, जिन्हें NPCI द्वारा डिजिटल वाउचर जारी करने के लिए अधिकृत किया गया है। सरकारी एजेंसी और कॉर्पोरेट इकाई लाभार्थियों की सूची उनके मोबाइल नंबरों के साथ बैंकों को उपलब्ध कराएगी। लेन-देन एक क्यूआर कोड या बैंक के वाउचर प्रबंधन प्रणाली के माध्यम से लाभार्थी के मोबाइल डिवाइस में बैंक द्वारा भेज गए लंबे-स्ट्रिंग एसएमएस से शुरू होता है। फिर लाभार्थी को लेन-देन को प्रमाणित करने के लिए इसे कल्याण सेवा प्रदाता (विशिष्ट नामित केंद्र) को दिखाना होगा। शुरुआत में, NPCI ने 1,600 से अधिक अस्पतालों के साथ करार किया है, जहाँ ई-आरयूपीआई को फिर से लागू किया जा सकता है। वर्तमान में, सरकार अपने कोविड-19 टीकाकरण कार्यक्रम के लिए ई-आरयूपीआई का उपयोग करने की योजना बना रही है और आगे चलकर इसका उपयोग विभिन्न सब्सिडी और कल्याण लाभों के लिए किया जा सकता है।

ई-रुपी की कुछ महत्त्वपूर्ण विशेषताएँ निम्नलिखित हैं:

- ई-रुपी एक डिजिटल वाउचर की तरह है और यह डिजिटल/वर्चुअल करेंसी नहीं है।
- ई-रुपी NPCI के UPI प्लेटफॉर्म द्वारा संचालित है।
- यह कैशलेस और कॉन्टैक्टलेस भुगतान प्रणाली है।
- यह व्यक्ति विशेष और उद्देश्य-विशेष है।
- इसे केवल कुछ विशिष्ट केंद्रों पर ही भुनाया जा सकता है।
- ई-रुपी को सरकारी एजेंसियों और कॉरपोरेट्स द्वारा विभिन्न लाभ प्रदान करने के लिए जारी किया जा सकता है।
- ई-रुपी मोबाइल फोन वाले किसी भी व्यक्ति के लिए सुलभ है, भले ही उसके पास बैंक खाता न हो और ई-रुपी को भुनाने के लिए इंटरनेट एक्सेस की आवश्यकता नहीं है।
- ई-रुपी को किसी अन्य व्यक्ति को हस्तांतरित नहीं किया जा सकता है और इसे नकदी में परिवर्तित नहीं किया जा सकता है।
- इसका उद्देश्य मौजूदा कल्याण भुगतान संवितरण प्रणाली में खामियों को दूर करना है। इससे यह पता लगाने में मदद मिलेगी कि नागरिकों को आवंटित धनराशि में से कितनी राशि वितरित की गई है।

2.18 आधार दर, एमसीएलआर और बाहरी बेंचमार्क दर (Base Rate, MCLR and External Benchmark Rate)

सबसे पहले हम जमा दर और ऋण दर के बीच संबंध को समझते हैं:

यदि बैंकों को जनता से 8% ब्याज दर पर 1 लाख रुपए की जमा राशि मिल रही है, तो बैंकों के लिए 1 लाख रुपए की धनराशि की लागत 8% (अर्थात, इसे जमा की लागत या निधियों की लागत भी कहा जाता है) होगी और बैंक इस धनराशि को 8% से कम ब्याज दर पर ऋण नहीं दे पाएंगे

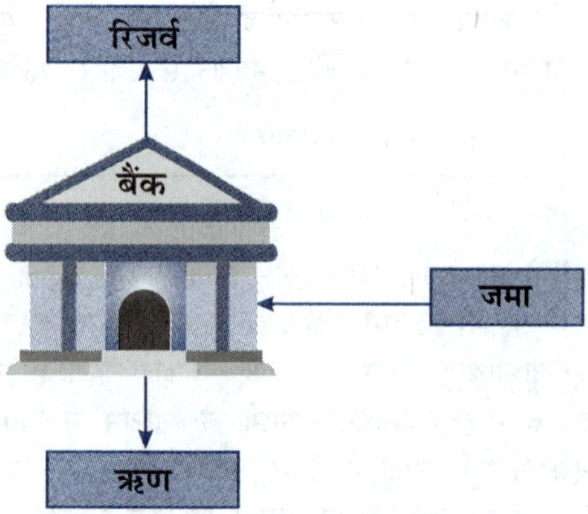

क्योंकि इससे बैंकों को घाटा होगा। यदि बैंकों को जनता की जमा राशि का 20% अपने पास या RBI के पास रिजर्व के रूप में रखना होता है, जिस पर बैंक ब्याज नहीं कमा रहे हैं, तो यह बैंकों के लिए अतिरिक्त लागत होगी। तो, ऐसी स्थिति में बैंक बाजार में केवल 80,000 रुपए ही उधार दे पाएँगे। लेकिन उन्हें जमाकर्ता को 1 लाख रुपए पर 8% यानी 8000 रुपए का भुगतान करना होगा। अब 8000 रुपए कमाने के लिए बैंकों को 80,000 रुपए को 10% ब्याज दर पर बाजार में उधार देना होगा। लेकिन उधार देने और जमा करने में, बैंकों को परिचालन लागत उठानी पड़ती है। इसलिए, बैंक किस दर पर ऋण देंगे, यह जमा की लागत (जमा दर), रिजर्व रखने की लागत, बैंकों की परिचालन लागत और बैंकों द्वारा अर्जित किए जाने वाले लाभ पर निर्भर करेगा। और ये सभी लागतें अलग-अलग बैंकों के लिए अलग-अलग हो सकती हैं, इसलिए बैंकों की ऋण दरें अलग-अलग होती हैं।

जब RBI रेपो रेट बदलता है, तो रिवर्स रेपो रेट अपने आप बदल जाता है (रिवर्स रेपो रेट = रेपो रेट - 0.25%)। इसका अर्थ यह है कि जिस दर पर बैंक RBI के पास अपने अतिरिक्त फंड रखकर ब्याज कमाते हैं, वह बदल जाता है। यह उस दर को भी प्रभावित करता है जिस पर मुद्रा बाजार में पैसे (ऋण पत्र) का कारोबार किया जा रहा है, यानी 'कॉल मनी रेट'। ऐसा इसलिए है क्योंकि अगर कोई बैंक RBI के पास अपने फंड रखकर 'रिवर्स रेपो रेट' के बराबर ब्याज दर कमा सकता है जो पूरी तरह से जोखिम मुक्त है, तो वे मुद्रा बाजार में उधार दिए गए फंड के लिए उच्च ब्याज दर वसूलेंगे। जब मुद्रा बाजार में दर बदलती है तो बैंक अपनी जमा दरों को भी बदल देते हैं। ऐसा इसलिए है क्योंकि अगर मुद्रा बाजार में दर बढ़ती है तो बॉन्ड (पूँजी बाजार में) पर ब्याज दर भी बढ़ जाती है और बॉन्ड पर उच्च ब्याज दर से प्रतिस्पर्धा का सामना करने वाले बैंक जमाकर्ताओं के लिए ब्याज दर बढ़ा देते हैं। और जब जमा दर बदलती है, तो बैंक अपनी उधार दरों को बदल देते हैं जैसा कि पहले ही बताया जा चुका है।

रेपो दर का ऋण दर में हस्तांतरण

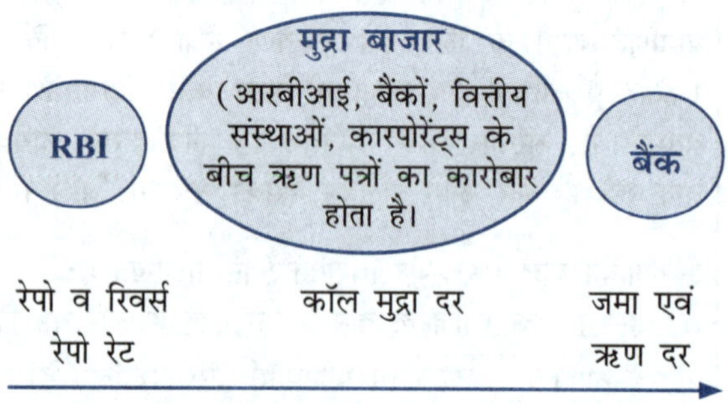

[संक्षेप में, रेपो दर में परिवर्तन मुद्रा बाजार के माध्यम से संपूर्ण वित्तीय प्रणाली में संचारित होता है, जो बदले में, समग्र माँग को प्रभावित करता है - जो मुद्रास्फीति और विकास का एक प्रमुख निर्धारक है। मौद्रिक नीति ढाँचे का उद्देश्य वर्तमान और विकसित हो रही व्यापक आर्थिक स्थिति के आकलन के आधार पर नीति (रेपो) दर निर्धारित करना है। एक बार रेपो दर की घोषणा हो जाने के बाद, रिजर्व बैंक द्वारा डिजाइन किया गया परिचालन ढाँचा उचित कार्रवाइयों के माध्यम से दिन-प्रतिदिन के आधार पर तरलता प्रबंधन की परिकल्पना करता है, जिसका उद्देश्य ***परिचालन लक्ष्य - भारित औसत कॉल दर/मुद्रा बाजार दर-को रेपो दर के आसपास स्थिर करना है।] वित्तीय बाजार*** *मौद्रिक नीति आवेगों को अर्थव्यवस्था के बाकी हिस्सों में प्रभावी रूप से संचारित करने में महत्त्वपूर्ण भूमिका निभाते हैं।* ***मौद्रिक नीति संचरण में दो चरण शामिल होते हैं:***

- पहले चरण में, मौद्रिक नीति परिवर्तन मुद्रा बाजार के माध्यम से अन्य बाजारों, यानी बॉन्ड बाजार और बैंक ऋण बाजार में संचारित होते हैं।
- दूसरे चरण में वित्तीय बाजार से वास्तविक अर्थव्यवस्था तक मौद्रिक नीति आवेगों का प्रसार शामिल है -

व्यक्तियों और फर्मों के खर्च निर्णयों को प्रभावित करके। *वित्तीय प्रणाली के भीतर, मुद्रा बाजार केंद्रीय बैंक द्वारा संचालित मौद्रिक परिचालनों के लिए केंद्रीय है।*

आधार दर:

आधार रेट को जुलाई 2010 में बेंचमार्क प्राइम लेंडिंग रेट (BPLR) प्रणाली की जगह पेश किया गया था। बेस रेट वह न्यूनतम दर है जिसके नीचे अनुसूचित वाणिज्यिक बैंक उधार नहीं दे सकते। RBI बेस रेट की गणना के लिए दिशा-निर्देश प्रकाशित करता है और प्रत्येक बैंक अपनी बेस रेट की गणना करता है।

बेस रेट गणना पद्धति निम्नलिखित चार कारकों पर आधारित थी:

- **(औसत) जमा/निधि की लागत** (ब्याज दर जो बैंक अपने जमाकर्ताओं को प्रदान करता है)
- CRR और SLR को बनाए रखने की लागत (यदि बैंकों को CRR और SLR जैसे उच्च रिजर्व रखने की आवश्यकता होती है, तो वे कम पैसे उधार दे पाएँगे और उन्हें उच्च ब्याज दर वसूलनी होगी)
- बैंकों की परिचालन लागत
- नेट वर्थ (निवेश) पर रिटर्न/लाभ

1 अप्रैल 2016 से, RBI ने फंड की औसत लागत के बजाय फंड की सीमांत लागत के आधार पर बेस रेट की गणना के लिए एक नई पद्धति शुरू की। इस नई पद्धति को फंड की सीमांत लागत आधारित ऋण दर (एमसीएलआर) या फंड की सीमांत लागत पर आधारित आधार दर कहा जाता है।

MCLR (एमसीएलआर)

एमसीएलआर गणना पद्धति निम्नलिखित चार कारकों पर आधारित है:

- **जमा/निधि की सीमांत लागत**
- सीआरआर और एसएलआर को बनाए रखने की लागत
- बैंकों की परिचालन लागत
- अवधि प्रीमियम (ऋण दिए जाने की अवधि के आधार पर)

पिछली आधार दर और एमसीएलआर आधारित दर के बीच मूल अंतर जमा की लागत की गणना में **औसत** से **सीमांत** तक का परिवर्तन है। बैंक हर महीने अपने एमसीएलआर की समीक्षा और प्रकाशन करेंगे।

आइए आधार दर और एमसीएलआर के बीच अंतर को विस्तार से समझें:

आधार दर व एम.सी.एल.आर. के कार्य का स्पष्टीकरण

मान लीजिए कि जनवरी 2019 में RBI की रेपो दर 6.0% थी और बैंक ने पिछले दिनों अलग-अलग दरों पर जमा स्वीकार किए थे, जिनकी कुल राशि 9%, 8% और 7% ब्याज दर पर 3 लाख रुपए थी। बैंकों के लिए जमा/निधि की औसत लागत 8% थी और मान लीजिए कि जनवरी 2019 में बैंक की उधार दर 9.5% (जमा की औसत लागत विधि का उपयोग करके गणना की गई) थी।

अब मान लीजिए, RBI ने 1 फरवरी 2019 को अपनी रेपो दर घटाकर 5.5% कर दी और बैंक ने अपनी जमा दर घटाकर 6.5% कर दी। लेकिन बैंक अभी भी अपने पिछले जमाकर्ताओं को औसतन 8% जमा दर दे रहा है और बैंकों की निधियों की लागत (पिछली संचित जमा राशियों के लिए) कम नहीं हुई है, भले ही उसने नए जमाकर्ताओं के लिए जमा दर घटाकर

6.5% कर दी हो। यही कारण है कि बैंक आमतौर पर नए उधारकर्ताओं के लिए अपनी उधार दरों को कम नहीं करते हैं, भले ही उन्होंने नए जमाकर्ताओं के लिए अपनी जमा दरों को कम कर दिया हो। इसलिए, रेपो दर से उधार दर में धीमी गति से संचरण होता था।

एमसीएलआर पद्धति के अनुसार, बैंकों को अपनी उधार दरों को जमा की सीमांत/अतिरिक्त लागत से जोडना चाहिए, यानी, जिस दर पर वे नई जमा प्राप्त कर रहे हैं, यानी उपरोक्त मामले में 6.5%। इसलिए, इस स्थिति में जब भी RBI रेपो दर घटाता है, बैंक अपनी जमा दर घटा देते हैं और चूंकि उधार दर नई जमा दर से जुड़ी होती है, इसलिए वे उधार दर भी घटा देते हैं। इसलिए, उधार दर को जमा की सीमांत लागत से जोड़ने के कारण, रेपो दर का उधार दर में तेजी से संचरण होगा (बेहतर मौद्रिक नीति संचरण)। यह उधार दरों को निर्धारित करने के लिए बैंकों द्वारा अपनाई जाने वाली पद्धति में पारदर्शिता को बेहतर बनाने में भी मदद करेगा। एमसीएलआर पद्धति बैंक ऋण की उपलब्धता को उन ब्याज दरों पर सुनिश्चित करने में मदद करेगी जो उधारकर्ताओं के साथ-साथ बैंकों के लिए भी उचित है।

प्रत्येक बैंक जमा की लागत, परिचालन लागत, आरक्षित आवश्यकताओं और अवधि प्रीमियम के आधार पर अपनी एमसीएलआर दर की गणना करता है। इसलिए एमसीएलआर (या आधार दर) एक **'आंतरिक बेंचमार्क'** है जो प्रत्येक बैंक में भिन्न होता है। बैंक अपनी उधार दर को MCLR से जोड़ते हैं।

लेकिन, MCLR ढाँचे के तहत बैंकों की उधार दर में नीति (रेपो) दर में बदलाव का संचरण विभिन्न कारणों से संतोषजनक नहीं रहा है, जैसे:

- बैंकों को डर है कि अगर वे पहले जमा दर कम करेंगे तो वे जमाकर्ताओं/ग्राहकों को खो देंगे, और चूँकि जमा दर कम नहीं की गई थी, इसलिए MCLR (या आधार दर) भी कम नहीं हो रही थी।
- सरकार अपनी छोटी बचत योजनाओं पर उच्च ब्याज दरें दे रही है।

इसलिए, RBI ने बैंकों के लिए 1 अक्टूबर, 2019 से सभी नए फ्लोटिंग रेट पर्सनल या रिटेल लोन और MSME को फ्लोटिंग रेट लोन को बाहरी बेंचमार्क से जोड़ना अनिवार्य कर दिया है। बैंक चार **बाहरी बेंचमार्क** में से एक चुन सकते हैं – रेपो रेट, तीन महीने का ट्रेजरी बिल यील्ड, छह महीने का ट्रेजरी बिल यील्ड या फाइनेंशियल बेंचमार्क इंडिया प्राइवेट लिमिटेड द्वारा प्रकाशित कोई अन्य बेंचमार्क ब्याज दर। बैंकों को अपनी जमा दरों को बाहरी बेंचमार्क दर से जोड़ना अनिवार्य नहीं है।

अब, मान लीजिए कि एक्सिस बैंक अपनी ऋण दरों को निम्न के अनुसार जोड़ता है:

गृह ऋण = रेपो दर + 3% (3% को स्प्रेड कहा जाता है)

शिक्षा ऋण = रेपो दर + 4%

व्यक्तिगत ऋण = रेपो दर + 5%

यहाँ, सभी ऋण रेपो दर से जुड़े हुए हैं, जो एक **बाहरी बेंचमार्क** है, जिस पर एक्सिस बैंक का कोई नियंत्रण नहीं है। इसलिए, जिस क्षण RBI रेपो दर में बदलाव करता है, यह स्वचालित रूप से उसी समय उधार दरों (नए उधारकर्ताओं के लिए) में स्थानांतरित हो जाएगा (भले ही बैंक उधार दर को ट्रेजरी बिल यील्ड से जोड़ता हो; जब RBI रेपो दर बदलता है, तो बाजार में टी-बिल यील्ड भी तुरंत बदल जाती है)। उधार दर को बाहरी बेंचमार्क से जोड़ने का उद्देश्य रेपो दर को उधार दर में तेजी से स्थानांतरित करना है और यह तंत्र अधिक पारदर्शी भी है। एक ही बैंक द्वारा एक ऋण श्रेणी के भीतर कई बेंचमार्क अपनाने की अनुमति नहीं है।

बैंक स्प्रेड के घटकों और स्प्रेड की मात्रा को तय करने के लिए स्वतंत्र हैं। लेकिन सामान्य तौर पर, स्प्रेड में क्रेडिट जोखिम प्रीमियम, व्यावसायिक रणनीति, बैंकों की परिचालन लागत आदि शामिल होते हैं। जबकि बैंक बाहरी बेंचमार्क पर स्प्रेड पर निर्णय लेने के लिए स्वतंत्र होंगे, क्रेडिट जोखिम प्रीमियम केवल तभी बदल सकता है जब उधारकर्ता के क्रेडिट मूल्यांकन में पर्याप्त परिवर्तन होता है। ऑपरेटिंग लागत जैसे स्प्रेड के अन्य घटकों को तीन साल में एक बार बदला जा सकता है। बाहरी बेंचमार्क के तहत ब्याज दर को कम से कम तीन महीने में एक बार रीसेट किया जाएगा। इसका मतलब यह है कि अगर किसी उधारकर्ता ने 1 जनवरी 2022

को ऋण लिया है और RBI 1 फरवरी 2022 को रेपो दर में बदलाव करता है, तो उधारकर्ता को दर में कटौती का तत्काल लाभ नहीं मिलेगा क्योंकि उसके ऋण पर ब्याज दर 1 अप्रैल 2022 तक संशोधित होगी।

RBI ने बैंकों को उधार दर को MCLR या कुछ **बाहरी बेंचमार्क** दर जैसी **"एंकर दर"** से जोड़ने का आदेश दिया है। लेकिन NBFC के लिए अपनी उधार दरों को जोड़ने का कोई आदेश नहीं है।

[छात्र हमेशा पूछते हैं कि जब कोई प्रश्न कहता है **'ब्याज दर या बाजार ब्याज दर'**, तो हमें इसे क्या मानना चाहिए, क्या **जमा या उधार दर** या **कुछ और**?

तो, इसका उत्तर है: 'ब्याज दर या बाजार ब्याज दर' वह दर है जिस पर बाजार में पैसा उपलब्ध है। अब, जिस दर पर बैंकों को (जनता से) पैसा उपलब्ध होता है उसे जमा दर कहते हैं और जिस दर पर जनता/कंपनियों को (बैंकों से) पैसा उपलब्ध होता है उसे उधार दर कहते हैं। तो 'ब्याज दर' एक सामान्य शब्द है जिसका अर्थ संदर्भ के आधार पर उधार दर या जमा दर हो सकता है।

अब, यदि प्रश्न में केवल 'ब्याज दर' कहा गया है, तो आप जमा दर या उधार दर में से कुछ भी मान सकते हैं और आपका उत्तर प्रभावित नहीं होगा। यदि प्रश्न में निर्दिष्ट दर की आवश्यकता है, तो प्रश्न में यह उल्लेख किया जाएगा कि उनका मतलब जमा या उधार दर है।]

2.19 बेसल मानदंड (BASEL Norms)

बैंक आम जनता से जमा स्वीकार करते हैं और वे ऋण और इक्विटी के माध्यम से वित्तीय बाजारों से पूँजी भी जुटाते हैं। बैंक फिर इस पैसे को अलग-अलग जोखिम प्रोफाइल वाले उधारकर्ताओं की विभिन्न श्रेणियों को उधार देते हैं। उधार देने की गतिविधि बैंकों को विभिन्न प्रकार के जोखिमों के लिए उजागर करती है जो कई मामलों में बैंकों की विफलता और जमाकर्ताओं की संपत्ति की हानि का कारण बनती है। बेसल मानदंड बैंक विफलताओं के इस जोखिम से निपटने और अर्थव्यवस्था में एक सुदृढ़ वित्तीय प्रणाली बनाए रखने के प्रावधान हैं।

स्विट्ज़रलैंड का एक शहर बेसल, बैंक फॉर इंटरनेशनल सेटलमेंट (BIS) का मुख्यालय है, जो वित्तीय स्थिरता और बैंकिंग विनियमन के सामान्य मानकों के साझा लक्ष्य के साथ केंद्रीय बैंकों के बीच सहयोग को बढ़ावा देता है। हर दो महीने में BIS सदस्य देशों के केंद्रीय बैंकों के गवर्नर और वरिष्ठ अधिकारियों की बैठक आयोजित करता है। वर्तमान में समिति में 28 सदस्य देश हैं। बेसल दिशा-निर्देश केंद्रीय बैंकों के इस समूह द्वारा तैयार किए गए व्यापक पर्यवेक्षी मानकों को संदर्भित करते हैं - जिसे बैंकिंग पर्यवेक्षण पर बेसल समिति (BCBS) कहा जाता है। BCBS द्वारा किए गए समझौते का सेट, जो मुख्य रूप से बैंकों और वित्तीय प्रणाली के लिए जोखिमों पर केंद्रित है, **बेसल समझौता** कहलाता है। समझौते का उद्देश्य यह सुनिश्चित करना है कि वित्तीय संस्थानों के पास दायित्वों को पूरा करने और अप्रत्याशित नुकसान को अवशोषित करने के लिए पर्याप्त पूँजी हो। भारत ने बैंकिंग प्रणाली के लिए बेसल समझौते को स्वीकार कर लिया है।

बेसल I: 1988 में, BCBS ने बेसल कैपिटल एकॉर्ड नामक पूँजी माप प्रणाली शुरू की, जिसे बेसल I भी कहा जाता है। इसने लगभग पूरी तरह से क्रेडिट जोखिम (जोखिम कि इसके कुछ उधारकर्ता ऋण नहीं चुका सकते हैं और यह उधारकर्ता से उधारकर्ता में भिन्न होता है) पर ध्यान केंद्रित किया। इसने बैंकों के लिए पूँजी और जोखिम भार की संरचना को परिभाषित किया। न्यूनतम पूँजी आवश्यकता जोखिम भारित परिसंपत्तियों के 8% पर तय की गई थी। जोखिम भारित परिसंपत्तियों का मतलब अलग-अलग जोखिम प्रोफाइल वाली परिसंपत्तियाँ हैं। उदाहरण के लिए, संपार्श्विक द्वारा समर्थित एक परिसंपत्ति व्यक्तिगत ऋण की तुलना में कम जोखिम उठाती है, जिसमें कोई संपार्श्विक नहीं होता है। भारत ने 1999 में बेसल I दिशा-निर्देशों को अपनाया।

बेसल II: जून 2004 में, BCBS द्वारा बेसल II दिशा-निर्देश प्रकाशित किए गए, जिन्हें बेसल I समझौते का परिष्कृत और सुधारित संस्करण माना जाता था। दिशा-निर्देश तीन मापदंडों पर आधारित थे, जिन्हें समिति ने स्तंभ कहा है:

- पूँजी पर्याप्तता आवश्यकताएँ: बैंकों को जोखिम परिसंपत्तियों के 8% की न्यूनतम पूँजी पर्याप्तता आवश्यकता बनाए रखनी चाहिए।

- पर्यवेक्षी समीक्षा: इसके अनुसार, बैंकों को तीनों प्रकार के जोखिमों की निगरानी और प्रबंधन में बेहतर जोखिम प्रबंधन तकनीकों को विकसित करने और उनका उपयोग करने की आवश्यकता थी, अर्थात ऋण, बाजार और परिचालन जोखिम।
- बाजार अनुशासन: इसके लिए प्रकटीकरण आवश्यकताओं में वृद्धि की आवश्यकता है। बैंकों को अपने सीएआर, जोखिम आदि को केंद्रीय बैंक के समक्ष अनिवार्य रूप से प्रकट करना जरूरी है। भारत और विदेशों में बेसल II मानदंडों को अभी पूरी तरह से लागू किया जाना बाकी है।

बेसल III: 2010 में, बेसल III दिशा-निर्देश जारी किए गए थे। ये दिशा-निर्देश 2008 के वित्तीय संकट के जवाब में पेश किए गए थे। इस प्रणाली को और मजबूत करने की आवश्यकता महसूस की गई क्योंकि विकसित अर्थव्यवस्थाओं में बैंक कम पूँजी वाले, अधिक ऋणग्रस्त (उच्च ऋण) थे और अल्पकालिक वित्तपोषण पर अधिक निर्भर थे। इसके अलावा, बेसल II के तहत पूँजी की मात्रा और गुणवत्ता को किसी भी अन्य जोखिम को रोकने के लिए अपर्याप्त माना गया। बेसल III मानदंडों का उद्देश्य अधिकांश बैंकिंग गतिविधियों जैसे कि उनकी ट्रेडिंग बुक गतिविधियों को अधिक पूँजी-गहन बनाना है। दिशा-निर्देशों का उद्देश्य चार महत्त्वपूर्ण बैंकिंग मापदंडों अर्थात पूँजी, उत्तोलन/ऋण, वित्तपोषण और तरलता पर ध्यान केंद्रित करके अधिक लचीली बैंकिंग प्रणाली को बढ़ावा देना है।

बेसल III के मुख्य उद्देश्य हैं:

- वित्तीय और आर्थिक तनाव से उत्पन्न होने वाले झटकों को अवशोषित करने की बैंकिंग क्षेत्र की क्षमता में सुधार
- जोखिम प्रबंधन और शासन में सुधार
- बैंकों की पारदर्शिता और प्रकटीकरण को मजबूत करना

स्पष्टीकरण: बेसल मानदंडों को बेहतर तरीके से समझने के लिए, आइए बैंकों की पूँजी और जोखिम भारित परिसंपत्तियों यानी पूँजी से जोखिम भारित परिसंपत्ति अनुपात (सीआरएआर) या पूँजी पर्याप्तता अनुपात को समझें।

बैंक 1

परिसंपत्तियाँ	देयताएँ
व्यक्तिगत ऋण = 1 करोड़	स्वामी का धन = 1 करोड़
कुछ संपार्श्विक (collateral) के एवज में परियोजना ऋण = 3 करोड़	जनता की जमाएँ = 3 करोड़
4 करोड़ रु.	4 करोड़ रु.

बैंक 2

परिसंपत्तियाँ	देयताएँ
व्यक्तिगत ऋण = 3 करोड़	स्वामी का धन = 1 करोड़
कुछ संपार्श्विक (collateral के एवज में परियोजना ऋण = 1 करोड़	जनता की जमाएँ = 3 करोड़
4 करोड़ रु.	4 करोड़ रु.

ऊपर दो बैंकों की बैलेंस शीट है, जहाँ बैंकों के मालिकों ने प्रत्येक बैंक में 1 करोड़ रुपए डाले हैं (जिसे बैंक की पूँजी माना जाता है) और जनता ने प्रत्येक बैंक में 3 करोड़ रुपए जमा किए हैं, जो देयता पक्ष में परिलक्षित होता है। यह 4 करोड़ रुपए का फंड (मालिकों और जमाकर्ताओं से) बैंकों द्वारा ऋण के रूप में दिया गया है। बैंक 1 ने 1 करोड़ रुपए का व्यक्तिगत ऋण और 3 करोड़ रुपए के कुछ संपार्श्विक/सुरक्षा के खिलाफ ऋण दिया है। और बैंक 2 ने 3 करोड़ रुपए का व्यक्तिगत ऋण और 1 करोड़ रुपए के कुछ संपार्श्विक/सुरक्षा के खिलाफ ऋण दिया है। RBI विभिन्न प्रकार की परिसंपत्तियों के जोखिम भार को उनके जोखिम प्रोफाइल के आधार पर निर्दिष्ट करता है। बस मान लें कि व्यक्तिगत ऋण का जोखिम भार 100% है और संपार्श्विक के खिलाफ ऋण का जोखिम भार 50% है।

CRAR (बैंक 1) = 1/ (1*1 + 3*0.5) = 1/2.5 = 0.4

CRAR (बैंक 2) = 1/ (3*1 + 1*0.5) = 1/3.5 = 0.3

चूँकि बैंक 1 का CRAR ज्यादा है, इसका मतलब है कि बैंक 2 की तुलना में बैंक 1 में जमाकर्ता का पैसा ज्यादा सुरक्षित है। इसलिए, जितना ज्यादा कैपिटल टू रिस्क वेटेड एसेट रेशियो (CRAR) होगा, बैंक जमा की सुरक्षा उतनी ही ज्यादा होगी।

CRAR अनुपात की गणना किए बिना भी, हम बैंक 1 और बैंक 2 में जमाकर्ता के पैसे की सुरक्षा की तुलना कर सकते हैं। अगर हम दोनों बैंकों की बैलेंस शीट देखें तो हम देख सकते हैं कि अगर दोनों बैंकों में पर्सनल लोन NPA हो जाता है तो बैंक 1 के मामले में ऐसी दूसरी परिसंपत्तियाँ हैं जिनसे जमाकर्ता का पैसा वापस किया जा सकता है लेकिन बैंक 2 के मामले में जमाकर्ता अपना पूरा पैसा वापस नहीं पा सकेंगे।

बैंकों को सुरक्षित बनाने के लिए बैंकों का CRAR अधिक होना चाहिए और CRAR बढ़ाने के लिए बैंकों की पूँजी बढ़ाई जानी चाहिए। **पूँजी इक्विटी, इक्विटी जैसे उपकरणों और बॉन्ड का एक संयोजन है।** अंतर्राष्ट्रीय (बेसल III) मानदंडों के अनुसार, आवश्यक न्यूनतम पूँजी 10.5% है जिसमें 2.5% पूँजी संरक्षण बफर (जो कुछ और नहीं बल्कि सिर्फ अतिरिक्त पूँजी है) शामिल है। भारत में RBI ने पूँजी पर्याप्तता आवश्यकता 11.5% (2.5% पूँजी संरक्षण बफर सहित) रखी है।

टियर 1 पूँजी (इक्विटी और इक्विटी जैसी पूँजी)	= 7%
टियर 2 पूँजी (बॉन्ड)	= 2%
पूँजी संरक्षण बफर (इक्विटी पूँजी)	= 2.5%
न्यूनतम कुल पूँजी आवश्यकता	= 11.5%

अनुसूचित वाणिज्यिक बैंकों ने न्यूनतम बेसल III पूँजी आवश्यकता को प्राप्त कर लिया है। नियामक न्यूनतम से जितनी अधिक पूँजी होगी, बैंकों को ऋण देने की उतनी ही अधिक स्वतंत्रता होगी। बैंक पूँजी न्यूनतम के जितना करीब होगी, बैंक ऋण देने के लिए उतने ही कम इच्छुक होंगे। यदि पूँजी विनियामक न्यूनतम से कम हो जाती है, तो बैंक ऋण नहीं दे सकते हैं या ऋण देने पर प्रतिबंध का सामना कर सकते हैं। जब ऋण खराब हो जाते हैं और गैर-निष्पादित परिसंपत्तियाँ (एनपीए) बन जाते हैं, तो बैंकों को संभावित नुकसान के लिए प्रावधान करना पड़ता है (यानी, बैंकों को कुछ निधियों को आरक्षित रखना पड़ता है, जिन्हें वे उधार नहीं दे सकते हैं और इसे एनपीए के विरुद्ध प्रावधान कहा जाता है)। इससे बैंक की पूँजी कम होती है और ऋण वृद्धि पर ब्रेक लगता है। यही कारण है कि केंद्र सरकार ने पूँजी पर्याप्तता अनुपात बढ़ाने के लिए धन डालने के लिए **पीएसबी का पुनर्पूंजीकरण** किया।

सरकार ने निम्नलिखित दो तरीकों से पीएसबी का पुनर्पूंजीकरण किया:

- पहला यह बजटीय संसाधनों से पीएसबी में पूँजी डाल रहा है
- दूसरा **पुनर्पूंजीकरण बॉन्ड** के माध्यम से है, जिसमें सरकार पीएसबी को बॉन्ड जारी करती है और पीएसबी से नकदी प्राप्त करती है और फिर सरकार इस नकदी को इक्विटी पूँजी (एक तकनीकी प्रक्रिया) के रूप में पीएसबी में डालती है

2.20 त्वरित सुधारात्मक कार्रवाई (पीसीए) (Prompt Corrective Action (PCA)

आरबीआई, अपने पर्यवेक्षी ढाँचे के तहत, बैंकों की अच्छी वित्तीय सेहत बनाए रखने के लिए विभिन्न उपायों/उपकरणों का उपयोग करता है। त्वरित सुधारात्मक कार्रवाई (पीसीए) ढाँचे के तहत, आरबीआई ने तीन मापदंडों के संदर्भ में कुछ विनियामक ट्रिगर पॉइंट निर्दिष्ट किए हैं, यानी **पूँजी** (पूँजी पर्याप्तता अनुपात), **परिसंपत्ति गुणवत्ता** (एनपीए) और **उत्तोलन** (इक्विटी पूँजी/कुल संपत्ति)। एक बार जब बैंक इन तीन मापदंडों के संदर्भ में सीमा के एक निश्चित स्तर पर पहुँच जाते हैं, तो आरबीआई कुछ संरचित और विवेकाधीन कार्रवाई शुरू करता है।

एक बार जब आरबीआई किसी बैंक को पीसीए ढाँचे के तहत रखता है, तो आरबीआई निम्नलिखित कार्रवाई कर सकता है:

- आरबीआई शाखा विस्तार, लाभांश वितरण, प्रबंधन और निदेशकों के मुआवजे और शुल्क पर प्रतिबंध लगा सकता है।
- चरम मामलों में, बैंकों को ऋण देने से रोका जा सकता है और विशिष्ट क्षेत्रों/संस्थाओं को ऋण देने पर सीमा लगाई जा सकती है।
- बैंकों के लिए प्रावधान आवश्यकता को बढ़ा सकता है
- इसके अलावा, आरबीआई नए प्रबंधन/बोर्ड को लाने, व्यवसाय/संगठनात्मक संरचना के लिए सलाहकार नियुक्त करने, स्वामित्व बदलने के लिए कदम उठाने, बैंक के विलय के लिए कदम उठाने और बैंक बोर्ड को हटाने के लिए कदम उठा सकता है।

पीसीए ढाँचे के तहत, आरबीआई का उद्देश्य बैंकों को समय पर आरबीआई द्वारा निर्धारित सुधारात्मक उपाय करने में सुविधा प्रदान करना है, ताकि उनकी वित्तीय सेहत को बहाल किया जा सके। यह ढाँचा आरबीआई को उन क्षेत्रों में प्रबंधन के साथ अधिक निकटता से जुड़कर ऐसे बैंकों पर ध्यान केंद्रित करने का अवसर भी प्रदान करता है। इस प्रकार, पीसीए ढाँचे का उद्देश्य बैंकों को कुछ जोखिमपूर्ण गतिविधियों से दूर रहने और पूँजी संरक्षण पर ध्यान केंद्रित करने के लिए प्रोत्साहित करना है ताकि उनकी बैलेंस शीट मजबूत हो सके। आरबीआई ने स्पष्ट किया है कि पीसीए ढाँचे का उद्देश्य आम जनता के लिए बैंकों के सामान्य संचालन जैसे उधार देना और जमा करना बाधित करना नहीं है।

यह पीसीए ढाँचा क्षेत्रीय ग्रामीण बैंकों, भुगतान बैंकों और लघु वित्त बैंकों को छोड़कर अनुसूचित वाणिज्यिक बैंकों पर लागू है। चूँकि बहुत सारे शहरी सहकारी बैंक (यूसीबी) भी समस्याओं का सामना कर रहे थे, इसलिए आरबीआई वाणिज्यिक बैंकों के लिए पीसीए के स्थान पर यूसीबी के लिए **'पर्यवेक्षी कार्रवाई ढाँचा'** (एसएएफ) लाया है। एसएएफ को भी तीन मापदंडों (पूँजी पर्याप्तता अनुपात, एनपीए स्तर और लगातार दो वर्षों का घाटा) के आधार पर लागू किया जाता है, लेकिन जिस स्तर पर इसे शुरू किया जाता है वह अलग हो सकता है। यूसीबी में एसएएफ को गंभीर शासन मुद्दों के मामले में भी शुरू किया जा सकता है। एक बार यूसीबी को एसएएफ के तहत डाल दिया जाता है, तो लाभांश, दान, नए ऋण, पूँजीगत व्यय आदि पर विभिन्न प्रतिबंध लगाए जा सकते हैं।

चूँकि नाबार्ड क्षेत्रीय ग्रामीण बैंकों (आरआरबी) और ग्रामीण सहकारी बैंकों की निगरानी करता है, इसलिए इसने क्षेत्रीय ग्रामीण बैंकों (आरआरबी) के लिए पर्यवेक्षी कार्रवाई ढाँचा बनाया है और ग्रामीण सहकारी बैंकों के लिए एसएएफ लाने की योजना बना रहा है।

आरबीआई ने गैर-बैंकिंग वित्त कंपनियों (एनबीएफसी) के लिए भी पीसीए बनाया है।

2.21 प्रणालीगत रूप से महत्त्वपूर्ण वित्तीय संस्थान (Systemically Important Financial Institutions)

कुछ **वित्तीय संस्थान** (बैंक और एनबीएफसी) अपने आकार, अंतर-न्यायालय गतिविधियों, जटिलता, प्रतिस्थापन की कमी और परस्पर जुड़ाव के कारण प्रणालीगत महत्त्व रखते हैं। इन वित्तीय संस्थानों की अव्यवस्थित विफलता इन संस्थानों द्वारा प्रदान की जाने वाली आवश्यक सेवाओं और बदले में समग्र आर्थिक गतिविधि में महत्त्वपूर्ण व्यवधान पैदा करने की प्रवृत्ति रखती है।

इन वित्तीय संस्थानों को व्यवस्थित रूप से महत्त्वपूर्ण **बैंक** (SIB) या व्यवस्थित रूप से महत्त्वपूर्ण **NBFC** माना जाता है क्योंकि वास्तविक अर्थव्यवस्था को वित्तीय सेवाओं की निर्बाध उपलब्धता के लिए उनका निरंतर संचालन महत्त्वपूर्ण है। उन्हें **'टू बिग टू फेल'** भी कहा जाता है, जिसका अर्थ है कि वे इतने बड़े/महत्त्वपूर्ण हैं कि सरकार/अर्थव्यवस्था उनकी विफलता को बर्दाश्त नहीं कर सकती। ऐसी धारणा और सरकारी समर्थन की अपेक्षा (कभी-कभी सरकार बचाव में आती है क्योंकि वे नहीं चाहती कि ये संस्थान अपने महत्त्व के कारण विफल हों) जोखिम लेने में वृद्धि कर सकती है, बाजार अनुशासन को कम कर सकती है, प्रतिस्पर्धी विकृतियाँ पैदा कर सकती है और भविष्य में संकट की संभावना को बढ़ा सकती है। **इन संस्थानों को पूँजी आवश्यकताओं जैसे अतिरिक्त विनियामक/पर्यवेक्षी उपायों के अधीन भी किया जाता है।**

बैंकों को RBI द्वारा विनियमित किया जाता है और NBFC को RBI/SEBI/IRDA द्वारा विनियमित किया जाता है। इसलिए, ये सभी विनियामक निकाय व्यवस्थित रूप से महत्त्वपूर्ण संस्थान घोषित करते हैं।

- RBI उन बैंकों को घरेलू रूप से व्यवस्थित रूप से महत्त्वपूर्ण बैंक घोषित करता है, जिनकी संपत्ति का आकार GDP के 2% से अधिक है। यह सालाना DSIB की सूची घोषित करता है और अभी SBI, HDFC और ICICI को DSIB के रूप में वर्गीकृत किया गया है।
- इसी तरह, RBI घरेलू प्रणालीगत रूप से महत्त्वपूर्ण NBFC भी घोषित करता है यदि उनकी संपत्ति का आकार 500 करोड़ रुपए से अधिक है।
- इसी तरह, IRDAI भी प्रबंधन के तहत परिसंपत्तियों के मूल्य और प्रीमियम अंडरराइट (प्राप्त) के आधार पर घरेलू प्रणालीगत रूप से महत्त्वपूर्ण बीमाकर्ता (D-SII) घोषित करता है। 2020-21 के लिए, IRDAI ने LIC/GIC/NIAC को D-SII घोषित किया है।
- इसी तरह, SEBI भी कमोडिटी एक्सचेंज MCX/NCDEX जैसे घरेलू प्रणालीगत रूप से महत्त्वपूर्ण वित्तीय बाजार अवसंरचना (FMI) की घोषणा करता है।

2.22 विदेशी निवेश (Foreign Investment)

- विदेशी निवेश का अर्थ है भारत के बाहर रहने वाले किसी 'व्यक्ति' द्वारा किसी भारतीय कंपनी के **'पूँजीगत साधनों'** में किया गया कोई भी निवेश। व्यक्ति का अर्थ है विदेशी व्यक्ति, एनआरआई, कंपनियाँ आदि।
- 'पूँजीगत उपकरण' का अर्थ है **इक्विटी शेयर, डिबेंचर** (पूरी तरह से, और अनिवार्य रूप से परिवर्तनीय डिबेंचर), **प्राथमिक शेयर** (पूरी तरह से, और अनिवार्य रूप से परिवर्तनीय प्राथमिक शेयर) और भारतीय कंपनी द्वारा जारी किए गए **शेयर वारंट**।
  - इक्विटी शेयर: इक्विटी शेयर कंपनी के स्वामित्व और मतदान अधिकारों का प्रतिनिधित्व करते हैं
  - प्राथमिक शेयर (Preference shares) (पूरी तरह से, और अनिवार्य रूप से परिवर्तनीय प्राथमिक शेयर): कंपनी के समापन के मामले में उनके पास लाभांश और पूँजी के पुनर्भुगतान पर अधिमान्य अधिकार होते हैं। उन्हें कुछ समय बाद (सामान्य) इक्विटी शेयरों में परिवर्तित किया जाना चाहिए।
  - डिबेंचर (पूरी तरह से, और अनिवार्य रूप से परिवर्तनीय डिबेंचर): वे बॉन्ड की तरह होते हैं लेकिन कुछ समय बाद उन्हें इक्विटी शेयरों में परिवर्तित किया जाना चाहिए:
  - शेयर वारंट: शेयर वारंट कंपनी द्वारा निवेशक को जारी किया गया एक दस्तावेज है जो वारंटधारक (निवेशक) को पूर्व निर्धारित समय अवधि पर या उसके बाद पूर्व निर्धारित मूल्य पर कंपनी के इक्विटी शेयरों की सदस्यता लेने का अधिकार देता है।
- विदेशी निवेश को व्यापक रूप से दो प्रकार से वर्गीकृत किया जा सकता है:

विदेशी निवेश

प्रत्यक्ष विदेशी निवेश | विदेशी पोर्टफोलियो निवेश

- प्रत्यक्ष विदेशी निवेश (एफडीआई) भारत के बाहर रहने वाले किसी व्यक्ति द्वारा **'पूँजीगत साधनों'** के माध्यम से किया गया निवेश है:
  - किसी गैर-सूचीबद्ध भारतीय कंपनी में; या
  - किसी सूचीबद्ध भारतीय कंपनी की इक्विटी पूँजी के 10 प्रतिशत या उससे अधिक में
- विदेशी पोर्टफोलियो निवेश (एफपीआई) भारत के बाहर रहने वाले किसी व्यक्ति द्वारा **'पूँजीगत साधनों'** में किया गया कोई भी निवेश है, जहाँ ऐसा निवेश किसी सूचीबद्ध भारतीय कंपनी की इक्विटी पूँजी के 10 प्रतिशत से कम है।
- विदेशी पोर्टफोलियो निवेशक (एफपीआई) केंद्र और राज्य सरकार की प्रतिभूतियों/बॉन्डों और कॉर्पोरेट बॉन्ड में भी निवेश कर सकते हैं और उन्हें ऋण के रूप में माना जाता है।

- प्रत्यक्ष विदेशी निवेश दो मार्गों अर्थात स्वचालित और सरकारी अनुमोदन मार्ग से आ सकता है। भारत में 95% से अधिक एफडीआई "स्वचालित मार्ग" के माध्यम से आता है, जहाँ किसी सरकारी अनुमोदन की आवश्यकता नहीं होती है और यह केवल क्षेत्रीय कानूनों के अधीन होता है। कुछ क्षेत्र जो अभी भी "सरकारी अनुमोदन मार्ग" के अंतर्गत हैं, उनकी जाँच की जाती है और उन्हें संबंधित विभागों और मंत्रालयों द्वारा मंजूरी दी जाती है।
- ऐसे आवेदनों के संबंध में जिनमें संबंधित प्रशासनिक मंत्रालय/विभाग के बारे में संदेह है, डीपीआईआईटी उस प्रशासनिक मंत्रालय/विभाग की पहचान करेगा जहां आवेदन पर कार्रवाई की जाएगी। ऐसे प्रस्तावों के संबंध में जहाँ संबंधित विभाग/मंत्रालय प्रस्तावों को अस्वीकार करने का प्रस्ताव करता है या ऐसे मामलों में जहां एफडीआई नीति या क्षेत्रीय कानूनों/नियमों में निर्धारित शर्तों के अतिरिक्त अनुमोदन के लिए शर्तें निर्धारित की गई हैं, उक्त मंत्रालय द्वारा डीपीआईआईटी की सहमति अनिवार्य रूप से माँगी जाएगी। वाणिज्य और उद्योग मंत्रालय का उद्योग संवर्धन और आंतरिक व्यापार विभाग (डीपीआईआईटी) विदेशी निवेश के लिए नियम निर्धारित करता है और विभिन्न प्रेस विज्ञप्तियों के माध्यम से एफडीआई पर नीति घोषणाएँ करता है।
- विदेशी मुद्रा प्रबंधन अधिनियम (फेमा) 1999 के तहत विनियमों के अनुसार, एफडीआई/एफपीआई प्राप्त करने वाली भारतीय कंपनी को किसी भी स्तर पर आरबीआई की पूर्व स्वीकृति की आवश्यकता नहीं होती है। उसे केवल पूँजी प्रवाह और उसके बाद शेयरों के निर्गम की रिपोर्ट आरबीआई को निर्धारित प्रारूपों में देनी होती है। एफपीआई को सेबी की स्वीकृति/लाइसेंस की आवश्यकता होती है।
- विदेशी पोर्टफोलियो निवेशक (एफपीआई) भारत के बाहर निगमित संस्थाएं हैं और इनमें म्यूचुअल फंड, बीमा कंपनी, पेंशन फंड, बैंक, एनआरआई आदि शामिल हैं जो सेबी के साथ पंजीकृत हैं।
- जब कोई भारतीय कंपनी विदेश में निवेश करती है तो उसके लिए एक और शब्द होता है और इसे 'विदेशी प्रत्यक्ष निवेश' (ओडीआई) कहा जाता है। यह मूल रूप से भारत में एफडीआई के विपरीत है। एफडीआई की तुलना में ओडीआई काफी कम है।
- एक एकल विदेशी पोर्टफोलियो निवेशक किसी भारतीय कंपनी में अधिकतम 10% तक निवेश कर सकता है और कुल मिलाकर सभी एफपीआई विदेशी निवेश के तहत उस क्षेत्र के लिए लागू क्षेत्रीय सीमा/वैधानिक सीमा तक अधिकतम निवेश कर सकते हैं। सरकार अब विभिन्न क्षेत्रों में विदेशी निवेशकों के लिए समग्र सीमा/सीलिंग (एफडीआई और एफपीआई के लिए अलग-अलग सीमाओं के बजाय) निर्दिष्ट करती है जिसके तहत सभी प्रकार के विदेशी निवेश की अनुमति है।
- एक निवेशक को 10 प्रतिशत सीमा से कम निवेश करने की अनुमति दी जा सकती है और इसे एफडीआई के रूप में माना जा सकता है, बशर्ते कि पहली खरीद की तारीख से एक वर्ष के भीतर एफडीआई हिस्सेदारी 10 प्रतिशत या उससे अधिक हो जाए। ऐसा करने की बाध्यता कंपनी पर होगी। यदि हिस्सेदारी 10% या उससे अधिक नहीं बढ़ाई जाती है, तो निवेश को पोर्टफोलियो निवेश माना जाएगा।
- यदि कोई मौजूदा एफडीआई 10 प्रतिशत से नीचे गिर जाता है, तो इसे 10% या उससे अधिक पर बहाल करने की बाध्यता के बिना एफडीआई के रूप में माना जा सकता है। **एक बार एफडीआई हमेशा एफडीआई ही रहता है।**
- किसी विशेष कंपनी में, कोई निवेशक या तो एफपीआई मार्ग के तहत या एफडीआई मार्ग के तहत निवेश रख सकता है, लेकिन दोनों नहीं।
- हमने पहले ही एफडीआई और एफपीआई की परिभाषा बहुत स्पष्ट रूप से प्रदान की है, लेकिन एफडीआई और एफपीआई के बीच कुछ अन्य सामान्य अंतर हैं जो नीचे उल्लिखित हैं:

प्रत्यक्ष विदेशी निवेश (FDI)	विदेशी पोर्टफोलियो निवेश (FPI)
यह आमतौर पर बिना बाजार के लेन-देन या प्राथमिक बाजार के माध्यम से होता है।	आमतौर पर, द्वितीयक बाजार के माध्यम से लेकिन प्राथमिक बाजार के माध्यम से भी हो सकता है।
आमतौर पर नए शेयर जारी किए जाते हैं और कंपनी में पूँजी आती है जिसके माध्यम से कंपनी नई फैक्ट्री, मशीनों आदि में निवेश करती है।	आमतौर पर, केवल मालिक ही बदलते हैं और कंपनी के पास नई पूँजी नहीं आती है।
विदेशी निवेशक निदेशक मंडल की नियुक्ति करता है और बड़ी शेयरधारिता खरीदकर कंपनी के निर्णय लेने (सक्रिय प्रबंधन) में शामिल होता है विदेशी निवेशक अपने निर्णय लेने के माध्यम से कंपनी को लाभदायक बनाने और कंपनी के लाभ को लक्षित करने का प्रयास करते हैं।	विदेशी निवेशक आमतौर पर कंपनी के प्रबंधन में शामिल नहीं होते हैं और अल्प हिस्सेदारी खरीदते हैं।
एफडीआई निवेशक अर्थव्यवस्था में उच्च नाममात्र वृद्धि की तलाश करते हैं। ऐसा इसलिए है क्योंकि शेयर की कीमतें नाममात्र वृद्धि प्रवृत्ति का अनुसरण करती हैं।	विदेशी निवेशक कंपनी के शेयर मूल्य को लक्ष्य बनाते हैं और शेयर मूल्यों में परिवर्तन से लाभ प्राप्त करते हैं।
एफडीआई निवेशक अर्थव्यवस्था में उच्च नाममात्र वृद्धि की उम्मीद करते हैं। ऐसा इसलिए है क्योंकि शेयर की कीमतें नाममात्र वृद्धि की प्रवृत्ति का अनुसरण करती हैं।	एफपीआई ऋण निवेशक उच्च ब्याज दर की तलाश में रहते हैं, तथा एफपीआई इक्विटी निवेशक अर्थव्यवस्था में उच्च नाममात्र वृद्धि की तलाश में रहते हैं।
यह क्षेत्र-विशेष पर निर्भर करता है। उदाहरण के लिए, अमेरिका की एक स्टील कंपनी केवल भारत की एक स्टील कंपनी में निवेश करेगी और अपने प्रबंधन के माध्यम से उस कंपनी को लाभदायक बनाने और लाभ का हिस्सा पाने का प्रयास करेगी।	यह सामान्य पूँजी बाजार में होता है। उदाहरण के लिए, एक विदेशी निवेशक किसी क्षेत्र के बारे में विशेष नहीं होता है और वह किसी भी क्षेत्र/कंपनी में निवेश करने को तैयार होता है, जो शेयर की कीमत में बढ़ोतरी का मौका देता है।
यह एक दीर्घकालिक निवेश है क्योंकि कंपनी को लाभदायक बनाने के लिए, विदेशी निवेशक को लंबे समय तक निवेश करने की आवश्यकता होती है।	यह आमतौर पर अल्पकालिक निवेश है।
आमतौर पर, एक लॉक इन अवधि होती है और इस अवधि के दौरान विदेशी निवेशक अपना निवेश नहीं बेच सकता है और इसलिए यह काफी स्थिर होता है।	इसमें कोई लॉक-इन अवधि नहीं होती और विदेशी निवेशक किसी भी समय अपना निवेश बेचकर वापस लौट सकता है। इससे विनिमय दर में अस्थिरता आती है।
यह तीन तरीकों से हो सकता है अर्थात शेयरों की खरीद करके, एक संयुक्त उद्यम कंपनी बनाकर या एक सहायक कंपनी स्थापित करके।	यह शेयरों की खरीद के माध्यम से होता है।

एफडीआई से संबंधित वर्तमान तथ्य

- 2023-24 में भारत में सकल एफडीआई प्रवाह लगभग 71 बिलियन डॉलर था।
- शीर्ष 5 देश जिनसे भारत को अधिकतम एफडीआई प्रवाह प्राप्त हुआ, वे हैं मॉरीशस (26%), सिंगापुर (23%), यूएसए (9%), नीदरलैंड (7%) और जापान (6%)।
- वित्त वर्ष 2023-24 के दौरान सबसे अधिक एफडीआई इक्विटी प्रवाह प्राप्त करने वाले शीर्ष 5 राज्य महाराष्ट्र (30%), कर्नाटक (22%), गुजरात (17%), दिल्ली (13%) और तमिलनाडु (5%) हैं।
- वित्त वर्ष 2023-24 के दौरान सबसे अधिक एफडीआई प्रवाह प्राप्त करने वाले शीर्ष 5 क्षेत्र सेवा क्षेत्र (वित्त, बैंकिंग, बीमा आदि), कंप्यूटर सॉफ्टवेयर और हार्डवेयर, ट्रेडिंग, दूरसंचार और ऑटोमोबाइल उद्योग हैं।

विदेश से वित्त जुटाने के लिए निम्नलिखित कुछ अन्य तरीके हैं:

❖ **ग्लोबल डिपोजिटरी रसीदें (जीडीआर)/अमेरिकन डिपोजिटरी रसीदें (एडीआर)**

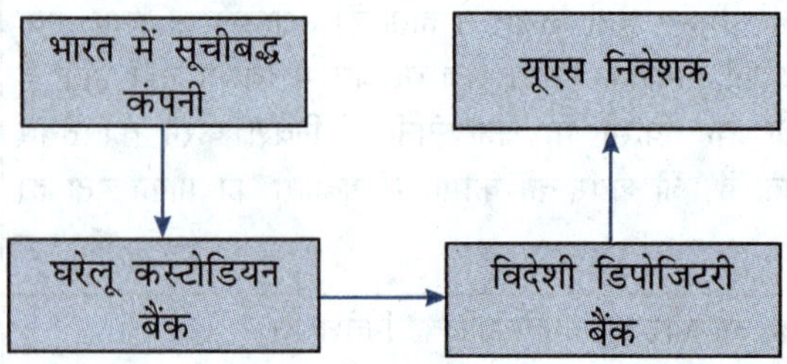

- ADR के माध्यम से, अमेरिकी निवेशक अमेरिका से बाहर (यानी भारत) स्थित कंपनियों के शेयर खरीदते हैं।
- ADR इसलिए मौजूद हैं क्योंकि कई कंपनियाँ (अमेरिका से बाहर) अपने शेयरों को सीधे अमेरिकी स्टॉक एक्सचेंजों पर सूचीबद्ध करने के खर्च और परेशानी से परेशान नहीं होना चाहती हैं।
- ADR एक शेयर (सिक्योरिटी) है जो विदेशी डिपॉजिटरी बैंक द्वारा अमेरिकी निवेशक को जारी किया जाता है। यह ओवरसीज डिपॉजिटरी बैंक द्वारा डोमेस्टिक कस्टोडियन बैंक के पास रखे गए भारतीय कंपनी के एक या अधिक शेयरों का प्रतिनिधित्व करता है।
- यह संभव हो सकता है कि प्रत्येक 10 शेयरों के लिए, ओवरसीज डिपॉजिटरी बैंक द्वारा एक ADR बनाया जाए और उसके अनुसार कीमतें समायोजित की जाएँगी। ये ADR अमेरिका में सूचीबद्ध की जाएँगी और इनका कारोबार भी वहाँ किया जाएगा।
- भारत में कंपनी या तो सरकारी कंपनी हो सकती है या निजी कंपनी।

ऋण साधन (Debt Instruments)

❖ **बाह्य वाणिज्यिक उधार (ईसीबी):** ईसीबी **वाणिज्यिक ऋण** हैं जो 'निवासी' संस्थाओं द्वारा 'अनिवासी' संस्थाओं से जुटाए जाते हैं। यह विदेशी मुद्रा या भारतीय रुपए में हो सकता है। ईसीबी में बैंक ऋण, बॉन्ड, डिबेंचर, वरीयता शेयर (पूरी तरह से और अनिवार्य रूप से परिवर्तनीय उपकरणों के अलावा), व्यापार ऋण, विदेशी मुद्रा परिवर्तनीय बॉन्ड (एफसीसीबी), वित्तीय पट्टे शामिल हैं।

मसाला बॉन्ड एक तरह के ईसीबी हैं, जहाँ बॉन्ड भारत के बाहर जारी किए जाते हैं, लेकिन स्थानीय मुद्रा के बजाय भारतीय रुपए में मूल्यवर्गित होते हैं। मसाला एक भारतीय शब्द है। डॉलर बॉन्ड के विपरीत, जहाँ उधारकर्ता मुद्रा जोखिम उठाता है, मसाला बॉन्ड निवेशकों को मुद्रा जोखिम वहन करने के लिए बाध्य करता है।

ईसीबी दो मार्गों के अंतर्गत आता है: स्वचालित मार्ग और अनुमोदन मार्ग। 'स्वचालित मार्ग' के तहत किसी अनुमोदन की आवश्यकता नहीं होती है। आरबीआई ने 'अनुमोदन मार्ग' के तहत आने वाले प्रस्तावों पर विचार करने के लिए एक अधिकार प्राप्त समिति का गठन किया है।

बाह्य वाणिज्यिक उधार (ECB)	मसाला बॉन्ड (MASALA Bonds)
1$ = 70 रु. (2019)	
विदेशी निवेशक को 1$ का बॉन्ड जारी किया गया और उधारकर्ता (भारतीय कंपनी) को एक साल के लिए 1$ मिला। विदेशी मुद्रा में धन जुटाया जाता है और उधारकर्ता ने विदेशी निवेशक को डॉलर में मूल्यवर्गित बॉन्ड जारी किया।	70 रुपए का बॉन्ड विदेशी निवेशक को जारी किया गया और उधारकर्ता (भारतीय कंपनी) को एक वर्ष के लिए 1 डॉलर (70 रुपए के बराबर 1 डॉलर है) मिला। (चूँकि, भारतीय रुपए की परिवर्तनीयता सीमित है, इसलिए पैसा केवल डॉलर में ही जुटाया जाता है)। पैसा विदेशी मुद्रा में जुटाया जाता है लेकिन उधारकर्ता ने विदेशी निवेशक को रुपए में मूल्यवर्गित बॉन्ड जारी किया।
1$ = रु. 80(2020)	
2020 में, उधारकर्ता को विदेशी निवेशक को 1$ वापस करना था और इसके लिए उसे 1$ पाने के लिए 80 रुपए खर्च करने थे। रूपांतरण/विनिमय जोखिम उधारकर्ता (भारतीय कंपनी) का है।	2020 में, उधारकर्ता को विदेशी निवेशक को 1$ के बजाय 70 रुपए (70 रुपए/80 रुपए * 1$ = $0.875) के बराबर डॉलर लौटाना जरूरी है। इसलिए, मूल रूप से रूपांतरण/विनिमय जोखिम विदेशी निवेशक द्वारा वहन किया जाता है।

2.23 मुद्रा स्वैप और विदेशी मुद्रा स्वैप (Currency Swap and Forex Swap)

दो देशों के बीच मुद्रा स्वैप समझौता:

दो देशों के बीच मुद्रा स्वैप समझौता दो देशों के केंद्रीय बैंकों के बीच किया जाता है। एक देश अपनी राष्ट्रीय मुद्रा को दूसरे या तीसरे देश की मुद्रा से बदल देता है। आइए इसे उदाहरण से समझते हैं।

भारत और जापान ने 2018 में 75 बिलियन डॉलर मूल्य के मुद्रा स्वैप समझौते पर हस्ताक्षर किए। व्यवस्था के अनुसार भारत जापान से अधिकतम 75 बिलियन डॉलर मूल्य के येन (या डॉलर) प्राप्त कर सकता है/करेगा और जापान को लेनदेन के समय बाजार विनिमय दर के अनुसार बराबर भारतीय रुपए मिलेंगे। पहले लेनदेन के अनुसार समान विनिमय दर का उपयोग करके एक सहमत अवधि के बाद विनिमय को उलट दिया जाएगा।

भारत जापान से जितने भी डॉलर लेगा, भारत को उस राशि पर ब्याज देना होगा और जापान भारत से जितने भी रुपए लेगा, जापान को उस पर ब्याज देना होगा (कुछ बेंचमार्क दर पर निर्भर करता है)। इसलिए, द्विपक्षीय मुद्रा स्वैप एक निश्चित विनिमय दर पर एक देश से दूसरे देश को एक तरह की **ओपन-एंडेड क्रेडिट लाइन** है। इसलिए, भारत को जापान से डॉलर मिले और जापान भारत से रुपए ले भी सकता है और नहीं भी। चूंकि भारत जापान से लिए गए डॉलर पर ब्याज देगा, इसलिए इससे कोई फर्क नहीं पड़ता कि जापान ने भारत से रुपए लिए या नहीं। और इसीलिए इस मुद्रा स्वैप को **ओपन-एंडेड क्रेडिट लाइन सुविधा** भी कहा जाता है।

इस मुद्रा स्वैप व्यवस्था से भारतीय केंद्रीय बैंक को जब भी इस पैसे की जरूरत होगी, वह जापानी सरकार से 75 बिलियन डॉलर तक का येन या डॉलर **उधार** ले सकेगा। RBI इन डॉलर (या येन) को आयातकों को उनके बिलों का निपटान करने के लिए या उधारकर्ताओं को उनके विदेशी ऋणों का भुगतान करने के लिए बेच सकता है। RBI इन डॉलर को अपने पास रख सकता है ताकि अपने विदेशी मुद्रा भंडार को बढ़ा सके और रुपए की रक्षा कर सके।

वास्तव में, रुपया डॉलर के मुकाबले गिर रहा था क्योंकि इसका चालू खाता घाटा बढ़ रहा था। इससे आयातकों ने निर्यातकों की तुलना में डॉलर की माँग को बहुत अधिक बढ़ा दिया, जिससे रुपए का मूल्य और भी गिर गया। अगर आरबीआई इन डॉलर को खरीदने के लिए बाजार में जाता

(रुपए बेचकर) तो इससे रुपए का मूल्य और भी गिर जाता। इसलिए, मुद्रा विनिमय एक तरह से **बाजार से बाहर का लेनदेन** है।

भले ही आरबीआई ने डॉलर जमा कर लिए हों, लेकिन जापान से 75 बिलियन डॉलर का ऋण-ऑन-डिमांड (जब भी जरूरत पड़े) आरबीआई को अतिरिक्त डॉलर की जरूरत पड़ने पर अतिरिक्त बफर देता है। इसलिए, यह मुद्रा विनिमय समझौता **भारत में विदेशी मुद्रा और पूँजी बाजारों में अधिक स्थिरता लाएगा।**

इन स्वैप परिचालनों में कोई **विनिमय दर या अन्य बाजार जोखिम नहीं होता है, क्योंकि लेनदेन की शर्तें पहले से तय होती हैं।** विनिमय दर जोखिम की अनुपस्थिति ऐसी सुविधा का मुख्य लाभ है। यह सुविधा उस देश को, जिसे डॉलर मिल रहे हैं, भुगतान संतुलन या अल्पकालिक तरलता के उचित स्तर को बनाए रखने के लिए किसी भी समय इन भंडारों का उपयोग करने की लचीलापन प्रदान करती है।

जुलाई 2020 में भारत और श्रीलंका ने 400 मिलियन डॉलर के मुद्रा विनिमय समझौते पर हस्ताक्षर किए, जिसके तहत भारत श्रीलंका को डॉलर देगा और बदले में भारत को 'श्रीलंकाई रुपया' मिलेगा। RBI भी SAARC क्षेत्र के केंद्रीय बैंकों को 2 बिलियन डॉलर के कुल कोष के भीतर इसी तरह की स्वैप लाइनें प्रदान करता है। 2019-22 के लिए रूपरेखा के तहत, RBI 2 बिलियन डॉलर के समग्र कोष के भीतर स्वैप व्यवस्था की पेशकश जारी रखेगा।

फॉरेक्स स्वैप सहमति (Forex Swap Agreement)

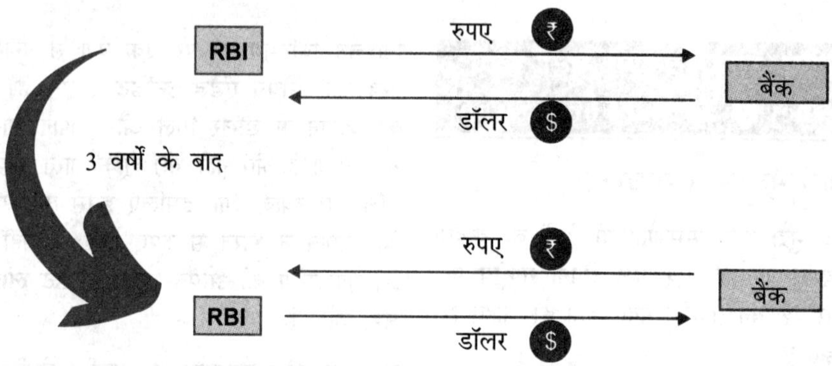

- फॉरेक्स स्वैप के तहत, RBI बैंकों से डॉलर (मान लीजिए 1 बिलियन डॉलर) खरीदेगा और उन्हें 70 बिलियन डॉलर (1 डॉलर = 70 रुपए की दर से) भारतीय रुपए देगा। स्वैप अवधि (3 वर्ष) समाप्त होने के बाद, RBI 1 बिलियन डॉलर वापस कर देगा और बैंकों से रुपए माँगेगा। जो बैंक **70 रुपए से अधिक अधिकतम प्रीमियम देने** का वादा करेगा, उसे RBI स्वैप डील के लिए चुनेगा। उदाहरण के लिए, बैंक A ने 0.50 रुपए प्रति डॉलर, बैंक B ने 0.40 रुपए प्रति डॉलर और बैंक C ने 0.75 रुपए प्रति डॉलर कहा, तो बैंक C को स्वैप समझौता करने के लिए चुना जाएगा और बैंक C को 3 साल बाद RBI को 70.75 बिलियन रुपए (70.75 रुपए प्रति डॉलर) देने होंगे।

मार्च 2019 में RBI ने अर्थव्यवस्था में (रुपए की) तरलता/मुद्रा आपूर्ति बढ़ाने के लिए फॉरेक्स स्वैप किया क्योंकि RBI ने पहले ही खुले बाजार संचालन की सीमा का अधिकांश हिस्सा समाप्त कर दिया था। और RBI अर्थव्यवस्था में पैसे डालने के लिए सरकारी प्रतिभूतियों को और खरीदने के लिए तैयार नहीं था। इस स्वैप डील से उधार दर में भी बेहतर संचरण होता है।

यह दूसरी तरह से भी हो सकता है जैसे RBI पहले डॉलर बेचता है और फिर बाद में खरीदता है।

2.24 भुगतान संतुलन (BoP) (Balance of Payment)

BoP एक निश्चित अवधि के लिए विशेष रूप से एक वित्तीय वर्ष के लिए शेष दुनिया के साथ एक देश (व्यक्तियों, व्यवसायों, सरकारों) के आर्थिक लेन-देन को व्यवस्थित रूप से सारांशित करता है। BoP एक देश के निवासियों के बीच शेष दुनिया के साथ लेन-देन है। इसलिए, भारत का BoP भारतीय निवासियों (व्यक्तियों, कंपनियों, सरकारों आदि) और गैर-निवासियों/विदेशियों/विदेशी संस्थाओं के बीच होने वाले सभी लेन-देन को रिकॉर्ड करेगा। RBI BoP तैयार करने के लिए जिम्मेदार है और यह अंतर्राष्ट्रीय मुद्रा कोष (IMF) के BoP मैनुअल के अनुरूप होगा।

(देश में प्रवाहित धन को + के रूप में लिया जाता है और देश से बाहर जाने वाले धन को ऋणात्मक के रूप में लिया जाता है)। उदाहरण के लिए, जब भारत कुछ निर्यात करता है तो उसे विदेशी मुद्रा मिलती है और इसे भुगतान संतुलन रिकॉर्ड में सकारात्मक माना जाता है और जब भारत कुछ आयात करता है तो हमें विदेशी मुद्रा में भुगतान करना पड़ता है और पैसा देश से बाहर चला जाता है और इसे नकारात्मक माना जाता है।

भुगतान संतुलन के दो मुख्य घटक हैं चालू खाता और पूँजी खाता।

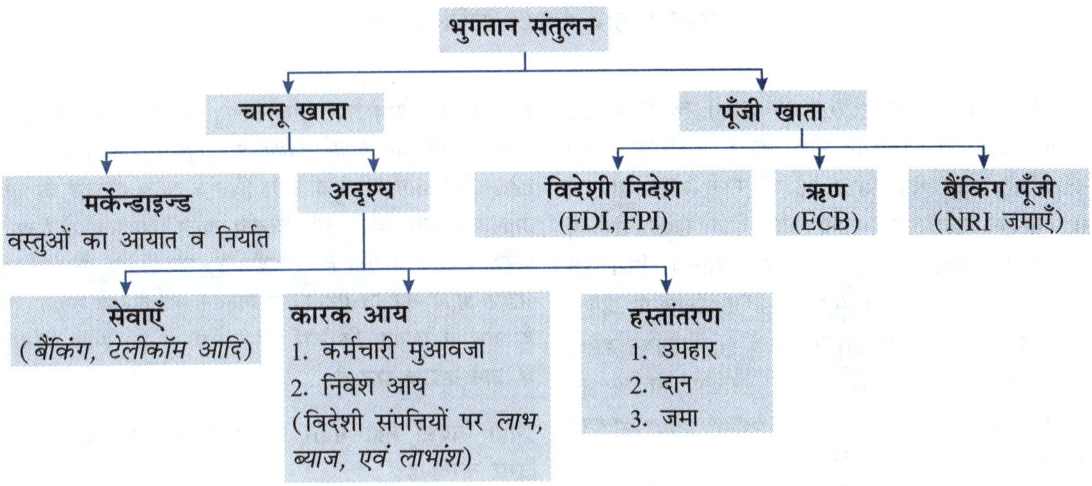

चालू खाता: चालू खाता उन लेन-देन से संबंधित है जो भारत के बाहर भारतीय निवासियों की परिसंपत्तियों या देनदारियों, जिसमें आकस्मिक देनदारियाँ शामिल हैं, और भारत के अंदर विदेशी निवासियों की परिसंपत्तियों या देनदारियों में कोई बदलाव नहीं करते हैं। चालू खाते में दृश्यमान व्यापार (माल का निर्यात और आयात), अदृश्य व्यापार (सेवाओं का निर्यात और आयात), एकतरफा हस्तांतरण और निवेश आय (उत्पादन के कारकों जैसे भूमि, विदेशी शेयर, ऋण आदि से अर्जित आय) शामिल होती हैं।

पूँजी खाता: यह खाता पूँजी के प्रवाह और बहिर्वाह का रिकॉर्ड है जो सीधे देश की विदेशी परिसंपत्तियों और देनदारियों को प्रभावित करता है। पूँजी खाता लेनदेन वे लेनदेन हैं जो भारत के बाहर भारतीय निवासियों की परिसंपत्तियों या देनदारियों, जिसमें आकस्मिक देनदारियाँ शामिल हैं, और भारत के अंदर विदेशी निवासियों की परिसंपत्तियों या देनदारियों में बदलाव करते हैं। इसमें एफडीआई और एफपीआई जैसे विदेशी निवेश, कंपनियों और सरकारों द्वारा ऋण और एनआरआई जमा जैसी बैंकिंग पूँजी शामिल है।

स्पष्टीकरणः जब कोई व्यक्ति विदेश में शेयर खरीदता है, तो यह पूँजी खाते के अंतर्गत आता है क्योंकि यह परिसंपत्तियों में बदलाव होता है। लेकिन जब व्यक्ति को शेयरों से लाभांश प्राप्त होगा तो यह चालू खाते के अंतर्गत आता है क्योंकि यह परिसंपत्तियों में बदलाव नहीं कर रहा है। इसी तरह जब हम किसी अंतरराष्ट्रीय एजेंसी से ऋण ले रहे हैं तो यह पूँजी और वित्तीय खाते के अंतर्गत आता है क्योंकि यह देयता पैदा कर रहा है। लेकिन जब हम इस ऋण पर ब्याज का भुगतान कर रहे हैं तो यह चालू खाते के अंतर्गत आता है क्योंकि ब्याज भुगतान पिछली देनदारियों को कम नहीं कर रहा है। इसी तरह, अगर हम उपहार या अनुदान या धन प्रेषण प्राप्त कर रहे हैं तो यह भविष्य के लिए कोई दायित्व या देयता नहीं बना रहा है और इसलिए चालू खाते के अंतर्गत आएगा। आइए भुगतान संतुलन को बेहतर तरीके से समझने के लिए एक उदाहरण पर विचार करें:

31.03.22 तक विदेशी मुद्रा भंडार	01.04.2022 – 31.3.2023	31.03.23 तक विदेशी मुद्रा भंडार
\$650 बिलियन	1. चालू खाता शेष = \$ – 100 बिलियन 2. पूँजी खाता शेष = \$+150 बिलियन भुगतान संतुलन = \$ + 50 बिलियन रिजर्व में वृद्धि = \$ 50 बिलियन	\$700 बिलियन

मान लीजिए कि 31 मार्च 2022 को RBI के पास 650 बिलियन डॉलर का विदेशी मुद्रा भंडार (फॉरेक्स) था। मान लीजिए, वित्त वर्ष 2022-23 में चालू खाता शेष में 100 बिलियन डॉलर का घाटा और पूँजी खाता शेष में 150 बिलियन डॉलर का अधिशेष था। इसलिए, वित्त वर्ष 2022-23 में कुल भुगतान संतुलन + 50 बिलियन डॉलर होगा। चूँकि हमने वित्त वर्ष 2022-23 में 50 बिलियन डॉलर की शुद्ध विदेशी मुद्रा अर्जित की है, इसलिए वित्तीय वर्ष के अंत में हमारा विदेशी मुद्रा भंडार बढ़कर 700 बिलियन डॉलर हो जाएगा।

चालू खाता + पूँजी खाता = कुल भुगतान संतुलन = विदेशी मुद्रा भंडार में परिवर्तन

चालू खाता और पूँजी खाता शेष को जोड़ने के बाद भुगतान संतुलन अधिशेष या घाटा प्राप्त होता है जिसे फिर विदेशी मुद्रा भंडार में जोड़ा या घटाया जाता है।

दरअसल, मूल्याँकन प्रभाव यानी अमेरिकी डॉलर के मूल्य में वृद्धि/मूल्यह्रास और सोने की कीमत में बदलाव के कारण विदेशी मुद्रा भंडार में कुछ बदलाव हो सकते हैं। इसका चालू खाता और पूँजी खाता लेनदेन के अलावा विदेशी मुद्रा भंडार पर भी असर पड़ता है।

हाल ही में आरबीआई भुगतान संतुलन के लिए नया प्रारूप (आईएमएफ के दिशा-निर्देशों के अनुसार) लाया है जिसके तहत पूँजी खाते को पूँजी और वित्तीय खाता लेनदेन के बीच अंतर के साथ 'पूँजी और वित्तीय खाता' के रूप में फिर से परिभाषित किया गया है। एफडीआई, एफपीआई, विदेशी मुद्रा भंडार आदि को वित्तीय खाता लेनदेन का हिस्सा बनाया गया है। ऐसे में, लगता कि हमें नए प्रारूप के उन सूक्ष्म विवरणों में जाने की जरूरत है।

हमारा विदेशी मुद्रा भंडार पर्याप्त है या नहीं, यह इस पर निर्भर करता है:

1. **आयात कवर:** वर्तमान में भारत का विदेशी मुद्रा भंडार लगभग 660 बिलियन डॉलर है और हमारा मासिक आयात लगभग 70 बिलियन डॉलर है, जिसका अर्थ है कि यदि हम अतिरिक्त विदेशी मुद्रा अर्जित नहीं करते हैं तो यह 660 बिलियन डॉलर अगले 9 महीनों के आयात के लिए पर्याप्त होगा। इस प्रकार, हम कहते हैं कि हमारा वर्तमान विदेशी मुद्रा भंडार 9 महीनों के लिए आयात कवर प्रदान करता है। विदेशी मुद्रा भंडार को आयात कवर के संदर्भ में भी मापा जाता है।
2. **शुद्ध अंतर्राष्ट्रीय निवेश स्थिति (NIIP):** NIIP हमारे राष्ट्रों (व्यक्ति, कंपनियाँ, सरकार) की विदेशी

परिसंपत्तियों के स्टॉक और हमारे राष्ट्र की परिसंपत्तियों के विदेशियों (अनिवासियों) के स्टॉक के बीच के अंतर को मापता है।

हमारे राष्ट्रों की विदेशी परिसंपत्तियों के स्टॉक में विदेशी प्रत्यक्ष निवेश (ODI), विदेशी मुद्रा भंडार शामिल हैं; और हमारे देश की संपत्ति में विदेशी स्टॉक में एफडीआई, एफपीआई, एडीआर/जीडीआर, ईसीबी आदि शामिल हैं।

जून 2024 के अंत तक एनआईआईपी की स्थिति –$360 बिलियन थी जो जीडीपी के लगभग 10% के बराबर है। इसका मतलब है कि शुद्ध आधार पर भारत पर गैर-निवासियों का $360 बिलियन का दावा है।

प्रेषण (Remittances)

भुगतान संतुलन **(BoP)** **'भारतीय निवासियों'** और **'विदेशियों या अनिवासी भारतीयों (NRI)'** के बीच होने वाले सभी लेन-देन को रिकॉर्ड करता है। **NRI** (**BoP** के संदर्भ में) का अर्थ है एक व्यक्ति जो एक वर्ष से अधिक समय के लिए विदेश गया है और विदेश में रहने की योजना बना रहा है। अब, जब कोई व्यक्ति आमतौर पर एक वर्ष से अधिक समय के लिए खाड़ी क्षेत्र में जाता है तो वह NRI बन जाता है और फिर वह (NRI) भारत में अपने परिवार को जो भी पैसा भेजता हैं, उसे BoP में गिना जाता है। अब, यह समझने की कोशिश करें कि **'NRI'** और 'भारत में उसके परिवार' के बीच यह लेन-देन BoP में दर्ज हो जाएगा क्योंकि यह लेन-देन 'भारतीय निवासी (भारत में उसका परिवार)' और **'NRI'** के बीच है। और 'भारतीय निवासी (भारत में उसका परिवार)' और **'NRI'** के बीच यह लेन-देन मुफ्त है जिसका मतलब है कि 'भारतीय निवासी (भारत में उसका परिवार)' ने **'NRI'** के लिए कुछ नहीं किया बल्कि **'NRI'** ने **'भारतीय निवासी (भारत में उसका परिवार)'** को **मुफ्त** में पैसे दिए। इसे चालू खाते में **BoP** के तहत प्रेषण कहा जाता है। लेकिन 'नियोक्ता' जो भी 'एनआरआई' व्यक्ति को भुगतान करता है, उसे बीओपी में नहीं गिना जाएगा क्योंकि दोनों विदेशी/एनआरआई हैं।

एक और मामला:

अगर मैं दो महीने के लिए अमेरिका गया हूँ (इसका मतलब है कि मैं अभी भी भारतीय निवासी हूँ) और अगर मैं वहाँ कुछ कमाता हूँ और फिर भारत में अपने परिवार को भेजता हूँ तो **'मैं (अमेरिका में)'** और 'भारत में मेरा परिवार' के बीच का लेन-देन बीओपी में दर्ज नहीं किया जाएगा क्योंकि लेन-देन में दोनों पक्ष **'मैं (अमेरिका में)'** और **'भारत में मेरा परिवार'** भारतीय निवासी हैं। लेकिन जिस भी कंपनी (मान लीजिए X) ने मुझे अमेरिका में भुगतान किया है, वह लेन-देन भारत के बीओपी में दर्ज किया जाएगा। ऐसा इसलिए है क्योंकि लेन-देन 'मैं **(अमेरिका में)** [एक भारतीय निवासी]' और **'कंपनी X [विदेशी]'** के बीच है। और यह लेन-देन मुफ्त नहीं है, क्योंकि मैंने काम किया और फिर कंपनी X ने मुझे भुगतान किया। इसलिए, इसे बीओपी (चालू खाता) के तहत **'कारक आय'** कहा जाता है।

भारत दुनिया में धन प्रेषण (निजी हस्तांतरण) का सबसे बड़ा प्राप्तकर्ता है और वर्ष 2022 में इसे लगभग 100 बिलियन डॉलर का धन प्रेषण प्राप्त हुआ। भारत के लिए धन प्रेषण का सबसे बड़ा स्रोत खाड़ी सहयोग परिषद (जीसीसी) देशों और अमेरिका, ब्रिटेन से आता है। केरल भारत में धन प्रेषण के सबसे बड़े प्राप्तकर्ताओं में से एक है। शीर्ष पांच प्राप्तकर्ता देश भारत, मैक्सिको, चीन, फिलीपींस और मिस्र हैं।

चालू खाता परिवर्तनीयता:

- RBI, BoP के चालू खाते के अंतर्गत आने वाले किसी भी लेनदेन के लिए रुपए को विदेशी मुद्राओं में तथा विदेशी मुद्राओं को रुपए में (बाजार मूल्य अर्थात नाममात्र विनिमय दर पर) पूर्ण रूप से परिवर्तित करने की अनुमति देता है। इसे *'चालू खाते में रुपया पूर्ण रूप से परिवर्तनीय है'* कहा जाता है।

- इसलिए, मान लीजिए कि कोई व्यक्ति भारत में $10 बिलियन मूल्य की वस्तुओं का आयात करना चाहता है, तो RBI आयात उद्देश्य के लिए बिना किसी प्रतिबंध के उतने ही रुपयों को $10 बिलियन में परिवर्तित कर देगा। 1991 में शुरू किए गए आर्थिक सुधारों के एक भाग के रूप में, 1993 में रुपए को चालू खाते में पूर्ण रूप से परिवर्तनीय बना दिया गया था।

पूँजी खाता परिवर्तनीयता:

- RBI, BoP के पूँजी खाते के अंतर्गत आने वाले लेनदेन के लिए रुपए को विदेशी मुद्राओं में तथा विदेशी मुद्राओं को रुपए में पूर्ण रूप से परिवर्तित करने की अनुमति नहीं देता है। पूँजी खाते के अंतर्गत कोई भी व्यक्ति जो लेनदेन कर सकता है, उसके मूल्य पर RBI तथा सरकार द्वारा प्रतिबंध/सीमाएँ लगाई गई हैं। इसे *'पूँजी खाते में रुपया आंशिक रूप से परिवर्तनीय है'* कहा जाता है।
- किसी विशेष वर्ष में कितनी ईसीबी जुटाई जा सकती है, इस पर प्रतिबंध हैं, विदेशी निवेशक सरकारी प्रतिभूतियों में कितना निवेश कर सकते हैं, इस पर प्रतिबंध हैं, व्यक्ति/कंपनियाँ पूँजी खाता प्रकार के लेन-देन कर सकती हैं आदि पर प्रतिबंध हैं।
- पूँजी खाता परिवर्तनीयता से बाजार दरों पर मुद्रा का मुक्त विनिमय होता है और पूँजी की अप्रतिबंधित गतिशीलता होती है। यह देश के लिए लाभदायक है क्योंकि इससे विदेशी निवेश का प्रवाह बढ़ता है। लेकिन इसका दूसरा पहलू यह है कि यह देश में और देश से बाहर बड़े पैमाने पर पूँजी प्रवाह के कारण अर्थव्यवस्था को अस्थिर कर सकता है।
- चालू खाता घाटा, राजकोषीय घाटा, बाहरी ऋण, मुद्रास्फीति जैसे वृहद आर्थिक मापदंड कम सीमा पर स्थिर हो जाने और पूँजी बहिर्वाह से संबंधित झटकों को अवशोषित करने की क्षमता होने पर रुपया पूर्ण पूँजी खाता परिवर्तनीयता की ओर बढ़ जाएगा।
- चूँकि पूँजी परिवर्तनीयता जोखिमपूर्ण है और विदेशी मुद्रा दर को अधिक अस्थिर बनाती है, इसलिए इसे चालू खाते पर परिवर्तनीयता की शुरूआत के कुछ समय बाद ही पेश किया जाता है जब किसी देश की मुद्रा की विनिमय दर अपेक्षाकृत स्थिर होती है, भुगतान संतुलन में घाटा अच्छी तरह से नियंत्रण में होता है और केंद्रीय बैंक के पास पर्याप्त विदेशी मुद्रा भंडार उपलब्ध होता है।
- पूर्ण पूँजी खाता परिवर्तनीयता की अनुमति देने की दिशा में आगे बढ़ते हुए, मार्च 2020 में RBI ने 'पूर्ण रूप से सुलभ मार्ग (FAR-Fully Accessible Route)' की शुरुआत की, जिसके तहत उसने सीमा/सीलिंग को हटा दिया और सरकारी प्रतिभूतियों में पूर्ण गैर-निवासी (विदेशी) निवेशकों के निवेश की अनुमति दी। कॉर्पोरेट ऋण पर सीमा को हटाने की भी सरकार की योजना है।

ऐसा कोई अंतर्राष्ट्रीय प्राधिकरण नहीं है जो निर्देश देता हो कि दो देशों के बीच व्यापार केवल कुछ विशिष्ट मुद्राओं के साथ ही होना चाहिए। कोई भी दो देश किसी भी मुद्रा के साथ लेन-देन करने के लिए स्वतंत्र हैं, यदि वे इच्छुक हों।

सामान्यतया, कोई भी देश अपने व्यापार (निर्यात) के लिए उस मुद्रा को स्वीकार करेगा, यदि उस मुद्रा का मूल्य कम नहीं हो रहा हो (मुद्रास्फीति कम हो) और यह स्थिर हो और इसे अन्य मुद्राओं में स्वतंत्र रूप से परिवर्तनीय बनाया जा सके।

रुपए का अंतर्राष्ट्रीयकरण

- एक अंतर्राष्ट्रीय मुद्रा वह होती है जो अनिवासियों को स्वतंत्र रूप से उपलब्ध होती है, अनिवार्य रूप से सीमा पार लेनदेन को निपटाने के लिए। यह एक ऐसी प्रक्रिया है जिसमें सीमा पार लेनदेन यानी अंतर्राष्ट्रीय बाजारों में स्थानीय (रुपए) मुद्रा का उपयोग बढ़ाना शामिल है।
- इस प्रक्रिया में पहले चालू खाता लेनदेन की अनुमति दी जाती है और फिर निवासी भारतीयों और अनिवासी भारतीयों के बीच पूँजी खाता लेनदेन की अनुमति दी जाती है। अंतिम चरण गैर-निवासियों के बीच लेनदेन के लिए रुपए का उपयोग है।
- किसी मुद्रा का अंतर्राष्ट्रीयकरण मुद्रा के साथ-साथ अर्थव्यवस्था में बाहरी विश्वसनीयता की अभिव्यक्ति है।
- सभी वास्तविक अंतरराष्ट्रीय मुद्राएँ बड़ी, उन्नत अर्थव्यवस्थाओं की होती हैं। और अंतरराष्ट्रीय लेनदेन के लिए उनका उपयोग मेजबान देशों को पर्याप्त आर्थिक विशेषाधिकार प्रदान करता है। विशेषाधिकारों/लाभों में शामिल हैं:

- भुगतान संतुलन संकटों से प्रतिरक्षा क्योंकि देश अपनी मुद्रा से अपने बाहरी घाटे का भुगतान कर सकता है
- वैश्विक अर्थव्यवस्था में अपने वित्तीय संस्थानों, बाजारों और नीतियों का प्रभुत्व
- घरेलू व्यवसाय की सौदेबाजी की शक्ति में वृद्धि जो अर्थव्यवस्था को मजबूती देती है और देश के वैश्विक कद और सम्मान को बढ़ाती है
- मुद्रा जोखिम से अपने व्यवसायों की सुरक्षा
- इसे मिलने वाला सिग्नोरेज
- विदेशी मुद्रा भंडार रखने की आवश्यकता को कम करता है
- विदेशी मुद्रा पर निर्भरता को कम करता है जो देश को बाहरी झटकों के प्रति कम संवेदनशील बनाता है

- उपरोक्त सभी विशेषाधिकार इसकी प्रमुख आरक्षित मुद्रा के रूप में स्थिति से निकलते हैं।
- स्पष्ट रूप से, बहुत कम देश इतिहास में किसी भी समय ऐसे विशेषाधिकारों का आनंद ले सकते हैं। और पूर्व शर्तें - अर्थव्यवस्था का आकार और वैश्विक सकल घरेलू उत्पाद का एक प्रमुख हिस्सा, वैश्विक रूप से प्रमुख व्यवसाय, असाधारण सैन्य क्षमताएं आदि किसी भी बड़ी अर्थव्यवस्थाओं को छोड़कर किसी भी अंतरराष्ट्रीय मुद्रा के स्वामित्व की संभावनाओं को सीमित करती हैं।
- अंतर्राष्ट्रीय मुद्रा के स्वामित्व के लिए पूर्व शर्तें हैं - अर्थव्यवस्था का आकार और वैश्विक सकल घरेलू उत्पाद में प्रमुख हिस्सेदारी, विश्व स्तर पर प्रमुख व्यवसाय, असाधारण सैन्य क्षमताएँ आदि। और ये पूर्व शर्तें हैं - अर्थव्यवस्था का आकार और वैश्विक सकल घरेलू उत्पाद में प्रमुख हिस्सेदारी, विश्व स्तर पर प्रमुख व्यवसाय, असाधारण सैन्य क्षमताएँ आदि।
- इसलिए रुपए का अंतर्राष्ट्रीयकरण केवल वित्तीय विनियमन से हासिल नहीं किया जा सकता।

उदारीकृत प्रेषण योजना (LRS)

- एलआरएस के तहत, सभी निवासी व्यक्ति (भारत में) स्वतंत्र रूप से (विशिष्ट अनुमोदन के बिना) चालू या पूँजी खाता लेनदेन के एक अनुमत सेट के लिए प्रत्येक वित्तीय वर्ष में $250,000 विदेश भेज/प्रेषित कर सकते हैं। विदेश में रहने वाले रिश्तेदारों के भरण-पोषण, उपहार देने और दान के अलावा, विदेशी शिक्षा, यात्रा, चिकित्सा उपचार और शेयरों और संपत्ति की खरीद के लिए धन प्रेषण की अनुमति है। लेनदेन करने के लिए व्यक्ति विदेशी बैंकों में विदेशी मुद्रा खाते भी खोल सकते हैं और उन्हें बनाए रख सकते हैं।
- एलआरएस देश के अंदर और बाहर विदेशी मुद्रा की आवाजाही पर नियंत्रण खत्म करने की दिशा में भारत के शुरुआती कदम का प्रतिनिधित्व करता है। इसने बड़ी संख्या में भारतीयों को विदेश में अध्ययन करने और विशुद्ध रूप से देसी शेयरों और संपत्ति से अपने पोर्टफोलियो में विविधता लाने की अनुमति दी है।
- आदर्श रूप से कहें तो उदारीकृत अर्थव्यवस्था में किसी भी रूप में पूँजी नियंत्रण का कोई स्थान नहीं है। लेकिन भारत के लिए, जो महत्त्वपूर्ण वस्तुओं के आयात पर बहुत अधिक निर्भर है और लगातार अपनीआय से अधिक विदेशी मुद्रा खर्च करता है, प्रेषण को मुक्त करना मुश्किल है क्योंकि यह विनिमय दरों पर कहर बरपा सकता है।
- एलआरएस आपको दुनिया में कहीं भी अपना पैसा लगाने की आजादी देता है। जब तक भारत सभी पूँजी नियंत्रणों से मुक्त होने के लिए तैयार नहीं हो जाता, तब तक एलआरएस व्यक्तियों के लिए कानूनी रूप से विदेशों में पैसा भेजने का सबसे व्यवहार्य तरीका बना हुआ है।

2.25 GIFT (गुजरात इंटरनेशनल फाइनेंसियल टेक) सिटी (Gujarat International Financial Tech) City

GIFT (गुजरात इंटरनेशनल फाइनेंसियल टेक) सिटी

दो क्षेत्र

घरेलू

*यहाँ **रुपए में** मूल्याँकित घरेलू लेनदेन किया जा सकता है।*

विशेष आर्थिक क्षेत्र (SEZ)

- *इस क्षेत्र (GIFT-SEZ) को ''अंतर्राष्ट्रीय वित्तीय सेवा केंद्र (IFSC)'' घोषित किया गया है।*
- ***GIFT-SEZ** भारत में **IFSC** के रूप में नामित एकमात्र स्थान है।*
- *सभी लेन-देन विदेशी मुद्रा में होते हैं।*

- GIFT सिटी में दो क्षेत्र हैं, एक 'घरेलू' और दूसरा 'SEZ'।
- GIFT SEZ भारत का पहला अंतर्राष्ट्रीय वित्तीय सेवा केंद्र (IFSC) है जिसे विशेष आर्थिक क्षेत्र अधिनियम, 2005 के तहत स्थापित किया गया है।
- **IFSC** एक ऐसा क्षेत्राधिकार है जो अनिवासियों और निवासियों को भारतीय रुपए को छोड़कर किसी भी मुद्रा में, वर्तमान नियमों के तहत अनुमेय सीमा तक वित्तीय सेवाएँ प्रदान करता है।
- बैंकिंग, बीमा और पूँजी बाजार से संबंधित इकाइयों को IFSC इकाइयों के रूप में माना जाता है और इसलिए बैंक, बीमाकर्ता और पूँजी बाजार से संबंधित कंपनियाँ IFSC (GIFT-SEZ) में अपनी इकाइयाँ स्थापित कर सकती हैं।
- GIFT-सिटी में IFSC का उद्देश्य उन वित्तीय सेवा लेन-देन को भारतीय तटों पर लाना है, जो वर्तमान में विदेशी वित्तीय संस्थानों और भारतीय वित्तीय संस्थानों की विदेशी शाखाओं/सहायक कंपनियों द्वारा भारत के बाहर किए जाते हैं, एक ऐसे केंद्र में जिसे सभी व्यावहारिक उद्देश्यों के लिए एक ऐसे स्थान के रूप में नामित किया गया है, जिसका पारिस्थितिकी तंत्र उनके वर्तमान अपतटीय स्थान (जैसे लंदन, सिंगापुर आदि) के समान है, जो भौतिक रूप से भारतीय जमीन पर है।
- IFSC (GIFT-SEZ) भारत में एकमात्र ऐसा स्थान है जो अपतटीय लेन-देन की अनुमति देता है (अर्थात, इसे भारत के बाहर के लेन-देन के रूप में माना जाता है)
- IFSC को एक विदेशी क्षेत्र माना जाता है और IFSC इकाई के रूप में स्वीकृत संस्थाओं को भारत में अनिवासी माना जाता है। इसलिए, IFSC में निवेश पर RBI ODI (प्रत्यक्ष विदेशी निवेश, जिसका अर्थ है भारत के बाहर निवेश) नियम लागू होते हैं। तदनुसार, भारतीय पक्षों को IFSC संस्थाओं में स्वचालित मार्ग के तहत निवेश करने की अनुमति है और इसे **ODI** के रूप में माना जाएगा।
- भारत में रहने वाले किसी भी व्यक्ति को भारत के बाहर या **IFSC** में उदारीकृत प्रेषण योजना (LRS) के तहत प्रति वित्तीय वर्ष 2,50,000 अमेरिकी डॉलर तक निवेश करने की अनुमति है।
- बॉम्बे स्टॉक एक्सचेंज (BSE) ने IFSC में इंडिया इंटरनेशनल एक्सचेंज **(इंडिया-INX)** नामक अपनी सहायक कंपनी स्थापित की है और नेशनल स्टॉक एक्सचेंज ने NSE इंटरनेशनल एक्सचेंज **(NSE-IX)** की स्थापना की है, जहाँ कोई भी **विदेशी कंपनी** या **भारतीय कंपनी** अपनी प्रतिभूतियों (शेयर/बॉन्ड/

डेरिवेटिव) को सूचीबद्ध कर सकती है। उदाहरण के लिए, एक अमेरिकी आधारित कंपनी इंडिया INX पर अपने शेयरों को सूचीबद्ध कर सकती है (विभिन्न कर प्रोत्साहन दिए जाते हैं जैसे कोई STT नहीं, LTCG नहीं, MAT केवल 9%) और प्रतिभूतियों को **भारत के बाहर से** या **भारत से** ODI मार्ग के माध्यम से एक सीमा तक कोई भी व्यक्ति खरीद सकता है।

अंतर्राष्ट्रीय वित्तीय सेवा केंद्र प्राधिकरण (IFSCA)

- अंतर्राष्ट्रीय वित्तीय सेवा केंद्र प्राधिकरण (IFSCA) की स्थापना अप्रैल, 2020 में अंतर्राष्ट्रीय वित्तीय सेवा केंद्र प्राधिकरण अधिनियम, 2019 के तहत की गई थी। इसका मुख्यालय गुजरात के गांधीनगर में GIFT सिटी में है।
- IFSCA भारत में अंतर्राष्ट्रीय वित्तीय सेवा केंद्र (IFSC) में वित्तीय उत्पादों, वित्तीय सेवाओं और वित्तीय संस्थानों के विकास और विनियमन के लिए एक एकीकृत प्राधिकरण है। IFSCA की स्थापना से पहले, घरेलू वित्तीय नियामक, अर्थात् RBI, SEBI, PFRDA और IRDAI IFSC में व्यवसाय को विनियमित करते थे।
- चूँकि IFSC में व्यवसाय की गतिशील प्रकृति के लिए वित्तीय क्षेत्र के भीतर उच्च स्तर के अंतर-नियामक समन्वय की आवश्यकता होती है, इसलिए IFSCA को IFSC में व्यवसाय करने में आसानी को बढ़ावा देने और विश्व स्तरीय नियामक वातावरण प्रदान करने के लिए एक समग्र दृष्टिकोण के साथ एक एकीकृत नियामक के रूप में स्थापित किया गया है।
- IFSCA का मुख्य उद्देश्य एक मजबूत वैश्विक संपर्क विकसित करना और भारतीय अर्थव्यवस्था की जरूरतों पर ध्यान केंद्रित करना है और साथ ही पूरे क्षेत्र और वैश्विक अर्थव्यवस्था के लिए एक अंतरराष्ट्रीय वित्तीय मंच के रूप में काम करना है।

2.26 तरलता जाल (Liquidity Trap)

नाममात्र ब्याज दर (जमा दर)

= मुद्रास्फीति + वास्तविक ब्याज दर

नाममात्र ब्याज दर बैंकों द्वारा आपकी जमाराशियों पर दी जाने वाली ब्याज दर है। लोग बैंक जमा में पैसा तभी रखना चाहेंगे जब बैंक अर्थव्यवस्था में प्रचलित मुद्रास्फीति दर से अधिक ब्याज दर दे रहे हों। मान लीजिए अर्थव्यवस्था में मुद्रास्फीति 6% है तो कोई भी व्यक्ति 6% से कम ब्याज दर पर बैंक जमा में पैसा नहीं रखेगा। क्योंकि इस दर पर व्यक्ति के लिए प्रभावी कमाई या तो शून्य होगी या नकारात्मक। जब तक बैंक मुद्रास्फीति दर से अधिक जमा दर की पेशकश नहीं करते, तब तक कोई भी व्यक्ति बैंकों में पैसा नहीं रखेगा। मुद्रास्फीति के अलावा इस दर को वास्तविक ब्याज दर कहा जाता है क्योंकि यह जमाकर्ताओं के लिए वास्तविक या प्रभावी कमाई है। उदाहरण के लिए, यदि अर्थव्यवस्था में मुद्रास्फीति दर 6% है और बैंक अपनी जमा राशि पर 8% की पेशकश कर रहे हैं, तो इसका मतलब है कि वास्तविक ब्याज दर 2% है। इसका मतलब है कि जमाकर्ताओं के लिए प्रभावी रूप से कमाई या रिटर्न 2% है। एक उदाहरण पर विचार करें:

नाममात्र ब्याज दर (जमा दर)	=	मुद्रास्फीति	+	वास्तविक ब्याज दर
8%	=	6%	+	2%
6%	=	4%	+	2%
4%	=	2%	+	2%
2%	=	0%	+	2%
0%	=	−2%	+	2%

मान लीजिए कि अर्थव्यवस्था मंदी में है और मुद्रास्फीति/कीमतें ऊपर दिखाए अनुसार गिर रही हैं। अर्थव्यवस्था को मंदी से बाहर निकालने के लिए यानी अर्थव्यवस्था को प्रोत्साहित करने के लिए, केंद्रीय बैंक मुद्रा की आपूर्ति बढ़ाने और माँग को बढ़ाने के लिए रेपो दर को कम कर सकता है। जब रेपो दर कम हो जाती है, तो बैंक जमा दरों और उधार दरों को कम कर देंगे। लेकिन अगर अर्थव्यवस्था में माँग नहीं बढ़ रही है, तो केंद्रीय बैंक मुद्रा की आपूर्ति और माँग को बढ़ाने के लिए रेपो दर को और कम कर सकता है। लेकिन अगर फिर भी अर्थव्यवस्था मंदी से बाहर नहीं निकलती है और माँग नहीं बढ़ रही है, तो केंद्रीय बैंक रेपो दर को कम करना जारी रख सकता है और बैंक अपनी जमा और उधार दरों को कम करना जारी रखेंगे। केंद्रीय बैंक रेपो दर को

तब तक कम करता रहेगा जब तक कि रेपो दर (लगभग) शून्य को नहीं छू लेती। इस बिंदु पर, बैंकों की जमा दर और उधार दर भी लगभग शून्य पर पहुँच जाएगी। केंद्रीय बैंक रेपो दर को शून्य से अधिक नहीं घटा सकता है और इसी तरह बैंक भी अपनी जमा और उधार दरों को शून्य से अधिक नहीं घटा सकते हैं (व्यावहारिक रूप से रेपो दर, उधार दर या जमा दरों की निचली सीमा शून्य है)। केंद्रीय बैंक इस बिंदु से आगे अर्थव्यवस्था को प्रोत्साहित नहीं कर सकता है और यह तरलता जाल नामक दलदल में फंस जाता है। इस बिंदु पर सरकार को अर्थव्यवस्था को मंदी से बाहर निकालने के लिए अपने राजकोषीय साधनों का उपयोग करना चाहिए।

तरलता जाल के मामले में, लोग अपने धन को सामान्य बचत खाते (माँग जमा) में रखते हैं और बहुत कम ब्याज दर पर सावधि जमा में अपना निवेश बंद नहीं करना चाहते हैं। उन्हें उम्मीद होती है कि भविष्य में बाजार में ब्याज बढ़ेगा और फिर वे बॉन्ड या सावधि जमा में निवेश करेंगे।

इसे 'जाल' इसलिए कहा जाता है क्योंकि अगर निवेशक अर्थव्यवस्था के कमजोर होने की उम्मीद के कारण खर्च या निवेश करने के बजाय नकदी (या माँग के रूप में) को अपने पास रखते हैं, तो अर्थव्यवस्था कमजोर रहेगी। इसके अतिरिक्त, यह एक 'जाल' है क्योंकि केंद्रीय बैंक उधार देने या खर्च को प्रोत्साहित करने के लिए ब्याज को शून्य से नीचे नहीं ला सकता है।

2.27 मुद्रास्फीति (Inflation)

जिस दर से वस्तुओं और सेवाओं की कीमतों का सामान्य स्तर बढ़ता है और उसके बाद क्रय शक्ति गिरती है, उसे मुद्रास्फीति कहा जाता है। गंभीरता के स्तर के आधार पर, इसे तीन श्रेणियों में वर्गीकृत किया जा सकता है।

1. **कम मुद्रास्फीति:** इसमें कीमतें धीरे-धीरे और अनुमानित रूप से बढ़ती हैं और दर सालाना एकल अंक में होती है। कम मुद्रास्फीति के मामले में, लोग पैसे बचाने और बैंक जमा करने के लिए तैयार होते हैं। लोग पैसे के संदर्भ में दीर्घकालिक अनुबंध (मुद्रास्फीति सूचकांक से जुड़े) पर हस्ताक्षर करने के लिए तैयार होते हैं क्योंकि उन्हें विश्वास होता है कि वे जो सामान और सेवाएँ खरीदते और बेचते हैं उनकी सापेक्ष कीमतें बहुत ज्यादा नहीं बढ़ेंगी।
2. **द्रुत मुद्रास्फीति:** प्रति वर्ष 20, 100 या 200 प्रतिशत की दोहरे अंक या तिहरे अंक की सीमा में मुद्रास्फीति को द्रुत मुद्रास्फीति या बहुत अधिक मुद्रास्फीति कहा जाता है। यह कमजोर सरकारों, युद्ध या क्रांति से पीड़ित देशों में पाई जाती है। इस मामले में लोग सामान जमा करेंगे, घर खरीदेंगे और कभी भी कम नाममात्र ब्याज दरों पर पैसा उधार नहीं देंगे। लोग बैंकों में पैसा जमा करने के लिए तैयार नहीं हैं क्योंकि बैंक अर्थव्यवस्था में प्रचलित मुद्रास्फीति दर की तुलना में कम नाममात्र ब्याज दर (जमा दर) प्रदान करते हैं। व्यवसायी भी निवेश करने के लिए तैयार नहीं होते हैं क्योंकि उधार दरें अधिक होती हैं और माँग में गिरावट होती है।
3. **अति मुद्रास्फीति:** कीमतें प्रति वर्ष दस लाख प्रतिशत से अधिक बढ़ जाती हैं और सापेक्ष कीमतें अत्यधिक अस्थिर हो जाती हैं। 1920 के दशक की शुरुआत में, जर्मनी कर नहीं बढ़ा सकता था और सरकारी बिलों का भुगतान करने के लिए मौद्रिक मुद्रण प्रेस का उपयोग करता था। लोग सामान खरीदने के लिए बैग में पैसे लेकर जाते थे। यूएसएसआर में 1991 में जब कीमतों को सरकारी नियंत्रण से मुक्त किया गया, तो अगले पाँच वर्षों में कीमतों में 4,00,000 प्रतिशत की वृद्धि हुई।

मुद्रास्फीति के मुख्य रूप से दो कारण होते हैं:

1. **माँग-प्रेरित मुद्रास्फीति:** माँग-प्रेरित मुद्रास्फीति तब होती है जब अर्थव्यवस्था के चार क्षेत्रों द्वारा वर्गीकृत कुल माँग में वृद्धि होती है: घरेलू, निजी, सरकारें और विदेशी खरीदार। जब ये चार क्षेत्र एक साथ अर्थव्यवस्था द्वारा उत्पादित उत्पादन से अधिक उत्पादन खरीदना चाहते हैं, तो इससे कीमतों में वृद्धि होती है। यह अत्यधिक माँग, जिसे 'बहुत कम वस्तुओं के पीछे बहुत अधिक धन' भी कहा जाता है, आमतौर पर एक विस्तृत अर्थव्यवस्था में होती है। माँग-प्रेरित मुद्रास्फीति मुद्रा आपूर्ति के अत्यधिक विस्तार, सरकार द्वारा कर में कटौती और अधिक खर्च आदि के कारण हो सकती है।

2. **लागत-प्रेरित मुद्रास्फीति या आपूर्ति आघात मुद्रास्फीति:** लागत-प्रेरित मुद्रास्फीति का मूल रूप से मतलब है कि उत्पादन के चार कारकों (श्रम, पूँजी, भूमि या उद्यमिता) में से किसी की लागत में वृद्धि से कीमतें 'बढ़ी' हैं या आपूर्ति में कमी हुई है जो उत्पादक को कीमतें बढ़ाने की अनुमति देती है। मुद्रास्फीति माँग में वृद्धि के बजाय इनपुट की लागत में वृद्धि के कारण होती है। लागत-प्रेरित मुद्रास्फीति मजदूरी मुद्रास्फीति (मजदूरी में वृद्धि के कारण वस्तुओं की लागत में समग्र वृद्धि), एकाधिकार की स्थिति, प्राकृतिक आपदाओं, विनिमय दरों के अवमूल्यन (आयातित उत्पादों में मुद्रास्फीति की ओर ले जाती है) आदि के कारण हो सकती है।

अपस्फीति (Deflation): कीमतों में सामान्य गिरावट, जो अक्सर पैसे की आपूर्ति में कमी के कारण होती है। अपस्फीति सरकार, व्यक्तिगत या निवेश व्यय में कमी के कारण भी हो सकती है। मुद्रास्फीति के विपरीत, अपस्फीति निम्नलिखित कारणों से खराब होती है:

जब कीमतें गिरने लगती हैं, यानी अपस्फीति होती है, तो लोग खर्च करने के लिए कम इच्छुक हो जाते हैं और अपने खरीदने के निर्णयों को स्थगित कर देते हैं। ऐसा इसलिए है क्योंकि जब कीमतें गिर रही होती हैं, तो सिर्फ नकदी पर बैठना सकारात्मक वास्तविक प्रतिफल के साथ एक निवेश बन जाता है। इससे अर्थव्यवस्था में माँग कम हो जाती है और कीमतें और गिर जाती हैं और अर्थव्यवस्था धीमी हो जाती है। लोग उत्पादक निवेश के लिए भी उधार लेने के लिए कम इच्छुक होते हैं क्योंकि इसे उन रुपयों में चुकाना पड़ता है जो उधार लिए गए रुपयों से ज्यादा मूल्यवान होते हैं। इस प्रकार अपस्फीति से बेरोजगारी बढ़ती है क्योंकि अर्थव्यवस्था में माँग का स्तर कम होता है, जिससे आर्थिक मंदी भी हो सकती है।

अवस्फीति (Disinflation): मुद्रास्फीति की दर में कमी को अवस्फीति कहते हैं। इसका मतलब है कि अर्थव्यवस्था में मुद्रास्फीति है लेकिन मुद्रास्फीति का प्रतिशत घट रहा है और सकारात्मक है। उदाहरण के लिए, प्याज की कीमतों पर विचार करें:

	2013		2014		2015		2016
मूल्य	10 रु./कि.ग्रा.		11 रु./कि.ग्रा.		12 रु./कि.ग्रा.		12.5 रु./कि.ग्रा.
मुद्रास्फीति		10%		9%		4.2%	

इसलिए, उपरोक्त उदाहरण में, **कीमतें बढ़ रही हैं** लेकिन **'कीमतों में परिवर्तन की दर'** यानी मुद्रास्फीति घट रही है।

मंदी के मामले में, आमतौर पर माँग पहले घटने लगती है (जो किसी भी कारण से हो सकती है) और फिर कंपनियाँ अपना उत्पादन कम कर देती हैं जिसके परिणामस्वरूप उत्पादन में समग्र संकुचन होता है और तब हम कहते हैं कि मंदी है। इसलिए, आर्थिक मंदी के मामले में, उच्च मुद्रास्फीति नहीं होनी चाहिए क्योंकि पहले **माँग कम होती** है और फिर उत्पादन/आपूर्ति कम हो जाती है।

असाधारण मामलों में, मंदी (या मंदी) आपूर्ति पक्ष के कारकों जैसे सूखे या लॉकडाउन (कोविड-19 के मामले में कारखानों के बंद होने) से शुरू हो सकती है, जिस स्थिति में मुद्रास्फीति अधिक हो सकती है। लेकिन यह थोड़े समय के लिए होगा क्योंकि नौकरियों के नुकसान के परिणामस्वरूप माँग में कमी और मुद्रास्फीति में कमी आएगी।

2.28 फिलिप्स वक्र (Phillips Curve)

यह ए.डब्ल्यू. फिलिप्स द्वारा विकसित एक आर्थिक अवधारणा है, जो बताती है कि मुद्रास्फीति और बेरोजगारी के बीच एक स्थिर और विपरीत संबंध है जिसका अर्थ है कि अर्थव्यवस्था में मुद्रास्फीति दर जितनी अधिक होगी, बेरोजगारी दर उतनी ही कम होगी, और इसके विपरीत भी यह सही।

फिलिप्स वक्र के अनुसार, किसी अर्थव्यवस्था में बेरोजगारी की दर जितनी कम होगी, उस अर्थव्यवस्था में श्रमिकों

को दी जाने वाली मजदूरी उतनी ही तेजी से बढ़ेगी और इसलिए अर्थव्यवस्था में मुद्रास्फीति अधिक होगी। सिद्धांत के अनुसार आर्थिक विकास से अधिक नौकरियाँ (और उच्च मुद्रास्फीति) और कम बेरोजगारी होती है।

हालाँकि, 1970 के दशक में **मुद्रास्फीति की दर में वृद्धि** के कारण मूल अवधारणा को कुछ हद तक अनुभवजन्य रूप से गलत साबित किया गया है, जब मुद्रास्फीति और बेरोजगारी दोनों का स्तर बहुत अधिक था। फिलिप्स वक्र के निहितार्थ केवल अल्पावधि में ही सही हैं।

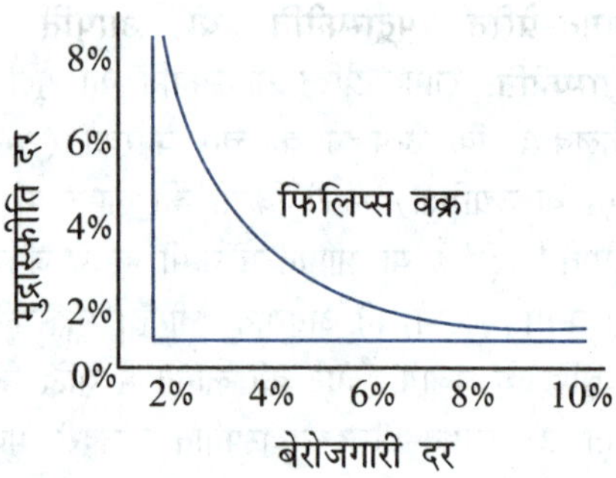

विगत वर्षों के प्रश्न

प्रारंभिक परीक्षा

1. निम्नलिखित कार्यों पर विचार करें जो सरकार कर सकती है: **[2011]**
   (i) घरेलू मुद्रा का अवमूल्यन
   (ii) निर्यात सब्सिडी में कमी
   (iii) उपयुक्त नीतियों को अपनाना जो अधिक एफडीआई और एफआईआई से अधिक धन आकर्षित करते हैं

   उपर्युक्त में से कौन-सी कार्रवाई/कार्रवाइयाँ चालू खाता घाटे को कम करने में मदद कर सकती हैं?
   (a) (i) और (ii) (b) (ii) और (iii)
   (c) केवल (iii) (d) (i) और (iii)

2. माइक्रोफाइनेंस कम आय वर्ग के लोगों को वित्तीय सेवायें देने का प्रावधान है। इसमें उपभोक्ता और स्वरोजगार दोनों शामिल होते हैं। माइक्रोफाइनेंस के तहत दी जाने वाली सेवाएँ हैं: **[2011]**
   (i) ऋण सुविधाएँ
   (ii) बचत सुविधाएँ
   (iii) बीमा सुविधाएँ
   (iv) निधि हस्तांतरण सुविधाएँ

   सूची के नीचे दिए गए कोड का उपयोग करके सही उत्तर चुनें:
   (a) केवल (i)
   (b) केवल (i) और (iv)
   (c) केवल (ii) और (iii)
   (d) (i), (ii), (iii) और (iv)

3. आर्थिक विकास आमतौर पर के साथ जुड़ा होता है: **[2011]**
   (a) अपस्फीति (b) मुद्रास्फीति
   (c) मुद्रास्फीतिजनित मंदी (d) अति मुद्रास्फीति

4. किसी देश का भुगतान संतुलन निम्नलिखित का एक व्यवस्थित रिकॉर्ड है **[2013]**
   (a) किसी निश्चित अवधि के दौरान किसी देश के सभी आयात और निर्यात लेनदेन, आमतौर पर एक वर्ष का
   (b) किसी देश से एक वर्ष के दौरान निर्यात किए गए सामान का
   (c) एक देश की सरकार से दूसरे देश के बीच आर्थिक लेनदेन का
   (d) एक देश से दूसरे देश में पूँजी की आवाजाही का

5. भारतीय रिजर्व बैंक वाणिज्यिक बैंकों को के मामलों में नियंत्रित करता है: **[2013]**
   (i) परिसंपत्तियों की तरलता
   (ii) शाखा विस्तार
   (iii) बैंकों का विलय
   (iv) बैंकों का समापन

नीचे दिए गए कोड का उपयोग करके सही उत्तर चुनें।

(a) केवल (i) और (iv)

(b) केवल (ii), (iii) और (iv)

(c) केवल (i), (ii) और (iii)

(d) (i), (ii), (iii) और (iv)

6. भारत में, घाटे के वित्त-पोषण का उपयोग के लिए संसाधन जुटाने के लिए किया जाता है [2013]

(a) आर्थिक विकास

(b) सार्वजनिक ऋण का मोचन

(c) भुगतान संतुलन को समायोजित करना

(d) विदेशी ऋण को कम करना

7. निम्नलिखित में से कौन पूँजी खाता बनाता है? [2013]

(i) विदेशी ऋण

(ii) प्रत्यक्ष विदेशी निवेश

(iii) निजी प्रेषण

(iv) पोर्टफोलियो निवेश

नीचे दिए गए कोड का उपयोग करके सही उत्तर चुनें।

(a) (i), (ii) और (iii)

(b) (i), (ii) और (iv)

(c) (ii), (iii) और (iv)

(d) (i), (iii) और (iv)

8. प्रच्छन्न बेरोजगारी का आमतौर पर मतलब होता है [2013]

(a) बड़ी संख्या में लोग बेरोजगार हैं

(b) वैकल्पिक रोजगार उपलब्ध नहीं है

(c) श्रम की सीमांत उत्पादकता शून्य है

(d) श्रमिकों की उत्पादकता कम है

9. निम्नलिखित पर विचार करें: [2013]

(i) मुद्रास्फीति से देनदारों को लाभ होता है

(ii) मुद्रास्फीति से बॉन्डधारकों को लाभ होता है

ऊपर दिए गए कथनों में से कौन-सा सही है?

(a) केवल (i)

(b) केवल (ii)

(c) दोनों (i) और (ii)

(d) न तो (i) और न ही (ii)

10. कीमतों के सामान्य स्तर में वृद्धि का कारण हो सकता है। [2013]

(i) मुद्रा आपूर्ति में वृद्धि

(ii) उत्पादन के समग्र स्तर में कमी

(iii) प्रभावी माँग में वृद्धि

नीचे दिए गए कोड का उपयोग करके सही उत्तर चुनें:

(a) केवल (i)

(b) केवल (i) और (ii)

(c) केवल (ii) और (iii)

(d) (i), (ii) और (iii)

11. निम्नलिखित में से किसकी अपने प्रभाव में सबसे अधिक मुद्रास्फीतिकारी होने की संभावना है? [2013]

(a) सार्वजनिक ऋण की अदायगी

(b) बजट घाटे को वित्तपोषित करने के लिए जनता से उधार लेना

(c) बजट घाटे को वित्तपोषित करने के लिए बैंकों से उधार लेना

(d) बजट घाटे को वित्तपोषित करने के लिए नई मुद्रा बनाना

12. जब मुद्रा की माँग में वृद्धि होती है, तो मुद्रा की आपूर्ति समान रहती है, [2013]

(a) कीमतों के स्तर में गिरावट

(b) ब्याज दर में वृद्धि

(c) ब्याज दर में कमी

(d) आय और रोजगार के स्तर में वृद्धि

13. भुगतान संतुलन के संदर्भ में, निम्नलिखित में से कौन चालू खाता बनाता है/बनाते हैं? [2014]

(i) व्यापार संतुलन

(ii) विदेशी संपत्ति

(iii) अदृश्य संतुलन

(iv) विशेष आहरण अधिकार

नीचे दिए गए कोड का उपयोग करके सही उत्तर चुनें।

(a) केवल (i)

(b) केवल (ii) और (iii)
(c) केवल (i) और (iii)
(d) (i), (ii) और (iv)

14. उद्यम पूँजी का क्या अर्थ है? [2014]
(a) उद्योगों को प्रदान की जाने वाली अल्पकालिक पूँजी
(b) नए उद्यमियों को प्रदान की जाने वाली दीर्घकालिक स्टार्ट-अप पूँजी
(c) घाटे के समय उद्योगों को प्रदान की जाने वाली निधि
(d) उद्योगों के प्रतिस्थापन और नवीनीकरण के लिए प्रदान की जाने वाली निधि

15. भारतीय अर्थव्यवस्था के संदर्भ में, निम्नलिखित में से कौन-सा/से "सांविधिक आरक्षित आवश्यकताओं" का उद्देश्य/उद्देश्य है/हैं? [2014]
(i) केंद्रीय बैंक को बैंकों द्वारा बनाए जा सकने वाले अग्रिमों की मात्रा को नियंत्रित करने में सक्षम बनाना
(ii) बैंकों में लोगों की जमाराशियों को सुरक्षित और तरल बनाना
(iii) वाणिज्यिक बैंकों को अत्यधिक लाभ कमाने से रोकना
(iv) बैंकों को अपनी दिन-प्रतिदिन की आवश्यकताओं को पूरा करने के लिए तिजोरी में पर्याप्त नकदी रखने के लिए मजबूर करना

नीचे दिए गए कोड का उपयोग करके सही उत्तर चुनें।
(a) केवल (i)
(b) केवल (i) और (ii)
(c) केवल (ii) और (iii)
(d) केवल (i), (ii), (iii) और (iv)

16. यदि किसी अर्थव्यवस्था में ब्याज दर कम कर दी जाती है, तो इससे [2014]
(a) अर्थव्यवस्था में उपभोग व्यय में कमी आएगी
(b) सरकार के कर संग्रह में वृद्धि होगी
(c) अर्थव्यवस्था में निवेश व्यय में वृद्धि होगी
(d) अर्थव्यवस्था में कुल बचत में वृद्धि होगी

17. भारतीय अर्थव्यवस्था के संदर्भ में, निम्नलिखित पर विचार करें: [2015]
(i) बैंक दर
(ii) खुले बाजार परिचालन
(iii) सार्वजनिक ऋण
(iv) सार्वजनिक राजस्व

उपर्युक्त में से कौन-सा मौद्रिक नीति का घटक/घटक है?
(a) केवल (i)
(b) केवल (ii), (iii) और (iv)
(c) केवल (i) और (ii)
(d) केवल (i), (iii) और (iv)

18. अंतर्राष्ट्रीय तरलता की समस्या किसकी अनुपलब्धता से संबंधित है ? [2015]
(a) माल और सेवाएँ
(b) सोना और चाँदी
(c) डॉलर और अन्य कठोर मुद्राएँ
(d) निर्यात योग्य अधिशेष

19. साल दर साल लगातार घाटे का बजट रहा है। घाटे को कम करने के लिए सरकार द्वारा निम्नलिखित में से कौन-सी कार्रवाई की जा सकती है? [2015]
(i) राजस्व व्यय को कम करना
(ii) नई कल्याणकारी योजनाएँ शुरू करना
(iii) सब्सिडी को तर्कसंगत बनाना
(iv) उद्योगों का विस्तार करना

नीचे दिए गए कोड का उपयोग करके सही उत्तर चुनें।
(a) केवल (i) और (iii)
(b) केवल (ii) और (iii)
(c) केवल (i)
(d) केवल (i), (ii), (iii) और (iv)

20. जब भारतीय रिजर्व बैंक वैधानिक तरलता अनुपात को 50 आधार अंकों से कम करता है, तो निम्नलिखित में से क्या होने की संभावना है? **[2015]**

(a) भारत की जीडीपी वृद्धि दर में भारी वृद्धि

(b) विदेशी संस्थागत निवेशक हमारे देश में अधिक पूँजी ला सकते हैं

(c) अनुसूचित वाणिज्यिक बैंक अपनी ऋण दरों में कटौती कर सकते हैं

(d) इससे बैंकिंग प्रणाली में तरलता में भारी कमी आ सकती है

21. रुपए की परिवर्तनीयता का तात्पर्य है **[2015]**

(a) रुपए के नोटों को सोने में बदलने में सक्षम होना

(b) बाजार की शक्तियों द्वारा रुपए के मूल्य को तय करने की अनुमति देना

(c) रुपए को अन्य मुद्राओं में और इसके विपरीत स्वतंत्र रूप से बदलने की अनुमति देना

(d) भारत में मुद्राओं के लिए एक अंतरराष्ट्रीय बाजार विकसित करना

22. कभी-कभी समाचारों में देखे जाने वाले 'IFC मसाला बॉन्ड' के संदर्भ में, नीचे दिए गए कथनों में से कौन-सा/से सही है/हैं? **[2016]**

(i) अंतर्राष्ट्रीय वित्त निगम, जो इन बॉन्डों की पेशकश करता है, विश्व बैंक की एक शाखा है

(ii) वे रुपए-मूल्यवर्गित बॉन्ड हैं और सार्वजनिक और निजी क्षेत्र के लिए ऋण वित्त-पोषण का एक स्रोत हैं

नीचे दिए गए कोड का उपयोग करके सही उत्तर चुनें

(a) केवल (i)

(b) केवल (ii)

(c) दोनों (i) और (ii)

(d) न तो (i) और न ही (ii)

23. 'कोर बैंकिंग समाधान' शब्द कभी-कभी समाचारों में देखा जाता है। निम्नलिखित में से कौन-सा कथन इस शब्द का सबसे अच्छा वर्णन करता है? **[2016]**

(i) यह बैंक की शाखाओं का एक नेटवर्किंग है जो ग्राहकों को बैंक के किसी भी शाखा से अपने खाते संचालित करने में सक्षम बनाता है, चाहे वे अपना खाता कहीं भी खोलें।

(ii) यह कम्प्यूटरीकरण के माध्यम से वाणिज्यिक बैंकों पर RBI के नियंत्रण को बढ़ाने का एक प्रयास है।

(iii) यह एक विस्तृत प्रक्रिया है जिसके द्वारा बड़ी गैर-निष्पादित परिसंपत्तियों वाले बैंक को दूसरे बैंक द्वारा अधिग्रहित किया जाता है

नीचे दिए गए कोड का उपयोग करके सही उत्तर चुनें।

(a) केवल (i)

(b) (ii) और (iii) केवल

(c) (i) और (iii) केवल

(d) (i), (ii) और (iii)

24. RBI द्वारा घोषित 'मार्जिनल कॉस्ट ऑफ फंड्स बेस्ड लेंडिंग रेट (MCLR)' का उद्देश्य क्या है? **[2016]**

(i) ये दिशानिर्देश बैंकों द्वारा अग्रिमों पर ब्याज दरों के निर्धारण के लिए अपनाई जाने वाली कार्यप्रणाली में पारदर्शिता को बेहतर बनाने में मदद करते हैं।

(ii) ये दिशानिर्देश ब्याज दरों पर बैंक ऋण की उपलब्धता सुनिश्चित करने में मदद करते हैं जो उधारकर्ताओं के साथ-साथ बैंकों के लिए भी उचित हैं।

नीचे दिए गए कोड का उपयोग करके सही उत्तर चुनें।

(a) केवल (i)

(b) केवल (ii)

(c) दोनों (i) और (ii)

(d) न तो (i) और न ही (ii)

25. कभी-कभी समाचारों में देखे जाने वाले 'बिटकॉइन' के संदर्भ में, निम्नलिखित में से कौन-सा कथन सही है/हैं? **[2016]**

(i) बिटकॉइन को देशों के केंद्रीय बैंकों द्वारा ट्रैक किया जाता है।

(ii) बिटकॉइन पते वाला कोई भी व्यक्ति बिटकॉइन पते वाले किसी भी व्यक्ति से बिटकॉइन भेज और प्राप्त कर सकता है।

(iii) ऑनलाइन भुगतान किसी भी पक्ष को दूसरे की पहचान जाने बिना भेजे जा सकते हैं।

नीचे दिए गए कोड का उपयोग करके सही उत्तर चुनें।

(a) केवल (i) और (ii)
(b) केवल (ii) और (iii)
(c) केवल (iii)
(d) (i), (ii) और (iii)

26. प्रधानमंत्री मुद्रा योजना का उद्देश्य है **[2016]**

(a) छोटे उद्यमियों को औपचारिक वित्तीय व्यवस्था में लाना
(b) गरीब किसानों को विशेष फसलों की खेती के लिए ऋण प्रदान करना
(c) वृद्ध और निराश्रित व्यक्तियों को पेंशन प्रदान करना
(d) कौशल विकास और रोजगार सृजन को बढ़ावा देने में शामिल स्वैच्छिक संगठनों को वित्तपोषित करना

27. सरकार की सॉवरेन गोल्ड बॉन्ड योजना और 'गोल्ड मोनेटाइजेशन स्कीम' का उद्देश्य क्या है? **[2016]**

(i) भारतीय परिवारों के पास पड़े बेकार सोने को अर्थव्यवस्था में लाना
(ii) सोने और आभूषण क्षेत्र में एफडीआई को बढ़ावा देना
(iii) सोने के आयात पर भारत की निर्भरता को कम करना

नीचे दिए गए कोड का उपयोग करके सही उत्तर चुनें।

(a) (i) केवल
(b) (ii) और (iii) केवल
(c) (i) और (iii) केवल
(d) (i), (ii) और (iii)

28. निम्नलिखित कथनों पर विचार करें: **[2017]**

(i) भारतीय राष्ट्रीय भुगतान निगम देश में वित्तीय समावेशन को बढ़ावा देने में मदद करता है।
(ii) NPCI ने RuPay नामक कार्ड भुगतान योजना शुरू की है।

ऊपर दिए गए कथनों में से कौन सा/से सही है/हैं?

(a) (i) केवल
(b) (ii) केवल
(c) दोनों (i) और (ii)
(d) न तो (i) और न ही (ii)

29. भारत में लघु वित्त बैंक (SFB) स्थापित करने का उद्देश्य क्या है? **[2017]**

(i) लघु व्यवसाय इकाइयों को ऋण प्रदान करना
(ii) छोटे और सीमांत किसानों को ऋण प्रदान करना
(iii) युवा उद्यमियों को विशेष रूप से ग्रामीण क्षेत्रों में व्यवसाय स्थापित करने के लिए प्रोत्साहित करना।

नीचे दिए गए कोड का उपयोग करके सही उत्तर चुनें:

(a) केवल (i) और (ii)
(b) केवल (ii) और (iii)
(c) केवल (i) और (iii)
(d) (i), (ii) और (iii)

30. निम्नलिखित में से कौन-सा शब्द 'मर्चेंट डिस्काउंट रेट' का सबसे अच्छा वर्णन करता है, जो कभी-कभी समाचारों में देखा जाता है? **[2018]**

(a) किसी बैंक द्वारा उस बैंक से संबंधित डेबिट कार्ड के माध्यम से भुगतान स्वीकार करने के लिए व्यापारी को दिया जाने वाला प्रोत्साहन।
(b) बैंकों द्वारा अपने ग्राहकों को वापस भुगतान की जाने वाली राशि, जब वे माल या सेवाओं की खरीद के लिए वित्तीय लेनदेन के लिए डेबिट कार्ड का उपयोग करते हैं।
(c) बैंक द्वारा अपने ग्राहकों से बैंक के डेबिट कार्ड के माध्यम से भुगतान स्वीकार करने के लिए व्यापारी को दिया जाने वाला शुल्क।
(d) सरकार द्वारा पॉइंट ऑफ सेल (PoS) मशीनों और डेबिट कार्ड के माध्यम से अपने ग्राहकों द्वारा डिजिटल भुगतान को बढ़ावा देने के लिए व्यापारियों को दिया जाने वाला प्रोत्साहन।

31. निम्नलिखित में से कौन-सा कथन कानूनी निविदा धन के अर्थ का सही वर्णन करता है? **[2018]**

(a) वह धन जो कानूनी मामलों की फीस चुकाने के लिए न्यायालयों में पेश किया जाता है
(b) वह धन जिसे लेनदार को अपने दावों के निपटान में स्वीकार करने के लिए बाध्य होना पड़ता है
(c) चेक, ड्राफ्ट, विनिमय बिल आदि के रूप में बैंक का धन
(d) किसी देश में प्रचलन में धातु निर्मित धन

32. निम्नलिखित कथनों पर विचार करें: **[2018]**
(i) भारतीय रिजर्व बैंक भारत सरकार की प्रतिभूतियों का प्रबंधन और सेवा करता है, लेकिन किसी राज्य सरकार की प्रतिभूतियों का नहीं।
(ii) ट्रेजरी बिल भारत सरकार द्वारा जारी किए जाते हैं और राज्य सरकारों द्वारा कोई ट्रेजरी बिल जारी नहीं किया जाता है।
(iii) ट्रेजरी बिल सममूल्य से छूट पर जारी किए जाते हैं।

ऊपर दिए गए कथनों में से कौन सा/से सही है/हैं?
(a) केवल (i) और (ii)
(b) केवल (iii)
(c) केवल (ii) और (iii)
(d) (i), (ii) और (iii)

33. निम्नलिखित कथनों पर विचार करें: **[2018]**
(i) पूँजी पर्याप्तता अनुपात (CAR) वह राशि है जिसे बैंकों को अपने स्वयं के फंड के रूप में बनाए रखना होता है ताकि खाता धारकों द्वारा बकाया चुकाने में विफल रहने पर बैंकों को होने वाले किसी भी नुकसान की भरपाई की जा सके।
(ii) CAR का निर्णय प्रत्येक बैंक द्वारा किया जाता है।

ऊपर दिए गए कथनों में से कौन-सा/से सही है/हैं?
(a) केवल (i)
(b) केवल (ii)
(c) दोनों (i) और (ii)
(d) न तो (i) और न ही (ii)

34. निम्नलिखित में से कौन भारत में एक वाणिज्यिक बैंक की परिसंपत्तियों में शामिल नहीं है? **[2019]**
(a) अग्रिम
(b) जमा
(c) निवेश
(d) कॉल और अल्प सूचना पर धन

35. भारत के संदर्भ में, निम्नलिखित में से कौन-सा कारक मुद्रासंकट के जोखिम को कम करने में योगदानकर्ता है/हैं? **[2019]**
(i) भारत के आईटी क्षेत्र की विदेशी मुद्रा आय
(ii) सरकारी व्यय में वृद्धि
(iii) विदेश में भारतीयों से प्राप्त धन

नीचे दिए गए कोड का उपयोग करके सही उत्तर चुनें।
(a) केवल (i)
(b) केवल (i) और (iii)
(c) केवल (ii)
(d) (i), (ii) और (iii)

36. निम्नलिखित में से कौन-सा उपाय सरकार/RBI द्वारा भारतीय रुपए की गिरावट को रोकने के लिए सबसे अधिक संभावित उपाय नहीं है? **[2019]**
(a) गैर-आवश्यक वस्तुओं के आयात पर अंकुश लगाना-और निर्यात को बढ़ावा देना
(b) भारतीय उधारकर्ताओं को रुपया मूल्यवर्गित मसाला बॉन्ड जारी करने के लिए प्रोत्साहित करना
(c) बाहरी वाणिज्यिक उधार से संबंधित शर्तों को आसान बनाना
(d) विस्तारवादी मौद्रिक नीति का पालन करना

37. किसी अर्थव्यवस्था में मुद्रा गुणक निम्नलिखित में से किसके साथ बढ़ता है? **[2019]**
(a) नकद आरक्षित अनुपात में वृद्धि
(b) जनसंख्या की बैंकिंग आदत में वृद्धि
(c) वैधानिक तरलता अनुपात में वृद्धि
(d) देश की जनसंख्या में वृद्धि

38. यदि निकट भविष्य में कोई अन्य वैश्विक वित्तीय संकट घटित होता है, तो निम्नलिखित में से कौन-सी कार्रवाई/

नीतियाँ भारत को कुछ प्रतिरक्षा प्रदान करने की सबसे अधिक संभावना है? [2020]

1. अल्पकालिक विदेशी उधार पर निर्भर न होना
2. अधिक विदेशी बैंकों के लिए खुलना
3. पूर्ण पूँजी खाता परिवर्तनीयता बनाए रखना

नीचे दिए गए कोड का उपयोग करके सही उत्तर चुनें:

(a) केवल 1 (b) केवल 1 और 2
(c) केवल 3 (d) 1, 2 और 3

39. यदि आप अपने बैंक में अपने डिमांड डिपॉजिट खाते से 1,00,000 रुपए नकद निकालते हैं, तो अर्थव्यवस्था में कुल मुद्रा आपूर्ति पर तत्काल प्रभाव होगा [2020]

(a) इसे 1,00,000 रुपए तक कम करना
(b) इसे 1,00,000 रुपए तक बढ़ाना
(c) इसे 100,000 रुपए से अधिक बढ़ाना
(d) इसे अपरिवर्तित छोड़ना

40. किसान क्रेडिट कार्ड योजना के तहत, किसानों को निम्नलिखित में से किस उद्देश्य के लिए अल्पकालिक ऋण सहायता दी जाती है? [2020]

1. कृषि परिसंपत्तियों के रखरखाव के लिए कार्यशील पूँजी
2. कंबाइन हार्वेस्टर, ट्रैक्टर और मिनी ट्रक की खरीद
3. कृषि परिवारों की उपभोग आवश्यकताएँ
4. कटाई के बाद का खर्च
5. परिवारों के लिए घर का निर्माण और गाँव में कोल्ड स्टोरेज सुविधा की स्थापना

नीचे दिए गए कोड का उपयोग करके सही उत्तर चुनें:

(a) केवल 1, 2 और 5
(b) केवल 1, 3 और 4
(c) केवल 2, 3, 4 और 5
(d) 1, 2, 3, 4 और 5

41. भारतीय अर्थव्यवस्था के संदर्भ में, निम्नलिखित कथनों पर विचार करें: [2020]

1. 'वाणिज्यिक पत्र' एक अल्पकालिक असुरक्षित वचन पत्र है
2. 'जमा प्रमाणपत्र' RBI द्वारा किसी निगम को जारी किया जाने वाला एक दीर्घकालिक साधन है
3. 'कॉल मनी' एक अल्पकालिक वित्त है जिसका उपयोग अंतर-बैंक लेनदेन के लिए किया जाता है।
4. 'जीरो कूपन बॉन्ड' अनुसूचित वाणिज्यिक बैंकों द्वारा निगमों को जारी किए जाने वाले ब्याज-असर वाले अल्पकालिक बॉन्ड हैं

ऊपर दिए गए कथनों में से कौन-सा सही है/हैं?

(a) केवल 1 और 2
(b) केवल 4
(c) केवल 1 और 3
(d) केवल 2, 3 और 4

42. भारत में प्रत्यक्ष विदेशी निवेश के संदर्भ में, निम्नलिखित में से कौन-सी इसकी प्रमुख विशेषता मानी जाती है? [2020]

(a) यह अनिवार्य रूप से एक सूचीबद्ध कंपनी में पूँजी साधनों के माध्यम से निवेश है
(b) यह बड़े पैमाने पर गैर-ऋण सृजन पूँजी प्रवाह है
(c) यह वह निवेश है जिसमें ऋण-सेवा शामिल होता है
(d) यह सरकारी प्रतिभूतियों में विदेशी संस्थागत निवेशकों द्वारा किया गया निवेश है

43. निम्नलिखित कथनों पर विचार करें: [2021]

(i) भारतीय रिजर्व बैंक (RBI) के गवर्नर की नियुक्ति केंद्र सरकार द्वारा की जाती है।
(ii) भारत के संविधान में कुछ प्रावधान केंद्र सरकार को सार्वजनिक हित में RBI को निर्देश जारी करने का अधिकार देते हैं।
(iii) RBI का गवर्नर RBI अधिनियम से अपनी शक्ति प्राप्त करता है।

उपर्युक्त कथनों में से कौन-सा सही है?

(a) केवल (i) और (ii)
(b) केवल (ii) और (iii)
(c) केवल (i) और (iii)
(d) उपरोक्त सभी

44. भारत में 'शहरी सहकारी बैंकों' के संदर्भ में, निम्नलिखित कथनों पर विचार करें: **[2021]**

(i) इनका पर्यवेक्षण और विनियमन राज्य सरकारों द्वारा स्थापित स्थानीय बोर्डों द्वारा किया जाता है।

(ii) वे इक्विटी शेयर और वरीयता शेयर जारी कर सकते हैं

(iii) उन्हें 1966 में संशोधन के माध्यम से बैंकिंग विनियमन अधिनियम, 1949 के दायरे में लाया गया था।

उपर्युक्त कथनों में से कौन सा सही है/हैं?

(a) केवल (i)

(b) केवल (ii) और (iii)

(c) केवल (i) और (iii)

(d) उपरोक्त सभी

45. भारतीय सरकार के बॉन्ड यील्ड निम्नलिखित में से किससे प्रभावित होते हैं? **[2021]**

(i) यूनाइटेड स्टेट्स फेडरल रिजर्व की कार्रवाइयाँ

(ii) भारतीय रिजर्व बैंक की कार्रवाइयाँ

(iii) मुद्रास्फीति और अल्पकालिक ब्याज दरें

नीचे दिए गए कोड का उपयोग करके सही उत्तर चुनें।

(a) केवल (i) और (ii)

(b) केवल (ii)

(c) केवल (iii)

(d) उपरोक्त सभी

46. निम्नलिखित पर विचार करें: **[2021]**

(i) विदेशी मुद्रा परिवर्तनीय बांड

(ii) कुछ शर्तों के साथ विदेशी संस्थागत निवेश

(iii) वैश्विक डिपॉजिटरी रसीदें

(iv) अनिवासी बाहरी जमा

उपर्युक्त में से किसे प्रत्यक्ष विदेशी निवेश में शामिल किया जा सकता है?

(a) केवल (i), (ii) और (iii)

(b) केवल (iii)

(c) केवल (ii) और (iv)

(d) केवल (i) और (iv)

47. किसी मुद्रा के अवमूल्यन का प्रभाव यह होता है कि यह अनिवार्य रूप से: **[2021]**

(i) विदेशी बाजारों में घरेलू निर्यात की प्रतिस्पर्धात्मकता में सुधार करता है

(ii) घरेलू मुद्रा के विदेशी मूल्य में वृद्धि करता है

(iii) व्यापार संतुलन में सुधार करता है

उपर्युक्त कथनों में से कौन-सा/से सही है/हैं?

(a) केवल (i)

(b) केवल (i) और (ii)

(c) केवल (iii)

(d) केवल (ii) और (iii)

48. भारतीय अर्थव्यवस्था के संदर्भ में, माँग-प्रेरित मुद्रास्फीति निम्नलिखित में से किसके कारण हो सकती है/बढ़ सकती है? **[2021]**

(i) विस्तारवादी नीतियाँ

(ii) राजकोषीय प्रोत्साहन

(iii) मुद्रास्फीति-सूचकांक मजदूरी

(iv) उच्च क्रय शक्ति

(v) बढ़ती ब्याज दरें

नीचे दिए गए कोड का उपयोग करके सही उत्तर चुनें।

(a) केवल (i), (ii) और (iv)

(b) केवल (iii), (iv) और (v)

(c) केवल (i), (ii), (iii) और (v)

(d) उपरोक्त सभी

49. भारतीय अर्थव्यवस्था के संदर्भ में, निम्नलिखित कथनों पर विचार करें: **[2022]**

1. यदि मुद्रास्फीति बहुत अधिक है, तो भारतीय रिजर्व बैंक (RBI) द्वारा सरकारी प्रतिभूतियाँ खरीदने की संभावना होती है।
2. यदि रुपया तेजी से गिर रहा है, तो RBI द्वारा बाजार में डॉलर बेचने की संभावना होती है।
3. यदि यूएसए या यूरोपीय संघ में ब्याज दरें गिरती हैं, तो इससे आरबीआई को डॉलर खरीदने के लिए प्रेरित होने की संभावना होती है।

ऊपर दिए गए कथनों में से कौन-सा सही है?

(a) केवल 1 और 2 (b) केवल 2 और 3

(c) केवल 1 और 3 (d) 1, 2 और 3

50. भारतीय अर्थव्यवस्था के संदर्भ में, 'मुद्रास्फीति-सूचकांकित बॉन्ड (IIB)' के क्या लाभ हैं? **[2022]**

1. सरकार IIB के माध्यम से अपने उधार पर कूपन दरों को कम कर सकती है।
2. IIB निवेशकों को मुद्रास्फीति के बारे में अनिश्चितता से सुरक्षा प्रदान करते हैं।
3. IIB पर प्राप्त ब्याज के साथ-साथ पूँजीगत लाभ कर योग्य नहीं हैं।

ऊपर दिए गए कथनों में से कौन-सा सही है?

(a) केवल 1 और 2 (b) केवल 2 और 3

(c) केवल 1 और 3 (d) 1, 2 और 3

51. परिवर्तनीय बॉन्ड के संदर्भ में, निम्नलिखित कथनों पर विचार करें: **[2022]**

1. चूंकि बॉन्ड को इक्विटी के लिए एक्सचेंज करने का विकल्प है, इसलिए परिवर्तनीय बॉन्ड कम ब्याज दर का भुगतान करते हैं।
2. इक्विटी में बदलने का विकल्प बॉन्डधारक को बढ़ती उपभोक्ता कीमतों के लिए एक हद तक इंडेक्सेशन प्रदान करता है।

ऊपर दिए गए कथनों में से कौन-सा/से सही है/हैं?

(a) केवल 1

(b) केवल 2

(c) 1 और 2 दोनों

(d) न तो 1 और न ही 2

52. निम्नलिखित कथनों पर विचार करें: **[2023]**

कथन-I:

महामारी के बाद के हाल के दिनों में, दुनियाभर के कई केंद्रीय बैंकों ने ब्याज दरों में बढ़ोतरी की थी।

कथन-II:

केंद्रीय बैंक आमतौर पर मानते हैं कि उनके पास मौद्रिक नीति के माध्यम से बढ़ती उपभोक्ता कीमतों का मुकाबला करने की क्षमता है।

उपरोक्त कथनों के संबंध में निम्नलिखित में से कौन-सा सही है?

(a) कथन-I और कथन-II दोनों सही हैं और कथन-II कथन-I का सही स्पष्टीकरण है

(b) कथन-I और कथन-II दोनों सही हैं और कथन-II कथन-I का सही स्पष्टीकरण नहीं है

(c) कथन-I सही है लेकिन कथन-II गलत है

(d) कथन-I गलत है लेकिन कथन-II सही है

53. भारतीय रिजर्व बैंक की निम्नलिखित में से कौन-सी गतिविधि 'बंध्यकरण' का हिस्सा मानी जाती है? **[2023]**

(a) 'खुले बाजार परिचालन' का संचालन करना

(b) निपटान और भुगतान प्रणालियों की निगरानी

(c) केंद्र और राज्य सरकारों के लिए ऋण और नकदी प्रबंधन

(d) गैर-बैंकिंग वित्तीय संस्थानों के कार्यों को विनियमित करना

54. निम्नलिखित बाजारों पर विचार करें:

1. सरकारी बॉन्ड बाजार
2. कॉल मनी मार्केट
3. ट्रेजरी बिल मार्केट
4. शेयर बाजार

उपर्युक्त में से कितने पूँजी बाजार में शामिल हैं?

(a) केवल एक (b) केवल दो

(c) केवल तीन (d) सभी चार

55. केंद्रीय बैंक डिजिटल मुद्राओं के संदर्भ में, निम्नलिखित कथनों पर विचार करें: **[2023]**

1. अमेरिकी डॉलर या स्विफ्ट प्रणाली का उपयोग किए बिना डिजिटल मुद्रा में भुगतान करना संभव है।
2. एक डिजिटल मुद्रा को इसमें प्रोग्राम की गई शर्तों के साथ वितरित किया जा सकता है जैसे कि इसे खर्च करने के लिए समय-सीमा।

ऊपर दिए गए कथनों में से कौन सा सही है/हैं?

(a) केवल 1 (b) केवल 2

(c) 1 और 2 दोनों (d) न तो 1 और न ही 2

56. निम्नलिखित कथनों पर विचार करें: [2024]

कथन-I: यदि संयुक्त राज्य अमेरिका (यूएसए) अपने ऋण चुकाने से चूक जाता है, तो यूएस ट्रेजरी बॉन्ड के धारक भुगतान प्राप्त करने के लिए अपने दावों का प्रयोग नहीं कर पाएँगे।

कथन-II: यूएसए सरकार का ऋण किसी भी ठोस संपत्ति द्वारा समर्थित नहीं है, बल्कि केवल सरकार के विश्वास द्वारा समर्थित है। उपरोक्त कथनों के संबंध में निम्नलिखित में से कौन-सा सही है?

(a) कथन-I और कथन-II दोनों सही हैं और कथन-II कथन-II की व्याख्या करता है।
(b) कथन-I और कथन-II दोनों सही हैं लेकिन कथन-II कथन-I की व्याख्या नहीं करता है।
(c) कथन-I सही है, लेकिन कथन-II गलत है
(d) कथन-I गलत है, लेकिन कथन-II सही है।

57. निम्नलिखित कथनों पर विचार करें: [2024]

कथन-I: सिंडिकेटेड लेंडिंग उधारकर्ता के डिफॉल्ट के जोखिम को कई उधारदाताओं में फैलाता है।

कथन-II: सिंडिकेटेड ऋण एक निश्चित राशि/एकमुश्त राशि हो सकती है, लेकिन क्रेडिट लाइन नहीं हो सकती।

उपर्युक्त कथनों के संबंध में निम्नलिखित में से कौन-सा सही है?

(a) कथन-I और कथन-II दोनों सही हैं और कथन-II कथन-I की व्याख्या करता है।
(b) कथन-I और कथन-II दोनों सही हैं, लेकिन कथन-II कथन-I की व्याख्या नहीं करता है
(c) कथन-I सही है, लेकिन कथन-II गलत है
(d) कथन-I गलत है, लेकिन कथन-II सही है

58. डिजिटल रुपए के संबंध में निम्नलिखित कथनों पर विचार करें: [2024]

1. यह भारतीय रिजर्व बैंक (RBI) द्वारा अपनी मौद्रिक नीति के अनुरूप जारी की गई एक संप्रभु मुद्रा है।
2. यह RBI की बैलेंस शीट पर एक देयता के रूप में दिखाई देती है।
3. यह अपने डिजाइन द्वारा मुद्रास्फीति के खिलाफ बीमाकृत है।
4. यह वाणिज्यिक बैंक के पैसे और नकदी के खिलाफ स्वतंत्र रूप से परिवर्तनीय है।

उपर्युक्त कथनों में से कौन-सा सही है?

(a) केवल 1 और 2
(b) केवल 1 और 3
(c) केवल 2 और 4
(d) 1, 2 और 4

59. निम्नलिखित कथनों पर विचार करें: [2024]

1. भारत में, गैर-बैंकिंग वित्तीय कंपनियाँ भारतीय रिजर्व बैंक की तरलता समायोजन सुविधा विंडो का उपयोग कर सकती हैं।
2. भारत में, विदेशी संस्थागत निवेशक सरकारी प्रतिभूतियों (G-Sec) को धारण कर सकते हैं।
3. भारत में, स्टॉक एक्सचेंज ऋणों के लिए अलग-अलग ट्रेडिंग प्लेटफॉर्म प्रदान कर सकते हैं।

ऊपर दिए गए कथनों में से कौन-सा/से सही है/हैं?

(a) केवल 1 और 2 (b) केवल 3
(c) 1, 2 और 3 (d) केवल 2 और 3

60. भारत में, निम्नलिखित में से कौन कॉर्पोरेट बॉन्ड और सरकारी प्रतिभूतियों में व्यापार कर सकता है? [2024]

1. बीमा कंपनियाँ
2. पेंशन फंड
3. खुदरा निवेशक

नीचे दिए गए कोड का उपयोग करके सही उत्तर चुनें:

(a) केवल 1 और 2
(b) केवल 2 और 3
(c) केवल 1 और 3
(d) 1, 2 और 3

61. निम्नलिखित पर विचार करें: **[2024]**

1. एक्सचेंज-ट्रेडेड फंड (ETF)
2. मोटर वाहन
3. मुद्रा स्वैप

उपर्युक्त में से कौन-सा/से वित्तीय साधन माना जाता है?

(a) केवल 1 (b) केवल 2 और 3

(c) 1, 2 और 3 (d) केवल 1 और 3

62. विदेशी बैंकों के साथ व्यवहार करते समय भारतीय रिजर्व बैंक द्वारा लगाए गए नियम/नियमों के संदर्भ में, निम्नलिखित कथनों पर विचार करें: **[2024]**

1. भारत में पूर्ण स्वामित्व वाली बैंकिंग सहायक कंपनियों के लिए कोई न्यूनतम पूँजी आवश्यकता नहीं है।
2. भारत में पूर्ण स्वामित्व वाली बैंकिंग सहायक कंपनियों के लिए, बोर्ड के कम से कम 50% सदस्य भारतीय नागरिक होने चाहिए।

ऊपर दिए गए कथनों में से कौन-सा/से सही है/हैं?

(a) केवल 1

(b) केवल 2

(c) 1 और 2 दोनों

(d) न तो 1 और न ही 2

63. भारतीय अर्थव्यवस्था के संदर्भ में, 'संपार्श्विक उधार और उधार लेन देन संबधी दायित्व' निम्नलिखित में से किसके लिखत इंस्ट्रूमेंट के साधन हैं? **[2024]**

(a) बॉन्ड बाजार (b) विदेशी मुद्रा बाजार

(c) मुद्रा बाजार (d) शेयर स्टॉक बाजार

उत्तर

1. (d)	**2.** (d)	**3.** (b)	**4.** (a)	**5.** (d)	**6.** (a)	**7.** (b)	**8.** (c)	**9.** (a)	**10.** (d)
11. (d)	**12.** (b)	**13.** (c)	**14.** (b)	**15.** (a)	**16.** (c)	**17.** (c)	**18.** (c)	**19.** (a)	**20.** (c)
21. (c)	**22.** (c)	**23.** (a)	**24.** (c)	**25.** (b)	**26.** (a)	**27.** (c)	**28.** (c)	**29.** (a)	**30.** (c)
31. (b)	**32.** (c)	**33.** (a)	**34.** (b)	**35.** (b)	**36.** (d)	**37.** (b)	**38.** (a)	**39.** (d)	**40.** (b)
41. (c)	**42.** (b)	**43.** (c)	**44.** (b)	**45.** (d)	**46.** (a)	**47.** (a)	**48.** (a)	**49.** (b)	**50.** (a)
51. (c)	**52.** (a)	**53.** (a)	**54.** (b)	**55.** (c)	**56.** (d)	**57.** (c)	**58.** (d)	**59.** (d)	**60.** (d)
61. (d)	**62.** (b)	**63.** (c)							

मुख्य परीक्षा

1. विश्व व्यापार में संरक्षणवाद और मुद्रा हेरफेर की हालिया घटनाओं का भारत की व्यापक आर्थिक स्थिरता पर क्या प्रभाव पड़ेगा? **[2018]**

2. क्या आप इस दृष्टिकोण से सहमत हैं कि स्थिर जीडीपी वृद्धि और कम मुद्रास्फीति ने भारतीय अर्थव्यवस्था को अच्छी स्थिति में रखा है? अपने तर्कों के समर्थन में कारण बताएँ। **[2019]**

OOO

3

मुद्रा और बैंकिंग: - भाग II
(Money and Banking: Part II)

3.1 भारतीय बैंकिंग और सुधारों का इतिहास (History of Indian Banking and Reforms)

भारत में आधुनिक बैंकिंग की शुरुआत 18वीं शताब्दी में कलकत्ता और बॉम्बे में अंग्रेजी एजेंसी हाउस की स्थापना के साथ हुई। फिर 19वीं शताब्दी के पहले भाग में तीन प्रेसीडेंसी बैंकों अर्थात बैंक ऑफ बंगाल (1806), बैंक ऑफ बॉम्बे (1840) और बैंक ऑफ मद्रास (1843) की स्थापना की गई। 1860 में सीमित देयता की शुरुआत के बाद, निजी और विदेशी बैंकों ने बाजार में प्रवेश किया। 20वीं शताब्दी की शुरुआत में संयुक्त स्टॉक बैंकों की शुरुआत हुई। 1921 में, तीन प्रेसीडेंसी बैंकों को मिलाकर इंपीरियल बैंक ऑफ इंडिया बनाया गया। इंपीरियल बैंक ऑफ इंडिया ने वे सभी सामान्य कार्य किए जो एक वाणिज्यिक बैंक से अपेक्षित होते हैं। 1935 तक भारत में किसी भी केंद्रीय बैंक की अनुपस्थिति में, इंपीरियल बैंक ऑफ इंडिया ने कई ऐसे कार्य भी किए जो आमतौर पर एक केंद्रीय बैंक द्वारा किए जाते हैं।

1947 में स्वतंत्रता के समय, भारत में बैंकिंग प्रणाली काफी विकसित थी और देश में 600 से अधिक वाणिज्यिक बैंक कार्यरत थे। हालाँकि, स्वतंत्रता के तुरंत बाद, यह विचार प्रमुखता से उभरा कि औपनिवेशिक विरासत के बैंक व्यापार और बड़ी फर्मों के लिए कार्यशील पूँजी ऋण के पक्ष में पक्षपाती थे और छोटे पैमाने के उद्यमों, कृषि और आम लोगों को ऋण देने के खिलाफ थे। अर्थव्यवस्था के बड़े हिस्से और ग्रामीण निर्वाचन क्षेत्रों की बैंकिंग आवश्यकताओं को बेहतर ढंग से पूरा करने के लिए, भारत सरकार ने इंपीरियल बैंक (RBI के माध्यम से) का अधिग्रहण किया, जिसे 1921 में स्थापित किया गया था और इसे 1955 से भारतीय स्टेट बैंक (SBI) में बदल दिया गया।

1950 और 1960 के दशक में प्रगति के बावजूद, यह महसूस किया गया कि SBI की स्थापना पर्याप्त नहीं थी क्योंकि लघु उद्योगों और कृषि ढाँचे की बैंकिंग जरूरतें अभी भी पर्याप्त रूप से पूरी नहीं हुई थीं। यह आंशिक रूप से मौजूदा घनिष्ठ संबंधों के कारण था जो वाणिज्यिक और औद्योगिक घरानों ने स्थापित वाणिज्यिक बैंकों के साथ बनाए रखे थे, जो उन्हें ऋण प्राप्त करने में लाभ देते हैं। इसके अतिरिक्त, यह धारणा थी कि बैंकों को आर्थिक विस्तार के लिए महत्वपूर्ण माने जाने वाले क्षेत्रों के लिए संसाधन जुटाकर भारत की विकास रणनीति में अधिक प्रमुख भूमिका निभानी चाहिए। परिणामस्वरूप, बैंकों पर सामाजिक नियंत्रण की नीति की घोषणा की गई। इसका उद्देश्य वाणिज्यिक बैंकों द्वारा ऋण के प्रबंधन और वितरण में परिवर्तन लाना था।

युद्ध के बाद की विकास रणनीति कई मायनों में समाजवादी थी और भारत सरकार को लगा कि निजी हाथों में बैंक उन लोगों को पर्याप्त ऋण नहीं दे रहे हैं जिन्हें इसकी सबसे अधिक आवश्यकता है। जुलाई 1969 में, सरकार ने उन सभी 14 बैंकों का राष्ट्रीयकरण कर दिया, जिनकी राष्ट्रीय स्तर पर जमा राशि 50 करोड़ रुपये से अधिक थी। जुलाई 1969 में बैंकों के राष्ट्रीयकरण का उद्देश्य 'अर्थव्यवस्था की गति को नियंत्रित करना और राष्ट्रीय नीति और उद्देश्यों के अनुरूप अर्थव्यवस्था के विकास की आवश्यकताओं को उत्तरोत्तर पूरा करना' था, जिसने यह सुनिश्चित करने के सामाजिक उद्देश्य को तीव्र करने का काम किया कि वित्तीय मध्यस्थ उत्पादक उद्देश्यों के लिए ऋण की माँगों को पूरी तरह से

पूरा करें। राष्ट्रीयकरण के दो महत्वपूर्ण उद्देश्य थे-शाखाओं का तेजी से विस्तार और योजना प्राथमिकताओं के अनुसार ऋण का वितरण।

राष्ट्रीयकरण के बाद भारतीय बैंकिंग प्रणाली ने बहुत तेजी से प्रगति की और ग्रामीण और शहरी दोनों क्षेत्रों में बैंक शाखाओं का तेजी से विस्तार हुआ। बैंकों द्वारा जमा की गई जमाराशियों में तेजी से वृद्धि हुई, साथ ही ऋण विस्तार भी हुआ, खासतौर पर प्राथमिकता वाले क्षेत्रों में। राष्ट्रीयकरण के बाद, भारतीय बैंकिंग क्षेत्र की व्यापकता और दायरा शायद किसी अन्य देश की तुलना में अत्यधिक तीव्र दर से बढ़ा। अप्रैल 1980 में, सरकार ने राष्ट्रीयकरण का दूसरा दौर शुरू किया, जिसमें छह निजी बैंकों को सरकारी नियंत्रण में रखा गया, जिनकी देशभर में जमाराशियाँ 200 करोड़ रुपये से ज्यादा थीं, जिससे सार्वजनिक क्षेत्र के बैंकों की जमाराशियों में 92% की वृद्धि हुई। राष्ट्रीयकरण की दूसरी लहर इसलिए आई क्योंकि बैंकिंग प्रणाली पर नियंत्रण एक साधन के रूप में तेजी से महत्वपूर्ण होता गया, ताकि शाखा नेटवर्क को व्यापक बनाने और बढ़ते सरकारी घाटे को वित्त-पोषित करने के माध्यम से प्राथमिकता वाले क्षेत्र के ऋण को गरीबों तक पहुँचाया जा सके। बैंकों के राष्ट्रीयकरण के अलावा, प्राथमिकता वाले क्षेत्र के ऋण लक्ष्य को 33.3% से बढ़ाकर 40% कर दिया गया। प्राथमिकता क्षेत्र ऋणों की स्थापना और बैंकों के राष्ट्रीयकरण के अलावा, सरकार ने वैधानिक तरलता अनुपात (एसएलआर) और नकद आरक्षित अनुपात (सीआरआर) को बढ़ाकर बैंकों के फंड पर और अधिक नियंत्रण कर लिया। 1960 में सीआरआर के लिए 2% और एसएलआर के लिए 25% के स्तर से, दोनों में 1991 तक क्रमशः 15% और 38.5% तक की तीव्र वृद्धि देखी गई।

1969 से 1991 की अवधि में, बैंक शाखाओं में बहुत वृद्धि हुई, लेकिन बैंक अपनी खराब ऋण रणनीति और सरकारी स्वामित्व के तहत आंतरिक जोखिम प्रबंधन की कमी के कारण लाभहीन, अक्षम और अस्वस्थ बने रहे।

बैंक के प्रदर्शन को खराब करने में योगदान देने वाले प्रमुख कारकों में शामिल हैं:

- सीआरआर और एसएलआर की बहुत सख्त नियामक आवश्यकताएं जिनके लिए बैंकों को सरकारी और पात्र प्रतिभूतियों में एक निश्चित राशि रखने की आवश्यकता होती है
- वाणिज्यिक अग्रिमों की तुलना में सरकारी बॉन्ड पर कम ब्याज दरें
- निर्देशित और रियायती ऋण
- निर्धारित ब्याज दरें, और
- प्रतिस्पर्धा की कमी

इन कारकों ने न केवल ठीक से काम करने के लिए प्रोत्साहन को कम किया, बल्कि बैंकों को जोखिम लेने से रोकने के लिए विनियामक प्रोत्साहन को भी कमजोर किया। जबकि वित्तीय क्षेत्र में सरकार की भागीदारी को आर्थिक विकास के प्रारंभिक चरण में उचित ठहराया जा सकता है, अत्यधिक बड़े सार्वजनिक क्षेत्र के बैंकों की लंबे समय तक मौजूदगी के परिणामस्वरूप अक्सर अकुशल संसाधन आवंटन और कुछ बैंकों में शक्ति का संकेन्द्रण होता है। जिन नीतियों से फंड के अधिक समान वितरण को बढ़ावा मिलना चाहिए था, वे भी भारतीय बैंकिंग प्रणाली में अकुशलता को जन्म देती हैं।

1991 तक भारत की बैंकिंग प्रणाली सरकार की व्यय नीति का एक अभिन्न अंग थी। निर्देशित ऋण नियमों और वैधानिक पूर्व-अधिग्रहण के माध्यम से, यह राजकोषीय घाटे और प्रमुख उद्योगों के लिए धन का एक बंद स्रोत (captive source) था। सीआरआर और एसएलआर के माध्यम से, बचत का 50% से अधिक हिस्सा या तो आरबीआई के पास जमा करना पड़ता था या सरकारी सुरक्षा खरीदने के लिए इस्तेमाल किया जाता था। शेष बचत का 40% सरकार द्वारा परिभाषित प्राथमिकता वाले क्षेत्रों में लगाया जाना था। निधियों के उपयोग पर इन प्रतिबंधों के अलावा, सरकार के पास निधियों की कीमतों, यानी बचत और ऋण पर ब्याज दरों पर भी नियंत्रण था। समग्र अर्थव्यवस्था की तरह, भारतीय बैंकिंग क्षेत्र में 1980 के दशक के अंत तक गंभीर संरचनात्मक समस्याएँ थीं। उन समस्याओं में से प्रमुख थीं अलाभकारिता, अकुशलता और वित्तीय अस्वस्थता। अंतर्राष्ट्रीय मानकों के अनुसार, भारतीय बैंक, जमा राशि में तीव्र वृद्धि के बावजूद, अत्यधिक अलाभकारी थे। राष्ट्रीयकरण के बाद के दो दशकों में बैंकों द्वारा की गई प्रभावशाली प्रगति के बावजूद, सरकार

द्वारा उन पर लागू किए गए अत्यधिक नियंत्रणों ने वाणिज्यिक बैंकिंग प्रणाली में कुछ कठोरता और अकुशलताएँ पैदा कीं। इससे न केवल उनके विकास में बाधा आई बल्कि उनकी लाभप्रदता भी कम हुई।

वित्तीय क्षेत्र की खामियों को ठीक करने की जरूरत 1991 के संकट के दौरान महसूस की गई थी। इसलिए, श्री एम. नरसिम्हन की अध्यक्षता में भारतीय वित्तीय क्षेत्र की प्रगति और कार्यप्रणाली की समीक्षा करने तथा इसमें सुधार के उपाय सुझाने के लिए एक उच्च स्तरीय समिति (वित्तीय प्रणाली समिति या नरसिम्हन समिति-I) का गठन किया गया था।

समिति की कुछ सिफारिशें निम्नलिखित थीं:

- सांविधिक तरलता अनुपात (एसएलआर) बैंकों के लिए विवेकपूर्ण आवश्यकता पर आधारित होना चाहिए तथा इसे सरकारी बजट के वित्त-पोषण के लिए एक प्रमुख साधन के रूप में नहीं देखा जाना चाहिए। एसएलआर को घटाकर 25% किया जाना चाहिए।
- ब्याज दरों को धीरे-धीरे नियंत्रणमुक्त किया जाना चाहिए तथा ब्याज दरों के नियंत्रणमुक्त होने के साथ ही आरबीआई को ऋण के द्वितीयक विस्तार को नियंत्रित करने के लिए नकद आरक्षित अनुपात (सीआरआर) में परिवर्तन करने की अपेक्षा खुले बाजार परिचालन (प्रतिभूतियों की खरीद-बिक्री) का अधिक सहारा लेना चाहिए।
- एसएलआर निवेशों पर ब्याज दरें बाजार से संबंधित होनी चाहिए, जबकि सीआरआर पर दरें मोटे तौर पर बैंकों की जमाराशियों की लागत से संबंधित होनी चाहिए।
- निर्देशित ऋण कार्यक्रम (निर्दिष्ट/रियायती ब्याज दरों पर विशिष्ट क्षेत्रों को एक निश्चित न्यूनतम राशि उधार देने की आवश्यकता) को चरणबद्ध तरीके से समाप्त/पुनर्परिभाषित किया जाना चाहिए।
- सार्वजनिक क्षेत्र, निजी क्षेत्र और विदेशी क्षेत्र के बैंकों के बीच समान अवसर पैदा करने चाहिए ।
- एक परिसंपत्ति पुनर्निर्माण कंपनी (एआरसी) की स्थापना की जानी चाहिए जो बैंकों और वित्तीय संस्थानों से खराब और संदिग्ध ऋणों का एक हिस्सा उचित छूट पर ले सके और एआरसी को वसूली के विशेष अधिकार प्रदान किए जाने चाहिए।
- कुछ बड़े बैंकों का चयन करें जो अंतरराष्ट्रीय स्तर के बन सकें और पूरे देश में शाखाओं के नेटवर्क के साथ आठ से दस राष्ट्रीय स्तर के बैंक हों।
- आरबीआई और वित्त मंत्रालय के बीच बैंकिंग प्रणाली पर नियंत्रण का द्वंद्व समाप्त होना चाहिए और आरबीआई को बैंकिंग प्रणाली के विनियमन के लिए प्राथमिक एजेंसी होना चाहिए।

भारत सरकार ने 1997 के अंत में महसूस किया कि भविष्य की ओर देखने और आने वाले वर्षों में आवश्यक सुधारों की रूपरेखा तैयार करने का समय आ गया है ताकि भारत की बैंकिंग प्रणाली तेजी से बदलते अंतरराष्ट्रीय आर्थिक माहौल में प्रभावी ढंग से प्रतिस्पर्धा करने के लिए मजबूत और बेहतर ढंग से सुसज्जित हो सके। तदनुसार 1997 में उसी एम. नरसिम्हन (नरसिम्हन समिति-II) की अध्यक्षता में बैंकिंग क्षेत्र सुधार समिति नामक एक अन्य समिति का गठन किया गया। नरसिम्हन समिति-II की प्रमुख सिफारिशें निम्नलिखित थीं:

- **बैंकिंग में स्वायत्तता:** सार्वजनिक क्षेत्र के बैंकों के लिए अधिक स्वायत्तता का प्रस्ताव किया गया था ताकि वे अपने अंतरराष्ट्रीय समकक्षों के समान व्यावसायिकता के साथ काम कर सकें। इसके लिए पैनल ने सिफारिश की कि सार्वजनिक क्षेत्र के बैंकों की भर्ती प्रक्रिया,प्रशिक्षण और पारिश्रमिक नीतियों को सर्वोत्तम-बाजार-प्रथाओं के अनुरूप लाया जाना चाहिए। दूसरी बात, समिति ने सिफारिश की कि स्वायत्तता बढ़ाने के लिए राष्ट्रीयकृत बैंकों में भारत सरकार की इक्विटी को घटाकर 33% किया जाना चाहिए।
- **मजबूत बैंकिंग प्रणाली:** समिति ने बड़े भारतीय बैंकों के विलय की सिफारिश की ताकि उन्हें अंतरराष्ट्रीय व्यापार का समर्थन करने के लिए पर्याप्त रूप से मजबूत बनाया जा सके।
- **पूँजी पर्याप्तता मानदंड:** भारतीय बैंकिंग प्रणाली की

अंतर्निहित ताकत में सुधार करने के लिए समिति ने सिफारिश की कि सरकार को निर्धारित पूँजी पर्याप्तता मानदंडों को बढ़ाना चाहिए। इससे उनकी जोखिम लेने की क्षमता में भी सुधार होगा।

- **आरबीआई की भूमिका में सुधारः** समिति ने सिफारिश की कि मौद्रिक प्रणाली के नियामक के रूप में रिजर्व बैंक को संभावित हितों के टकराव को देखते हुए किसी बैंक का मालिक नहीं बनना चाहिए। सिफारिशों के अनुसार, आरबीआई ने एसबीआई, एनएचबी और नाबार्ड जैसे सार्वजनिक बैंकों की अपनी शेयरधारिता भारत सरकार को हस्तांतरित कर दी है।

दोनों समितियों द्वारा सुझाए गए अधिकांश सुधारों को अब लागू किया जा चुका है।

आरबीआई ने सितंबर 2013 में **नचिकेत मोर** के नेतृत्व में "छोटे व्यवसायों और कम आय वाले परिवारों के लिए व्यापक वित्तीय सेवाओं पर समिति" की स्थापना की थी। समिति ने जनवरी 2014 में अपनी रिपोर्ट दी, जिसमें से कुछ सिफारिशें नीचे सूचीबद्ध हैं:

- 18 वर्ष से अधिक आयु के प्रत्येक भारतीय निवासी के पास एक व्यक्तिगत, पूर्ण सेवायुक्त, सुरक्षित और संरक्षित बैंक खाता होना चाहिए।
- बैंक खातों की संख्या में तेजी से विस्तार के लिए आधार को मुख्य संचालक होना चाहिए।
- भारत में प्रत्येक निवासी को भुगतान पहुँच बिंदु (payment access point) से पंद्रह मिनट की पैदल दूरी के भीतर होना चाहिए।
- प्रत्येक कम आय वाले परिवार और छोटे व्यवसाय के पास ऐसे प्रदाताओं तक पहुँच होगी जो उन्हें उपयुक्त निवेश और जमा उत्पाद प्रदान कर सकते हैं। ऐसी सेवाएँ उन्हें उचित शुल्क पर उपलब्ध होनी चाहिए।

पी जे नायक समिति

सार्वजनिक क्षेत्र के बैंक (PSB) "भारतीय स्टेट बैंक अधिनियम 1955" और "बैंकिंग कंपनियों (उपक्रमों का अधिग्रहण और हस्तांतरण) अधिनियम, 1970" के माध्यम से स्थापित किए गए हैं, जिन्हें बैंक राष्ट्रीयकरण अधिनियम भी कहा जाता है।

इन अधिनियमों के तहत भारत सरकार को सार्वजनिक क्षेत्र के बैंकों में बहुलांश हिस्सेदारी और मतदान शक्ति रखना आवश्यक है और इससे सरकार को निदेशक मंडल की नियुक्ति करने और सार्वजनिक क्षेत्र के बैंकों के निर्णय लेने में शामिल होने का अधिकार मिलता है। इससे शासन से जुड़ी समस्याएँ पैदा होती हैं क्योंकि इन सार्वजनिक क्षेत्र के बैंकों के बोर्ड में नियुक्त लोग अपनी नौकरी के लिए उतने योग्य नहीं होते लेकिन सरकार के करीबी होते हैं। इसके जरिए सरकार निर्णयों में हेरफेर करना शुरू कर देती है जिससे कई तरह की धोखाधड़ी और भ्रष्टाचार होता है।

जनवरी 2014 में, भारत में बैंकों के बोर्ड के शासन की समीक्षा के लिए पी जे नायक समिति का गठन किया गया था (जिसने मई 2014 में अपनी रिपोर्ट प्रस्तुत की) ताकि बैंकों के बोर्ड के कामकाज की जाँच की जा सके, बैंक के स्वामित्व और बोर्ड में प्रतिनिधित्व पर आरबीआई के दिशा-निर्देशों की समीक्षा की जा सके और बोर्ड में प्रतिनिधित्व में संभावित हितों के टकराव की जांच की जा सके। **निम्नलिखित मुख्य सिफारिशें थीं:**

- सरकार को कंपनी अधिनियम, 2013 के तहत एक बैंक निवेश कंपनी (Bank Investment Company) स्थापित करनी चाहिए। सरकार को पीएसबी में अपने वर्तमान स्वामित्व को बीआईसी को हस्तांतरित करना चाहिए और सभी पीएसबी को बीआईसी की सहायक कंपनियों के रूप में शामिल किया जाएगा और कंपनी अधिनियम 2013 के तहत पंजीकृत किया जाएगा। और पीएसबी सीमित कंपनियाँ बन जाएँगी उदाहरण के लिए "स्टेट बैंक ऑफ इंडिया" "स्टेट बैंक ऑफ इंडिया लिमिटेड" बन जाएगा। (इस लिमिटेड का मतलब है कि अब अगर स्टेट बैंक ऑफ इंडिया लिमिटेड दिवालिया हो जाता है तो भारत सरकार/बीआईसी उत्तरदायी नहीं होगी और एसबीआई लिमिटेड की रक्षा के लिए अपने संसाधनों से धन नहीं लगाना पड़ सकता है)। सरकार को पीएसबी (बीआईसी के माध्यम से) में अपनी हिस्सेदारी घटाकर 50% से कम करनी चाहिए।

- बीआईसी एक होल्डिंग कंपनी बन जाएगी जिसका स्वामित्व भारत सरकार के पास होगा बीआईसी में बहुलांश शेयरधारक होंगे, लेकिन यह इसके कामकाज में हस्तक्षेप नहीं करेगा और बीआईसी बैंकों के निदेशकों और शीर्ष प्रबंधन का चयन करेगा। (और यदि बीआईसी की स्वायत्तता को बनाए रखने के लिए आवश्यक हो, तो सरकार बीआईसी में अपने स्वामित्व को 50% से कम कर सकती है)।
- लेकिन चूँकि अधिनियमों (1955, 1970) को निरस्त करने और बीआईसी की स्थापना में समय लगेगा, इसलिए फिलहाल सरकार एक कार्यकारी आदेश के माध्यम से बैंक बोर्ड ब्यूरो (Banks Board Bureau) की स्थापना कर सकती है और बीबीबी सार्वजनिक क्षेत्र के बैंकों और अन्य सार्वजनिक क्षेत्र के वित्तीय संस्थानों जैसे नाबार्ड/सिडबी/एलआईसी आदि में निदेशकों/शीर्ष प्रबंधन का चयन और नियुक्ति करेगा। और एक बार बीआईसी की स्थापना हो जाने के बाद, बैंक बोर्ड ब्यूरो को भंग कर दिया जाएगा।

पी जे नायक समिति की सिफारिशों के अनुरूप और सार्वजनिक क्षेत्र के बैंकों (पीएसबी) के शासन में सुधार के उद्देश्य से, भारत सरकार ने एक स्वायत्त **बैंक बोर्ड ब्यूरो (बीबीबी)** की नियुक्ति की, लेकिन बाद में इसे 1 जुलाई 2022 से **वित्तीय सेवा संस्थान ब्यूरो (Financial Services Institutions Bureau)** द्वारा प्रतिस्थापित कर दिया गया। **वित्तीय सेवा संस्थान ब्यूरो के कार्य निम्नलिखित हैं:**

- सार्वजनिक क्षेत्र के बैंकों, वित्तीय संस्थानों और सार्वजनिक क्षेत्र के बीमाकर्ताओं (जिन्हें आगे क्रमश: 'पीएसबी', 'एफआई' और 'पीएसआई' कहा जाएगा) के निदेशक मंडल में पूर्णकालिक निदेशक (डब्ल्यूटीडी) और गैर-कार्यकारी अध्यक्ष (एनईसी) के रूप में नियुक्ति के लिए व्यक्तियों की सिफारिश करना।
- उक्त निदेशकों की नियुक्ति, स्थानांतरण या कार्यकाल के विस्तार और सेवाओं की समाप्ति से संबंधित मामलों पर सरकार को सलाह देना।
- पीएसबी, एफआई और पीएसआई के लिए बोर्ड स्तर पर वांछित प्रबंधन संरचना पर सरकार को सलाह देना।
- पीएसबी, एफआई और पीएसआई के प्रदर्शन से संबंधित डेटायुक्त एक डाटाबैंक बनाना।
- पीएसबी, एफआई और पीएसआई में पूर्णकालिक निदेशकों के लिए आचार संहिता और आचार संहिता के निर्माण और प्रवर्तन पर सरकार को सलाह देना।
- पीएसबी, एफआई और पीएसआई में प्रबंधन कर्मियों के लिए उपयुक्त प्रशिक्षण और विकास कार्यक्रम विकसित करने पर सरकार को सलाह देना।
- व्यवसाय रणनीति और पूँजी जुटाने की योजना आदि विकसित करने के मामले में पीएसबी, एफआई और पीएसआई की मदद करना।
- ऐसी प्रक्रिया को अंजाम देना और किसी अन्य बैंक, वित्तीय संस्थान या बीमाकर्ता के लिए सक्षम प्राधिकारी के विचार के लिए एक पैनल तैयार करना जिसके लिए सरकार संदर्भ देती है।

(एफआई मूल रूप से सार्वजनिक क्षेत्र के वित्तीय संस्थान हैं जैसे नाबार्ड, एनएचबी, सिडबी, एक्जिम, मुद्रा आदि।)

3.2 आरबीआई और भारत सरकार के बीच संबंध (Relationship between RBI and Government of India)

भारतीय रिजर्व बैंक

[आरबीआई अधिनियम के अनुसार, केंद्रीय बोर्ड निम्नलिखित सदस्यों (21) से बना है: गवर्नर, चार उप-गवर्नर, चार निदेशक (आरबीआई के चार क्षेत्रीय बोर्डों में से एक-एक), केंद्र द्वारा नामित 10 निदेशक और केंद्र द्वारा नामित दो सरकारी अधिकारी]।

बोर्ड और गवर्नर के बीच संबंध कॉर्पोरेट व्यवस्था जैसी नहीं है, जहाँ प्रबंध निदेशक (गवर्नर के कॉर्पोरेट समकक्ष) बोर्ड को रिपोर्ट करता है और उससे अपनी शक्तियाँ प्राप्त करता है। जहाँ एक कंपनी में प्रबंध निदेशक बोर्ड का एजेंट होता है, वहीं आरबीआई में गवर्नर ऐसा नहीं है। वह अपनी शक्तियाँ आरबीआई अधिनियम से प्राप्त करता है, न कि

केंद्रीय बोर्ड से। उसे प्रधानमंत्री द्वारा वित्त मंत्री के परामर्श से नियुक्त किया जाता है। उसकी नियुक्ति में आरबीआई बोर्ड का कोई भी अधिकार नहीं होता है। किसी कंपनी में, निदेशक मंडल अपने में से किसी एक को प्रबंध निदेशक के रूप में नियुक्त करने के लिए चुनता है। आरबीआई में, गवर्नर को पद पर नियुक्त होने के बाद ही बोर्ड की सदस्यता मिलती है। इसलिए, कॉर्पोरेट बोर्ड की तुलना आरबीआई के बोर्ड से करना और यह मानना गलत है कि गवर्नर उसके अधीन है।

आरबीआई में नीतिगत निर्णय गवर्नर और उसके 4 डिप्टी गवर्नर द्वारा लिए जाते हैं और (केंद्रीय) बोर्ड आरबीआई को व्यापक दृष्टिकोण प्रदान करने में लगा हुआ है। आरबीआई बोर्ड ने हमेशा सलाहकार की भूमिका में काम किया है, इस समझ के साथ कि गवर्नर नीतिगत निर्णय लेते समय इसकी सलाह पर विचार करेंगे। दूसरे शब्दों में, बोर्ड और गवर्नर के बीच परस्पर सम्मान होता है, दोनों समायोजन की भावना से काम करते हैं।

केंद्र (भारत सरकार) और आरबीआई के बीच संबंध

केंद्र (भारत सरकार) और आरबीआई दोनों के पास अपने-अपने काम हैं, लेकिन वे घनिष्ठ समन्वय में काम करते हैं। लेकिन केंद्र और गवर्नर (आरबीआई प्रबंधन) के बीच बुनियादी असहमति के मामले में, जहां वे एक आम सहमति पर पहुँचने में असमर्थ होते हैं, तब केंद्र की बात मानी जाती है और वह आरबीआई अधिनियम की **धारा 7** का उपयोग करके आरबीआई को लिखित निर्देश दे सकता है और उस स्थिति में आरबीआई का निर्णय आरबीआई (केंद्रीय) बोर्ड को सौंप दिया जाएगा और फिर आरबीआई गवर्नर की कोई भूमिका नहीं होगी। *आरबीआई के 90 साल के अस्तित्व में धारा 7 को कभी लागू नहीं किया गया। ऐसा नहीं है कि इससे पहले आरबीआई गवर्नर और सरकारों के बीच कोई मतभेद नहीं हुआ है, लेकिन, चीजें इतनी चरम सीमा तक नहीं पहुँचीं और पर्दे के पीछे चुपचाप सुलझा ली गईं। केंद्र भी समझता है कि धारा 7 का इस्तेमाल करने पर निश्चित रूप से कीमत चुकानी पड़ेगी और यह एक गलत मिसाल कायम करेगा।*

आरबीआई को केंद्र से दूर रखा गया है और उसे एक निश्चित स्वतंत्रता दी गई है। ऐसा इसलिए है क्योंकि केंद्र खर्च करने वाला है और आरबीआई धन का निर्माता है, और दोनों के बीच स्वाभाविक रूप से अलगाव होना चाहिए। आरबीआई को संचालित करने के लिए खुद को शक्तियों से लैस करने वाला केंद्र इस सिद्धांत के खिलाफ है। लेकिन एक स्पष्ट कारण यह भी है कि, जबकि यह माना जाता है कि देश की मुद्रा का नियंत्रण निर्वाचित प्रतिनिधियों के नियंत्रण से दूर एक स्वतंत्र प्राधिकरण के पास होना चाहिए, आरबीआई अधिनियम में धारा 7 के रूप में सरकार के पास वीटो विकल्प है। और ऐसा इसलिए है क्योंकि मुंबई के मिंट स्ट्रीट में बैठे टेक्नोक्रेट और अर्थशास्त्री अपनी बनाई नीतियों के लिए जिम्मेदार नहीं हैं, बल्कि दिल्ली में बैठे शासक हैं। आखिरकार, देश पर शासन करने वाला निर्वाचित प्रतिनिधि ही हर पांच साल में नागरिकों के प्रति जवाबदेह होता है। प्रतिनिधि अर्थव्यवस्था के प्रदर्शन की व्याख्या करते समय मतदाता के सामने बाल की खाल नहीं निकाल सकता - उसे आरबीआई के कार्यों सहित हर चीज के लिए खुद को जिम्मेदार ठहराना होगा।

लोकतंत्र में, यह अकल्पनीय है कि हमारे पास एक ऐसी संस्था होगी जो इतनी स्वायत्त होगी कि वह लोगों के प्रति जवाबदेह नहीं होगी। ऐसी संस्था का जोखिम यह है कि वह समाज की इच्छा के विरुद्ध अपनी प्राथमिकताएँ समाज पर थोपेगी, जो अलोकतांत्रिक है।

इस दृष्टिकोण से देखा जाए तो आरबीआई की स्वायत्तता की सीमाएँ स्पष्ट होंगी। यह स्वायत्त है और अंततः सरकार के माध्यम से लोगों के प्रति जवाबदेह है। इस प्रकार दोनों पक्षों के जिम्मेदार व्यवहार की जिम्मेदारी है। व्यवस्था में दोनों के बीच पर्याप्त रचनात्मक तनाव है। गवर्नर को हर समय अपनी स्वायत्तता की सीमाओं के बारे में सचेत रहना होगा और सरकार को मिंट स्ट्रीट से आने वाली सलाह पर पूरी गंभीरता से विचार करना होगा।

पिछले गवर्नरों द्वारा आरबीआई अधिनियम की स्वायत्तता के बारे में व्याख्या

- **डॉ. मनमोहन सिंह:** आरबीआई और सरकार के बीच लेन-देन का संबंध है, लेकिन अगर वित्त मंत्री किसी

खास कार्रवाई पर जोर देते हैं, तो उनके विचार को मानना होगा और गवर्नर को मना नहीं करना चाहिए, जब तक कि वह अपनी नौकरी छोड़ने को तैयार न हों। रिजर्व बैंक का गवर्नर वित्त मंत्री से बड़ा नहीं होता।

- **बिमल जालान:** आरबीआई सरकार के प्रति जवाबदेह है और उसे सरकार द्वारा तय ढाँचे के भीतर नीतियां बनानी चाहिए।
- **डी. सुब्बाराव:** आरबीआई को पूर्ण स्वायत्तता नहीं है, लेकिन आरबीआई अधिनियम 1934 के ढाँचे के भीतर यह स्वायत्त है। आरबीआई अधिनियम में धारा 7 का अस्तित्व, भले ही इसका अब तक कभी इस्तेमाल नहीं किया गया हो, यह साबित करता है कि आरबीआई पूरी तरह से स्वायत्त नहीं है। यह तथ्य कि इसका कभी इस्तेमाल नहीं किया गया है, सरकार और केंद्रीय बैंक द्वारा प्रदर्शित जिम्मेदारी की भावना का प्रमाण है। केंद्रीय बैंक सरकार द्वारा तय सीमाओं के भीतर स्वायत्त है और इसकी सीमा विषय और संदर्भ पर निर्भर करती है।
- **वाई.वी. रेड्डी:** आरबीआई स्वतंत्र है, लेकिन सरकार द्वारा निर्धारित सीमाओं के भीतर। मेरा मानना है कि परिचालन संबंधी मामलों में आरबीआई को पूरी स्वतंत्रता है। लेकिन, नीति संबंधी मामलों में आरबीआई को वित्त मंत्रालय के अधिकारियों से पहले परामर्श करना चाहिए। निरंतर और सतत संवाद होना महत्वपूर्ण है, और लेन-देन का माहौल बहुत जरूरी है।

3.3 क्या बड़ी कंपनियों को अपने बैंक खोलने की अनुमति दी जानी चाहिए? (Should large corporate be allowed to open their own banks?)

पृष्ठभूमि:

उदारीकरण और तेजी से विकास के तीन दशकों के बाद भी, 'भारत में बैंकों की कुल बैलेंस शीट अभी भी जीडीपी के 70% से कम है, जो वैश्विक समकक्षों की तुलना में बहुत कम है' जैसे कि चीन, जहाँ यह अनुपात 175% के करीब है। इसके अलावा, निजी क्षेत्र को घरेलू बैंक ऋण जीडीपी का सिर्फ 50% है, जबकि चीन, जापान, अमेरिका और कोरिया जैसी अर्थव्यवस्थाओं में यह 150% से ऊपर है।

भारतीय अर्थव्यवस्था, खास तौर पर निजी क्षेत्र को बढ़ने के लिए पैसे (ऋण) की जरूरत होती है। ऋण देने में सक्षम होने से दूर, सरकारी स्वामित्व वाले बैंक अपने एनपीए को नियंत्रित करने के लिए संघर्ष कर रहे हैं। कोविड संकट से पहले ही सरकारी वित्त पर दबाव था। विकास में गिरावट के साथ, राजस्व में गिरावट आई है और सरकार के पास सार्वजनिक क्षेत्र के बैंकों के माध्यम से विकास को आगे बढ़ाने की सीमित क्षमता है। बड़ी कंपनियों के पास भारत के भविष्य के विकास को निधि देने के लिए वित्तीय संसाधन हैं। लेकिन इस विकल्प को चुनना गंभीर जोखिमों से रहित नहीं है, जिनमें से कुछ का उल्लेख नीचे किया गया है:

1. **हितों का टकराव (तकनीकी रूप से यह अंतर-संबंधित ऋण है):** अंतर-संबंधित ऋण एक ऐसी स्थिति को संदर्भित करता है जहाँ बैंक का प्रमोटर/मालिक भी उधारकर्ता होता है और इस तरह, प्रमोटर के लिए जमाकर्ताओं के पैसे को अपनी समूह कंपनियों में डालना संभव है। इसलिए कॉर्पोरेट घराने आसानी से बैंकों को अपने व्यवसायों के लिए धन के स्रोत में बदल सकते हैं और यह सुनिश्चित कर सकते हैं कि धन उनके साथियों को दिया जाए (और अधिक आरामदायक शर्तों पर जिससे अन्य उधारकर्ताओं के लिए लागत बढ़ जाएगी)। वे अपने व्यवसाय के ग्राहकों और आपूर्तिकर्ताओं को वित्त प्रदान करने के लिए बैंकों का उपयोग कर सकते हैं। इस प्रकार, कॉर्पोरेट घराने में बैंक को जोड़ने का अर्थ है आर्थिक शक्ति का संकेन्द्रण बढ़ाना।
2. भले ही हम आरबीआई को अंतर-संबंधित ऋण से निपटने के लिए कानूनी ढाँचे से लैस कर दें, आरबीआई अंतर-संबंधित ऋण पर केवल तभी प्रतिक्रिया कर सकता है, जब कॉर्पोरेट घराने की संस्थाओं को पर्याप्त जोखिम हो चुका हो। इस तरह के जोखिम को रोकने में सक्षम होने की संभावना नहीं है। कॉर्पोरेट घराने भारत और विदेशों में संस्थाओं/सहायक कंपनियों के चक्रव्यूह

के माध्यम से धन भेजने में माहिर हैं। अंतर-संबंधित ऋण का पता लगाना एक चुनौती होगी। कॉर्पोरेट घरानों के लेन-देन की निगरानी के लिए विभिन्न कानून प्रवर्तन एजेंसियों के सहयोग की आवश्यकता होगी। कॉर्पोरेट घराने ऐसे सहयोग को विफल करने के लिए अपने राजनीतिक प्रभाव का उपयोग कर सकते हैं।

3. भले ही आरबीआई अंतर-संबंधित ऋण पर कब्जा कर ले, आरबीआई केसे प्रतिक्रिया करेगा? आरबीआई द्वारा प्रतिक्रिया में की जाने वाली कोई भी कार्रवाई संबंधित बैंक से जमा राशि के पलायन का कारण बन सकती है और इसकी विफलता को तेज कर सकती है। अंतर-संबंधित ऋण द्वारा उत्पन्न चुनौतियाँ वास्तव में विकट हैं।

4. आईसीआईसीआई बैंक, यस बैंक, डीएचएफएल आदि में हाल ही में घटित घटनाएँ आपस में जुड़े ऋण के उदाहरण हैं। तथाकथित **एवरग्रीनिंग ऑफ लोन** (जहाँ एक के बाद एक ऋण दिया जाता है ताकि उधारकर्ता पिछले ऋण को चुका सके) अक्सर ऐसे ऋण देने का प्रारंभिक बिंदु होता है।

5. कॉरपोरेट घरानों के स्वामित्व वाले बैंक समूह की गैर-बैंकिंग संस्थाओं के जोखिमों के संपर्क में आएंगे। यदि गैर-बैंकिंग संस्थाएं संकट में आती हैं, तो कॉरपोरेट घराने के स्वामित्व वाले बैंक के बारे में भावना प्रभावित होगी और जमाकर्ताओं को सार्वजनिक सुरक्षा जाल के उपयोग के माध्यम से संरक्षित करना होगा।

6. एनबीएफसी (जिनमें से कई बड़े कार्पोरेट द्वारा समर्थित हैं) के विपरीत, एक बैंक आम जनता से जमा स्वीकार करता है और यही बात इसे जोखिमपूर्ण बनाती है।

इसलिए, उधारकर्ताओं (बड़े कार्पोरेट) के वर्ग को ऋणदाताओं (बैंकों) के वर्ग से अलग रखना समझदारी है। लेकिन अगर बड़े कार्पोरेट और औद्योगिक घरानों को बैंकों के प्रमोटर के रूप में अनुमति दी जानी है तो यह बड़े समूहों के लिए पर्यवेक्षी तंत्र को मजबूत करने के बाद ही किया जाना चाहिए।

3.4 वित्तीय स्थिरता एवं विकास परिषद (एफएसडीसी) (Financial Stability and Development Council (FSDC))

वित्तीय स्थिरता बनाए रखने, अंतर-नियामक समन्वय बढ़ाने और वित्तीय क्षेत्र के विकास को बढ़ावा देने के लिए तंत्र को मजबूत और संस्थागत बनाने के उद्देश्य से, वित्तीय स्थिरता एवं विकास परिषद (Financial Stability and Development Council–FSDC) की स्थापना भारत सरकार द्वारा दिसंबर 2010 में शीर्ष स्तरीय मंच के रूप में की गई थी। एफएसडीसी एक वैधानिक निकाय नहीं है और इसे राजपत्र अधिसूचना के माध्यम से स्थापित किया गया था।

परिषद के अध्यक्ष वित्त मंत्री होते हैं और इसके सदस्यों में वित्तीय क्षेत्र के नियामकों (RBI, SEBI, PFRDA, IRDA) के प्रमुख, भारतीय दिवाला और दिवालियापन बोर्ड (Insolvency and Bankruptcy Board of India (IBBI)) के अध्यक्ष, मुख्य आर्थिक सलाहकार और वित्त मंत्रालय, सूचना प्रौद्योगिकी मंत्रालय और कॉर्पोरेट मामलों के मंत्रालय के सचिव शामिल होते हैं। परिषद आवश्यकता पड़ने पर अपनी बैठक में विशेषज्ञों को भी आमंत्रित कर सकती है।

विनियामकों की स्वायत्तता पर प्रतिकूल प्रभाव डाले बिना, FSDC निम्नलिखित से संबंधित मुद्दों से निपटेगा:

- वित्तीय स्थिरता
- वित्तीय क्षेत्र का विकास
- अंतर-नियामक समन्वय
- वित्तीय साक्षरता
- वित्तीय समावेशन
- बड़े वित्तीय समूहों के कामकाज सहित अर्थव्यवस्था का मैक्रो प्रूडेंशियल पर्यवेक्षण
- वित्तीय कार्रवाई कार्य बल (FATF), वित्तीय स्थिरता बोर्ड (FSB) जैसे वित्तीय क्षेत्र निकायों और समय-समय पर वित्त मंत्री द्वारा तय किए जाने वाले किसी भी ऐसे निकाय के साथ भारत के अंतर्राष्ट्रीय इंटरफेस का समन्वय

- वित्तीय क्षेत्र की स्थिरता और विकास से संबंधित कोई अन्य मामला जिसे सदस्य/अध्यक्ष द्वारा संदर्भित किया गया हो और जिसे परिषद/अध्यक्ष द्वारा विवेकपूर्ण माना गया हो।

3.5 वित्तीय संस्थानों का विकास (Development of Financial Institutions)

कुशल और मजबूत वित्तीय प्रणाली संसाधनों को जुटाकर और उन्हें उनके उत्पादक उपयोगों के लिए आवंटित करके आर्थिक विकास के एक शक्तिशाली इंजन के रूप में कार्य करती है। हालाँकि, एक विकासशील देश में, वित्तीय क्षेत्र आमतौर पर अधूरे होते हैं क्योंकि उनमें अर्थव्यवस्था की सभी वित्त-पोषण आवश्यकताओं को पूरा करने वाले बाजारों और संस्थानों की पूरी शृंखला का अभाव होता है। उदाहरण के लिए, आम तौर पर बुनियादी ढाँचे और उद्योग के लिए **दीर्घकालिक वित्त**, कृषि और छोटे और मध्यम उद्यमों (एसएमई) के विकास के लिए वित्त और लोगों के कुछ वर्गों के लिए वित्तीय उत्पादों की उपलब्धता की कमी होती है। विकास वित्त की भूमिका किसी देश के वित्तीय क्षेत्र में संस्थानों और बाजारों में अंतराल की पहचान करना और **'अंतराल-भरने'** के रूप में कार्य करना है। इसलिए, विकासात्मक वित्त के लिए मुख्य प्रेरणा वित्तीय बाजारों और संस्थानों द्वारा कुछ प्रकार के आर्थिक एजेंटों और क्षेत्रों को कुछ प्रकार के वित्त प्रदान करने में विफलता की भरपाई करना है। विफलता इसलिए उत्पन्न हो सकती है क्योंकि वित्त प्रदाता को अपेक्षित रिटर्न बाजार से संबंधित रिटर्न (उच्च सामाजिक रिटर्न के बावजूद) से कम होता है या इसमें शामिल क्रेडिट जोखिम को उच्च जोखिम वाले प्रीमियम द्वारा कवर नहीं किया जा सकता है क्योंकि वित्त-पोषित की जाने वाली आर्थिक गतिविधि ऐसे जोखिम-आधारित मूल्य पर अव्यावहारिक हो जाती है। विकास वित्त का विस्तार करने के लिए वाहन को विकास वित्तीय संस्थान (DFI) या विकास बैंक कहा जाता है। विकास वित्तीय संस्थान की महत्वपूर्ण विशेषताएँ निम्नलिखित हैं:

- विकास वित्तीय संस्थान- DFI को 'सरकार द्वारा प्रवर्तित या सहायता प्राप्त संस्था' के रूप में परिभाषित किया जाता है, जिसका मुख्य उद्देश्य अर्थव्यवस्था के एक या अधिक क्षेत्रों या उप-क्षेत्रों को विकास वित्त प्रदान करना है।
- संस्था किसी भी निजी वित्तीय संस्था द्वारा अपनाए गए संचालन के वाणिज्यिक मानदंडों और विकासात्मक दायित्वों के बीच विवेकपूर्ण संतुलन द्वारा स्वयं को अलग करती है;
- यह 'परियोजना दृष्टिकोण' पर जोर देती है- जिसका अर्थ है वित्तपोषित की जाने वाली परियोजना की व्यवहार्यता - 'संपार्श्विक दृष्टिकोण' के विरुद्ध;
- दीर्घकालिक ऋण, इक्विटी पूँजी, गारंटी और हामीदारी कार्यों के प्रावधान के अलावा, एक विकास बैंक से आमतौर पर सहायता प्राप्त परियोजनाओं की प्रबंधकीय और अन्य परिचालन पूर्व-आवश्यकताओं को उन्नत करने की भी अपेक्षा की जाती है।
- चूक के विरुद्ध इसका बीमा प्रबंधन की ईमानदारी, क्षमता और संसाधनशीलता, परियोजना की वाणिज्यिक और तकनीकी व्यवहार्यता और सबसे बढ़कर सहायता प्राप्त परियोजनाओं के कार्यान्वयन की गति और संचालन की दक्षता है।
- अपने ग्राहकों के साथ इसका निरंतर संबंध होता है और यह परियोजना में मात्र 'वित्त-पोषक' के बजाय 'भागीदार' है।

इस प्रकार, डीएफआई का मूल बल दीर्घकालिक वित्त और अर्थव्यवस्था की उन गतिविधियों या क्षेत्रों के लिए सहायता पर है, जहाँ जोखिम सामान्य वित्तीय प्रणाली द्वारा वहन किए जाने की अपेक्षा अधिक हो सकते हैं। डीएफआई इक्विटी और ऋण बाजारों को प्रोत्साहित करने में भी बड़ी भूमिका निभा सकते हैं, जैसे (i) स्वयं के स्टॉक और बॉन्ड बेचकर; (ii) सहायता प्राप्त उद्यमों को अपनी प्रतिभूतियाँ जारी करने या रखने में मदद करके और (iii) अपने स्वयं के निवेश पोर्टफोलियो से बेचकर।

दुनियाभर में विभिन्न विकास वित्तीय संस्थानों की सफलता ने निवेश दर बढ़ाने की आवश्यकता के संदर्भ में स्वतंत्रता के बाद भारत में डीएफआई के निर्माण के लिए मजबूत प्रोत्साहन प्रदान किया। आरबीआई को संस्था निर्माण के माध्यम से एक उपयुक्त वित्तीय वास्तुकला विकसित करने का कार्य सौंपा गया था ताकि (पंचवर्षीय) योजना प्राथमिकताओं के अनुसार पसंदीदा क्षेत्रों में संसाधनों को जुटाया और निर्देशित किया जा सके। जबकि बैंकिंग प्रणाली की पहुँच का विस्तार संसाधनों को जुटाने और लगातार बढ़ते पैमाने पर कार्यशील पूँजी वित्त को अर्थव्यवस्था के विभिन्न क्षेत्रों तक पहुँचाने के लिए किया गया था, डीएफआई की स्थापना मुख्य रूप से औद्योगिक क्षेत्र द्वारा दीर्घकालिक वित्त की माँग को पूरा करने के लिए की गई थी। भारत में 1948 में स्थापित पहला डीएफआई भारतीय औद्योगिक वित्त निगम (आईएफसीआई) था, जिसके बाद राज्य स्तर पर राज्य वित्तीय निगमों (एसएफसी) की स्थापना की गई।

भारत में नियोजित आर्थिक विकास के शुरुआती चरण में, IFCI और SFC के अलावा, कई अन्य वित्तीय संस्थाएँ स्थापित की गई, जिनमें निम्नलिखित शामिल हैं। ICICI लिमिटेड की स्थापना 1955 में, LIC की स्थापना 1956 में, रिफाइनेंस कॉरपोरेशन फॉर इंडस्ट्रीज लिमिटेड की स्थापना 1958 में (जिसे बाद में IDBI ने अपने अधीन कर लिया), एग्रीकल्चर रिफाइनेंस कॉरपोरेशन (ARDC और NABARD का पूर्ववर्ती), 1963 में, UTI और IDBI की स्थापना 1964 में, रूरल इलेक्ट्रिफिकेशन कॉरपोरेशन लिमिटेड और HUDCO लिमिटेड की स्थापना 1969-70 में, इंडस्ट्रियल रिकंस्ट्रक्शन कॉरपोरेशन ऑफ इंडिया लिमिटेड की स्थापना 1971 में (IIBI लिमिटेड का पूर्ववर्ती) और GIC की स्थापना 1972 में की गई। NABARD, NHB, SIDBI, EXIM बैंक को भी विकास वित्तीय संस्थाएँ माना जाता है। इस प्रकार, विकास वित्तीय संस्थान DFI शब्द किसी भी कानून में मानकीकृत नहीं है।

3.6 ऋणों का वर्गीकरण (Categorization of loans)

(इस विषय पर विस्तार से जाने की आवश्यकता नहीं है, बस कुछ शब्दों और अवधारणाओं पर एक नजर डालें जो आपको अन्य विषयों को समझने में मदद करेगी)

बैंकों द्वारा दिए गए ऋण और अग्रिम राशियाँ उनके लिए 'संपत्ति' हैं (उधारकर्ता द्वारा हस्ताक्षरित और बैंकों के पास रखा गया 'ऋण दस्तावेज' बैंक के लिए एक संपत्ति है क्योंकि इस ऋण दस्तावेज के आधार पर बैंक को मूलधन और ब्याज वापस मिलता है)। ऐसे ऋणों के प्रदर्शन के आधार पर (यानी बैंकों को ब्याज और मूलधन मिल रहा है या नहीं) उन्हें RBI द्वारा प्रदान किए गए मानदंडों के अनुसार वर्गीकृत किया जाता है। RBI द्वारा परिसंपत्तियों के वर्गीकरण का उद्देश्य खातों में पारदर्शिता और स्थिरता लाना है।

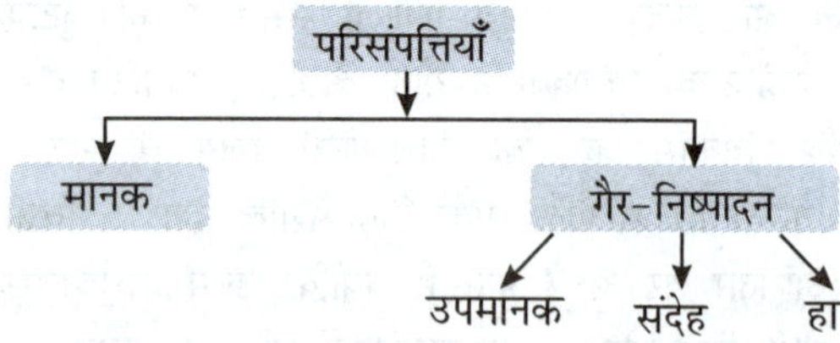

मानक और गैर-निष्पादित वर्गीकरण के लिए विभिन्न प्रकार के ऋणों (परिसंपत्तियों) के लिए अलग-अलग मानदंड हैं, और विस्तार में जाने की आवश्यकता नहीं है। लेकिन आमतौर पर गैर-निष्पादित परिसंपत्तियाँ (NPA) वे परिसंपत्तियाँ होती हैं, जिनका ब्याज और/या मूलधन 90 दिनों से अधिक की अवधि के लिए शेष रहता है।

पुनर्गठित परिसंपत्ति (Restructured asset): या ऋण वे परिसंपत्तियाँ हैं, जिन्हें विस्तारित पुनर्भुगतान अवधि, कम ब्याज दर, ऋण के एक हिस्से को इक्विटी में परिवर्तित करना, अतिरिक्त वित्त-पोषण प्रदान करना, या इनमें से कुछ उपायों का संयोजन मिला है। इसलिए, पुनर्गठन के तहत एक खराब ऋण को एक नए ऋण (मानक) के रूप में संशोधित किया जाता है। पुनर्गठित ऋण बैंकों की खराब परिसंपत्ति गुणवत्ता को भी दर्शाता है। ऐसा इसलिए है क्योंकि पुनर्गठित ऋण एक पिछला NPA था और इसे एक नए ऋण में संशोधित किया गया है।

निरस्तीकरण (Write-off): यह लेखांकन का शब्द है। इसका मतलब है कि ऋणदाता अब आपके द्वारा कंपनी को दिए गए पैसे को कंपनी की परिसंपत्ति के रूप में नहीं गिनता है और इसे बैलेंस शीट से हटा देता है। बैंक ऋण को तब राइट-ऑफ करते हैं जब उन्हें यकीन हो जाता है कि वे पैसे वापस नहीं पा सकेंगे और वे ऋण/परिसंपत्ति के मूल्य को

शून्य कर देते हैं। निवेशकों को गुमराह न करने के लिए उन्हें कुछ खराब ऋणों को बट्टे खाते में डालना पड़ता है। लेकिन फिर भी आपको पैसे देने होते हैं।

डिफॉल्ट का अर्थ है ऋण का भुगतान न करना, जब ऋण की पूरी राशि या उसका कोई भाग या किस्त बकाया हो जाती है और देनदार द्वारा चुकाया नहीं जाता है।

दबावग्रस्त संपत्ति = एनपीए + पुनर्गठित ऋण + बट्टे खाते में डाली गई संपत्ति

सुरक्षित ऋण का अर्थ है ऐसा ऋण जो किसी सुरक्षा हित द्वारा सुरक्षित हो।

सुरक्षा हित का अर्थ है किसी भी सुरक्षित लेनदार के पक्ष में बनाई गई संपत्ति (भौतिक/वित्तीय) पर किसी भी प्रकार का अधिकार, शीर्षक या हित।

सुरक्षित लेनदार का अर्थ है कोई भी बैंक या वित्तीय संस्थान जो किसी भी भौतिक या वित्तीय (मूर्त या अमूर्त) संपत्ति पर कोई अधिकार, शीर्षक या हित रखता हो।

सुरक्षा समझौते का अर्थ है एक समझौता, साधन या कोई अन्य दस्तावेज या व्यवस्था जिसके तहत सुरक्षित लेनदार के पक्ष में सुरक्षा हित बनाया जाता है, जिसमें सुरक्षित लेनदार के पास शीर्षक विलेख जमा करके बंधक बनाना शामिल है।

सुरक्षित संपत्ति का अर्थ है वह **संपत्ति** (भौतिक जैसे घर या वित्तीय जैसे शेयर) जिस पर सुरक्षा व्याज बनाया जाता है।

परिसंपत्ति निर्माण कंपनी (Asset Reconstruction Company & ARC): एसेट रिकंस्ट्रक्शन या सिक्यूरिटाइजेशन का व्यवसाय करने के उद्देश्य से आरबीआई के साथ पंजीकृत (और आरबीआई द्वारा विनियमित) कंपनी है।

परिसंपत्ति निर्माण का अर्थ है किसी बैंक या वित्तीय संस्थान के किसी ऋण/ऋण/अग्रिम में किसी **अधिकार** या **हित** का एआरसी द्वारा अधिग्रहण, ऐसे **ऋण** की वसूली/वसूली के उद्देश्य से।

सुरक्षितिकरण: किसी एआरसी द्वारा किसी वित्तीय संस्थान से वित्तीय परिसंपत्तियों (ऋण या सुरक्षा हित) का अधिग्रहण, ऐसी परिसंपत्तियों को विपणन योग्य प्रतिभूतियों में परिवर्तित करने के उद्देश्य से है। यह गैर-तरल परिसंपत्तियों को तरल परिसंपत्तियों में परिवर्तित करने को संदर्भित करता है।

ARC ऋण में **अधिकार/हित** (एसेट रिकंस्ट्रक्शन) या **ऋण** को ही (सिक्यूरिटाइजेशन के उद्देश्य से) खरीद सकते हैं।

3.7 SARFAESI अधिनियम 2002 (SARFAESI Act, 2002)

वित्तीय आस्तियों का प्रतिभूतिकरण एवं पुनर्निर्माण तथा प्रतिभूति हित प्रवर्तन अधिनियम 2002 (SARFAESI अधिनियम 2002) (The Securitisation and Reconstruction of Financial Assets and Enforcement of Securities Interest Act 2002 (SARFAESI Act 2002)

पहले, भारत में बैंकों और वित्तीय संस्थाओं के पास ऋण चूक की स्थिति में प्रतिभूतियों को अपने अधिकार में लेने और उन्हें बेचने का अधिकार नहीं था (बल्कि उन्हें न्यायालय की प्रक्रिया के माध्यम से अपने प्रतिभूति हितों को लागू करना पड़ता था, जिसमें अत्यधिक समय लगता था)। इसके परिणामस्वरूप चूक वाले ऋणों की वसूली की गति धीमी हो गई थी और बैंकों और वित्तीय संस्थाओं की गैर-निष्पादित आस्तियों का स्तर बढ़ गया था। बैंकिंग क्षेत्र में सुधारों की जांच के उद्देश्य से केंद्र सरकार द्वारा गठित नरसिम्हम समिति I और II ने इन क्षेत्रों के संबंध में कानूनी प्रणाली में बदलाव की आवश्यकता पर विचार किया था। इन समितियों ने, अन्य बातों के साथ-साथ, प्रतिभूतिकरण के लिए एक नया कानून बनाने और बैंकों और वित्तीय संस्थाओं को न्यायालय के हस्तक्षेप के बिना प्रतिभूतियों को अपने कब्जे में लेने और उन्हें बेचने का अधिकार देने का सुझाव दिया था। इन सुझावों पर कार्य करते हुए, वित्तीय आस्तियों के प्रतिभूतिकरण एवं पुनर्निर्माण तथा प्रतिभूति हित प्रवर्तन अधिनियम, 2002 को वित्तीय आस्तियों के प्रतिभूतिकरण एवं पुनर्निर्माण तथा प्रतिभूति हित प्रवर्तन को विनियमित करने के लिए अधिनियमित किया गया।

SARFAESI अधिनियम गैर-निष्पादित परिसंपत्तियों की वसूली के लिए निम्नलिखित तीन प्रक्रियाओं को मंजूरी देता है:

1. **न्यायालय के हस्तक्षेप के बिना सुरक्षा प्रवर्तन:** अधिनियम के अनुसार, वित्तीय संस्थान चूककर्ता ऋण

लेने वालों के साथ-साथ गारंटरों को नोटिस जारी करने के हकदार हैं, जिसमें उन्हें नोटिस जारी करने की तिथि से 60 दिनों के भीतर बकाया राशि का भुगतान करने के लिए कहा जाता है। यदि चूककर्ता नोटिस के अनुसार कार्य करने में विफल रहता है, तो बैंक सुरक्षा हित लागू करने का हकदार है (अर्थात, अधिनियम बैंकों और वित्तीय संस्थानों को ऋण/ऋण सुरक्षित होने और गैर-निष्पादित होने की स्थिति में 'सुरक्षा हित' बेचने की अनुमति देता है)।

2. **परिसंपत्ति पुनर्निर्माण:** इसका अर्थ है किसी ऋण/अग्रिम में ऐसे ऋण की वसूली के उद्देश्य से किसी बैंक या वित्तीय संस्थान के किसी **अधिकार** या हित का एआरसी द्वारा अधिग्रहण,
3. **प्रतिभूतिकरण:** किसी ARC द्वारा किसी वित्तीय संस्थान से ऐसी परिसंपत्तियों को विपणन योग्य प्रतिभूतियों में परिवर्तित करने के उद्देश्य से वित्तीय परिसंपत्तियों (ऋणों) का अधिग्रहण।

इन प्रावधानों ने बैंकों और वित्तीय संस्थानों को प्रतिभूतियों पर कब्जा करने, उन्हें बेचने और वसूली और पुनर्निर्माण के उपायों को अपनाकर गैर-निष्पादित परिसंपत्तियों को कम करने की शक्तियों का प्रयोग करके वसूली में सुधार करने में सक्षम बनाया है।

3.8 एनपीए संकट और बैड बैंक (NPA Crisis and Bad Bank)

2000 के दशक में ऋण आधारित उछाल के बाद 2008 का वैश्विक वित्तीय संकट और फिर यूपीए-II शासन (2009-2014) में घरेलू मुद्दों के परिणामस्वरूप अर्थव्यवस्था में एनपीए (गैर-निष्पादित परिसंपत्ति) बहुत ज्यादा हो गया। जब आरबीआई की सख्त निगरानी के कारण 2013 के बाद की अवधि में एनपीए सामने आने लगे, तो आरबीआई ने एनपीए की गड़बड़ी को हल करने के लिए विभिन्न उपायों/योजनाओं की घोषणा की और आईबीसी 2016 भी लागू किया गया। लेकिन हर चूक आईबीसी के तहत राष्ट्रीय कंपनी कानून न्यायाधिकरण NCLT में नहीं जा सकती, इसलिए 2017 में आर्थिक सर्वेक्षण ने एनपीए की गड़बड़ी को हल करने के लिए एक केंद्रीकृत सार्वजनिक क्षेत्र की संपत्ति पुनर्निर्माण कंपनी स्थापित करने के लिए एक अलग दृष्टिकोण का सुझाव दिया।

और कोविड-19 के कारण, जो कि सदी में एक बार आया संकट है, एनपीए की समस्या और बढ़ने की उम्मीद है, और अब तनावग्रस्त परिसंपत्ति संकट से निपटने के लिए एक बैड बैंक की स्थापना अधिक प्रासंगिक है।

तदनुसार, भारत सरकार ने 2021 में 'नेशनल एसेट रिकंस्ट्रक्शन कंपनी लिमिटेड' (NARCL) नामक एक 'बैड बैंक' बनाया, जो मूल रूप से एक 'एसेट रिकंस्ट्रक्शन कंपनी' (ARC) है। NARCL में 51% हिस्सेदारी सार्वजनिक क्षेत्र के बैंकों और वित्तीय संस्थानों के पास होगी, और शेष 49% हिस्सेदारी निजी क्षेत्र के ऋणदाताओं के पास होगी। NARCL "सरकारी कंपनी", "सार्वजनिक कंपनी" और "असूचीबद्ध कंपनी" है। एक अन्य इकाई, इंडिया डेट रेजोल्यूशन कंपनी (IDRCL) भी स्थापित की गई है, जो एक 'गैर-सरकारी' कंपनी है।

NARCL और IDRCL मिलकर बैड बैंक के रूप में काम करेंगे। NARCL पहले वाणिज्यिक बैंकों से खराब ऋण खरीदेगी और फिर IDRCL खराब ऋणों को बेचकर पैसे वसूलने की कोशिश करेगी। परिचालन और शासन के उद्देश्य से दो-इकाई संरचना बनाई गई है।

आइए एक उदाहरण से समझते हैं। मान लीजिए कि एसबीआई ने पहले 1000 करोड़ रुपये का ऋण दिया था और यह एनपीए में बदल गया। इसलिए, एसबीआई इस एनपीए को रिकवरी के लिए बैड बैंक को बेच देगा और अपने बैंकिंग व्यवसाय पर ध्यान केंद्रित करेगा। तो, बैड बैंक इस एनपीए को एसबीआई से खरीदेगा, लेकिन 1000 करोड़ रुपये में नहीं। बैड बैंक यह अनुमान लगाने की कोशिश करेगा कि वह वास्तव में एनपीए से कितनी राशि वसूल पाएगा और उसी के अनुसार वह इसके लिए एक कीमत उद्धृत करेगा। यदि एसबीआई भी सहमत हो जाता है, तो एसबीआई इस एनपीए/बैड लोन (पेपर) को बैड बैंक को बेच देगा, मान लीजिए 300 करोड़ रुपये में। लेकिन बैड बैंक तुरंत एसबीआई को नकद में 300 करोड़ रुपये का भुगतान नहीं करेगा। बल्कि, बैड बैंक सहमत राशि (300 करोड़ रुपये में से) का सिर्फ

15% यानी 45 करोड़ रुपये नकद और बाकी 85% यानी 150 करोड़ रुपये का भुगतान करेगा। 255 करोड़ रुपये की प्रतिभूतियाँ (एक तरह का ऋण पत्र), जिसका भुगतान बैड बैंक द्वारा बैड एसेट के समाधान या परिसमापन द्वारा धन वसूल करने के बाद किया जाएगा।

लेकिन क्या होगा यदि भविष्य में बैड बैंक बैड लोन को बेचने में असमर्थ हो या बैड लोन को घाटे में (यानी 300 करोड़ रुपये से कम पर) बेच दे और SBI को 255 करोड़ रुपये का भुगतान करने में सक्षम न हो। इसलिए, भारत सरकार बैड बैंक द्वारा जारी की जाने वाली प्रतिभूतियों पर 'सरकारी गारंटी' प्रदान करने के लिए सहमत हो गई है।

बैड बैंक यह संदेश देता है कि यह एक बैंक के रूप में कार्य करेगा, लेकिन शुरू में इसके पास बैड एसेट (एनपीए) होंगे। तकनीकी रूप से, बैड बैंक एक एसेट रिकंस्ट्रक्शन कंपनी (ARC) या एसेट मैनेजमेंट कंपनी होती है जो वाणिज्यिक बैंकों के बैड लोन को अपने अधीन लेती है, उनका प्रबंधन करती है और अंततः समय के साथ धन वसूलती है। बैड बैंक ऋण देने और जमा लेने में शामिल नहीं होता है, बल्कि वाणिज्यिक बैंकों को उनकी बैलेंस शीट को साफ करने और बैड लोन का समाधान करने में मदद करता है। बैड बैंक की अवधारणा कुछ मायनों में एसेट रिकंस्ट्रक्शन कंपनियों (ARC) के समान है, लेकिन शुरुआत में इसे सरकार द्वारा वित्त-पोषित किया जाता है, और समय के साथ बैंक और अन्य निवेशक मिलकर इसमें निवेश करते हैं। सरकार की मौजूदगी को सफाई प्रक्रिया को गति देने के साधन के रूप में देखा जाता है।

बैड बैंक से वाणिज्यिक बैंकों की पूँजी मुक्त हो जाएगी, जिससे आगे और अधिक ऋण देने में मदद मिलेगी और अर्थव्यवस्था में निवेश और वृद्धि को बढ़ावा मिलेगा। बैड बैंकों के पास विशेषज्ञ होंगे जो सभी बैंकों से प्राप्त एनपीए (खराब ऋण) को वसूलने का प्रयास करेंगे। इससे बैंक की बैलेंस शीट साफ हो जाएगी, लेकिन एनपीए को बैड बैंक में स्थानांतरित करने मात्र से अर्थव्यवस्था में समग्र एनपीए कम नहीं होगा, जिसका ध्यान बैड बैंक को रखना होगा।

3.9 एनपीए के संकल्प पर आरबीआई परिपत्र (जून 2019) (RBI Circular (June 2019) on Resolution of NPAs)

जब किसी उधारकर्ता के डिफॉल्ट होने की सूचना मिलती है, तो ऋणदाताओं को डिफॉल्ट के 30 दिनों के भीतर उधारकर्ता खाते की समीक्षा शुरू करनी चाहिए। "तीस दिनों की इस समीक्षा अवधि के दौरान, ऋणदाता समाधान योजना (Resolution Plan & RP) की प्रकृति, आरपी के कार्यान्वयन के दृष्टिकोण सहित समाधान रणनीति पर निर्णय ले सकते हैं।

यदि आरपी को क्रियान्वित किया जाना है, तो ऋणदाताओं को समीक्षा अवधि के भीतर अंतर-ऋणदाता समझौता (आईसीए) करने के लिए कहा गया है, ताकि आरपी को अंतिम रूप देने और लागू करने के लिए आधारभूत नियम प्रदान किए जा सकें। आईसीए में यह प्रावधान होगा कि कुल बकाया ऋण सुविधाओं के मूल्य के हिसाब से 75% और संख्या के हिसाब से 60% ऋणदाताओं द्वारा सहमत कोई भी निर्णय सभी ऋणदाताओं पर बाध्यकारी होगा। आरपी को समीक्षा अवधि के अंत से 180 दिनों के भीतर क्रियान्वित करना होगा।

यदि बैंक व्यवहार्य समाधान योजना को लागू करने में देरी करते हैं, तो उनके लिए यह एक हतोत्साहन (disincentive) है। यदि योजना समीक्षा अवधि के अंत से 180 दिनों के भीतर क्रियान्वित नहीं होती है, तो बैंकों को 20% का अतिरिक्त प्रावधान करना होगा और यदि योजना समीक्षा अवधि की शुरुआत से 365 दिनों के भीतर क्रियान्वित नहीं होती है, तो उन्हें 15% का अतिरिक्त प्रावधान करना होगा।

यदि आईबीसी कोड के तहत समाधान का प्रयास किया जाता है, तो अतिरिक्त प्रावधानों को पलट दिया जाएगा। दिवालियापन का आवेदन दाखिल करने पर अतिरिक्त प्रावधानों में से आधे को पलट दिया जा सकता है और शेष अतिरिक्त प्रावधानों को दिवालियापन कार्यवाही के लिए मामला स्वीकार किए जाने

पर पलट दिया जा सकता है। ऐसा इसलिए किया गया है ताकि अधिक से अधिक ऋणदाता IBC कोड की ओर बढ़ें।

नए दिशा-निर्देश अनुसूचित वाणिज्यिक बैंकों (आरआरबी को छोड़कर), लघु वित्त बैंकों, गैर-बैंकिंग वित्तीय कंपनियों (एनबीएफसी) और नाबार्ड, सिडबी, एक्जिम बैंक और एनएचबी जैसे विकास वित्तीय संस्थानों पर लागू हैं।

बैंकिंग विनियमन अधिनियम 1949 (एनपीए के समाधान के संबंध में) में 2017 में किए गए संशोधन:

- केंद्र सरकार, आदेश द्वारा, दिवाला और दिवालियापन संहिता 2016 के प्रावधानों के तहत, किसी भी बैंकिंग कंपनी को किसी चूक के संबंध में दिवाला समाधान प्रक्रिया शुरू करने के लिए निर्देश जारी करने के लिए आरबीआई को अधिकृत कर सकती है।
- आरबीआई समय-समय पर किसी भी बैंकिंग कंपनी को दबावग्रस्त परिसंपत्तियों के समाधान के लिए निर्देश जारी कर सकता है।

2 अप्रैल 2019 को सुप्रीम कोर्ट के फैसले के अनुसार, "आरबीआई बैंकिंग संस्थानों को आईबीसी कोड 2016 के कार्य करने जाने का निर्देश तभी दे सकता है जब केंद्र सरकार का प्राधिकरण हो और यह विशिष्ट डिफाल्ट (चूक) के संबंध में होना चाहिए। इस प्रकार, सामान्य रूप से देनदारों के संबंध में कोई भी निर्देश बैंकिंग विनियमन अधिनियम 1949 की धारा 35।। के अंतर्गत नहीं आता है।

3.10 दिवाला और शोधन अक्षमता संहिता 2016 (Insolvency and Bankruptcy Code 2016)

दिवालियापन एक ऐसी स्थिति है जब कोई व्यक्ति या कंपनी अपने ऋण का भुगतान करने में असमर्थ होती है, जबकि दिवालियापन एक व्यवसाय (या किसी व्यक्ति के स्वामित्व वाली संपत्ति) को समाप्त करने की एक कानूनी प्रक्रिया है जो अपनी वर्तमान परिसंपत्तियों से अपने ऋणों का पूरा भुगतान नहीं कर सकती है।

IBC कोड से पहले, भारत में कंपनी कानून बोर्ड, ऋण वसूली न्यायाधिकरण, SARFAESI अधिनियम 2002, बीमार औद्योगिक कंपनियां (विशेष प्रावधान) अधिनियम, 1985 और कंपनी अधिनियम, 1956 के समापन प्रावधान जैसे कई ओवरलैपिंग कानून और न्याय मंच थे, जो कंपनियों और व्यक्तियों की वित्तीय विफलता से निपटते थे, जिससे कंपनी को समाप्त करने में काफी देरी होती थी। कानूनी और संस्थागत ढाँचे ने ऋणदाताओं को प्रभावी और समय पर वसूली या चूक की गई परिसंपत्तियों के पुनर्गठन में मदद नहीं की और भारतीय ऋण प्रणाली पर अनुचित दबाव डाला। यह मानते हुए कि दिवालियापन और दिवालियापन व्यवस्था में सुधार कारोबारी माहौल को बेहतर बनाने और संकटग्रस्त ऋण बाजारों को कम करने के लिए महत्वपूर्ण थे, सरकार ने **मई 2016** में दिवालियापन और दिवालियापन संहिता लागू की, जिससे असफल व्यवसाय को बंद करना और ऋण वसूलना आसान हो गया।

यह संहिता कॉरपोरेट देनदार के खिलाफ दिवालियापन समाधान प्रक्रिया शुरू करने की जिम्मेदारी लेनदार पर डालकर पहले की समाधान व्यवस्था से एक महत्वपूर्ण बदलाव करती है। पिछले कानूनी ढाँचे के तहत, समाधान प्रक्रिया शुरू करने का प्राथमिक दायित्व देनदार के पास था, और लेनदार वसूली, सुरक्षा प्रवर्तन और ऋण पुनर्गठन के लिए अलग-अलग कार्रवाई कर सकता था।

प्रक्रिया: IBC कोड के तहत, एक लेनदार (वित्तीय या परिचालन) या कॉर्पोरेट देनदार कॉर्पोरेट दिवालियापन समाधान प्रक्रिया शुरू कर सकता है, अगर कॉर्पोरेट देनदार द्वारा 1 करोड़ रुपये से अधिक का डिफॉल्ट किया जाता है। समाधान प्रक्रिया शुरू करने के लिए राष्ट्रीय कंपनी कानून न्यायाधिकरण (NCLT) के समक्ष आवेदन किया जा सकता है। NCLT के पास जाने से पहले लेनदार को कॉर्पोरेट देनदार को 10 दिनों का डिमांड नोटिस देना होगा। यदि कॉर्पोरेट देनदार लेनदार को बकाया चुकाने में विफल रहता है या कोई मौजूदा विवाद या मध्यस्थता दिखाने में विफल रहता है, तो लेनदार NCLT से संपर्क कर सकता है। NCLT द्वारा आवेदन स्वीकार किए जाने पर, कॉर्पोरेट दिवालियापन प्रक्रिया 180 दिनों के भीतर पूरी हो जाएगी (जटिल मामलों में इसे 90 दिनों तक बढ़ाया जा सकता है) जिस दौरान NCLT पुनरुद्धार के प्रस्तावों पर सुनवाई करता है और भविष्य की कार्रवाई के बारे में निर्णय लेता है।

[यदि कोई कानूनी कार्यवाही शामिल है तो कॉर्पोरेट दिवालियापन समाधान प्रक्रिया 330 दिनों के भीतर पूरी हो जानी चाहिए लेकिन असाधारण मामलों (विलंबित कानूनी कार्यवाही) के मामले में इसे 330 दिनों से भी आगे बढ़ाया जा सकता है]।

एनसीएलटी दिवालियेपन और दिवालियापन बोर्ड (आईबीबी) द्वारा पुष्टि के बाद दिवालियेपन पेशेवरों (आईपी) की नियुक्ति करता है। एनसीएलटी कॉर्पोरेट दिवालियेपन प्रक्रिया की शुरुआत की सार्वजनिक घोषणा करता है और किसी अन्य लेनदार द्वारा दावों को प्रस्तुत करने के लिए कहता है। सार्वजनिक घोषणा के अनुसार दावे प्राप्त करने के बाद, आईपी सभी लेनदारों से मिलकर लेनदारों की समिति का गठन करता है जिसे **लेनदारों की समिति** (सीओसी) कहा जाता है (पहले अंतरिम आईपी नियुक्त किए जाते हैं और जब सीओसी मंजूरी देता है, तो आईपी को समाधान पेशेवर के रूप में पुष्टि की जाती है)। समाधान पेशेवर, दिवालियेपन समाधान योजना को मंजूरी के लिए लेनदारों की समिति के समक्ष प्रस्तुत करेंगे। इसके बाद सीओसी को 66% बहुमत (मूल्य के अनुसार) से दिवालियेपनके समाधान के बारे में निर्णय लेना होगा। समाधान योजना या तो कंपनी के लिए संशोधित पुनर्भुगतान योजना (जो अनिवार्य रूप से ऋण पुनर्गठन, परिसंपत्तियों की बिक्री, विलय, कंपनी का अधिग्रहण आदि के माध्यम से पुनर्गठन योजना है) हो सकती है, या कंपनी की परिसंपत्तियों का परिसमापन हो सकती है। समाधान योजना को अंतिम मंजूरी के लिए एनसीएलटी को भेजा जाएगा, और मंजूरी मिलने के बाद इसे लागू किया जाएगा। यदि समाधान प्रक्रिया के दौरान कोई निर्णय नहीं लिया जाता है या **सीओसी** समाधान योजना को मंजूरी देने में विफल रहता है, तो ऋण चुकाने के लिए देनदार की परिसंपत्तियों को बेच दिया जाएगा।

IBF प्रक्रिया का फ्लो चार्ट

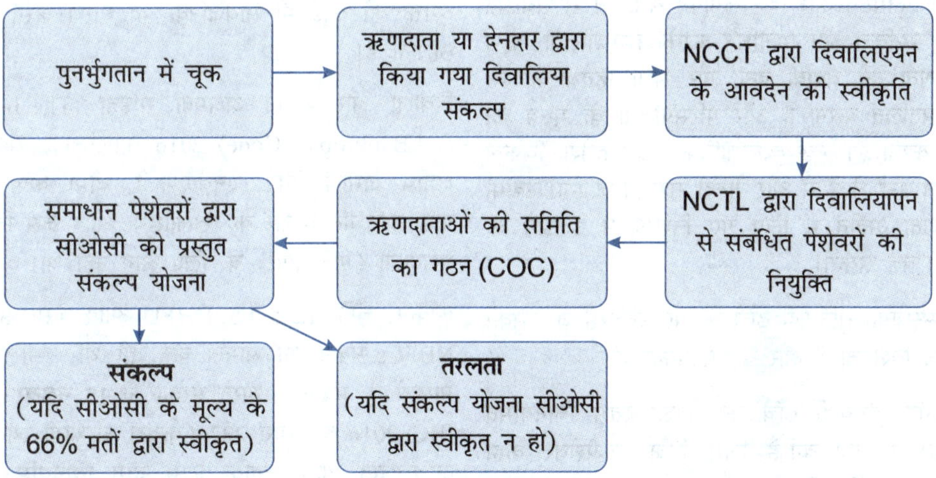

*[संकल्प योजना इच्छुक समाधान आवेदकों द्वारा प्रस्तुत की जाती है जो समाधान प्रक्रिया में भाग ले सकते हैं और 'समाधान योजनाएँ' प्रस्तुत कर सकते हैं, जो मूल रूप से कॉर्पोरेट देनदार को अपने अधीन करने, उसके लेनदारों के बकाए का भुगतान करने और उसके पुनरुद्धार और बदलाव के लिए साधन हैं। समाधान योजना को समाधान पेशेवरों द्वारा लेनदारों की समिति (**'सीओसी'**) के समक्ष विचार के लिए रखा जाता है। यदि समाधान होता है तो इसका मतलब है कि कंपनी अस्तित्व में रहेगी और अपना व्यवसाय जारी रखेगी और **परिसमापन** का मतलब है कि कंपनी की संपत्ति बेची जाएगी और कंपनी का अस्तित्व समाप्त हो जाएगा]।*

[लेनदारों की समिति (सीओसी) में केवल वित्तीय लेनदार (जैसे बैंक, एनबीएफसी आदि) शामिल होते हैं। लेकिन समाधान प्रक्रिया से प्राप्त आय/पैसा वित्तीय और परिचालन लेनदारों दोनों द्वारा साझा किया जाता है। केवल सीओसी ही यह तय करेगी कि समाधान की आय वित्तीय और परिचालन लेनदारों के बीच कैसे साझा की जाएगी और एनसीएलटी की इसमें कोई भूमिका नहीं होगी। एनसीएलटी सीओसी द्वारा लिए गए वाणिज्यिक निर्णय के गुण-दोष में हस्तक्षेप नहीं कर सकता है, लेकिन एक "सीमित न्यायिक समीक्षा" यह देखने के लिए संभव है कि सीओसी ने अन्य बातों के साथ-साथ इस तथ्य को भी ध्यान में रखा है कि परिचालन ऋणदाताओं सहित सभी हितधारकों के हितों का ध्यान रखा गया है। वित्तीय ऋणदाता, परिचालन ऋणदाता या कॉर्पोरेट देनदार (जिसने पैसा उधार लिया है) कोई भी कॉर्पोरेट देनदार द्वारा किए गए किसी भी डिफॉल्ट पर दिवालियापन कार्यवाही शुरू कर सकता है।]

नए कानून का उद्देश्य समयबद्ध तरीके से कंपनियों और व्यक्तियों के पुनर्गठन और दिवालियापन समाधान से संबंधित कानूनों को समेकित और संशोधित करके उद्यमशीलता, ऋण की उपलब्धता को बढ़ावा देना और सभी हितधारकों के हितों को संतुलित करना है और परिसंपत्तियों के मूल्य को अधिकतम करना है। कुछ व्यावसायिक उद्यम हमेशा विफल होंगे, लेकिन उन्हें तेजी से और जल्दी संभाला जाएगा। उद्यमी और ऋणदाता अतीत में लिए गए निर्णयों से उलझने के बजाय आगे बढ़ सकेंगे।

संहिता में संस्थागत बुनियादी ढाँचे के चार स्तंभ हैं जो इसकी सबसे नवीन विशेषता है और ये इस प्रकार हैं:

1. संस्थागत बुनियादी ढाँचे का पहला स्तंभ विनियमित व्यक्तियों का एक वर्ग है, जिसे 'दिवालिये पेशेवर' कहा जाता है। वे दिवालियापन प्रक्रिया के कुशल संचालन में महत्वपूर्ण भूमिका निभाएंगे। उन्हें 'दिवालिये पेशेवर एजेंसियों' द्वारा विनियमित किया जाएगा।

2. दूसरा स्तंभ 'सूचना उपयोगिताओं' का एक नया उद्योग है। ये इलेक्ट्रॉनिक डेटाबेस में उधारदाताओं और उधार देने की शर्तों के बारे में तथ्य एकत्र करेंगे। इससे डिफॉल्ट होने पर तथ्यों के बारे में देरी और विवाद समाप्त हो जाएंगे।

3. तीसरा स्तंभ न्याय-निर्णयन है। राष्ट्रीय कंपनी कानून न्यायाधिकरण (NCLT) कंपनियों के दिवालियापन से संबंधित मामलों का न्याय-निर्णयन करेगा और ऋण वसूली न्यायाधिकरण (DRT) व्यक्तिगत दिवालियापन के लिए ऐसा ही करेगा। ये संस्थान अपने अपीलीय निकायों, यानी राष्ट्रीय कंपनी कानून अपीलीय न्यायाधिकरण (NCLT) और ऋण वसूली अपीलीय न्यायाधिकरण (DRT) के साथ मिलकर दिवालियापन प्रक्रिया के बेहतर संचालन में मदद करेंगे।

4. चौथा स्तंभ एक विनियामक है, अर्थात 'भारत का दिवाला और दिवालियापन बोर्ड (IBB)। यह निकाय दिवाला पेशेवर, दिवाला पेशेवर एजेंसियों और सूचना उपयोगिताओं पर विनियामक निगरानी रखेगा।

यह संहिता दिवालियेपन की स्थिति में श्रमिकों (परिसंपत्तियों के परिसमापन के मामले में 24 महीने तक के वेतन का भुगतान करने वालों को पहली प्राथमिकता मिलेगी) की भी रक्षा करती है और दिवालिया घोषित किए गए किसी भी व्यक्ति को कोई भी सार्वजनिक पद धारण करने से अयोग्य ठहराती है।

दिवाला और शोधन अक्षमता संहिता (The Insolvency and Bankruptcy Code) 2016 वाणिज्यिक, सहकारी और क्षेत्रीय ग्रामीण बैंकों, एनबीएफसी, बीमा कंपनियों, पेंशन फंड, प्रतिभूति बाजार के खिलाड़ियों आदि जैसे वित्तीय सेवा प्रदाताओं (एफएसपी) के लिए लागू नहीं थी।

लेकिन, चूँकि IL & FS, DHFL आदि जैसी संस्थाएँ कई NBFCs संकट का सामना कर रही थीं, इसलिए कॉर्पोरेट मामलों के मंत्रालय, भारत सरकार ने **15 नवंबर 2019** को IBC 2016 की धारा 227 (केवल अस्थायी व्यवस्था) को अधिसूचित किया, ताकि RBI द्वारा विनियमित NBFCs (वित्तीय सेवा प्रदाताओं) के समाधान को IBC के तहत NCLT के माध्यम से सक्षम किया जा सके। IBC 2016 की धारा 227 के अनुसार:

इस संहिता या किसी अन्य कानून में जाँची गई किसी भी विपरीत बात के बावजूद, केंद्र सरकार, यदि वह आवश्यक समझे, तो उपयुक्त वित्तीय क्षेत्र के विनियामकों के परामर्श से, वित्तीय सेवा प्रदाताओं या वित्तीय सेवा प्रदाताओं की श्रेणियों

को उनके दिवालियेपन और परिसमापन की कार्यवाही के उद्देश्य से अधिसूचित कर सकती है, जो इस संहिता के तहत संचालित की जा सकती है.....।

कॉरपोरेट मामलों के मंत्रालय ने धारा 227 के तहत शक्तियों का उपयोग करते हुए, नियामक अर्थात आरबीआई से परामर्श किया और अधिसूचित किया कि 500 करोड़ रुपये से अधिक की संपत्ति वाले एनबीएफसी को समाधान के लिए आईबीसी कोड के तहत लाया जा सकता है। वित्तीय सेवा प्रदाता (एनबीएफसी) के लिए दिवालियापन केवल नियामक (आरबीआई) द्वारा आवेदन किए जाने पर ही शुरू किया जा सकता है। यह अन्य कंपनी मामलों में लागू नहीं है, जहाँ डिफॉल्ट के मामले में, लेनदार या देनदार (कंपनी), कोई भी IBC 2016 के तहत समाधान के लिए आगे बढ़ सकता है। DHFL IBC 2016 की धारा 227 के तहत NCLT को संदर्भित होने वाली पहली NBFC थी।

सरकार वाणिज्यिक, सहकारी और क्षेत्रीय ग्रामीण बैंकों, NBFC, बीमा कंपनियों, पेंशन फंड, प्रतिभूति बाजार के खिलाड़ियों आदि जैसे वित्तीय सेवा प्रदाताओं (FSP) के दिवालियापन को संभालने के लिए एक नए ढाँचे/कानून पर काम कर रही है। यह नया ढांचा/कानून वित्तीय समाधान और जमा बीमा (FRDI) विधेयक की तर्ज पर होगा, जिसे सरकार ने 2018 में पेश करने की योजना बनाई थी, लेकिन विवादास्पद 'बेल-इन' खंड के बारे में विरोध के कारण ऐसा नहीं किया।

संहिता की महत्वपूर्ण विशेषताएँ:

- दबावग्रस्त परिसंपत्तियों का समयबद्ध और बाजार से जुड़ा समाधान।
- समाधान प्रक्रिया के दौरान, कंपनी का प्रबंधन समाधान पेशेवरों को सौंप दिया जाता है जो देनदारों द्वारा धन की किसी भी हेराफेरी या हेरफेर को रोकेंगे।
- आईबीसी **परिसमापन** (कंपनी का अस्तित्व समाप्त हो जाना और परिसंपत्तियों को बाजार में बेच दिया जाना) के बजाय **संकल्प** (जहाँ कंपनी काम करना जारी रखेगी) को प्राथमिकता देकर परिसंपत्तियों के मूल्य को अधिकतम करने का प्रयास करता है। कुछ व्यावसायिक उद्यम हमेशा विफल होंगे, लेकिन उन्हें तेजी से और त्वरित रूप से संभाला जाएगा, जिससे उद्यमशीलता, ऋण की उपलब्धता को बढ़ावा मिलेगा और सभी हितधारकों के हितों को संतुलित किया जा सकेगा।
- संहिता किसी व्यवसाय से बाहर निकलना या उसे पुनर्जीवित करने का प्रयास करना आसान बनाता है, जिससे वित्तीय सेवा क्षेत्र के लिए एनपीए परिदृश्य में सुधार होता है। उद्यमी और ऋणदाता अतीत में लिए गए निर्णयों में उलझे रहने के बजाय आगे बढ़ सकेंगे।
- आईबीसी ने व्यापार करने में आसानी के लिए एक बड़ा प्रोत्साहन प्रदान किया है, निवेशकों का विश्वास बढ़ाया है और विदेशी और घरेलू दोनों निवेशकों को बढ़ावा दिया है क्योंकि वे अब भारत को एक आकर्षक निवेश गंतव्य के रूप में देखते हैं।
- आईबीसी के कार्यान्वयन ने विभिन्न कंपनियों को असामयिक बंद होने से बचाकर आर्थिक विकास को कुछ प्रतिशत अंकों तक बढ़ाने में मदद की है।
- IBC की सफलता केवल संख्या में नहीं है, बल्कि इसका प्रदर्शन कंपनियों (देनदारों) के व्यवहार में बदलाव में निहित है। IBC प्रक्रिया के विश्वसनीय खतरे कि किसी कंपनी का स्वामित्व बदल सकता है, ने देनदारों के व्यवहार को बदल दिया है। हजारों देनदार संकटग्रस्त संपत्ति के जीवन चक्र के शुरुआती चरणों में ही डिफॉल्ट का निपटान कर रहे हैं।

चुनौतियाँ:

- IBC के तहत NCLT में स्वीकार किए गए सभी मामलों में से केवल 15% ही समाधान में समाप्त हुए और बाकी परिसमापन के लिए गए।
- दिवालियापन के मामलों को स्वीकार करने के लिए NCLT की बहुत कम न्यायपीठ (benches) हैं, जिसके परिणामस्वरूप समाधान में देरी होती है
- सीमापार दिवालियापन अभी तक लागू नहीं हुआ है

टिप्पणी:

संहिता का उद्देश्य वित्तीय विफलता की शीघ्र पहचान करना और दिवालिया फर्मों की परिसंपत्ति मूल्य को अधिकतम करना है। इस प्रकार यह संहिता एक व्यापक और प्रणालीगत

सुधार है, जो क्रेडिट/बॉन्ड बाजार के कामकाज में एक बड़ी छलांग लगाएगा। यह भारत को अपेक्षाकृत कमजोर दिवालियापन व्यवस्थाओं में से एक बनाकर दुनिया की सबसे अच्छी दिवालियापन व्यवस्थाओं में से एक बना देगा, जिससे भारत में व्यापार करने में आसानी को बढ़ावा मिलेगा।

2021 में IBC 2016 में संशोधन करके **सूक्ष्म, लघु और मध्यम उद्यम (Micro, Small & Medium Enterprises & MSMEs)** के लिए **'प्री-पैक' योजना** शुरू की गई।

- यदि किसी MSME ने डिफॉल्ट किया है और डिफॉल्ट 1 करोड़ रुपये से कम है तो 'प्री-पैक' योजना का उपयोग किया जा सकता है। इस योजना के तहत पिछले प्रमोटर और लेनदार खुली बोली प्रक्रिया के माध्यम से बाहरी लोगों द्वारा सुझाए गए समाधान योजना के बजाय NCLT के पास मंजूरी के लिए समाधान योजना ले जाएंगे, जिस स्थिति में कंपनी नए मालिकों के पास जा सकती है। और इस समाधान प्रक्रिया के दौरान, फर्म (MSME) का प्रबंधन मूल प्रमोटरों के पास रहेगा। [सामान्य IBC कार्यवाही के तहत, फर्म का प्रबंधन नियंत्रण समाधान पेशेवरों के पास चला जाता है]
- यदि समाधान योजना परिचालन लेनदारों के लिए पूर्ण वसूली की पेशकश नहीं करती है, तो समाधान योजना प्रस्तुत करने के लिए एक खुली बोली प्रक्रिया आयोजित की जा सकती है जिसमें संभावना होगी कि कंपनी (MSME) किसी अन्य नए मालिकों के पास चली जाए और इससे मूल प्रमोटरों को परिचालन लेनदारों को मुआवजा देने के लिए मजबूर होना पड़ेगा। इसे 'स्विस चैलेंज' कहा जाता है।

प्री-पैक और कॉर्पोरेट दिवालियापन समाधान प्रक्रिया के बीच निम्नलिखित अंतर है:

प्री-पैकेज्ड दिवालियापन समाधान प्रक्रिया (PIRP)	कॉर्पोरेट दिवालियापन समाधान प्रक्रिया (CIRP)
केवल कॉर्पोरेट देनदार ही PIRP शुरू कर सकते हैं	कॉर्पोरेट देनदार या लेनदार कोई भी CIRP शुरू कर सकता है
संकटग्रस्त कंपनी का मालिक (देनदार) समाधान योजना प्रस्तुत करता है	सार्वजनिक बोली प्रक्रिया होती है जिसमें कोई भी समाधान योजना प्रस्तुत कर सकता है
मौजूदा प्रबंधन PIRP के तहत संकटग्रस्त फर्म का नियंत्रण बनाए रखता है	संकटग्रस्त फर्म का प्रबंधन CIRP में 'समाधान पेशेवरलोगों' को सौंप दिया जाता है
1 करोड़ रुपये से कम की चूक के लिए लागू	1 करोड़ रुपये से अधिक की चूक पर लागू।
120 दिनों में पूरा किया जाना चाहिए	180 दिनों में पूरा किया जाना चाहिए

OOO

4

सरकारी बजट
(Government Budgeting)

4.1 परिचय (Introduction)

बजट भविष्य के लिए आय और व्यय का अनुमान है। प्रत्येक वित्तीय वर्ष के संबंध में भारत सरकार की अनुमानित प्राप्तियों और व्यय को भारत सरकार का बजट कहा जाता है। संविधान के अनुच्छेद 265 में प्रावधान है कि कानून के अधिकार के बिना कोई कर नहीं लगाया या एकत्र नहीं किया जाएगा। और अनुच्छेद 266 के अनुसार विधानमंडल के प्राधिकरण के बिना कोई व्यय नहीं किया जा सकता है। सरकार वित्त विधेयक के माध्यम से करों/प्राप्तियों के लिए संसद की स्वीकृति लेती है और विनियोग विधेयक के माध्यम से व्यय के लिए स्वीकृति लेती है।

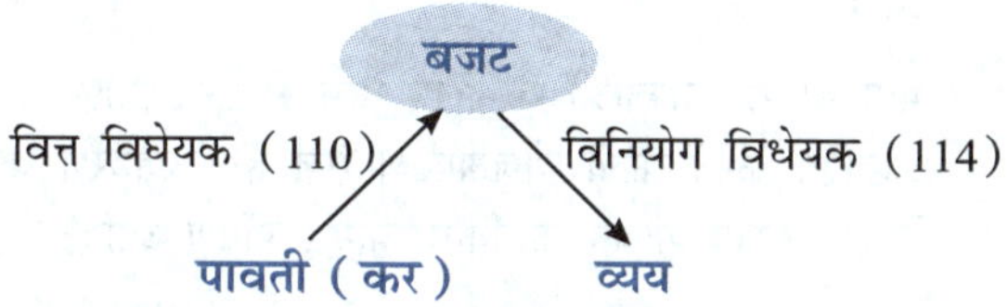

बजट वित्त मंत्रालय के आर्थिक मामलों के विभाग के बजट प्रभाग द्वारा तैयार किया जाता है। अनुच्छेद 112 में निर्दिष्ट किया गया है कि राष्ट्रपति प्रत्येक वित्तीय वर्ष के संबंध में, 1 अप्रैल से 31 मार्च तक प्रत्येक वित्तीय वर्ष के संबंध में सरकार की अनुमानित प्राप्तियों और व्यय का वार्षिक वित्तीय विवरण (बजट) संसद के दोनों सदनों के समक्ष प्रस्तुत करवाएगा। प्रत्येक बजट में आँकड़ों के तीन सेट दिए जाते हैं। उदाहरण के लिए, वर्ष 2023-24 के लिए फरवरी 2023 में प्रस्तुत बजट (वार्षिक वित्तीय विवरण) में निम्नलिखित आँकड़े शामिल होंगे:

- अगले वित्त वर्ष 2023-24 के लिए बजट अनुमान (बीई)
- चालू वित्त वर्ष 2022-23 के लिए बजट और संशोधित अनुमान (आरई)
- पिछले वित्त वर्ष 2021-22 के वास्तविक आँकड़े

सरकार द्वारा प्रस्तुत किए जाने वाले बजट (समय अवधि के आधार पर) तीन प्रकार के हो सकते हैं:

1. **पूर्ण बजट:** इसमें पूरे वित्तीय वर्ष के लिए सरकार के व्यय और प्राप्तियों का अनुमान होता है।
2. **अंतरिम बजट:** चुनावी वर्ष के दौरान, सत्तारूढ़ सरकार अंतरिम बजट पेश कर सकती है जो व्यय और प्राप्तियों दोनों सहित खातों का एक पूरा सेट होता है, लेकिन केवल वर्ष के एक हिस्से के लिए। अंतरिम बजट पूर्ण वित्तीय विवरण देता है, जो पूर्ण बजट के समान ही होता है। जब नई सरकार बनेगी, तो वह पूर्ण बजट तैयार करेगी। अंतरिम बजट तैयार करने की कोई संवैधानिक बाध्यता नहीं है, यह सिर्फ एक अलिखित परंपरा है जिसे राजनीतिक दलों ने विकसित किया है।
3. **लेखानुदान:** [अनुच्छेद 116] यदि बजट पारित नहीं हुआ है और सरकार को अपनी सामान्य गतिविधियों को चलाने के लिए धन की आवश्यकता है, तो ऐसी कठिनाई को दूर करने के लिए, संविधान ने लोकसभा को वित्तीय वर्ष के एक हिस्से के लिए अनुमानित व्यय (विनियोग विधेयक के माध्यम से) के संबंध में अग्रिम रूप से कोई भी अनुदान देने के लिए अधिकृत किया है, जो कि अनुच्छेद 114 के अनुसार अनुदानों की माँग

के मतदान की प्रक्रिया पूरी होने और विनियोग विधेयक के अधिनियमित होने तक लंबित है। इस प्रावधान को 'लेखानुदान' के रूप में जाना जाता है। 'लेखानुदान' केवल सरकार के बजट के व्यय पक्ष से संबंधित है। 'लेखानुदान' के माध्यम से, सरकार वर्ष के एक हिस्से के लिए विभिन्न मदों पर खर्च करने के लिए पर्याप्त राशि के लिए संसद का वोट प्राप्त करती है। आम तौर पर, विभिन्न अनुदान माँगों के तहत पूरे वर्ष के अनुमानित व्यय के छठे हिस्से के बराबर राशि के लिए दो महीने के लिए 'लेखानुदान' लिया जाता है।

विषयों के आधार पर बजट वर्गीकरण:

1. शून्य-आधारित बजट (Zero Based Budget)

शून्य-आधारित बजटिंग वृद्धिशील (पारंपरिक) बजटिंग प्रणाली से इस मायने में अलग है कि शून्य-आधारित बजटिंग में शून्य आधार से शुरुआत होती है, यानी शुरुआत से और पिछले रुझानों/आँकड़ों पर आधारित नहीं होती है। उदाहरण के लिए, यदि हम किसी विशेष विभाग या मंत्रालय के लिए बजट तैयार कर रहे हैं, तो पिछले वर्ष के व्यय को लेने और उसमें कुछ प्रतिशत की वृद्धि करने के बजाय सभी खर्चों की नए सिरे से गणना की जाती है।

यह सुनिश्चित करता है कि की गई गतिविधियाँ उद्देश्यों की पूर्ति के लिए प्रासंगिक हैं

विभिन्न गतिविधियों पर अत्यधिक और अनावश्यक व्यय की पहचान की जाती है और उसे समाप्त किया जाता है

2. परिणाम बजट (Outcome Budget)

यह व्यय की योजना बनाकर, उचित लक्ष्य तय करके और प्रत्येक योजना के प्रदेय वस्तु या उत्पाद (deliverables) को निर्धारित करके 'परिव्यय' को 'परिणाम' में बदलने के सरकार के प्रयास को दर्शाता है। 'परिणाम बजट' सरकार का लोगों के प्रति पारदर्शी और जवाबदेह होने का एक प्रयास है। परिणाम बजट संसद में पेश किया जाता है।

उदाहरण के लिए, मान लीजिए कि सरकार वित्त वर्ष 2021-22 के लिए एलपीजी सब्सिडी के लिए 20,000 करोड़ रुपये का बजट बना रही है, तो परिणाम बजट के तहत वह यह लक्ष्य निर्धारित कर सकती है कि वह 9 करोड़ घरों में एलपीजी सिलेंडर वितरित करे।

3. लैंगिक बजट (Gender Budget)

लैंगिक बजटिंग में कानून, नीतियों, योजनाओं, कार्यक्रमों, योजनाओं, संसाधनों के आवंटन, कार्यान्वयन, निगरानी, लेखा परीक्षा और कार्यक्रमों और योजनाओं के प्रभाव का आकलन करना शामिल होता है। शिक्षा, रोजगार, उद्यमिता और सार्वजनिक जीवन के अवसरों और परिणामों में लैंगिक अंतर बना हुआ है। जेंडर बजटिंग सरकारों के लिए बजट प्रक्रिया के माध्यम से समानता को बढ़ावा देने का एक तरीका है। लैंगिक बजट यह सुनिश्चित करता है कि लैंगिक प्रतिबद्धताओं को बजटीय प्रतिबद्धताओं में बदला जाए। लैंगिक बजट स्टेटमेंट को पहली बार 2005-06 में भारतीय बजट में पेश किया गया था। सरकार हर साल केंद्रीय बजट के साथ लैंगिक बजट स्टेटमेंट प्रकाशित करती है।

लैंगिक बजट के दो भाग हैं:

- A भाग में महिलाओं के लिए 100% आवंटन वाली योजनाएँ शामिल हैं (उदाहरण के लिए: बेटी बचाओ बेटी पढ़ाओ, उज्ज्वला, महिला शक्ति केंद्र, आंगनवाड़ी आदि)
- भाग बी में महिलाओं के लिए कम से कम 30% धन आवंटित करने वाली योजनाएं शामिल हैं (उदाहरण के लिए: मध्याह्न भोजन कार्यक्रम, पीएम पोषण आदि)

4.2 बजट प्रक्रिया (Budget Procedure)

बजट फरवरी के पहले कार्य दिवस को सुबह 11 बजे संसद में पेश किया जाता है। आम बजट वित्त मंत्री द्वारा लोकसभा में पेश किया जाता है और वह बजट का परिचय देते हुए भाषण देते हैं और भाषण के बाद इसे राज्यसभा में पेश किया जाता है। संसद में पेश किए जाने वाले दिन बजट पर कोई चर्चा नहीं होती है।

संसद में पेश किए जाने वाले मुख्य बजट दस्तावेजों में वित्त मंत्री के बजट भाषण के अलावा निम्नलिखित शामिल होते हैं:

- वार्षिक वित्तीय विवरण
- अनुदान की माँग
- विनियोग विधेयक
- वित्त विधेयक

बजट पर दो चरणों में चर्चा की जाती है-सामान्य चर्चा के बाद विस्तृत चर्चा।

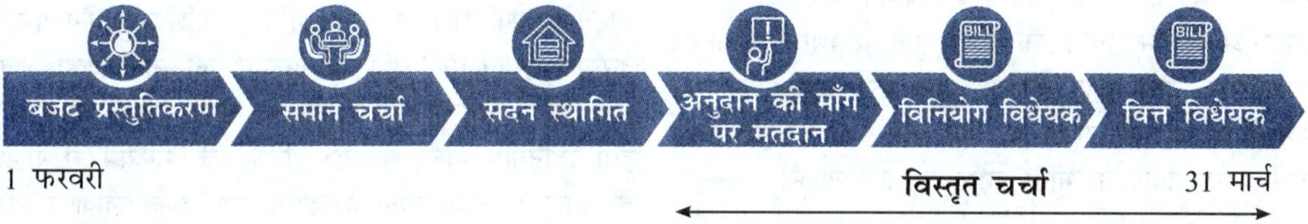

सामान्य चर्चा

बजट पर सामान्य चर्चा वित्त मंत्री द्वारा बजट प्रस्तुत करने के अगले दिन होती है। इस चरण में चर्चा बजट की सामान्य जाँच और बजट भाषण के दौरान व्यक्त कराधान की नीतियों तक ही सीमित होती है। बजट पर सामान्य चर्चा संसद के दोनों सदनों में होती है। सामान्य चर्चा समाप्त होने के बाद, सदनों को एक निश्चित संख्या में दिनों के लिए स्थगित कर दिया जाता है।

विस्तृत चर्चा (अनुदानों की माँगों पर चर्चा)

इस अवधि के दौरान विभिन्न मंत्रालयों/विभागों की अनुदानों की माँगों पर 'विभागीय रूप से संबद्ध स्थायी समितियों' (डीआरएससी) द्वारा विचार किया जाता है। (24 डीआरएससी और लगभग 100 मंत्रालय हैं। एक डीआरएससी को लगभग 5 मंत्रालयों की अनुदानों की माँगों पर रिपोर्ट तैयार करनी होती है)। इन समितियों को बिना अधिक समय माँगे निर्दिष्ट अवधि के भीतर सदन को अपनी रिपोर्ट देनी होती है। स्थायी समितियों की रिपोर्ट सदन (लोकसभा) में प्रस्तुत किए जाने के बाद, सदन मंत्रालयवार अनुदानों की माँगों पर चर्चा और मतदान के लिए आगे बढ़ता है। अनुदानों की माँगों पर चर्चा और मतदान के लिए स्पीकर द्वारा सदन के नेता के परामर्श से समय आवंटित किया जाता है। आवंटित दिनों के अंतिम दिन, स्पीकर सभी लंबित माँगों को सदन के मतदान के लिए रखता है। इस उपकरण को लोकप्रिय रूप से 'गिलोटिन' के रूप में जाना जाता है। यह अनुदानों की माँगों पर चर्चा को समाप्त करता है। राज्यसभा में, बजट पर केवल एक सामान्य चर्चा होती है। यह अनुदानों की माँगों पर मतदान नहीं करता है।

[विधानसभा के बिना केंद्र शासित प्रदेशों की अनुदानों की माँग केंद्र की कई अनुदानों की माँगों में से एक है और इसे केंद्रीय बजट के हिस्से के रूप में अनुमोदित किया जाता है। और ऐसे केंद्र शासित प्रदेशों से कर भारत की समेकित निधि के तहत प्राप्त होते हैं।

संविधान के अनुच्छेद 113 के अनुसार, भारत की समेकित निधि पर जो व्यय लगाया जाता है, उसे संसद के मतदान के लिए प्रस्तुत नहीं किया जाएगा, लेकिन संसद के किसी भी सदन में उन अनुमानों में से किसी पर भी चर्चा हो सकती है।

अन्य (प्रभारित व्यय के अलावा) व्यय से संबंधित अनुमानों को अनुदानों की माँगों के रूप में लोक सभा में प्रस्तुत किया जाएगा, तथा लोक सभा को किसी भी माँग को स्वीकार करने अथवा स्वीकार करने से इंकार करने अथवा उसमें निर्दिष्ट राशि में कटौती के अधीन किसी भी माँग को स्वीकार करने का अधिकार होगा।]

विनियोग विधेयक

अनुदानों की माँगों पर मतदान समाप्त होने के पश्चात, सरकार संविधान के अनुच्छेद 114 के अनुसार विनियोग विधेयक प्रस्तुत करती है। विनियोग विधेयक का उद्देश्य सरकार को भारत की संचित निधि से व्यय करने तथा अनुदानों को पूरा करने का अधिकार देना है।

वित्त विधेयक

सरकार के कराधान प्रस्तावों को प्रभावी बनाने के लिए वित्त विधेयक (अनुच्छेद 110) उसी दिन आम बजट की प्रस्तुति के तुरंत बाद लोक सभा में प्रस्तुत किया जाता है, लेकिन

विनियोग विधेयक के पारित होने के पश्चात इस पर विचार किया जाता है तथा इसे पारित किया जाता है। हालाँकि, विधेयक में नए शुल्क लगाने और संग्रह करने या मौजूदा शुल्कों में बदलाव से संबंधित कुछ प्रावधान, करों के अनंतिम संग्रह अधिनियम 1931 के तहत एक घोषणा के आधार पर विधेयक पेश किए जाने की तिथि की समाप्ति पर तुरंत प्रभावी हो जाते हैं। संसद को वित्त विधेयक को पेश किए जाने के 75 दिनों के भीतर पारित करना होता है।

विनियोग और वित्त विधेयक धन विधेयक हैं। इन विधेयकों को पारित करने के लिए राज्यसभा में भेजा जाता है, लेकिन यह लोकसभा पर निर्भर करता है कि वह राज्यसभा की किसी भी सिफारिश को स्वीकार करती है या नहीं। चाहे लोकसभा राज्यसभा की सिफारिशों को स्वीकार करे या नहीं, विधेयक दोनों सदनों द्वारा पारित माने जाते हैं।

बजट के दौरान **प्रत्यक्ष करों** में परिवर्तन करने के लिए वित्त अधिनियम के माध्यम से विशेष अधिनियम में संशोधन की आवश्यकता होती है। लेकिन **अप्रत्यक्ष करों** जैसे 'केन्द्रीय उत्पाद शुल्क', 'सीमा शुल्क' के मामले में विशेष अधिनियम में एक अधिकतम सीमा निर्धारित की जाती है और यदि उत्पाद शुल्क और सीमा शुल्क उस अधिकतम सीमा के भीतर हैं तो विशेष अधिनियम में संशोधन की आवश्यकता नहीं होती है, लेकिन यदि शुल्क को अधिकतम सीमा से अधिक बढ़ाना है तो वित्त अधिनियम के माध्यम से उस विशेष अधिनियम में संशोधन की आवश्यकता होती है। जीएसटी दरों में संशोधन के लिए जीएसटी परिषद निर्णय लेती है और राजपत्र अधिसूचना जारी की जाती है।

अनुदानों की अनुपूरक माँग

यदि चालू वित्त वर्ष के लिए किसी विशेष सेवा के लिए व्यय की जाने वाली अधिकृत राशि उस वर्ष के उद्देश्य के लिए अपर्याप्त पाई जाती है या जब चालू वित्त वर्ष के दौरान किसी 'नई सेवा' पर अनुपूरक या अतिरिक्त व्यय की **आवश्यकता उत्पन्न** होती है, जो उस वर्ष के बजट में परिकल्पित नहीं है, तो राष्ट्रपति संसद के दोनों सदनों के समक्ष उस व्यय की अनुमानित राशि को दर्शाने वाला एक और विवरण प्रस्तुत करवाते हैं, जिसे 'अनुदानों की अनुपूरक माँग' कहा जाता है।

अतिरिक्त अनुदान की माँग

यदि किसी वित्तीय वर्ष के दौरान किसी सेवा पर उस वर्ष के लिए दी गई राशि से **अधिक धनराशि व्यय** की गई है, तो राष्ट्रपति लोक सभा में ऐसी अतिरिक्त राशि की माँग प्रस्तुत करवाता है (जिसे 'अतिरिक्त अनुदान की माँग' कहा जाता है)। ऐसी अतिरिक्त राशि से संबंधित सभी मामलों को CAG द्वारा विनियोग खातों पर एक रिपोर्ट के माध्यम से संसद के ध्यान में लाया जाता है। इसके बाद लोक लेखा समिति द्वारा अतिरिक्त राशि की जाँच की जाती है, जो सदन को अपनी रिपोर्ट में उनके नियमितीकरण के संबंध में सिफारिशें करती है।

'अनुदानों की अनुपूरक माँगें' वित्तीय वर्ष की समाप्ति से पहले सदन में प्रस्तुत की जाती हैं और पारित की जाती हैं, जबकि **'अतिरिक्त अनुदानों की माँगें'** व्यय के वास्तविक रूप से किए जाने के **बाद** और जिस वित्तीय वर्ष से संबंधित हैं, उसके समाप्त हो जाने के बाद की जाती हैं।

4.3 सरकारी खाते (Government Accounts)

भारत सरकार के खाते तीन भागों में रखे जाते हैं।

1. **भारत की समेकित निधि (सीएफआई):** सरकार द्वारा प्रत्यक्ष या अप्रत्यक्ष करों के माध्यम से प्राप्त सभी राजस्व और सरकारी व्यवसाय के संचालन के संबंध में सरकार को मिलने वाली अन्य प्राप्तियाँ जैसे रेलवे, डाक, परिवहन, सरकारी सार्वजनिक उपक्रमों आदि से प्राप्तियाँ सीएफआई में जमा की जाती हैं। इसी तरह, सार्वजनिक अधिसूचनाओं, राजकोषीय बिलों और विदेशी सरकारों और अंतर्राष्ट्रीय संस्थानों से प्राप्त ऋणों के माध्यम से सरकार द्वारा उठाए गए सभी ऋण इस निधि में जमा किए जाते हैं। आंतरिक और बाह्य ऋण की चुकौती और विभिन्न उद्देश्यों के लिए राज्यों/संघ शासित प्रदेशों की सरकारों को ऋण जारी करने सहित अपने व्यवसाय के संचालन के लिए सरकार द्वारा किए गए सभी व्यय इस निधि से घटाए किए जाते हैं और संसद से प्राधिकरण के बिना निधि से कोई राशि नहीं निकाली जा सकती है।

2. **भारत की आकस्मिकता निधि:** यह निधि एक अग्रदाय (किसी विशिष्ट उद्देश्य के लिए एक निश्चित निधि) खाते की प्रकृति की होती है और इसे भारत के राष्ट्रपति (भारत सरकार के सचिव, वित्त मंत्रालय, आर्थिक मामलों के विभाग द्वारा) के निपटान में रखा जाता है ताकि सरकार संसद द्वारा प्राधिकरण के लंबित अप्रत्याशित खर्चों को पूरा कर सके। इस धन का उपयोग प्राकृतिक आपदाओं के पीड़ितों को तत्काल राहत प्रदान करने तथा संसद द्वारा अनुमोदन के लिए लंबित सरकार द्वारा लिए गए किसी भी नए नीतिगत निर्णय को लागू करने के लिए किया जाता है। ऐसे सभी मामलों में संसद की बैठक के बाद, चालू वित्त वर्ष के दौरान योजना/परियोजना पर किए जाने वाले कुल व्यय को दर्शाते हुए एक विधेयक प्रस्तुत किया जाता है। संसद द्वारा विधेयक पर मतदान करने के बाद, आकस्मिकता निधि से पहले से खर्च की गई धनराशि को भारत की संचित निधि से वापस ले लिया जाता है/निकाल लिया जाता है ताकि यह सुनिश्चित किया जा सके कि आकस्मिकता निधि का कोष बरकरार रहे। निधि का कोष 30,000 करोड़ रुपये है और इसे संसद द्वारा समय-समय पर बढ़ाया जा सकता है।

3. **भारत का सार्वजनिक खाता:** भारत की समेकित निधि में जमा किए गए धन के अलावा सरकार द्वारा प्राप्त सभी सार्वजनिक धन को सार्वजनिक खाते में दर्ज किया जाता है। सार्वजनिक खाते में प्राप्तियाँ और उसमें से व्यय संसद द्वारा मतदान के अधीन नहीं हैं। इस खाते के अंतर्गत प्राप्तियाँ मुख्य रूप से बचत प्रमाणपत्रों की बिक्री, सामान्य भविष्य निधि, सार्वजनिक भविष्य निधि में अंशदान, सुरक्षा जमा और सरकार द्वारा प्राप्त बयाना राशि (एक प्रकार की सुरक्षा जमा) से आती हैं। ऐसी जमाराशियों के संबंध में, सरकार एक बैंकर या ट्रस्टी के रूप में कार्य करती है और अनुबंध/घटना के पूरा होने के बाद धन वापस कर देती है।

राज्य सरकारों के पास अपनी स्वयं की समेकित निधि, सार्वजनिक खाता और आकस्मिकता निधि (जैसा कि संविधान द्वारा अनिवार्य है) है। संघ शासित प्रदेश (विधानसभा के साथ) के पास 'संघ शासित प्रदेशों की सरकार अधिनियम, 1963' के अनुसार अपनी स्वयं की समेकित निधि, आकस्मिकता निधि और सार्वजनिक खाता है। संघ शासित प्रदेशों की आकस्मिकता निधि उनके 'प्रशासकों' या 'उपराज्यपालों' के पास होती है।

4.4 बजट का वर्गीकरण (Budget Classification

अनुच्छेद 112 में निर्दिष्ट किया गया है कि बजट में राजस्व खाते के व्यय को अन्य व्यय (पूँजी खाते) से अलग किया जाना चाहिए। इसलिए, बजट में राजस्व बजट और पूँजी बजट शामिल होते हैं।

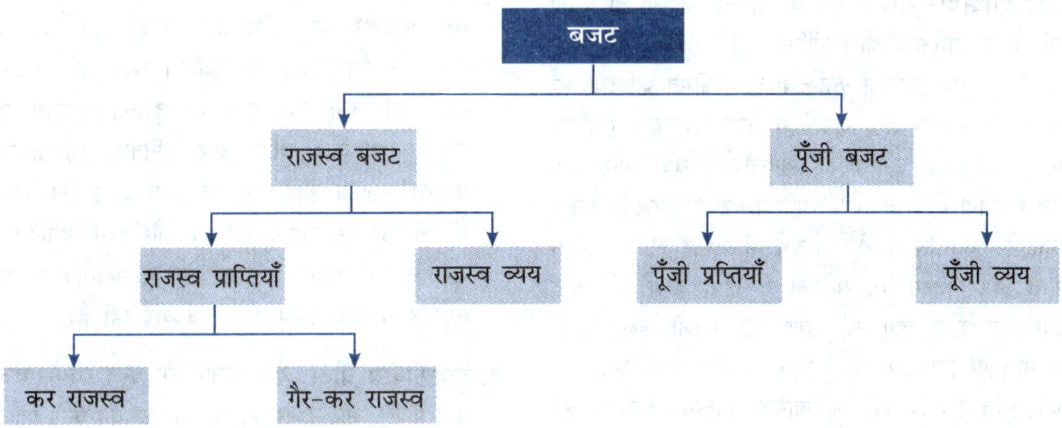

राजस्व प्राप्तियाँ: सरकार की वे प्राप्तियाँ जो न तो सरकार के लिए कोई दायित्व बनाती हैं और न ही सरकार की परिसंपत्तियों (भौतिक या वित्तीय) को कम करती हैं, राजस्व प्राप्तियाँ कहलाती हैं। राजस्व प्राप्तियाँ गैर-प्रतिदेय होती हैं, यानी उन्हें सरकार से वापस नहीं लिया जा सकता। राजस्व प्राप्तियाँ दो प्रकार की हो सकती हैं।

- कर राजस्व में केंद्र सरकार के प्रत्यक्ष और अप्रत्यक्ष कर शामिल होते हैं।
- गैर-कर राजस्व में केंद्र सरकार द्वारा दिए गए ऋणों के कारण ब्याज प्राप्तियाँ, केंद्र सरकार (यानी सार्वजनिक उपक्रमों) द्वारा किए गए निवेशों पर लाभांश और लाभ, शुल्क और जुर्माना और सरकार द्वारा प्रदान की गई सेवाओं जैसे पासपोर्ट शुल्क आदि के लिए अन्य प्राप्तियाँ शामिल होती हैं। विदेशी देशों और अंतर्राष्ट्रीय संगठनों से नकद अनुदान सहायता भी गैर-कर राजस्व का हिस्सा है।

राजस्व व्यय: सरकार के वे व्यय जो न तो कोई परिसंपत्ति (भौतिक या वित्तीय) बनाते हैं और न ही किसी देनदारियों को कम करते हैं, राजस्व व्यय कहलाते हैं। राजस्व व्यय सरकारी विभागों और विभिन्न सेवाओं के सामान्य कामकाज, केंद्र सरकार द्वारा लिए गए ऋण पर ब्याज भुगतान और राज्य सरकार और स्थानीय निकायों को दिए गए अनुदानों के लिए किए गए व्यय से संबंधित हैं।

पूँजीगत प्राप्तियाँ: सरकार की वे प्राप्तियां जो या तो देयता बनाती हैं या परिसंपत्तियों (भौतिक या वित्तीय) को कम करती हैं, पूँजीगत प्राप्तियां कहलाती हैं। पूँजीगत प्राप्तियों की मुख्य मदें हैं सरकार द्वारा जनता से लिए गए ऋण (बाजार उधार), सरकार द्वारा आरबीआई, वाणिज्यिक बैंकों और अन्य वित्तीय संस्थानों से सरकारी प्रतिभूतियों (ट्रेजरी बिल/दिनांकित प्रतिभूतियों) की बिक्री के माध्यम से उधार लेना, विदेशी सरकारों और अंतरराष्ट्रीय संगठनों से प्राप्त ऋण और केंद्र सरकार द्वारा पहले दिए गए ऋणों की वसूली। इसमें छोटी बचत योजनाएँ (डाकघर बचत खाते, राष्ट्रीय बचत प्रमाणपत्र आदि), भविष्य निधि और सार्वजनिक उपक्रमों में शेयरों की बिक्री (विनिवेश) से प्राप्त शुद्ध प्राप्तियाँ भी शामिल होती हैं।

पूँजीगत व्यय: सरकार के वे व्यय जो या तो परिसंपत्तियों (भौतिक या वित्तीय) का निर्माण करते हैं या देयताओं को कम करते हैं, पूँजीगत व्यय कहलाते हैं। पूँजीगत व्यय में भूमि, भवन, मशीनरी, उपकरण का अधिग्रहण, सरकार द्वारा शेयरों की खरीद और केंद्र सरकार द्वारा राज्य और केंद्र शासित प्रदेश सरकारों, सार्वजनिक उपक्रमों और अन्य पक्षों को ऋण और अग्रिम राशि शामिल है।

4.5 सरकारी घाटा (Government Deficits)

जब कोई सरकार राजस्व के रूप में एकत्र की गई राशि से अधिक खर्च करती है, तो उसे घाटा होता है। सरकार इस घाटे को मुख्य रूप से तीन तरीकों से पूरा करती है।

1. **राजस्व घाटा:** राजस्व घाटा सरकार के राजस्व व्यय और राजस्व प्राप्तियों के बीच का अंतर है।

   राजस्व घाटा = राजस्व व्यय – राजस्व प्राप्तियाँ

   राजस्व घाटे का अर्थ है कि सरकार के वर्तमान व्यय उसके वर्तमान राजस्व से अधिक हैं और उसे अपने उपभोग व्यय को वित्त-पोषित करने के लिए अर्थव्यवस्था के अन्य क्षेत्रों की बचत का उपयोग करना होगा। चूंकि राजस्व व्यय (वेतन, पेंशन, ब्याज भुगतान, सब्सिडी आदि) का एक बड़ा हिस्सा प्रतिबद्ध व्यय है, इसलिए इसे कम नहीं किया जा सकता है। जब सरकार राजस्व घाटे का सामना करती है, तो वह आमतौर पर अतिरिक्त राजस्व व्यय को कवर करने के लिए उत्पादक पूँजीगत व्यय और कल्याण व्यय को कम कर देती है। इसका मतलब होगा भविष्य में कम वृद्धि और प्रतिकूल कल्याणकारी प्रभाव। राजस्व घाटा बुरा है क्योंकि इसका मतलब है कि सरकार अपनी वर्तमान और दिन-प्रतिदिन की जरूरतों (जो भविष्य में रिटर्न नहीं दे सकती) पर अपने वर्तमान राजस्व से अधिक खर्च कर रही है।

2. **राजकोषीय घाटा:** यह सरकार के कुल व्यय (राजस्व और पूँजी) और उधार को छोड़कर उसकी कुल प्राप्तियों (राजस्व और पूँजी) के बीच का अंतर है।

राजकोषीय घाटा = कुल व्यय – उधार को छोड़कर कुल प्राप्तियाँ

= (राजस्व व्यय + पूँजी व्यय) – (राजस्व प्राप्ति + उधार को छोड़कर पूँजी प्राप्ति)

= (राजस्व व्यय – राजस्व प्राप्ति) + (पूँजी व्यय – उधार को छोड़कर पूँजी प्राप्ति)

= राजस्व घाटा + पूँजी व्यय – उधार को छोड़कर पूँजी प्राप्ति

= कुल उधार

= घर पर शुद्ध उधार + RBI से उधार + विदेश से उधार

आइए एक उदाहरण से राजकोषीय घाटे को समझते हैं।

मान लीजिए, सरकार का कुल व्यय = 17 लाख करोड़

और प्राप्तियाँ = 13 लाख करोड़

तब सरकार को अपने व्यय को पूरा करने के लिए (17 लाख करोड़ –13 लाख करोड़) 4 लाख करोड़ उधार लेने पड़ेंगे। और इसे 4 लाख करोड़ को राजकोषीय घाटा कहते हैं। इसीलिए राजकोषीय घाटा भी कुल उधारी के बराबर यानी 4 लाख करोड़ होता है।

लेकिन सरकार द्वारा उधार लिया गया यह 4 लाख करोड़ भी सरकार की **पूँजी प्राप्ति का हिस्सा** है और इसे पूँजी प्राप्तियों में शामिल किया जाना चाहिए। इसलिए, वास्तविक अर्थों में, सरकार की कुल प्राप्तियाँ 17 लाख करोड़ (यानी 13 लाख करोड़ + 4 लाख करोड़ उधारी) हो जाएँगी। इसलिए, उपरोक्त उदाहरण में:

राजकोषीय घाटा = कुल व्यय – **उधारी को छोड़कर** कुल प्राप्तियाँ अन्यथा, कुल व्यय और कुल प्राप्तियों का अंतर हमेशा शून्य रहेगा।

राजकोषीय घाटा सभी स्रोतों से सरकार की कुल उधारी को दर्शाता है यानी घरेलू उधारी और बाहरी स्रोतों से उधारी। घरेलू उधारी में ट्रेजरी बिल और दिनांकित प्रतिभूतियाँ जैसी सरकार की ऋण प्रतिभूतियाँ शामिल होते हैं। वाणिज्यिक बैंक अपनी एसएलआर आवश्यकताओं को पूरा करने के लिए इन प्रतिभूतियों को बड़े पैमाने पर खरीदते हैं। अन्य वित्तीय संस्थाएँ और RBI भी इन प्रतिभूतियों को खरीदते हैं। राजकोषीय घाटा सरकारी क्षेत्र की वित्तीय सेहत और अर्थव्यवस्था की स्थिरता को आँकने में एक महत्वपूर्ण चर है। जैसाकि ऊपर से देखा जा सकता है कि राजस्व घाटा राजकोषीय घाटे का एक हिस्सा है। राजकोषीय घाटे में राजस्व घाटे का एक बड़ा हिस्सा यह दर्शाता है कि उधार का एक बड़ा हिस्सा निवेश के बजाय अपनी उपभोग व्यय आवश्यकताओं को पूरा करने के लिए इस्तेमाल किया जा रहा है।

2. **प्राथमिक घाटा:** सरकार के राजकोषीय घाटे का एक बड़ा हिस्सा है क्योंकि उसे अपने पिछले संचित ऋण पर ब्याज का भुगतान करना है। यदि हम पिछले ऋण पर ब्याज भुगतान को छोड़कर सरकार के घाटे को मापना चाहते हैं तो इसे प्राथमिक घाटा कहा जाता है। प्राथमिक घाटे को मापने का लक्ष्य वर्तमान राजकोषीय असंतुलन पर ध्यान केंद्रित करना है।

   प्राथमिक घाटा = राजकोषीय घाटा – शुद्ध ब्याज देयताएँ

इसलिए, प्राथमिक घाटा सरकार के संचित ऋण पर ब्याज देयताओं को छोड़कर सरकार के बजट में घाटे के बारे में बताता है।

'प्रभावी राजस्व घाटा' और 'प्रभावी पूँजीगत व्यय'

राजकोषीय व्यय की परिभाषा यह है कि यह कोई भौतिक या वित्तीय संपत्ति नहीं बनाएगा। लेकिन इससे खातों में समस्या पैदा होती है। केंद्र सरकार द्वारा राज्यों/संघ शासित प्रदेशों को दिए जाने वाले कई **अनुदान** हैं जो केंद्र सरकार के राजस्व व्यय के अंतर्गत आते हैं, लेकिन इनमें से कुछ अनुदान ऐसी संपत्ति बनाते हैं, जिनका स्वामित्व राज्य सरकार के पास होता है, न कि केंद्र सरकार के पास। इसलिए, केंद्र सरकार के लिए यह मूल रूप से राजस्व व्यय है, लेकिन अंततः यह राज्य सरकार के लिए संपत्ति बना रहा है। उदाहरण के लिए, मनरेगा कार्यक्रम के तहत, कुछ पूँजीगत संपत्तियाँ जैसे सड़कें, तालाब आदि बनाई जाती हैं, इसलिए ऐसे व्यय के लिए अनुदान निश्चित रूप से राजस्व व्यय में नहीं आते हैं।

इसलिए केंद्र सरकार 'प्रभावी राजस्व घाटा' की भी गणना करती है, जिसमें ऐसे अनुदान शामिल नहीं होते हैं जिनका उपयोग परिसंपत्तियों के निर्माण के लिए किया जाता है और

'प्रभावी पूँजीगत व्यय' जिसमें ऐसे अनुदान शामिल होते हैं।

- प्रभावी राजस्व घाटा = राजस्व घाटा – पूँजीगत संपत्तियों के निर्माण के लिए राज्यों को दिए गए अनुदान
- प्रभावी पूँजीगत व्यय = पूँजीगत व्यय + पूँजीगत संपत्तियों के निर्माण के लिए राज्यों को दिए गए अनुदान।

घाटे का वित्तपोषण वह बजटीय स्थिति है, जहां सरकारी व्यय उसके राजस्व से अधिक होता है। यह अतिरिक्त मुद्रा छापकर या उधार लेकर बाहरी संसाधनों से अतिरिक्त व्यय को वित्तपोषित करने के लिए अपनाई गई एक प्रणाली है।

4.6 राजकोषीय नीति (Fiscal Policy)

(राजकोषीय साधन सरकार के व्यय और प्राप्तियों से संबंधित है)। राजकोषीय नीति वह साधन है जिसके द्वारा सरकार किसी देश की अर्थव्यवस्था की निगरानी और उसे प्रभावित करने के लिए अपने **व्यय स्तर** और **कर दरों** को समायोजित करती है। यह मौद्रिक नीति की एक सहायक रणनीति है। किसी देश के आर्थिक लक्ष्यों को निर्देशित करने के लिए राजकोषीय नीति और मौद्रिक नीति का विभिन्न संयोजनों में उपयोग किया जाता है।

सरकार की राजकोषीय नीति के मुख्य उद्देश्य हैं:

- आर्थिक विकास (व्यापार चक्रों का स्थिरीकरण)
- रोजगार के उच्च स्तर को बनाए रखना
- मुद्रास्फीति को नियंत्रित करना
- धन का समान वितरण
- कल्याण (सब्सिडी, आय सहायता, स्वास्थ्य, शिक्षा आदि)

उपर्युक्त उद्देश्य प्राथमिकता के अनुसार नहीं हैं और अर्थव्यवस्था की स्थिति के आधार पर, सरकार इनमें से अपना ध्यान बदलती रहती है।

राजकोषीय नीति विस्तारवादी या संकुचनकारी हो सकती है।

- **विस्तारवादी राजकोषीय नीति:** विस्तारवादी राजकोषीय नीति के मामले में सरकार अर्थव्यवस्था में कुल माँग को बढ़ाने के लिए खर्च में वृद्धि करता है और कर के स्तर को कम करता है। उदाहरण के लिए, मान लीजिए कि अर्थव्यवस्था धीमी हो गई है, बेरोजगारी का स्तर बढ़ गया है, उपभोक्ता खर्च कम हो गया है और व्यवसाय पर्याप्त लाभ नहीं कमा रहे हैं। इस प्रकार सरकार कर के स्तर को कम करके (जिससे उपभोक्ताओं की प्रयोज्य आय में वृद्धि होगी) और बाजार से सेवाओं को खरीदने के रूप में सरकारी खर्च को बढ़ाकर अर्थव्यवस्था के इंजन को ईंधन देने का फैसला करती है (यानी, सड़कें, बुनियादी ढाँचा, स्कूल आदि का निर्माण करना) ऐसी सेवाओं के लिए भुगतान करके, सरकार नौकरियों और वेतन को स्वजन करती है जो बदले में अर्थव्यवस्था में तेजी लाती हैं।

कर स्तर को कम करके और सरकारी खर्च को बढ़ाकर अर्थव्यवस्था में पैसा पंप करना **पंप प्राइमिंग** के रूप में भी जाना जाता है। अर्थव्यवस्था में अधिक पैसा और कम करों का भुगतान करने के साथ, वस्तुओं और सेवाओं के लिए उपभोक्ता माँग बढ़ जाती है। यह बदले में व्यवसायों को पुनर्जीवित करता है और चक्र को स्थिर से सक्रिय में बदल देता है।

- **संकुचनकारी राजकोषीय नीति (Contractionary fiscal policy):** संकुचनकारी राजकोषीय नीति के मामले में, सरकार खर्च कम करती है और अर्थव्यवस्था से पैसे को बाहर निकालने के लिए कर का स्तर बढ़ाती है और इस प्रकार कुल माँग को कम करती है। उदाहरण के लिए, जब अर्थव्यवस्था में मुद्रास्फीति अधिक होती है, तो अर्थव्यवस्था को मंदी की आवश्यकता हो सकती है। ऐसी स्थिति में, सरकार अपनी राजकोषीय नीति का उपयोग सार्वजनिक खर्च को कम करने और अर्थव्यवस्था से पैसे को बाहर निकालने के लिए करों को बढ़ाने के लिए कर सकती है, यानी धन परिसंचरण को कम करना। यह अंततः अर्थव्यवस्था में वस्तुओं और सेवाओं की माँग को कम करता है क्योंकि लोगों के पास कम पैसा होता है और मुद्रास्फीति का स्तर कम होता है।

सरकार की राजकोषीय नीति व्यापार चक्रों के दौरान अर्थव्यवस्था को स्थिर करने में बड़ी भूमिका निभाती है। व्यापार चक्रों के दो महत्वपूर्ण चरण तेजी और मंदी हैं। मंदी को गहरी मंदी में नहीं बदलने देना चाहिए। इसी तरह, तेजी को और बड़ा नहीं होना चाहिए। हम कह सकते हैं कि व्यापार

चक्र को बढ़ाना खतरनाक है (बढ़ती तेजी और गहराती मंदी)। व्यावहारिक रूप से कराधान और व्यय का उपयोग करके राजकोषीय नीति प्रतिक्रियाएँ व्यापार चक्र के जवाब में दो तरह से हो सकती हैं: प्रतिचक्रीय और प्रो-चक्रीय।

एक **प्रतिचक्रीय राजकोषीय नीति** सरकार द्वारा राजकोषीय उपायों के माध्यम से उछाल या मंदी का मुकाबला करने की रणनीति को संदर्भित करती है। यह चल रही उछाल या मंदी की प्रवृत्ति के विरुद्ध काम करती है; इस प्रकार, अर्थव्यवस्था को स्थिर करने का प्रयास करती है। जाहिर है, प्रतिचक्रीय राजकोषीय नीति इन दो चरणों के दौरान दो अलग-अलग तरीकों से काम करती है। उछाल के चरण के दौरान, प्रतिचक्रीय राजकोषीय नीति सरकारी व्यय को कम करके और कर स्तरों को बढ़ाकर कुल माँग को कम करने का प्रयास करती है। मंदी के चरण के दौरान, प्रतिचक्रीय राजकोषीय नीति व्यय को बढ़ाकर और कर स्तरों को कम करके कुल माँग को बढ़ाती है। इसलिए, एक प्रतिचक्रीय राजकोषीय नीति उछाल होने पर अर्थव्यवस्था को ठंडा करती है और मंदी होने पर अर्थव्यवस्था को उत्तेजित करती है।

प्रचक्रीय, प्रतिचक्रीय के विपरीत है। यहाँ, राजकोषीय नीति व्यापार चक्र के वर्तमान भावना के अनुरूप चलती है, यानी उन्हें बढ़ाती है। उदाहरण के लिए, तेजी के समय सरकार अधिक व्यय करती है और करों में वृद्धि नहीं करती। इस प्रकार, तेजी और बढ़ती है। ऐसी नीति खतरनाक है और अर्थव्यवस्था में अस्थिरता लाती है। और मंदी के दौरान सरकार खर्च कम करती है और कर बढ़ाती है जिससे अर्थव्यवस्था में और मंदी आती है। इस तरह की राजकोषीय नीति खतरनाक है और अर्थव्यवस्था में अस्थिरता लाती है।

आर्थिक सर्वेक्षण 2016-17 में स्वीकार किया गया है कि भारत के राजकोषीय रुख में उच्च घाटे की ओर एक अंतर्निहित पूर्वाग्रह है, क्योंकि वृद्धि के दौरान व्यय सम-चक्रीय रूप से बढ़ता है (तेजी की अवधि), जबकि मंदी के दौरान राजस्व और व्यय प्रतिचक्रीय रूप से प्रयुक्त होते हैं।

व्यापार चक्र राजकोषीय नीति	तेजी	मंदी	परिणाम
प्रचक्रीय	व्यय में वृद्धि, कर में कमी	व्यय में कमी, कर में वृद्धि	मंदी को गहरा करती है और विस्तार को बढ़ाती है, जिससे व्यापार चक्र में उतार-चढ़ाव बढ़ता है
प्रतिचक्रीय	व्यय में कमी, कर में वृद्धि	व्यय में वृद्धि, कर में कमी	मंदी को कम करती है और विस्तार को नियंत्रित करती है, जिससे व्यापार चक्र में उतार-चढ़ाव कम होता है

राजकोषीय समेकन नीतिः यह सरकार द्वारा राजकोषीय घाटे को कम करने का एक प्रयास है। यह सार्वजनिक ऋण को कम करने, राजस्व बढ़ाने और बेकार के खर्चों को कम करने का एक प्रयास है।

4.7 घाटे और ऋण पर परिप्रेक्ष्य (Perspectives on Deficit and Debt)

घाटे की मुख्य आलोचनाओं में से एक यह है कि वे मुद्रास्फीतिकारी हैं। ऐसा इसलिए है क्योंकि जब सरकार खर्च बढ़ाती है या करों में कटौती करती है, तो **कुल माँग बढ़ जाती** है। फर्म मौजूदा कीमतों पर माँग की जा रही उच्च मात्रा की आपूर्ति/उत्पादन करने में सक्षम नहीं हो सकती हैं, जिसके परिणामस्वरूप कीमत में वृद्धि होती है। हालाँकि, यदि अर्थव्यवस्था में अप्रयुक्त संसाधन हैं और माँग की कमी के कारण उत्पादन रुका हुआ है, तो उच्च राजकोषीय घाटे के साथ-साथ उच्च माँग और उच्च आपूर्ति/उत्पादन भी होगा और इसलिए यह **मुद्रास्फीतिकारी नहीं होगा।**

यदि अर्थव्यवस्था तेजी के दौर में है और आर्थिक संसाधनों का पूर्ण उपयोग किया जा रहा है, तो यदि सरकार राजकोषीय घाटा उठाती है, तो निजी क्षेत्र के लिए उपलब्ध बचत की मात्रा में कमी के कारण निजी निवेश में कमी आती है। ऐसा इसलिए है क्योंकि यदि सरकार घाटे को वित्त-पोषित करने के लिए बॉन्ड जारी करके नागरिकों से उधार लेने का निर्णय

लेती है, तो ये बॉन्ड (जो जोखिम मुक्त हैं) उपलब्ध निधियों की आपूर्ति के लिए कॉर्पोरेट बॉन्ड और अन्य वित्तीय साधनों के साथ प्रतिस्पर्धा करेंगे। यदि लोग सरकारी बॉन्ड खरीदने का निर्णय लेते हैं, तो निजी क्षेत्र में निवेश किए जाने वाले शेष धन कम होंगे। इस प्रकार, कुछ निजी/कॉर्पोरेट उधारकर्ता वित्तीय बाजारों से 'बाहर निकल जाएँगे' (displaced) क्योंकि सरकार अर्थव्यवस्था की कुल बचत में बढ़ती हिस्सेदारी का दावा करती है।

बाहर निकलने (Crawding out) का विपरीत **'अंदर आना'** (Crawding in) है, जहाँ ऋण वित्त-पोषित सरकारी व्यय बढ़ने पर निजी निवेश बढ़ता है। यदि अर्थव्यवस्था में अप्रयुक्त संसाधन हैं या अर्थव्यवस्था मंदी में है, तो बढ़े हुए सरकारी व्यय से वस्तुओं की माँग बढ़ जाती है, जो बदले में कारखानों, उपकरणों जैसे नए आउटपुट स्रोतों के लिए निजी क्षेत्र की माँग को बढ़ाती है। इस प्रकार, बढ़ती उपभोक्ता आवश्यकताओं को पूरा करने के लिए निजी क्षेत्र आगे आता है।

क्या अर्थव्यवस्थाओं को वास्तव में राजकोषीय घाटे की आवश्यकता है?

लॉर्ड कीन्स सहित कई अर्थशास्त्रियों ने संकट के समय विशेष रूप से अर्थव्यवस्था को बढ़ावा देने के लिए छोटे राजकोषीय घाटे की आवश्यकता की वकालत की थी। इसका मतलब यह है कि सरकार को उधार ली गई धनराशि का निवेश करके सार्वजनिक निवेश बढ़ाना चाहिए। पूरी कवायद का मूल उद्देश्य सरकार/सार्वजनिक हस्तक्षेप द्वारा अर्थव्यवस्था के विकास को गति देना है। इसलिए राजकोषीय घाटे में कुछ भी बुनियादी तौर पर गलत नहीं है, बशर्ते हस्तक्षेप की लागत उत्पन्न होने वाले लाभों से अधिक न हो।

साथ ही, अगर सरकार बुनियादी ढाँचे में निवेश करती है, तो भविष्य की पीढ़ियाँ बेहतर हो सकती हैं, बशर्ते ऐसे निवेशों पर रिटर्न ब्याज दर से अधिक हो। वास्तविक ऋण का भुगतान उत्पादन में वृद्धि (और परिणामस्वरूप कर संसाधनों में वृद्धि) द्वारा किया जा सकता है। तब ऋण को बोझ नहीं माना जाना चाहिए। ऋण में वृद्धि का आकलन समग्र रूप से अर्थव्यवस्था के विकास से किया जाएगा।

कहानी का स्याह पक्ष यह है कि उधार ली गई धनराशि, जो हमेशा उपलब्ध रहती है, उसे चुकाना पड़ता है। और चुकौती लंबित रहने पर, इन ऋणों का भुगतान करना पड़ता है। *आदर्श रूप से उधार ली गई निधियों पर निवेश पर प्रतिफल उधार लेने की लागत से अधिक होना चाहिए।*

उदाहरण के लिए, यदि सरकार 100 रुपये 10% पर उधार लेती है, तो उसे 100 रुपये के निवेश पर 10% से अधिक अर्जित करना चाहिए। उस स्थिति में राजकोषीय घाटा कोई समस्या नहीं पैदा करेगा। हालाँकि, सरकार सामाजिक क्षेत्र की योजनाओं सहित सभी प्रकार की परियोजनाओं पर पैसा खर्च करती है, जहाँ कम से कम मौद्रिक शर्तों में प्रतिफल की दर की गणना करना असंभव है। इसलिए, कोई कभी नहीं जान पाएगा कि उधार ली गई निधियों का निवेश बुद्धिमानी से किया जा रहा है या नहीं।

पिछले वर्षों के आर्थिक सर्वेक्षणों के निष्कर्ष

- ऋण स्थिरता 'ब्याज दर वृद्धि दर अंतर' (IRGD) पर निर्भर करती है, अर्थात अर्थव्यवस्था में ब्याज दर और विकास दर के बीच का अंतर। चूँकि भारत सरकार द्वारा चुकाए गए ऋण पर ब्याज दर भारत की विकास दर *से कम रही है*, इसलिए भारतीय संदर्भ में, विकास ऋण स्थिरता की ओर ले जाता है, लेकिन जरूरी नहीं कि इसके विपरीत भी ऐसा ही हो।
- चूँकि भारत के लिए निकट भविष्य में IRGD के नकारात्मक रहने की अपेक्षा है, इसलिए विकास को गति देने वाली राजकोषीय नीति से ऋण-जीडीपी अनुपात में वृद्धि नहीं बल्कि कमी आएगी। यही कारण है कि आर्थिक सर्वेक्षण ने कोविड-19 जैसी आर्थिक मंदी के दौरान विकास को सक्षम करने के लिए प्रति-चक्रीय राजकोषीय नीति का प्रदर्शन किया।
- *सामान्य तौर पर, आर्थिक चक्रों को बढ़ाने के बजाय उन्हें सुचारू बनाने के लिए राजकोषीय नीति प्रति-चक्रीय होनी चाहिए।* जबकि आर्थिक चक्रों को सुचारू बनाने के लिए प्रति-चक्रीय राजकोषीय नीति आवश्यक है, यह आर्थिक संकट के दौरान महत्वपूर्ण हो जाती है। ऐसा इसलिए है क्योंकि आर्थिक संकट के दौरान राजकोषीय गुणक (जीडीपी वृद्धि पर सरकारी व्यय का प्रभाव) अधिक होता है।

- अधिकांश अध्ययनों से यह निष्कर्ष निकला है कि राजकोषीय नीतियाँ विस्तार की तुलना में मंदी में काफी अधिक प्रभावी होती हैं।
- अध्ययनों से ज्ञात हुआ है कि एक प्रति-चक्रीय राजकोषीय रुख का पालन करने से आर्थिक विकास कम होता है, उत्पादन में अधिक अस्थिरता होती है और मुद्रास्फीति का स्तर अधिक होता है। इसके विपरीत चक्र के विरुद्ध नीतिगत कार्रवाइयों के साथ प्रतिचक्रीय राजकोषीय नीति रुख उत्पादन में अस्थिरता को कम करके और विकास को स्थिर पथ पर रखकर स्थिरता प्रदान करने का काम करता है। यह भी ज्ञात हुआ है कि जिन अर्थव्यवस्थाओं में राजकोषीय नीति अधिक प्रतिचक्रीय रही है, वहाँ उद्योगों ने उत्पादन और उत्पादकता दोनों के संदर्भ में तेजी से विकास किया है।
- पिछले ढाई दशकों के साक्ष्य स्पष्ट रूप से प्रदर्शित करते हैं कि भारत में, उच्च जीडीपी वृद्धि के कारण ऋण-से-जीडीपी अनुपात में गिरावट आती है, लेकिन इसके विपरीत नहीं।
- भारत और अन्य उभरती बाजार अर्थव्यवस्थाओं में, साक्ष्य दर्शाते हैं कि दो चरों के बीच **कार्य-कारण** की दिशा यह है: *उच्च विकास से सार्वजनिक ऋण कम होता है*, जैसा कि उनके ऋण-से-जीडीपी अनुपात द्वारा मापा जाता है, लेकिन इसके विपरीत ऐसा नहीं है।

  इसके विपरीत, जब जीडीपी वृद्धि दर कम होती है, तो वृद्धि और सार्वजनिक ऋण के बीच ऐसा कोई कारण संबंध नहीं दिखाई देता है। (ऐसा इसलिए है क्योंकि उच्च वृद्धि IRGD को नकारात्मक होने में सक्षम बनाती है और इस प्रकार ऋण स्थिरता सुनिश्चित करती है)।
- निजी निवेश के बाहर निकलने की घटना इस धारणा पर आधारित है कि अर्थव्यवस्था में बचत की आपूर्ति निश्चित है। इसलिए, उच्च राजकोषीय व्यय ऋण योग्य निधियों की माँग को बढ़ा सकता है और इसलिए ब्याज दरों पर ऊपर की ओर दबाव डाल सकता है, जिससे निजी निवेश हतोत्साहित हो सकता है।
- हालाँकि, भारत जैसी उभरती अर्थव्यवस्थाओं के लिए, निजी क्षेत्र की बचत और निवेश करने की प्रवृत्ति को बढ़ावा देने वाले क्षेत्रों में सार्वजनिक व्यय में वृद्धि निजी निवेश को बाहर निकालने के बजाय उसे सक्षम कर सकती है। दूसरे शब्दों में, एक ऐसी अर्थव्यवस्था में जिसमें बेरोजगार संसाधन हैं, सरकारी खर्च में वृद्धि अर्थव्यवस्था में कुल माँग को बढ़ाती है, जो निजी क्षेत्र को बढ़ी हुई माँग को पूरा करने के लिए नई मशीनरी में अपने निवेश को बढ़ाने के लिए प्रेरित कर सकती है, और इस प्रकार अप्रयुक्त संसाधनों को उत्पादक उपयोगों में लगा सकती है। इसका कुल माँग पर गुणक प्रभाव हो सकता है, जिसके परिणामस्वरूप उच्च विकास दर हो सकती है। वास्तव में, यदि सार्वजनिक व्यय को ऐसे क्षेत्रों में निर्देशित किया जाता है जहाँ राजकोषीय गुणक बड़े हैं - उदाहरण के लिए बुनियादी ढाँचे के निर्माण के लिए - तो ऐसा व्यय निजी निवेश में भी महत्वपूर्ण रूप से वृद्धि कर सकता है।
- हाल ही में किए गए शोध ने तेजी से बढ़ती अर्थव्यवस्थाओं में क्राउडिंग आउट की घटना पर और संदेह जताया है, यह दिखाते हुए कि **बचत की आपूर्ति स्थिर नहीं है**, बल्कि आय वृद्धि के साथ बढ़ती है। पूर्ण क्षमता से कम संचालन करने वाली अर्थव्यवस्था में, माँग सृजन के माध्यम से अधिक सरकारी व्यय से बचत की आपूर्ति बढ़ सकती है और इस प्रकार अधिक रोजगार हो सकता है। ऐसा इसलिए है, क्योंकि जैसा कि हाल ही में किए गए शोध द्वारा उजागर किया गया है, अनुकूल जनसांख्यिकी-कार्यशील आयु की बड़ी आबादी के रूप में-सार्थक नौकरियों के माध्यम से बचत को बढ़ाएगी।
- जबकि विकासशील देशों में सार्वजनिक निवेश निजी निवेश का पूरक है, विकसित देशों के लिए विपरीत सत्य है। वस्तुओं और सेवाओं के लिए सरकारी व्यय में वृद्धि घरेलू निजी निवेश को 'क्राउड आउट' करती है या नहीं, यह इस बात पर निर्भर कर सकता है कि अर्थव्यवस्था पूर्ण रोजगार के कितने करीब है। भारत में, उदारीकरण के बाद पिछले तीन दशकों में क्राउडिंग आउट का कोई सबूत नहीं है।

केंद्र और राज्यों के राजकोषीय घाटे में रुझान: केंद्र सरकार का राजकोषीय घाटा

2015-16	2016-17	2017-18	2018-19	2019-20	2020-21	2021-22	2022-23	2023-24	2024-25
3.9%	3.5%	3.5%	3.4%	4.60%	9.20%	6.9%	6.4%	5.6%	4.9%

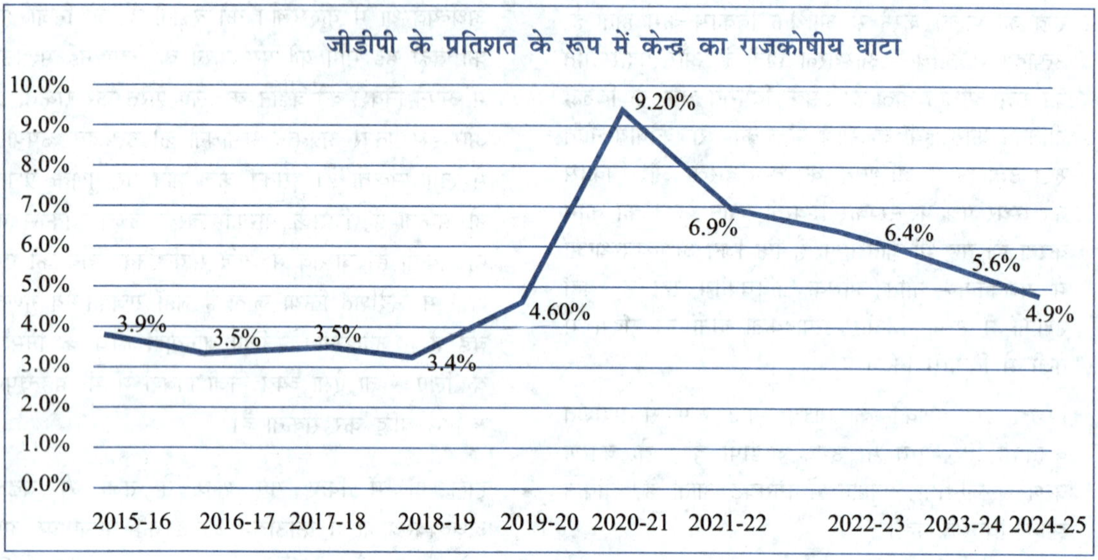

राज्य सरकार का राजकोषीय घाटा

2016-17	2017-18	2018-19	2019-20	2020-21	2021-22	2022-23	2023-24
3.50%	2.40%	2.50%	2.60%	4.70%	3.70%	3.40%	3.1%

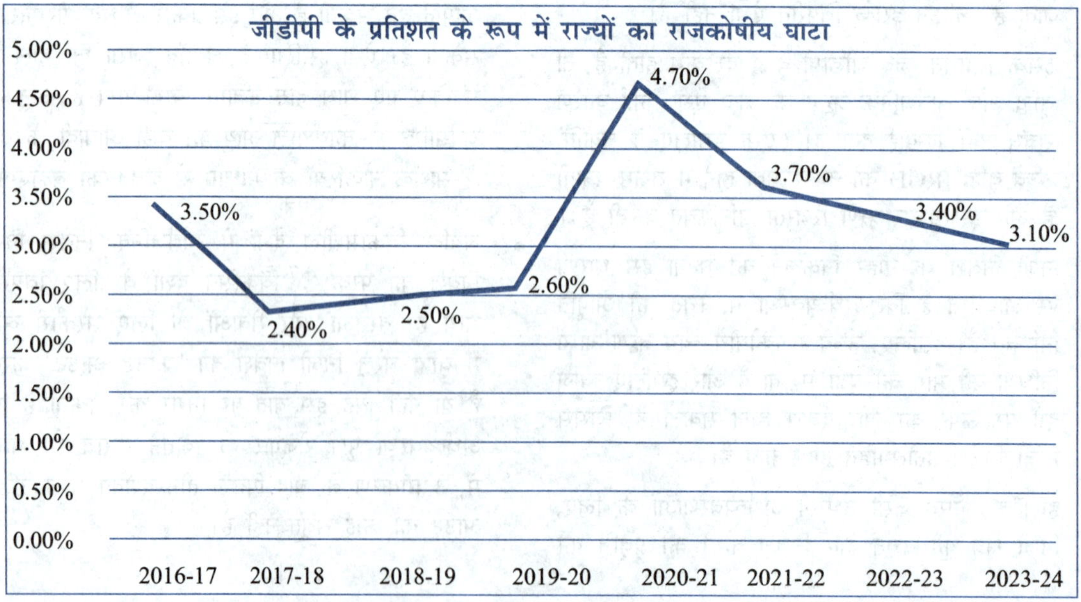

संविधान के अनुच्छेद 293 के अनुसार, राज्यों को उधार लेने के लिए केंद्र से पूर्व अनुमति लेनी होगी यदि:

- *राज्यों ने केंद्र से ऋण लिया है और बकाया राशि लंबित है; या*
- *राज्यों पर कोई बकाया ऋण है जिसके लिए केंद्र सरकार ने गारंटी दी है।*

लेकिन चूँकि लगभग हर राज्य ने केंद्र से ऋण लिया है और बकाया राशि लंबित है, इसलिए वे उधार लेने से पहले केंद्र से अनुमति लेते हैं। यदि राज्य अपनी FRBM सीमा का उल्लंघन कर रहे हैं तो उन्हें केंद्र की अनुमति की आवश्यकता नहीं है।

- वर्ष 2024-25 के लिए, 'पूँजी निवेश के लिए राज्यों को वित्तीय सहायता की योजना' के लिए 1.5 लाख करोड़ रुपये आवंटित किए गए हैं। राज्य इस चैनल के माध्यम से इन निधियों का उपयोग गति शक्ति, ग्रामीण सड़कों, डिजिटलीकरण और बेहतर नगर नियोजन आदि के अंतर्गत परियोजनाओं को लागू करने के लिए कर सकते हैं।

ऋण

संविधान के अनुच्छेद 292 में कहा गया है कि भारत सरकार समय-समय पर संसद द्वारा निर्दिष्ट राशि उधार ले सकती है। संविधान के अनुच्छेद 293 में कहा गया है कि भारत में राज्य सरकारें केवल आंतरिक स्रोतों से ही उधार ले सकती हैं। **इस प्रकार, भारत सरकार आंतरिक और बाह्य दोनों ऋण लेती है जबकि राज्य सरकारें केवल आंतरिक ऋण लेती हैं**। 12वें वित्त आयोग की सिफारिशों के अनुसार, विभिन्न राज्यों द्वारा बाह्य वित्त-पोषण तक पहुँच केंद्र सरकार द्वारा सुगम बनाई जाती है जो इन उधारों के लिए संप्रभु गारंटी प्रदान करती है। 1 अप्रैल 2005 से सभी सामान्य श्रेणी के राज्य बहुपक्षीय और द्विपक्षीय एजेंसियों (विश्व बैंक, एडीबी आदि) से बैक-टू-बैक आधार पर उधार लेते हैं अर्थात ब्याज लागत और मुद्रा और विनिमय दर में उतार-चढ़ाव से उत्पन्न जोखिम राज्यों को दिया जाता है **लेकिन केंद्र सरकार गारंटर के रूप में कार्य करती है** (ऋण मूल रूप से केंद्र सरकार के नाम पर होता है।)

भारत सरकार (केंद्र सरकार) की कुल ऋण/देयताएँ

= 1 + 2 + 3 + 4

1. **आंतरिक ऋण** [यह मूल रूप से वह ऋण है जो भारत सरकार घरेलू बाजार में ट्रेजरी बिल और दिनांकित प्रतिभूतियों जैसे ऋण प्रतिभूतियों को जारी करके उधार लेती है। इसे घरेलू बाजार उधार भी कहा जाता है]
2. **बाहरी ऋण** [यह मूल रूप से अन्य सरकारों (द्विपक्षीय ऋण) और विश्व बैंक, एडीबी आदि जैसी बहुपक्षीय एजेंसियों और जी-सेक खरीदने वाले एफपीआई से उधार लेना है]
3. **सार्वजनिक खाता देयता** [इसमें सार्वजनिक भविष्य निधि, किसान विकास पत्र आदि जैसी राष्ट्रीय लघु बचत योजनाएँ शामिल होती हैं।]
4. **ऑफ बजट देयताएँ** [केंद्र सरकार के स्वामित्व/नियंत्रण वाली किसी भी कॉर्पोरेट या अन्य इकाई की ऐसी वित्तीय देयताएँ, जिन्हें सरकार को वार्षिक वित्तीय विवरण से चुकाना या सेवा देनी होती है।]

आंतरिक ऋण और **बाहरी ऋण को** एक साथ मिलाकर **सार्वजनिक ऋण** (भारत सरकार का) भी कहा जाता है और इसे **भारत की समेकित निधि** के विरुद्ध (सुरक्षा पर) अनुबंधित किया जाता है।

सभी आँकड़े लाख करोड़ रुपये में हैं	
केंद्र सरकार के ऋण के घटक	**31 मार्च 2024 तक**
(1) आंतरिक ऋण	147.0
(2) बाहरी ऋण	9.8
(3) सार्वजनिक खाता देयताएँ	17.2
(4) अतिरिक्त बजटीय संसाधन	नगण्य
कुल	**174**

मार्च 2024 के अंत तक भारत सरकार का कुल ऋण 174 लाख करोड़ रुपये था और इसमें से सार्वजनिक ऋण (आंतरिक + बाह्य) 157 लाख करोड़ रुपये था जो कुल ऋण का लगभग 90% है। जीडीपी के संदर्भ में केंद्र सरकार का कुल ऋण जीडीपी का 59% था।

आर्थिक सर्वेक्षण 2022-23 के अनुसार, भारत में सार्वजनिक ऋण मुख्य रूप से निश्चित ब्याज दरों पर अनुबंधित किया जाता है, जिसमें अस्थायी आंतरिक ऋण सकल घरेलू उत्पाद का केवल 1.7 प्रतिशत है। इसलिए, ऋण पोर्टफोलियो ब्याज दर की अस्थिरता से अछूता रहता है, जो ब्याज भुगतान को स्थिरता भी प्रदान करता है।

निम्नलिखित चार्ट पिछले कुछ वर्षों के लिए केंद्र और राज्यों के ऋण से सकल घरेलू उत्पाद अनुपात को दर्शाता है:

ऋण/जी डी पी	2015-16	2016-17	2017-18	2018-19	2019-20	2020-21	2021-22	2022-23	2023-24
केंद्र	51.5%	49.6%	46.0%	45.9%	47.80%	59.30%	57.0%	57.10%	59.00%
राज्य	23.7%	25.1%	25.1%	25.2%	26.30%	31.10%	28.7%	29.5%	28.0%

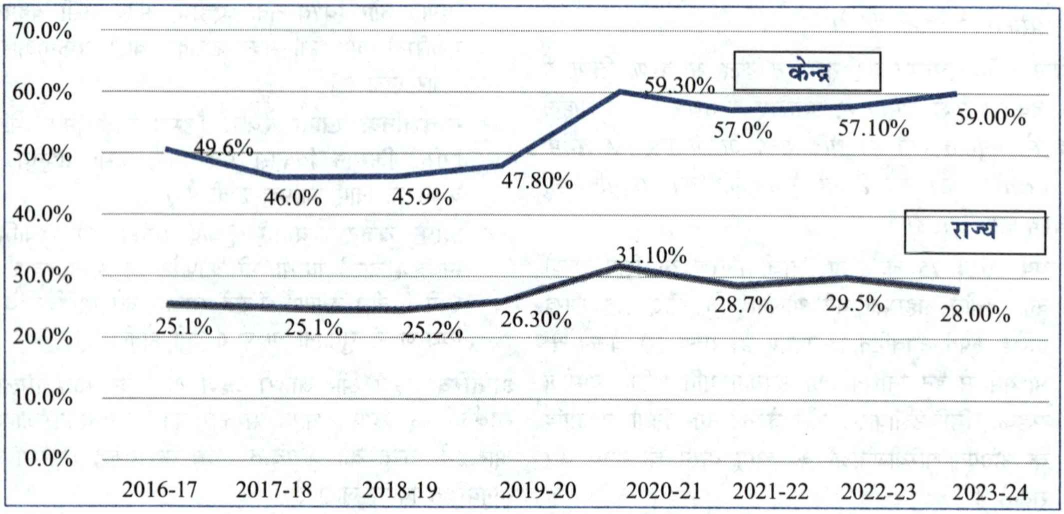

भारत का विदेशी ऋण = भारत का विदेशी ऋण देश के निवासियों (यानी सरकार और निजी क्षेत्र) द्वारा गैर-निवासियों को दिए जाने वाले ऋण को संदर्भित करता है। 31 सितंबर 2023 तक, भारत का विदेशी ऋण $648 बिलियन (जीडीपी का 18.7%) था।

<table>
<tr><td colspan="2">भारत का विदेशी ऋण (31 दिसंबर 2023 तक)
648 बिलियन डॉलर = जीडीपी का 18.7%</td></tr>
<tr><td>"संप्रभु ऋण"</td><td>"गैर-संप्रभु ऋण"</td></tr>
<tr><td>142 बिलियन डॉलर (जीडीपी का 4%)</td><td>506 बिलियन डॉलर (जीडीपी का 14.7%)</td></tr>
<tr><td>"संप्रभु ऋण को भारत सरकार (बाह्य) ऋण भी कहा जाता है
(राज्य सरकार का बाह्य ऋण केवल भारत सरकार के नाम पर होता है)
इसमें शामिल होते हैं
• जी-सिक्योरिटीज में एफपीआई/एफआईआई निवेश
• द्विपक्षीय सहायता के तहत ऋण
• बहुपक्षीय सहायता के तहत ऋण</td><td>इसमें शामिल होते हैं
• वाणिज्यिक उधारी
• बाहरी वाणिज्यिक उधारी ईसीबी और भारतीय कॉर्पोरेट बॉन्ड में एफआईआई निवेश
• एनआरआई जमा</td></tr>
</table>

- भारत के विदेशी ऋण को 'अल्पकालिक' (19.5%) और 'दीर्घकालिक' ऋण (80.5%) के रूप में भी वर्गीकृत किया जा सकता है।
- वाणिज्यिक उधारी बाहरी ऋण का सबसे बड़ा घटक रहा, जिसके बाद गैर-निवासी जमाराशि का स्थान रहा।
- मुद्रा के अनुसार, भारत के विदेशी ऋण में शामिल हैं:
  - अमेरिकी डॉलर में मूल्यवर्गित (54.2%)
  - भारतीय रुपये में मूल्यवर्गित (30.7%)
  - और फिर कुछ येन (5.9%), एसडीआर (5.6%), यूरो (2.9%) हैं।

रुपये में मूल्यवर्गित ऋण मूल रूप से एफपीआई/एफआईआई द्वारा भारतीय बाजार में भारतीय सरकार के बॉन्ड और भारतीय कंपनियों के बॉन्ड और विदेशी बाजार में भारतीय कंपनियों द्वारा जुटाए गए मसाला बॉन्ड और भारतीय रुपये में कुछ एनआरआई जमाराशियाँ हैं।

- बहुपक्षीय सहायता में बहुपक्षीय संस्थाओं जैसे कि अंतर्राष्ट्रीय पुनर्निर्माण एवं विकास बैंक (IBRD), अंतर्राष्ट्रीय विकास एजेंसी (IDA) (IBRD और IDA को संयुक्त रूप से विश्व बैंक कहा जाता है), अंतर्राष्ट्रीय कृषि विकास कोष (IFAD), एशियाई विकास बैंक (ADB), पेट्रोलियम निर्यातक देशों का संगठन (OPEC) आदि से लिए गए ऋण शामिल हैं। IMF से लिए गए ऋण को अन्य सरकारी ऋण के अंतर्गत शामिल किया गया है।
- द्विपक्षीय सहायता में जापान, जर्मनी, अमेरिका, फ्रांस, रूस से लिए गए ऋण शामिल हैं
- बाह्य ऋण का बड़ा हिस्सा अमेरिकी डॉलर में है। बाकी येन, यूरो, रुपया (मसाला बॉन्ड) आदि जैसी अन्य मुद्राओं में है। लेकिन सभी बाह्य ऋण अमेरिकी मुद्रा यानी डॉलर में **व्यक्त किए** जाते हैं। इसलिए, यदि 1 यूरो बाह्य ऋण के रूप में जुटाया गया है और विनिमय दर $1 = यूरो 0.8 है, तो बाह्य ऋण $1.25 (1/0.8) हो जाएगा। अब अगर अमेरिकी डॉलर में इस तरह की बढ़ोतरी होती है कि यह $1 = यूरो 1 हो जाता है, तो वही बाहरी ऋण (1 यूरो) $1 हो जाएगा। इसलिए, मूल रूप से हमारा बाहरी ऋण कम हो जाएगा।

4.8 घाटे का मुद्रीकरण और घाटे का वित्तपोषण (Monetization of Deficit and Deficit Financing)

1997 से पहले, भारत सरकार आरबीआई को तदर्थ ट्रेजरी बिल जारी करके सीधे आरबीआई से अपने घाटे का वित्तपोषण करती थी। इसलिए, सरकार आरबीआई को बॉन्ड जारी करती थी, जो बदले में मुद्रा छापता था और इसे सरकार को देता था, जिससे भारत सरकार पर ऋण बनता था। इसे आरबीआई से **घाटे का (प्रत्यक्ष) मुद्रीकरण** कहा जाता है और यह सरकार और आरबीआई के बीच एक प्राथमिक बाजार लेनदेन है।

लेकिन 1997 में भारत सरकार और आरबीआई के बीच एक ऐतिहासिक समझौते पर हस्ताक्षर करके इस परंपरा/क्रम को रोक दिया गया और 'तरीके और साधन अग्रिम' (WMA) की एक योजना शुरू की गई, जिसमें सरकार सरकार की प्राप्तियों और भुगतानों में अस्थायी बेमेल को समायोजित करने के लिए अग्रिम ले सकती है। इसलिए, **मूल रूप से घाटे का प्रत्यक्ष मुद्रीकरण** तब से (1997) बंद कर दिया गया था। और, यह भी सहमति हुई कि अब से, RBI **केवल ओपन मार्केट ऑपरेशन (OMO)** रूट के माध्यम से द्वितीयक बाजार में काम करेगा। निहित समझ यह भी थी कि RBI, OMO मार्ग का उपयोग सरकारी उधारी का समर्थन करने के लिए नहीं बल्कि विकास का समर्थन करने, मुद्रास्फीति की जाँच करने और वित्तीय स्थिरता को बनाए रखने के नीतिगत उद्देश्यों के बीच संतुलन का प्रबंधन करने के लिए एक तरलता साधन के रूप में करेगा।

सरकार को प्रत्यक्ष मुद्रीकरण कब करना चाहिए?

उत्तर: जब बैंकों के पास पर्याप्त तरलता नहीं होती है, यानी अर्थव्यवस्था में तरलता की कमी होती है, तो अगर सरकार बैंकों से उधार लेने की कोशिश करेगी, तो इससे तरलता की स्थिति और खराब हो जाएगी और ब्याज दर में वृद्धि होगी, जो अर्थव्यवस्था में निवेश (जिसके लिए सरकार वर्तमान में कड़ी मेहनत कर रही है) को बाधित करेगी और रिकवरी धीमी हो सकती है। इसलिए, इस स्थिति में, सरकार प्रत्यक्ष मुद्रीकरण का विकल्प चुन सकती है। लेकिन अगर बैंकों में तरलता भरपूर है, तो पहले सरकार को बैंकों से उधार लेने की कोशिश करनी चाहिए।

'घाटे के मुद्रीकरण' का प्रभाव

- अर्थव्यवस्था में कुल माँग को बढ़ाने में मदद करता है, जिसके परिणामस्वरूप आर्थिक विकास होता है।
- सरकार पर कर्ज बढ़ता है, जिससे समग्र वृहद आर्थिक स्थिरता प्रभावित होती है और रेटिंग में गिरावट आ सकती है।
- मुद्रा आपूर्ति में वृद्धि के कारण मुद्रास्फीति बढ़ जाती है।
- मुद्रा आपूर्ति में वृद्धि के परिणामस्वरूप रुपये का मूल्यह्रास हो सकता है, जिससे देश से पूँजी का पलायन हो सकता है।
- आरबीआई अपनी मौद्रिक नीति पर नियंत्रण खोता हुआ दिखाई दे सकता है।
- ऐसे में अगर यह असाधारण परिस्थितियों में एक बार किया जाता है तो कोई समस्या नहीं है, लेकिन भारत में समस्या यह है कि एक बार ऐसा करने के बाद, यह भविष्य की सरकारों को अपने घाटे के वित्त-पोषण के लिए आसान मार्ग का लालच देगा।

'घाटे का वित्तपोषण': *इसका आमतौर पर मतलब होता है कि सरकार घाटे में है (क्योंकि व्यय प्राप्तियों से अधिक है) जिसे विभिन्न स्रोतों से वित्त-पोषित किया जा सकता है जैसे बाजार से उधार लेना या विदेश से उधार लेना या ऐसा भी हो सकता है कि सरकार RBI से अधिक पैसे छापकर अपने घाटे को वित्त-पोषित करने के लिए कह सकती है यानी घाटे का मुद्रीकरण। (इसलिए, घाटे के वित्तपोषण में सरकार के घाटे को वित्तपोषित करने के लिए कई विकल्प हो सकते हैं और इनमें से एक विकल्प भारतीय रिर्जव बैंक द्वारा नकदी छापना यानी घाटे का मुद्रीकरण हो सकता है)*

4.9 राजकोषीय उत्तरदायित्व और बजट प्रबंधन (FRBM) अधिनियम 2003 (Fiscal Responsibility and Budget Management Act 2003)

भारत में बहुदलीय संसदीय प्रणाली है, जहाँ चुनावी मुद्दे व्यय नीतियों के निर्धारण में महत्त्वपूर्ण भूमिका निभाती हैं। वर्ष 2000 में, भारत सरकार की राजकोषीय स्थिति खराब हो गई थी और सकल राजकोषीय घाटा सकल घरेलू उत्पाद के 6% तक पहुँच गया था। यह तर्क दिया गया कि, एक विधायी प्रावधान के जो सभी सरकारों - वर्तमान और भविष्य - पर लागू होता है, घाटे को नियंत्रण में रखने में प्रभावी होने की संभावना है। भारत सरकार ने राजकोषीय विवेक/जिम्मेदारी के लिए मसौदा कानून की सिफारिश करने के लिए 2000 में एक समिति (डॉ. ईएएस शर्मा की अध्यक्षता में) का गठन किया। समिति की सिफारिशों के आधार पर भारत सरकार ने एफआरबीएम अधिनियम 2003 लागू किया जो जुलाई 2004 से प्रभावी हुआ।

FRBM अधिनियम 2003 के मुख्य उद्देश्य थे:

- अंतर-पीढ़ीगत समानता सुनिश्चित करना
- दीर्घकालिक व्यापक आर्थिक स्थिरता

उपर्युक्त दो उद्देश्यों को मोटे तौर पर निम्नलिखित तरीकों से प्राप्त किया जाना था

- पर्याप्त राजस्व अधिशेष प्राप्त करना
- मौद्रिक नीति में राजकोषीय बाधाओं को दूर करना
- घाटे और उधार को सीमित करके प्रभावी ऋण प्रबंधन

FRBM अधिनियम 2003 की कुछ महत्वपूर्ण विशेषताएँ हैं:

1. केंद्र सरकार
   (a) 31 मार्च 2021 तक **राजकोषीय घाटे** को **जीडीपी के 3% प्रतिशत** तक सीमित करने के लिए उचित उपाय करेगी
   (b) यह सुनिश्चित करने का प्रयास करेगी कि-
   - **सामान्य सरकारी ऋण** (केंद्र सरकार के ऋण और राज्य सरकार के ऋण के बराबर) 2024-25 तक जीडीपी के **60 प्रतिशत** से अधिक न हो।
   - 2024-25 तक केंद्र सरकार का ऋण सकल घरेलू उत्पाद के 40 प्रतिशत से अधिक नहीं होना चाहिए।

   (c) किसी भी वित्तीय वर्ष में सकल घरेलू उत्पाद के 0.5 प्रतिशत से अधिक भारत की समेकित निधि की सुरक्षा पर किसी भी ऋण के संबंध में अतिरिक्त गारंटी नहीं देना (केंद्र सरकार कभी-कभी राज्य सरकारों और सार्वजनिक

उपक्रमों द्वारा उठाए गए ऋणों के लिए गारंटी देती है)

(d) यह सुनिश्चित करने का प्रयास करना कि (a) और (b) में निर्दिष्ट राजकोषीय लक्ष्य निर्धारित लक्ष्य तिथियों के बाद पार न हो

2. केंद्र सरकार राजकोषीय घाटे में कमी के लिए वार्षिक लक्ष्य निर्धारित करेगी (यदि यह ऊपर निर्दिष्ट सीमा को पार कर गया है)

   बशर्ते कि वार्षिक राजकोषीय घाटे के लक्ष्य को पार करने की अनुमति 'राष्ट्रीय सुरक्षा, युद्ध की कार्रवाई, राष्ट्रीय आपदा, कृषि उत्पादन और आय को गंभीर रूप से प्रभावित करने वाली कृषि की गिरावट, अप्रत्याशित राजकोषीय निहितार्थों के साथ अर्थव्यवस्था में संरचनात्मक सुधार, पिछली चार तिमाहियों के औसत से कम से कम तीन प्रतिशत अंकों की एक तिमाही की वास्तविक उत्पादन वृद्धि में गिरावट' (एस्केप क्लॉज -escape clause) कहा जाता है) के आधार पर दी जा सकती है

3. कोई भी उपरोक्त खंड (2) के तहत राजकोषीय घाटे के लक्ष्य से विचलन एक वर्ष में सकल घरेलू उत्पाद के आधे प्रतिशत (0.5%) से अधिक नहीं होगा।

4. केंद्र सरकार, पिछली चार तिमाहियों के औसत से कम से कम तीन प्रतिशत अधिक किसी तिमाही की वास्तविक उत्पादन वृद्धि के मामले में, एक वर्ष में सकल घरेलू उत्पाद के कम से कम एक-चौथाई प्रतिशत तक राजकोषीय घाटे को कम करेगी।

5. केंद्र सरकार नकद प्राप्तियों पर नकद संवितरण की अस्थायी अधिकता को पूरा करने के लिए अग्रिम के रूप में छोड़कर **आरबीआई से उधार नहीं लेगी।**

6. उपरोक्त खंड 5 में निहित किसी भी बात के बावजूद, आरबीआई खंड 2 **(एस्केप क्लॉज-escape clause)** में निर्दिष्ट आधारों पर केंद्र सरकार की प्रतिभूतियों के **प्राथमिक मुद्दों** की सदस्यता ले सकता है।

7. उपरोक्त खंड 5 में निहित किसी भी बात के बावजूद, आरबीआई द्वितीयक बाजार में केंद्र सरकार की प्रतिभूतियों को खरीद और बेच सकता है।

8. राजकोषीय पारदर्शिता के लिए उपाय:

   (a) केंद्र सरकार सार्वजनिक हित में अपने राजकोषीय परिचालनों में अधिक पारदर्शिता सुनिश्चित करने के लिए उपयुक्त उपाय करेगी तथा वार्षिक बजट की तैयारी में गोपनीयता को यथासंभव न्यूनतम करेगी।

   (b) केंद्र सरकार बजट प्रस्तुत करते समय ऐसे खुलासे करेगी तथा ऐसे प्रारूप में करेगी जैसा कि निर्धारित किया जा सकता है।

9. वित्त मंत्री, बजट के संबंध में प्राप्तियों तथा व्यय की प्रवृत्तियों की अर्ध-वार्षिक आधार पर समीक्षा करेंगे तथा ऐसी समीक्षाओं के परिणाम संसद के दोनों सदनों के समक्ष रखेंगे।

10. इस अधिनियम के अंतर्गत दिए गए प्रावधानों को छोड़कर, इस अधिनियम के अंतर्गत केंद्र सरकार पर लगाए गए दायित्वों को पूरा करने में **संसद की मंजूरी के बिना कोई** विचलन स्वीकार्य नहीं होगा।

11. केंद्र सरकार भारत के नियंत्रक एवं महालेखा परीक्षक को आवश्यकतानुसार इस अधिनियम के प्रावधानों के अनुपालन की समय-समय पर समीक्षा करने का काम सौंप सकती है तथा ऐसी समीक्षाओं को संसद के दोनों सदनों के पटल पर रखा जाएगा।

12. केंद्र सरकार प्रत्येक वित्तीय वर्ष में संसद के दोनों सदनों के समक्ष बजट दस्तावेज के साथ राजकोषीय नीति के निम्नलिखित विवरण प्रस्तुत करेगी:

    (a) मध्यम अवधि राजकोषीय नीति विवरण

    (b) राजकोषीय नीति रणनीति विवरण

    (c) समविष्ट अर्थशास्त्र का रूपरेखा विवरण

    (d) 'मध्यम अवधि व्यय रूपरेखा विवरण' संसद के उस सत्र के तुरंत बाद के सत्र में प्रस्तुत किया जाना चाहिए जिसमें बजट प्रस्तुत किया गया हो)

केंद्र की तरह, प्रत्येक राज्य ने भी अपने कानूनों में राजकोषीय घाटे की सीमा 3% तय की है।

अभूतपूर्व कोविड-19 संकट के कारण, राजकोषीय घाटा और ऋण मापदंड FRBM लक्ष्य स्तरों से भटक गए।

तदनुसार, FRBM अधिनियम में संशोधन किया जाना चाहिए था। लेकिन, सरकार ने अब तक इसमें संशोधन नहीं किया है क्योंकि यह स्वीकार करती है कि अभी भी संभावित अप्रत्याशित चुनौतियाँ हैं। हालाँकि सरकार वित वर्ष 2025-26 तक जीडीपी के 4.5 प्रतिशत से कम राजकोषीय घाटे के स्तर को प्राप्त करने के लिए राजकोषीय समेकन का एक व्यापक मार्ग अपनाएगी।

4.10 रणनीतिक विनिवेश (Strategic Disinvestment)

विनिवेश में, सरकार किसी पीएसयू/कंपनी में अपनी हिस्सेदारी (अपने स्वामित्व को कम करना) किसी खरीदार को बेच सकती है, लेकिन सरकार अभी भी अपना बहुमत और प्रबंधन नियंत्रण बरकरार रख सकती है। यह पीएसयू को शेयर बाजार (आरंभिक सार्वजनिक पेशकश) या प्रत्यक्ष बिक्री पर सूचीबद्ध करके किया जा सकता है।

किसी कंपनी की **रणनीतिक बिक्री** में, लेन-देन के दो तत्व होते हैं।

- रणनीतिक साझेदार को शेयरों के एक ब्लॉक का हस्तांतरण, और
- रणनीतिक साझेदार को प्रबंधन नियंत्रण का हस्तांतरण

'रणनीतिक विनिवेश' (Strategic Disinvestment) शब्द का अर्थ है किसी केंद्रीय सार्वजनिक क्षेत्र के उद्यम (CPSE) में सरकार की हिस्सेदारी के 50% तक के बड़े हिस्से की बिक्री, या उससे अधिक प्रतिशत (रणनीतिक साझेदार को) के साथ-साथ प्रबंधन नियंत्रण का हस्तांतरण। रणनीतिक विनिवेश निजीकरण का एक तरीका है।

जब केंद्र सरकार रणनीतिक विनिवेश कर रही होती है, तो अन्य सरकारी संगठनों (PSU) या राज्य सरकार को बोली लगाने/भाग लेने की अनुमति नहीं होती है क्योंकि इससे सरकारी फर्मों की अंतर्निहित अक्षमताएँ जारी रह सकती हैं।

PSU के रणनीतिक विनिवेश का निर्णय कौन लेता है?

नई नीति (2019) के अनुसार, वित्त मंत्रालय के तहत निवेश और सार्वजनिक संपत्ति प्रबंधन विभाग (DIPAM) को रणनीतिक विनिवेश के लिए नोडल विभाग बनाया गया है। दीपम (DIPAM) और नीति आयोग अब संयुक्त रूप से रणनीतिक विनिवेश के लिए सार्वजनिक उपक्रमों की पहचान करेंगे और फिर इसे सीसीईए द्वारा अनुमोदित किया जाएगा।

सरकार ने एक **'वैकल्पिक तंत्र'** बनाया है, जो रणनीतिक विनिवेश की प्रक्रिया को तेज करने के लिए एक अंतर-मंत्रालयी निकाय है। यह निम्नलिखित निर्णय लेगा:

- लेन-देन किए जाने वाले शेयरों की मात्रा, बिक्री का तरीका और लेन-देन का अंतिम मूल्य निर्धारण या ऐसे मूल्य निर्धारण के लिए सिद्धांत/दिशानिर्देश निर्धारित करना; और रणनीतिक साझेदार/खरीदार का चयन; बिक्री की शर्तें और नियम; और
- समय, मूल्य, बिक्री की शर्तों और नियमों और लेन-देन से संबंधित किसी भी अन्य मुद्दे के संबंध में विनिवेश पर सचिवों के कोर समूह (सीजीडी) के प्रस्तावों पर निर्णय लेना।

इससे त्वरित निर्णय लेने में सुविधा होगी और एक ही सीपीएसई के लिए सीसीईए द्वारा अनुमोदन के कई उदाहरणों की आवश्यकता समाप्त हो जाएगी।

रणनीतिक विनिवेश का उद्देश्य

- सरकार का व्यवसाय में होना कोई व्यवसाय नहीं है। यानी सरकार की भूमिका एक स्वस्थ कारोबारी माहौल को सुविधाजनक बनाना है और सरकार की मुख्य योग्यता लाभ पर ईंधन या स्टील बेचने में नहीं है।
- चूँकि सरकारें करों और अन्य स्रोतों से जितना कमाती हैं, उससे अधिक खर्च करती हैं, इसलिए हिस्सेदारी की बिक्री से अतिरिक्त आय हमेशा स्वागत योग्य होती है, खासकर विकासशील अर्थव्यवस्था के लिए क्योंकि सरकार को स्वास्थ्य और शिक्षा पर अपनी प्रतिबद्धताओं के साथ-साथ आर्थिक विकास को बढ़ावा देने के लिए बुनियादी ढाँचे पर अधिक राशि खर्च करने की आवश्यकता होती है।
- यह आशा की जाती है कि रणनीतिक खरीदार/अधिग्रहणकर्ता इन कंपनियों के विकास के लिए नया प्रबंधन/प्रौद्योगिकी/निवेश ला सकता है और उनके विकास के लिए अभिनव तरीकों का उपयोग कर सकता है और इन कंपनियों को अधिक लाभदायक बना सकता

है और अपने शेयरधारकों के लिए अधिक मूल्य/महत्व पैदा कर सकता है।

लाभ कमाने वाले सार्वजनिक उपक्रमों के विनिवेश का उद्देश्य

- सरकार उस व्यवसाय में बने रहना नहीं चाहती
- यह सरकार को राजस्व देता है और राजकोषीय घाटे के लक्ष्यों को पूरा करने में मदद करता है
- भले ही कोई सार्वजनिक उपक्रम लाभदायक हो, लेकिन यह अपनी दक्षता के कारण लाभदायक नहीं हो सकता है। यह लाभदायक हो सकता है क्योंकि इसमें एकाधिकार उपस्थिति है और निजी कंपनियों को उस क्षेत्र में अनुमति नहीं है। यदि सरकार सार्वजनिक उपक्रम का निजीकरण कर दे और अन्य निजी कंपनियों को अनुमति दे तो कीमतें कम होंगी और उपभोक्ताओं को लाभ होगा।
- उदाहरण: भारत सरकार ने 1973 में कहा था कि भारत में केवल सरकार ही अपने सार्वजनिक उपक्रम "कोल इंडिया लिमिटेड (CIL)" के माध्यम से कोयले का उत्पादन और बिक्री करेगी। कोई भी निजी कंपनी कोयला नहीं बेच सकती। सभी ब्लॉक CIL को दे दिए गए और CIL कोयला निकालकर सरकारी और निजी बिजली संयंत्रों को आपूर्ति करती है। कीमत सरकार तय करती है। सवाल यह है कि कैसे? कोयला निष्कर्षण की जो भी लागत हो, केंद्र सरकार उसके ऊपर कुछ लाभ मार्जिन डालती है और फिर वह CIL को उस कीमत पर कोयला बेचने के लिए कहती है। अब यदि उत्पादन लागत के ऊपर कीमत तय की जाती है और कोई निजी खिलाड़ी मौजूद नहीं है तो सार्वजनिक उपक्रम हमेशा लाभदायक रहेगा।

विनिवेश/रणनीतिक विनिवेश नीति की मुख्य विशेषताएँ

उद्देश्य

- वित्तीय संस्थानों सहित केंद्र सरकार के सार्वजनिक क्षेत्र के उद्यमों की उपस्थिति को कम करना और निजी क्षेत्र के लिए नए निवेश का स्थान बनाना।
- विनिवेश के बाद, केंद्रीय सार्वजनिक क्षेत्र के उद्यमों (CPSE)/वित्तीय संस्थानों की आर्थिक वृद्धि निजी पूँजी, प्रौद्योगिकी और सर्वोत्तम प्रबंधन प्रथाओं के माध्यम से होगी। विनेश आर्थिक विकास और नई नौकरियों में योगदान देगा।
- विनिवेश से सरकार के विभिन्न सामाजिक क्षेत्र और विकासात्मक कार्यक्रमों को वित्त-पोषित किया जाएगा।

नीति की विशेषताएँ

- नीति में मौजूदा CPSE, सार्वजनिक क्षेत्र के बैंक और सार्वजनिक क्षेत्र की बीमा कंपनियाँ शामिल हैं।
- विभिन्न क्षेत्रों को रणनीतिक और गैर-रणनीतिक क्षेत्रों के रूप में वर्गीकृत किया जाएगा।
- रणनीतिक क्षेत्रों को निम्नलिखित चार श्रेणियों में वर्गीकृत किया गया है:
  - परमाणु ऊर्जा, अंतरिक्ष और रक्षा
  - परिवहन और दूरसंचार
  - बिजली, पेट्रोलियम, कोयला और अन्य खनिज
  - बैंकिंग, बीमा और वित्तीय सेवाएँ
- रणनीतिक क्षेत्रों में सार्वजनिक क्षेत्र के उद्यमों की उपस्थिति न्यूनतम होगी। रणनीतिक क्षेत्र में शेष सीपीएसई का निजीकरण किया जाएगा या उन्हें अन्य सीपीएसई के साथ विलय या सहायक बनाया जाएगा या बंद कर दिया जाएगा।
- गैर-रणनीतिक क्षेत्रों में सीपीएसई का निजीकरण किया जाएगा, अन्यथा उन्हें बंद कर दिया जाएगा।

4.11 राजकोषीय परिषद् (Fiscal Council)

राजकोषीय परिषद् एक स्थायी एजेंसी है जिसका कार्य सरकार की राजकोषीय योजनाओं और अनुमानों का व्यापक आर्थिक स्थिरता के मापदंडों के आधार पर स्वतंत्र रूप से मूल्याँकन करना और अपने निष्कर्षों को सार्वजनिक डोमेन में रखना है। आशा है कि इस तरह की खुली जाँच सरकार को राजकोषीय सद्गुण के सीधे और संकीर्ण मार्ग पर रखेगी और किसी भी चूक के लिए उसे जवाबदेह बनाएगी। राजकोषीय परिषद् पूर्वानुमान प्रदान करेगी और सरकार को सलाह देगी कि क्या अनिवार्य राजकोषीय नियमों से विचलन के लिए स्थितियाँ मौजूद हैं। परिषद् बजट प्रस्तावों का स्वतंत्र मूल्याँकन भी प्रदान करेगी।

वर्तमान प्रणाली में निम्नलिखित मुद्दे हैं:

- हमारे पास राजकोषीय गैर जिम्मेदारी की एक पुरानी समस्या है, जहाँ सरकार जीडीपी और राजस्व अनुमानों को बढ़ा-चढ़ाकर बताती है और व्यय को कम करके बताती है
- कर प्रशासन में पारदर्शिता की कमी के साथ-साथ अति-महत्वाकांक्षी राजस्व लक्ष्यों ने अति उत्साही कर अधिकारियों को अवास्तविक लक्ष्यों को पूरा करने के लिए अनुचित तरीकों का सहारा लेने के लिए प्रेरित किया
- 'ऑफ-बजट' वित्तपोषण का उपयोग करके बजट के आँकड़ों में हेरफेर, खाद्य सब्सिडी बिल को पूरा करने के लिए FCI द्वारा राष्ट्रीय लघु बचत कोष (NSSF) से उधार लेना और सरकार के खातों का प्रबंधन करने के लिए FCI (और अन्य निकायों) के भुगतान को स्थगित करना

राजकोषीय परिषद् के पक्ष और विपक्ष में कुछ तर्क निम्नलिखित हैं

पक्ष में

- शोध से ज्ञात होता है कि स्वतंत्र राजकोषीय परिषद् वाले देश अपेक्षाकृत अधिक सटीक बजट पूर्वानुमान तैयार करते हैं और राजकोषीय नियमों का बेहतर तरीके से पालन करते हैं। जबकि राजकोषीय परिषद् के अधिकांश अनुमान बाध्यकारी नहीं होते हैं, लेकिन वे 'अनुपालन या स्पष्टीकरण'दायित्वों के माध्यम से कानून निर्माताओं को अनुशासित करने में सक्षम होते हैं, जिसके परिणामस्वरूप अंततः बेहतर राजकोषीय प्रदर्शन होता है।
- राजकोषीय परिषद सरकार के राजकोषीय रुख का स्वतंत्र और विशेषज्ञ मूल्यांकन करेगी, और इस तरह संसद में बहस में सहायता करेगी।
- हमारे पास CAG है, लेकिन यह सरकार द्वारा व्यय किए जाने के बाद खातों का ऑडिट करता है और बजट संख्याओं की स्थिरता का पूर्वानुमान लगाने और सत्यापित करने में इसकी कोई भूमिका नहीं है।
- IMF के अनुसार, दुनियाभर के लगभग 50 देशों ने राजकोषीय परिषदों की स्थापना की है और इसमे उन्हें अलग-अलग प्रकार से सफलता प्राप्त हुई है।

विपक्ष में

अभी तक, NSO और RBI दोनों ही विकास और अन्य व्यापक आर्थिक चरों के पूर्वानुमान देते हैं, जैसा कि कई सार्वजनिक, निजी और अंतर्राष्ट्रीय एजेंसियाँ करती हैं। ऐसा क्यों माना जाना चाहिए कि राजकोषीय परिषद् के पूर्वानुमान दूसरों की तुलना में अधिक विश्वसनीय या मजबूत हैं? क्यों न वित्त मंत्रालय को अपना होमवर्क करने और अपने आँकड़ों का बचाव करने के लिए छोड़ दिया जाए, बजाय इसके कि उसे किसी एक विशिष्ट एजेंसी के अनुमानों को प्राथमिकता देने के लिए मजबूर किया जाए? इसके अलावा, वित्त मंत्रालय को किसी और के अनुमानों का उपयोग करने के लिए मजबूर करने से उसकी जवाबदेही कम हो जाएगी। यदि अनुमान गलत साबित होते हैं, तो यह केवल राजकोषीय परिषद् पर दोष मढ़ देगा।

- एफआरबीएम अधिनियम 2003 के अनुसार, सरकार को आने वाले वर्ष के लिए अपने राजकोषीय रुख की विश्वसनीयता प्रदर्शित करने के लिए संसद में एक 'राजकोषीय नीति रणनीति वक्तव्य' (एफपीएसएस) प्रस्तुत करना आवश्यक है। फिर भी, हमने शायद ही कभी संसद में सरकार के राजकोषीय रुख पर गहन चर्चा सुनी हो। यदि समस्या स्पष्ट रूप से जवाबदेही की माँग की कमी है, तो जवाबदेही की आपूर्ति के लिए राजकोषीय परिषद जैसे अन्य साधन कैसे समाधान हो सकते हैं?

चौदहवें वित्त आयोग ने एक स्वतंत्र राजकोषीय परिषद की स्थापना की सिफारिश की थी।

4.12 भारत की कर प्रणाली (India's Tax System)

करों को कई तरीकों से वर्गीकृत किया जा सकता है:

1. एक तरीका उन्हें प्रगतिशील, आनुपातिक और प्रतिगामी तरीके से वर्गीकृत करना है:

- **प्रगतिशील कर:** आय में वृद्धि के साथ कर प्रतिशत बढ़ता है।
- **आनुपातिक कर:** आय के बावजूद कर प्रतिशत समान/स्थिर रहता है।
- **प्रतिगामी कर:** आय में वृद्धि के साथ कर प्रतिशत घटता है।

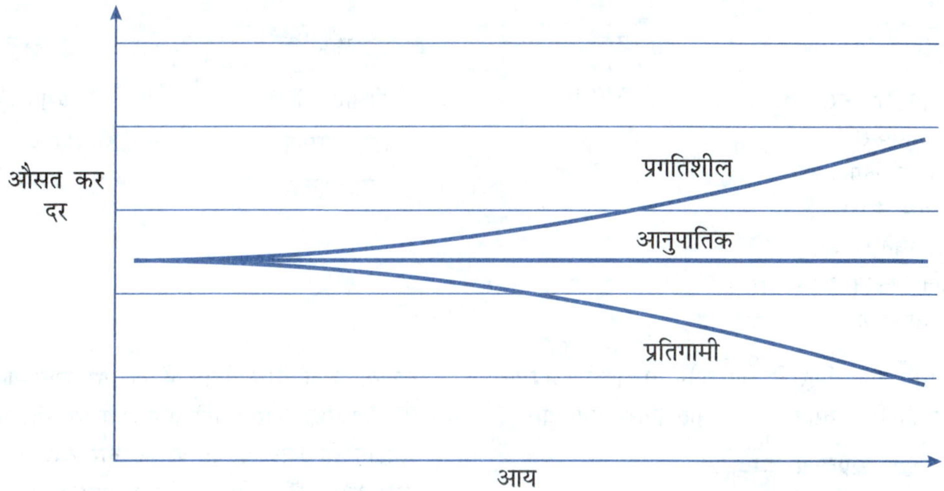

2. वर्गीकरण का दूसरा तरीका विशिष्ट कर और मूल्यानुसार कर है:
   - विशिष्ट कर वह कर है जो वस्तु या सेवा की प्रत्येक इकाई के अनुसार तय किया जाता है, न कि उसके मूल्य के आधार पर।
   - मूल्यानुसार कर उस वस्तु के मूल्य के प्रतिशत के रूप में लगाया जाता है जिस पर इसे लगाया जाता है, न कि वस्तु की मात्रा, आकार, वजन या ऐसे अन्य कारक पर।
3. वर्गीकरण का दूसरा तरीका है उत्पादन और उपभोग आधारित कर। (यह वर्गीकरण केवल अप्रत्यक्ष करों के लिए है)।
   - उत्पादन कर (या मूल-आधारित कर) वहाँ लगाया जाता है जहाँ वस्तुओं और सेवाओं का उत्पादन किया जाता है।
   - उपभोग कर (या गंतव्य कर) वहाँ लगाया जाता है जहाँ वस्तुओं और सेवाओं का उपभोग किया जाता है।
4. वर्गीकरण का दूसरा तरीका है प्रत्यक्ष और अप्रत्यक्ष कर:
   - प्रत्यक्ष कर वे हैं जो किसी व्यक्ति या संगठन द्वारा सीधे लगाने वाली इकाई यानी सरकार को भुगतान किए जाते हैं। उदाहरण के लिए, एक करदाता आयकर, संपत्ति कर आदि जैसे विभिन्न उद्देश्यों के लिए सरकार को प्रत्यक्ष कर का भुगतान करता है।
   - अप्रत्यक्ष कर एक मध्यस्थ (जैसे खुदरा स्टोर) द्वारा उस व्यक्ति से एकत्र किया जाने वाला कर है जो कर का अंतिम आर्थिक बोझ वहन करता है (जैसे उपभोक्ता)। उदाहरण के लिए, वस्तुओं और सेवाओं पर लगाए गए कर।

भारत में प्रत्यक्ष और अप्रत्यक्ष प्रकृति के आधार पर लगाए जाने वाले विभिन्न करों का वर्गीकरण निम्नलिखित है।

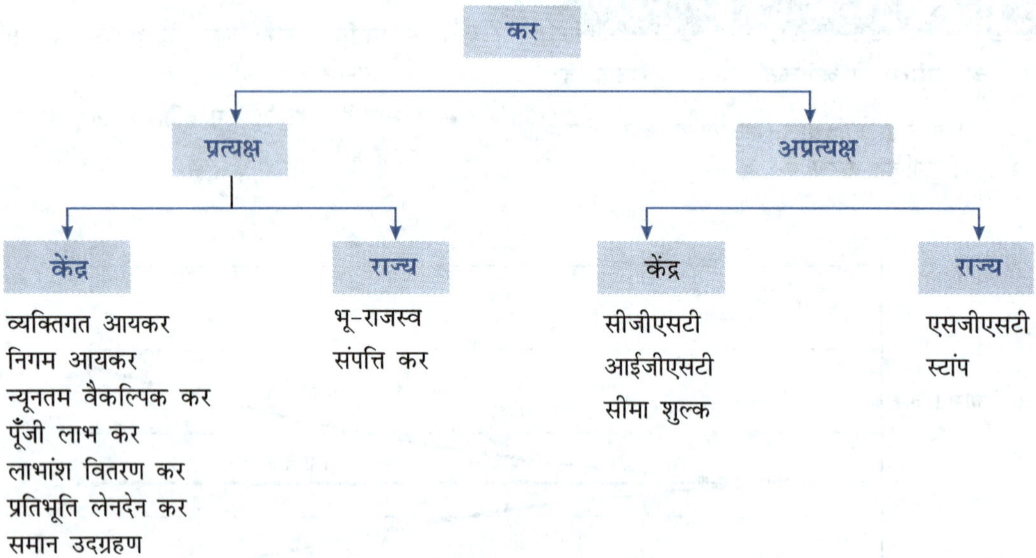

1 जुलाई 2017 को जीएसटी लागू होने से पहले, अप्रत्यक्ष करों को निम्नलिखित तरीके से वर्गीकृत किया गया था:

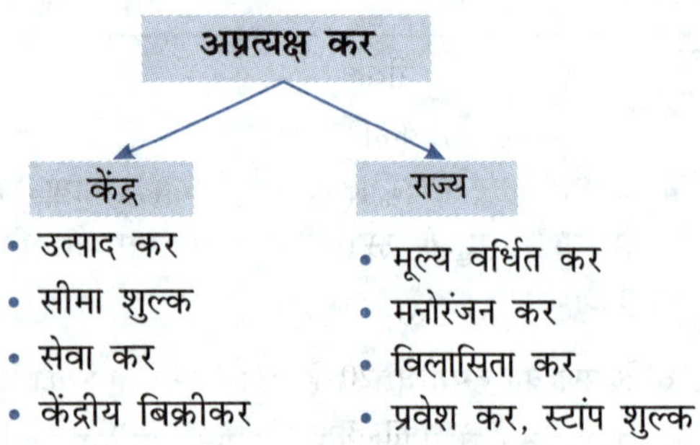

वित्त वर्ष 2023-24 में कुल (केंद्रीय) कर संग्रह: 34.37 लाख करोड़ रुपए

कुछ प्रमुख कर (शुद्ध आधार पर) इस प्रकार हैं:

- व्यक्तिगत आयकर = 10.44 लाख करोड़ रुपये
- कॉर्पोरेट आयकर = 9.11 लाख करोड़ रुपये
- जीएसटी संग्रह = 9.01 लाख करोड़ रुपये

उपर्युक्त करों की कुछ बुनियादी विशेषताएँ निम्नलिखित हैं:

- **व्यक्तिगत आयकर** व्यक्ति की आय के सभी स्रोतों जैसे वेतन, किराये की आय, ब्याज आय आदि को मिलाकर लगाया जाता है। वर्तमान में दो कर व्यवस्थाएँ हैं, नई कर व्यवस्था और पुरानी कर व्यवस्था और व्यक्ति कर भुगतान के लिए पुरानी या नई कर व्यवस्था चुनने के लिए स्वतंत्र हैं, लेकिन नई कर व्यवस्था डिफॉल्ट है।
- नई कर व्यवस्था में 7 लाख रुपये तक की आय वालों को कोई कर नहीं देना होगा। लेकिन नई कर व्यवस्था में कोई छूट नहीं दी जाएगी। अगर आय 7 लाख रुपये से अधिक है तो नई कर व्यवस्था में निम्नलिखित स्लैब लागू होंगे:

0 से 3 लाख रुपए	शून्य
3 लाख से 7 लाख रुपए	5%
7 लाख से 10 लाख रुपए	10%
10 लाख से 12 लाख रुपए	15%
12 लाख से 15 लाख रुपए	20%
15 लाख रुपये से उपर	30%

- पुरानी कर व्यवस्था में 5 लाख रुपये तक कोई कर नहीं लगता। लेकिन व्यक्ति पीपीएफ, एनपीएस आदि जैसी विभिन्न योजनाओं के तहत बचत से संबंधित छूट का दावा एक निश्चित सीमा तक कर सकते हैं। लेकिन अगर आय 5 लाख रुपये से अधिक है तो निम्नलिखित स्लैब लागू होगा:

0 से 2.5 लाख रुपए	शून्य
2.5 लाख से 5 लाख रुपए	5%
5 लाख से 10 लाख रुपए	20%
10 लाख रुपए से ऊपर	30%

कॉर्पोरेट आयकर (सीआईटी) कॉर्पोरेट्स/कंपनियों/संस्थाओं के मुनाफे पर लगाया जाता है। सभी लाभ कमाने वाली कंपनियों को कॉर्पोरेट आयकर की एक समान दर का भुगतान करना होता है। वर्तमान में सीआईटी की दो संरचनाएँ मौजूद हैं और कंपनियाँ किसी भी एक को चुन सकती हैं। यदि कोई कंपनी किसी भी कर छूट का दावा नहीं करती है, तो उसे 25.17% सीआईटी का भुगतान करना होगा, लेकिन यदि कोई कंपनी कर छूट का दावा करती है, तो उसे सीआईटी के रूप में 34.94% का भुगतान करना होगा।

छूट प्राप्त		छूट प्राप्त नहीं	
सीआईटी (मानक दर)	= 30%	सीआईटी (मानक दर)	= 22%
अधिभार	= 12% (30% पर)	अधिभार	= 10% (22% पर)
	= 3.6%		= 2.2%
सीआईटी + अधिभार	= 33.6%	सीआईटी + अधिभार	= 24.2%
उपकर	= 4% (सीआईटी + अधिभार)	उपकर	= 4% (सीआईटी + अधिभार)
	= 1.344%		= 0.97%
सीआईटी+ अधिभार+ उपकर	= 30% +3.6% +1.34%	सीआईटी + अधिभार+उपकर	= 22% +2.2% +0.97%
(सीआईटी प्रभावी)	= **34.94%**	(सीआईटी प्रभावी)	= **25.17%**

न्यूनतम वैकल्पिक कर (MAT): कई बार ऐसा हो सकता है कि एक करदाता, एक कंपनी होने के नाते, वर्ष के दौरान आय अर्जित कर सकता है, लेकिन आयकर कानून के तहत छूट के विभिन्न प्रावधानों (जैसे मूल्यह्रास, आदि) का लाभ उठाकर, उसने अपनी कर देयता कम कर दी हो या बिल्कुल भी कर का भुगतान नहीं किया हो (शून्य कर कंपनियाँ)। शून्य कर देने वाली कंपनियों की संख्या में वृद्धि के कारण, वित्त अधिनियम, 1987 द्वारा MAT की शुरुआत की गई थी। MAT की शुरुआत का उद्देश्य 'शून्य कर कंपनियों' को कर के दायरे में लाना था, जो पर्याप्त लाभ अर्जित करने और आकर्षक लाभांश का भुगतान करने के बावजूद, आयकर कानून के तहत प्रदान की गई विभिन्न कर रियायतों और प्रोत्साहनों के कारण कोई कर नहीं देती हैं। एमएटी की अवधारणा के अनुसार, किसी कंपनी की कर देयता निम्नलिखित में **से अधिक** होगी, अर्थात (a) या (b):

(a) आयकर कानून के सामान्य प्रावधानों के अनुसार गणना की गई कंपनी की कर देयता, अर्थात, लागू कर दर लागू करके कंपनी की करयोग्य आय पर गणना की गई कर। उपरोक्त तरीके से गणना किए गए कर को सामान्य कर देयता कहा जा सकता है।

(b) बुक प्रॉफिट पर 15% (सेस और सरचार्ज जोड़कर) (17.16%) की दर से गणना किया गया कर जिसे MAT कहा जाता है।

किसी विशेष वर्ष 2019-20 के लिए 'XYZ प्राइवेट लिमिटेड' नामक कंपनी का उदाहरण लें:

टर्नओवर/बिक्री	= रु. 1,00,00,000/-
लागत	= रु. 60,00,000/-
(बुक किया गया) लाभ	= रु. 40,00,000/-
छूट	= रु. 25,00,000/-
करयोग्य आय	= रु. 15,00,000/-

कंपनी XYZ की कर देयता उच्च होगी:

(a) सामान्य कर देयता = करयोग्य आय का 34.94% = रु. 15,00,000/- का 34.94% = रु. 5,24,100/-

(b) MAT = बुक किए गए लाभ का 17.16%
= रु.40,00,000/- का 17.16% = रु. 6,86,400/-

इस प्रकार, कंपनी की कर देयता 6,86,400/- रुपये होगी, अर्थात कंपनी को सामान्य कर देयता के बजाय MAT का भुगतान करना होगा।

25.17% CIT की नई कर दर का दावा करने वाली कंपनियाँ कर छूट का दावा करने के लिए पात्र नहीं होंगी और इसलिए उन पर MAT लागू नहीं होगा। जो छूट का दावा करेंगी, उन पर 34.94% या MAT की कर दर लागू होगी।

- **पूँजीगत लाभ कर:** पूँजीगत लाभ कर पूँजीगत लाभ पर कर है, अर्थात, किसी परिसंपत्ति की बिक्री पर प्राप्त लाभ/मुनाफा, जिसे बिक्री पर प्राप्त राशि से कम लागत पर खरीदा गया था। सबसे आम पूँजीगत लाभ शेयरों/स्टॉक, बॉन्ड, कीमती धातुओं, कलाकृति और संपत्ति की बिक्री से प्राप्त होते हैं।
- **लाभांश वितरण कर (DDT):** लाभांश कंपनी के मुनाफे/आय के एक हिस्से का उसके मालिकों/शेयरधारकों में वितरण है। जब कोई कंपनी लाभांश की घोषणा करती है, तो उसे उस लाभांश पर कर (DDT) देना पड़ता है जिसे मालिकों को वितरित किया जाना है और मालिक भी प्राप्त लाभांश पर कर (अपने आयकर स्लैब के अनुसार) का भुगतान करते हैं। बजट 2019-20 में DDT को समाप्त कर दिया गया और शेयरधारकों के हाथों में लाभांश को करयोग्य बना दिया गया।
- **प्रतिभूति लेनदेन कर (STT):** भारत में स्टॉक एक्सचेंजों में सूचीबद्ध शेयरों, बॉन्ड, डिबेंचर, म्यूचुअल फंड आदि जैसी प्रतिभूतियों की खरीद और बिक्री के समय लगाया जाने वाला कर है। STT की दर ट्रेड की जाने वाली सुरक्षा के प्रकार और लेनदेन खरीद या बिक्री के आधार पर भिन्न होती है। क्रेता और विक्रेता दोनों STT का भुगतान करते हैं। उदाहरण के लिए, इक्विटी शेयर खरीदते या बेचते समय क्रेता और विक्रेता दोनों को शेयर मूल्य का 0.1% STT के रूप में देना होगा।
- **भू-राजस्व** विभिन्न राज्य सरकार अधिनियमों के अनुसार लगाया जाता है। आमतौर पर भू-राजस्व का निर्धारण विभिन्न प्रकार की भूमि के वर्गीकरण और भूमि की औसत उपज के नकद मूल्य के आधार पर किया जाता है। मूल्य के संदर्भ में उत्पादकता को प्रभावित करने वाले कारकों को ध्यान में रखा जाता है। भूमि राजस्व कर प्रति एकड़/हेक्टेयर भूमि पर रुपये के हिसाब से लगाया जाता है।
- भारत में **संपत्ति कर** "वास्तविक संपत्ति" पर चुकाया जाता है, जिसमें भूमि और भूमि पर सुधार शामिल हैं, सरकार ऐसी प्रत्येक संपत्ति के मौद्रिक मूल्य का मूल्यांकन करती है और उसके मूल्य के अनुपात में कर का निर्धारण करती है। इस कर राशि का उपयोग सड़क की मरम्मत, पार्कों और सार्वजनिक स्कूलों के रखरखाव आदि सहित स्थानीय सुविधाओं के विकास के लिए किया जाता है। संपत्ति कर स्थान-स्थान पर अलग-अलग होता है और अलग-अलग शहरों और नगर पालिकाओं में अलग-अलग हो सकता है। नगरपालिका बोर्ड/नगर निगम/नगर क्षेत्र समितियाँ जैसे शहरी स्थानीय निकाय संबंधित अधिनियमों के तहत संपत्ति कर लगाते हैं।
- **सभी अप्रत्यक्ष कर प्रतिगामी प्रकृति के होते हैं।** आइए एक उदाहरण पर विचार करें:

मान लीजिए कि एक अमीर व्यक्ति (आय 10 लाख) 25 रुपये की रोटी खरीद रहा है (5 रुपये कर सहित)। तो वह 5 रुपये कर चुका रहा है। लेकिन अगर वही रोटी एक गरीब व्यक्ति खरीदता है जिसकी आय 1 लाख रुपये है तो वह भी 5 रुपये का ही कर चुका रहा है।

इसका मतलब है कि गरीब व्यक्ति अपनी आय के संबंध में उच्च कर प्रतिशत का भुगतान कर रहा है (5 रुपये /1,00,000 रुपये = .005%) और अमीर व्यक्ति अपनी आय के संबंध में कम कर प्रतिशत का भुगतान कर रहा है (5 रुपये/10,00,000 रुपये = .0005%)। इस अर्थ में यह प्रतिगामी है।

- निर्मित वस्तुओं पर **उत्पाद शुल्क** लगाया गया था और यह तब लगाया गया था जब माल कारखाने के क्षेत्र से बाहर चला गया था।
- **सीमा शुल्क** वस्तुओं के निर्यात और आयात पर लगाया जाता है।
- **सेवा कर** सेवाओं की बिक्री पर लगाया गया था।
- **केंद्रीय बिक्री कर** (CST) केंद्र द्वारा एक राज्य से दूसरे राज्य में माल की बिक्री पर लगाया जाता था, लेकिन

कर की आय मूल राज्य द्वारा एकत्र और रखी जाती थी, इसलिए इसे मूल-आधारित कर भी कहा जाता था।

- **मूल्य वर्धित कर** (VAT) राज्य के भीतर माल की बिक्री पर लगाया जाता था (केंद्र सरकार राज्य के भीतर माल की बिक्री पर कर नहीं लगा सकती थी।) और यह केवल मूल्य संवर्धन पर लगाया जाता था। वैट के मामले में, मूल्य शृंखला में प्रत्येक इकाई को अपने **मूल्य संवर्धन** के अनुसार सरकार को कर का भुगतान करना होता है।

वैट को बेहतर तरीके से समझने के लिए एक उदाहरण पर विचार करें:

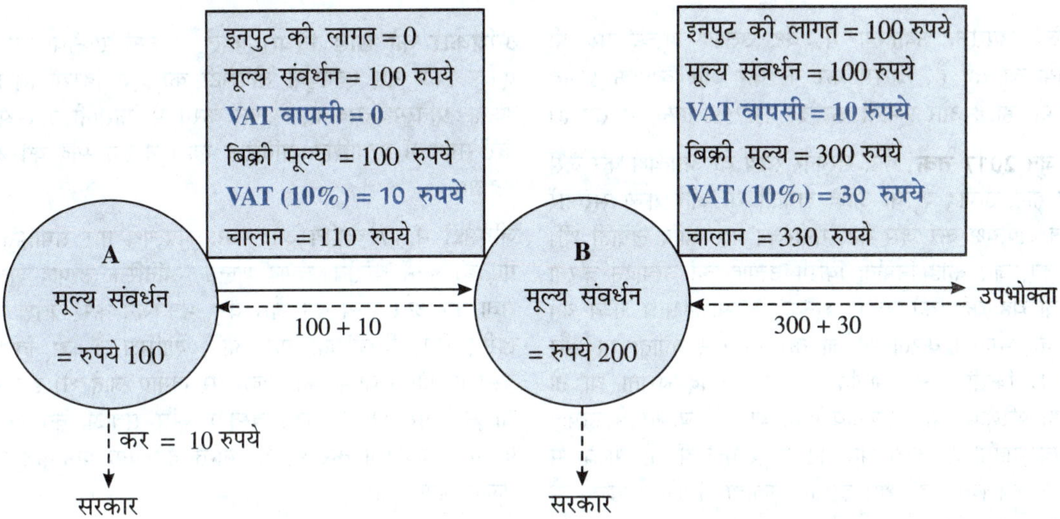

उपरोक्त उदाहरण में, A, 100 रुपये का मूल्य संवर्धन कर रहा है और B को उत्पाद 110 रुपये में बेच रहा है और सरकार को VAT के रूप में 10 रुपये दे रहा है तथा B, 200 रुपये का मूल्य संवर्धन कर रहा है और सरकार को 20 रुपये VAT दे रहा है। व्यावहारिक रूप से, B पहले उत्पाद के कुल मूल्य संवर्धन पर सरकार को 30 रुपये का कुल VAT देता है और जब B, 10 रुपये की कर रसीद दिखाता है (जो B ने इनपुट की खरीद पर A को चुकाई है और A ने बदले में सरकार को चुकाई है) तो सरकार, B द्वारा A से इनपुट की खरीद पर पहले से चुकाए गए 10 रुपये के कर को A को क्रेडिट/रिफंड कर देती है। इसे आयकर ऋण तंत्र कहा जाता है और यह कर अपवंचन को रोकता है क्योंकि मूल्य शृंखला में प्रत्येक इकाई इनपुट की खरीद पर चुकाए गए करों का क्रेडिट प्राप्त करने के लिए मूल्य शृंखला में पिछली इकाई से कर रसीद माँगेगी।

- प्रवेश कर, भारत में राज्य सरकारों द्वारा एक राज्य से दूसरे राज्य में माल की आवाजाही पर लगाया जाने वाला कर था। इसे प्राप्तकर्ता राज्य द्वारा अपने कर आधार की सुरक्षा के लिए लगाया जाता था।
- स्टाम्प ड्यूटी सभी कानूनी संपत्ति लेनदेन पर लगाया जाने वाला कर है। स्टाम्प ड्यूटी का भुगतान किया गया है, यह दर्शाने के लिए दस्तावेज पर एक भौतिक स्टाम्प लगाना पड़ता था। चूँकि यह राज्यों द्वारा लगाया जाता है, इसलिए इसकी दर राज्य दर राज्य अलग-अलग होती है।

4.13 वस्तु एवं सेवा कर (जीएसटी) Goods and Services Tax (GST)

जीएसटी को समझने के लिए, सबसे पहले हमें अप्रत्यक्ष कराधान प्रणाली के तहत मूल समस्या को समझने की जरूरत है जो जीएसटी यानी 1 जुलाई 2017 से पहले मौजूद थी। तो, आइए एक उदाहरण पर विचार करें। मान लीजिए कि केंद्रीय उत्पाद शुल्क 12.5% है और वैट दर 10% है।

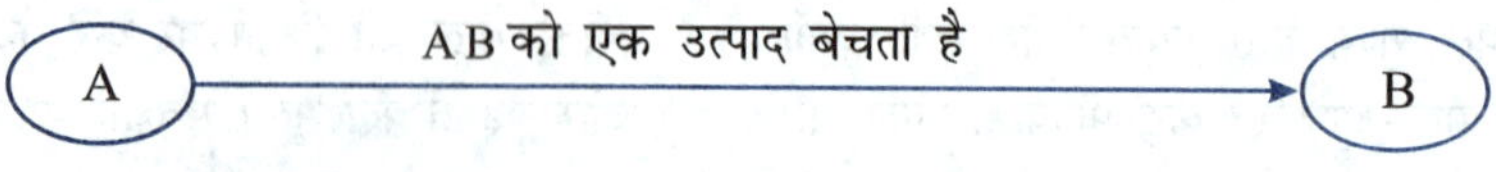

मूल्य संवर्धन/बिक्री मूल्य	=	100 रुपये
उत्पाद शुल्क (12.5%)	=	100*12.5% = 12.5 रुपये
वैट (10%)	=	(100 + 12.5)*10% = 11.25 रुपये
चालान मूल्य	=	**123.75 रुपये**

इसलिए उपरोक्त उदाहरण में, वैट उत्पाद शुल्क पर भी लगाया जा रहा है, जिससे कर पर कर और व्यापक प्रभाव पैदा हो रहा है और प्रभावी कर दर 23.75% तक बढ़ रही है।

30 जून 2017 तक, केंद्र सरकार स्वयं के अप्रत्यक्ष कर जैसे सेवा कर, उत्पाद शुल्क आदि लगाती थी और राज्य सरकारें अपने अप्रत्यक्ष कर जैसे वैट, मनोरंजन कर आदि लगाती थीं। इसलिए, जब कोई निर्माता किसी उत्पाद का उत्पादन करता था तो वह केंद्र को उत्पाद शुल्क के साथ-साथ राज्य को वैट का भुगतान करता था जो कर पर कर बनाता था और जब B किसी अन्य आपूर्तिकर्ता को उत्पाद बेचता था तो इसका परिणाम व्यापक प्रभाव होता था और बाजार में उत्पाद अधिक महँगा हो जाता था। वैट के मामले में भी, राज्यों में क्रेडिट उपलब्ध नहीं था। इसके अलावा, विभिन्न राज्यों में अलग-अलग वैट दरें (1%, 4%, 12.5%, 20%) थीं और विभिन्न श्रेणी के उत्पादों पर छूट दी गई थी। उपरोक्त मुद्दों के कारण, विभिन्न वस्तुओं और सेवाओं पर विभिन्न राज्यों में प्रभावी कर अलग-अलग हुआ करता था।

इससे पूरा भारत एक विषम बाजार में विखंडित हो गया, जिससे व्यापार और निवेश प्रभावित हुआ।

वस्तु एवं सेवा कर (जीएसटी):

देश भर में जीएसटी लागू करना स्वतंत्रता के बाद से सबसे महत्वपूर्ण अप्रत्यक्ष कर सुधार है। इस विचार की शुरुआत की तिथि से लेकर टास्क फोर्स के गठन और संसद में पारित होने तक लगभग 16 साल लग गए। यह एक यह एक अत्यंत कठिन, राष्ट्रव्यापी, बहुपक्षीय आम सहमति बनाने की कवायद है और तथाकथित 'सहकारी संघवाद' का सबसे अच्छा उदाहरण है। यह 29 राज्यों और सात केंद्र शासित प्रदेशों द्वारा केंद्र सरकार के साथ मिलकर किए गए एक बड़े सौदे का नतीजा है। राज्यों ने वस्तुओं पर बिक्री कर (वैट) लगाने के अपने **अधिकार को छोड़ने** पर सहमति जताई, और केंद्र ने उत्पाद शुल्क और सेवा कर लगाने के अपने **अधिकार को छोड़ दिया।** बदले में उन्हें राष्ट्रीय स्तर पर एकत्र किए गए एकीकृत जीएसटी का एक हिस्सा मिलेगा। दक्षता, प्रतिस्पर्धात्मकता, व्यापार करने में आसानी और समग्र कर संग्रह में प्रत्याशित अतिरिक्त लाभ ने इस सौदे को आगे बढ़ाया।

जीएसटी में 17 केंद्रीय और राज्य अप्रत्यक्ष कर समाहित हो गए हैं। इनमें केंद्रीय उत्पाद शुल्क, अतिरिक्त उत्पाद शुल्क, सेवा कर और राज्य कर जैसे वैट, मनोरंजन कर, प्रवेश कर, खरीद कर, विलासिता कर आदि शामिल हैं जो विभिन्न वस्तुओं और सेवाओं की बिक्री पर लगाए जाते थे। इसलिए, जीएसटी पूरे देश के लिए वस्तुओं और सेवाओं की आपूर्ति पर एक अप्रत्यक्ष कर है, जो भारत को एक एकीकृत आम बाजार बना देगा।

इसलिए अब, जब कोई उत्पाद या सेवा पूरे भारत में उपभोक्ता को बेची जाएगी, तो केवल एक अप्रत्यक्ष कर लगाया जाएगा यानी जीएसटी, जिसमें केंद्रीय जीएसटी (सीजीएसटी) और राज्य जीएसटी (एसजीएसटी) शामिल हैं। और अगर कोई उत्पाद पूरे राज्य में बेचा जाता है तो केंद्र द्वारा एकीकृत जीएसटी (आईजीएसटी) लगाया जाएगा। जीएसटी मूल रूप से एक मूल्यवर्धित कर है जो केवल मूल्य संवर्धन के मामले में लगाया जाता है।

वस्तु एवं सेवा कर (जीएसटी) लागू करने के लिए संविधान (101वाँ) संशोधन अधिनियम 2016 सितंबर 2016 में पारित किया गया था। अधिनियम के अनुसार, केंद्र सरकार ने केंद्रीय जीएसटी (सीजीएसटी) अधिनियम बनाया है और प्रत्येक राज्य सरकार ने अपने-अपने राज्यों में राज्य जीएसटी (एसजीएसटी) अधिनियम बनाया है। केंद्र सरकार ने एकीकृत वस्तु एवं सेवा (आईजीएसटी) अधिनियम भी बनाया है जो अंतरराज्यीय लेन-देन पर लागू होता है और राज्यों के राजस्व में कमी की भरपाई के लिए जीएसटी (राज्यों को मुआवजा) अधिनियम 2017 बनाया है।

संविधान (101वाँ) संशोधन अधिनियम 2016 के अनुसार, जीएसटी परिषद बनाई गई है जिसमें निम्नलिखित शामिल हैं:

- केंद्रीय वित्त मंत्री
- राजस्व या वित्त के प्रभारी केंद्रीय राज्य मंत्री
- वित्त या कराधान के प्रभारी मंत्री या विधानसभा वाले प्रत्येक राज्य सरकार और केंद्र शासित प्रदेश द्वारा नामित कोई अन्य मंत्री

जीएसटी परिषद निम्नलिखित के संबंध में संघ और राज्यों को सिफारिशें करती है:

- कर, उपकर और अधिभार जिन्हें जीएसटी में शामिल किया जा सकता है
- वे वस्तुएँ और सेवाएँ जिन्हें जीएसटी से छूट दी जा सकती है
- एकीकृत वस्तु और सेवा कर (आईजीएसटी)
- टर्नओवर की वह सीमा जिसके नीचे वस्तुओं और सेवाओं को जीएसटी से छूट दी जा सकती है
- वस्तु और सेवा कर के बैंड के साथ फ्लोर दरों सहित दरें
- किसी प्राकृतिक आपदा या अन्य आपदा के दौरान अतिरिक्त संसाधन जुटाने के लिए निर्दिष्ट अवधि के लिए कोई विशेष दर।
- जीएसटी से संबंधित कोई अन्य मामला, जैसा कि परिषद् तय कर सकती है

जीएसटी परिषद् का प्रत्येक निर्णय बैठक में उपस्थित और मतदान करने वाले सदस्यों के भारित मतों के कम से कम तीन-चौथाई बहुमत से लिया जाएगा। केंद्र सरकार के मत का एक-तिहाई महत्व होगा और सभी राज्य सरकारों के मतों का कुल मतों का दो-तिहाई महत्व होगा।

सुप्रीम कोर्ट का निर्णय [मई 2022]

- *जीएसटी परिषद की सिफारिशें प्रकृति में अनुशंसात्मक हैं और संघ और राज्यों पर बाध्यकारी नहीं हैं।*
- *संसद और राज्य विधानसभाओं के पास जीएसटी पर कानून बनाने की एक साथ शक्ति है।*
- *जीएसटी परिषद् की सिफारिशें केवल द्वितीयक/अधीनस्थ विधानों जैसे कर दरों में परिवर्तन या सीजीएसटी/एसजीएसटी/आईजीएसटी के तहत नियम बनाने के लिए सरकार पर बाध्यकारी हैं, लेकिन प्राथमिक विधानों के लिए नहीं। प्राथमिक विधानों (जैसे अधिनियमों में संशोधन... सीजीएसटी/एसजीएसटी) के लिए, सिफारिशों का केवल प्रेरक मूल्य है।*

जीएसटी को बेहतर तरीके से समझने के लिए एक उदाहरण पर विचार करें:

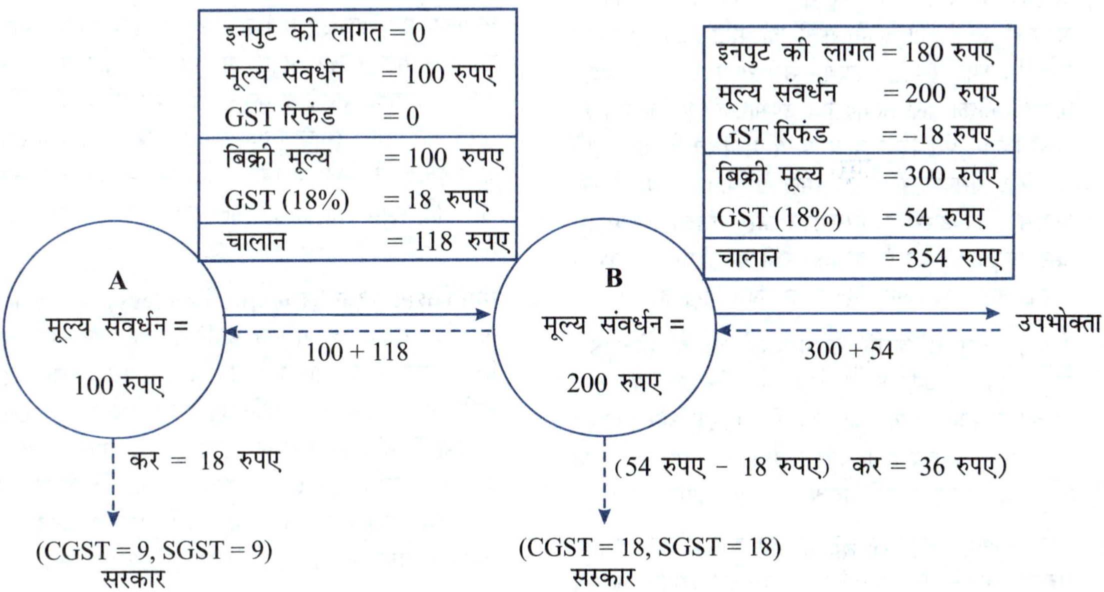

उपरोक्त उदाहरण में, A, 100 रुपये का मूल्यवर्धन कर रहा है और B को 118 रुपये में उत्पाद बेच रहा है और सरकार को 18 रुपये जीएसटी का भुगतान कर रहा है। B, 200 रुपये का मूल्यवर्धन कर रहा है और सरकार को 36 रुपये जीएसटी का भुगतान कर रहा है। चूँकि जीएसटी एक मूल्यवर्धित कर है, इसलिए मूल्य श्रृंखला में प्रत्येक इकाई सरकार को केवल अपने मूल्यवर्धन पर कर का भुगतान करेगी। व्यावहारिक रूप से B सरकार को 354 रुपये का चालान दिखाता है और सरकार को 54 रुपये का कर देता है लेकिन जब वह A से प्राप्त 18 रुपये मूल्य की कर रसीद सरकार को दिखाता है तो सरकार B को 18 रुपये क्रेडिट/रिफंड करती है। इसे **आयकर ऋण तंत्र** कहा जाता है क्योंकि A से इनपुट की खरीद पर B द्वारा भुगतान किया गया कर यानी 18 रुपये सरकार द्वारा वापस B को क्रेडिट किए जाते हैं।

चूँकि केवल एक ही कर है, यानी जीएसटी और प्रत्येक चरण पर भुगतान किए गए इनपुट करों का क्रेडिट **पूरे भारत** में मूल्य संवर्धन के बाद के चरण में उपलब्ध है (जबकि वैट के मामले में इनपुट क्रेडिट केवल राज्य के भीतर उपलब्ध था), इसलिए यह करों के भयावह व्यापक प्रभाव को रोक देगा। यह जीएसटी की मूल विशेषता और लाभ है।

जीएसटी के कार्यान्वयन के संबंध में महत्वपूर्ण पहलू:

- यदि A एक राज्य (मान लीजिए यूपी) से संबंधित है और B और उपभोक्ता दूसरे राज्य (मान लीजिए बिहार) से संबंधित है, तो सभी राज्य जीएसटी यानी 9 रुपये और 18 रुपये (= 27 रुपये) उस राज्य को दिए जाएंगे जहां उपभोक्ता द्वारा उत्पाद का उपभोग किया जा रहा है, यानी बिहार और जिस राज्य से A संबंधित है यानी यूपी को कोई एसजीएसटी नहीं मिलेगा। यही कारण है कि जीएसटी को **उपभोग आधारित और गंतव्य-आधारित कर** भी कहा जाता है क्योंकि सभी एसजीएसटी उपभोग करने वाले राज्य यानी बिहार को दिए जाते हैं।
- यदि A और B अलग-अलग राज्यों के हैं, तो GST के बजाय, A और B के बीच लेन-देन पर केंद्र द्वारा IGST लगाया जाएगा, जो फिर से CGST और SGST के योग के बराबर होगा और अंततः केंद्र और उपभोक्ता राज्य को समान रूप से वितरित किया जाएगा।
- यदि B, भारत में उपभोक्ता को उत्पाद बेचने के बजाय, उत्पादों का निर्यात करता है, तो IGST लगाया जाएगा क्योंकि IGST अंतर-राज्यीय आपूर्ति पर लगाया जाता है। संपूर्ण मूल्य श्रृंखला में भुगतान किया गया GST और सीमा पर भुगतान किया गया IGST आपूर्तिकर्ताओं को वापस कर दिया जाता है/जमा कर दिया जाता है। इसलिए प्रभावी रूप से निर्यात पर कोई कर नहीं है और इसलिए हम कहते हैं कि निर्यात 'शून्य दर वाली' आपूर्ति है। एसईजेड को आपूर्ति भी शून्य दर वाली है।
- आयात के मामले में, पहले सीमा शुल्क और फिर उसके ऊपर IGST लगाया जाता है क्योंकि आयात को भी अंतर-राज्यीय आपूर्ति माना जाता है।
- **इलेक्ट्रॉनिक वे बिल (Electronic Way Bill):** इलेक्ट्रॉनिक वे बिल (ई-वे बिल) वाहक द्वारा जारी किया गया एक दस्तावेज है जिसमें माल की खेप के शिपमेंट से संबंधित विवरण और निर्देश दिए गए हैं जैसे कि प्रेषक का नाम, प्राप्तकर्ता, माल की उत्पत्ति का स्थान, उसका गंतव्य और मार्ग। **यदि परिवहन किए गए माल का मूल्य 50,000/- रुपये से अधिक है तो ई-वे बिल बनाना अनिवार्य है।** ई-वे बिल मूल रूप से एक **अनुपालन तंत्र** है जिसमें डिजिटल इंटरफेस के माध्यम से माल की आवाजाही करने वाला व्यक्ति माल की आवाजाही शुरू होने से पहले संबंधित जानकारी अपलोड करता है और जीएसटी पोर्टल पर ई-वे बिल बनाता है। ई-वे बिल यह सुनिश्चित करने के लिए एक प्रणाली है कि परिवहन किए जा रहे माल जीएसटी कानून का अनुपालन करते हैं और यह माल की आवाजाही को ट्रैक करने और कर चोरी की जाँच करने का एक प्रभावी उपकरण है। जीएसटी व्यवस्था के तहत ई-वे बिल, वे बिल (जो एक भौतिक दस्तावेज था) की जगह लेता है जो माल की आवाजाही के लिए वैट व्यवस्था के तहत आवश्यक था।
- **कंपोजिशन लेवी (Composition levy)** कर लगाने का एक वैकल्पिक तरीका है जिसे छोटे व्यवसायों के लिए डिजाइन किया गया है जिनका टर्न ओवर 1.5 करोड़ रुपये तक है। कंपोजिशन स्कीम का उद्देश्य छोटे व्यवसायों के लिए सरलता लाना और अनुपालन लागत को कम करना है। इसके अलावा, यह वैकल्पिक है और इस योजना के तहत कर का भुगतान करने का विकल्प चुनने वाला पात्र व्यक्ति सामान्य जीएसटी दर

पर कर का भुगतान करने के बजाय अपने टर्नओवर का 1% फ्लैट दर पर कर का भुगतान कर सकता है। इसी तरह, 50 लाख रुपये के टर्नओवर वाले छोटे सेवा प्रदाता कंपोजिशन स्कीम का विकल्प चुन सकते हैं और 6% पर जीएसटी का भुगतान कर सकते हैं। कंपोजिशन स्कीम के मामले में, व्यवसाय इनपुट टैक्स क्रेडिट का दावा नहीं कर सकते हैं और यह एक वैकल्पिक योजना है क्योंकि उन्हें हमेशा मानक जीएसटी दर का भुगतान करने की स्वतंत्रता होगी।

जीएसटी मुआवजा उपकर (GST Compensation Cess):

जब केंद्र सरकार जीएसटी लागू करने की योजना बना रही थी, तो राज्यों को चिंता थी कि जीएसटी के लागू होने के बाद, राज्यों का कर राजस्व कम हो सकता है और उन्हें जीएसटी व्यवस्था के तहत अतिरिक्त कर लगाने की स्वतंत्रता नहीं होगी। इसलिए भारत सरकार ने 2012-13 से 2013-14, 2013-14 से 2014-15 और 2014-15 से 2015-16 तक यानी तीन वर्षों के लिए राज्यों के अप्रत्यक्ष करों के **कर राजस्व वृद्धि** की गणना की और पाया कि औसत वार्षिक वृद्धि 14% है। इसलिए भारत सरकार ने राज्यों से वादा किया कि यदि जीएसटी लागू होने के बाद 2015-16 (आधार वर्ष) से राज्यों की अप्रत्यक्ष राजस्व वृद्धि सालाना 14% से कम होती है तो भारत सरकार (जीएसटी परिषद के माध्यम से) विलासिता और अवगुण वस्तुओं पर उपकर लगाएगी और वह पैसा राज्यों को अगले पाँच वर्षों (1 जुलाई 2017 से 30 जून 2022) के लिए मुआवजे के रूप में देगी। इस उद्देश्य के लिए, माल और सेवा कर (राज्यों को मुआवजा) अधिनियम 2017 अधिनियमित किया गया था।

केंद्र भारत के समेकित कोष में 'जीएसटी क्षतिपूर्ति उपकर' एकत्र करता है और फिर इसे 'भारत के सार्वजनिक खाते' के तहत 'जीएसटी क्षतिपूर्ति कोष' में स्थानांतरित करता है और फिर यह राज्यों के समेकित कोष में जाता है।

इसलिए, जीएसटी लागू होने के बाद कुछ कमी हुई और राज्यों को मुआवजा दिया गया। लेकिन कोविड में, कमी बहुत अधिक बढ़ गई और इस भारी कमी की भरपाई के लिए अवगुण और विलासिता की वस्तुओं पर उपकर बढ़ाना संभव नहीं था। इसलिए, उस स्थिति को कैसे संभालना है, इस बारे में नवंबर 2020 में एक विवाद शुरू हुआ। इसलिए, अंततः यह निर्णय लिया गया कि 'केंद्र' (कोविड के कारण) (अतिरिक्त) कमी की राशि उधार लेगा और इसे 'बैक-टू-बैक' आधार पर राज्यों को देगा। और राज्यों को भविष्य में मूलधन और ब्याज राशि का भुगतान करना होगा। (जब केंद्र उधार लेता है तो राज्यों की तुलना में उधार लेने की लागत कम होती है, क्योंकि केंद्र चूक नहीं कर सकता और उसकी क्रेडिट रेटिंग बेहतर होती है)।

लेकिन राज्य भविष्य में इस राशि (मूलधन और ब्याज) को कहाँ से चुकाएँगे। इसलिए, यह निर्णय लिया गया है कि इस 'मूलधन और ब्याज' राशि के भुगतान के लिए 30 जून 2022 के बाद भी 31 मार्च 2026 तक उपकर लगाया जाएगा।

राज्यों की माँग थी कि सामान्य तौर पर उपकर को अगले 5 वर्षों (1 जुलाई 2022 से शुरू) तक जारी रखने की अनुमति दी जानी चाहिए। लेकिन केंद्र ने कहा कि नहीं। उपकर केवल मूलधन और ब्याज के पुनर्भुगतान के लिए जारी रहेगा, जिसे केंद्र ने उधार लिया था और कोविड संकट के कारण राज्यों को बैक-टू-बैक आधार पर दिया गया था।

जीएसटी एक जटिल, बहुस्तरीय और व्यापक कर प्रणाली से एकल और एकीकृत कर प्रणाली में एक क्रांतिकारी परिवर्तन है जो वस्तुओं और सेवाओं दोनों के लिए मूल्य श्रृंखला में कर समायोजन की अनुमति देता है। इससे उत्पाद की लागत कम करने में मदद मिलेगी और इस तरह भारतीय वस्तुओं को आयात की तुलना में प्रतिस्पर्धी बनाया जा सकेगा, जिससे कंपनियों की लाभप्रदता बढ़ेगी। जीएसटी वस्तुओं और सेवाओं के लिए एक अखंडित एकीकृत राष्ट्रीय बाजार बनाएगा, और इसके परिणामस्वरूप वस्तुओं और सेवाओं के एक सामान्य आधार पर अनुकूल कर संरचना होगी। पूरे देश में एक जैसे नियम और प्रशासन प्रक्रिया होगी। इससे कर आधार बढ़ेगा और कर प्रक्रिया सरल होगी, जिससे स्पष्टता और पारदर्शिता आएगी।

जीएसटी के कई लाभ हैं, जिनका सारांश इस प्रकार है:

व्यापार और उद्योग के लिए

- आसान अनुपालन: एक मजबूत और व्यापक आईटी प्रणाली भारत में जीएसटी व्यवस्था की नींव है। इसलिए, पंजीकरण, रिटर्न, भुगतान आदि जैसी सभी करदाता सेवाएँ करदाताओं को ऑनलाइन उपलब्ध हैं, जो अनुपालन को आसान और पारदर्शी बनाती हैं। जीएसटी से पहले की व्यवस्था में, राज्यों को वैट और केंद्र को केंद्रीय उत्पाद

शुल्क के लिए अलग-अलग रिटर्न दाखिल करना पड़ता था, लेकिन अब जीएसटी के तहत केवल एक रिटर्न दाखिल करना होगा।

- कर दरों और संरचनाओं की एकरूपता: जीएसटी ने सुनिश्चित किया है कि अप्रत्यक्ष कर दरें और संरचनाएँ पूरे देश में समान हैं, जिससे अनुपालन लागत कम हो गई है और व्यापार करने में निश्चितता और आसानी बढ़ गई है। दूसरे शब्दों में, जीएसटी ने देश में व्यापार करना कर-तटस्थ बना दिया है, चाहे व्यापार करने का स्थान कोई भी हो। पहले, हर वस्तु पर केंद्र द्वारा लगाया जाने वाला उत्पाद शुल्क और राज्य द्वारा वैट लगाया जाता था। उत्पाद शुल्क की कम से कम 8-10 दरें और राज्य वैट की 3-4 दरें थीं। इसलिए, कई दरों (10 गुना × 4 गुना तक) की संरचना को घटाकर 6 दरों की संरचना में बदल दिया गया है।
- केस्केडिंग को हटाना: पूरी मूल्य-शृंखला में और राज्यों की सीमाओं के पार निर्बाध कर-क्रेडिट की एक प्रणाली ने करों के केस्केडिंग को हटाना सुनिश्चित किया है। इससे व्यापार और उद्योग के लिए प्रतिस्पर्धात्मकता में सुधार हुआ है
- निर्माताओं और निर्यातकों को लाभ: जीएसटी में प्रमुख केंद्रीय और राज्य करों को शामिल करने और इनपुट वस्तुओं और सेवाओं पर करों को पूरी तरह से अलग करने से स्थानीय रूप से निर्मित वस्तुओं और सेवाओं की लागत कम हो गई है। इससे अंतर्राष्ट्रीय बाजार में भारतीय वस्तुओं और सेवाओं की प्रतिस्पर्धात्मकता बढ़ी है और भारतीय निर्यात को बढ़ावा मिला है।

केंद्र और राज्य सरकारों के लिए

- सहकारी संघवाद को आगे बढ़ाना: घरेलू अप्रत्यक्ष कर निर्णय केंद्र और राज्यों द्वारा संयुक्त रूप से लिए जाएँगे।
- प्रशासन में सरल और आसान: केंद्र और राज्य स्तर पर कई अप्रत्यक्ष करों को एक जीएसटी के तहत शामिल कर दिया गया है। एक मजबूत एंड-टू-एंड आईटी सिस्टम के साथ, जीएसटी अब तक लगाए गए केंद्र और राज्य के सभी अन्य अप्रत्यक्ष करों की तुलना में सरल और प्रशासन में आसान है। अंतर-राज्यीय चेक पोस्ट (प्रवेश कर) के उन्मूलन के साथ, जीएसटी ने माल की अंतर-राज्यीय आवाजाही के लिए अनुपालन जाँच को कम कर दिया है, जो पहले चिंता का एक प्रमुख स्रोत हुआ करता था।
- लीकेज पर बेहतर नियंत्रण और भ्रष्टाचार को कम करना: जीएसटी प्रकृति में स्व-पुलिसिंग (self-policing) है जहाँ इनपुट टैक्स क्रेडिट का दावा करने के लिए चालान मिलान गैर-अनुपालन को रोकता है और अनुपालन को बढ़ावा देता है। पहले चालान मिलान केवल अंतर-राज्य वैट लेनदेन के लिए मौजूद था, न कि उत्पाद शुल्क और सेवा करों के लिए और न ही आयात के लिए। जीएसटी के परिणामस्वरूप एक मजबूत आईटी बुनियादी ढाँचे के माध्यम से बेहतर कर अनुपालन हुआ है। मूल्य संवर्धन कीशृंखला में एक चरण से दूसरे चरण में इनपुट टैक्स क्रेडिट के निर्बाध हस्तांतरण के कारण, जीएसटी के डिजाइन में एक अंतर्निहित तंत्र है जिसने व्यापारियों द्वारा कर अनुपालन को प्रोत्साहित किया है।
- कर आधार में वृद्धि: चूँकि बहुत से नए एजेंट, जो पहले कर के दायरे से बाहर थे, ने जीएसटी पंजीकरण की माँग की है, जिसके परिणामस्वरूप कर आधार और कर उछाल में वृद्धि हुई है।
- उच्च राजस्व दक्षता: जीएसटी ने सरकार के कर राजस्व के संग्रह की लागत को कम कर दिया है, और उच्च राजस्व दक्षता को जन्म दिया है।

उपभोक्ताओं के लिए

- वस्तुओं और सेवाओं के मूल्य के अनुपात में एकल और पारदर्शी कर: केंद्र और राज्य द्वारा लगाए जा रहे कई अप्रत्यक्ष करों के कारण, मूल्य संवर्धन के प्रगतिशील चरणों में अपूर्ण या कोई इनपुट टैक्स क्रेडिट उपलब्ध नहीं होने के कारण, देश में अधिकांश वस्तुओं और सेवाओं की लागत कई छिपे हुए करों से लदी होती थी। जीएसटी व्यवस्था के तहत, निर्माता से उपभोक्ता तक केवल एक कर है, जिससे अंतिम उपभोक्ता तक पारदर्शिता (भुगतान किए गए करों की) होती है।
- **समग्र कर बोझ में राहत:** दक्षता लाभ और रिसाव की रोकथाम और व्यापक प्रभाव को हटाने के कारण, अधिकांश वस्तुओं पर समग्र कर बोझ कम हो गया है और इससे उपभोक्ताओं को लाभ हुआ है।

जीएसटी ने उद्योग को औपचारिक रूप दिया है:

- जीएसटी व्यवस्था विशेष रूप से उन क्षेत्रों को औपचारिक बनाने में अच्छी है, जहाँ भारत का औपचारिक क्षेत्र अपने इनपुट टैक्स क्रेडिट तंत्र के माध्यम से अनौपचारिक उद्योग के साथ बातचीत करता है। विभिन्न उद्योगों में भारत की सबसे बड़ी कंपनियों को इनपुट टैक्स क्रेडिट का लाभ उठाने के लिए अपनी अनौपचारिक आपूर्ति शृंखला को औपचारिक कर के दायरे में लाने के लिए प्रोत्साहन मिलता है।
- उदाहरण के लिए, कपड़ा और परिधान, जिन्होंने ऐतिहासिक रूप से बहुत कम कर (चाहे शुल्क या वैट के रूप में) का भुगतान किया है, अब उनके पास औपचारिक जीएसटी दर है और उनके पास अपने व्यवसाय को पंजीकृत करने, औपचारिक बनाने और डिजिटल बनाने के अलावा कोई विकल्प नहीं है। पहले, मूल्य शृंखला के कुछ हिस्से, विशेष रूप से कपड़े, कर के दायरे से बाहर थे, जिससे अनौपचारिकीकरण और कर चोरी होती थी, लेकिन अब कपड़ा और परिधान क्षेत्र पूरी तरह से जीएसटी कर के दायरे में है।
- एक और महत्वपूर्ण पहलू यह है कि जीएसटी में छूट की सीमा 40 लाख रुपये है, जबकि कई छोटे निर्माताओं के लिए यह जीएसटी से पहले 1.5 करोड़ रुपये हुआ करती थी, जिसका मतलब है कि हजारों अनौपचारिक या असंगठित एमएसएमई अब जीएसटी के लिए पंजीकृत हो गए हैं और कर के दायरे में आ गए हैं। इसलिए, जीएसटी ने इन अनौपचारिक उद्यमों को औपचारिक अर्थव्यवस्था में ला दिया है और कर चोरी की प्रथाओं पर अंकुश लगाया है और भारत के कर आधार का विस्तार किया है।

चुनौतियाँ

- जीएसटी परिषद ने चार-दर वाली संरचना निश्चित की है: 5%, 12%, 18% और 28%, छूट श्रेणी (0%) और सोने के 3% और कुछ उत्पादों के ऊपर लगाए जाने वाले अतिरिक्त उपकरों के अलावा, जिससे जीएसटी प्रभावी रूप से छह/सात कर दर स्लैब संरचना बन गई है। यह वर्तमान जीएसटी संरचना को जटिल बनाता है।
- शराब, पेट्रोलियम और ऊर्जा उत्पाद, बिजली, भूमि और अचल संपत्ति लेनदेन जीएसटी आधार से बाहर हैं, लेकिन केंद्र और/या राज्यों द्वारा जीएसटी के बाहर कर लगाया जाता है। उदाहरण के लिए, बिजली को जीएसटी से बाहर रखना भारतीय उद्योग की प्रतिस्पर्धात्मकता को कमजोर करता है क्योंकि बिजली पर कर निर्माता की लागत में अंतर्निहित हो जाता है और इसे इनपुट टैक्स क्रेडिट के रूप में वापस नहीं लिया जा सकता है।
- भारत की वर्तमान जीएसटी व्यवस्था राजस्व बढ़ाने के अधिक बुनियादी सिद्धांतों में से एक के खिलाफ जाती है: कराधान की दर जितनी कम होगी, उतने ही अधिक लोग और व्यवसाय इसका अनुपालन करेंगे। दूसरे शब्दों में, यदि आदर्श कराधान व्यवस्था वह है जो कम दरों पर अधिक वस्तुओं पर कर लगाती है, तो हमारी नई जीएसटी व्यवस्था उससे बहुत दूर है।
- एक और नजदीकी संबन्धित मुद्दा जीएसटी सीमा है, जो उन व्यवसायों को जीएसटी के लिए पंजीकरण से छूट देता है जिनका टर्नओवर प्रति वर्ष 40 लाख से कम है। इन छूट सीमाओं का फायदा विभिन्न व्यावसायिक इकाइयों द्वारा बिक्री के आँकड़ों को कम करके दिखाने के लिए उठाया जाता है।
- भारत में अनौपचारिक क्षेत्र में लगभग छह करोड़ से अधिक फर्म हैं, जिनमें से 2.5 करोड़ व्यवसाय काफी छोटे हैं और उन्हें जीएसटी से छूट दी जाएगी क्योंकि वे 40 लाख रुपये की सीमा पार नहीं करेंगे। लेकिन शेष चार करोड़ फर्मों के पास कंप्यूटर नहीं है या वे डिजिटल रूप से साक्षर नहीं हैं और उनकी परिचालन लागत बढ़ गई है क्योंकि व्यवसाय मालिकों को नई जीएसटी व्यवस्था का अनुपालन करने के लिए एकाउंटेंट को काम पर रखना पड़ता है और अपने संचालन को कंप्यूटरीकृत करना पड़ता है, जिससे अंततः इस क्षेत्र की कुछ फर्में अव्यावहारिक हो जाती हैं। जो बात मामले को और भी बदतर बनाती है वह है जीएसटी के तहत सेवा प्रदाताओं के लिए भारी फाइलिंग आवश्यकताएँ।
- जीएसटी में अभी भी एक प्रमुख मुद्दा **विपरीत शुल्क ढाँचा है।** आइए उदाहरण से समझते हैं:

मान लीजिए कि एक आपूर्ति शृंखला है, A ⟶ B ⟶ उपभोक्ता। अब अगर A जो उत्पाद बेचता है, उस पर GST दर ज्यादा है, मान लीजिए 18% और B जो उत्पाद उपभोक्ता

को बेचता है, उस पर GST दर कम है, मान लीजिए 12%, तो हम कहेंगे कि चेन में 'विपरीत शुल्क ढाँचा' है। आदर्श रूप से कच्चे माल पर कर की दर कम होनी चाहिए और अंतिम उत्पाद पर कर की दर ज़्यादा होनी चाहिए, लेकिन अगर इसका पालन नहीं किया जाता है, तो यह एक विपरीत शुल्क ढाँचा बनाता है।

निर्यातित उत्पादों पर शुल्क या करों की छूट (RoDTEP)

जीएसटी से पहले, निर्यातित उत्पादों के निर्माण के लिए आवश्यक इनपुट के आयात (सीमा शुल्क) पर कोई भी कर निर्यातकों को ड्यूटी क्रेडिट स्क्रिप देकर मर्चेंडाइज एक्सपोर्ट ऑफ इंडिया स्कीम (MEIS) के माध्यम से वापस किया जाता था। इसका मतलब है कि अगर मैं 100 करोड़ रुपये का माल निर्यात करता हूं तो सरकार मुझे 2 करोड़ रुपये (निर्यात मूल्य का कुछ प्रतिशत) का एक पेपर (ड्यूटी क्रेडिट स्क्रिप) देती थी जिसका उपयोग मैं कच्चे माल के आयात पर अपने सीमा शुल्क का भुगतान/समायोजन करने के लिए कर सकता था।

निर्यात के मामले में घरेलू करों पर भी कुछ छूट थी।

लेकिन WTO ने कहा कि MEIS योजना WTO व्यापार नियमों के अनुरूप नहीं है (इसमें जाने की कोई आवश्यकता नहीं है) और 2020 में इसे निर्यातित उत्पादों पर शुल्क या करों की छूट (RoDTEP) द्वारा बदल दिया गया।

जीएसटी व्यवस्था के तहत, सरकार। निर्यात के मामले में जीएसटी/आईजीएसटी (घरेलू उत्पादन और कच्चे माल के आयात के मामले में भुगतान किए गए कर) से छूट दी जाती है और इसे 'निर्यात शून्य दर वाले हैं' कहा जाता है। क्योंकि पहले निर्यातक सरकार को जीएसटी/आईजीएसटी (मानक दर) का भुगतान करते हैं और फिर वे सरकार को यह प्रमाण देते हैं कि यह निर्यात (विदेश में बेचा गया) का मामला है और सरकार पूरे जीएसटी की प्रतिपूर्ति करती है, इसलिए निर्यात पर प्रभावी रूप से कोई कर नहीं लगता है।

हालाँकि, कुछ उत्पाद जीएसटी से बाहर हैं और इन उत्पादों पर लगाए गए कर/शुल्क/लेवी अभी भी वर्तमान जीएसटी व्यवस्था में भी निर्यात के मामले में वापस नहीं किए जाते हैं। ये कर परिवहन में उपयोग किए जाने वाले ईंधन पर वैट, मंडी कर, बिजली, पेट्रोलियम उत्पादों आदि पर कर (जो उत्पाद की कीमत में अंतर्निहित हो जाते हैं) हैं। नई RoDTEP योजना के तहत, ये कर निर्यातकों को सीमा शुल्क के साथ उनके बहीखाते में वापस कर दिए जाएंगे। क्रेडिट का उपयोग आयातित वस्तुओं/कच्चे माल पर मूल सीमा शुल्क का भुगतान करने के लिए किया जा सकता है। यह योजना 1 जनवरी 2021 से सभी प्रकार के निर्यातों के लिए उपलब्ध है।

4.14 विभिन्न देशों में कर संबंधी मुद्दे Tax related Issues Across the Countries

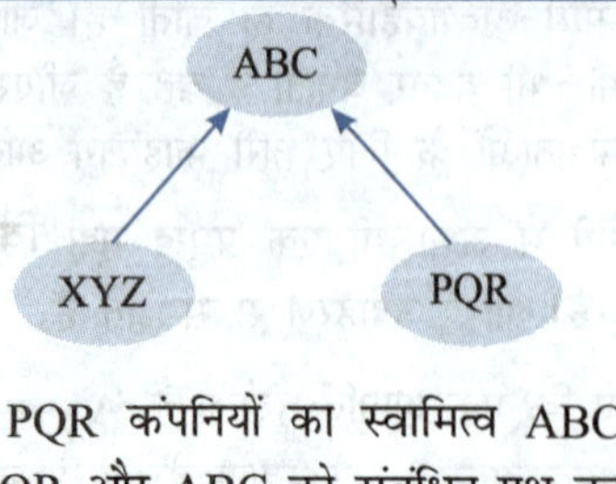

XYZ और PQR कंपनियों का स्वामित्व ABC के पास है। XYZ, PQR और ABC को संबंधित पक्ष कहा जाएगा। और इन कंपनियों के निदेशकों/मालिकों को भी **संबंधित पक्ष** कहा जाता है।

संबंधित पक्षों के बीच होने वाले किसी भी लेन-देन को **संबंधित**/जुड़े हुए पक्षों का लेन-देन कहा जाता है और यह लेन-देन बाजार मूल्य पर होना चाहिए जिसे **'आर्म्स लेंथ सिद्धांत' ('Arm's Length Principle')** कहा जाता है। संबंधित पक्षों के बीच वस्तुओं और सेवाओं के मूल्य निर्धारण को **'ट्रांसफर प्राइसिंग' (Transfer Pricing')** कहा जाता है और इसे 'आर्म्स-लेंथ सिद्धांत' का पालन करना चाहिए। MNCs से संबंधित कराधान में विवादित मुद्दों में से एक इंट्रा

(समूह) कंपनी लेनदेन या संबंधित पार्टी लेनदेन का क्षेत्र है।

यहाँ, जापान में एक मूल कंपनी भारत में अपने कर भुगतान को कम करने के लिए भारत में अपनी सहायक कंपनी से सुविधाजनक मूल्य वसूल सकती है। उदाहरण के लिए, मान लीजिए कि मारुति सुजुकी इंडिया का लाभ अधिक है और उसे भारत सरकार को अधिक कर देना है। इस मामले में, यदि सुजुकी जापान मारुति को बेचे गए किसी घटक के लिए उच्च मूल्य वसूलता है, तो भारत में मारुति का लाभ कम हो जाएगा और कंपनी का भारत सरकार को कर भुगतान भी कम हो जाएगा। दूसरी ओर, सुजुकी जापान का राजस्व/लाभ बढ़ेगा। कुल मिलाकर, सुजुकी मोटर कॉरपोरेशन (एसएमसी) समूह अपनी स्थिति में सुधार करता है; लेकिन भारत सरकार का कर राजस्व प्रभावित होता है।

यह मारुति इंडिया से लाभ को सुजुकी जापान में स्थानांतरित करने की रणनीति/हेरफेर है क्योंकि जापान में कर अनुकूल प्रणाली है। इसे 'आधार क्षरण और लाभ स्थानांतरण' (बीईपीएस) कहा जाएगा। हाल के दिनों में, बहुराष्ट्रीय कंपनियाँ अपने आय/लाभ को अन्य देशों, विशेष रूप से कर पनाहगाहों में स्थानांतरित करके कर से बचने के लिए परिष्कृत और परिष्कृत कर नियोजन प्रथाओं का विकास कर रही हैं। इस तरह की प्रथाओं ने कर आधार को कम कर दिया।

इस तरह के हेरफेर से बचने के लिए, भारत का कर विभाग मारुति सुजुकी इंडिया और सुजुकी जापान के बीच विभिन्न घटकों के लिए लगाए गए मूल्य को पहले से निर्धारित करता है। लेकिन इस मूल्य को **'आर्म्स लेंथ सिद्धांत' (Arm's Length Principle)** का पालन करना चाहिए, जो बाजार आधारित है। **'आर्म्स लेंथ सिद्धांत' (Arm's Length Principle)** लेनदेन एक व्यापारिक सौदे को संदर्भित करता है जिसमें खरीदार और विक्रेता एक-दूसरे को प्रभावित किए बिना स्वतंत्र रूप से कार्य करते हैं। इस प्रकार की बिक्री यह दावा करती है कि दोनों पक्ष अपने हित में कार्य करते हैं और दूसरे पक्ष के दबाव के अधीन नहीं हैं; इसके अलावा, यह दूसरों को आश्वस्त करता है कि खरीदार और विक्रेता के बीच कोई मिलीभगत नहीं है।

वर्ष की शुरुआत में, अंतरकंपनी (intracompany) लेनदेन के लिए लगाए गए मूल्य को अग्रिम रूप से निर्धारित किया जाएगा और इसे आने वाले पाँच वर्षों या उससे अधिक समय तक रखा जाएगा। मारुति और भारत के कर विभाग के बीच इस मूल्य व्यवस्था को **अग्रिम मूल्य निर्धारण समझौता (APA)** कहा जाता है।

APA एक अनुबंध है, जो आमतौर पर कई वर्षों के लिए होता है, जो करदाता और कम से कम एक कर प्राधिकरण के बीच होता है, जो मूल्य निर्धारण पद्धति को निर्दिष्ट करता है जिसे करदाता अपने **संबंधित-कंपनी** लेनदेन पर लागू करेगा। ये कार्यक्रम करदाताओं को पारंपरिक जाँच-प्रक्रिया के विकल्प के रूप में सक्रिय, सहकारी तरीके से वास्तविक या संभावित हस्तांतरण मूल्य विवादों को स्वेच्छा से हल करने में मदद करने के लिए बनाए किए गए हैं। APA करदाताओं को निश्चितता देता है, विवादों को कम करता है, कर राजस्व बढ़ाता है और देश को विदेशी निवेश के लिए एक आकर्षक गंतव्य बनाता है। ये समझौते करदाता और सरकार दोनों के लिए बाध्यकारी होंगे। इसी तरह, वे शिकायतों और मुकदमेबाजी की लागत को कम करते हैं।

दोहरा कराधान बचाव समझौता (DTAA):

DTAA भारत और किसी अन्य देश (या किसी दो/एक से अधिक देशों) के बीच हस्ताक्षरित एक कर संधि है, ताकि करदाता स्रोत देश के साथ-साथ निवास देश से अर्जित अपनी आय पर दोहरा कर चुकाने से बच सकें।

उदाहरण के लिए, मान लीजिए कि मॉरीशस में पंजीकृत एक विदेशी पोर्टफोलियो निवेशक (FPI) ने एक भारतीय सूचीबद्ध कंपनी के शेयर खरीदे हैं। अब जब FPI को लाभांश प्राप्त होता है (या यदि वह शेयर बेचता है तो उसे पूँजीगत लाभ हो सकता है) तो भारत लाभांश पर कर (या पूँजीगत लाभ कर) भी लगा सकता है और जब FPI उस आय को मॉरीशस ले जाता है तो मॉरीशस सरकार भी कर लगा सकती है जिसके परिणामस्वरूप दोहरा कराधान होता है। अब ऐसे दोहरे करों (कर लाभ के रूप में संदर्भित) से बचने के लिए, भारत और मॉरीशस दोहरा कराधान बचाव समझौता (DTAA) पर हस्ताक्षर कर सकते हैं।

भारत और मॉरीशस ने वास्तव में DTAA पर हस्ताक्षर किए हैं। लेकिन, हाल ही में, भारत और मॉरीशस के बीच DTAA में **मुख्य उद्देश्य परीक्षण** (PPT) को शामिल करने के लिए संशोधन किया गया है। पीपीटी का मतलब है कि संधि के तहत कर लाभ लागू नहीं होंगे यदि यह स्थापित हो जाता है

कि शुल्क लाभ प्राप्त करना किसी भी लेनदेन या व्यवस्था का मुख्य उद्देश्य था। और यह वैश्विक बेस इरोजन प्रॉफिट शिफ्टिंग (बीईपीएस) ढाँचे के अनुरूप है।

जून 2019 में, भारत ने आधार क्षरण और लाभ स्थानांतरण को रोकने के लिए कर संधि से संबंधित उपायों को लागू करने के लिए बहुपक्षीय सम्मेलन (बहुपक्षीय उपकरण (एमएलआई)) की पुष्टि की, जिस पर जून 2017 में भारत की ओर से पेरिस में वित्त मंत्री ने 65 से अधिक देशों के प्रतिनिधियों के साथ हस्ताक्षर किए थे। एमएलआई आधार क्षरण और लाभ स्थानांतरण के मुद्दे से निपटने के लिए जी 20 देशों द्वारा किए गए ठोस काम का परिणाम है, जो उन सभी को प्रभावित करता है।

एमएलआई संधि के दुरुपयोग और आधार क्षरण और लाभ स्थानांतरण रणनीतियों के माध्यम से राजस्व हानि को रोकने के लिए भारत की कर संधियों को संशोधित करेगा, यह सुनिश्चित करके कि लाभ पर कर लगाया जाए, जहाँ लाभ उत्पन्न करने वाली ठोस आर्थिक गतिविधियां की जाती हैं। एमएलआई को मौजूदा कर संधियों (जैसे दोहरे कराधान से बचाव समझौते) के साथ लागू किया जाएगा, बीईपीएस उपायों को लागू करने के लिए उनके आवेदन को संशोधित किया जाएगा। भारत के लिए एमएलआई 1 अक्टूबर, 2019 से लागू हुआ।

समतुल्यीकरण शुल्क (Equalization Levy): 2016 से पहले, केवल वे कंपनियाँ जो भारत में पंजीकृत (स्थायी निवास) थीं, आयकर अधिनियम 1961 के अनुसार भारत में कर का भुगतान करती थीं। ऐसा इसलिए है क्योंकि जो कंपनियाँ भारत में किसी व्यावसायिक गतिविधि से आय अर्जित करती थीं, उन्हें अपना व्यवसाय/कार्यालय (भौतिक उपस्थिति) यहाँ पंजीकृत कराना पड़ता था, तभी वे भारत में व्यवसाय कर सकती थीं क्योंकि उस समय शायद ही कोई डिजिटल/ऑनलाइन सेवाएँ थीं।

लेकिन सूचना प्रौद्योगिकी के आगमन के साथ, यह संभव हो गया कि 'गूगल' निगम अमेरिका में पंजीकृत है और उसे अमेरिका में स्थायी निवासी का दर्जा प्राप्त है, लेकिन उनकी **आय का स्रोत** उनकी वेबसाइटों/प्लेटफॉर्म पर डिजिटल विज्ञापनों के माध्यम से **भारत** से है। इसलिए, भारत में विज्ञापनों की बिक्री के माध्यम से 'गूगल' को होने वाली आय पर आयकर अधिनियम 1961 लागू नहीं था क्योंकि उनके पास भारत में कोई पंजीकृत कार्यालय/स्थायी निवास नहीं था और उनकी स्थिति भारत में **अनिवासी** थी। इसलिए, ऐसी फर्मों (गूगल) को (भारत या भारतीय लोगों से) होने वाली ऐसी आय पर कर लगाने के लिए, 2016 में भारत '**समतुल्यीकरण शुल्क**' लाया जिसे 'गूगल टैक्स' भी कहा जाता है।

इसलिए, यदि कोई कंपनी "A" अमेरिका में पंजीकृत (स्थायी निवास) है और उसकी सहायक कंपनी "B" भारत में पंजीकृत है और भारत में व्यवसाय कर रही है और "B" डिजिटल सेवाएँ (विज्ञापन/ई-कॉमर्स प्लेटफॉर्म) प्रदान कर रही है, तो "B" **पर समतुल्यीकरण शुल्क लागू नहीं होगी और "B" आयकर अधिनियम 1961 के तहत सामान्य आयकर का भुगतान** करेगी। लेकिन यदि "B" भारत में पंजीकृत नहीं है, और उसकी कोई भौतिक उपस्थिति नहीं है, लेकिन फिर भी वह भारत में डिजिटल सेवाएँ (विज्ञापन/ई-कॉमर्स प्लेटफॉर्म) बेच रही है, तो "B" पर समतुल्यीकरण शुल्क लागू होगी, लेकिन कोई **आयकर नहीं**।

इसलिए, यदि XYZ (भारत में एक शैक्षणिक संस्थान) 'गूगल' (अमेरिका में पंजीकृत) को अपने प्लेटफॉर्म/वेबसाइट पर विज्ञापन करने के लिए कह रहा है, तो XYZ गूगल को भुगतान करेगा, लेकिन भुगतान करने से पहले, XYZ गूगल को किए गए अपने भुगतान से 6% समतुल्यीकरण शुल्क (बिक्री/राजस्व पर 6%) काट लेगा और सरकार को भुगतान करेगा।

समतुल्यीकरण शुल्क आयकर कानून के तहत आय पर कर के रूप में नहीं है, बल्कि वित्त अधिनियम 2016 के माध्यम से शुरू की गई एक स्वतंत्र लेवी है। इसके अंतर्गत विभिन्न प्रकार की सेवाएँ आती हैं और 'समतुल्यीकरण शुल्क' के खंड अलग-अलग तिथियों के साथ प्रभावी किए गए हैं। तीन साल पहले, 'डिजिटल सेवाओं (विज्ञापनों) की बिक्री' को अधिसूचित किया गया था। और 1 अप्रैल 2020 से, 'समतुल्यीकरण शुल्क' (2%) ई-कॉमर्स फर्मों पर भी लागू है।

इसलिए, यदि कोई ई-कॉमर्स फर्म (मान लें कि अमेजन जो अमेरिका में पंजीकृत है, और भारत में इसका दर्जा अनिवासी है) भारतीय लोगों (भारतीय निवासी) को बिक्री करके अपने

ऑनलाइन प्लेटफॉर्म (ई-कॉमर्स) से 100 रुपये का राजस्व (और लाभ नहीं) कमाती है, तो उन्हें 100 रुपये में से 2 रुपये (2%) सरकार को देने होंगे। भारत में समतुल्यीकरण शुल्क के रूप में **आयकर अधिनियम 1961 के तहत कोई आयकर नहीं** है।

देखिए, अगर अमेजन का भारत में स्थायी प्रतिष्ठान (भौतिक उपस्थिति) होता तो वे आयकर अधिनियम 1961 के अनुसार अपने लाभ पर स्वत: ही 'आयकर' का भुगतान करते।

'समतुल्यीकरण शुल्क' एक प्रत्यक्ष कर है और **राजस्व** पर लगाया जाता है (न कि **लाभ** पर)। ऐसा इसलिए है क्योंकि भारत के लिए अमेजन के लाभ की जाँच करना बहुत मुश्किल होगा क्योंकि अमेरिका और अन्य देशों में इसके बहुत से परिचालन हैं।

वैश्विक न्यूनतम कॉर्पोरेट कर (GMCT):

- बड़ी प्रौद्योगिकी कंपनियाँ अपने लाभ को ऐसे देशों में स्थानांतरित करती हैं जहाँ कॉर्पोरेट कर की दर कम है। कंपनियाँ वास्तविक व्यवसाय को स्थानांतरित नहीं करती हैं, बल्कि ज्यादातर वित्तीय लेन-देन करती हैं। जैसे-जैसे देशों के बीच प्रतिस्पर्धा बढ़ रही है, ज्यादा से ज्यादा व्यवसाय/निवेश को आकर्षित करने के लिए देश कॉर्पोरेट करों में कटौती का सहारा ले रहे हैं। इससे गृह देश की सरकार को कर राजस्व का नुकसान हो रहा है। इसीलिए देशों ने वैश्विक न्यूनतम कॉर्पोरेट कर लागू करने पर सहमति जताई है।
- **उदाहरण:** मान लीजिए कि अमेरिका में एक कंपनी XYZ है जहाँ कॉर्पोरेट कर 20% है, और कंपनी कर से बचने के लिए अपने व्यवसाय के राजस्व को दूसरे देश में स्थानांतरित कर देती है, जैसे मॉरीशस जहाँ कॉर्पोरेट कर 5% है। अब GMCT (जैसा कि 15% पर सहमति हुई) के अनुसार अमेरिकी सरकार के पास XYZ से कर वसूलने का अधिकार होगा = 15%-5% = 10% जो मॉरीशस को देय 5% कर के अतिरिक्त होगा। इसका मतलब यह है कि अब अगर कंपनियाँ अपने व्यावसायिक राजस्व को कर मुक्त क्षेत्रों में स्थानांतरित करती हैं, तो भी उन्हें न्यूनतम कर देना होगा।
- अगर मॉरीशस में स्थित कोई दूसरी कंपनी है, तो वे 5% कर का भुगतान कर सकती है। GMCT उन कंपनियों पर लागू होता है, जिन्होंने अपने व्यवसाय को कर मुक्त क्षेत्रों में स्थानांतरित कर दिया है, जहाँ कर की दर कम है।

ग्लोबल मिनिमम कॉरपोरेट टैक्स फ्रेमवर्क में दो स्तंभ हैं।

- स्तंभ 1 डिजिटल कंपनियों सहित सबसे बड़े बहुराष्ट्रीय उद्यमों (MNE) के संबंध में देशों के बीच मुनाफे और कर अधिकारों का अधिक न्यायसंगत वितरण सुनिश्चित करेगा। यह MNE पर उनके घरेलू देशों से कुछ कर अधिकारों को उन बाजारों में पुन: आवंटित करेगा, जहाँ उनकी व्यावसायिक गतिविधियाँ हैं और वे लाभ कमाते हैं, भले ही फर्मों की वहाँ भौतिक उपस्थिति हो या न हो। (इसलिए, इस स्तंभ के कारण, इक्वलाइजेशन लेवी की अब आवश्यकता नहीं हो सकती है)
- स्तंभ 2 वैश्विक न्यूनतम कॉर्पोरेट कर दर की शुरूआत के माध्यम से कॉर्पोरेट आयकर पर प्रतिस्पर्धा को कम करने का प्रयास करता है, जिसका उपयोग देश अपने कर आधारों की रक्षा के लिए कर सकते हैं। (यह 15% के GMCT से संबंधित है)

'वैश्विक न्यूनतम (कॉर्पोरेट) कर' लागू होने के बाद, भारत को 'समानीकरण शुल्क' को समाप्त करना पड़ सकता है, जो वह गूगल, फेसबुक आदि जैसी बहुराष्ट्रीय प्रौद्योगिकी कंपनियों पर लगाता है।

द्विपक्षीय निवेश संधियाँ (Bilateral Investment Treaties-BIT):

BIT दो देशों (राज्यों) के बीच एक-दूसरे के क्षेत्रों में निवेश के पारस्परिक संवर्धन और संरक्षण के लिए किए गए समझौते हैं, जो किसी भी राज्य में स्थित व्यक्तियों और कंपनियों द्वारा किए जाते हैं। जब देश BIT में प्रवेश करते हैं, तो दोनों देश दूसरे देश के विदेशी निवेशों के लिए सुरक्षा प्रदान करने के लिए सहमत होते हैं। BIT दूसरे देश में निवेशकों के लिए प्रमुख लाभ प्रदान करता है, जिसमें राष्ट्रीय उपचार, निष्पक्ष और न्यायसंगत उपचार, निवेश के लिए अधिग्रहण और प्रदर्शन आवश्यकताओं से सुरक्षा, और तटस्थ विवाद निपटान (अंतर्राष्ट्रीय मध्यस्थता) आदि तक पहुँच शामिल है।

पहली BIT पर भारत ने 14 मार्च, 1994 को हस्ताक्षर किए थे। तब से, भारत सरकार ने 80 से अधिक देशों के साथ BIT पर हस्ताक्षर किए हैं। हाल ही में, भारत ने 57 देशों

के साथ अपनी द्विपक्षीय निवेश संधियों (BIT) को समाप्त कर दिया है। दिसंबर 2015 में, केंद्रीय मंत्रिमंडल ने भारतीय द्विपक्षीय निवेश संधि के लिए संशोधित मॉडल पाठ को अपनी मंजूरी दे दी। संशोधित मॉडल BIT का उपयोग मौजूदा BITs के दोबारा बातचीत करने और भविष्य के BITs के लिए बातचीत के लिए किया जाएगा। नया मॉडल स्पष्ट करता है कि यह केवल उन निवेशों को कवर करता है जिनकी मेजबान राज्य के क्षेत्र में भौतिक उपस्थिति और पर्याप्त व्यावसायिक गतिविधियाँ हैं। विदेशी निवेशकों का यह भी दावा है कि नया मॉडल BIT प्रकृति में संरक्षणवादी है।

4.15 प्रत्यक्ष कर सुधार (Direct Tax Reforms)

करीब 7.5 करोड़ प्रत्यक्ष करदाता हैं। वे कर का भुगतान करते हैं और रिटर्न (कर दस्तावेज) दाखिल करते हैं। करदाता करों का भुगतान करने से बचने के लिए विभिन्न तरीकों का उपयोग करते हैं और अपनी आय को वास्तविक आय से बहुत कम दिखाते हैं। इसलिए, सरकार ने इन मामलों के मूल्यांकन/समीक्षा के लिए कुछ पैरामीटर निर्धारित किए हैं। उदाहरण के लिए, वे करदाता जिनकी आय काफी अधिक है (मान लें कि 30 लाख) लेकिन कर भुगतान बहुत कम है, मान लें कि केवल 2 लाख या मान लें कि किसी विशेष बचत खाते में 1 लाख रुपये से अधिक है। एक वित्तीय वर्ष में 10 लाख रुपये जमा हुए आदि।

अब मान लीजिए कि ऐसे 5 लाख मामले हैं, जिनमें से सरकार समीक्षा/मूल्यांकन के लिए 50,000 मामलों को **यादृच्छिक रूप** से चुन सकती है (क्योंकि संसाधनों की कमी के कारण सभी की समीक्षा नहीं की जा सकती) । इसलिए, सरकार नोटिस भेजेगी और आपको स्पष्टीकरण देना होगा। और सरकार ऐसे मामलों की काफी विस्तार से जांच कर सकती है और अगर कुछ गलत काम पाए गए, तो आपको दंडित किया जा सकता है।

1. **चेहरारहित मूल्याँकन (Faceless Assessment):** पहले (ई-असेसमेंट योजना शुरू होने से पहले), इन मामलों का चयन कर अधिकारियों द्वारा किया जाता था और कर अधिकारियों और करदाताओं के बीच आमने-सामने की बैठकें होती थीं और जहाँ करदाताओं को परेशान किया जाता था। लेकिन अब ऐसे सभी मामलों को कंप्यूटर द्वारा यादृच्छिक रूप से चुना जाएगा और आमने-सामने की कोई पूछताछ नहीं होगी, बल्कि केवल इलेक्ट्रॉनिक संचार माध्यम से ही होगी। इसलिए, इससे पारदर्शिता और दक्षता में सुधार होगा, और शासन में सुधार होगा और इस प्रकार मूल्याँकन और निगरानी की गुणवत्ता में सुधार होगा।

2. **चेहरारहित अपील) (Faceless Appeal):** यदि कोई करदाता कर प्राधिकरण द्वारा किसी भी मूल्याँकन के खिलाफ अपील दायर करता है।
   - अपील देश के किसी भी अधिकारी को यादृच्छिक रूप से आवंटित की जाएगी
   - अपील का फैसला करने वाले अधिकारियों की पहचान अज्ञात रहेगी
   - करदाता को आयकर कार्यालय या अधिकारी के पास जाने की आवश्यकता नहीं होगी
   - अपीलीय निर्णय टीम-आधारित होगा और इसकी समीक्षा की जाएगी

फेसलेस असेसमेंट और फेसलेस अपील शुरू करने के लिए आयकर अधिनियम 1961 में संशोधन किया गया है।

3. **करदाताओं का चार्टर** मूल्याँकनकर्ता (सरकार) और मूल्यांकनकर्ता (करदाता) के लिए एक दोतरफा दस्तावेज है। इस दस्तावेज के जरिए सरकार ने करदाताओं के लिए निम्नलिखित प्रतिबद्धताएँ बनाई हैं:
   - निष्पक्ष, विनम्र और उचित व्यवहार प्रदान करना
   - करदाताओं को ईमानदार मानना
   - अपील और समीक्षा के लिए तंत्र प्रदान करना
   - पूरी और सटीक जानकारी प्रदान करना
   - समय पर निर्णय प्रदान करना
   - कर की सही राशि एकत्र करना
   - करदाताओं की गोपनीयता का सम्मान करना
   - गोपनीयता बनाए रखना
   - अपने अधिकारियों को जवाबदेह ठहराना
   - पसंद के प्रतिनिधि को सक्षम बनाना

- शिकायत दर्ज करने और निष्पक्ष और न्यायपूर्ण प्रणाली प्रदान करने के लिए तंत्र प्रदान करना
- सेवा मानकों को प्रकाशित करना और समय-समय पर रिपोर्ट करना
- अनुपालन की लागत को कम करना

करदाताओं का चार्टर **करदाता के दायित्वों** पर भी प्रकाश डालता है। ये इस प्रकार हैं:

- ईमानदार, जानकारी युक्त और अनुपालन करने वाला होना
- सटीक रिकॉर्ड रखना
- यह जानना कि आपका प्रतिनिधि आपकी ओर से क्या करता है
- समय पर जवाब देना और समय पर भुगतान करना

4.16 केंद्र से राज्यों/संघ शासित प्रदेशों को धन हस्तांतरण (Funds Transfer from Centre to States/UTs)

भारतीय संविधान ने कराधान शक्तियों के साथ-साथ व्यय शक्तियों (और जिम्मेदारियों) को संघ और राज्य सरकारों के बीच विभाजित किया है। जिन विषयों पर संघ या राज्य या दोनों कर लगा सकते हैं, उन्हें संविधान की समवर्ती सूची में परिभाषित किया गया है। इसके अलावा, संविधान के 73वें और 74वें संशोधन के अनुसार स्थानीय सरकारों को भी सीमित वित्तीय शक्तियाँ दी गई हैं।

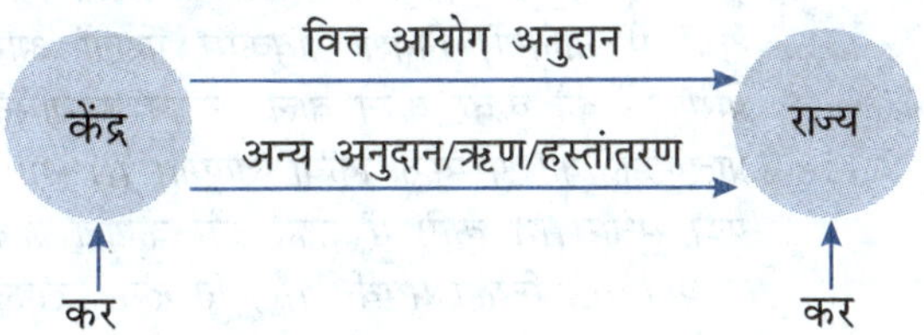

1. वित्त आयोग अनुदान

संविधान के अनुच्छेद 280 के अनुसार, राष्ट्रपति को प्रत्येक पाँच वर्ष (या यदि राष्ट्रपति इसे आवश्यक समझें तो पहले भी) के पश्चात एक वित्त आयोग नियुक्त करना आवश्यक है, जिसमें एक अध्यक्ष तथा राष्ट्रपति द्वारा नियुक्त चार अन्य सदस्य होंगे। वित्त आयोग को निम्नलिखित मामलों पर राष्ट्रपति को सिफारिश करनी आवश्यक है।

- करों की शुद्ध आय का वितरण केंद्र तथा राज्यों के बीच (ऊर्ध्वाधर हस्तांतरण) तथा ऐसी आय का राज्यों के बीच आवंटन (क्षैतिज हस्तांतरण)।
- भारत की संचित निधि में से केंद्र द्वारा राज्यों को सहायता अनुदान दिए जाने के सिद्धांत।
- राज्य वित्त आयोगों द्वारा की गई सिफारिशों के आधार पर राज्य में पंचायतों तथा नगर पालिकाओं के संसाधनों के पूरक के लिए राज्य की संचित निधि को बढ़ाने के लिए आवश्यक उपाय।
- सुदृढ़ वित्त के हित में राष्ट्रपति द्वारा उसे संदर्भित किया गया कोई अन्य मामला।

पन्द्रहवें वित्त आयोग ने 2021-26 के लिए निम्नलिखित हस्तांतरण की सिफारिश की है:

(i) केंद्रीय करों के प्रतिशत हिस्से के रूप में (इसे ऊर्ध्वाधर हस्तांतरण कहा जाता है), जो केंद्रीय करों के **विभाज्य पूल** का **41%** होगा और 28 राज्यों के बीच वितरित किया जाएगा। यह कभी भी भारत के समेकित कोष का हिस्सा नहीं बनता है और यह **अबद्ध** अनुदान है जिसका अर्थ है कि राज्यों पर खर्च करने के तरीके पर कोई प्रतिबंध नहीं लगाया जाता है।

(विधानसभा के साथ या उसके बिना कोई भी केंद्र शासित प्रदेश इस ऊर्ध्वाधर हस्तांतरण को प्राप्त नहीं करता है। जिन केंद्र शासित प्रदेशों की अपनी विधानसभा नहीं है, उन्हें गृह मंत्रालय के तहत अनुदान की माँग के माध्यम से बजटीय संसाधनों से केंद्र सरकार द्वारा धन आवंटित किया जाता है)

केंद्र सरकार के कर संसाधनों के पूल को राज्यों के साथ साझा किए जाने वाले हिस्से को ***'विभाज्य पूल'*** *कहा जाता है और इसमें सकल कर राजस्व से निम्नलिखित मदों को* ***बाहर रखा*** *जाता है:*

- *करों के संग्रह की लागत*
- *उपकर और अधिभार*
- *विधानसभा रहित केंद्र शासित प्रदेशों का कर राजस्व*

- *राष्ट्रीय आपदा आकस्मिक शुल्क (एनसीसीडी)*

राज्यों के बीच करों के वितरण के पैमाने (क्षैतिज वितरण) हैं:

- आय अंतर (45%),
- जनसंख्या (2011 की जनगणना) (15%),
- जनसांख्यिकी प्रदर्शन (12.5%),
- राज्य क्षेत्र (15%),
- वन और पारिस्थितिकी (10%),
- कर और राजकोषीय प्रयास (2.5%)

(ii) अनुदान सहायता के रूप में (अनुच्छेद 275) निम्नलिखित **पाँच प्रकार** (ये भारत की संचित निधि और बद्ध अनुदानों पर लगाए जाते हैं) के होते हैं:

1. राजस्व घाटा अनुदान

हस्तांतरण के पश्चात निधियों (41%) के अभाव में कुछ राज्यों को राजस्व घाटा का सामना करना पड़ता है। इसलिए वित्त आयोग हस्तांतरण के बाद राजस्व घाटा अनुदान की सिफारिश करता है। ऐसे अनुदानों की सिफारिश करते समय वित्त आयोग ने यह सुनिश्चित किया है कि राजकोषीय क्षमता में कमी को ठीक किया जाए लेकिन अपर्याप्त राजस्व प्रयास या अत्यधिक व्यय को प्रोत्साहित न किया जाए। पारितोषिक अवधि (2021-22) के पहले वर्ष में, FFC ने 17 राज्यों के लिए इस अनुदान की सिफारिश की है, लेकिन बाद में इसने 2025-26 में राज्यों की संख्या घटाकर छह कर दी है।

2. स्थानीय निकाय अनुदान

स्थानीय सरकारों के लिए, FFC ने पाँच साल की अवधि के लिए कुल 4,36,361 करोड़ रुपये की सिफारिश की है। पंचायती राज संस्थाओं के लिए निर्धारित कुल अनुदानों में से 60 प्रतिशत राष्ट्रीय प्राथमिकताओं जैसे पेयजल आपूर्ति और वर्षा जल संचयन और स्वच्छता के लिए निर्धारित है, जबकि 40 प्रतिशत **असंबद्ध** है और इसका उपयोग बुनियादी सेवाओं में सुधार के लिए पंचायती राज संस्थाओं के विवेक पर किया जाना है।

पंचायतों के सभी तीन स्तरों (गाँव, ब्लॉक और जिला) को अनुदान की सिफारिश की गई है।

शहरीकरण और विकास के इंजन के रूप में कार्य करने के लिए शहरों की भविष्य की जरूरतों के मद्देनजर, ग्रामीण और शहरी स्थानीय निकायों के लिए अनुशंसित अनुदानों के परस्पर वितरण का अनुपात धीरे-धीरे 67.5:32.5 से 65:35 हो जाता है। राज्यों के बीच अनुदानों के परस्पर वितरण के लिए, जनसंख्या पर 90% और क्षेत्र पर 10% भार है

3. आपदा प्रबंधन अनुदान (Disaster Management Grants)

एफएफसी द्वारा अनुशंसित **आपदा प्रबंधन** के लिए राज्य-स्तरीय आवंटन में संघ और राज्यों द्वारा योगदान का अनुपात केंद्र द्वारा 75% और राज्यों द्वारा 25% है (पूर्वोत्तर राज्यों के लिए यह 90:10 है)।

राज्य आपदा जोखिम प्रबंधन निधि (एसडीआरएमएफ) के लिए कुल राज्य आवंटन को राज्य आपदा **प्रतिक्रिया** निधि (एसडीआरएफ) में विभाजित किया जाएगा, जिसे 80% आवंटन मिलेगा और राज्य आपदा **शमन निधि** (एसडीएमएफ) जिसे 20% आवंटन मिलेगा।

4. क्षेत्र विशेष अनुदान (Sector Specific Grants)

ये अधिकतर प्रदर्शन-आधारित प्रोत्साहन/अनुदान होते हैं जो कुछ निश्चित प्रदर्शन मानदंडों से जुड़े होते हैं। इसे निम्नलिखित क्षेत्रों के लिए अनुशंसित किया गया है।

(a) स्वास्थ्य के लिए क्षेत्रीय अनुदान

(b) स्कूल शिक्षा

(c) उच्च शिक्षा

(d) *कृषि सुधारों का कार्यान्वयन (निम्नलिखित चार क्षेत्रों में नीतियों, निवेशों, विकास पहलों और परिणामों को कवर करने वाले प्रदर्शन आधारित प्रोत्साहनों को पुरस्कृत किया जाएगा। (i) भूमि पट्टा सुधार (ii) कृषि में सतत और कुशल जल उपयोग (iii) निर्यात संवर्धन, (iv) तिलहन, दलहन और लकड़ी तथा लकड़ी आधारित उत्पादों के मामले में आत्मनिर्भर भारत में योगदान।)*

(e) पीएमजीएसवाई सड़कों का रखरखाव

(f) न्यायपालिका

(g) सांख्यिकी

(h) आकांक्षी जिले और ब्लॉक

(i) *ऊर्जा क्षेत्र: (बिजली क्षेत्र के लिए एक प्रदर्शन-आधारित प्रोत्साहन विकसित किया गया है* **(और कोई अनुदान नहीं है)**, *लेकिन राज्यों के लिए अतिरिक्त उधार लेने की खिड़की खुलती है)*

5. राज्य विशिष्ट अनुदान (State Specific Grants)

ये बद्ध अनुदान हैं और राज्यों की विशेष जरूरतों और लागत अक्षमताओं को दूर करने में मदद करते हैं जिन्हें सूत्र-आधारित हस्तांतरण (41%) और अन्य क्षेत्र विशिष्ट अनुदानों के तहत कवर नहीं किया जा सकता है। ये अनुदान सभी 28 राज्यों के लिए अनुशंसित हैं और ये छह व्यापक विषयों के अंतर्गत आते हैं: (a) सामाजिक आवश्यकताएँ, (b) प्रशासनिक शासन और संबंधित बुनियादी ढाँचा, (c) जल, जल निकासी और स्वच्छता का संरक्षण और सतत उपयोग, (d) संस्कृति और ऐतिहासिक स्मारकों का संरक्षण, (e) उच्च लागत वाली भौतिक अवसंरचना और (f) पर्यटन।

रक्षा एवं आंतरिक सुरक्षा

संदर्भ की शर्तों (टीओआर) को ध्यान में रखते हुए, एफएफसी ने रक्षा एवं आंतरिक सुरक्षा के लिए पूँजीगत आवश्यकताओं पर व्यय बढ़ाने की आवश्यकता और तात्कालिकता की जाँच की और सभी पहलुओं की जाँच करने के बाद, एफएफसी ने रक्षा एवं **आंतरिक सुरक्षा के लिए एक** समर्पित **आधुनिकीकरण कोष** के गठन की सिफारिश की है, ताकि रक्षा एवं आंतरिक सुरक्षा पर पूँजीगत व्यय के लिए अनुमानित बजटीय आवश्यकता और बजट आवंटन के बीच के अंतर को पाटा जा सके। इसे **राष्ट्रीय सुरक्षा नैवेद्यम कोष** या कोई अन्य उपयुक्त नाम दिया जा सकता है।

निधि की आय का उपयोग निम्नलिखित तीन उद्देश्यों के लिए किया जाएगा:

- रक्षा सेवाओं के आधुनिकीकरण के लिए पूँजी निवेश
- सीएपीएफ और राज्य पुलिस बलों के आधुनिकीकरण के लिए पूँजी निवेश
- हमारे सैनिकों और अर्धसैनिक कर्मियों के लिए कल्याण कोष के रूप में एक छोटा-सा घटक

निधि में इसके प्रशासन, सार्वजनिक रिपोर्टिंग और सीएजी द्वारा लेखापरीक्षा के लिए मानक अधिसूचित नियम होंगे।

इस कोष में वृद्धिशील वित्त-पोषण के चार विशिष्ट स्रोत होंगे:

- भारत की समेकित निधि से स्थानान्तरण
- डीपीएसई की विनिवेश आय
- अधिशेष रक्षा भूमि के मुद्रीकरण से प्राप्त आय, जिसमें राज्य सरकारों द्वारा उपयोग की जाने वाली रक्षा भूमि और सार्वजनिक परियोजनाओं के लिए भुगतान के बकाया की वसूली और अतिक्रमित भूमि की लागत की वसूली शामिल है
- रक्षा भूमि से प्राप्त आय को भविष्य में राज्य सरकारों और सार्वजनिक परियोजनाओं के लिए स्थानांतरित किए जाने की संभावना है

संविधान के निर्माता संघीय सरकार और राज्यों की कर लगाने की शक्तियों और व्यय तथा जिम्मेदारियों के बीच ऊर्ध्वाधर असंतुलन तथा विकास के विभिन्न चरणों में राज्यों के बीच क्षैतिज असंतुलन या असमानता को कम करना चाहते थे। इसलिए, समावेशिता सुनिश्चित करना वित्त आयोग का एक प्रमुख अधिदेश है। इसका मतलब है जनसंख्या, शीर्ष रैंक वाले राज्यों और अन्य के बीच आय की दूरी आदि जैसी चीजों को महत्व देना। ऐसा नहीं है कि सबसे अच्छा प्रदर्शन करने वाले राज्य को सबसे अधिक हिस्सा आवंटित किया जाएगा - भले ही वितरण, निष्पादन और शासन बेहतर हो -

बल्कि, राज्यों के बीच विकास के अंतर को कम करने का प्रयास किया जाएगा।

2. **अन्य अनुदान/ऋण/हस्तांतरण (Other Grants/Loans/Transfers)**

   केंद्र सरकार से राज्यों को विभिन्न अन्य हस्तांतरण विशेष सहायता अनुदान, अतिरिक्त केंद्रीय सहायता (अनुदान और ऋण), राष्ट्रीय आपदा प्रतिक्रिया कोष (एनडीआरएफ) से राज्यों को सहायता आदि हैं।

केंद्रीय क्षेत्र की योजनाएँ और केंद्र प्रायोजित योजनाएँ

वित्त मंत्रालय के व्यय विभाग के अंतर्गत सार्वजनिक वित्त (केंद्रीय) प्रभाग, आर्थिक मामलों के विभाग के बजट प्रभाग के परामर्श से, वित्त मंत्रालय के एक वित्त आयोग चक्र में केंद्रीय क्षेत्र की योजनाओं (सीएस) और केंद्र प्रायोजित योजनाओं (सीएसएस) दोनों के लिए परिव्यय का संचार करता है। सार्वजनिक वित्त (केंद्रीय) प्रभाग नीति आयोग के परामर्श से सभी केंद्रीय मंत्रालयों/विभागों के लिए परिणाम बजट तैयार करने के लिए भी उत्तरदायी है। यह आउटपुट-आउटकम फ्रेमवर्क (परिणाम बजट) सभी सीएसएस और सीएस के लिए है जो प्रासंगिक मध्यम अवधि के ढाँचे में पहचाने गए मापनीय परिणामों से निपटते हैं और भौतिक और वित्तीय आउटपुट साल-दर-साल आधार पर लक्षित होते हैं।

केंद्र प्रायोजित योजनाओं (सीएसएस) के तहत, वित्तपोषण का एक निश्चित प्रतिशत राज्यों द्वारा 50:50, 70:30, 75:25 या 90:10 के अनुपात में वहन किया जाता है। इसे राज्य सरकारों द्वारा कार्यान्वित किया जाता है। केंद्र प्रायोजित योजनाएं राज्य सूची के तहत विषयों पर तैयार की जाती हैं ताकि राज्यों को उन क्षेत्रों में प्राथमिकता देने के लिए प्रोत्साहित किया जा सके जिन पर अधिक ध्यान देने की आवश्यकता है। 2013-14 तक, सीएसएस के लिए धन दो चैनलों के माध्यम से भेजा जाता था, राज्यों की समेकित निधि और सीधे राज्य/जिला स्तरीय स्वायत्त निकायों/कार्यान्वयन एजेंसियों को। (सीएसएस राज्यों/संघ शासित प्रदेशों को धन हस्तांतरण का एक हिस्सा है)। 2014-15 में, राज्य कार्यान्वयन एजेंसियों को सीधे हस्तांतरण बंद कर दिया गया और सीएसएस सहित राज्यों को सभी हस्तांतरण राज्यों की समेकित निधि के माध्यम से किए गए।

नीति आयोग की गवर्निंग काउंसिल ने केंद्र प्रायोजित योजनाओं (सीएसएस) के युक्तिकरण पर मुख्यमंत्रियों का एक उप-समूह गठित किया है। उप-समूह ने सिफारिश की है कि सीएसएस की संख्या सामान्यत: 30 से अधिक नहीं होनी चाहिए। उप-समूह ने सिफारिश की है कि सीएसएस को तीन श्रेणियों में वर्गीकृत किया जाना चाहिए:

- **मुख्य योजनाएँ:** सीएसएस का ध्यान उन योजनाओं पर होना चाहिए जो राष्ट्रीय विकास एजेंडा को शामिल करती हैं जहाँ केंद्र और राज्य टीम इंडिया की भावना से मिलकर काम करेंगे। उदाहरण के लिए प्रधानमंत्री ग्राम सड़क योजना।
- **मुख्य योजनाओं का प्रमुख भाग:** वे योजनाएँ जो सामाजिक सुरक्षा और सामाजिक समावेशन के लिए हैं, उन्हें मुख्य योजना का मुख्य भाग बनाना चाहिए और राष्ट्रीय विकास एजेंडा के लिए उपलब्ध निधियों पर पहला प्रभार होना चाहिए। उदाहरण के लिए मनरेगा।
- **वैकल्पिक योजनाएँ:** वे योजनाएँ जहाँ राज्य अपनी इच्छानुसार योजनाएँ चुनने के लिए स्वतंत्र होंगे। इन योजनाओं के लिए निधियाँ वित्त मंत्रालय द्वारा राज्यों को एकमुश्त आवंटित की जाएँगी।

केंद्रीय क्षेत्र की योजनाएँ (सीएस) आमतौर पर वे होती हैं जिन्हें केंद्रीय एजेंसी द्वारा क्रियान्वित किया जाता है और संघ सूची के विषयों पर केंद्र द्वारा 100% वित्त-पोषित किया जाता है। (सीएस राज्यों/केंद्र शासित प्रदेशों को धन हस्तांतरण का हिस्सा नहीं हैं)। उदाहरण के लिए, नमामि गंगे, सागरमाला, प्रधानमंत्री फसल बीमा योजना आदि।

विगत वर्षों के प्रश्न

प्रारंभिक परीक्षा

1. निम्नलिखित में से कौन-सा कथन "राजकोषीय प्रोत्साहन" का उचित वर्णन करता है? [2011]

(a) यह तीव्र आर्थिक विकास के कारण माँग में वृद्धि को पूरा करने के लिए वस्तुओं की आपूर्ति सुनिश्चित करने के लिए विनिर्माण क्षेत्र में सरकार द्वारा किया गया एक बड़ा निवेश है

(b) यह देश में आर्थिक गतिविधि को बढ़ावा देने के लिए सरकार की एक गहन सकारात्मक कार्रवाई है

(c) यह अधिक खाद्य उत्पादन को बढ़ावा देने और खाद्य मुद्रास्फीति को नियंत्रित करने के लिए कृषि और संबद्ध क्षेत्रों को ऋण का वितरण सुनिश्चित करने के लिए वित्तीय संस्थानों पर सरकार की गहन कार्रवाई है

(d) यह वित्तीय समावेशन की अपनी नीति को आगे बढ़ाने के लिए सरकार द्वारा की गई एक अत्यधिक सकारात्मक कार्रवाई है

2. निम्नलिखित में से कौन-सी "मूल्य वर्धित कर" की विशेषता **नहीं** है? [2011]

(a) यह कराधान की एक बहु-बिंदु गंतव्य-आधारित प्रणाली है

(b) यह उत्पादन-वितरण श्रृंखला में लेनदेन के प्रत्येक चरण में मूल्य संवर्धन पर लगाया जाने वाला कर है

(c) यह वस्तुओं/सेवाओं के अंतिम उपभोग पर लगाया जाने वाला कर है और अंततः इसे उपभोक्ता द्वारा वहन किया जाना चाहिए

(d) यह मूल रूप से केंद्र सरकार का विषय है और राज्य सरकारें इसके सफल कार्यान्वयन के लिए केवल एक सहायक है

3. प्रत्यक्ष विदेशी निवेश (FDI) और विदेशी संस्थागत निवेशक (FII) दोनों ही किसी देश में निवेश से संबंधित हैं। निम्नलिखित में से कौन-सा कथन दोनों के बीच एक महत्वपूर्ण अंतर को सबसे अच्छी तरह से दर्शाता है? [2011]

(a) FII बेहतर प्रबंधन कौशल और प्रौद्योगिकी लाने में मदद करता है, जबकि FDI केवल पूँजी लाता है

(b) FII सामान्य रूप से पूँजी उपलब्धता बढ़ाने में मदद करता है, जबकि FDI केवल विशिष्ट क्षेत्रों को लक्षित करता है

(c) FDI केवल द्वितीयक बाजार में प्रवाहित होता है, जबकि FII प्राथमिक बाजार को लक्षित करता है

(d) FII को FDI की तुलना में अधिक स्थिर माना जाता है

4. भारत की समेकित निधि से धन निकालने की सहमति से आनी चाहिए [2011]

(a) भारत के राष्ट्रपति

(b) भारत की संसद

(c) भारत के प्रधानमंत्री

(d) केंद्रीय वित्त मंत्री

5. सरकारी व्यवसाय के संचालन के लिए करों और अन्य प्राप्तियों के माध्यम से केंद्र सरकार द्वारा प्राप्त सभी राजस्व में जमा किए जाते हैं: [2011]

(a) भारत की आकस्मिकता निधि

(b) सार्वजनिक खाता

(c) भारत की समेकित निधि

(d) जमा और अग्रिम निधि

6. जब वार्षिक केंद्रीय बजट लोकसभा द्वारा पारित नहीं किया जाता है, [2011]

(a) बजट को संशोधित करके पुनः प्रस्तुत किया जाता है

(b) बजट को सुझावों के लिए राज्य सभा को भेजा जाता है

(c) केंद्रीय वित्त मंत्री को इस्तीफा देने के लिए कहा जाता है

(d) प्रधानमंत्री मंत्रिपरिषद का इस्तीफा सौंपते हैं

7. निम्नलिखित में से किस परिस्थिति में 'पूँजीगत लाभ' उत्पन्न हो सकता है? [2012]

(i) जब किसी उत्पाद की बिक्री में वृद्धि होती है

(ii) जब स्वामित्व वाली संपत्ति के मूल्य में स्वाभाविक वृद्धि होती है

(iii) जब आप कोई पेंटिंग खरीदते हैं और उसकी लोकप्रियता में वृद्धि के कारण उसके मूल्य में वृद्धि होती है

नीचे दिए गए कोड का उपयोग करके सही उत्तर चुनें:

(a) केवल (i)

(b) केवल (ii) और (iii)

(c) केवल (ii)

(d) (i), (ii) और (iii)

8. भारतीय रिजर्व बैंक एक बैंकर के बैंक के रूप में कार्य करता है। इसका तात्पर्य निम्नलिखित में से कौन-सा होगा? [2012]

(i) अन्य बैंक RBI के पास अपनी जमाराशि रखते हैं

(ii) RBI जरूरत के समय वाणिज्यिक बैंकों को धन उधार देता है

(iii) RBI मौद्रिक मामलों पर वाणिज्यिक बैंकों को सलाह देता है

नीचे दिए गए कोड का उपयोग करके सही उत्तर चुनें:

(a) केवल (ii) और (iii)

(b) केवल (i) और (ii)

(c) केवल (i) और (iii)

(d) केवल (i), (ii) और (iii)

9. निम्नलिखित में से कौन-सा उपाय अर्थव्यवस्था में मुद्रा आपूर्ति में वृद्धि करेगा? [2012]

(i) केंद्रीय बैंक द्वारा जनता से सरकारी प्रतिभूतियों की खरीद

(ii) जनता द्वारा वाणिज्यिक बैंकों में मुद्रा जमा करना

(iii) सरकार द्वारा केंद्रीय बैंक से उधार लेना

(iv) केंद्रीय बैंक द्वारा जनता को सरकारी प्रतिभूतियों की बिक्री

नीचे दिए गए कोड का उपयोग करके सही उत्तर चुनें:

(a) केवल (i)

(b) केवल (ii) और (iv)

(c) केवल (i) और (iii)

(d) केवल (ii), (iii) और (iv)

10. संघ सरकार के संदर्भ में, निम्नलिखित कथनों पर विचार करें: [2015]

(i) राजस्व विभाग संसद में प्रस्तुत किए जाने वाले केंद्रीय बजट की तैयारी के लिए जिम्मेदार है

(ii) भारत की संसद से प्राधिकरण के बिना भारत के समेकित कोष से कोई राशि नहीं निकाली जा सकती

(iii) सार्वजनिक खाते से किए गए सभी संवितरणों को भी भारत की संसद से प्राधिकरण की आवश्यकता होती है

ऊपर दिए गए कथनों में से कौन-सा सही है/हैं?

(a) केवल (i) और (ii)

(b) केवल (ii) और (iii)

(c) केवल (ii)

(d) (i), (ii) और (iii)

11. निम्नलिखित में से कौन भारत सरकार के पूँजी बजट में शामिल है/हैं? [2016]

(i) सड़क, भवन, मशीनरी आदि जैसी परिसंपत्तियों के अधिग्रहण पर व्यय

(ii) विदेशी सरकारों से प्राप्त ऋण

(iii) राज्यों और केंद्र शासित प्रदेशों को दिए गए ऋण और अग्रिम राशि

नीचे दिए गए कोड का उपयोग करके सही उत्तर चुनें।

(a) केवल (i)

(b) केवल (ii) और (iii)

(c) केवल (i) और (iii)

(d) (i), (ii) और (iii)

12. 'वस्तु एवं सेवा कर (जीएसटी)' लागू करने के सबसे संभावित लाभ क्या हैं? [2017]

(i) यह कई प्राधिकरणों द्वारा एकत्र किए जाने वाले कई करों की जगह लेगा और इस प्रकार भारत में एकल बाजार बनाएगा।

(ii) यह भारत के 'चालू खाता घाटे' को काफी कम कर देगा और इसे अपने विदेशी मुद्रा भंडार को बढ़ाने में सक्षम करेगा।

(iii) यह भारत की अर्थव्यवस्था के विकास और आकार को बहुत बढ़ाएगा और इसे निकट भविष्य में चीन से आगे निकलने में सक्षम करेगा।

नीचे दिए गए कोड का उपयोग करके सही उत्तर चुनें:

(a) केवल (i)
(b) केवल (ii) और (iii)
(c) केवल (i) और (iii)
(d) (i), (ii) और (iii)

13. निम्नलिखित कथनों पर विचार करें: **[2017]**

(i) भारत के सकल घरेलू उत्पाद के प्रतिशत के रूप में कर राजस्व पिछले दशक में लगातार बढ़ा है।

(ii) भारत के सकल घरेलू उत्पाद के प्रतिशत के रूप में राजकोषीय घाटा पिछले दशक में लगातार बढ़ा है।

ऊपर दिए गए कथनों में से कौन-सा/से सही है/हैं?

(a) केवल (i)
(b) केवल (ii)
(c) केवल (i) और (ii) दोनों
(d) न तो (i) और न ही (ii)

14. निम्नलिखित कथनों पर विचार करें: **[2018]**

(i) राजकोषीय उत्तरदायित्व और बजट प्रबंधन (FRBM) समीक्षा समिति की रिपोर्ट ने 2023 तक सामान्य (संयुक्त) सरकार के लिए 60% के ऋण से जीडीपी अनुपात की सिफारिश की है, जिसमें केंद्र सरकार के लिए 40% और राज्य सरकारों के लिए 20% शामिल है।

(ii) केंद्र सरकार की घरेलू देनदारियाँ जीडीपी के 21% की हैं, जबकि राज्य सरकारों की जीडीपी के 49% की हैं।

(iii) भारत के संविधान के अनुसार, किसी राज्य के लिए किसी भी ऋण को बढ़ाने के लिए केंद्र सरकार की सहमति लेना अनिवार्य है, यदि पूर्व में राज्य की केन्द्र से कोई बकाया देनदारियाँ हैं।

ऊपर दिए गए कथनों में से कौन-सा/से सही है/हैं?

(a) केवल (i)
(b) केवल (ii) और (iii)
(c) केवल (i) और (iii)
(d) (i), (ii) और (iii)

15. निम्नलिखित कथनों पर विचार करें: **[2019]**

(i) भारत का अधिकांश विदेशी ऋण सरकारी संस्थाओं द्वारा देय होता है।

(ii) भारत के सभी विदेशी ऋण अमेरिकी डॉलर में हैं।

ऊपर दिए गए कथनों में से कौन सा सही है / हैं?

(a) केवल (i)
(b) केवल (ii)
(c) (i) और (ii) दोनों
(d) न तो (i) और न ही (ii)

16. भारत में काले धन के निर्माण का निम्नलिखित में से कौन-सा प्रभाव भारत सरकार के लिए चिंता का मुख्य कारण रहा है? **[2021]**

(a) रियल एस्टेट की खरीद और लक्जरी आवास में निवेश के लिए संसाधनों का विपथन
(b) अनुत्पादक गतिविधियों में निवेश और कीमती पत्थरों, आभूषणों, सोने आदि की खरीद
(c) राजनीतिक दलों को बड़े दान और क्षेत्रवाद की वृद्धि
(d) कर चोरी के कारण राज्य के कोष को राजस्व की हानि

17. किसी संगठन या कंपनी द्वारा किए गए व्यय के संदर्भ में, निम्नलिखित में से कौन-सा कथन सही है/हैं? **[2022]**

1. नई तकनीक हासिल करना पूँजीगत व्यय है।
2. ऋण वित्तपोषण को पूँजीगत व्यय माना जाता है, जबकि इक्विटी वित्त-पोषण को राजस्व व्यय माना जाता है।

नीचे दिए गए कोड का उपयोग करके सही उत्तर चुनें:
(a) केवल 1
(b) केवल 2
(c) 1 और 2 दोनों
(d) न तो 1 और न ही 2

18. भारतीय अर्थव्यवस्था के संदर्भ में, निम्नलिखित कथनों पर विचार करें: [2022]
1. घरेलू वित्तीय बचत का एक हिस्सा सरकारी उधारी की ओर जाता है।
2. नीलामी में बाजार-संबंधित दरों पर जारी दिनांकित प्रतिभूतियाँ आंतरिक ऋण का एक बड़ा घटक बनाती हैं:

उपर्युक्त में से कौन-सा कथन सही है/हैं?
(a) केवल 1
(b) केवल 2
(c) 1 और 2 दोनों
(d) न तो 1 और न ही 2

19. निम्नलिखित पर विचार करें: [2023]
1. जनसांख्यिकी प्रदर्शन
2. वन और पारिस्थितिकी
3. शासन सुधार
4. स्थिर सरकार
5. कर और राजकोषीय प्रयास

क्षैतिज कर हस्तांतरण के लिए, पंद्रहवें वित्त आयोग ने जनसंख्या क्षेत्र और आय दूरी के अलावा उपरोक्त में से कितने मानदंडों का उपयोग किया?
(a) केवल दो (b) केवल तीन
(c) केवल चार (d) सभी पाँच

20. केंद्रीय बजट के संदर्भ में निम्न कथनों पर विचार कीजिए। [2024]
1. प्रधानमंत्री की तरफ से केन्द्रीय वित्तमंत्री संसद के दोनों सदनों में वार्षिक वित्तीय विवरण प्रस्तुत करता है।
2. केन्द्रीय स्तर पर भारत के राष्ट्रपति की सिफारिश के बिना अनुदान की कोई माँग नहीं की जा सकती है।

उपर्युक्त कथनों में से कौन-सा/कौन-से कथन सही हैं?
(a) केवल 1
(b) केवल 2
(c) 1 और 2 दोनों
(d) न तो 1 और न ही 2

उत्तर

1. (b)	**2.** (d)	**3.** (b)	**4.** (b)	**5.** (c)	**6.** (d)	**7.** (b)	**8.** (d)	**9.** (c)	**10.** (c)
11. (d)	**12.** (a)	**13.** (d)	**14.** (c)	**15.** (d)	**16.** (d)	**17.** (a)	**18.** (c)	**19.** (b)	**20.** (b)

मुख्य परीक्षा

1. उदारीकरण के बाद के दौर में बजट बनाने के संदर्भ में सार्वजनिक व्यय प्रबंधन भारत सरकार के लिए एक चुनौती है। इसे स्पष्ट करें। [2019]

2. भारत में जीएसटी में शामिल किए गए अप्रत्यक्ष करों की सूची बनाएँ। साथ ही, जुलाई 2017 से भारत में लागू किए गए जीएसटी के राजस्व निहितार्थों पर टिप्पणी करें। [2019]

3. 2017 वस्तु एवं सेवा कर (राज्यों को मुआवजा) अधिनियम के पीछे के तर्क की व्याख्या करें। कोविड-19 ने जीएसटी मुआवजा कोष को कैसे प्रभावित किया है और नई संघीय समस्याएँ पैदा की हैं। [2020]

4. पूँजीगत बजट और राजस्व बजट के बीच अंतर स्पष्ट करें। इन दोनों बजटों के घटक की व्याख्या करें। [2021]

5

भूमि सुधार
(Land Reforms)

5.1 स्वतंत्रता से पहले भूमि अधिकार (Land Rights before Independence)

भारत में, मुगल काल (1765 से पहले) के दौरान, जमींदार या 'राजस्व संग्रहकर्ता' मुगल सम्राट की ओर से राजस्व एकत्र करते थे, जिनके प्रतिनिधि या दीवान उनकी गतिविधियों की निगरानी करते थे। जमींदार एक मध्यस्थ के रूप में कार्य करता था जो कृषक से आर्थिक किराया प्राप्त करता था और अपने खर्चों के लिए एक प्रतिशत रोककर, शेष राशि को राज्य को राजस्व के रूप में उपलब्ध कराता था। मुगल व्यवस्था के तहत, भूमि स्वयं राज्य (लोग, क्षेत्र, सरकार और संप्रभुता) की थी, न कि जमींदार की, जो केवल किराया एकत्र करने का अपना अधिकार हस्तांतरित कर सकता था। बंगाल के नवाबों ने अपने सामंती प्रमुखों के माध्यम से मुगल साम्राज्य के तहत क्षेत्र पर शासन किया।

बादशाह
↑
नवाब/दीवान
↑
जमींदार
(राजस्व संग्राहक)
↑
कृषक

भारत में, ब्रिटिश ईस्ट इंडिया कंपनी का शासन प्लासी की लड़ाई के बाद 1757 से शुरू हुआ, जिसमें बंगाल के नवाब (सिराजुदौला) को कंपनी ने हरा दिया था। बक्सर की लड़ाई ने कंपनी की शक्ति को मजबूत किया और सम्राट शाह आलम द्वितीय को 1765 में बंगाल और बिहार में दीवानी अधिकार (राजस्व एकत्र करने का अधिकार) को त्यागने के लिए मजबूर किया (बाद में कंपनी ने उड़ीसा पर भी दीवानी अधिकारों का प्रयोग करना शुरू कर दिया)।

बंगाल के पहले गवर्नर जनरल वॉरेन हेस्टिंग्स (1772-1785)

प्रथम गवर्नर जनरल वॉरेन हेस्टिंग्स ने पाँच वर्षीय बंदोबस्त की शुरुआत की थी जिसके अनुसार भूमि राजस्व संग्रह का अधिकार अनुबंध के आधार पर पाँच साल के लिए सबसे अधिक बोली लगाने वाले को दिया जाता था। लेकिन इस प्रणाली के साथ समस्या यह थी कि नीलामी के समय नए ठेकेदार, जिन्हें कर वसूली का कोई अनुभव नहीं था, इतनी ऊँची बोली लगाते थे कि वे बोली की राशि शाही खजाने में जमा नहीं कर पाते थे। इससे कंपनी के राजस्व में अस्थिरता आई, जबकि कंपनी के पास पैसे की कमी थी।

यद्यपि जमींदारों और अन्य सट्टेबाजों द्वारा एक-दूसरे के विरुद्ध बोली लगाकर भूमि राजस्व की राशि को बहुत अधिक बढ़ा दिया गया था, लेकिन वास्तविक संग्रह वर्ष दर वर्ष भिन्न होता था और शायद ही कभी आधिकारिक अपेक्षाओं के अनुरूप होता था। इसके अलावा, न तो किसान और न ही जमींदार खेती को बेहतर बनाने के लिए कुछ करते थे, जब उन्हें पता नहीं होता था कि अगले वर्ष का मूल्यांकन क्या होगा या अगले वर्ष का राजस्व संग्रहकर्ता कौन होगा।

बंगाल के गवर्नर जनरल लॉर्ड कॉर्नवालिस (1786 - 1793) और राजस्व प्रशासन का स्थायी बंदोबस्त:

चूँकि हेस्टिंग्स द्वारा शुरू की गई पिछली प्रणाली किसानों और कंपनी दोनों के लिए दोषपूर्ण साबित हुई, इसलिए लॉर्ड कॉर्नवालिस ने 1793 में बंगाल, बिहार और ओडिशा में स्थायी बंदोबस्त की शुरुआत की, जो भारत में तब तक जारी रहा जब तक भारत को अपनी स्वतंत्रता नहीं मिल गई। इसका मुख्य उद्देश्य राजस्व प्रणाली को स्थिरता प्रदान करना था। उन्होंने पिछले अभिलेखों का विस्तृत सर्वेक्षण किया और पिछले 10 वर्षों के आधार पर, उन्होंने तय किया कि पूरी भूमि से कितना राजस्व एकत्र किया जा सकता है और भविष्य के वर्षों के लिए एकत्र की जाने वाली राशि तय की।

विशेषताएँ:

- कॉर्नवालिस के कार्यकाल की शुरुआत से पहले, जमींदारों को भूमि का मालिक नहीं माना जाता था। स्थायी बंदोबस्त के द्वारा, किसानों के स्थान पर जमींदारों को भूमि का मालिक मान लिया गया। राजस्व किसानों के बजाय जमींदारों से वसूला जाने लगा।
- जमींदारों और राजस्व संग्रहकर्ताओं को भू-स्वामियों में बदल दिया गया। उन्हें न केवल किसानों से भूमि राजस्व एकत्र करने में सरकार के एजेंट के रूप में कार्य करना था, बल्कि अपनी जमींदारी में पूरी भूमि का मालिक भी बनना था। उनके स्वामित्व के अधिकार को वंशानुगत और हस्तांतरणीय बना दिया गया।

रैयतवारी बंदोबस्त:

रैयतवारी बंदोबस्त की शुरुआत थॉमस मुनरो और अलेक्जेंडर रीड ने 1820 में बॉम्बे और मद्रास प्रेसिडेंसियों में की थी। इन क्षेत्रों में, कोई जमींदार नहीं थे और भूमि राजस्व बंदोबस्त सीधे किसानों के साथ किया जाता था, जिन्हें रैयत कहा जाता था, इस प्रकार कोई मध्यस्थ शामिल नहीं थे।

विशेषताएँ:

- भूमि राजस्व की माँग राज्य द्वारा तय की जाती थी जो बहुत अधिक थी।
- कृषक या रैयत को भूमि का स्वामी माना जाता था। प्रत्येक किसान को सरकार द्वारा एक 'पट्टा' दिया जाता था जो रैयत/किसान के स्वामित्व अधिकार की पुष्टि करने वाला एक दस्तावेज होता था।
- जबकि सिद्धांत रूप में, रैयतवारी वास्तविक भूमि स्वामियों को अधिकार प्रदान करता था, वास्तव में, वास्तविक कृषक अक्सर मालिक से अलग होता था।
- रैयतवारी बंदोबस्त स्थायी नहीं था और 20 से 30 वर्षों के बाद समय-समय पर संशोधित किया जाता था।
- सरकार ने इच्छानुसार भूमि राजस्व बढ़ाने का अधिकार बरकरार रखा।

महालवारी व्यवस्था:

महालवारी व्यवस्था जमींदारी बंदोबस्त का संशोधित संस्करण थी और इसे गंगा घाटी, उत्तर-पश्चिमी प्रांतों, मध्य भारत के कुछ हिस्सों और पंजाब में शुरू किया गया था। राजस्व बंदोबस्त गाँव (जिन्हें एस्टेट या महल कहा जाता था) स्तर पर किया जाना था, यानी गाँव सामूहिक रूप से राज्य को राजस्व का भुगतान करता था।

सभी लागू प्रणालियों में यह तथ्य समान था कि अंग्रेजों ने भारत में किसानों के भूमि अधिकारों को अनुचित रूप से विकृत किया था। उन्होंने भूमि का वैज्ञानिक सर्वेक्षण पूरा किया और मालिकों के अधिकारों को अपने राजस्व अभिलेखों में दर्ज किया, जबकि वास्तविक कृषकों, बटाईदारों, किरायेदारों और पट्टेदारों के अधिकारों को दर्ज नहीं किया। ब्रिटिश शासन के दौरान, राजस्व एकत्र करने के लिए मालिक की भूमि को जब्त किया जा सकता था और बेचा जा सकता था, और खरीदार भूमि पर उचित स्वामित्व प्राप्त कर सकता था।

5.2 स्वतंत्रता के बाद भूमि सुधार (Land Reforms Post-Independence)

'भूमि' एक राज्य का विषय है और भूमि अभिलेख प्रबंधन की प्रणाली उनके ऐतिहासिक विकास और स्थानीय परंपराओं के आधार पर राज्य से राज्य में भिन्न होती है, अक्सर एक राज्य के भीतर भी, अधिकांश राज्यों में भूमि अभिलेखों के प्रबंधन में कई विभाग शामिल होते हैं, और नागरिकों को संपूर्ण भूमि अभिलेखों के लिए तीन से चार या उससे भी अधिक एजेंसियों से संपर्क करना पड़ता है, जैसे, पाठ्य

अभिलेखों और म्यूटेशन के लिए राजस्व विभाग; मानचित्रों के लिए सर्वेक्षण और बंदोबस्त (या चकबंदी) विभाग; भारों के सत्यापन और हस्तांतरण, बंधक आदि के पंजीकरण के लिए पंजीकरण विभाग; पंचायतें (कुछ राज्यों में, म्यूटेशन के लिए) और नगर निगम के अधिकारी (शहरी भूमि अभिलेखों के लिए), जिसके कारण समय की बर्बादी, किराया मांगने और उत्पीड़न का जोखिम होता है।

भूमि सुधार का अर्थ आमतौर पर अमीर से गरीब को भूमि का पुनर्वितरण होता है। अधिक व्यापक रूप से, इसमें भूमि के स्वामित्व, संचालन, पट्टे, बिक्री और विरासत का विनियमन शामिल है। भारत जैसी कृषि अर्थव्यवस्था में भूमि की भारी कमी और असमान वितरण के साथ-साथ गरीबी रेखा से नीचे की ग्रामीण आबादी के बड़े हिस्से में भूमि सुधार के लिए आकर्षक आर्थिक और राजनीतिक तर्क हैं। स्वतंत्रता के समय, भूमि का स्वामित्व कुछ लोगों के हाथों में केंद्रित था। इससे किसानों का शोषण हुआ और ग्रामीण आबादी के सामाजिक-आर्थिक विकास में बड़ी बाधा उत्पन्न हुई। इसलिए भूमि का समान वितरण स्वतंत्र भारत की सरकार का मुख्य ध्यान केंद्रित करने वाला क्षेत्र था और भूमि सुधारों को एक मजबूत और समृद्ध देश के महत्वपूर्ण स्तंभ के रूप में देखा गया। आश्चर्य की बात नहीं है कि स्वतंत्रता के समय नीतिगत एजेंडे में इसे सर्वोच्च प्राथमिकता मिली। स्वतंत्रता के बाद के दशकों में, भारत ने भूमि सुधार कानून का एक महत्वपूर्ण निकाय पारित किया। 1949 के संविधान ने भूमि और किरायेदारी सुधारों को अपनाने और लागू करने का काम राज्य सरकारों पर छोड़ दिया। इससे राज्यों और समय के साथ इन सुधारों के कार्यान्वयन में बहुत भिन्नता आई।

स्वतंत्रता के बाद भारत में शुरू किए गए प्रमुख भूमि सुधार निम्नलिखित हैं:

1. बिचौलियों-जमींदारों, जागीरदारों आदि का उन्मूलन

बिचौलियों के उन्मूलन का मुख्य उद्देश्य किसानों को सरकार के साथ सीधे जोड़ना था। 1949 तक, कई प्रांतों में जमींदारी उन्मूलन विधेयक पेश किए गए, जिनमें से कई अन्य के लिए यूपी जमींदारी उन्मूलन समिति की रिपोर्ट प्रारंभिक मॉडल के रूप में काम कर रही थी। देश के विभिन्न हिस्सों में जमींदारों ने अदालतों का रुख किया और जमींदारी उन्मूलन की अनुमति देने वाले कानून की संवैधानिकता को चुनौती दी और संपत्ति के अधिकार के उल्लंघन और मुआवजे देने में अन्याय जैसे मुद्दे उठाए। सरकार ने संवैधानिक संशोधन (पहला, चौथा और सत्रहवाँ) पारित करवाकर और किसी भी मौलिक अधिकार के उल्लंघन या मुआवजे की अपर्याप्तता के सवाल को अदालतों में स्वीकार्य न बनाकर राज्य विधानसभाओं के हाथ मजबूत करके जवाब दिया।

यह देखते हुए कि पूरी प्रक्रिया एक लोकतांत्रिक ढाँचे में हुई, जिसमें वस्तुतः कोई जबरदस्ती या हिंसा का इस्तेमाल नहीं किया गया, यह उल्लेखनीय रूप से कम समय में पूरी हो गई और अधिकांश प्रांतों ने 1956 तक जमींदारी उन्मूलन अधिनियम पारित कर दिए। इसका आंशिक कारण यह था कि जमींदारी एक वर्ग के रूप में राष्ट्रीय आंदोलन के दौरान ही सामाजिक रूप से अलग-थलग पड़ गए थे क्योंकि उन्हें साम्राज्यवादी खेमे का हिस्सा माना जाता था। जमींदारी उन्मूलन काफी सफल रहा और लगभग दो करोड़ पूर्व काश्तकार भूस्वामी बन गये।

जमींदारी उन्मूलन अधिनियमों को लागू करने में एक बड़ी कठिनाई पर्याप्त भूमि अभिलेखों की अनुपस्थिति थी। जमींदारी उन्मूलन से संबंधित कुछ धाराओं को जिस तरह से लागू किया गया था, उसमें सबसे बड़ी कमजोरी यह थी कि देश के विभिन्न हिस्सों में जमींदारों को ऐसी भूमि रखने की अनुमति दी गई थी, जिसे उनकी 'व्यक्तिगत खेती' के तहत घोषित किया गया था। 'व्यक्तिगत खेती' क्या होती है, इसकी परिभाषा बहुत ही ढीली थी, जिससे न केवल वे लोग जो मिट्टी जोतते थे, बल्कि वे लोग भी जो व्यक्तिगत रूप से या किसी रिश्तेदार के माध्यम से भूमि की देखरेख करते थे या भूमि को पूंजी और ऋण प्रदान करते थे, खुद को कृषक कहलाने लगे। जमींदारों की 'व्यक्तिगत खेती' के तहत घोषित की जा सकने वाली भूमि के आकार पर कोई सीमा नहीं थी।

2. काश्तकारी सुधार

जमींदारी और रैयतवारी प्रणालियों के तहत, भारत में काश्तकारी खेती काफी आम थी। काश्तकारों की मोटे तौर पर तीन श्रेणियां थीं:

- काश्तकार-भूमि पर स्थायी और विरासत में मिलने वाले अधिकारों का आनंद लेते थे। उन्हें भूमि पर

स्वामित्व की सुरक्षा प्राप्त थी और वे भूमि पर किसी भी सुधार के लिए जमींदारों से मुआवजा माँग सकते थे।

- इच्छानुसार किरायेदार - उन्हें भूमि पर स्वामित्व की सुरक्षा प्राप्त नहीं थी, उन्हें जमींदारों को अत्यधिक किराया देना पड़ता था और जब भी जमींदार चाहे उन्हें भूमि से बेदखल किया जा सकता था।
- उप-किरायेदार-अधिभोगी किरायेदारों द्वारा नियुक्त किए जाते थे।

किरायेदारी सुधार 1950 और 60 के दशक में शुरू किए गए थे और सुधारों के मुख्य उद्देश्य थे:

- उन **किरायेदारों को भूमि पर स्वामित्व की सुरक्षा** की गारंटी देना जिन्होंने एक निश्चित संख्या में वर्षों तक, जैसे कि छह साल तक लगातार भूमि पर खेती की हो -इसमें सीमित सफलता ही मिली।
- काश्तकारों द्वारा भुगतान किए जाने वाले किराए को उचित स्तर पर कम करने की माँग करना, जिसे आमतौर पर पट्टे पर दी गई भूमि की सकल उपज के मूल्य का एक-चौथाई से एक-छठा हिस्सा माना जाता था - केवल काश्तकारों का ऊपरी वर्ग, जिसके पास अधिभोग अधिकार सुरक्षित थे और जो अक्सर भूस्वामी से अलग नहीं होते थे, किराए की कानूनी दरों के भुगतान को लागू करने में सक्षम थे।
- काश्तकार को कुछ प्रतिबंधों के अधीन अपनी खेती की भूमि के स्वामित्व का अधिकार प्राप्त करना चाहिए - जो केवल आंशिक रूप से प्राप्त होता है।

कई राज्यों में शुरू किए गए काश्तकारी सुधारों ने काश्तकारी को भूमिगत कर दिया, यानी यह एक गुप्त रूप में जारी रहा। काश्तकारों को अब 'खेत सेवक' कहा जाने लगा, हालांकि वे बिल्कुल उसी स्थिति में बने रहे। भूमि सुधार के शुरुआती वर्षों में, काश्तकारों को अक्सर बटाईदारों में बदल दिया जाता था, क्योंकि आश्चर्यजनक रूप से बाद वाले को काश्तकार नहीं माना जाता था और इसलिए उत्तर प्रदेश जैसे कुछ राज्यों में मौजूदा काश्तकारी कानून के तहत उन्हें संरक्षण नहीं दिया जाता था। केवल नकद किराया देने वालों को ही काश्तकार माना जाता था, न कि उन लोगों को जो निश्चित उपज का किराया देते थे या जो कुल उपज का एक हिस्सा किराए के रूप में देते थे, यानी बटाईदार। शायद, काश्तकारों की असुरक्षा में सबसे ज्यादा योगदान इस तथ्य का था कि ज्यादातर काश्तकारियाँ मौखिक और अनौपचारिक थीं, यानी उन्हें रिकॉर्ड नहीं किया जाता था और इसलिए काश्तकार अपने पक्ष में कानून से लाभ नहीं उठा सकते थे।

3. भूमि जोत के आकार और उसके वितरण की अधिकतम सीमाएँ

भूमि अधिकतम सीमा अधिनियम भूमि के आकार को परिभाषित करता है जो एक व्यक्ति/परिवार के पास हो सकता है। अधिकतम सीमा कानून का मुख्य उद्देश्य अधिशेष भूमि को भूमिहीनों में पुनर्वितरित करना था ताकि भूमि वितरण को और अधिक न्यायसंगत बनाया जा सके।

1960 के दशक की शुरुआत में सभी राज्य सरकारों ने भूमि अधिकतम सीमा अधिनियम पारित कर दिए थे, लेकिन 1970 तक ज्यादातर बड़े राज्यों में एक भी एकड़ जमीन अतिरिक्त घोषित नहीं की गई थी। अधिनियम के तहत तय की गई अधिकतम सीमाएँ हर राज्य में अलग-अलग थीं। राज्यों में एकरूपता लाने के लिए 1971 में एक नई भूमि सीलिंग नीति विकसित की गई। 1972 में राष्ट्रीय दिशा-निर्देश जारी किए गए, जिनमें सर्वोत्तम भूमि के लिए 10-18 एकड़, द्वितीय श्रेणी की भूमि के लिए 18-27 एकड़ तथा शेष के लिए 27-54 एकड़ की सीमा निर्धारित की गई, जिसमें पहाड़ी और रेगिस्तानी क्षेत्रों में थोड़ी अधिक सीमा निर्धारित की गई।

सीलिंग सुधार को आंशिक सफलता ही मिली क्योंकि सीलिंग विधान की एक बड़ी कमजोरी यह थी कि चाय, कॉफी और रबर के बागानों, बगीचों, चीनी मिलों द्वारा संचालित विशेषीकृत खेतों और कुशलतापूर्वक प्रबंधित खेतों, जिन पर भारी निवेश किया गया था, के लिए सीलिंग सीमाओं में बड़ी संख्या में छूट दी गई थी। धार्मिक और धर्मार्थ संस्थानों के लिए छूट, बेनामी हस्तांतरण, भूमि के कामों में जालसाजी, न्यायिक हस्तक्षेप, सीलिंग कानूनों में खामियां, भूमि रिकॉर्ड की अनुपलब्धता, अकुशल प्रशासन और राजनीतिक इच्छा शक्ति की कमी आदि जैसे कई अन्य कारक भूमि सीलिंग की विफलता के लिए जिम्मेदार हैं। इसके अलावा, आमतौर पर अधिशेष भूमि की खराब गुणवत्ता और इन जमीनों को

खेती के तहत लाने के लिए वित्तीय और संस्थागत समर्थन की कमी भी सीलिंग सुधार के कार्यान्वयन में एक प्रमुख मुद्दा था।

हालाँकि भूमि सीमा से कृषि में पैमाने की अर्थव्यवस्थाओं को प्राप्त करने में बाधा उत्पन्न होगी भूमि के अधिक समान वितरण से किसानों (व्यवसायी) के बीच अधिक प्रतिस्पर्धा होगी, जिसके परिणामस्वरूप अंततः कृषि उपज की कीमतें कम होंगी, जिसका लाभ देश के सभी उपभोक्ताओं को मिलेगा।

4. भूमि जोतों का एकीकरण:

भूमि जोतों के एकीकरण का अर्थ है, पूरे गाँव में फैले किसान की विभिन्न छोटी-छोटी भूमि को एक साथ लाना, या तो खरीदकर या दूसरों के साथ भूमि के आदान-प्रदान के माध्यम से। भारत में जोतों का औसत आकार बहुत छोटा है। जोतों का आकार घट रहा है, लेकिन समय के साथ जोतों की संख्या बढ़ रही है। यह उत्तराधिकार कानूनों के कारण है, जिसके कारण हर पीढ़ी के साथ खेतों का विभाजन और विखंडन हो रहा है। जोतों के विभाजन और विखंडन से कई नुकसान होते हैं, जैसे भूमि की बर्बादी, भूमि प्रबंधन में कठिनाइयाँ, नई तकनीक को अपनाने में कठिनाई, सीमाओं पर विवाद, कम उत्पादकता आदि।

जोतों के अनिवार्य एकीकरण के लिए कानून 1947 में बॉम्बे में, 1948 में पंजाब में और 1953 में उत्तर प्रदेश में बनाया गया था। केरल और मद्रास को छोड़कर अन्य प्रांतों में भी इसी तरह के प्रावधान किए गए। 1964-65 तक कुल 55 मिलियन एकड़ क्षेत्र को समेकित किया गया। सबसे अधिक लाभ किसानों के उच्च वर्ग को हुआ, जिनके लिए इसने पूँजीवादी खेती की ओर कदम बढ़ाने में मदद की।

समेकन कार्यक्रम के त्वरित कार्यान्वयन में कई बाधाएँ थीं। बाढ़ और अन्य प्राकृतिक आपदाओं या अधिग्रहण की स्थिति में भूमि के टुकड़ों में होने के कथित लाभ, भूमि समेकन की जटिल प्रक्रिया, भूमि की गुणवत्ता में व्यापक भिन्नता, लागू करने वाली मशीनरी की कमी, राजनीतिक इच्छाशक्ति की कमी आदि के कारण किसानों की ओर से खराब प्रतिक्रिया थी।

भूमि सुधारों का प्रभाव

- कुल मिलाकर काश्तकारी सुधारों के कारण असम, पश्चिम बंगाल, केरल, तमिलनाडु और गुजरात में एक करोड़ से अधिक काश्तकारों को स्वामित्व का अधिकार मिला।
- पश्चिम बंगाल में लागू किए गए भूमि सुधार कानूनों से 10 लाख से अधिक व्यक्ति लाभार्थी बने (उन्हें अतिरिक्त भूमि वितरित की गई)।
- जमींदारों को अपनी जमीनों में कोई व्यक्तिगत रुचि नहीं थी और वे भूमि सुधार पर निवेश करने में भी रुचि नहीं लेते थे। लेकिन जब वही जमीन वास्तविक किसानों के हाथों में चली गई, तो उन्होंने निवेश किया और लाभ को कई गुना बढ़ा दिया।
- वास्तविक किसानों को जमीन का वितरण 'जमीन को सोने में बदलने' के लिए एक अमूर्त प्रोत्साहन प्रदान करता है, जिससे अंततः कृषि की उत्पादकता में सुधार होता है।
- इससे भूमिहीनों और किरायेदारों की सामाजिक स्थिति में सुधार हुआ।

5.3 भूमि अधिग्रहण अधिनियम 2013 (Land Acquisition Act, 2013)

(भूमि अधिग्रहण, पुनर्वास और पुनर्स्थापन में उचित मुआवजा और पारदर्शिता का अधिकार अधिनियम 2013)

परिचय

भारत के संविधान के तहत, "**भूमि**" राज्य सूची में आती है जबकि "**भूमि अधिग्रहण**" **समवर्ती सूची** में आता है, जो केंद्र और राज्यों को इस मामले पर कानून बनाने का अधिकार देता है। लेकिन राज्यों को केंद्रीय विधानों के अनुरूप अपने कानून बनाने होते हैं और किसी भी विवाद की स्थिति में; केंद्रीय कानून राज्य के कानून पर हावी होता है।

मूल भूमि अधिग्रहण अधिनियम 1894 एक औपनिवेशिक कानून था जिसे मुख्य रूप से रेलवे लाइन बिछाने और अन्य

ऐसे निर्माण कार्यों के लिए निजी भूमि का अधिग्रहण करने के लिए अंग्रेजों द्वारा अधिनियमित किया गया था। जब भारत को अपनी स्वतंत्रता मिली, तब यह अधिनियम लागू रहा और सरकार द्वारा 31 दिसंबर 2013 तक कुछ संशोधनों के साथ इसका उपयोग किया जा रहा था। अधिनियम के साथ निम्नलिखित प्रमुख मुद्दे थे:

- भूमि अधिग्रहण अधिनियम 1894, हाल ही में, सभी संबंधित पक्षों द्वारा महसूस किया गया कि यह भूमि मालिकों/भूमि में रुचि रखने वाले व्यक्तियों के हितों की पर्याप्त रूप से रक्षा नहीं करता है।
- अधिनियम में अपनी भूमि से विस्थापित व्यक्तियों के पुनर्वास का प्रावधान नहीं किया गया था, हालांकि इस तरह के अनिवार्य अधिग्रहण से उनकी आजीविका प्रभावित होती है।
- 1894 अधिनियम के अनुसार भूमि मालिकों को दिया जाने वाला मुआवजा भूमि के वास्तविक बाज़ार मूल्य से काफी कम हुआ करता था।
- यह उभरती हुई आवश्यकताओं को पूरा नहीं करता था और धीरे-धीरे, इसके कारण होने वाले अन्याय ने समाज में प्रतिरोध उत्पन्न करना शुरू कर दिया, जिसके कारण सिंगुर में टाटा मोटर्स की छोटी कार परियोजना सहित कई परियोजनाओं को छोड़ना पड़ा।
- कम से कम यह कहा जा सकता है कि यह अधिनियम पुराना हो चुका था (120 वर्ष पुराना) और इसे संवैधानिक प्रावधानों, विशेष रूप से संविधान के अनुच्छेद 300 ए के अनुरूप निष्पक्ष, उचित और तर्कसंगत अधिनियम द्वारा प्रतिस्थापित किया जाना चाहिए।

जब हमने स्वतंत्रता के बाद संविधान को अपनाया, तो संपत्ति का अधिकार एक मौलिक अधिकार था। वर्ष 1978 में, 44वें संविधान संशोधन ने मौलिक अधिकार के रूप में संपत्ति अर्जित करने, रखने और निपटाने के अधिकार को समाप्त कर दिया (अनुच्छेद 31 को निरस्त कर दिया गया और अनुच्छेद 19 में संशोधन किया गया)। हालाँकि, संविधान के दूसरे भाग में, अनुच्छेद 300 (ए) को इस बात की पुष्टि करने के लिए जोड़ा गया था कि किसी भी व्यक्ति को कानून के अधिकार के अलावा उसकी संपत्ति से वंचित नहीं किया जाएगा। अनिवार्य अधिग्रहण की इस शक्ति को 'प्रमुख डोमेन' (eminent domain) शब्द से वर्णित किया गया है। यह वह शक्ति है जो सरकार के पास किसी व्यक्ति की संपत्ति को उस व्यक्ति की पूर्ण सहमति के बिना भी प्राप्त करने की होती है। यह सरकार को सार्वजनिक उद्यमों जैसे कि सड़क, स्कूल या उपयोगिताओं में उपयोग के लिए भूमि को जब्त करने की अनुमति देता है और भूमि मालिक को उचित बाजार मूल्य पर भूमि का मुआवजा मिलता है। सरकार भूमि के सभी बलपूर्वक अधिग्रहण के लिए इस प्रमुख डोमेन शक्ति का उपयोग करती है। इसलिए अब, संपत्ति का अधिकार केवल एक संवैधानिक या वैधानिक अधिकार है।

भूमि अधिग्रहण, पुनर्वास और पुनर्स्थापन में उचित मुआवजा और पारदर्शिता का अधिकार अधिनियम 2013 (संक्षेप में 'एलए अधिनियम 2013'): एलए अधिनियम 2013 सितंबर 2013 में पारित किया गया था और 1 जनवरी 2014 को लागू हुआ था। एलए अधिनियम 2013 का उपयोग केवल सार्वजनिक उद्देश्य परियोजनाओं के लिए भूमि अधिग्रहण के लिए किया जा सकता है। परियोजनाओं की निम्नलिखित श्रेणी सार्वजनिक उद्देश्य परियोजनाओं के अंतर्गत आती है:

- नौसेना, सेना, वायु सेना सहित केंद्रीय अर्धसैनिक बलों या राष्ट्रीय सुरक्षा या पीएसयू की परियोजनाओं के लिए महत्वपूर्ण किसी भी कार्य से संबंधित रणनीतिक उद्देश्यों के लिए परियोजनाएँ।
- रेलवे, राजमार्ग, सड़क, बंदरगाह, बिजली संयंत्र, औद्योगिक गलियारे, खनन, कृषि प्रसंस्करण, गोदाम जैसी बुनियादी संरचना के लिए परियोजनाएँ।
- निजी अस्पतालों, निजी शैक्षणिक संस्थानों और निजी होटलों को छोड़कर सरकारी सहायता प्राप्त या प्रशासित शैक्षणिक और अनुसंधान संस्थान।
- परियोजना प्रभावित परिवारों के लिए परियोजनाएँ।
- गरीबों और भूमिहीनों आदि के लिए आवासीय उद्देश्यों के लिए।

प्रयोज्यता (Applicability)

भूमि अधिग्रहण (LA) अधिनियम 2013 निम्नलिखित स्थितियों में लागू होता है:

- जब उपयुक्त (केंद्र या राज्य) सरकार सार्वजनिक उद्देश्य के लिए अपने स्वयं के उपयोग, धारण और नियंत्रण (पीएसयू सहित) के लिए भूमि का अधिग्रहण करती है (कोई सहमति की आवश्यकता नहीं है)।
- जब उपयुक्त सरकार सार्वजनिक निजी भागीदारी (पीपीपी) परियोजनाओं (भूमि का स्वामित्व सरकार के पास है) के लिए सार्वजनिक उद्देश्य के लिए भूमि का अधिग्रहण करती है, इस शर्त पर कि कम से कम 70% प्रभावित परिवारों (भूमि के मालिकों) की पूर्व सहमति प्राप्त की गई है।
- जब सरकार सार्वजनिक उद्देश्य के लिए निजी कंपनियों के लिए इस शर्त पर भूमि अधिग्रहित करती है कि कम से कम 80% प्रभावित परिवारों (भूमि के मालिकों) की पूर्व सहमति प्राप्त कर ली गई हो।

मुख्य विशेषताएँ:

भूमि अधिग्रहण अधिनियम 2013 की कुछ महत्वपूर्ण विशेषताएँ निम्नलिखित हैं:

(i) **मुआवजा:** यह शहरी भूमि के मामले में भूमि और अचल संपत्ति के बाजार मूल्य को 1 के कारक से गुणा करने और ग्रामीण भूमि के मामले में 2 से गुणा करने के बराबर है। यदि भूमि शहरी और ग्रामीण क्षेत्र के बीच है, तो शहरी क्षेत्र से परियोजना की दूरी के आधार पर गुणन कारक 1 और 2 के बीच होगा।

उपर्युक्त के अलावा, उपरोक्त मुआवजे के 100% के बराबर एक 'सोलटियम' (**भावनात्मक लगाव के लिए मुआवजा**) भी दिया जाएगा। इसलिए, कुल मुआवजा शहरी क्षेत्र के लिए बाजार मूल्य से दोगुना और ग्रामीण क्षेत्र के लिए बाजार मूल्य से चार गुना है।

(ii) **अधिनियम असाधारण परिस्थितियों को छोड़कर सिंचित बहु-फसल भूमि के अधिग्रहण पर रोक** लगाता है। यह प्रतिबंध उन परियोजनाओं पर लागू नहीं होता है जो सड़कों, सिंचाई नहरों, रेलवे और बिजली लाइनों जैसी प्रकृति में रैखिक (linear) हैं। बहु-फसलीय सिंचित भूमि को असाधारण परिस्थितियों में अंतिम विकल्प के रूप में अधिग्रहित किया जा सकता है और उस स्थिति में, अधिनियम राज्य सरकारों को बहु-फसलीय भूमि के अधिग्रहण, कृषि भूमि के अधिग्रहण और निजी खरीद की सीमा तय करने का अधिकार देता है।

(iii) सामाजिक प्रभाव आकलन (एसआईए): जब भी सरकार भूमि अधिग्रहण करने का इरादा रखती है, तो उसे प्रभावित क्षेत्र में पंचायत, नगरपालिका से परामर्श करना चाहिए और उनके परामर्श से एसआईए अध्ययन करना चाहिए और रिपोर्ट आम जनता को उपलब्ध करानी चाहिए। एसआईए रिपोर्ट में निम्नलिखित शामिल होंगे:

- क्या प्रस्तावित अधिग्रहण सार्वजनिक उद्देश्य की पूर्ति करता है।
- प्रभावित और विस्थापित परिवारों का आकलन।
- प्रभावित होने वाली भूमि, मकान, बस्तियों और अन्य आम संपत्तियों की सीमा।
- क्या अधिग्रहण के लिए प्रस्तावित भूमि की सीमा बिल्कुल न्यूनतम है।
- क्या वैकल्पिक स्थान पर भूमि अधिग्रहण पर विचार किया गया है और उसे व्यवहार्य नहीं पाया गया है।
- परियोजना के सामाजिक प्रभावों, इसकी लागत और परियोजना के लाभों के साथ-साथ परियोजना की समग्र लागत का अध्ययन।

सहमति प्राप्त करने की प्रक्रिया SIA अध्ययन के साथ-साथ की जाएगी।

(iv) **पुनर्वास और पुनर्स्थापन (आर एंड आर):** परियोजना से प्रभावित परिवारों को उपरोक्त बिंदु (i) में उल्लिखित मुआवजे के अतिरिक्त निम्नलिखित प्रदान किया जाएगा:

- नौकरी (जहाँ नौकरी सृजित की जाती है) या प्रति प्रभावित परिवार पाँच लाख का एकमुश्त भुगतान या 20 वर्षों के लिए 2000 रुपये (सीपीआई से जुड़ा हुआ) का मासिक भुगतान।
- प्रत्येक प्रभावित परिवार के लिए 50,000 रुपये का एकमुश्त "पुनर्स्थापन भत्ता"।
- प्रत्येक प्रभावित परिवार को एक वर्ष के लिए 3000 रुपये का मासिक निर्वाह भत्ता मिलेगा।

- विस्थापन की स्थिति में, यदि कोई घर नष्ट हो जाता है, तो व्यक्ति को निर्मित घर प्रदान किया जाना चाहिए।

टिप्पणी: नए भूमि अधिग्रहण अधिनियम 2013 में भूमि अधिग्रहण प्रक्रिया को सुव्यवस्थित करने, अधिक पारदर्शिता लाने और भूमि मालिकों के मुआवजे और पुनर्वास के अधिकारों की रक्षा करने की माँग की गई है। औद्योगिक विकास को बढ़ावा देने और भूमि स्वामियों के अधिकारों को सुनिश्चित करने के बीच संतुलन हासिल करने के लिए, नया भूमि अधिग्रहण अधिनियम 2013 भूमि स्वामियों के अधिकारों की सुरक्षा की ओर झुका हुआ है। और परियोजना प्रभावित परिवारों के 70% से 80% की सहमति प्राप्त करना बढ़ती जनसंख्या घनत्व के समय में वास्तव में चुनौतीपूर्ण है।

5.4 मॉडल कृषि भूमि पट्टा अधिनियम 2016 (Model Agricultural Land Leasing Act, 2016)

भारतीय राज्यों में ग्रामीण कृषि भूमि से संबंधित भूमि पट्टा कानून स्वतंत्रता के तुरंत बाद के दशकों के दौरान लागू किए गए थे। उस समय, जमींदारी उन्मूलन और जोतने वाले को भूमि का पुनर्वितरण सर्वोच्च नीतिगत प्राथमिकताएँ थीं। उस समय के शीर्ष नेतृत्व ने काश्तकारी और उप-काश्तकारी को सामंती भूमि व्यवस्था का अभिन्न अंग माना जो भारत को अंग्रेजों से विरासत में मिली थी। इसलिए, विभिन्न राज्यों द्वारा अपनाए गए काश्तकारी सुधार कानूनों ने न केवल काश्तकारों को स्वामित्व अधिकार हस्तांतरित करने का प्रयास किया, बल्कि भूमि के पट्टे और उप-पट्टे पर देने पर भी रोक लगाई या उसे बहुत हतोत्साहित किया। हालाँकि, राजनीतिक रूप से प्रभावशाली भूस्वामी इस सुधार को विफल करने में सफल रहे और 1992 तक केवल 4% कृषि योग्य भूमि पर ही स्वामित्व अधिकार कृषकों को हस्तांतरित किया गया।

खेती करने वाले को स्वामित्व हस्तांतरित करने के लिए मजबूर करने की कोशिश में, कई राज्यों ने काश्तकारी को पूरी तरह से समाप्त कर दिया। लेकिन न्यूनतम भूमि हस्तांतरण के परिणामस्वरूप, नीति का अनपेक्षित परिणाम यह हुआ कि काश्तकारों को मिलने वाली किसी भी सुरक्षा को समाप्त कर दिया गया और भावी काश्तकारों को भूमिगत होने के लिए मजबूर होना पड़ा। कुछ राज्यों ने काश्तकारी की अनुमति दी, लेकिन उपज के एक-चौथाई से एक-पाँचवें हिस्से पर भूमि किराए की सीमा लगा दी। लेकिन चूँकि यह किराया बाजार दर से काफी कम था, इसलिए इन राज्यों में अनुबंध मौखिक हो गए, जिसमें काश्तकार उपज का लगभग 50% किराए के रूप में चुकाता था।

तेलंगाना, बिहार, कर्नाटक, मध्य प्रदेश और उत्तर प्रदेश सहित कई बड़े राज्यों ने विधवाओं, नाबालिगों, विकलांगों और रक्षाकर्मियों जैसे भूस्वामियों को दिए गए अपवादों के साथ भूमि पट्टे पर प्रतिबंध लगा दिया है। पंजाब, हरियाणा, गुजरात, महाराष्ट्र और असम सहित कुछ राज्य पट्टे पर प्रतिबंध नहीं लगाते हैं, लेकिन काश्तकार काश्तकारी की एक निर्दिष्ट अवधि के बाद मालिक से पट्टे पर दी गई भूमि को खरीदने का अधिकार प्राप्त करता है। इस प्रावधान का भी काश्तकारी समझौतों को मौखिक बनाने का प्रभाव है, जिससे काश्तकार असुरक्षित हो जाता है। केवल आंध्र प्रदेश, तमिलनाडु, राजस्थान और पश्चिम बंगाल के राज्यों में उदार पट्टेदारी कानून हैं, जिनमें से अंतिम कानून में पट्टेदारी को केवल बटाईदारों तक सीमित किया गया है। राजस्थान और तमिलनाडु सहित कई राज्यों में, जहाँ अन्य उदार पट्टेदारी कानून हैं, बटाईदारों को किरायेदार के रूप में मान्यता नहीं देते हैं।

प्रतिबंधात्मक पट्टेदारी कानूनों का मूल उद्देश्य अब कोई प्रासंगिकता नहीं रखता है। आज, इन प्रतिबंधों का न केवल उस पट्टेदार पर हानिकारक प्रभाव पड़ता है, जिसके संरक्षण के लिए मूल रूप से कानून बनाए गए थे, बल्कि भूस्वामी और सार्वजनिक नीति के कार्यान्वयन पर भी इसका प्रभाव पड़ता है। पट्टेदार के पास उस पट्टेदार की सुरक्षा का अभाव है, जो उसे तब मिलती, जब कानून उसे और भूस्वामी को पारदर्शी अनुबंध लिखने की अनुमति देता। बदले में, यह पट्टेदार को भूमि में दीर्घकालिक निवेश करने से हतोत्साहित करता है और उसे खेती के अधिकार को बनाए रखने के बारे में हमेशा असुरक्षित महसूस कराता है। इसके अलावा, यह उसे कृषक होने के कारण ऋण तक संभावित पहुँच से वंचित करता है। भूमि स्वामी को भूमि पट्टे पर देते समय भी

असुरक्षा की भावना महसूस होती है, क्योंकि कई लोग भूमि को बंजर छोड़ना पसंद करते हैं। बाद की प्रथा भूस्वामियों और उनके बच्चों के बीच गैर-कृषि रोजगार की तलाश में तेजी से प्रचलित हो रही है।

इन बातों को ध्यान में रखते हुए, केंद्र सरकार ने अप्रैल 2016 में नीति आयोग के तहत एक विशेषज्ञ पैनल द्वारा भूमि पट्टे पर देने के लिए एक मॉडल अधिनियम का मसौदा तैयार करवाया और इसे लागू करने के लिए राज्यों को भेज दिया है। यह भूमि मालिकों के अधिकारों को सुरक्षित करता है, जबकि काश्तकारों को बीमा, ऋण और फसल क्षति के लिए मुआवजे जैसी सुविधाओं तक पहुँच प्रदान करता है। **मॉडल कानून** के पीछे का विचार मालिकों को बिना किसी डर के कृषि भूमि काश्तकारों को पट्टे पर देने की अनुमति देना है। इससे काश्तकारों को भूमि के सुधार में निवेश करने के लिए प्रोत्साहन मिलेगा, भूमि मालिक भी काश्तकारों को भूमि खोने के डर के बिना पट्टे पर भूमि दे सकेंगे और सरकार अपनी नीतियों को कुशलतापूर्वक लागू कर सकेगी। यह अप्रयुक्त भूमि का उत्पादक रूप से उपयोग करने की अनुमति देगा, और काश्तकारों को भूमि में निवेश करने और ऋण और बीमा प्राप्त करने में सक्षम करेगा। अनुमानों के अनुसार, लगभग 18% भूमि जोत और 13% खेती योग्य क्षेत्र का प्रबंधन काश्तकारों द्वारा किया जाता है।

मॉडल अधिनियम 2016 की महत्वपूर्ण विशेषताएँ:

- मॉडल कानून यह अनुमति देता है कि कोई व्यक्ति खेती (कृषि और संबद्ध गतिविधियाँ) के लिए कृषि भूमि को पट्टे पर ले सकता है।
- मॉडल कानून पट्टेदार किसानों और बटाईदारों को बैंक ऋण, फसल बीमा और आपदा राहत लाभ प्राप्त करने में सक्षम बनाता है।
- मॉडल कानून कृषि भूमि के समेकन की अनुमति देता है ताकि आर्थिक रूप से अव्यावहारिक भूमि के छोटे भूखंडों को पट्टे पर दिया जा सके (2-3 एकड़ के छोटे भूखंडों के लिए ट्रैक्टर और कृषि उपकरण का उपयोग करना आर्थिक रूप से व्यवहार्य नहीं है)। बड़ी परिचालन जोत खेती की लागत को कम करेगी और खेती की लाभप्रदता बढ़ाएगी।
- पट्टे की अवधि और प्रतिफल राशि का निर्णय मालिक और किरायेदार द्वारा आपसी सहमति से किया जाएगा।
- पट्टे पर दी जाने वाली या समेकित की जाने वाली भूमि के क्षेत्रफल पर कोई सीमा नहीं होगी, क्योंकि सरकार चाहती है कि परिचालन जोत के आकार का निर्धारण बाजार की ताकतों द्वारा किया जाए।
- नए कानून के तहत, पशुधन या पशुपालन जैसी संबद्ध गतिविधियों के लिए भी अधिकतम पाँच वर्षों की अवधि के लिए भूमि पट्टे पर दी जा सकती है।
- मॉडल अधिनियम विवादों के मामले में आपराधिक कार्यवाही और विशेष न्यायाधिकरणों के माध्यम से सहारा लेने का सुझाव देकर त्वरित मुकदमेबाजी प्रक्रिया का प्रस्ताव करता है। विवाद का निपटारा ग्राम सभा, पंचायत और तहसीलदार के स्तर पर किया जाएगा और इसे न्यायालयों के अधिकार क्षेत्र से बाहर रखा जाएगा।
- भूमि पट्टे पर वर्तमान प्रतिबंधों ने भूमि मालिकों की व्यावसायिक गतिशीलता को कम कर दिया है जो कृषि के अलावा रोजगार करना चाहते हैं, लेकिन इसे खोने के डर से अपनी भूमि पर ही रहने के लिए मजबूर हैं। भूमि पट्टे पर प्रतिबंध या प्रतिबंधों ने 'छिपी हुई किरायेदारी' को जन्म दिया है- जहाँ भूमि मालिक और किरायेदार के बीच समझौते अनौपचारिक होते हैं या किरायेदारी समझौतों को दर्ज नहीं किया जाता है - जिसके कारण किरायेदार किसानों को भूमि सुधार में निवेश करने के लिए कोई प्रोत्साहन नहीं मिलता है। पट्टे पर खेती अब एक आर्थिक आवश्यकता बन गई है और यह सामंतवाद का प्रतीक नहीं है, जैसा कि पहले माना जाता था। सक्रिय भूमि पट्टे बाजार का विकास ग्रामीण गरीबों को गरीबी के जाल से बाहर निकलने में मददगार होगा।

कुछ उदाहरण:

- चीन ने पहले ही अपने भूमि पट्टे कानूनों में संशोधन किया है, जिसके तहत किसान अपनी भूमि को 30 साल तक की अवधि के लिए खेती के लिए कॉर्पोरेट संस्थाओं को भी पट्टे पर दे सकते हैं। इस तरह के कदम से उच्च मूल्य वाली फसलों में दीर्घकालिक निवेश आकर्षित हो सकता है।

- आंध्र प्रदेश और केरल ने अपने प्रतिबंधात्मक भूमि पट्टे कानूनों को उदार बनाया है, जबकि मालिकों के भूमि अधिकारों की पूरी तरह से रक्षा की है, और उनके अभिनव संस्थागत अनुभव केंद्र में नीति निर्माताओं के लिए महत्वपूर्ण सबक प्रदान करते हैं।

आगे की राह:

भूमि मालिकों को अपनी भूमि को लंबे समय तक पट्टे पर देने से डरने का एक कारण राजस्व विभागों के पास छेड़छाड़-रोधी भूमि रिकॉर्ड की अनुपस्थिति है। यदि सरकार भूमि अभिलेखों को डिजिटाइज और जियो-टैग करती है तथा उन्हें आधार कार्ड और किसानों के बैंक खातों से जोड़ती है, तो इससे एक केंद्रीकृत, पारदर्शी और आसानी से मूल्यांकन योग्य भूमि अभिलेख प्रणाली बनेगी जो कृषि भूमि को पट्टे पर देने में काफी मददगार साबित होगी।

5.5 भूमि पूलिंग नीति (Land Pooling Policy)

- **भूमि पूलिंग** एक ऐसी अवधारणा है जिसमें व्यक्तियों के स्वामित्व वाली भूमि के छोटे-छोटे टुकड़े सड़क, जल निकासी, पार्क आदि जैसे बुनियादी ढाँचे के विकास के लिए भूमि पूलिंग एजेंसी को दिए जाते हैं। भूमि के विकास के बाद, एजेंसी बुनियादी ढाँचे के विकास लागत के लिए मुआवजे के रूप में भूमि के कुछ हिस्से को काटने के बाद भूमि को फिर से वितरित करती है।
- आम-तौर पर, जो लोग अपनी भूमि देते हैं, उन्हें उस पर बुनियादी ढाँचे के विकास के बाद अपनी भूमि का 60-70% हिस्सा वापस मिल जाता है। लोग बुनियादी ढाँचे के विकास के लिए अपनी भूमि का कुछ हिस्सा (30% से 40%) देने को तैयार होते हैं क्योंकि उन्हें इलाके में बेहतर बुनियादी ढांचे से भी लाभ होता है और विकास के कारण उन्हें जो 60% से 70% भूमि वापस मिलती है, उसका मूल्य अधिक होता है।
- भूमि अधिग्रहण, पुनर्वास और पुनर्स्थापन में उचित मुआवजा और पारदर्शिता का अधिकार अधिनियम, 2013 के लागू होने के बाद भूमि मुआवजा लागत में वृद्धि के कारण भूमि की अनुपलब्धता के साथ आने वाली चुनौतियों को दूर करने के लिए ऐसा किया जा रहा है।
- दिल्ली के मामले में, भूमि पूलिंग एजेंसी दिल्ली विकास प्राधिकरण (डीडीए) है, और यह गाँवों और दिल्ली के बाहरी इलाकों का शहरीकरण कर रहा है और इसे स्मार्ट सिटी में परिवर्तित कर रहा है। इस नीति में डीडीए एक ऑनलाइन पोर्टल शुरू कर रहा है, जहाँ आप अपनी जमीन डीडीए को जमा कर सकते हैं। यदि कोई व्यक्ति 2-20 हेक्टेयर के बीच भूमि का योगदान देता है, तो उसे 48% विकसित भूमि मिलेगी और 20 हेक्टेयर से अधिक भूमि की पेशकश करने वाले भूमि मालिकों को इसका 60% वापस मिलेगा।
- गुजरात और महाराष्ट्र ने पहले ही इस नीति को लागू कर दिया है

5.6 भूमि अभिलेखों का डिजिटलीकरण (Digitization of Land Records)

- भारत सरकार का वित्त मंत्रालय राज्यों को अपने भूमि अभिलेखों को डिजिटल बनाने के लिए प्रेरित कर रहा है। कर्नाटक, राजस्थान, मध्य प्रदेश, उत्तर प्रदेश, केरल, आंध्र प्रदेश, तेलंगाना और गुजरात जैसे राज्यों ने अपने भूमि अभिलेखों को डिजिटल बना दिया है।
- इससे भूमि पर ऑनलाइन 'बंधक शुल्क' बनाने में मदद मिलेगी जो बेहतर ऋण वितरण में मदद करेगा और यह ऋण धोखाधड़ी को कम करने में भी मदद करेगा क्योंकि अब केवल वे लोग कृषि ऋण ले पाएंगे जो वास्तविक किसान हैं और जिनके पास अपनी भूमि है।
- 'बंधक शुल्क' (Mortgage Charge) बनाने का अर्थ है किसी भी ऋण की चुकौती को सुरक्षित करने के उद्देश्य से किसी संपत्ति/भूमि के स्वामित्व में ब्याज का हस्तांतरण।
- अब चूँकि भूमि अभिलेखों का डिजिटलीकरण हो जाएगा, इसलिए यह सारी प्रक्रिया ऑनलाइन होगी। उदाहरण के लिए, पहले अगर कोई किसान ऋण चाहता है, तो उसे

अपने भूमि अभिलेखों को भौतिक रूप में प्रदान करना होगा और फिर बैंकों को इस भूमि के कागजात को प्रमाणित करने की आवश्यकता होगी (जहाँ धोखाधड़ी की संभावना थी) और बहुत सारे दस्तावेजों पर हस्ताक्षर करने होंगे और फिर ऋण प्रदान करना होगा। लेकिन अब यह सब डिजिटल भूमि रिकॉर्ड के साथ बहुत तेजी से ऑनलाइन होगा।

विगत वर्षों के प्रश्न

मुख्य परीक्षा

1. देश के कुछ हिस्सों में भूमि सुधारों ने सीमांत और छोटे किसानों की सामाजिक-आर्थिक स्थिति को बेहतर बनाने में केसे मदद की? [2021]

2. भारत में भूमि सुधारों के उद्देश्य और उपाय बताएँ। चर्चा करें कि भूमि जोत पर भूमि सीलिंग नीति को आर्थिक मानदंडों के तहत एक प्रभावी सुधार कैसे माना जा सकता है। [2023]

○○○

6

भारतीय अर्थव्यवस्था (1947–2014)

(Indian Economy 1947–2014)

6.1 भारतीय अर्थव्यवस्था पर ब्रिटिश शासन का प्रभाव (Impact of British Rule on Indian Economy)

अंग्रेजों द्वारा अपनाई गई आर्थिक नीतियों के कारण भारत की अर्थव्यवस्था औपनिवेशिक अर्थव्यवस्था में तेजी से परिवर्तित हो गई। औपनिवेशिक ढाँचे की कुछ बुनियादी विशेषताएँ थीं जो स्वतंत्रता से पहले भारतीय अर्थव्यवस्था की विशेषता थीं।

1. उपनिवेशवाद ने भारतीय अर्थव्यवस्था को विश्व पूँजीवादी व्यवस्था के साथ जटिल लेकिन पूर्ण एकीकरण की ओर अग्रसर किया, लेकिन अधीनस्थ स्थिति में। 1750 के दशक से, भारत के आर्थिक हित पूरी तरह से ब्रिटेन के अधीन थे। ब्रिटिश उद्योग के अनुकूल, उत्पादन और श्रम के अंतर्राष्ट्रीय विभाजन की एक अनोखी संरचना (जिसके द्वारा ब्रिटेन उच्च तकनीक, उच्च उत्पादकता और पूँजी-गहन वस्तुओं का उत्पादन करता था जबकि भारत इसके विपरीत करता था) को भारत पर थोपा गया। इसने खाद्य पदार्थों और कपास, जूट, तिलहन, तम्बाकू, खनिजों जैसे कच्चे माल का उत्पादन और निर्यात किया और बिस्कुट और जूते से लेकर मशीनरी, कार और रेलवे इंजन तक ब्रिटिश उद्योग के निर्मित उत्पादों का आयात किया।
2. आर्थिक विकास की प्रक्रिया की एक बुनियादी विशेषता है अर्थव्यवस्था में निवेश और विस्तार के लिए उत्पन्न आर्थिक अधिशेष या बचत का आकार और उपयोग (1914 से 1946 तक भारतीय अर्थव्यवस्था की शुद्ध बचत जीएनपी का मुश्किल से 3% थी)। भारत के सामाजिक अधिशेष या बचत का एक बहुत बड़ा हिस्सा औपनिवेशिक राज्य (सैन्य व्यय और औपनिवेशिक प्रशासन के लिए) और स्वदेशी जमींदारों और साहूकारों द्वारा विनियोजित किया गया था, जबकि इसका केवल एक बहुत छोटा हिस्सा कृषि, उद्योग या सामाजिक बुनियादी ढाँचे या राष्ट्र निर्माण गतिविधियों जैसे शिक्षा और स्वास्थ्य सेवा के विकास पर खर्च किया गया था। कर प्रणाली प्रतिगामी थी यानी किसानों पर उच्च कर का बोझ था जबकि नौकरशाह, जमींदार, व्यापारी शायद ही कोई कर देते थे। और फिर '**निकासी**' थी यानी औपनिवेशिक राज्य और उसके अधिकारियों द्वारा भारत से सामाजिक अधिशेष और संभावित निवेश योग्य पूँजी का ब्रिटेन को एकतरफा हस्तांतरण।
3. भारत की नीति ब्रिटेन में और ब्रिटिश अर्थव्यवस्था और ब्रिटिश पूँजीपति वर्ग के हित में निर्धारित की गई थी। भारत के अविकसित होने का एक महत्वपूर्ण पहलू उद्योग और कृषि को राज्य के समर्थन से वंचित करना था। यह उन सभी पूँजीवादी देशों के विपरीत था, जिन्हें विकास के शुरुआती चरणों में सक्रिय समर्थन प्राप्त था (विदेशी निर्माताओं के आयात पर भारी आयात शुल्क लगाकर अपने नवजात उद्योगों की सुरक्षा)। औपनिवेशिक राज्य ने भारत में मुक्त व्यापार लागू किया और भारतीय उद्योगों को टैरिफ संरक्षण देने से इनकार कर दिया, जैसा कि ब्रिटेन, यूरोप और अमेरिका ने किया था।

तदनुसार, उपनिवेशवाद ने भारतीय अर्थव्यवस्था के पूर्ण पिछड़ेपन और अविकसितता को जन्म दिया। स्वतंत्रता के

समय अर्थव्यवस्था की स्थिति का वर्णन इस प्रकार किया जा सकता है:

1. ब्रिटिश काल के दौरान विकसित कृषि संरचना पर जमींदारों, साहूकारों, व्यापारियों और औपनिवेशिक राज्य का प्रभुत्व था, जो कुल कृषि उत्पादन के आधे से अधिक हिस्से को हड़प लेते थे और जिनकी कृषि में रुचि मुख्य रूप से भूमि राजस्व एकत्र करने तक ही सीमित थी और उन्होंने कृषि में सुधार के लिए बहुत कम खर्च किया।
2. 19वीं शताब्दी के दौरान, भारतीय हस्तशिल्प और कारीगरी उद्योगों का तेजी से पतन हुआ, जिसके मुख्यत: दो कारण थे: पहला, ब्रिटेन के सस्ते आयातित निर्माताओं से प्रतिस्पर्धा और साथ ही भारत पर थोपी गई मुक्त व्यापार की नीति। और दूसरा, ब्रिटेन और अन्य यूरोपीय देशों ने भारतीय वस्तुओं पर उच्च आयात शुल्क लगा दिया। इसके कारण 1820 के बाद भारतीय निर्माताओं के लिए यूरोपीय बाजार लगभग बंद हो गए। बर्बाद हुए कारीगरों को कोई दूसरा रोजगार नहीं मिला और वे काश्तकारों, बटाईदारों और कृषि मजदूरों के रूप में खेती करने लगे, जिसके बाद जमीन का बहुत ज्यादा छोटे-छोटे हिस्सों में बँटवारा हुआ और जमीन का विखंडन हुआ।
3. 19वीं सदी में औद्योगिक विकास सिर्फ कपास, जूट, कोयला और चाय तक सीमित था और 1930 के दशक में चीनी, सीमेंट और कागज तक सीमित था। 1907 के बाद लोहा और इस्पात उद्योग में कुछ विकास हुआ था, लेकिन 1946 तक, कारखानों में काम करने वाले सभी मजदूरों में से लगभग 30% कपास और जूट उद्योग से जुड़े थे। 1950 में, भारत मशीन टूल्स (धातुओं को काटने और आकार देने वाली मशीन) की अपनी जरूरतों का लगभग 90 प्रतिशत आयात से पूरा करता था।
4. भारतीय औद्योगिक व्यवस्था की एक गंभीर कमजोरी भारी या पूँजीगत माल उद्योगों की लगभग पूर्ण अनुपस्थिति थी, जिसके बिना उद्योगों का तेज और स्वतंत्र विकास नहीं हो सकता। उत्पादन के साथ-साथ रोजगार के मामले में, भारत का आधुनिक औद्योगिक विकास अन्य देशों की तुलना में बहुत कम था।
5. विदेशी पूँजी ने औद्योगिक और वित्तीय क्षेत्रों पर अपना वर्चस्व कायम किया और विदेशी व्यापार को नियंत्रित किया। ब्रिटिश फर्मों ने कोयला खनन, जूट उद्योग, शिपिंग, बैंकिंग और बीमा तथा चाय और कॉफी बागानों पर अपना वर्चस्व कायम किया। इसके अलावा, अपनी प्रबंध एजेंसियों के माध्यम से, ब्रिटिश पूँजीपतियों ने भारतीय स्वामित्व वाली कई कंपनियों को नियंत्रित किया।

इसलिए, स्वतंत्रता की पूर्व संध्या पर, हमारे देश को आर्थिक पिछड़ापन, घोर गरीबी, निरक्षरता (84%), बीमारियों का व्यापक प्रसार और घोर सामाजिक असमानता की औपनिवेशिक विरासत विरासत में मिली। उपनिवेशवाद के परिणामस्वरूप लोगों का विकास नहीं हुआ और खासकर किसानों और कारीगरों में गरीबी बढ़ी।

6.2 स्वतंत्रता के बाद की अर्थव्यवस्था (Economy after Independence)

जब अंग्रेज भारत से चले गए, तो राष्ट्रीय नेताओं के बीच आम सहमति थी कि भारत का निर्माण राष्ट्रवाद, धर्मनिरपेक्षता और लोकतंत्र के मूल्यों और तीव्र आर्थिक विकास के लक्ष्यों के आधार पर किया जाएगा, जो लोकतांत्रिक राजनीतिक ढांचे के भीतर होगा क्योंकि अधिक आर्थिक विकास के लिए राजनीतिक स्थिरता आवश्यक है। लेकिन भारतीय अर्थव्यवस्था और समाज में उपनिवेशवाद द्वारा बनाई गई संरचनात्मक विकृतियों ने भविष्य में आत्मनिर्भर विकास के लिए संक्रमण को और अधिक कठिन बना दिया।

स्वतंत्र भारत के नेताओं को अन्य बातों के अलावा यह तय करना था कि हमारे देश के लिए सबसे उपयुक्त आर्थिक प्रणाली का प्रकार क्या है, एक ऐसी प्रणाली जो कुछ लोगों के बजाय सभी के कल्याण को बढ़ावा दे। विभिन्न प्रकार की आर्थिक प्रणालियाँ हैं और उनमें से, जवाहरलाल नेहरू को समाजवाद सबसे अधिक पसंद आया। हालाँकि, वे पूर्व सोवियत संघ में स्थापित उस तरह के समाजवाद के पक्ष में नहीं थे जहाँ उत्पादन के सभी साधन, यानी देश के सभी कारखाने और खेत, सरकार के स्वामित्व में थे। कोई निजी संपत्ति नहीं थी। भारत जैसे लोकतंत्र में सरकार के लिए

अपने नागरिकों की भूमि और अन्य संपत्तियों के स्वामित्व पैटर्न को उस तरह से बदलना संभव नहीं है जैसा कि पूर्व सोवियत संघ में किया गया था। नेहरू और नए स्वतंत्र भारत के कई अन्य नेताओं और विचारकों ने पूँजीवाद और समाजवाद के चरम संस्करणों का विकल्प तलाशा। मूल रूप से, समाजवादी दृष्टिकोण से सहानुभूति रखते हुए, उन्हें ऐसी आर्थिक प्रणाली में उत्तर प्राप्त हुआ, जो उनके विचार में, समाजवाद की सर्वोत्तम विशेषताओं को बिना किसी कमियों के साथ जोड़ती थी। इसलिए, उन्होंने विकास के लिए एक मध्य मार्ग निकालने की कोशिश की, जो व्यक्तिगत स्वतंत्रता और स्वतंत्रता के गुणों को समानता के साथ जोड़ता है, जबकि पूँजीवाद और समाजवाद दोनों की बुराइयों से बचता है। इस दृष्टिकोण से, भारत एक समाजवादी समाज होगा जिसमें एक मजबूत सार्वजनिक क्षेत्र होगा, लेकिन निजी संपत्ति और लोकतंत्र भी होगा; सरकार अर्थव्यवस्था के लिए योजना बनाएगी और निजी क्षेत्र को योजना प्रयास का हिस्सा बनने के लिए प्रोत्साहित करेगी। 1948 के 'औद्योगिक नीति संकल्प' और भारतीय संविधान के निर्देशक सिद्धांतों ने इस दृष्टिकोण को प्रतिबिंबित किया। 1950 में, प्रधानमंत्री के अध्यक्ष के रूप में योजना आयोग की स्थापना की गई। पंचवर्षीय योजनाओं का युग शुरू हो गया था।

औद्योगिक नीति संकल्प (आईपीआर) 1948

स्वतंत्र भारत का पहला औद्योगिक नीति संकल्प अप्रैल 1948 में जारी किया गया था। इसने अर्थव्यवस्था में उत्पादन में निरंतर वृद्धि और इसके समान वितरण को सुनिश्चित करने पर जोर दिया और बताया कि उद्योगों के विकास में राज्य को उत्तरोत्तर सक्रिय भूमिका निभानी चाहिए। इसने मिश्रित अर्थव्यवस्था की शुरुआत की और भारत में सार्वजनिक और निजी क्षेत्रों की भूमिका को रेखांकित किया। आईपीआर 1948 ने उद्योगों को व्यापक तौर पर चार श्रेणियों में वर्गीकृत किया, इस आधार पर कि इन उद्योगों की स्थापना में सरकार या निजी क्षेत्र प्रमुख भूमिका निभाएगा:

- **राज्य का एकाधिकार:** हथियार और गोला-बारूद का निर्माण, परमाणु ऊर्जा और रेलवे परिवहन पर राज्य का एकाधिकार था। ये उद्योग केवल भारत सरकार के एकाधिकार के अधीन थे।
- **बुनियादी उद्योग:** इसमें कोयला, लोहा और इस्पात, जहाज निर्माण, विमान निर्माण, टेलीफोन, टेलीग्राफ और वायरलेस और खनिज तेल आते हैं। इन उद्योगों को अर्थव्यवस्था के विकास के लिए बुनियादी प्रकृति का माना जाता था और ये केंद्र सरकार के अधीन थे। लेकिन इन क्षेत्रों में काम कर रही मौजूदा निजी कंपनियों को परिचालन करने की अनुमति दी गई।
- **विनियमित उद्योग:** ऑटोमोबाइल, भारी मशीनरी, रसायन, उर्वरक, चीनी, कागज, सीमेंट, कपास, ऊनी वस्त्र आदि शामिल होते हैं। सरकार इन उद्योगों को विनियमित करती थी (मूल्य निर्धारण, उत्पादन की मात्रा आदि) क्योंकि ये आम जनता के लिए महत्वपूर्ण थे।
- **निजी उद्योग:** अन्य सभी उद्योगों को निजी क्षेत्र के साथ-साथ सहकारी समितियों के लिए खुला छोड़ दिया गया।

इसलिए, आईपीआर 1948 का मुख्य जोर एक मिश्रित अर्थव्यवस्था की नींव रखना था, जिसमें सार्वजनिक और निजी दोनों उद्यम सह-अस्तित्व में होंगे और औद्योगिक विकास की गति को तेज करेंगे।

भारत में नियोजन

भारत की पंचवर्षीय योजनाओं में यह नहीं बताया गया कि प्रत्येक वस्तु और सेवा का कितना उत्पादन किया जाना है। यह न तो संभव है और न ही आवश्यक (पूर्व सोवियत संघ ने ऐसा करने का प्रयास किया और असफल रहा)। यदि योजना उन क्षेत्रों के बारे में विशिष्ट है, जहाँ यह प्रमुख भूमिका निभाती है, उदाहरण के लिए, बिजली उत्पादन और सिंचाई, जबकि बाकी को बाजार पर छोड़ दिया जाए, तो यह पर्याप्त है। योजना आयोग प्रत्येक पंचवर्षीय योजना में योजनाओं सहित विभिन्न विकास व्यय के लिए धन की सिफारिश करता था।

योजना के उद्देश्य

- **आर्थिक विकास:** इसका तात्पर्य देश के भीतर वस्तुओं और सेवाओं (जीडीपी) के उत्पादन की क्षमता में वृद्धि से है। यदि भारत के लोगों को अधिक समृद्ध और विविध जीवन का आनंद लेना है, तो अधिक वस्तुओं और सेवाओं का उत्पादन करना आवश्यक है।

- **आधुनिकीकरण:** वस्तुओं और सेवाओं के उत्पादन को बढ़ाने के लिए उत्पादकों को नई तकनीक अपनानी होगी। नई तकनीक को अपनाना आधुनिकीकरण कहलाता है। हालाँकि, आधुनिकीकरण का तात्पर्य केवल नई तकनीक के उपयोग से नहीं है, बल्कि सामाजिक दृष्टिकोण में परिवर्तन से भी है, जैसे कि यह मान्यता कि महिलाओं को पुरुषों के समान अधिकार होने चाहिए।
- **आत्मनिर्भरता:** कोई भी देश अपने संसाधनों का इस्तेमाल करके या दूसरे देशों से आयातित संसाधनों का इस्तेमाल करके आर्थिक विकास और आधुनिकीकरण को बढ़ावा दे सकता है। पहली सात पंचवर्षीय योजनाओं में आत्मनिर्भरता को महत्व दिया गया था, जिसका मतलब है कि उन वस्तुओं के आयात से बचना जो भारत में ही उत्पादित की जा सकती हैं। इस नीति को खाद्यान्न के लिए विदेशी राष्ट्रों पर निर्भरता कम करने के लिए जरूरी माना गया, यह समझ में आता है कि हाल ही में विदेशी प्रभुत्व से मुक्त हुए लोगों को आत्मनिर्भरता को महत्व देना चाहिए। इसके अलावा, यह आशंका थी कि आयातित खाद्य आपूर्ति, विदेशी तकनीक और विदेशी पूँजी पर निर्भरता भारत की संप्रभुता को हमारी नीतियों में विदेशी हस्तक्षेप के लिए कमजोर बना सकती है।
- **समानता:** मात्र विकास, आधुनिकीकरण और आत्मनिर्भरता, लोगों के जीवन को बेहतर नहीं बना सकते। एक देश में उच्च विकास हो सकता है, देश में ही सबसे आधुनिक तकनीक विकसित हो सकती है, और साथ ही उसके ज्यादातर लोग गरीबी में भी जी रहे हो सकते हैं। यह सुनिश्चित करना महत्वपूर्ण है कि आर्थिक समृद्धि का लाभ केवल अमीरों को मिलने के बजाय गरीब तबके तक भी पहुँचे। इसलिए, विकास, आधुनिकीकरण और आत्मनिर्भरता के अलावा, समानता भी महत्वपूर्ण है। हर भारतीय को अपनी बुनियादी जरूरतें जैसे भोजन, एक अच्छा घर, शिक्षा और स्वास्थ्य सेवा पूरी करने में सक्षम होना चाहिए और धन के वितरण में असमानता को कम किया जाना चाहिए।

योजना के प्रकार

- **अनिवार्य योजना:** यह केंद्रीकृत योजना और कार्यान्वयन के साथ-साथ संसाधन आवंटन को संदर्भित करता है। इसका उपयोग समाजवादी देशों द्वारा किया जाता है, जहाँ राज्य का नियोजन के सभी पहलुओं पर पूरा नियंत्रण होता है।
- **सांकेतिक योजना:** यह उद्देश्यों के एक समुच्चय को प्राप्त करने के लिए व्यापक सिद्धांतों और सिफारिशों का एक समुच्चय प्रस्तावित करता है। सरकार निजी क्षेत्र को पूर्ण सहायता प्रदान करती है, लेकिन उस पर उसका नियंत्रण नहीं होता। बल्कि, यह निजी क्षेत्र को विशेष क्षेत्रों में योजना को लागू करने का निर्देश देती है।

भारत के योजना दस्तावेज न केवल एक योजना के पाँच वर्षों में प्राप्त किए जाने वाले उद्देश्यों को निर्दिष्ट करते हैं, बल्कि यह भी बताते हैं कि बीस वर्षों की अवधि में क्या हासिल किया जाना है। इस दीर्घकालिक योजना को '**परिप्रेक्ष्य योजना**' कहा जाता है।

*पहली आठ पंचवर्षीय योजनाओं में बुनियादी और भारी उद्योगों में बड़े पैमाने पर निवेश के साथ बढ़ते सार्वजनिक क्षेत्र पर जोर दिया गया था, लेकिन 1997 में नौवीं पंचवर्षीय योजना के शुरू होने के बाद से सार्वजनिक क्षेत्र पर जोर कम हो गया और योजना प्रकृति में अधिक **सांकेतिक** हो गई। 2012-17 में 12वीं पंचवर्षीय योजना के बाद, सरकार कोई नई योजना नहीं लाई और आखिरकार योजना आयोग को समाप्त कर दिया गया और जनवरी 2015 में नीति आयोग की स्थापना की गई।*

पहली पंचवर्षीय योजना (1951-56): पहली वित्तीय योजना का मुख्य केंद्र बिन्दु कृषि के विकास पर था। भाखड़ा बाँध और हीराकुंड बाँध सहित कई सिंचाई परियोजनाएं शुरू की गई। खाद्य उत्पादन बढ़ाने के अलावा, योजना का दूसरा प्रमुख जोर परिवहन और संचार के विकास और सामाजिक सेवाओं के प्रावधान पर था।

1950 के दशक में, इस बात पर काफी बहस चल रही थी कि आर्थिक विकास का मॉडल क्या होना चाहिए। भारत के लिए आर्थिक विकास के उपयुक्त सिद्धांत पर दो विचारधाराएँ थीं; एक **बॉम्बे** और दूसरी **कलकत्ता विचारधारा**। बॉम्बे स्कूल व्यवसाय, वाणिज्यिक और औद्योगिक हितों से प्रेरित था,जबकि कलकत्ता स्कूल शैक्षणिक,तकनीकी और कल्याण हितों से प्रेरित था, लेकिन दोनों विचारधाराओं मे स्कूलों में प्रत्येक शैली के अनुभवी पेशेवर शामिल थे।

कलकत्ता विचारधारा (Calcutta School of thought)

कलकत्ता विचारधारा भारतीय सांख्यिकी संस्थान के प्रोफेसर प्रशांत चंद्र महालनोबिस द्वारा प्रतिपादित की गई थी। प्रोफेसर महालनोबिस केम्ब्रिज से शिक्षित भौतिक विज्ञानी थे, जो सांख्यिकीविद् और फिर आर्थिक योजनाकार बने। कलकत्ता स्कूल की रणनीति का मूल उद्देश्य सार्वजनिक क्षेत्र के नेतृत्व में **पूँजी-गहन और भारी औद्योगीकरण की ओर बढ़ना था, ताकि प्रमुख उद्योगों का निर्माण किया जा सके और भारत के लिए एक नई आधुनिक औद्योगिक अर्थव्यवस्था की प्रमुख ऊँचाइयों को नियंत्रित किया जा सके।** मिश्रित अर्थव्यवस्था में निजी क्षेत्र एक पूरक भूमिका निभाएगा। कलकत्ता स्कूल, इस्पात और भारी मशीनरी जैसे क्षेत्रों में, पर्याप्त राज्य के स्वामित्व वाले उद्यमों में बहुत बड़े संयंत्रों की स्थापना पर आधारित था। ये पूँजी-गहन सुविधाएँ, कुछ लोगों को रोजगार देती हैं, जो लंबी अवधि में कम रिटर्न देती हैं। लेकिन उनका उपयोग उन मशीनों के निर्माण के लिए किया जाएगा जो अन्य मशीनों का निर्माण करती हैं। इन अन्य मशीनों के बिना जो महत्वपूर्ण पूँजीगत वस्तु क्षेत्र का उत्पादन हैं, डाउनस्ट्रीम (और अन्य उपभोक्ता वस्तुएँ) उद्योग स्थापित नहीं किए जा सकते।

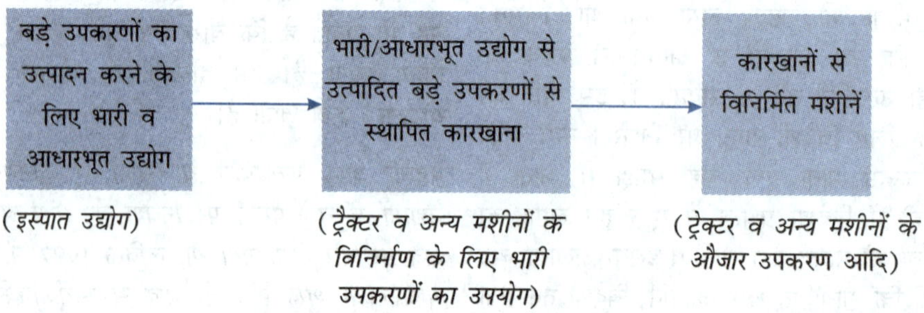

कुछ प्रकार के बड़े उद्योगों को **बुनियादी** माना जाता था क्योंकि वे अन्य औद्योगिक उद्यमों के उद्भव को संभव बनाते थे, चाहे वे बुनियादी हों या नहीं। यह दृष्टिकोण सरकार के लिए आर्थिक विकास की गति और दिशा को प्रभावित करने का एक साधन था।

इस मॉडल में, पूँजीगत वस्तु उपभोक्ता वस्तु और पूँजीगत वस्तु दोनों के उत्पादन में प्रवेश करती है। चूँकि पूँजीगत वस्तुएँ दोनों प्रकार की वस्तुओं के उत्पादन में जाती हैं, इसलिए पूँजीगत वस्तुओं के उत्पादन के लिए आवंटित किए गए निवेश व्यय का एक बड़ा हिस्सा, यदि अनिश्चित काल तक बनाए रखा जाता है, तो समय के साथ उपभोक्ता वस्तुओं के उत्पादन में भी अधिक अंतिम उत्पादन होगा। इस पूँजीगत वस्तु मॉडल में, कुल उत्पादन में वृद्धि को स्थगित कर दिया जाता है क्योंकि निवेश और उत्पादन के उद्भव के बीच एक बड़ा अंतराल होता है। इसलिए, जबकि आज उपभोक्ता वस्तुओं में निवेश का बड़ा हिस्सा शुरू में कुल उत्पादन की वृद्धि दर को तेज कर सकता है, लेकिन पूँजीगत वस्तुओं के उत्पादन के लिए अधिक आवंटन से यह परिणाम लंबी अवधि में कम हो जाता है।

बॉम्बे विचारधारा (Bombay School of Thought)

1950 के दशक में कलकत्ता स्कूल ऑफ थॉट या महालनोबिस मॉडल के लिए एक वैकल्पिक दृष्टिकोण था। यह बॉम्बे के अर्थशास्त्री सी.एन. वकील और पी.आर. ब्रह्मानंद का दृष्टिकोण था। इस दृष्टिकोण के अनुसार भारत में वित्तीय पूँजी की कमी थी, लेकिन सस्ते मानव श्रम की भरमार थी। ग्रामीण इलाकों में छिपी हुई बेरोजगारी अत्यधिक थी। प्रमुख बात यह थी कि इन लोगों को न्यूनतम पूँजी लागत पर उत्पादक काम में लगाया जाए। उन्होंने सुझाव दिया कि हम अधिशेष श्रम को '**मजदूरी की वस्तुओं**' या साधारण उपभोक्ता वस्तुओं - कपड़े, खिलौने, जूते, स्नैक्स, रेडियो और साइकिलों के उत्पादन में लगाएँ, जिनका तत्काल बड़े पैमाने पर उपभोग किया जा सके। यह कम पूँजी, कम जोखिम वाला व्यवसाय बहुत से उद्यमियों को आकर्षित करेगा, क्योंकि इससे त्वरित उत्पादन और निवेश पर तीव्र रिटर्न मिलेगा। **श्रमिक उन वस्तुओं का उत्पादन करेगा, जिनका वह अंततः उपभोग करेगा, जो उसे वस्तुओं के उत्पादन में अर्जित मजदूरी से करनी होगी। उन्हें मजदूरी की वस्तुएँ इसलिए कहा जाता था, क्योंकि मजदूरी कमाने वाला**

व्यक्ति अपनी उत्पादित वस्तुओं की माँग पैदा करता था। यह बॉम्बे रणनीति महालनोबिस के विशाल राज्य नियंत्रित, पूँजी गहन उद्योगों जैसे कि इस्पात संयंत्रों के दृष्टिकोण के बिल्कुल विपरीत थी, जिसमें कुछ लोगों को रोजगार मिलता था और लंबी अवधि में कम रिटर्न मिलता था। 'मजदूरी माल' (wage goods) रणनीति ने घरेलू और निर्यात बाजारों दोनों के लिए कृषि, ग्रामीण बुनियादी ढाँचे, कृषि-आधारित उद्योगों और साधारण उपभोक्ता निर्माताओं में निवेश को बढ़ावा दिया होगा। इसका मतलब पूँजी और भारी उद्योग में महत्वाकांक्षी परियोजनाओं को स्थगित करना होगा। हमने निकट भविष्य में पूँजीगत वस्तुओं का आयात किया होगा, और उनके आयात के लिए विदेशी मुद्रा साधारण उपभोक्ता वस्तुओं के निर्यात से अर्जित की होगी - ऐसे उत्पाद जिनसे जापान और ताइवान, दक्षिण कोरिया जैसे एशियाई शेरों (Asian Tigers) ने शुरुआत की थी। इसका परिणाम उच्च आर्थिक विकास, उच्च रोजगार, बढ़ता निर्यात और समृद्धि होता।

अन्य योजनाएँ/मॉडल:

सर्वोदय योजना: इस योजना का मसौदा जयप्रकाश नारायण ने 1950 में तैयार किया था और इसमें कृषि के साथ-साथ छोटे और कपास उद्योगों पर जोर दिया गया था और विदेशी तकनीक से मुक्ति का सुझाव दिया गया था। इसमें भूमि सुधारों पर भी जोर दिया गया था।

बॉम्बे योजना: 1944 में जेआरडी टाटा और जीडी बिड़ला सहित अन्य उद्योगपतियों के एक समूह द्वारा प्रस्तावित, इसमें निजी क्षेत्र की भूमिका को कम किए बिना अर्थव्यवस्था के मुख्य क्षेत्रों में सरकार की उपस्थिति का प्रस्ताव रखा गया था।

लोगों की योजना: इस योजना का मसौदा एम.एन. रॉय ने 1945 में तैयार किया था और इसमें कृषि उत्पादन को सबसे अधिक प्राथमिकता दी गई थी। इसमें उपभोक्ता वस्तुओं के विनिर्माण और संचार और परिवहन नेटवर्क के विकास पर भी जोर दिया गया था।

गाँधीवादी योजना: 1944 में, श्रीमन नारायण अग्रवाल ने गाँधीवादी योजना लिखी, जिसमें उन्होंने गाँधीवादी आर्थिक विचारों के आधार पर कृषि और ग्रामीण और कुटीर उद्योगों को बढ़ावा देने पर जोर दिया।

दूसरी पंचवर्षीय योजना (1956-61)

भारत के प्रमुख अर्थशास्त्री कलकत्ता विचारधारा का समर्थन कर रहे थे और अंततः इस मॉडल को दूसरी पंचवर्षीय योजना के दस्तावेज के निर्माण के लिए स्वीकार कर लिया गया। यह मॉडल, अन्य बातों के अलावा, स्वदेशी या आत्मनिर्भरता के पुराने राष्ट्रवादी मॉडल का एक उदाहरण था। सरकार ने आर्थिक स्वतंत्रता की नींव को मजबूत करने के लिए उत्पादक वस्तुओं (पूँजीगत वस्तुओं) के निर्माण के लिए बुनियादी भारी उद्योगों का विकास किया और घरेलू क्षेत्र, गाँव और कुटीर उद्योग उपभोग की वस्तुओं के उत्पादन पर ध्यान केंद्रित किया । यह भारत की स्थिर अर्थव्यवस्था को तोड़ने की समस्या पर दोतरफा हमला था: माध्यमिक उद्योगों के विस्तार के आधार के रूप में एक बड़े मशीन-निर्माण उद्योग का निर्माण; और भारत की बेरोजगारों की फौज के लिए रोजगार पैदा करने के लिए कुटीर उद्योगों का विकेंद्रीकरण किया गया। कुटीर उद्योगों से कम लागत पर उपभोक्ता वस्तुओं का उत्पादन करने और न्यूनतम सामाजिक अव्यवस्था के साथ रोजगार पैदा करने की उम्मीद की गई थी।

मॉडल का सार घरेलू उपभोग वस्तुओं के क्षेत्र के निर्माण की दिशा में औद्योगिक निवेश के पैटर्न में बदलाव था। इस रणनीति का उद्देश्य उपभोग में उच्च मानकों तक पहुँचना था: पूँजीगत वस्तुओं के उत्पादन में क्षमता निर्माण में निवेश सबसे पहले आवश्यक है, जो सरकार की जिम्मेदारी है। इसलिए, सार्वजनिक क्षेत्र में भारी और पूँजीगत वस्तुओं के उद्योगों के तेजी से विकास को बढ़ावा दिया गया। पनबिजली परियोजनाएँ तथा भिलाई, दुर्गापुर और राउरकेला में तीन इस्पात संयंत्र स्थापित किए गए, कोयला उत्पादन में वृद्धि हुई और रेलवे लाइनें जोड़ी गईं।

द्वितीय पंचवर्षीय योजना के दस्तावेज में, महालनोबिस ने बड़े सार्वजनिक क्षेत्र (निजी क्षेत्र की कीमत पर) में निवेश के समाजवादी विचारों को लागू किया, जिसमें भारी उद्योग (उपभोक्ता वस्तुओं की कीमत पर) और आयात प्रतिस्थापन (निर्यात संवर्धन की कीमत पर) पर जोर दिया गया, इसके अलावा अन्य गतिविधियाँ की गईं जो यूएसएसआर से प्रेरित थीं। यह मॉडल तीसरी पंचवर्षीय योजना में भी नेहरू की मृत्यु तक जारी रहा।

व्यापारी वर्ग का दृष्टिकोण

व्यापारी वर्ग, जिसे सबसे पहले विरोध करना चाहिए था, बहुत डरा हुआ था। स्वतंत्रता के बाद के वर्षों में, युद्ध के बाद की अव्यवस्थाओं और देश के विभाजन के कारण लोगों को मुद्रास्फीति की मार झेलनी पड़ी थी। जैसे-जैसे खाद्य पदार्थों की कीमतें बढ़ीं, मध्यम वर्ग के लिए सूदखोर व्यापारियों और व्यवसायियों को दोष देना स्वाभाविक था, उन्हें 'मुनाफाखोर और कालाबाजारी करने वाले' कहा गया। इसलिए व्यवसायी रक्षात्मक थे।

औद्योगिक नीति संकल्प (आईपीआर) 1956

दिसंबर 1954 में, संसद ने समाज के समाजवादी पैटर्न को सामाजिक और आर्थिक नीति के उद्देश्य के रूप में स्वीकार किया। इसलिए औद्योगिक नीति, अन्य नीतियों की तरह, इन सिद्धांतों और दिशा द्वारा शासित होनी थी। इसलिए सार्वजनिक क्षेत्र का दायरा व्यापक हो गया।

महालनोबिस की दूसरी योजना पर सोच तार्किक रूप से 1956 में औद्योगिक नीति संकल्प तक विस्तारित हुई, जिसने सत्रह उद्योगों को विशेष रूप से सार्वजनिक क्षेत्र के लिए आरक्षित किया। आरक्षित उद्योगों में लोहा और इस्पात, खनन, मशीन उपकरण निर्माण और भारी विद्युत संयंत्र शामिल थे। 'आरक्षण' के पीछे तर्क यह था कि ये 'बुनियादी रणनीतिक महत्व' के उद्योग थे और 'ऐसे पैमाने पर निवेश की आवश्यकता थी जो केवल राज्य ही प्रदान कर सकता था'। उद्योगों को अनुसूची ए, बी और सी में विभाजित किया गया था।

महालनोबिस मॉडल का परिणाम

गंभीर विरोध के अभाव में, कलकत्ता दृष्टिकोण ने 1950 और 1960 के दशक में जीत हासिल की। लेकिन किसी उद्योग को निजी क्षेत्र के लिए बंद करना कभी भी समझदारी नहीं थी – यह उद्यमिता और प्रतिस्पर्धा को हतोत्साहित करने के समान था। यहाँ तक कि जिन उद्योगों को निजी क्षेत्र के लिए अनुमति दी गई थी, उन पर भी लाइसेंसिंग प्रणाली के माध्यम से धीरे-धीरे नियंत्रण किया जा रहा था। उद्योग विकास और विनियमन (आईडीआर) अधिनियम 1951 के तहत औद्योगिक लाइसेंसिंग ढाँचे को औपचारिक रूप दिया गया, जो उद्योग में निवेश के समन्वय और नियंत्रण के लिए मुख्य साधन था। इसने प्रवेश, क्षमता का विस्तार, प्रौद्योगिकी, आउटपुट मिश्रण, क्षमता, स्थान और आयात सामग्री को नियंत्रित किया जिसने भारत में कुख्यात रूप से 'लाइसेंस राज' की स्थापना की।

योजनाबद्ध तरीके से विकास पर राज्य का पर्यवेक्षण, सार्वजनिक और निजी क्षेत्र के बीच गतिविधियों को विभाजित करना, संकेन्द्रण और एकाधिकार को बढ़ने से रोकना, लघु उद्योगों की रक्षा करना, क्षेत्रीय संतुलन सुनिश्चित करना, योजनाबद्ध प्राथमिकताओं और लक्ष्यों के अनुसार संसाधनों का वितरण करना आदि – इन सभी के लिए उद्योग विकास और विनियमन अधिनियम 1951 के माध्यम से नियंत्रण और औद्योगिक लाइसेंसिंग की एक विस्तृत और जटिल प्रणाली की स्थापना की आवश्यकता थी। इसके अलावा, 1956-57 में द्वितीय पंचवर्षीय योजना के शुरू में भुगतान संतुलन (बीओपी) संकट और विदेशी मुद्रा भंडार की तीव्र कमी के कारण कड़े आयात और विदेशी मुद्रा नियंत्रण लागू किए गए।

इस तरह लाइसेंस कोटा नियमों और विनियमों के बीज बोए गए और बाद के वर्षों में यह पाया गया कि एक ऐसी प्रणाली को खत्म करना आसान नहीं था जिसने भारतीय अर्थव्यवस्था पर एक क्रूर पकड़ बना ली थी। नौकरशाही राजनीतिज्ञ गठजोड़ और व्यवसाय के कुछ वर्ग जो इस प्रणाली के लाभार्थी थे, ने इस तरह के बदलाव को प्रतिबंधित कर दिया।

मिश्रित अर्थव्यवस्था समाजवाद और पूँजीवाद दोनों की सबसे खराब विशेषताओं को मिलाकर बनी थी – समाजवाद के 'नियंत्रण', पूँजीवाद के 'एकाधिकार और लॉबी' के साथ – और हमें दोनों व्यवस्थाओं का सबसे बुरा मिला। 'नियंत्रण' ने पूँजीवाद की नवीन ऊर्जाओं को दबाकर विकास को दबा दिया और मिश्रित अर्थव्यवस्था ने सामाजिक न्याय और कल्याण नहीं किया, जो कम से कम समाजवादी देशों ने किया। जनता को गुणवत्तापूर्ण शिक्षा और सार्वजनिक स्वास्थ्य प्रदान करने के बजाय, इसने सब्सिडी दी, जो आमतौर पर बेहतर स्थिति वाले लोगों के पास जाती थी और **संसाधनों के गलत आवंटन** का कारण बनती थी।

आदर्शवादी 1950 के दशक में समाजवाद किसी भी संवेदनशील व्यक्ति को आकर्षित करता था। देश दो सौ साल बाद आजाद हुआ था, और उम्मीद की किरण जगी

थी। पैसे और प्रभाव वाला वर्ग छोटा था और पूरी तरह से उच्च जातियों से संबद्ध था। इसने सत्ता और विशेषाधिकार तथा शिक्षा, स्वास्थ्य और बुनियादी ढाँचे के लिए कुछ दुर्लभ सुविधाओं पर एकाधिकार कर लिया था। यह स्वाभाविक रूप से अपने विशेषाधिकारों को बनाए रखना चाहता था। बाकी आबादी की उपेक्षा कर दी गई थी । आम भारतीय के लिए यह उम्मीद करना स्वाभाविक था कि स्वतंत्र भारत (सरकार) जनता की ओर से हस्तक्षेप करे। उस समय की भावना ने समाजवाद को जवाब के रूप में पेश किया।

मिश्रित अर्थव्यवस्था की समस्या सिद्धांत की नहीं बल्कि प्रदर्शन की थी। यह एक महान दृष्टि थी जिसके कारण राज्य द्वारा उत्पीड़न हुआ। भारतीयों ने बाद में दर्दनाक अनुभव से सीखा कि राज्य जरूरी नहीं कि लोगों की ओर से काम करे। यह स्वयं की ओर से काम करता है - राजनेताओं, नौकरशाहों और उन हितों की ओर से जो सीधे उनका समर्थन करते हैं। राज्य के कर्मचारी एक शक्तिशाली निहित स्वार्थ बन गए जो किसी के प्रति उत्तरदायी नहीं थे, और वे अक्सर मानते थे कि उन्हें काम करने की जरूरत नहीं है।

हमारे समाजवाद में कुछ खामियाँ थीं।

- हमने बाह्यमुखी निर्यात को बढ़ावा देने वाले मार्ग के बजाय एक अंतर्मुखी, आयात-प्रतिस्थापन मार्ग अपनाया, और इस प्रकार हम विश्व व्यापार और युद्ध के बाद के युग में व्यापार द्वारा उत्पन्न समृद्धि में भाग नहीं ले पाए।
- हमने एक विशाल, अकुशल और एकाधिकारवादी सार्वजनिक क्षेत्र की स्थापना की, जिसे हमने काम करने की स्वायत्तता से वंचित कर दिया।
- हमने दुनिया में सबसे खराब (मामले-दर-मामला) नियंत्रणों के साथ निजी उद्यमों को अत्यधिक विनियमित किया, जिससे घरेलू बाजार में प्रतिस्पर्धा कम हो गई।
- हमने विदेशी पूँजी को हतोत्साहित किया और स्वयं को प्रौद्योगिकी और विश्व स्तरीय प्रतिस्पर्धा के लाभों से वंचित किया।
- हमने संगठित श्रम को बढ़ावा दिया और इससे उत्पादकता बेहद कम हो गई।

अंततः, हमने अपने समाजवाद के लिए भारी कीमत चुकाई। हमने अपने उद्यमियों पर भरोसा नहीं किया और महसूस किया कि केवल राज्य ही देश को तेजी से बदलने की भूमिका निभा सकता है। हम सोवियत संघ के आर्थिक चमत्कार से मंत्रमुग्ध थे और इससे भारी उद्योग और कृषि और हल्के उपभोक्ता उद्योग के प्रति पूर्वाग्रह पैदा हुआ।

पहली तीन योजनाओं में अंतर्निहित रणनीति यह मानती थी कि एक बार विकास प्रक्रिया स्थापित हो जाने के बाद, संस्थागत परिवर्तन यह सुनिश्चित करेंगे कि विकास का लाभ गरीबों तक पहुँचे। लेकिन **'टपकन सिद्धान्त' (trickle down)** दृष्टिकोण की प्रभावशीलता और गरीबी को दूर करने की इसकी क्षमता के बारे में संदेह व्यक्त किए गए। इसके अलावा, नियोजित दृष्टिकोण द्वारा उत्पन्न विकास स्वयं पर्याप्त अधिशेष बनाने के लिए बहुत कमजोर रहा - 'टपकन सिद्धान्त' तंत्र के काम करने के लिए एक शर्त। सार्वजनिक क्षेत्र पूँजी संचय की गति को तेज करने और असमानता को कम करने में मदद करने के लिए अधिशेष उत्पन्न करने की अपेक्षाओं पर खरा नहीं उतरा। कृषि विकास विकृत संस्थागत स्थितियों से बाधित रहा। इस अवधि में अनियंत्रित जनसंख्या वृद्धि हुई। यद्यपि पहली तीन पंचवर्षीय योजनाओं में प्राप्त वृद्धि नगण्य नहीं थी, फिर भी यह विकास के लक्ष्यों और उद्देश्यों को पूरा करने के लिए पर्याप्त नहीं थी। इससे आर्थिक रणनीति की कमजोरी सामने आ गई।

लेकिन महालनोबिस मॉडल ने भारत में पूँजी गहनता को बढ़ावा दिया। इसने मशीन टूल्स, भारी इलेक्ट्रिकल्स, परिवहन उपकरण और औद्योगीकरण के संदर्भ में अंतिम मध्यवर्ती वस्तुओं जैसे पूँजीगत वस्तु उद्योगों के आधार अर्थात् लोहा और इस्पात को बढ़ाया।

उस समय शिक्षा पर सार्वजनिक व्यय का आवंटन उच्च शिक्षा (पहला आईआईटी और आईआईएम नेहरू युग में शुरू किया गया था) और इसके तकनीकी खंड को विशेषाधिकार देने की ओर झुकाव को दर्शाता है। न केवल प्राथमिक शिक्षा पर अपर्याप्त जोर दिया गया था, बल्कि वयस्कों में निरक्षरता पर भी कोई स्पष्ट कार्य नहीं हुआ था।

इस अवधि के दौरान गरीबी की घटनाओं में कोई वृद्धि या कमी नहीं देखी गई। बल्कि उतार-चढ़ाव का एक पैटर्न था, जिसमें अच्छे कृषि प्रदर्शन की अवधि में गरीबी की घटनाओं में कमी आई और खराब प्रदर्शन की अवधि में वृद्धि हुई।

स्वतंत्रता के बाद भारत ने एक बड़ा सार्वजनिक क्षेत्र क्यों बनाया?

पीछे मुड़कर देखने पर, हम शायद उन नीति-निर्माताओं के कार्यों को समझकर उनकी व्याख्या कर सकते हैं। सार्वजनिक क्षेत्र की कंपनियों को अर्थव्यवस्था की 'कमांडिंग हाइट्स' पर कब्जा करने के लिए मुख्य तर्क शायद एक 'बड़ा धक्का' था जो आर्थिक विकास में समन्वय समस्या को हल करने के लिए आवश्यक था। शुरुआती औद्योगीकरण के लिए अर्थव्यवस्था के कई अलग-अलग तत्वों की आवश्यकता थी, और समन्वय की समस्या थी। एल्युमिनियम फैक्ट्री नहीं बन पाएगी क्योंकि उस प्रोजेक्ट पर विचार करने वाले उद्यमी को यह यकीन नहीं हो सकता कि कोई दूसरा उद्यमी निश्चित रूप से विमान फैक्ट्री बनाएगा। सरकार द्वारा किए गए बड़े प्रयास ने एक ढाँचा तैयार किया जिसके चारों ओर बाजार अर्थव्यवस्था वृद्धिशील तरीके से आगे बढ़ सकती है। अधिकांश निजी बैंकों में प्रमुख कर्मचारियों का सार्वजनिक क्षेत्र के बैंकों में रोजगार का इतिहास है। इसी तरह, हिंदुस्तान एयरोनॉटिक्स लिमिटेड (HAL) ने भारत में एयरोस्पेस ज्ञान को विकसित किया और इंडियन ड्रग्स एंड फार्मास्युटिकल्स लिमिटेड (IDPL) के पूर्व छात्रों ने निजी भारतीय दवा उद्योग की नींव रखी।

6.3 नेहरू के बाद आर्थिक स्थिति (1965 से 1991) (Economic Situation After Nehru–1965 to 1991)

1965 और 1966 में लगातार दो मानसून की विफलताओं ने कृषि पर बोझ बढ़ा दिया, जो ठहराव के संकेत दे रही थी। 1965 से 1968 तक मुद्रास्फीति की दर 12% तक बढ़ गई और खाद्य कीमतें 20% तक बढ़ गई। 1962 (चीन) और 1965 (पाकिस्तान) के दो युद्धों ने रक्षा व्यय में भारी वृद्धि की, जिसके परिणामस्वरूप सरकारों ने 1966-67 में सकल घरेलू उत्पाद का 7.3% राजकोषीय घाटा समेकित किया। 1956-57 से नाजुक स्थिति में चल रहा भुगतान संतुलन और भी बिगड़ गया, 1964-65 के दौरान विदेशी मुद्रा भंडार लगभग 340 मिलियन डॉलर रह गया, जो दो महीने से भी कम के आयात को कवर करने के लिए पर्याप्त था।

यह भारतीय अर्थव्यवस्था के लिए सबसे कमजोर समय था (उच्च मुद्रास्फीति, कम विदेशी मुद्रा संतुलन, खाद्य भंडार इतना कम कि कुछ क्षेत्रों में अकाल की स्थिति पैदा हो गई थी, जिसके लिए बड़े पैमाने पर आयात की आवश्यकता थी) कि अमेरिका, उस समय का सबसे महत्वपूर्ण दाता, ने भारत-पाकिस्तान युद्ध (1965) के जवाब में अपनी सहायता को निलंबित करने का फैसला किया और PL-480 समझौते (यह अमेरिका द्वारा अपनी रणनीतिक और मानवीय चिंताओं के कारण खाद्य सहायता कार्यक्रम था) को दीर्घकालिक आधार पर नवीनीकृत करने से इनकार कर दिया।

अमेरिका, विश्व बैंक और आईएमएफ चाहते थे कि भारत

- अपने व्यापार और औद्योगिक नियंत्रणों को उदार बनाए।
- रुपये का अवमूल्यन करे।
- एक नई कृषि नीति अपनाए।

हालाँकि कृषि में एक नई पहल के लिए काफी स्वदेशी समर्थन था, लेकिन पहले दो उपायों के बारे में बहुत संदेह था। रुपये का नाममात्र अवमूल्यन करके 36.5% कर दिया गया तथा इंदिरा गाँधी द्वारा 1960 के दशक के मध्य में व्यापार उदारीकरण की शुरुआत की गई, लेकिन यह उद्योग में जारी मंदी, मुद्रास्फीति तथा निर्यात में वृद्धि की विफलता से जुड़ गया, जिनमें से सभी कम से कम आंशिक रूप से 1966-67 के बड़े सूखे जैसे बाह्य कारकों तथा आंशिक रूप से इन नीतियों को शुरू करने के अपर्याप्त तरीके के कारण थे। इन नीतियों की निंदा उनके दीर्घकालिक प्रभाव को महसूस किए जाने से पहले ही कर दी गई।

व्यापार और उद्योग पर नियंत्रण के अवमूल्यन तथा उदारीकरण की कथित विफलता तथा भारत की आर्थिक कमजोरी का उपयोग करके नीतियों के पक्ष में बाहरी एजेंसियों (विश्व बैंक तथा आईएमएफ) द्वारा किए गए 'आवेश-दबाव' पर नाराजगी के कारण नियंत्रण तथा राज्य हस्तक्षेप की पिछली नीतियों को उलट दिया गया।

इसलिए, 1967 के बाद की अवधि में कई क्रांतिकारी आर्थिक नीतियों की शुरुआत हुई, जिनका भारत के विकास प्रयासों पर दीर्घकालिक प्रभाव पड़ा। इनमें से कुछ नीतियों ने उन कमियों को और बढ़ा दिया जो नियोजन के पहले चरण में ही उभरने लगी थीं और अन्य ने नई विकृतियाँ पैदा कीं।

- प्रमुख निजी वाणिज्यिक बैंकों का 1969 में राष्ट्रीयकरण किया गया।
- एकाधिकार और प्रतिबंधात्मक व्यापार व्यवहार अधिनियम (एमआरटीपी) 1969 में पारित किया गया, जिसने बड़े व्यापारिक घरानों की गतिविधियों को गंभीर रूप से प्रतिबंधित कर दिया
- सरकारी नियंत्रण और हस्तक्षेप बढ़ाने वाले उपायों की एक श्रृंखला शुरू की गई।
- बीमा का राष्ट्रीयकरण 1972 में किया गया।
- कोयला उद्योग का 1973 में राष्ट्रीयकरण किया गया था
- विदेशी मुद्रा और विनियमन अधिनियम (FERA) 1973 में पारित किया गया था, जिसने भारत में विदेशी निवेश और विदेशी कंपनियों के कामकाज पर कई प्रतिबंध लगा दिए थे, जिससे भारत दुनिया में विदेशी पूँजी के लिए सबसे कठिन गंतव्यों में से एक बन गया। (उसी समय दक्षिण कोरिया, हांगकांग, सिंगापुर, ताइवान जैसे पूर्वी एशियाई देश विदेशी पूँजी के लिए अपनी अर्थव्यवस्था खोल रहे थे)।
- सरकार ने घाटे में चल रही कंपनियों को बंद करने के बजाय कई कपड़ा मिलों जैसी बीमार कंपनियों को अपने नियंत्रण में लेने और चलाने का भी फैसला किया।

1980 के दशक का उच्च विकास चरण

1970 के दशक की शुरुआत से ही आर्थिक विकास से संबंधित वैश्विक मंचों पर खुलेपन और हल्के विनियमन के महत्व को प्रमुखता मिलनी शुरू हो गई थी।

जब इंदिरा गाँधी 1980 में सत्ता में लौटीं, तो उन्होंने संगठित निजी क्षेत्र के साथ खुद को राजनीतिक रूप से फिर से जोड़ लिया और अपनी पिछली बयानबाजी छोड़ दी। व्यापार के प्रति सरकार का रवैया पूरी तरह से शत्रुतापूर्ण से समर्थक में बदल गया। इंदिरा गाँधी के इस कदम को राजीव गाँधी ने 1984 में सत्ता में आने के बाद और भी स्पष्ट तरीके से मजबूत किया।

राजीव गाँधी सरकार (1984-89) ने 1980 के दशक के उत्तरार्ध में कुछ सुधार किए जैसे लाइसेंस देने में छूट, आयात प्रतिबंधों में कमी, निर्यात प्रोत्साहनों की शुरुआत, जिसके कारण भारत ने 1980 के दशक में सकल घरेलू उत्पाद के 5.5% से अधिक की उच्च वृद्धि हासिल की और **पिछले तीन दशकों के 3.5% विकास रिकॉर्ड को तोड़ दिया जिसे 'हिंदू विकास दर' (यह शब्द प्रोफेसर राज कृष्ण द्वारा गढ़ा गया था) कहा जाता है।**

नीचे दिया गया चित्र 20वीं सदी में भारतीय अर्थव्यवस्था की बचत, निवेश और विकास दर को दर्शाता है।

	1900–1950	1950–1965	1965–1980	1980–1990
GDP विकास	0.7%	3.5%	3.5%	5.5%
बचत	3%	11%	20%	
निवेश	5%	14%	22%	

निर्धनता

इस बात से इनकार नहीं किया जा सकता कि इंदिरा गाँधी के कार्यकाल में निर्धनता में कमी (प्रतिशत में) आई, वास्तव में यह गिरावट उनके कार्यकाल के शुरू में ही शुरू हो गई थी। इसका कारण निर्धनता उन्मूलन के उपायों के बजाय हरित क्रांति के कारण कृषि उत्पादन में तेज वृद्धि है, क्योंकि इंदिरा गाँधी की निर्धनता उन्मूलन योजनाओं के लिए विकास की दिशा को प्रभावित करना बहुत जल्दी था।

इस बात का इससे बेहतर संकेत नहीं हो सकता कि विकास की प्रकृति गरीबी में कमी के लिए मायने रखती है, इस मामले में जहाँ अर्थव्यवस्था में वृद्धि हो रही है। 1960 के दशक के मध्य से लगभग डेढ़ दशक तक, जबकि अर्थव्यवस्था की वृद्धि धीमी रही, हरित क्रांति के परिणामस्वरूप कृषि में तेजी से वृद्धि हुई। बाद का विकास महत्वपूर्ण था क्योंकि उस समय सबसे ज्यादा गरीब लोग ग्रामीण भारत में रहते थे।

1950-1991 की अवधि के दौरान संरचनात्मक अड़चनें

1. लाइसेंस राज

लाइसेंसिंग का उद्देश्य था:

- निवेश का नियोजित पैटर्न बनाना
- एकाधिकार और धन के संकेन्द्रण का प्रतिकार करना
- उद्योगों की स्थापना में क्षेत्रीय संतुलन बनाए रखना
- छोटे पैमाने के उत्पादकों के हितों की रक्षा करना और नए उद्यमियों के प्रवेश को प्रोत्साहित करना
- संयंत्रों के अधिकतम पैमाने को प्रोत्साहित करना और प्रौद्योगिकी को आगे बढ़ाना

ये सभी अच्छे इरादे थे, लेकिन नौकरशाही ने जिस तरह से लाइसेंसिंग प्रणाली को प्रशासित किया, उसने उद्यमी के लिए एक दुःस्वप्न पैदा कर दिया। चूँकि यह प्रणाली पहले आओ, पहले पाओ पर आधारित थी, 'बड़े घरानों ने एक ही उत्पाद के लिए कई और शुरुआती आवेदन देकर लक्षित क्षमता का एक बड़ा हिस्सा हासिल कर लिया। इस प्रकार, वे सफल लाइसेंस आवेदन को लागू करने के किसी भी इरादे के वर्जित क्षमता (foreclose capacity) को रोक सकते थे'। दुखद रूप से, यह प्रणाली अपने किसी भी सामाजिक उद्देश्य को प्राप्त किए बिना प्रतिस्पर्धा, उद्यमशीलता और विकास को विफल करने में समाप्त हो गई। आवेदनों को मंजूरी देने में होने वाली अंतहीन देरी ने कुशल और ईमानदार प्रवेशकों के प्रवेश को हतोत्साहित किया और चालाक, अकुशल उत्पादकों को पुरस्कृत किया जो व्यवस्था में हेरफेर कर सकते थे।

लाइसेंस राज की नीतियों को लागू करने के लिए प्रशासनिक तंत्र ने कानूनों और विनियमों को दरकिनार करने को प्रोत्साहित किया। विनियमन जटिल था और इसे औद्योगिक लाइसेंसिंग, आयात और निर्यात विनियमन, मूल्य नियंत्रण, पूँजी निर्गम नियंत्रण और स्वदेशी रूप से उत्पादित सामग्रियों के आवंटन को कवर करते हुए, बुद्धि से अधिक साहस के साथ लागू किया गया था। इसने निहित स्वार्थों के बड़े और शक्तिशाली समूह का निर्माण किया। **इनमें राजनेता, नौकरशाह और निजी उद्योग का एक बड़ा हिस्सा शामिल था।** लाइसेंस राज की कठोरता, जहाँ व्यवसायी अपनी फर्मों के भाग्य को आकार नहीं दे सकते थे, शायद वैश्विक वाणिज्य में भारत की हिस्सेदारी में गिरावट का एक कारक था।

1970 के दशक के मध्य में, सिस्टम के एक आकलन में पाया गया कि विस्तृत नियंत्रण प्रशासनिक मशीनरी पर दबाव डालते हैं और कार्यान्वयन में देरी करते हैं। फिर भी, राजनीतिक मजबूरी के लिए, श्रीमती इंदिरा गाँधी के नेतृत्व वाली सरकार ने नियंत्रण प्रणाली को मजबूत किया।

2. एकाधिकारवादी और प्रतिबंधात्मक व्यापार व्यवहार (एमआरटीपी) अधिनियम 1969

इंदिरा गाँधी ने 1969 में एमआरटीपी अधिनियम लागू किया और एक पीढ़ी के लिए निजी उद्योग को पंगु बना दिया। एमआरटीपी अधिनियम आधुनिक भारतीय इतिहास में सबसे अधिक नुकसानदायक साबित हुआ। 20 करोड़ रुपये से अधिक की संयुक्त संपत्ति वाले किसी भी व्यावसायिक समूह को एकाधिकार घोषित कर दिया गया और 1969 के बाद प्रभावी रूप से अपने व्यवसाय का विस्तार करने से रोक दिया गया। टाटा, जो भारत में सबसे बड़े औद्योगिक साम्राज्य को नियंत्रित करते थे, ने एमआरटीपी कानून के बाद से बीस वर्षों की अवधि में नई व्यावसायिक परियोजनाओं या मौजूदा लोगों के विस्तार के लिए सौ से अधिक प्रस्ताव बनाए, लेकिन उन सभी को अस्वीकार कर दिया गया। इस प्रकार, भारतीय फर्मों ने **पैमाने की अर्थव्यवस्थाओं** को प्राप्त करने के कई अवसर खो दिए, और उन्हें कभी भी अपनी औद्योगिक क्रांति शुरू करने का मौका नहीं मिला। 1980 के दशक के मध्य में, राजीव गांधी की सरकार ने एमआरटीपी संपत्ति सीमा को पाँच गुना बढ़ाकर 100 करोड़ रुपये कर दिया और आखिरकार सितंबर 1991 में नरसिम्हा राव सरकार ने इस हास्यास्पद कानून को खत्म कर दिया।

3. लघु उद्योगों के लिए आरक्षण

भारत में विनिर्माण कौशल की कमी शायद लघु उद्योगों के लिए बनाई गई आरक्षण नीतियों के कारण हुई और भारतीय उद्योग पैमाने की अर्थव्यवस्थाओं का लाभ उठाने में असमर्थ रहे। संगठित और असंगठित दोनों क्षेत्रों से संबंधित लघु उद्योग प्रौद्योगिकी और पूँजी लाने में सक्षम नहीं थे और उनके पास इन उद्यमों को चलाने के लिए पेशेवर प्रबंधन का अनुभव नहीं था। सीमित

पूँजी के साथ, वे उच्च स्तरीय अर्थव्यवस्थाओं को प्राप्त करने और अपनी उत्पादकता और दक्षता बढ़ाने में सक्षम नहीं थे। लघु उद्योगों को शिक्षित पुरुषों के साथ-साथ उनके घरों में महिलाओं को रोजगार प्रदान करने के महत्व के लिए पहचाना गया था। इस प्रकार, रोजगार की चिंता और पूँजी की कमी के बारे में चिंता ने लघु और कुटीर उद्योगों के लिए प्रारंभिक आरक्षण को जन्म दिया। लघु-स्तरीय इकाइयों की पहली औपचारिक परिभाषा 1955 में दी गई थी और 1967 में लघु-स्तरीय क्षेत्र द्वारा 47 वस्तुओं के उत्पादन का आरक्षण शुरू किया गया था। मार्च 1987 तक, आरक्षण को 800 से अधिक वस्तुओं तक बढ़ा दिया गया था। इन वस्तुओं का उत्पादन अन्य देशों द्वारा बेहतर तकनीक के माध्यम से और बहुत कम लागत पर बड़े पैमाने पर किया जाता था और 1991 के सुधारों के बाद जब हमने आयात शुल्क कम कर दिया तो ये हमारे घरेलू बाजार में छा गए।

4. आयात प्रतिस्थापन औद्योगीकरण (आईएसआई)

स्वतंत्रता के बाद अपनाई गई आयात प्रतिस्थापन औद्योगीकरण (ISI) रणनीति, जो स्वदेशी उद्योगों को भारी संरक्षण पर आधारित थी, भारत के औद्योगिक आधार को गहरा और व्यापक बनाने तथा अर्थव्यवस्था को विदेशी निर्भरता से बहुत अधिक स्वतंत्रता दिलाने में बहुत प्रभावी रही। हालाँकि, समय के साथ टैरिफ (सीमा शुल्क) और कोटा प्रतिबंधों के माध्यम से अत्यधिक संरक्षण ने भारतीय उद्योग में अकुशलता और तकनीकी पिछड़ेपन को जन्म देना शुरू कर दिया। स्वतंत्रता के बाद भारत का अंतर्मुखी विकास पथ पहली तीन पंचवर्षीय योजनाओं में निहित निर्यात निराशावाद से **समय पर बदलाव करने में विफल रहा।** मूल रूप से, यह वैश्वीकरण प्रक्रिया का लाभ उठाने में विफल रहा, जिसमें सिंगापुर, दक्षिण कोरिया, ताइवान, हांगकांग आदि जैसे पूर्वी एशियाई देश शामिल थे।

जबकि औपनिवेशिक शासन की पृष्ठभूमि में विकास की केंद्र निर्देशित रणनीति अपनाने के कारण समझ में आते थे, लेकिन जल्द ही यह स्पष्ट हो गया कि इस रणनीति के वास्तविक परिणाम अपेक्षाओं से बहुत कम थे। उच्च विकास, उच्च सार्वजनिक बचत और उच्च स्तर की आत्मनिर्भरता दिखाने के बजाय, भारत वास्तव में विकासशील देशों में सबसे कम विकास दरों में से एक दिखा रहा था, जिसमें सार्वजनिक घाटा बढ़ रहा था और भुगतान संतुलन का समय-समय पर संकट आ रहा था। 1950 और 1990 के बीच, भारत की विकास दर औसतन 4 प्रतिशत प्रति वर्ष से कम थी और यह उस समय था जब विकासशील दुनिया और अन्य कम विकसित देशों ने प्रति वर्ष 5% से अधिक की विकास दर दिखाई थी। स्वतंत्रता के बाद की विकास रणनीति के चुनाव में एक महत्वपूर्ण धारणा सार्वजनिक बचत का सृजन था, जिसका उपयोग उच्च स्तर के निवेश के लिए किया जा सकता था। हालाँकि, ऐसा नहीं हुआ, और सार्वजनिक क्षेत्र समुदाय की भलाई के लिए **बचत का सृजक होने के बजाय समय के साथ, समुदाय की बचत का उपभोक्ता बन गया।**

6.4 1991 के आर्थिक सुधार (एलपीजी सुधार) Economic Reforms of 1991 (LPG Reforms)

(उदारीकरण, निजीकरण और वैश्वीकरण)

(उदारीकरण का अर्थ है निजी व्यक्तिगत गतिविधियों पर राज्य के प्रतिबंधों को हटाना; निजीकरण का अर्थ है व्यवसाय, उद्योग या सेवा का सार्वजनिक स्वामित्व से निजी स्वामित्व और नियंत्रण में स्थानांतरण; और वैश्वीकरण अंतर्राष्ट्रीय सीमाओं के पार वस्तुओं, सेवाओं, पूँजी और श्रम का प्रवाह है)

घटनाक्रम:

2 दिसंबर, 1989-10 नवंबर, 1990	वीपी सिंह (प्रधानमंत्री, जनता दल) और मधु दंडवते (वित्त मंत्री)
10 नवंबर, 1990-21 जून, 1991	चंद्रशेखर (प्रधानमंत्री, जनता दल) और यशवंत सिन्हा (वित्त मंत्री)

(चंद्रशेखर ने 6 मार्च, 1991 को इस्तीफा दे दिया क्योंकि कांग्रेस ने अपना समर्थन वापस ले लिया था, लेकिन वे 21 जून, 1991 तक कार्यवाहक प्रधानमंत्री के रूप में पद पर बने रहे और उनकी सरकार को बजट पेश करने का मौका नहीं दिया गया)

21 जून, 1991	पीवी नरसिम्हा राव (प्रधानमंत्री, कांग्रेस, (गठबंधन) के रूप में शपथ ली)
24 जुलाई, 1991	डॉ. मनमोहन सिंह, वित्त मंत्री द्वारा बजट पेश किया गया

पृष्ठभूमि

राजीव गांधी सरकार (1984–1989) ने 1980 के दशक के उत्तरार्ध में नियंत्रण व्यवस्था **(लाइसेंस राज)** की कठोरता को कम करने के लिए कुछ सुधार पेश किए, जैसे लाइसेंस देने में छूट, आयात प्रतिबंधों में कमी, निर्यात प्रोत्साहनों की शुरूआत आदि। **हालाँकि, ये परिवर्तन प्रकृति में मौलिक होने के बजाय सीमांत थे**, जो नियंत्रण व्यवस्था से व्यापक बदलाव के बजाय नियंत्रण को ढीला करने और उन्हें अधिक लचीले ढंग से संचालित करने के लिए अधिक थे। लेकिन निश्चित रूप से, इसने भारत को 1980 के दशक में सकल घरेलू उत्पाद के 5.5% से अधिक की उच्च वृद्धि की ओर अग्रसर किया और पिछले तीन दशकों के 3.5% विकास रिकॉर्ड को तोड़ दिया, जिसे **'हिंदू विकास दर'** कहा जाता है।

जहाँ एक ओर अस्सी के दशक में भारतीय अर्थव्यवस्था काफी अच्छी स्थिति में थी, वहीं दूसरी ओर लाइसेंस राज, एकाधिकार और प्रतिबंधात्मक व्यापार व्यवहार अधिनियम (एमआरटीपी) 1969, बैंकों और अन्य उद्योगों का राष्ट्रीयकरण, आत्मनिर्भरता और अंतर्मुखी व्यापार नीति तथा आयात प्रतिस्थापन औद्योगिकीकरण (आईएसआई) के माध्यम से व्यापक औद्योगिक नियंत्रण के कारण प्रणाली में कुछ **दीर्घकालिक संरचनात्मक कमजोरियाँ** पैदा हो रही थीं।

1980 के दशक के उत्तरार्ध में व्यापार के मोर्चे पर भारी घाटा था क्योंकि आयात निर्यात से लगभग दोगुना था (निर्यात आय आयात का केवल 55% थी)। 80 के दशक के अंत तक, इन सभी ने भारत को **अधिक से अधिक अल्पकालिक ऋण** लेने के लिए मजबूर कर दिया। 80 के दशक की शुरुआत तक, सरकार ने राजकोषीय (राजस्व और व्यय) स्थिति को रूढ़िवादी तरीके से प्रबंधित किया था, लेकिन विभिन्न विकास कार्यक्रमों का समर्थन करने और विकास को जारी रखने के लिए भारी उधार लेकर राजकोषीय अपव्यय (पैसे की लापरवाही से बर्बादी) में लिप्त होना शुरू कर दिया और जिसके कारण 80 के दशक के अंत और 90 के दशक की शुरुआत में समस्याएँ पैदा हुईं। इसके परिणामस्वरूप कमजोर **व्यापक आर्थिक बुनियादी ढाँचे** (1990-91 में 8.4% का राजकोषीय घाटा, 3.1% का चालू खाता घाटा, 17% की उच्च मुद्रास्फीति और उच्च बाहरी ऋण आदि) बने और भुगतान संतुलन (BoP) के मोर्चे पर बहुत दबाव बना।

आर्थिक स्थिति (जनवरी से जुलाई 1991) तीन कारणों से कमजोर थी:

- अल्पकालिक ऋण लगभग 6 बिलियन डॉलर था, जिसमें से 2 बिलियन डॉलर हर 24 घंटे में अंतर्राष्ट्रीय पूँजी बाजारों में रातोंरात उधार के रूप में आगे बढ़ जाता था
- 10 बिलियन डॉलर से अधिक की बकाया एनआरआई जमा राशि को तेजी से वापस लिया जाने लगा
- जून 1991 तक, विदेशी मुद्रा भंडार घटकर मात्र 1 बिलियन डॉलर रह गया था जो एक पखवाड़े के लिए भी आयात को वित्त-पोषित करने के लिए पर्याप्त नहीं था, ऋण सेवा भुगतान की तो बात ही छोड़िए

अगस्त 1990 में कुवैत पर इराकी आक्रमण, से तेल की कीमतों (और आयात बिल) में वृद्धि हुई और मध्य पूर्व या खाड़ी क्षेत्र में भारतीय निर्यात में गिरावट आई तथा इससे विदेशी मुद्रा की स्थिति को खतरनाक बनने में आंशिक रूप से मदद मिली। भारत की अंतर्राष्ट्रीय क्रेडिट रेटिंग (Sovereign rating – **संप्रभु रेटिंग**) में तेजी से गिरावट आई और विदेशों से ऋण (उधार) जुटाना बेहद मुश्किल हो रहा था। ऐसी स्थिति में, जहाँ विदेशी ऋण लगभग समाप्त हो चुका था, सरकार को अपने तात्कालिक लेन-देन को पूरा करने के लिए अप्रैल से जुलाई 1991 के बीच 600 मिलियन डॉलर से अधिक की राशि जुटाने के लिए यूनियन बैंक ऑफ

स्विट्जरलैंड और बैंक ऑफ इंग्लैंड के पास **67 टन सोना** गिरवी रखने के लिए मजबूर होना पड़ा। **देश डिफॉल्ट के कगार पर** था क्योंकि भारत को अपने अल्पकालिक ऋण चुकाने थे जो उसने विदेशों से जुटाए थे और यह विकट आर्थिक चुनौती निरंतर राजनीतिक अनिश्चितता के साथ जुड़ी हुई थी (*घटनाओं का कालक्रम देखें*)।

इस भयावह स्थिति की पृष्ठभूमि में, 21 जून, 1991 को पीवी नरसिम्हा राव सरकार के सत्ता में आने से लेकर 24 जुलाई, 1991 को डॉ. मनमोहन सिंह द्वारा बजट पेश किए जाने के बीच आर्थिक सुधार पेश किए गए। (सुधारों का प्रारूप पहले से ही बजट में था, जिसे मार्च 1991 में यशवंत सिन्हा ने कभी पेश नहीं किया, क्योंकि कांग्रेस ने बजट पेश नहीं होने दिया। और सुधारों का श्रेय मनमोहन सिंह से अधिक नरसिंह राव को जाता है, क्योंकि सरकार के बाहर और अंदर से सुधारों का विरोध हो रहा था)

1991 के आर्थिक सुधार मुख्य रूप से तीन दिशाओं में किए गए:

1. हमने लाइसेंस, परमिट और नियंत्रण की जटिल व्यवस्था को खत्म कर दिया।
2. हमने उत्पादन के साधनों पर राज्य के स्वामित्व और आर्थिक गतिविधि के लगभग हर क्षेत्र में सार्वजनिक क्षेत्र के उद्यमों के प्रसार के प्रति प्रबल पूर्वाग्रह को उलट दिया।
3. हमने अंतर्मुखी व्यापार नीति (inward-looking trade policy) को त्याग दिया।

सुधारों का मुख्य उद्देश्य व्यापार, निवेश और प्रौद्योगिकी प्रवाह के माध्यम से भारतीय अर्थव्यवस्था को वैश्विक अर्थव्यवस्था के साथ एकीकृत करना था और इस उद्देश्य के लिए ऐसी परिस्थितियाँ बनाना था, जो भारतीय उद्यमियों को अन्य विकासशील देशों के समान माहौल प्रदान कर सकें और ऐसा चार से पाँच वर्षों के भीतर किया जाना था।

जून-जुलाई 1991 में किए गए प्रमुख सुधारों का विवरण नीचे दिया गया है:

1. **राजकोषीय स्थिरीकरण:** आर्थिक सुधारों की सफलता के लिए राजकोषीय स्थिरीकरण एक **आवश्यक शर्त** है। इसलिए सुधारों को आगे बढ़ाने के लिए केंद्र सरकार के राजकोषीय घाटे में कमी करना महत्वपूर्ण था, जो 1990-91 में 8.4% तक पहुँच गया था। राजकोषीय घाटे को कम करने के लिए निम्नलिखित कदम उठाए गए।
   - 1991-92 में निर्यात सब्सिडी को समाप्त करना और 1992-93 में उर्वरक सब्सिडी का आंशिक पुनर्गठन
   - घाटे में चल रही सार्वजनिक क्षेत्र की इकाइयों को उनके घाटे को पूरा करने के लिए सरकारी ऋण के रूप में बजट सहायता को धीरे-धीरे समाप्त किया गया
   - सामाजिक और आर्थिक बुनियादी ढाँचे पर व्यय सहित कुछ विकास व्यय का पुनर्गठन किया गया

2. **औद्योगिक नीति:** सुधार पैकेज में सबसे अधिक क्रांतिकारी परिवर्तन औद्योगिक नीति के क्षेत्र में किए गए हैं। पहले प्रचलित व्यापक औद्योगिक लाइसेंसिंग (लाइसेंस राज) प्रणाली, जिसके तहत नए निवेश के साथ-साथ मौजूदा क्षमता के पर्याप्त विस्तार के लिए सरकार की अनुमति की आवश्यकता होती थी, को समाप्त कर दिया गया। अब लाइसेंसिंग केवल कुछ उद्योगों के लिए ही आवश्यक है, जिसका मुख्य कारण पर्यावरण और प्रदूषण है। एमआरटीपी अधिनियम के माध्यम से बड़े औद्योगिक घरानों द्वारा निवेश और विस्तार पर समानांतर लेकिन अलग नियंत्रण को भी समाप्त कर दिया गया।

   सार्वजनिक क्षेत्र के लिए विशेष रूप से आरक्षित उद्योगों की सूची में भारी कटौती की गई और कई महत्वपूर्ण क्षेत्रों को निजी क्षेत्र के लिए खोल दिया गया, जैसे बिजली उत्पादन, हाइड्रोकार्बन (तेल और गैस की खोज, उत्पादन और शोधन), हवाई परिवहन, दूरसंचार आदि।

3. **एमएसएमई क्षेत्र के लिए आरक्षित वस्तुओं का लाइसेंस समाप्त करना:** 1991 से, वाणिज्य और उद्योग मंत्रालय एक दूरदर्शी नीति के माध्यम से एमएसएमई क्षेत्र के लिए आरक्षित वस्तुओं का लाइसेंस समाप्त कर रहा था । 1991 के बाद के वर्षों में, एमएसएमई क्षेत्र द्वारा विनिर्माण के लिए आरक्षित वस्तुओं की सूची अप्रैल 2015 तक 800 से अधिक से घटाकर शून्य कर दी गई थी। आरक्षित वस्तुओं में अचार और चटनी,

सरसों का तेल (विलायक निकाले गए को छोड़कर), मूँगफली का तेल लकड़ी से बनी वस्तुएँ, अभ्यास पुस्तकें और रजिस्टर, मोमबत्तियाँ, कपड़े धोने का साबुन, काँच की चूड़ियाँ, स्टील की अलमारी, रोलिंग शटर, स्टील की कुर्सियाँ और मेज, ताले, स्टेनलेस स्टील और एल्यूमीनियम के बर्तन आदि शामिल थे।

4. **विदेशी निवेश:** 1991 से पहले, विदेशी निवेश के प्रति भारत की नीति बहुत ही चयनात्मक थी और इसे व्यापक रूप से मित्रवत नहीं माना जाता था। विदेशी निवेशकों को दी जाने वाली स्वामित्व की प्रतिशतता आमतौर पर कुछ उच्च प्रौद्योगिकी क्षेत्रों को छोड़कर 40% तक सीमित थी और मजबूत निर्यात प्रतिबद्धताओं द्वारा समर्थित होने तक उपभोक्ता वस्तुओं के क्षेत्र में विदेशी निवेश को आम तौर पर हतोत्साहित किया जाता था।

   नई नीति गतिविधियों की एक विस्तृत श्रृंखला में विदेशी निवेश का अधिक सक्रिय रूप से समर्थन करती है। 34 उद्योगों की एक बड़ी सूची में 51% तक विदेशी इक्विटी निवेश के लिए अनुमति स्वचालित रूप से दी जाती है और 51% से अधिक के लिए सरकारी अनुमोदन की आवश्यकता थी।

   विदेशी मुद्रा विनियमन अधिनियम (FERA) 1973 को विदेशी मुद्रा प्रबंधन अधिनियम (FEMA) 1999 के साथ प्रतिस्थापित करके 40% से अधिक विदेशी स्वामित्व वाली कंपनियों के संचालन पर पहले लागू विभिन्न प्रतिबंधों को समाप्त कर दिया गया था, और भारत में निगमित सभी कंपनियों को अब विदेशी स्वामित्व के स्तर की परवाह किए बिना एकसमान माना जाता था।

5. **व्यापार और विनिमय दर नीति:** कच्चे माल, अन्य आगतों, पूँजीगत वस्तुओं के आयात पर पहले लागू जटिल आयात नियंत्रण व्यवस्था को लगभग समाप्त कर दिया गया था। अब अपेक्षाकृत छोटी नकारात्मक सूची को छोड़कर सभी कच्चे माल, उत्पादन के लिए आवश्यक अन्य इनपुट और पूँजीगत वस्तुओं का स्वतंत्र रूप से आयात किया जा सकता है। कुछ उपभोक्ता वस्तुओं के आयात को विशेष आयात लाइसेंस के विरुद्ध अनुमति दी गई थी, जो कुछ श्रेणियों के निर्यातकों को प्रोत्साहन के रूप में दिए गए थे। व्यापार उदारीकरण से उपभोक्ता वस्तुओं का बहिष्कार व्यापार नीति में एक प्रतिबंधात्मक तत्व था, जिसके बारे में सरकार ने वादा किया था कि इसे धीरे-धीरे उदार बनाया जाएगा, लेकिन अन्य सभी क्षेत्रों के लिए, आयात पर मात्रात्मक प्रतिबंध काफी सीमा तक समाप्त कर दिए गए थे। आयात पर मात्रात्मक प्रतिबंधों को हटाने के साथ-साथ सीमा शुल्क में धीरे-धीरे कमी की गई।

   1991 से पहले, भारतीय रुपया RBI द्वारा आधिकारिक रूप से निर्धारित विनिमय दर के आधार पर विदेशी मुद्रा में परिवर्तित किया जाता था। जुलाई 1991 में, रुपये का लगभग 24% अवमूल्यन किया गया (विनिमय दर को बाजार दर के साथ संरेखित करने के लिए)। और मार्च 1993 में, भारत ने बाजार-आधारित विनिमय दर प्रणाली (फ्लोटिंग रेट/मैनेज्ड फ्लोट) अपनाई। चालू खाते में रुपया पूरी तरह से परिवर्तनीय बना दिया गया। पूँजी खाते में, रुपया अभी भी आंशिक रूप से परिवर्तनीय है।

6. **कर सुधार:**
   - जून 1991 में व्यक्तिगत आयकर की अधिकतम सीमांत दर 56% थी। इसे घटाकर 40% कर दिया गया
   - सार्वजनिक सूचीबद्ध कंपनियों के लिए कॉर्पोरेट आयकर 51.75% से घटाकर 46% कर दिया गया
   - सीमा शुल्क को औसतन लगभग 200% से घटाकर 65% कर दिया गया

7. **सार्वजनिक क्षेत्र के सुधार:** सार्वजनिक क्षेत्र का सुधार दुनियाभर में संरचनात्मक समायोजन कार्यक्रमों में एक महत्वपूर्ण तत्व है और इसे भारत के सुधार एजेंडे में भी शामिल किया गया था। पूर्ण निजीकरण के बजाय, सरकार ने सार्वजनिक क्षेत्र की कंपनियों में सरकारी स्वामित्व/इक्विटी के विनिवेश की एक सीमित प्रक्रिया शुरू की, जिसमें सरकार ने 51% इक्विटी और प्रबंधन नियंत्रण बरकरार रखा।

   सार्वजनिक क्षेत्र की कंपनियों को स्पष्ट संकेत दिया गया कि भविष्य में उनकी निवेश योजनाओं को या तो

आंतरिक संसाधन सृजन (लाभ) या पूँजी बाजार से जुटाए गए संसाधनों से वित्त-पोषित किया जाना चाहिए - दोनों ही विकल्प दक्षता और वाणिज्यिक अभिविन्यास को प्रोत्साहित और पुरस्कृत करने के लिए बाध्य हैं। सरकार ने घोषणा की कि घाटे में चल रही सार्वजनिक क्षेत्र की कंपनियों को वित्त-पोषित करने के लिए बजटीय सहायता तीन वर्षों में चरणबद्ध तरीके से समाप्त कर दी जाएगी। और इसे इन इकाइयों के सक्रिय पुनर्गठन के लिए एक नीति के साथ पूरक के तौर पर मिला दिया जाएगा, जहाँ भी उन्हें आर्थिक रूप से किफायती बनाना संभव हो। और जहाँ ऐसा संभव न हो, वहाँ इन्हें बंद करने के साथ-साथ श्रमिकों के लिए पर्याप्त मुआवजा भी दिया जाएगा।

8. वित्तीय क्षेत्र में सुधार:

- बैंकिंग क्षेत्र को नए निजी बैंकों से निजी प्रतिस्पर्धा के लिए खोला गया और कई नए बैंकिंग लाइसेंस दिए गए।
- पूँजी बाजारों में व्यापार प्रथाओं में पारदर्शिता और पर्यवेक्षण। सेबी (1988 में स्थापित लेकिन अप्रैल 1992 में वैधानिक शक्तियाँ दी गईं) को स्टॉक एक्सचेंजों को विनियमित करने और पूँजी बाजारों में प्रमुख खिलाड़ियों की निगरानी के लिए एक स्वतंत्र वैधानिक प्राधिकरण के रूप में स्थापित किया गया था।
- पोर्टफोलियो निवेश के लिए पूँजी बाजार खोला गया और भारतीय कंपनियों को ग्लोबल डिपॉजिटरी रिसीट्स (जीडीआर) के माध्यम से विदेशों में इक्विटी/शेयर जारी करके अंतरराष्ट्रीय पूँजी बाजारों तक पहुँचने की अनुमति दी गई।
- मई 1992 में पूँजी निर्गम नियंत्रण अधिनियम को निरस्त करने के साथ ही निजी कंपनियों द्वारा पूँजी जारी करने वाली कंपनियों के लिए सरकारी अनुमति की आवश्यकता तथा नई इक्विटी के मूल्य निर्धारण पर सरकारी नियंत्रण की व्यवस्था समाप्त कर दी गई।

(कार्यान्वित किए गए उपर्युक्त सुधार व्यापक आर्थिक विवशताओं के कारण आवश्यक थे, लेकिन अतिरिक्त वित्तीय सहायता के लिए आईएमएफ और विश्व बैंक द्वारा इन्हें एक पूर्व शर्त के रूप में भी रखा गया था। उल्लेखनीय है कि भले ही सुधार प्रक्रिया कांग्रेस के नेतृत्व वाली सरकार द्वारा लागू की गई हो, लेकिन लगातार गैर-कांग्रेसी सरकारों ने सुधारों को बहुत अधिक साहसिक तरीके से आगे बढ़ाया है)।

1991 के संकट ने भारत को एक नया ढाँचा बनाने के लिए मजबूर किया, जिसमें मूलभूत सिद्धांत यह था कि **प्रतिस्पर्धा दक्षता में सुधार की कुँजी** है। इसलिए, 1991 से लागू किए गए विभिन्न सुधार उपायों में एक सामान्य सूत्र प्रतिस्पर्धा को बढ़ावा देकर उत्पादकता में सुधार करना है।

विभिन्न वृहद आर्थिक मापदंडों पर सुधारों (अल्पकालिक) का प्रभाव:

- मुद्रास्फीति अगस्त 1991 में 17% के से घटकर 2.5 वर्षों के भीतर लगभग 8.5% हो गई।
- विदेशी मुद्रा भंडार जून 1991 में \$1.2 बिलियन से बढ़कर 1994 में \$15 बिलियन से अधिक हो गया।
- सकल घरेलू उत्पाद की वृद्धि 1991-92 में 1.1% से बढ़कर 1992-93 में 4% हो गई।
- राजकोषीय घाटा 1990-91 में 8.4% से घटकर 1992-93 में 5.7% हो गया।
- निर्यात 1990-91 से 1993-94 तक दोगुने से अधिक हो गया।

गरीबी में कमी पर सुधारों का प्रभाव (दीर्घकालिक)

विकास दो तरीकों से गरीबी में कमी लाने में मदद करता है; पहला, टपकन सिद्धांत (Trickle down) के माध्यम से और दूसरा, सामाजिक क्षेत्र के व्यय में वृद्धि के लिए सरकार की ओर से अधिक संसाधन जुटाने की क्षमता के माध्यम से। इसलिए, गरीबी में कमी लाने के लिए, दोहरी रणनीति की आवश्यकता है:

- अर्थव्यवस्था को तेजी से बढ़ने देना, और
- गरीबों और वंचितों की मदद करने के लिए लक्षित कार्यक्रमों पर ध्यान केंद्रित करना।

जब हमने 1991 में सुधारों की शुरुआत की, तो भारतीय अर्थव्यवस्था 6.3% की उच्च वृद्धि दर पर आगे बढ़ी, जिससे सरकार को अधिक संसाधन जुटाने में मदद मिली और इसने विकास प्रक्रिया में बहुत अधिक आबादी को भी शामिल किया। और इससे सुधार के बाद की अवधि में गरीबी में तेजी से कमी आई।

देशभर में गरीबी रेखा से नीचे रहने वाली आबादी का अनुपात (योजना आयोग के अनुमान के अनुसार) 1993-94 में 36% (40.7 करोड़) से घटकर 2004-05 में 27.5% (35.5 करोड़) हो गया। **इसलिए, इस बात के प्रमाण हैं कि सुधारों ने विकास प्रक्रिया को बढ़ाया है और भारत में गरीबी को कम किया है।** और इसीलिए, हम पुरानी समाजवादी नीतियों से दूर चले गए, जिनका आर्थिक प्रदर्शन पर हानिकारक प्रभाव पड़ा, क्योंकि यह गरीबी कम करने और अन्य सामाजिक लक्ष्यों को पूरा करने में विफल रही थी।

लेकिन सभी सुधारों के बावजूद, बहुत-से भारतीय निर्धन बने हुए हैं और 2011-12 में तेंदुलकर समिति के अनुमान के अनुसार अभी भी 21.9% (26.9 करोड़) आबादी निर्धनता रेखा से नीचे है। वे न केवल निर्धन हैं, बल्कि वे बुनियादी सुविधाओं से भी वंचित हैं, जिनके बारे में हम आजादी के बाद से और उससे पहले से बात करते आ रहे हैं। जब तक हम सीधे सरकारी कार्रवाई के माध्यम से उनका ख्याल नहीं रखेंगे और यह सुनिश्चित नहीं करेंगे कि उन्हें बुनियादी सुविधाएँ प्रदान की जाएँ, तब तक सुधार भारत के लोगों को स्वीकार्य नहीं होंगे।

सुधार विकास दर बढ़ाने की दिशा में पहला महत्वपूर्ण कदम है। लेकिन जैसा कि पिछले कुछ वर्षों में हमारे अनुभव से पता चलता है,मात्र सुधार पर्याप्त नहीं हैं। उन्हें एक सक्रिय सरकार द्वारा पूरक होना चाहिए जो विकास पर केंद्रित हो और अन्य विचारों से विचलित न हो। और यह पहचानना होगा कि सुधार अपने आप में साधन हैं, साध्य नहीं। विकास का अनिवार्य उद्देश्य गरीबी को मिटाना और लोगों की जीवन स्थितियों में सुधार करना है।

अमीर और गरीब के बीच असमानता पर सुधारों का प्रभाव (दीर्घकालिक)

नेशनल काउंसिल ऑफ एप्लाइड इकोनॉमिक रिसर्च के आंकड़ों के अनुसार, गिनी गुणाँक की आय (ग्रामीण + शहरी) में जो 2004-05 में 0.52 था, 2011-12 में बढ़कर 0.55 हो गया (*गिनी गुणांक जितना अधिक होगा, असमानता उतनी ही अधिक होगी*)। यदि हम स्वास्थ्य और शिक्षा जैसे गैर-आय संकेतकों पर विचार करें तो सुधार अवधि के बाद गरीबों और अमीरों के बीच असमानताएँ और भी बढ़ गई हैं। इसलिए, निष्कर्ष यह है कि सुधार के बाद की अवधि में गरीबी तेजी से कम हुई लेकिन असमानता बढ़ी। लेकिन कुछ अर्थशास्त्रियों का दावा है कि हम सुधारों और असमानता पर इसके प्रभाव के बीच सीधा संबंध स्थापित नहीं कर पाए हैं।

आर्थिक सुधारों को सार्वजनिक सेवाओं की कुशल वितरण प्रणाली पर अधिक ध्यान केंद्रित करना चाहिए। कई लोगों का मानना है कि खराब शासन नई पीढ़ी की आकांक्षाओं को प्राप्त करने और गरीबी और असमानता में कमी लाने में सबसे बड़ी बाधा है। एक बड़ी संस्थागत चुनौती सेवा प्रदाताओं, विशेष रूप से **सार्वजनिक क्षेत्र** की जवाबदेही है। वर्तमान साहित्य में असमानताओं में कमी लाने के लिए **भ्रष्टाचार** उन्मूलन पर भी ध्यान केंद्रित किया गया है। चुनावी सुधार, क्रोनी केपिटलिज्म, चुनावी फंडिंग और भ्रष्टाचार जैसे मुद्दे असमानताओं को कम करने के लिए सुधार एजेंडे का हिस्सा होने चाहिए। भौतिक और सामाजिक बुनियादी ढाँचे में सार्वजनिक निवेश जैसे राजकोषीय साधनों का उपयोग असमानता को कम करने के लिए किया जा सकता है।

असमानता को कम करने के लिए, कुछ लोग अमीरों के लिए उच्च करों के माध्यम से गरीबों के पक्ष में संपत्ति और धन का पुनर्वितरण जैसे उपायों की वकालत करते हैं। हालाँकि, ये व्यावहारिक समाधान नहीं हो सकते हैं। कर दर बढ़ाने के बजाय व्यापक कर आधार के साथ कर/जीडीपी अनुपात को बढ़ाया जाना चाहिए। नई पीढ़ी पुनर्वितरण उपायों के बजाय अवसर की समानता चाहती है।

टिप्पणी: सुधार के बाद की अवधि को बेरोजगारी वृद्धि कहा गया है क्योंकि हम युवाओं के लिए पर्याप्त रोजगार के अवसर पैदा नहीं कर पाए हैं। भारत की सबसे बड़ी चुनौती वर्तमान में बड़ी संख्या में अच्छी नौकरियाँ पैदा करना है क्योंकि यह निरंतर निर्धनता का एकमात्र स्थायी समाधान है अन्यथा जनसांख्यिकीय लाभांश बेरोजगारी और अल्परोजगार का दुःस्वप्न बन सकता है। भारत में दूसरी बड़ी समस्या ग्रामीण उत्पादकता में कम वृद्धि है,जबकि चीन में ग्रामीण उद्यमिता वर्षों तक सबसे बड़ी वृद्धि चालक रही है। रघुराम राजन (2014) के अनुसार, भारत ने गारंटीकृत ग्रामीण नौकरी योजना और फसलों के लिए न्यूनतम समर्थन मूल्य (MSP) जैसे हस्तांतरण कार्यक्रमों (पुनर्वितरण) के माध्यम से ग्रामीण क्षेत्रों में संसाधनों को स्थानांतरित किया, जबकि कृषि उत्पादकता में वृद्धि नहीं हुई जिससे वस्तुओं और सेवाओं की माँग में वृद्धि हुई और मुद्रास्फीति में वृद्धि हुई।

चीन के साथ तुलना

चीन ने 1978 में (डेंग जियाओपिंग के नेतृत्व में) कृषि क्षेत्र में अपने सुधारों की शुरुआत की और फिर औद्योगिक क्षेत्र (Bottom-up-approach) में आगे बढ़ा। इसने भूमि जोत में कम्यून प्रणाली (कम्यून सिस्टम में व्यक्ति अपने निजी भूखंडों को आम स्वामित्व में छोड़ देते थे) को खत्म कर दिया और घरेलू जिम्मेदारी प्रणाली की स्थापना की और बड़े पैमाने पर कृषि कीमतों को नियंत्रण से मुक्त कर दिया। किसानों की वास्तविक आय में दोहरे अंकों में वृद्धि हुई, जिससे निर्मित उत्पादों की माँग में वृद्धि हुई, जिसके परिणामस्वरूप चीन में विनिर्माण में उछाल आया।

कृषि को बाजार-उन्मुख सुधारों का प्रारंभिक बिंदु बनाकर, एक ऐसा क्षेत्र जिसने अधिकांश लोगों को उनकी आजीविका दी, चीन लाभों का व्यापक वितरण सुनिश्चित कर सका और सुधारों को जारी रखने के लिए आम सहमति और राजनीतिक समर्थन बना सका। प्रोत्साहनों के सुधार के परिणामस्वरूप किसानों को अधिक लाभ हुआ और अधिक कुशल संसाधन आवंटन हुआ, जिसने बदले में घरेलू उत्पादन आधार को मजबूत किया और इसे और अधिक प्रतिस्पर्धी बनाया। इसके अलावा, कृषि में समृद्धि ने एक गतिशील ग्रामीण गैर-कृषि (आरएनएफ) क्षेत्र के विकास का पक्ष लिया, जिसे चीन में तेजी से गरीबी में कमी के मुख्य कारणों में से एक माना जाता है क्योंकि इसने खेती के बाहर आय के अतिरिक्त स्रोत प्रदान किए। आरएनएफ क्षेत्र के तेजी से विकास ने सरकार को नीतिगत बदलावों के दायरे का विस्तार करने और शहरी अर्थव्यवस्था पर भी सुधार के लिए दबाव डालने के लिए प्रोत्साहित किया, क्योंकि ग्रामीण क्षेत्रों में गैर-कृषि उद्यम राज्य के स्वामित्व वाले उद्यमों (एसओई) की तुलना में अधिक प्रतिस्पर्धी बन गए थे। एसओई के सुधारों ने बदले में व्यापक आर्थिक सुधारों को गति दी, जिससे अर्थव्यवस्था और खुल गई। इसके विपरीत, भारत ने 1991 में औद्योगिक और सेवा क्षेत्र को उदार बनाया और इसने कृषि क्षेत्र को नहीं छुआ, जहाँ अब सुधार पेश किए जा रहे हैं (उच्च से निम्न का दृष्टिकोण)। जब भारत में 1991 में औद्योगिक/विनिर्माण और सेवा क्षेत्र में उदारीकरण हुआ, तो अधिकांश कंपनियाँ सेवा क्षेत्रों में चली गईं और विनिर्माण में प्रवेश नहीं किया क्योंकि विनिर्माण क्षेत्र के लिए प्रमुख बाधाएँ मौजूद थीं जैसे भूमि अधिग्रहण, महँगा परिवहन, महँगी बिजली, श्रम कानून आदि। चूँकि हमारी ग्रामीण अर्थव्यवस्था कमजोर रही, इसलिए निर्मित उत्पादों की माँग इस क्षेत्र से कभी नहीं आई और इसका परिणाम कम और अकुशल उत्पादन हुआ और जो कुछ भी आवश्यक था, हमने चीन से आयात करना शुरू कर दिया क्योंकि यह अवधि डब्ल्यूटीओ की मुक्त व्यापार नीतियों के साथ भी मेल खाती थी।

1978 में चीन की प्रति व्यक्ति आय भारत से कम थी लेकिन अब यह भारत से 5 गुना अधिक है।

6.5 अर्थव्यवस्था का कृषि से सेवा क्षेत्र में आना (Economy Jumped from Agriculture to Service)

	कृषि	उद्योग				सेवाएँ
	कृषि वानिकी, मत्स्यन	खनन और उत्खनन (2.6%)	विनिर्माण (15%)	निर्माण (8%)	बिजली, गैस, जलापूर्ति (2.4%)	व्यापार, होटल, वित्तीय, रक्षा आदि।
सकल घरेलू उत्पाद में % हिस्सा (2013-14)	18%	28%				54%

श्रम बल का % हिस्सा (2013-14)	*48%*	*24%*	*28%*
सकल घरेलू उत्पाद में % हिस्सा (1947)	55%	15%	30%

एनएसओ वर्गीकरण के अनुसार

प्राथमिक क्षेत्र: कृषि, पशुधन, वानिकी व मत्स्य पालन तथा खनन और उत्खनन

द्वितीयक क्षेत्र: विनिर्माण, बिजली, गैस, जल आपूर्ति और अन्य उपयोगिता सेवाएँ और निर्माण

तृतीयक क्षेत्र: व्यापार, होटल, परिवहन, संचार और प्रसारण, वित्तीय, रियल एस्टेट और व्यावसायिक सेवाएँ और लोक प्रशासन, रक्षा और अन्य संबद्ध सेवाएँ

परिचय: जैसा कि हम उपरोक्त तालिका से देख सकते हैं, स्वतंत्रता के समय भारत के सकल घरेलू उत्पाद में कृषि का हिस्सा 55% था, जबकि सेवा क्षेत्र का हिस्सा 30% और औद्योगिक क्षेत्र का हिस्सा मात्र 15% था। स्वतंत्रता के बाद पिछले 67 वर्षों में **(2014 तक)**, भारतीय अर्थव्यवस्था एक प्रमुख कृषि क्षेत्र से सेवा क्षेत्र में स्थानांतरित हो गई, जिसने भारत के सकल घरेलू उत्पाद में 54% हिस्सा बनाया। आम तौर पर, **अर्थव्यवस्थाएँ विकास की प्रक्रिया में कृषि से उद्योग (विनिर्माण) और फिर सेवाओं की ओर बढ़ती हैं,** लेकिन भारत एक अपवाद है और औद्योगिक क्षेत्र की अनदेखी करते हुए सीधे कृषि से सेवाओं की ओर स्थानांतरित हो गया।

हम यह समझ पाएँगे कि भारत ने विनिर्माण को क्यों नजरअंदाज किया, जब हम यह जान लेंगे कि विनिर्माण क्षेत्र की बुनियादी आवश्यकताएँ क्या थीं और क्या, हमने भारत में उन आवश्यकताओं को पूरा किया या नहीं। विनिर्माण क्षेत्र में वृद्धि निम्नलिखित बुनियादी कारकों पर निर्भर करती है:

- भूमि की उपलब्धता (आसान भूमि अधिग्रहण प्रक्रिया)।
- रेलवे और सड़कों जैसे बेहतर और सस्ते परिवहन बुनियादी ढाँचे।
- कच्चे माल के आयात और तैयार माल के निर्यात के लिए कुशल बंदरगाह।
- सस्ती बिजली की 24 × 7 उपलब्धता।
- सरल श्रम कानून (आसान अनुपालन श्रम कानून)।
- सरल कर प्रणाली।
- पर्यावरण, वन, जल, बिजली आदि जैसी मंजूरी प्राप्त करने की सरल प्रक्रियाएँ।

अब देखते हैं कि भारत में पिछली सरकारों ने पिछले 67 वर्षों (2014 तक) में विनिर्माण क्षेत्र में प्रवेश करने की कोशिश कर रहे उद्यमियों/व्यवसायियों के लिए उपरोक्त आवश्यकताओं को पूरा किया या नहीं।

1. **भूमि की उपलब्धता (या आसान भूमि अधिग्रहण प्रक्रिया):** बहुत अधिक जनसंख्या घनत्व और विश्व दूसरी सबसे बड़ी आबादी के साथ, प्रति व्यक्ति भूमि की उपलब्धता कम थी। इसके अलावा, जटिल भूमि अधिग्रहण प्रक्रियाओं ने औद्योगिक उद्देश्य के लिए आवश्यक भूमि के बड़े हिस्से को अधिग्रहित करना बहुत मुश्किल बना दिया। सेवा उद्योग एक छोटे से भूखंड पर या किराए के फ्लोर पर स्थापित हो सकता है, जैसे सॉफ्टवेयर, आईटी, शिक्षा, बैंकिंग आदि, लेकिन विनिर्माण उद्योग स्थापित करने के लिए हजारों एकड़ भूमि की आवश्यकता होती है। और अब तक, हम उद्यम स्थापित करने के लिए आसानी से भूमि उपलब्ध नहीं करा पाए हैं।
2. **रेलवे और सड़कों जैसे बेहतर और सस्ते परिवहन बुनियादी ढाँचे:** किसी भी विनिर्माण उद्योग को कच्चे माल के स्रोत और बाजार में तैयार उत्पादों की आपूर्ति के लिए कनेक्टिविटी की आवश्यकता होती है। भारत में, हम बेहतर गुणवत्ता वाली सड़कें प्रदान नहीं कर पाए हैं और ग्रामीण क्षेत्रों में कनेक्टिविटी अभी भी एक मुद्दा है। रेलवे के मामले में, माल ढुलाई/किराया दुनिया

में सबसे महँगा है और हमने माँग के अनुसार रेलवे ट्रैक नहीं जोड़े हैं, जिससे भारी भीड़-भाड़ पैदा हुई है, और औसत गति खराब हो गई है और अत्यधिक देरी हो रही है। यह सब भारतीय परिवहन प्रणाली को महँगा और समय लेने वाला बनाता है, जो हमारे विनिर्माण उद्यमों की दक्षता को नुकसान पहुँचाता है, जिससे उत्पाद महंगे हो जाते हैं और चीन, जापान, दक्षिण कोरिया, ताइवान आदि जैसी अन्य अर्थव्यवस्थाओं के साथ कम प्रतिस्पर्धी हो जाते हैं।

3. **कच्चे माल के आयात और तैयार माल के निर्यात के लिए कुशल बंदरगाह:** भारत में, माल यातायात का अधिकांश निर्यात और आयात केंद्र सरकार के अधीन प्रमुख बंदरगाहों से होता है और ट्रस्टों के माध्यम से नियंत्रित और संचालित होता है। ये ट्रस्ट बंदरगाहों का कुशलतापूर्वक प्रबंधन करने में सक्षम नहीं हैं, जिससे माल के निर्यात और आयात में भारी देरी होती है और निर्यात बाजार में माल अधिक महँगा हो जाता है। इसके कारण हमारी विनिर्माण फर्म वैश्विक स्तर पर प्रतिस्पर्धा करने और विश्व बाजार का पता लगाने में सक्षम नहीं हैं, जिससे सकल घरेलू उत्पाद में विनिर्माण का हिस्सा कम हो गया है।

4. **बिजली की 24×7 उपलब्धता:** अब तक हम पूरे देश में 24 × 7 बिजली की आपूर्ति नहीं कर पाए हैं, जो एक विनिर्माण उद्यम की बुनियादी आवश्यकताओं में से एक है। प्रत्येक विनिर्माण फर्म को लागत प्रभावी उत्पाद बनाने के लिए निर्बाध और सस्ती बिजली आपूर्ति की आवश्यकता होती है। यूपी और बिहार के कई हिस्सों में, कई उद्योग बंद हो गए क्योंकि सरकार सस्ती बिजली उपलब्ध नहीं करा पाई। बिजली आपूर्ति में बाधा होने पर सेवा उद्योग एक या दो घंटे के लिए डीजल जनरेटर सेट पर चल सकता है, लेकिन विनिर्माण फर्म ऐसा नहीं कर सकती।

5. **सरल श्रम कानून (या अनुपालन में आसान श्रम कानून):** भारत में हमारे पास 44 केंद्रीय श्रम कानून थे (अब सरकार ने चार श्रम संहिताओं में विलय कर दिया है) और सौ से अधिक राज्य श्रम कानून हैं जो इसे दुनियाभर में सबसे कठोर श्रम बाजारों में से एक बनाते हैं। किसी भी विनिर्माण फर्म के लिए सभी श्रम कानूनों का अनुपालन करना लगभग असंभव है। कंपनियाँ अपने आप किसी कर्मचारी को नौकरी से नहीं निकाल सकती हैं और अगर वे 100 से अधिक श्रमिकों को नियुक्त करती हैं तो उन्हें सरकार की मंजूरी की आवश्यकता होती है, जो मिलना बहुत मुश्किल है। सेवा प्रतिष्ठानों को केवल कुछ श्रम कानूनों का पालन करना आवश्यक है, लेकिन एक विनिर्माण फर्म के लिए, कानूनों की एक पूरी शृंखला मौजूद है जो उद्यमियों को विनिर्माण उद्योग में उद्यम करने से रोकती है।

6. **सरलीकृत कर प्रणाली:** भारत में कर संरचना सबसे जटिल कर संरचनाओं में से एक थी। कराधान की संघीय संरचना के कारण, केंद्र और राज्य दोनों कर लगाते हैं और एकत्र करते हैं जिससे केस्केडिंग प्रभाव और दोहरा कराधान होता है और जिससे भारत में उत्पादित उत्पाद महँगे हो जाते हैं। अब इसे 2017 में जीएसटी के माध्यम से सरलीकृत किया गया है।

7. **पर्यावरण, वन, जल, बिजली जैसे अनुमोदन/मंजूरी प्राप्त करने की सरल प्रक्रियाएँ:** विनिर्माण क्षेत्र के अधिकांश उद्योगों को पर्यावरण और वन मंजूरी के संबंध में सरकार से अनुमोदन की आवश्यकता होती है। चूँकि उद्योगों को बहुत अधिक मात्रा में पानी और बिजली की आपूर्ति की भी आवश्यकता होती है, इसलिए उन्हें सरकार की मंजूरी लेने की आवश्यकता होती है, जो सेवा उद्योग के लिए आवश्यक नहीं हो सकती है। लालफीताशाही के कारण ये मंजूरी प्राप्त करना कठिन और समय लेने वाला है और साथ ही सरकार द्वारा इन मंजूरी देने के लिए कोई निश्चित समय सीमा प्रदान नहीं की गई है। चूँकि भारत में सरकार स्वतंत्रता के बाद के वर्षों में उपरोक्त आवश्यकताओं को पूरा करने में सक्षम नहीं थी और अब तक, हम विनिर्माण क्षेत्र में पिछड़े हुए हैं।

लेकिन सेवा उद्योग में क्यों उछाल आया?

भारत में उद्यमशीलता की अपार प्रतिभा है, लेकिन आजादी के बाद के वर्षों में हम विकास के समाजवादी मॉडल का पालन करने के कारण इसे प्रदर्शित नहीं कर पाए। समय बीतने के साथ उद्यमशीलता की ऊर्जा 'लाइसेंस राज', एमआरटीपी अधिनियम, फेरा और कई उद्योगों को केवल सरकार के लिए आरक्षित करने के बोझ से पंगु हो गई।

1991 के आर्थिक सुधारों ने उत्पाद और पूँजी बाजार खोले। भारत ने अपनी आर्थिक नीति बदली और भारत में विदेशी फर्मों के लिए दरवाजे खोले, अधिकांश क्षेत्रों को निजी प्रतिस्पर्धा के लिए अनुमति दी, लाइसेंस राज को हटाया, व्यापार बाधाओं को कम किया आदि। यह अवधि भारत में इंटरनेट और दूरसंचार क्रांति (**सेवाओं के लिए एक आवश्यक घटक**) के साथ मेल खाती है और विशाल उद्यमशीलता प्रतिभा सेवा क्षेत्र में चली गई, जिसने भारतीय अर्थव्यवस्था के विकास को गति दी। लेकिन प्रमुख बुनियादी ढाँचे की अड़चनें और भूमि तथा श्रम मुद्दे, जिनमें विनिर्माण उद्योग के फलने-फूलने के लिए सुधार आवश्यक थे, वैसे ही बने रहे और भारत को चीन जैसा विनिर्माण केंद्र बनने से रोका।

6.6 योजना आयोग और पंचवर्षीय योजनाएँ (Planning Commission and Five Year Plans)

योजना आयोग, हालाँकि अब सक्रिय नहीं है, भारत में नीति निर्माण और शासन की एक महत्वपूर्ण विशेषता थी। योजना आयोग की स्थापना मार्च 1950 में भारत सरकार के एक प्रस्ताव द्वारा की गई थी। सरकार का मुख्य उद्देश्य देश के संसाधनों का उत्पादक दोहन करके भारतीयों के जीवन स्तर में तेजी से वृद्धि करना, उत्पादन बढ़ाना और समाज की सेवा में सभी के लिए रोजगार के अवसर सुनिश्चित करना था। योजना आयोग को देश के सभी संसाधनों का आकलन करने, दुर्लभ संसाधनों को बढ़ाने, संसाधनों के सबसे अधिक उत्पादक और संतुलित उपयोग के लिए योजनाओं का मसौदा तैयार करने और प्राथमिकताओं का पता लगाने की जिम्मेदारी सौंपी गई थी। पंडित नेहरू योजना आयोग के पहले अध्यक्ष थे।

योजना आयोग के निम्नलिखित कार्य थे

- तकनीकी कर्मचारियों सहित देश के भौतिक, पूँजी और मानव संसाधनों का मूल्याँकन करना और उन संबंधित संसाधनों को बढ़ाने की संभावनाओं की जांच करना जो देश की आवश्यकता के संबंध में अपर्याप्त पाए जाते हैं।
- देश के संसाधनों के सबसे प्रभावी और संतुलित उपयोग के लिए एक योजना तैयार करना।
- प्राथमिकता के आधार पर चरणों को परिभाषित करना, जिसमें योजना को लागू किया जाना चाहिए और प्रत्येक चरण के उचित समापन के लिए संसाधनों के आवंटन का प्रस्ताव करना।
- आर्थिक विकास में बाधा डालने वाले कारकों को निर्दिष्ट करना।
- देश की वर्तमान सामाजिक-राजनीतिक स्थिति के भीतर योजना के सफल क्रियान्वयन के लिए स्थापित की जाने वाली स्थितियों का निर्धारण करना।
- योजना के प्रत्येक चरण के सभी पहलुओं में सफल क्रियान्वयन को सुनिश्चित करने के लिए आवश्यक तंत्र की प्रकृति का निर्धारण करना।
- योजना के प्रत्येक चरण के क्रियान्वयन में प्राप्त सुधार का समय-समय पर मूल्याँकन करना तथा योजना के सफल क्रियान्वयन के लिए महत्वपूर्ण समझे जाने वाले नीति और उपायों के समायोजन की सिफारिश करना।
- इन कार्यों के क्रियान्वयन को सुगम बनाने के लिए आवश्यक समझी जाने वाली चीजों के संबंध में समय-समय पर आवश्यक सिफारिशें करना। ऐसी सिफारिशें वर्तमान आर्थिक स्थितियों, वर्तमान नीतियों, उपायों या विकास कार्यक्रमों से संबंधित हो सकती हैं।

पंचवर्षीय योजनाएँ

हालाँकि भारत में नियोजित आर्थिक विकास की शुरुआत 1951 में पहली पंचवर्षीय योजना की शुरुआत के साथ हुई थी, लेकिन सैद्धांतिक प्रयास बहुत पहले ही शुरू हो गए थे, यहाँ तक कि आजादी से भी पहले। 1938 में भारतीय राष्ट्रीय कांग्रेस द्वारा राष्ट्रीय योजना समिति की स्थापना, 1944 में बॉम्बे योजना और गाँधीवादी योजना, 1945 में जन योजना (भारतीय ट्रेड यूनियन की युद्धोत्तर पुनर्निर्माण समिति द्वारा), 1950 में जयप्रकाश नारायण द्वारा सर्वोदय योजना इस दिशा में उठाए गए कदम थे।

पंचवर्षीय योजनाएँ (FYP) केंद्रीकृत और एकीकृत राष्ट्रीय आर्थिक कार्यक्रम थे। जोसेफ स्टालिन ने 1920 के दशक के अंत में सोवियत संघ में पहली FYP लागू की। इसके बाद अधिकांश साम्यवादी राज्यों और कई पूँजीवादी देशों ने उन्हें अपनाया। चीन और भारत दोनों ने FYP को अपनाया, हालाँकि भारत ने 2017 में इसे बंद कर दिया और चीन ने

2006 से 2010 तक अपनी ग्यारहवीं FYP का नाम बदलकर एक योजना के बजाय एक दिशानिर्देश कर दिया, ताकि केंद्र सरकार के विकास के प्रति अधिक हस्तक्षेप न करने वाले दृष्टिकोण को दर्शाया जा सके।

स्वतंत्रता के पश्चात, भारत ने प्रथम प्रधानमंत्री जवाहरलाल नेहरू के समाजवादी प्रभाव में 1951 में अपनी पहली पंचवर्षीय योजना शुरू की। यह प्रक्रिया मार्च 1950 में योजना आयोग की स्थापना के साथ शुरू हुई, जिसका उद्देश्य देश के संसाधनों का कुशल दोहन करके, उत्पादन बढ़ाकर और समुदाय की सेवा में सभी को रोजगार के अवसर प्रदान करके लोगों के जीवन स्तर में तेजी से वृद्धि को बढ़ावा देना था। योजना आयोग को देश के सभी संसाधनों का आकलन करने, कम संसाधनों को बढ़ाने, संसाधनों के सबसे प्रभावी और संतुलित उपयोग के लिए योजनाएँ बनाने और प्राथमिकताएँ निर्धारित करने की जिम्मेदारी सौंपी गई थी।

पहली आठ योजनाओं के लिए बुनियादी और भारी उद्योगों में बड़े पैमाने पर निवेश के साथ बढ़ते सार्वजनिक क्षेत्र पर जोर दिया गया था, लेकिन 1997 में नौवीं योजना के शुभारंभ के बाद से, सार्वजनिक क्षेत्र पर जोर कम हो गया और देश में योजना पर सोच, सामान्य रूप से, प्रकृति में तेजी से संकेतात्मक हो गई।

पंचवर्षीय योजनाएँ	विवरण
प्रथम योजना (1951-56) लक्षित वृद्धि: 2.1% वास्तविक वृद्धि 3.6%	• यह **हैरोड-डोमर मॉडल** पर आधारित था। • पहली पंचवर्षीय योजना की शुरुआत में शरणार्थियों का आगमन, खाद्यान्नों की भारी कमी और बढ़ती महंगाई ने देश को परेशान कर दिया। • योजना कृषि, मूल्य स्थिरता, बिजली और परिवहन पर केंद्रित थी • यह मुख्य रूप से योजना के अंतिम दो वर्षों में अच्छी फसल के कारण एक सफल योजना थी। शरणार्थियों के पुनर्वास, खाद्यान्न आत्म-निर्भरता और कीमतों पर नियंत्रण के उद्देश्य कमोबेश पूरे हो गए।
दूसरी योजना (1956-61) लक्षित वृद्धि: 4.5% वास्तविक वृद्धि: 4.3%	• समग्र अनुमानों के लिए फिर से सरल समेकित हैरोड डोमर विकास मॉडल का उपयोग किया गया और **विभिन्न क्षेत्रों में संसाधन आवंटन की रणनीति प्रोफेसर पीसी महालनोबिस** द्वारा तैयार की गई। (योजना को महालनोबिस योजना भी कहा जाता है)। • दूसरी योजना की कल्पना आर्थिक स्थिरता के माहौल में की गई थी। यह महसूस किया गया कि कृषि को कम प्राथमिकता दी जा सकती है। • योजना में तीव्र औद्योगीकरण- भारी और बुनियादी उद्योगों पर ध्यान केंद्रित किया गया। विदेशी ऋणों के माध्यम से भारी आयात की वकालत की गई। • औद्योगिक नीति 1956 आर्थिक नीति के लक्ष्य के रूप में समाज के समाजवादी पैटर्न की स्थापना पर आधारित थी। • विदेशी मुद्रा की तीव्र कमी के कारण विकास लक्ष्यों में कटौती हुई, पिछली योजना में गिरावट के मुकाबले कीमतों में वृद्धि (लगभग 30%) देखी गई और दूसरी पंचवर्षीय योजना केवल मामूली रूप से सफल रही।
तीसरी योजना (1961-66) लक्षित वृद्धि: 5.6% वास्तविक वृद्धि: 2.8%	• इसकी अवधारणा के समय, यह महसूस किया गया कि भारतीय अर्थव्यवस्था 'उड़ान भरने वाले चरण (take-off stage)' में प्रवेश कर चुकी है। इसलिए, इसका उद्देश्य भारत को **'आत्मनिर्भर'** और **'स्व-उत्पादक'** अर्थव्यवस्था बनाना था।

	• पहली दो योजनाओं के अनुभव के आधार पर, निर्यात और उद्योग को समर्थन देने के लिए कृषि को सर्वोच्च प्राथमिकता दी गई। • अप्रत्याशित घटनाओं – चीनी आक्रमण (1962), भारत-पाक युद्ध (1965), गंभीर सूखा 1965-66 के कारण यह योजना अपने लक्ष्यों तक पहुँचने में पूरी तरह विफल रही। संघर्षों के कारण बाद के चरण के दौरान दृष्टिकोण विकास से रक्षा और विकास की ओर स्थानांतरित हो गया।
तीन वार्षिक योजनाओं (1966-69) को व्यंजनात्मक रूप से योजना अवकाश के रूप में वर्णित किया गया है।	• तीसरी पंचवर्षीय योजना की विफलता (निर्यात को बढ़ावा देने के लिए रुपये के अवमूल्यन) और मुद्रास्फीति की मंदी के कारण चौथी पंचवर्षीय योजना स्थगित कर दी गई। इसके बजाय तीन वार्षिक योजनाएँ शुरू की गईं। कृषि में व्याप्त संकट और गंभीर खाद्यान्न की कमी के कारण वार्षिक योजनाओं के दौरान कृषि पर जोर देना आवश्यक हो गया। • इन योजनाओं के दौरान एक पूरी तरह से नई कृषि रणनीति लागू की गई। इसमें उच्च उपज देने वाली किस्मों के बीजों का व्यापक वितरण, उर्वरकों का व्यापक उपयोग, सिंचाई क्षमता का दोहन और मृदा संरक्षण शामिल था।
चौथी योजना (1969-74) लक्षित वृद्धि: 5.7% वास्तविक वृद्धि: 3.3%	• भारत-पाक युद्ध के दौरान मित्र राष्ट्रों द्वारा आवश्यक उपकरणों और कच्चे माल की आपूर्ति से इनकार करने के परिणामस्वरूप चौथी पंचवर्षीय योजना के लिए **'स्थिरता के साथ विकास'** और **'आत्मनिर्भरता की प्रगतिशील उपलब्धि'** के दोहरे उद्देश्य सामने आए। • मुख्य जोर कृषि की विकास दर पर था ताकि अन्य क्षेत्रों को आगे बढ़ने में सक्षम बनाया जा सके। इस योजना को विफल माना गया
पाँचवीं योजना (1974-79) लक्षित वृद्धि: 4.4% वास्तविक वृद्धि: 4.8%	• पाँचवीं पंचवर्षीय योजना का अंतिम मसौदा डी.पी. धर द्वारा तैयार किया गया और तेल की कीमतों में वृद्धि तथा गेहूँ के थोक व्यापार पर सरकार के नियंत्रण की विफलता के कारण बेकाबू मुद्रास्फीति से उत्पन्न आर्थिक संकट की पृष्ठभूमि में इसे शुरू किया गया। • इसमें दो मुख्य उद्देश्य प्राप्त करने का प्रस्ताव था: **'गरीबी हटाओ'** और **'आत्मनिर्भरता की प्राप्ति'**। • उच्च विकास दर को बढ़ावा देना, आय का बेहतर वितरण और बचत की घरेलू दर में उल्लेखनीय वृद्धि को मुख्य साधन के रूप में देखा गया।
रोलिंग योजना (1978-80)	• छठी योजनाएँ दो थीं। जनता सरकार ने 1978-1983 के लिए रोजगार पर जोर देते हुए एक योजना पेश की, जो नेहरू मॉडल के विपरीत थी, जिसकी सरकार ने सत्ता के संकेन्द्रण, असमानता को बढ़ाने और बढ़ती गरीबी के लिए आलोचना की थी। हालाँकि, सरकार केवल दो साल तक चली। कांग्रेस सरकार 1980 में सत्ता में लौटी और एक अलग योजना शुरू की।
छठी योजना (1980-85) लक्षित वृद्धि: 5.2% वास्तविक वृद्धि: 5.7%	• योजना का मुख्य उद्देश्य **राष्ट्रीय आय में वृद्धि, प्रौद्योगिकी का आधुनिकीकरण, गरीबी और बेरोजगारी में निरंतर कमी सुनिश्चित करना था।**

सातवीं पंचवर्षीय योजना (1985-90) लक्षित वृद्धि: 5.0% वास्तविक वृद्धि: 6.0%	• इस योजना का उद्देश्य खाद्यान्न उत्पादन में तेजी लाना, रोजगार के अवसर बढ़ाना और 'भोजन, कार्य और उत्पादकता' पर ध्यान केंद्रित करते हुए उत्पादकता बढ़ाना था। यह योजना बहुत सफल रही।
आठवीं पंचवर्षीय योजना (1992-97) लक्षित वृद्धि 5.6% वास्तविक वृद्धि: 6.8%	• केंद्र में राजनीतिक अनिश्चितता के कारण आठवीं पंचवर्षीय योजना को दो वर्ष के लिए स्थगित कर दिया गया • योजना के शुभारंभ के दौरान भुगतान संतुलन की बिगड़ती स्थिति, बढ़ता कर्ज का बोझ, बढ़ता बजट घाटा, उद्योग में मंदी और मुद्रास्फीति प्रमुख मुद्दे थे। • योजना ने खराब आर्थिक स्थिति से निपटने और तत्कालीन प्रधानमंत्री श्री पी वी नरसिम्हा राव के नेतृत्व में उदारीकरण सहित राजकोषीय और आर्थिक सुधारों की शुरुआत के माध्यम से 5.6% की वार्षिक वृद्धि हासिल करने के लिए कठोर नीतिगत उपाय किए।
नौवीं पंचवर्षीय योजना (1997-2002) लक्षित वृद्धि: 6.5% वास्तविक वृद्धि: 5.4%	• संयुक्त मोर्चा सरकार के तहत तैयार की गई योजना **"सामाजिक न्याय और समानता के साथ विकास"** पर केंद्रित थी। नौवीं योजना का उद्देश्य मुख्य रूप से निजी क्षेत्र पर निर्भर रहना था- भारतीय और विदेशी (एफडीआई) और राज्य को सुविधाकर्ता की भूमिका निभाने और सामाजिक क्षेत्र जैसे शिक्षा, स्वास्थ्य आदि और बुनियादी ढाँचे के साथ खुद को अधिक से अधिक शामिल करने की परिकल्पना की गई थी, जहाँ निजी क्षेत्र की भागीदारी सीमित होने की संभावना थी।
दसवीं पंचवर्षीय योजना (2002-2007) लक्षित वृद्धि 8% वास्तविक वृद्धि 7.6%	• **यह मानते हुए कि आर्थिक वृद्धि राष्ट्रीय योजना का एकमात्र उद्देश्य नहीं हो सकती,** दसवीं योजना ने 8% विकास लक्ष्य के अलावा विकास के कुछ प्रमुख संकेतकों (11) के लिए 'निगरानी योग्य लक्ष्य' निर्धारित किए थे। लक्ष्यों में साक्षरता और मजदूरी दर में लैंगिक अंतर को कम करना, शिशु और मातृ मृत्यु दर में कमी, साक्षरता में सुधार, पीने योग्य पानी तक पहुँच और प्रमुख प्रदूषित नदियों की सफाई आदि शामिल थे। शासन को विकास का कारक माना गया और कृषि को अर्थव्यवस्था की प्रमुख प्रेरक शक्ति घोषित किया गया।
ग्यारहवीं पंचवर्षीय योजना (2007-2012) लक्षित वृद्धि 9% वास्तविक वृद्धि 8%	• ग्यारहवीं योजना का लक्ष्य **"तेज और ज्यादा समावेशी विकास की ओर"** था। • दसवीं योजना के अंत तक भारत सबसे तेजी से बढ़ने वाली अर्थव्यवस्थाओं में से एक के रूप में उभरा था। बचत और निवेश की दरें बढ़ी थीं, औद्योगिक क्षेत्र ने वैश्विक अर्थव्यवस्था में प्रतिस्पर्धा का सामना करने के लिए अच्छी प्रतिक्रिया दी थी और विदेशी निवेशक भारत में निवेश करने के लिए उत्सुक थे। लेकिन कई समूहों, विशेष रूप से अनुसूचित जातियों, अनुसूचित जनजातियों और अल्पसंख्यकों के लिए विकास को पर्याप्त रूप से समावेशी नहीं माना गया, जैसा कि गरीबी, कुपोषण, मृत्यु दर, वर्तमान दैनिक रोजगार आदि जैसे कई आयामों पर डेटा से पता चलता है।

बारहवीं पंचवर्षीय योजना (2012 – 2017) लक्षित वृद्धि 8% वास्तविक वृद्धि 6.5%	• बारहवीं पंचवर्षीय योजना में जिस व्यापक दृष्टिकोण और आकांक्षाओं को पूरा करने का प्रयास किया गया, वह उपशीर्षक में परिलक्षित हुआ: **'तेज, सतत और अधिक समावेशी विकास'**। समावेशिता को गरीबी में कमी, समूह समानता और क्षेत्रीय संतुलन को बढ़ावा देने, असमानता को कम करने, लोगों को सशक्त बनाने आदि के माध्यम से प्राप्त किया जाना है, जबकि सततता में पर्यावरणीय स्थिरता सुनिश्चित करना, बेहतर स्वास्थ्य, शिक्षा, कौशल विकास, पोषण, सूचना प्रौद्योगिकी आदि के माध्यम से मानव पूँजी का विकास और संस्थागत क्षमताओं, बिजली दूरसंचार, सड़क, परिवहन आदि जैसे बुनियादी ढाँचे का विकास शामिल है।

विगत वर्षों के प्रश्न

प्रारंभिक परीक्षा

1. 1991 में आर्थिक नीतियों के उदारीकरण के बाद भारत में निम्नलिखित में से क्या हुआ है? **[2024]**

(i) सकल घरेलू उत्पाद में कृषि का हिस्सा बहुत बढ़ गया है।

(ii) विश्व व्यापार में भारत के निर्यात का हिस्सा बढ़ गया है।

(iii) एफडीआई प्रवाह में वृद्धि हुई है।

(iv) भारत के विदेशी मुद्रा भंडार में बहुत वृद्धि हुई है

नीचे दिए गए कोड का उपयोग करके सही उत्तर चुनें।

(a) केवल (i) और (iv)

(b) केवल (ii), (iii) और (iv)

(c) केवल (ii) और (iii)

(d) (i), (ii), (iii) और (iv)

2. भारतीय अर्थव्यवस्था के क्षेत्रों के संबंध में निम्न युग्मों पर विचार करें। **[2017]**

आर्थिक गतिविधि	क्षेत्र
1. कृषि उत्पादों का भंडारण	द्वितीयक
2. डेयरी फार्म	प्राथमिक
3. खनिज उत्खनन	तृतीयक
4. कपड़े बनाना	द्वितीयक

दिए गए युग्मों में कौन-सा सही सुमेलित है?

(a) केवल (i)

(b) केवल (ii)

(c) केवल (iii)

(d) उपरोक्त सभी

उत्तर

1. (b) **2.** (b)

मुख्य परीक्षा

1. सामान्यतया देश कृषि से उद्योग और फिर बाद में सेवाओं के क्षेत्र में वृद्धि करते हैं, लेकिन भारत सीधे कृषि से सेवाओं की ओर बढ़ गया। देश में उद्योग की तुलना में सेवाओं की भारी वृद्धि के क्या कारण हैं? क्या भारत एक मजबूत औद्योगिक आधार के बिना एक विकसित देश बन सकता है? **[2014]**

7

2014 के बाद भारतीय अर्थव्यवस्था

(Indian Economy after 2014)

7.1 नीति आयोग (NITI Aayog)

भारत सरकार ने अपने सुधार एजेंडे को ध्यान में रखते हुए, योजना आयोग की जगह नीति आयोग का गठन किया। ऐसा भारत के लोगों की जरूरतों और आकांक्षाओं को बेहतर ढंग से पूरा करने के लिए किया गया था। अतीत से एक महत्वपूर्ण विकासवादी परिवर्तन के रूप में, नीति आयोग भारत सरकार के लिए **राज्यों को राष्ट्रीय हित में एक साथ लाने और इस तरह सहकारी संघवाद को बढ़ावा देने के लिए सर्वोत्कृष्ट मंच के रूप में कार्य करता है।**

नेशनल इंस्टीट्यूशन फॉर ट्रांसफॉर्मिंग इंडिया, जिसे नीति आयोग के नाम से भी जाना जाता है, का गठन 1 जनवरी 2015 को केंद्रीय मंत्रिमंडल के एक प्रस्ताव के माध्यम से किया गया था। नीति आयोग भारत सरकार का प्रमुख **नीति थिंक टैंक** है, जो दिशात्मक और नीतिगत आगत (input) प्रदान करता है। भारत सरकार के लिए रणनीतिक और दीर्घकालिक नीतियों और कार्यक्रमों को डिजाइन करने के अलावा, नीति आयोग केंद्र, राज्यों और केंद्र-शासित प्रदेशों को प्रासंगिक तकनीकी सलाह भी प्रदान करता है।

राज्यों की सक्रिय भागीदारी के साथ राष्ट्रीय विकास प्राथमिकताओं, क्षेत्रों और रणनीतियों का साझा दृष्टिकोण विकसित करने के लिए, नीति आयोग निम्नलिखित **उद्देश्यों/कार्यों** की दिशा में काम करता है:

- राज्यों की सक्रिय भागीदारी के साथ राष्ट्रीय विकास प्राथमिकताओं, क्षेत्रों और रणनीतियों का साझा दृष्टिकोण विकसित करना।
- राज्यों के साथ निरंतर आधार पर संरचित समर्थन पहलों और तंत्रों के माध्यम से सहकारी संघवाद को बढ़ावा देना, यह मानते हुए कि मजबूत राज्य एक मजबूत राष्ट्र बनाते हैं।
- ग्रामीण स्तर पर विश्वसनीय योजनाएँ बनाने और सरकार के उच्च स्तरों पर इन्हें उत्तरोत्तर समेकित करने के लिए तंत्र विकसित करना।
- यह सुनिश्चित करना कि विशेष रूप से संदर्भित क्षेत्रों में, राष्ट्रीय सुरक्षा के हितों को आर्थिक रणनीति और नीति में शामिल किया गया है।
- हमारे समाज के उन वर्गों पर विशेष ध्यान देना, जिन्हें आर्थिक प्रगति से पर्याप्त रूप से लाभ नहीं मिलने का जोखिम हो सकता है।
- रणनीतिक और दीर्घकालिक नीति और कार्यक्रम की रूप रेखाएँ और पहल तैयार करना, और उनकी प्रगति और उनकी प्रभावकारिता की निगरानी करना। निगरानी और फीडबैक के माध्यम से सीखे गए सबक का उपयोग आवश्यक मध्य-पाठ्यक्रम सुधारों सहित अभिनव सुधार करने के लिए किया जाएगा।
- प्रमुख हितधारकों और राष्ट्रीय तथा अंतर्राष्ट्रीय समान विचारधारा वाले थिंक टैंकों के साथ-साथ शैक्षिक और नीति अनुसंधान संस्थानों के बीच सलाह प्रदान करना और साझेदारी को प्रोत्साहित करना।
- राष्ट्रीय और अंतर्राष्ट्रीय विशेषज्ञों, चिकित्सकों और अन्य भागीदारों के एक सहयोगी समुदाय के माध्यम से ज्ञान, नवाचार और उद्यमशीलता सहायता प्रणाली बनाना।

- विकास एजेंडे के कार्यान्वयन में तेजी लाने के लिए अंतर-क्षेत्रीय और अंतर-विभागीय मुद्दों के समाधान के लिए एक मंच प्रदान करना।
- एक अत्याधुनिक संसाधन केंद्र बनाए रखना, जो सुशासन और सतत और न्यायसंगत विकास में सर्वोत्तम प्रथाओं पर अनुसंधान का भंडार हो और साथ ही हितधारकों तक उनके प्रसार में मदद करे।
- कार्यक्रमों और पहलों के कार्यान्वयन की सक्रिय रूप से निगरानी और मूल्याँकन करना, जिसमें सफलता की संभावना और वितरण के दायरे को मजबूत करने के लिए आवश्यक संसाधनों की पहचान करना शामिल है।
- कार्यक्रमों और पहलों के कार्यान्वयन के लिए प्रौद्योगिकी उन्नयन और क्षमता निर्माण पर ध्यान केंद्रित करना।
- राष्ट्रीय विकास एजेंडे और ऊपर उल्लिखित उद्देश्यों के निष्पादन को आगे बढ़ाने के लिए आवश्यक अन्य गतिविधियाँ करना।

नीति आयोग की गवर्निंग काउंसिल में भारत के प्रधानमंत्री व सभी राज्यों और केंद्र शासित प्रदेशों के मुख्यमंत्री शामिल होते हैं। यह एक प्रमुख निकाय है जिसका काम विकास की कहानी को आकार देने में राज्यों की सक्रिय भागीदारी के साथ राष्ट्रीय विकास प्राथमिकताओं, क्षेत्रों और रणनीतियों का साझा दृष्टिकोण विकसित करना है। गवर्निंग काउंसिल एक भारत, श्रेष्ठ भारत की भावना में राष्ट्रीय विकास एजेंडे के कार्यान्वयन में तेजी लाने के लिए अंतर-क्षेत्रीय, अंतर-विभागीय और संघीय मुद्दों पर चर्चा करने के लिए एक मंच प्रस्तुत करती है।

नीति आयोग की विभिन्न पहलें और कार्यक्रम निम्नलिखित हैं:

- आकांक्षी जिला कार्यक्रम
- पोषण अभियान
- अटल नवाचार मिशन
- परिणामों पर बल देते हुए, नीति आयोग ने स्वास्थ्य, शिक्षा, जल और सतत विकास लक्ष्यों (एसडीजी) जैसे महत्वपूर्ण सामाजिक क्षेत्रों में वृद्धिशील वार्षिक परिणामों को मापने के लिए सूचकांकों को अंतिम रूप दिया। उदाहरण के लिए, स्वास्थ्य सूचकांक, 'स्कूल शिक्षा गुणवत्ता सूचकांक' (एसईक्यूआई), 'एसडीजी इंडिया इंडेक्स', 'डिजिटल परिवर्तन सूचकांक' (DTI)।

नीति आयोग और योजना आयोग के बीच अंतर

- योजना आयोग एक सलाहकार निकाय था, और नीति आयोग भी सलाहकार निकाय है। योजना आयोग और नीति आयोग के बीच मुख्य अंतर यह है कि जहाँ योजना आयोग को मंत्रालयों और राज्यों को धन आवंटित करने की शक्ति थी, वहीं अब यह कार्य वित्त मंत्रालय का है।
- योजना आयोग के दौर में राज्यों की भूमिका सीमित थी। राज्यों को अपनी वार्षिक योजना को मंजूरी दिलाने के लिए हर साल योजना आयोग से बातचीत करनी पड़ती थी। राष्ट्रीय विकास परिषद में उनके कुछ सीमित कार्य थे।
- चूँकि नीति आयोग की गवर्निंग काउंसिल में सभी राज्यों के मुख्यमंत्री और केंद्र शासित प्रदेशों के प्रशासक शामिल होते हैं, इसलिए यह स्पष्ट है कि नीतियों की योजना बनाने/कार्यान्वयन में राज्यों की भूमिका और कहने की क्षमता अधिक होने की उम्मीद है।
- नीति आयोग ने योजना बनाने में **निम्न से उच्च दृष्टिकोण** अपनाया है जो कि योजना आयोग की **ऊपर से नीचे** की ओर **निर्णय लेने की परंपरा** से विपरीत है।

7.2 विनिर्माण (Manufacturing)

भारत द्वारा 1991 में अपनी अर्थव्यवस्था को उदार बनाने के बाद, सेवा क्षेत्र अर्थव्यवस्था के सबसे तेजी से बढ़ते हिस्से में से एक था, जिसने सकल घरेलू उत्पाद, आर्थिक विकास, अंतर्राष्ट्रीय व्यापार और निवेश में महत्वपूर्ण योगदान दिया। विनिर्माण क्षेत्र ने 2014 तक भारत के सकल घरेलू उत्पाद में केवल 15 प्रतिशत का योगदान दिया, जबकि सेवाओं द्वारा 54 प्रतिशत योगदान दिया गया। लेकिन सेवा क्षेत्र में **काफी कुशल** लोग कार्यरत हैं और **भारत का सबसे प्रचुर संसाधन अकुशल श्रम** है, यही कारण है कि यह बड़ी अकुशल भारतीय आबादी को रोजगार प्रदान करने में सक्षम नहीं है। वर्तमान में, हर साल 12 मिलियन लोग भारतीय कार्यबल में प्रवेश करते हैं। उनमें से एक बड़ा हिस्सा कम कुशल श्रमिक हैं, जिनमें से कई ग्रामीण भारत से शहरी केंद्रों में चले गए

हैं। सीमित कौशल और शिक्षा वाले इन लोगों को रोजगार देने के लिए जिस पैमाने और प्रकृति की आवश्यकता होती है, वह केवल कम और अर्ध-कुशल विनिर्माण द्वारा प्रदान की जा सकती है। जबकि भारत जटिल चीजें बनाने में अच्छा है, जिसके लिए कुशल श्रम और मितव्ययी इंजीनियरिंग (कार और ऑटोमोटिव घटक) की आवश्यकता होती है, यह कम कुशल विनिर्माण में काफी अप्रतिस्पर्धी है।

भारत में विनिर्माण को गति देने के लिए, हमें ऐसे केंद्र बनाने होंगे जो नवाचार, विशेष कौशल और आपूर्ति शृंखलाओं के लिए पारिस्थितिकी तंत्र हों, क्योंकि भारत जैसे आकार के देश को एक समान रूप से आकर्षक विनिर्माण स्थान बनाना मुश्किल है। यहाँ तक कि चीन ने भी चार विशेष आर्थिक क्षेत्र बनाकर अपनी विनिर्माण यात्रा शुरू की, जो विनिर्माण के लिए उल्लेखनीय रूप से आसान स्थान थे। पुणे, चेन्नई, बेंगलुरु और दिल्ली पहले से ही उभरते हुए केंद्र हैं, लेकिन हमें इन केंद्रों में वैश्विक नवाचार और विनिर्माण केंद्र स्थापित करने के लिए दुनिया की अग्रणी कंपनियों को आकर्षित करने के लिए प्रोत्साहन देना चाहिए। भारत को कर आतंकवाद को रोकना चाहिए, बुनियादी ढाँचे में सुधार करना चाहिए, श्रम कानूनों में सुधार करना चाहिए, कौशल विकास में निवेश करना चाहिए, भूमि अधिग्रहण को आसान बनाना चाहिए, जीएसटी बाधाओं को दूर करना चाहिए और अनुमोदन (approvals) प्रक्रिया को तेज करना चाहिए। और इन उपायों के माध्यम से, यह अपने जनसांख्यिकीय लाभांश को लाभकारी रूप से नियोजित करने के लिए एक विनिर्माण शक्ति बन सकता है। विनिर्माण में चीन के प्रतिस्पर्धी लाभ के खत्म होने (उच्च मजदूरी के कारण) के साथ, भारत के पास वैश्विक विनिर्माण का कुछ हिस्सा चीन से छीनने का अवसर है और सौभाग्य से हमारे पास एक बड़ा श्रम पूल और एक बड़े घरेलू बाजार के दो प्रमुख स्वाभाविक लाभ हैं।

चुनौतियाँ:

किसी देश के अमीर बनने का केवल एक ही समय-परीक्षणित तरीका है। **यह किसानों को कारखानों में ले जाता है और विदेशी विनिर्माण प्रौद्योगिकी का आयात करता है।** जब अधिशेष किसानों को शहरों में ले जाया जाता है तो उनकी उत्पादकता बढ़ जाती है। अब तक, कोई भी देश किसानों को सामूहिक रूप से सेवा नौकरियों में ले जाकर उच्च स्तर की आय तक नहीं पहुँच पाया है। ऐसा इसलिए हो सकता है क्योंकि विनिर्माण तकनीकें उत्पादों में ही निहित होती हैं और उन मशीनों में होती हैं जिनका उपयोग उत्पादों को बनाने के लिए किया जाता है, जबकि सेवा व्यवसायों को अपनी उत्पादकता संगठनात्मक मॉडल, मानव पूँजी और अन्य अमूर्त चीजों से मिलती है, जिनकी नकल करना गरीब देशों के लिए कठिन होता है और तेजी से बढ़ना मुश्किल होता है।

लेकिन समस्या यह है कि **विनिर्माण क्षेत्र सिकुड़ रहा है। हालाँकि मनुष्य द्वारा बनाए जाने वाले भौतिक सामान की कुल मात्रा बढ़ती जा रही है, लेकिन भौतिक वस्तुओं को बनाने में हमारी आर्थिक गतिविधि का प्रतिशत कम होता जा रहा है।** यह पूरी दुनिया में हो रहा है, यहाँ तक कि चीन में भी। यह आंशिक रूप से इसलिए हो सकता है क्योंकि विनिर्माण अपनी ही सफलता का शिकार हो गया है – **यह क्षेत्र इतना उत्पादक हो गया है कि अब हमें अपनी जरूरत की सभी चीजें बनाना बहुत सस्ता हो गया है। (और अंततः कृषि में यही हुआ है)।**

वर्ष 2002 से वैश्विक विकास का मुख्य इंजन चीन का तीव्र औद्योगिकीकरण रहा है। अपनी आबादी की विशाल बचत को पूँजी निवेश में लगाकर और उन्नत देशों से प्रौद्योगिकी को तेजी से अवशोषित करके, चीन इतिहास में सबसे शानदार आधुनिकीकरण करने में सक्षम रहा है, जिसने करोड़ों किसानों को ग्रामीण क्षेत्रों से शहरों में स्थानांतरित किया है। और इसने बदले में ब्राजील, रूस और कई विकासशील देशों जैसे देशों के विकास को भी गति दी, जिन्होंने दुनिया की नई कार्यशाला में तेल, धातु और अन्य संसाधनों का निर्यात किया। लेकिन अब चीन की गति धीमी पड़ने लगी है।

चीन के साथ तुलना

विनिर्माण पर ध्यान केंद्रित करने और निर्यात-आधारित विकास पथ का अनुसरण करने का प्रयास करने में जोखिम है, जिसका चीन ने अनुसरण किया।

- सबसे पहले, धीमी गति से प्रगति करने वाले उन्नत/औद्योगिक देशों के निकट भविष्य में आयात की पर्याप्त अतिरिक्त मात्रा को अवशोषित करने में सक्षम होने की संभावना बहुत कम होगी और पूरी दुनिया के लिए एक और निर्यात-आधारित चीन को समायोजित करना संभव नहीं है।

- दूसरा, औद्योगिक देश पूँजी-गहन नम्नीय विनिर्माण में सुधार कर रहे हैं, इतना अधिक कि कुछ विनिर्माण गतिविधि को फिर से शुरू किया जा रहा है (अपने देशों में लाया जा रहा है)। विनिर्माण वस्तुओं का निर्यात करने के इच्छुक उभरते बाजारों को इससे प्रतिस्पर्धा करनी होगी।
- तीसरा, जब भारत विनिर्माण निर्यात में आगे बढ़ेगा, तो उसे चीन से प्रतिस्पर्धा करनी होगी। निर्यात-आधारित विकास उतना आसान नहीं होगा जितना कि एशियाई अर्थव्यवस्थाओं के लिए था जिन्होंने हमसे पहले यह रास्ता अपनाया था।

इसके अनुसार, चीन औद्योगिकीकरण की ट्रेन में सवार होने वाला आखिरी देश हो सकता है। और उस स्थिति में, भारत, अफ्रीका, लैटिन अमेरिका और मध्य पूर्व पीछे रह सकते हैं और शायद चीन की तरह आगे नहीं बढ़ पाएँगे।

टिप्पणियाँ:

जैसे-जैसे वैश्विक अर्थव्यवस्था के लिए निर्माण (विनिर्माण) कम महत्वपूर्ण होता जाएगा और काम करना अधिक महत्वपूर्ण होता जाएगा, **मानव पूँजी पहले से कहीं अधिक महत्वपूर्ण होगी।** इसके लिए स्वास्थ्य सेवा, पोषण और स्वच्छता की गुणवत्ता और प्रसार को बढ़ाने, श्रम बाजारों में मूल्यवान कौशल के लिए बेहतर और अधिक उपयुक्त शिक्षा और प्रशिक्षण की आवश्यकता होगी। इसलिए, हमें देश के बुनियादी ढाँचे में सुधार करने के लिए प्रयास करना जारी रखना चाहिए, लेकिन **शिक्षा** (मानव पूँजी) पर ध्यान केंद्रित करना और भी अधिक महत्वपूर्ण हो सकता है।

विनिर्माण या सेवाएँ

भारत का सबसे प्रचुर संसाधन अकुशल श्रम है। लेकिन सेवा क्षेत्र में काफी कुशल श्रमिक कार्यरत हैं और यदि भारत चाहता है कि उसका विकास सेवाओं द्वारा संचालित हो तो उसे आक्रामक रूप से 'कौशल भारत' पर ध्यान केंद्रित करना चाहिए। लेकिन कौशल (जिसके लिए शिक्षा पर अधिक ध्यान देने की आवश्यकता है) में समय लगेगा और वर्तमान अकुशल आबादी का एक बड़ा हिस्सा इससे बाहर रह सकता है। यदि हम चाहते हैं कि हमारा विकास विनिर्माण द्वारा संचालित हो तो हमें अकुशल गहन विनिर्माण का समर्थन करने वाले बुनियादी ढांचे का निर्माण शुरू करना चाहिए।

7.3 मेक इन इंडिया (Make in India)

मेक इन इंडिया

- भारत सरकार ने सितंबर 2014 में "मेक इन इंडिया" अभियान शुरू किया था, जो विनिर्माण क्षेत्र के लिए अपनी तरह का पहला अभियान है, क्योंकि यह विनियमन, बुनियादी ढाँचे, कौशल विकास, प्रौद्योगिकी, वित्त की उपलब्धता, निकास तंत्र और अन्य प्रासंगिक कारकों के क्षेत्रों से संबन्धित है।
- इसमें विदेशी कंपनियों को अपना कारोबार स्थापित करने और देश को विनिर्माण क्षेत्र का केंद्र बनाने के लिए बनाए गए आसान मानदंडों और नियमों सहित कई प्रस्ताव शामिल हैं।
- अपनी शुरुआत के बाद से, 'मेक इन इंडिया' पहल ने महत्वपूर्ण उपलब्धियाँ हासिल की हैं और वर्तमान में मेक इन इंडिया 2.0 के तहत 27 क्षेत्रों पर ध्यान केंद्रित किया जा रहा है। उद्योग और आंतरिक व्यापार संवर्धन विभाग विनिर्माण क्षेत्रों (15) के लिए कार्य योजनाओं का समन्वय कर रहा है, जबकि वाणिज्य विभाग सेवा क्षेत्रों (12) का समन्वय कर रहा है।

योजना के तहत मुख्य लक्ष्य हैं:

- विनिर्माण क्षेत्र की वृद्धि को बढ़ाकर 12-14% प्रति वर्ष करना।
- देश के सकल घरेलू उत्पाद में विनिर्माण की हिस्सेदारी को 2025 तक 15% से बढ़ाकर 25% करना।
- विनिर्माण क्षेत्र में 2022 तक 100 मिलियन अतिरिक्त नौकरियाँ सृजित करना।
- विनिर्माण में घरेलू मूल्य संवर्धन और तकनीकी सघनता में वृद्धि।
- भारतीय विनिर्माण क्षेत्र की वैश्विक प्रतिस्पर्धात्मकता को बढ़ाना।
- समावेशी विकास के लिए ग्रामीण प्रवासियों और शहरी गरीबों के बीच उपयुक्त कौशल बनाना।
- विशेष रूप से पर्यावरण के संबंध में विकास की स्थिरता सुनिश्चित करना।

"मेक इन इंडिया" पहल के सामने आने वाली चुनौतियाँ

- **श्रम उत्पादकता कम है:** भारत के विनिर्माण क्षेत्र की उत्पादकता कम है और श्रम बल का कौशल अपर्याप्त है। मैकिन्जे की रिपोर्ट के अनुसार, विनिर्माण क्षेत्र में भारतीय श्रमिक औसतन थाईलैंड और चीन के अपने समकक्षों की तुलना में लगभग चार से पाँच गुना कम उत्पादक हैं।
- **शेल कंपनियों से निवेश:** एफडीआई प्रवाह का बड़ा हिस्सा न तो विदेशी है और न ही प्रत्यक्ष। बल्कि, यह मॉरीशस स्थित शेल कंपनियों से आता है, जिन पर भारत से काला धन निवेश करने का संदेह है।
- **औद्योगिक इकाइयों का आकार छोटा होता है** और इसलिए, वे अभीष्ट पैमाने की अर्थव्यवस्थाओं को प्राप्त नहीं कर सकते हैं। वे आधुनिक उपकरणों में निवेश नहीं कर सकते हैं और आपूर्ति श्रृंखला विकसित नहीं कर सकते हैं।
- **जटिल श्रम कानून:** भारतीय श्रम कानूनों की कल्पना स्वतंत्रता अवधि के दौरान की गई थी और वे आयात-प्रतिस्थापन और आर्थिक विकास के राज्यवादी (राज्य हस्तक्षेप और नियंत्रण) मॉडल पर आधारित हैं जो अत्यधिक प्रतिस्पर्धी दुनिया के वर्तमान समय के अनुकूल नहीं हैं। (नए श्रम कानून अभी भी लागू नहीं हुए हैं)
- **परिवहन की कमी:** सरकार पर्याप्त रेलवे ट्रैक नहीं जोड़ पाई है, जो पूरे देश में थोक में माल के लिए परिवहन का सस्ता तरीका प्रदान कर सकती है।
- **महँगी बिजली:** भारत में सस्ती और लगातार बिजली उपलब्ध कराने की प्रक्रिया में कमी है, जो एक विनिर्माण उद्यम के लिए जरूरी है
- **भूमि अधिग्रहण में देरी:** भारत में भूमि अधिग्रहण की प्रक्रिया में अन्य उभरती अर्थव्यवस्थाओं में 2 वर्ष की तुलना में लगभग 3 से 4 साल लगते हैं

'मेक इन इंडिया' के लिए हमारी रणनीति

'मेक इन इंडिया' पर ध्यान केंद्रित करते हुए, हमें निर्यात-आधारित रणनीति का पालन नहीं करना चाहिए, जिसमें सस्ते इनपुट के साथ-साथ कम मूल्यांकित विनिमय दर के साथ निर्यातकों को सब्सिडी देना शामिल है, क्योंकि इसके इस स्थिति में उतना प्रभावी होने की संभावना नहीं है। और हमें यह स्वीकार करना चाहिए कि भारत चीन से अलग है और अलग समय पर विकास कर रहा है। इसके अलावा, हमें 'मेक इन इंडिया' को टैरिफ बाधाओं के माध्यम से आयात प्रतिस्थापन की रणनीति के रूप में भी नहीं देखना चाहिए। यह रणनीति पहले काम नहीं करती थी क्योंकि इसने घरेलू प्रतिस्पर्धा को कम कर दिया, उत्पादकों को अक्षम बना दिया और उपभोक्ताओं के लिए लागत बढ़ा दी। इसके बजाय 'मेक इन इंडिया' का अर्थ होगा अधिक खुलापन, ऐसा माहौल बनाना जो हमारी फर्मों को बाकी दुनिया के साथ प्रतिस्पर्धा करने में सक्षम बनाए और विदेशी फर्मों को भारत में रोजगार सृजित करने के लिए प्रोत्साहित करे।

मेक इन इंडिया के सफल उदाहरण

रेलवे कोच (भारतीय कोच फैक्ट्री चेन्नई, रेल कोच फैक्ट्री कपूरथला), रक्षा विनिर्माण (HAL तेजस लाइट कॉम्बैट एयरक्राफ्ट), मोबाइल फोन विनिर्माण (नोएडा में सैमसंग मोबाइल फैक्ट्री) और ऑटोमोबाइल (भारत दुनिया का तीसरा सबसे बड़ा ऑटो बाजार बन गया है) का विनिर्माण मेक इन इंडिया पहल के काफी सफल उदाहरण हैं।

रक्षा विनिर्माण: भारत शीर्ष 5 सैन्य खर्च करने वाले देशों में से एक है और दुनिया में उभरते रक्षा विनिर्माण केंद्रों में से एक है। रक्षा क्षेत्र के विकास का समर्थन करने और क्षेत्र में विनिर्माण क्षमता बढ़ाने के लिए, भारत में दो **रक्षा औद्योगिक गलियारे** स्थापित किए जा रहे हैं, एक उत्तर प्रदेश में और दूसरा तमिलनाडु में।

7.4 स्मार्ट विनिर्माण: उद्योग 4.0 (Smart Manufacturing: Industry 4.0)

'डेटा को अक्सर इक्कीसवीं सदी का कच्चा माल कहा जाता है।'

पहली औद्योगिक क्रांति: 1765

पहली औद्योगिक क्रांति 18वीं सदी के अंत में ब्रिटेन में

कपड़ा उद्योग के मशीनीकरण के साथ शुरू हुई। सैकड़ों बुनकरों की झोपड़ियों में पहले हाथ से किए जाने वाले कामों को एक ही कपास मिल में एक साथ लाया गया और कारखाने का जन्म हुआ। इसने मशीनीकरण का उद्भव हुआ एक ऐसी प्रक्रिया जिसने समाज की आर्थिक संरचना की नींव के रूप में कृषि को उद्योग से बदल दिया। **भाप इंजन** के आविष्कार के साथ कोयले के बड़े पैमाने पर निष्कर्षण ने एक नई तरह की ऊर्जा बनाई जिसने सभी प्रक्रियाओं को आगे बढ़ाया।

दूसरी औद्योगिक क्रांतिः 1870

लगभग एक सदी बाद 19वीं सदी के अंत में, नई तकनीकी प्रगति ने ऊर्जा के एक नए स्रोत के उद्भव की शुरुआत कीः **बिजली, गैस और तेल।** परिणामस्वरूप, **दहन इंजन** के विकास ने इन नए संसाधनों का उनकी पूरी क्षमता तक उपयोग करने की शुरुआत की। टेलीग्राफ और टेलीफोन के आविष्कार के साथ संचार के तरीकों में भी क्रांतिकारी बदलाव आया और 20वीं सदी की शुरुआत में ऑटोमोबाइल (फोर्ड की बड़े पैमाने पर उत्पादन तकनीक) और विमान के आने से परिवहन के तरीके भी बदल गए।

तीसरी औद्योगिक क्रांतिः 1969

लगभग एक सदी बाद, 20वीं सदी के उत्तरार्ध में, **इलेक्ट्रॉनिक्स** और **सूचना प्रौद्योगिकी** की शुरुआत के साथ तीसरी औद्योगिक क्रांति सामने आई। उद्योग के लिए, इस क्रांति ने उत्पादन में उच्च-स्तरीय स्वचालन के युग को जन्म दिया, जिसका श्रेय दो प्रमुख आविष्कारों को जाता हैः ऑटोमेटन (प्रोग्रामेबल लॉजिक कंट्रोलर) और रोबोट।

पहली औद्योगिक क्रांति ने उत्पादन को मशीनीकृत करने के लिए ***पानी और भाप का इस्तेमाल किया, दूसरी औद्योगिक क्रान्ति ने बड़े पैमाने पर उत्पादन करने के लिए विद्युत ऊर्जा का इस्तेमाल किया और तीसरी ने उत्पादन को स्वचालित करने के लिए इलेक्ट्रॉनिक्स और सूचना प्रौद्योगिकी का इस्तेमाल किया। आज, एक चौथी औद्योगिक क्रांति*** *चल रही है जो तीसरी क्रांति और पिछली सदी के मध्य से हो रही डिजिटल क्रांति पर आधारित है। तेजी से विस्तार करने वाली इस चौथी क्रांति की विशेषता ऐसी तकनीक का विलय है जो भौतिक, डिजिटल और जैविक क्षेत्रों के बीच की रेखाओं को धुंधला कर देती है और पूरी दुनिया में उद्योगों को पूरी तरह से जड़ से उखाड़ देती है। इन परिवर्तनों की सीमा और गहराई संपूर्ण उत्पादन, प्रबंधन और शासन प्रणालियों में परिवर्तन का संकेत है।*

चौथी औद्योगिक क्रांति (उद्योग 4.0): वर्तमान

सूचना प्रौद्योगिकी और हार्डवेयर के क्षेत्र में तेजी से विकास के साथ, दुनिया चौथी औद्योगिक क्रांति यानी **उद्योग 4.0** देखने वाली है, जो एक नई तकनीकी घटना - **डिजिटलीकरण** पर आधारित है। यह डिजिटलीकरण हमें एक नई आभासी दुनिया बनाने में सक्षम बनाता है जिससे हम भौतिक दुनिया को चला सकते हैं।

जबकि उद्योग 3.0 एकल मशीनों और प्रक्रियाओं के स्वचालन पर केंद्रित था, उद्योग 4.0 सभी भौतिक संपत्तियों के शुरू-से-अंत तक डिजिटलीकरण और मूल्य शृंखला भागीदारों के साथ डिजिटल पारिस्थितिकी तंत्र में उनके एकीकरण पर ध्यान केंद्रित करता है। बड़े ऑकड़ों, उच्च कंप्यूटिंग क्षमता, कृत्रिम बुद्धिमत्ता और एनालिटिक्स की शक्ति से प्रेरित, उद्योग 4.0 का लक्ष्य विनिर्माण क्षेत्र को पूरी तरह से डिजिटल बनाना है। उन्नत रोबोटिक्स और साइबर-भौतिक प्रणालियों जैसी उभरती प्रौद्योगिकियों के समामेलन से प्रेरित होकर, यह वास्तविक और आभासी दुनिया के मिलन को संभव बना रहा है।

उद्योग 4.0 विनिर्माण में पारंपरिक और आधुनिक प्रौद्योगिकियों को एक साथ लाकर 'स्मार्ट कारखाने' बनाने का अगला चरण है। ऐसी फैक्ट्रियों में ऐसी मशीनें (पूरी उत्पादन शृंखला में) होती हैं जो डिजिटल रूप से जुड़ी होती हैं और बड़ी मात्रा में उत्पन्न डेटा से सीख सकती हैं और फिर स्वायत्त निर्णय ले सकती हैं।

श्रम बल के लिए चुनौतियाँ (उद्योग 4.0 और श्रम 1.0)

उद्योग 4.0 को अपनाने से रोजगार में बदलाव धीरे-धीरे लेकिन गहरा होगा और मौजूदा नौकरियों को आभासी वास्तविकता और संवर्धित वास्तविकता की सहायता से बदलने की आवश्यकता होगी। मौजूदा कार्यबल को नई वास्तविकता के साथ समायोजित करने के लिए बड़े पैमाने

पर पुनः कौशल की आवश्यकता होगी क्योंकि उद्योग 4.0 और हमारे श्रम मानक 1.0 में मौलिक असंगति है। बड़े पैमाने पर कौशल बढ़ाने की आवश्यकता होगी क्योंकि 'डिजिटल श्रम' अधिकांश कार्य प्रोफाइल का अभिन्न अंग बन जाएगा। उद्योग 4.0 के मूल में यह तथ्य है कि आजीवन या स्थायी रोजगार जैसा कि हम जानते हैं - जो कि उद्योग 3.0 में भी तेजी से दुर्लभ होता जा रहा है - श्रमिकों के लिए कमोबेश समाप्त हो जाएगा। अपनी शिक्षा पूरी करने और फिर नौकरी की तलाश करने के बजाय, जैसा कि वे आज करते हैं, श्रमिक बल लगातार खुद को इस आधार पर ढालते रहेंगे कि बाजार क्या चाहता है और रोबोट क्या बेहतर नहीं कर सकते।

बुद्धिमान स्वचालन के उद्‌भव का अधिकतम प्रभाव आईटी सेवाओं और बीपीओ श्रमिकों के वैश्विक उद्योग पर महसूस किया जाएगा। एक प्रौद्योगिकी अनुसंधान फर्म ने 2015 में भविष्यवाणी की थी कि 2025 तक तीन में से एक नौकरी सॉफ्टवेयर, रोबोट और स्मार्ट मशीनों में बदल जाएगी।

उद्योग 4.0 और भारत

आमतौर पर, किसी भी उद्योग में भौतिक प्रणालियाँ एक प्रौद्योगिकी सीढ़ी से गुजरती हैं - विद्युतीकरण, स्वचालन से डिजिटलीकरण और फिर 'स्मार्ट कारखानों' तक। देश में विनिर्माण क्षेत्र के अधिकांश हिस्से अभी भी सीढ़ी के विद्युतीकरण के बाद के चरणों में हैं। इसी तरह, विनिर्माण में आईटी का उपयोग मशीन इकाइयों में एम्बेडेड सिस्टम द्वारा हावी है जो एक-दूसरे से स्वतंत्र रूप से संचालित होते हैं। साइबर प्लेटफॉर्म पर भौतिक प्रणालियों का एकीकरण भी अभी बहुत ही प्रारंभिक अवस्था में है। साथ ही, बड़ी संख्या में एमएसएमई ने अभी-अभी स्वचालन चरण में प्रवेश करना शुरू किया है।

भारत को विनिर्माण, डिजाइन और नवाचार के लिए एक वैश्विक केंद्र बनाने और 2025 तक जीडीपी में विनिर्माण की हिस्सेदारी को मौजूदा 16% से बढ़ाकर 25% करने के महत्वाकांक्षी लक्ष्य को प्राप्त करने के लिए, प्रतिस्पर्धात्मकता बढ़ाने और कुशल मूल्य श्रृंखलाओं का निर्माण करने के लिए उद्योग 4.0 प्रौद्योगिकियों को अपनाना अनिवार्य हो गया है। भारत में सर्वश्रेष्ठ विनिर्माण बुनियादी ढाँचे को बढ़ावा देने के अपने प्रयास में, "मेक इन इंडिया" पहल 'उद्योग 4.0' को व्यापक रूप से अपनाने का नेतृत्व कर रही है। सूचना प्रौद्योगिकी में भारत की ताकत और आईटी पेशेवरों के एक बड़े कार्यबल पर भरोसा करते हुए, उद्योग 4.0 के माध्यम से विनिर्माण की परिवर्तनकारी यात्रा देश में पहले ही शुरू हो चुकी है। भारत सरकार के 'स्मार्ट सिटीज मिशन' के तहत, पूरे भारत में 100 स्मार्ट शहरों के निर्माण की परियोजनाओं को उद्योग 4.0 वातावरण के अग्रदूत के रूप में माना जा रहा है।

2015 में, जनरल इलेक्ट्रिक (GE) ने पुणे में एक स्मार्ट फैक्ट्री स्थापित की जिसे इंडस्ट्री 4.0 कहा जा सकता है। जबकि अधिकांश फैक्ट्रियों को एक उत्पादन लाइन से दूसरी में स्विच करने में कई सप्ताह लगते हैं, GE ने एक मल्टी-प्रोडक्ट फैक्ट्री बनाई है जो इस स्विच-ओवर समय को नाटकीय रूप से कम करती है, जिसके परिणामस्वरूप यह एक ही फैक्ट्री से कुछ ही दिनों में लोकोमोटिव इंजन और विंड टर्बाइन ब्लेड जैसी विविध वस्तुओं का उत्पादन कर सकती है। इंजीनियरों की तरफ से आने वाले डिजाइन स्वचालित रूप से 3D ड्रॉइंग में परिवर्तित हो जाते हैं जिन्हें मशीनों में फीड किया जाता है - ओवरहेड क्रेन एक मशीन से दूसरे मशीन में पुर्जे ले जाते हैं जबकि एक ऑप्टिमाइजिंग समाधान दिन की जरूरत के हिसाब से असेंबली लाइन को अपने अनुरूप बना लेता है बाद में, इस तथ्य से तय होता है कि फैक्ट्री के उपकरण इंटरनेट पर एक-दूसरे से 'बात' करते हैं और दुनियाभर के ग्राहकों की जरूरतों के आधार पर निर्णय ले सकते हैं।

भविष्य की रणनीतिः

आज हमारे सामने सबसे बड़ी चुनौती रोजगार सृजन है। निम्न से मध्यम आय में संक्रमण करने वाले देश के लिए पारंपरिक आर्थिक सोच बड़े पैमाने पर विनिर्माण और बड़े रोजगार-सृजक के रूप में विकसित दुनिया को व्यापारिक निर्यात पर ध्यान केंद्रित करना है। जापान, कोरिया, ताइवान, चीन - सभी ने इसी रास्ते का अनुसरण किया। लेकिन यह इंडस्ट्री 4.0 और आर्थिक राष्ट्रवाद के विकास से पहले की बात है, जिसने वैश्विक विनिर्माण को प्रभावित किया। आज, वैश्विक मर्केनडाइस व्यापार स्थिर हो रहा है, जबकि सेवा व्यापार, विशेष रूप से डिजिटल सेवा व्यापार बढ़ रहा है। क्षेत्र के विकासशील देशों के बीच अंतर-एशिया व्यापार,

विकसित दुनिया के साथ व्यापार की तुलना में दोगुना से अधिक तेजी से बढ़ रहा है। श्रम मध्यस्थता द्वारा संचालित विकसित अर्थव्यवस्थाओं द्वारा विदेश में विनिर्माण (किसी व्यवसाय संचालन और कार्यों को दूसरे देश में स्थानांतरित करना। प्रायः यह कम श्रम लागत या अन्य लाभ उठाने के लिए किया जाता है। चरम पर पहुंच गया है और इन देशों द्वारा इन-शोरिंग (व्यवसाय को विदेश से स्थानीय देश में स्थानांतरित करने की प्रक्रिया) होने लगा है। बड़ी विनिर्माण कंपनियाँ लोगों की जगह मशीनें लगाकर नौकरियाँ पैदा नहीं कर रही हैं, लेकिन साथ ही, गिग अर्थव्यवस्था (एक मुक्त बाजार प्रणाली, जिसमें अस्थायी पद आम हैं और संगठन अल्पकालिक प्रतिबद्धताओं के लिए स्वतंत्र श्रमिकों को काम पर रखते हैं) और एमएसएमई (सूक्ष्म, लघु और मध्यम उद्यम) अधिक नौकरियाँ सृजित कर रहे हैं। अंत में, डिजिटल प्रौद्योगिकियों, प्रतिस्पर्धा और अच्छे नियमों के संयोजन से लाखों सेवा-नौकरियों का सृजन करने वाली 'सामूहिक सेवाओं की खपत' की संभावना बढ़ रही है, जो सेवाओं की लागत को 3 से 10 गुना तक कम कर देती है, जैसा कि हमने भारत में दूरसंचार क्षेत्र में देखा है। इसलिए, इन सभी क्रांतिकारी परिवर्तनों के मद्देनजर, नीति निर्माताओं को रोजगार सृजन की रणनीतियों पर नए और क्रांतिकारी विचार लाने होंगे।

7.5 औद्योगिक उत्पादन सूचकांक और कोर उद्योग (Index of Industrial Production and Core Industries)

अखिल भारतीय औद्योगिक उत्पादन सूचकांक (आईआईपी) एक समग्र संकेतक है जो किसी निश्चित अवधि के दौरान औद्योगिक उत्पादों की एक टोकरी के उत्पादन की मात्रा में अल्पकालिक परिवर्तनों को मापता है। IIP डेटा राष्ट्रीय सांख्यिकी कार्यालय (एनएसओ) द्वारा मासिक रूप से संकलित और प्रकाशित किया जाता है और छह सप्ताह के अंतराल के साथ जारी किया जाता है।

संयुक्त राष्ट्र सांख्यिकी कार्यालय (यूएनएसओ) द्वारा अनुशंसित औद्योगिक उत्पादन सूचकांक (आईआईपी) के दायरे में खनन, विनिर्माण, निर्माण, बिजली, गैस और जल आपूर्ति शामिल हैं। लेकिन डेटा उपलब्धता की बाधाओं के कारण, भारत में संकलित आईआईपी ने निर्माण, गैस और जल आपूर्ति क्षेत्रों को बाहर रखा है।

आधार वर्ष 2011-12	औद्योगिक उत्पादन सूचकांक (आईआईपी)		
	खनन	विनिर्माण	बिजली
भार	14.373	77.633	7.994

आठ मुख्य उद्योग जो औद्योगिक उत्पादन सूचकांक में शामिल वस्तुओं के भार का 40.27% बनाते हैं, वाणिज्य और उद्योग मंत्रालय द्वारा मासिक रूप से संकलित और प्रकाशित किया जाता है और एक महीने के समय अंतराल के साथ आता है। आठ मुख्य उद्योगों के सूचकांक के लिए आधार वर्ष 2011-12 है और इसमें निम्नलिखित उद्योग शामिल हैं।

मुख्य उद्योग	कच्चा तेल	प्राकृतिक गैस	रिफाइनरी उत्पाद	कोयला	इस्पात	सीमेंट	बिजली	उर्वरक
भार	8.98%	6.88%	28.04%	10.3%	17.9%	5.73%	19.85%	2.63%

7.6 सूक्ष्म, लघु और मध्यम उद्यम (Micro, Small and Medium Enterprises (MSME)

परिचय

किसी राष्ट्र का आर्थिक विकास उसके औद्योगिक क्षेत्र के विकास से निकटता से जुड़ा हुआ है। औद्योगिक क्षेत्र में बड़े, मध्यम, लघु और सूक्ष्म उद्यम शामिल हैं। जहाँ बड़े उद्योग किसी राष्ट्र के समग्र आर्थिक विकास में मदद करते हैं, वहीं रोजगार सृजन, औद्योगिक उत्पादन और निर्यात में एमएसएमई का योगदान काफी महत्वपूर्ण है। एमएसएमई उद्योगों को श्रम गहनता, कम लागत वाली तकनीक, कम पूँजी/निवेश, कम अवधि की परिपक्वता और अन्य क्षेत्रों के साथ उनके मजबूत आगे और पीछे के संबंधों का लाभ मिलता है। एमएसएमई के बारे में कुछ तथ्य निम्नलिखित हैं:

- एमएसएमई भारत के सकल घरेलू उत्पाद में 30% का योगदान करते हैं।
- एमएसएमई विनिर्माण सकल घरेलू उत्पाद में 45% का योगदान करते हैं।
- एमएसएमई व्यापारिक निर्यात में 40% का योगदान करते हैं।
- लगभग 6 करोड़ एमएसएमई हैं जो 11 करोड़ से अधिक श्रमिकों को रोजगार देते हैं।

सामाजिक-आर्थिक विकास में एमएसएमई की भूमिकाः

एमएसएमई क्षेत्र पिछले पाँच दशकों में भारतीय अर्थव्यवस्था के एक अत्यधिक जीवंत और गतिशील क्षेत्र के रूप में उभरा है। एमएसएमई न केवल बड़े उद्योगों की तुलना में अपेक्षाकृत कम पूँजी लागत पर बड़े पैमाने पर रोजगार के अवसर प्रदान करने में महत्वपूर्ण भूमिका निभाते हैं, बल्कि ग्रामीण और पिछड़े क्षेत्रों के औद्योगीकरण में भी मदद करते हैं, जिससे क्षेत्रीय असंतुलन कम होता है, राष्ट्रीय आय और धन का समान वितरण सुनिश्चित होता है और देश के सामाजिक आर्थिक विकास को बढ़ावा मिलता है। **एमएसएमई बड़े पैमाने के उद्योगों के साथ प्रतिस्पर्धा नहीं करते हैं**, बल्कि वे **सहायक इकाइयों** के रूप में उनके **पूरक** होते हैं और विनिर्माण मूल्य शृंखलाओं में महत्वपूर्ण भूमिका निभाते हैं। वे अपनी प्रभावी, कुशल, लचीली और अभिनव उद्यमशीलता की भावना के साथ अर्थव्यवस्थाओं के विकास में भी महत्वपूर्ण भूमिका निभाते हैं।

इस क्षेत्र में बेरोजगारी, क्षेत्रीय असंतुलन, देश भर में राष्ट्रीय आय और धन के असमान वितरण जैसी संरचनात्मक समस्याओं को दूर करने की अपार संभावनाएँ हैं, लेकिन यह कई मुद्दों से भरा हुआ है। **एमएसएमई क्षेत्र के सामने निम्नलिखित प्रमुख चुनौतियाँ हैं:**

- पर्याप्त और समय पर बैंकिंग वित्त का अभाव।
- सीमित पूँजी और ज्ञान।
- उपयुक्त तकनीक की अनुपलब्धता।
- कम उत्पादन क्षमता और पैमाने की अर्थव्यवस्थाओं का दोहन करने में सक्षम नहीं होना।
- अप्रभावी विपणन रणनीति।
- आधुनिकीकरण और विस्तार पर बाधाएँ।
- सस्ती लागत पर कुशल श्रमिकों की अनुपलब्धता।
- भुगतान प्राप्त करने और समस्याओं को हल करने के लिए विभिन्न सरकारी एजेंसियों के साथ अनुवर्ती कार्रवाई।

एमएसएमई क्षेत्र को बढ़ावा देने में सरकार की भूमिकाः

ग्रामीण क्षेत्रों में रहने वाले अधिकांश लोग अपनी आजीविका कृषि और संबद्ध क्षेत्रों से प्राप्त करते हैं। हालाँकि, भारतीय अर्थव्यवस्था के विकास को समावेशी तरीके से बनाए रखने के लिए उद्योग और सेवाओं जैसे अन्य क्षेत्रों का विकास और संतुलित विकास भी आवश्यक है। उद्योग (विकास और विनियमन) अधिनियम, 1951 के बाद से भारतीय सरकार द्वारा अपनाई गई सामाजिक-आर्थिक नीतियों ने देश की आर्थिक स्थितियों को सुधारने के साधन के रूप में एमएसएमई पर जोर दिया है। एमएसएमई के प्रचार और विकास की प्राथमिक जिम्मेदारी राज्य सरकारों की है। हालाँकि, भारत सरकार विभिन्न पहलों के माध्यम से राज्य सरकारों के प्रयासों में सहायता करती है। सूक्ष्म, लघु और मध्यम उद्यम मंत्रालय और उसके संगठनों की भूमिका उद्यमिता, रोजगार

और आजीविका के अवसरों को प्रोत्साहित करने और बदले हुए आर्थिक परिदृश्य में एमएसएमई की प्रतिस्पर्धात्मकता को बढ़ाने के लिए राज्यों के प्रयासों में सहायता करना है। एमएसएमई के संवर्धन और विकास के लिए भारत सरकार द्वारा की गई कुछ नई पहलें निम्नलिखित हैं:

उद्यम पंजीकरण संख्या: एमएसएमई एक पृष्ठ का पंजीकरण फॉर्म दाखिल कर सकते हैं जो एक स्व-घोषणा प्रारूप होगा जिसके तहत एमएसएमई अपने अस्तित्व, बैंक खाते के विवरण, प्रमोटर/मालिक के आधार विवरण और अन्य बुनियादी विवरणों को स्वयं प्रमाणित करेगा, जिसके आधार पर एमएसएमई को एक विशिष्ट पहचानकर्ता यानी **"उद्यम पंजीकरण संख्या"** जारी की जाएगी जो एमएसएमई को सभी मंत्रालयों और विभागों द्वारा दी जा रही विभिन्न सेवाओं के बारे में जानकारी प्राप्त करने और ऑनलाइन आवेदन करने में सक्षम बनाती है।

- **एमएसएमई प्रदर्शन को बढ़ाना और तेज करना (आरएएमपी):** इस योजना का उद्देश्य है:
  - केंद्र और राज्य स्तर पर संस्थानों और शासन को मजबूत करना।
  - केंद्र-राज्य संबंधों और साझेदारी में सुधार करना।
  - एमएसएमई की बाजार और ऋण तक पहुँच में सुधार करना।
  - प्रौद्योगिकी उन्नयन।
  - विलंबित भुगतान के मुद्दों का समाधान करना।
  - एमएसएमई को हरित बनाना।
- **एस्पायर** (ASPIRE): सरकार ने ग्रामीण और कृषि आधारित उद्योगों में नवाचार और उद्यमिता के लिए उद्यमिता में तेजी लाने और स्टार्ट-अप को बढ़ावा देने के लिए प्रौद्योगिकी केंद्रों और ऊष्मायन केंद्रों का एक नेटवर्क स्थापित करने के उद्देश्य से नवाचार और ग्रामीण उद्यमियों को बढ़ावा देने के लिए एक योजना (एस्पायर) शुरू की है।
- **रोजगार कार्यालय:** भारत सरकार ने नौकरी चाहने वालों और नियोक्ताओं के बीच मिलान की सुविधा के लिए उद्योगों के लिए रोजगार कार्यालय शुरू किया है।
- सरकार ने एमएसएमई के पुनरुद्धार और पुनर्वास के लिए एक ढाँचा तैयार किया है।
- **ऋण तक तेज पहुँच:** एमएसएमई को 59 मिनट में 1 लाख रुपये से 1 करोड़ रुपये तक की कार्यशील पूँजी और सावधि ऋण की सैद्धांतिक स्वीकृति प्रदान की जाती है।
- **चैंपियंस:** मई, 2020 में, भारत सरकार ने एमएसएमई की मदद करने और उन्हें संभालने के लिए चैंपियंस ऑनलाइन प्लेटफॉर्म लॉन्च किया। 'चैंपियंस' का अर्थ उत्पादन और राष्ट्रीय शक्ति बढ़ाने के लिए आधुनिक प्रक्रियाओं का निर्माण और सामंजस्यपूर्ण अनुप्रयोग है। यह एक आईसीटी आधारित प्रौद्योगिकी प्रणाली है जिसका उद्देश्य छोटी इकाइयों को उनकी शिकायतों का समाधान करके, प्रोत्साहित करके, समर्थन करके, मदद करके और पूरे व्यवसाय जीवनचक्र में उनका साथ देकर बड़ा बनाना है। यह प्लेटफॉर्म एमएसएमई की सभी जरूरतों के लिए एकल खिड़की समाधान की सुविधा देता है।
- **एमएसएमई की परिभाषा में बदलाव:** एमएसएमई अपने कारोबार का विस्तार 15 लाख रुपये के टर्नओवर तक कर सकते हैं। 250 करोड़ (और 50 करोड़ रुपये तक का निवेश) और फिर भी एमएसएमई होने का लाभ उठा सकते हैं।
- **आत्मनिर्भर भारत के तहत शुरू की गई योजनाएँ:** संकटग्रस्त एमएसएमई फंड, फंड ऑफ फंड्स (मदर फंड्स), आपातकालीन क्रेडिट लाइन गारंटी योजना

***यू के सिन्हा समिति और के वी कामथ समिति** ने एमएसएमई के लिए कई सुधारों की सिफारिश की है।*

सूक्ष्म, लघु और मध्यम उद्यम विकास (एमएसएमईडी) अधिनियम 2006

एमएसएमईडी अधिनियम को एमएसएमई को प्रभावित करने वाले नीतिगत मुद्दों के साथ-साथ क्षेत्र की कवरेज और निवेश सीमा को संबोधित करने के लिए 2006 में अधिसूचित किया गया था। अधिनियम इन उद्यमों के प्रचार और विकास को सुविधाजनक बनाने के साथ-साथ उनकी प्रतिस्पर्धात्मकता को

भी बढ़ाता है। यह 'उद्यम' की अवधारणा को मान्यता देने के लिए पहला कानूनी ढाँचा प्रदान करता है जिसमें विनिर्माण और सेवा दोनों इकाइयाँ शामिल हैं। हाल के परिवर्तनों के अनुसार, एमएसएमई का नया वर्गीकरण/परिभाषा है:

वर्गीकरण	सूक्ष्म	लघु	मध्यम
विनिर्माण और सेवाएँ	निवेश 1 करोड़ और टर्नओवर < 5 करोड़	निवेश < 10 करोड़ और टर्नओवर < 50 करोड़	निवेश < 50 करोड़ और टर्नओवर < 250 करोड़

इसके अलावा, निर्यात के संबंध में टर्नओवर को एमएसएमई इकाइयों की किसी भी श्रेणी के कारोबार की सीमा में नहीं गिना जाएगा, चाहे वे सूक्ष्म, लघु या मध्यम हों। इससे एमएसएमई वर्गीकरण के तहत अधिक इकाइयों को लाने में मदद मिलेगी, भले ही उनका निर्यात अधिक हो।

खादी और ग्रामोद्योग आयोग (केवीआईसी)

- खादी और ग्रामोद्योग आयोग एक वैधानिक निकाय है जिसकी स्थापना 1956 में "खादी और ग्रामोद्योग आयोग अधिनियम 1956" के अनुसार की गई थी।

खादी और ग्रामोद्योग आयोग का उद्देश्य

- रोजगार उपलब्ध कराने का सामाजिक उद्देश्य।
- बिक्री योग्य वस्तुओं का उत्पादन करने का आर्थिक उद्देश्य।
- गरीबों में आत्मनिर्भरता पैदा करने और एक मजबूत ग्रामीण सामुदायिक भावना का निर्माण करने का व्यापक उद्देश्य।

खादी और ग्रामोद्योग आयोग के कार्य

- खादी और ग्रामोद्योग में कार्यरत या रोजगार पाने के इच्छुक व्यक्तियों के प्रशिक्षण की योजना बनाना और उसका आयोजन करना।
- कच्चे माल और उपकरणों/औजारों का भंडार बनाना और उन्हें खादी या ग्रामोद्योग के उत्पादन में लगे या लगने की संभावना वाले व्यक्तियों को आपूर्ति करना।
- खादी या ग्रामोद्योग या हस्तशिल्प के उत्पादों की बिक्री और विपणन को बढ़ावा देना।
- खादी और ग्रामोद्योग में प्रयुक्त प्रौद्योगिकी में अनुसंधान को प्रोत्साहित करना और बढ़ावा देना
- खादी या ग्रामोद्योग के विकास और संचालन में लगे संस्थानों या व्यक्तियों को वित्तीय सहायता प्रदान करना और उन्हें डिजाइन, प्रोटोटाइप और अन्य तकनीकी जानकारी की आपूर्ति के माध्यम से मार्गदर्शन करना
- खादी के निर्माताओं या ग्रामोद्योग में लगे व्यक्तियों के बीच सहकारी प्रयासों को बढ़ावा देना और प्रोत्साहित करना उद्योग
- प्रामाणिकता सुनिश्चित करना और गुणवत्ता के मानक स्थापित करना तथा यह सुनिश्चित करना कि खादी और ग्रामोद्योग के उत्पाद उक्त मानकों के अनुरूप हों
- खादी या ग्रामोद्योग के समक्ष आने वाली समस्याओं/चुनौतियों का अध्ययन करना
- उपरोक्त गतिविधियों में से किसी एक या सभी को क्रियान्वित करने के उद्देश्य से अलग-अलग संगठन स्थापित करना और उनका रखरखाव करना

7.7 उत्पादन से जुड़ी प्रोत्साहन योजना (पीएलआईएस) (Production Linked Incentive Scheme)

सरकार ने राष्ट्रीय विनिर्माण चैंपियन बनाने और रोजगार तथा निर्यात के अवसर पैदा करने के लिए 13 उभरते क्षेत्रों के लिए पीएलआईएस योजना शुरू की है।

पीएलआईएस योजना का स्पष्टीकरण: यदि किसी कंपनी की भारत में निर्मित वस्तुओं की बिक्री किसी विशेष वर्ष (आधार वर्ष माना जाता है) से बढ़ती है, तो कंपनी को वृद्धिशील/अतिरिक्त बिक्री पर 4% से 6% का प्रोत्साहन मिलेगा। उदाहरण के लिए, पहले एक कंपनी एक साल में 1 लाख रुपये का सामान बेच रही थी और अब उसकी बिक्री बढ़कर 1.2 लाख रुपये हो गई है। तो कंपनी को 20,000 रुपये पर 4% का प्रोत्साहन मिलेगा = 800 रुपये। वित्तीय **प्रोत्साहन अतिरिक्त बिक्री पर आधारित हैं, बशर्ते कंपनियाँ स्वदेशी ग्रीनफील्ड/ब्राउनफील्ड निवेश स्थापित करें।**

विभिन्न क्षेत्र हैं:

- एडवांस केमिस्ट्री सेल (एसीसी) बैटरी
- इलेक्ट्रॉनिक/प्रौद्योगिकी उत्पाद
- ऑटोमोबाइल और ऑटो घटक
- फार्मास्यूटिकल्स ड्रग्स
- महत्वपूर्ण प्रमुख प्रारंभिक सामग्री/ड्रग मध्यस्थ और सक्रिय फार्मा सामग्री
- चिकित्सा उपकरणों का विनिर्माण
- दूरसंचार और नेटवर्किंग उत्पाद
- कपड़ा उत्पाद: एमएमएफ खंड और तकनीकी वस्त्र
- खाद्य उत्पाद
- उच्च दक्षता वाले सौर पीवी मॉड्यूल
- व्हाइट गुड्स (एसी और एलईडी)
- स्पेशलिटी स्टील
- मोबाइल विनिर्माण और विशेष इलेक्ट्रॉनिक घटक

7.8 स्टार्ट-अप और नवाचार के लिए नीति प्रवर्तक (Start-ups and Policy Enablers for Innovation)

वाणिज्य और उद्योग मंत्रालय (DPIIT) के अनुसार, एक इकाई को स्टार्टअप के रूप में माना जाएगा:

- इसके निगमन की तारीख से दस साल की अवधि तक
- इसके निगमन के बाद से इकाई का कारोबार किसी भी वित्तीय वर्ष में 100 करोड़ रुपये से अधिक न हो
- इकाई नवाचार, विकास या उत्पादों या प्रक्रिया या सेवाओं में सुधार की दिशा में काम कर रही हो, या यदि यह रोजगार सृजन और धन सृजन की उच्च क्षमता वाला एक स्केलेबल व्यवसाय मॉडल है

स्टार्टअप के विकास को सुविधाजनक बनाने के लिए, भारत सरकार ने **"स्टार्टअप इंडिया, स्टैंड-अप इंडिया" पहल की घोषणा की थी। कार्य योजना तीन स्तंभों "सरलीकरण और सहायता", "वित्त पोषण सहायता और प्रोत्साहन", और "उद्योग-अकादमिक भागीदारी और इनक्यूबेशन"** पर आधारित है। सरकार ने देश में उद्यमिता, नवाचार और स्टार्ट-अप की संस्कृति को बढ़ावा देने के लिए पिछले कुछ वर्षों में विभिन्न योजनाएँ शुरू की हैं:

- **स्टैंड अप इंडिया:** इसका उद्देश्य विशेषकर एससी/एसटी और महिलाओं को ध्यान में रखते हुए, जमीनी स्तर पर उद्यमिता और रोजगार सृजन को बढ़ावा देना है।
- **स्टार्ट अप इंडिया:** इसका उद्देश्य उद्यमिता को बढ़ावा देने और रोजगार सृजन को प्रोत्साहित करने के लिए स्टार्टअप उद्यमों के लिए बैंक वित्त-पोषण को बढ़ावा देना है। ग्रामीण भारत में स्टार्टअप इंडिया के संस्करण को दीन दयाल उपाध्याय स्वनियोजन योजना नाम दिया गया है।
- **अटल इनोवेशन मिशन (एआईएम):** यह देश में नवाचार और उद्यमिता की संस्कृति को बढ़ावा देने के लिए सरकार की प्रमुख पहल है। एआईएम का उद्देश्य अर्थव्यवस्था के विभिन्न क्षेत्रों में नवाचार को बढ़ावा देने के लिए नए कार्यक्रम और नीतियाँ विकसित करना, विभिन्न हितधारकों के लिए मंच और सहयोग के

अवसर प्रदान करना, जागरूकता पैदा करना और देश के नवाचार पारिस्थितिकी तंत्र की देखरेख के लिए एक छत्र संरचना (umbrella structure) बनाना है।

- **चुनौती:** भारत सरकार (MeitY) ने भारत के टियर-2 शहरों पर विशेष ध्यान देने के साथ स्टार्टअप और सॉफ्टवेयर उत्पादों को और बढ़ावा देने के लिए प्रोजेक्ट 'चुनौती' - अगली पीढ़ी की स्टार्ट-अप चुनौती प्रतियोगिता शुरू की। इसका उद्देश्य पहचाने गए क्षेत्रों में काम कर रहे लगभग 300 स्टार्टअप की पहचान करना और उन्हें 25 लाख रुपये तक का सीड फंड और अन्य सुविधाएँ प्रदान करना है।
- **प्राथमिकता क्षेत्र ऋण (PSL):** बैंकों से ऋण के लिए RBI के प्राथमिकता क्षेत्र ऋण नियमों के अंतर्गत अब स्टार्टअप को शामिल किया गया है।
- **कर छूट:** स्टार्टअप अपने गठन के बाद से अपने पहले दस वर्षों में से लगातार 3 वित्तीय वर्षों के लिए कर छूट का लाभ उठा सकते हैं।
- **राज्य रैंकिंग:** DPIIT स्टार्टअप के प्रचार और समर्थन के संबंध में विभिन्न नीतिगत पहलों के आधार पर राज्यों की रैंकिंग प्रदान करता है।
- पोषण के माध्यम से अनुसंधान उन्नति में ज्ञान भागीदारी (KIRAN) योजना।
- **जैव प्रौद्योगिकी प्रज्वलन अनुदान (ठप्ळ)** योजना।
- **सरकारी संपर्क:** पशुपालन और डेयरी विभाग ने स्टार्टअप इंडिया के साथ मिलकर 5 श्रेणियों में शीर्ष स्टार्टअप को 5 लाख रुपये का पुरस्कार देने के लिए एक भव्य चुनौती प्रस्तुत की है।

सरकार द्वारा पंजीकृत और मान्यताप्राप्त लगभग 1.12 लाख स्टार्टअप के साथ, भारत दुनिया में तीसरा सबसे बड़ा स्टार्टअप इकोसिस्टम है। भारत में मान्यता प्राप्त स्टार्टअप के राज्यवार वितरण के मामले में महाराष्ट्र, कर्नाटक और दिल्ली शीर्ष तीन प्रदर्शनकर्ता हैं।

7.9 कौशल विकास और उद्यमिता के लिए राष्ट्रीय नीति (National Policy for Skill Development and Entrepreneurship)

- *आज, भारत दुनिया के सबसे युवा देशों में से एक है, जहाँ भारत की 62% से अधिक आबादी 15 से 59 वर्ष की कार्यशील आयु वर्ग में है।*
- *हमारा देश वर्तमान में उच्च प्रशिक्षित कार्यबल की कमी के साथ-साथ पारंपरिक रूप से शिक्षित युवाओं के बड़े वर्ग की गैर-रोजगार योग्यता की दोहरी चुनौती का सामना कर रहा है, जिनके पास बहुत कम या कोई नौकरी कौशल नहीं है।*

कौशल विकास और उद्यमिता के लिए राष्ट्रीय नीति 2015, 2009 की नीति के स्थान पर है।

दृष्टि (Vision):

उच्च मानकों के साथ तेजी से बड़े पैमाने पर कौशल प्रदान करके सशक्तिकरण का एक पारिस्थितिकी तंत्र बनाना और नवाचार-आधारित उद्यमिता की संस्कृति को बढ़ावा देना जो देश में सभी नागरिकों के लिए सतत आजीविका सुनिश्चित करने के लिए धन और रोजगार पैदा कर सके।

उद्देश्य:

व्यक्ति को सशक्त बनाना, उसे **आजीवन सीखने** की प्रक्रिया के माध्यम से अपनी पूरी क्षमता का एहसास करने में सक्षम बनाना, जहाँ विश्वसनीय प्रमाणन, ऋण संचय और हस्तांतरण आदि जैसे साधनों के माध्यम से दक्षताएँ संचित की जाती हैं। जैसे-जैसे व्यक्ति बढ़ता है, समाज और राष्ट्र भी उनकी उत्पादकता और विकास से लाभान्वित होते हैं।

मिशन

- पूरे देश में कौशल की माँग पैदा करना।
- कौशल को आवश्यक दक्षताओं के साथ सही और संरेखित करना।

- कुशल मानव संसाधनों की आपूर्ति को क्षेत्रीय माँगों से जोड़ना।
- वैश्विक और राष्ट्रीय मानकों के साथ संरेखण (alignment) में प्रमाणित करना और मूल्याँकन करना।

नीति के तहत उद्देश्यों और लक्ष्यों को मिशन मोड दृष्टिकोण में पूरा किया जाएगा और इसके लिए नीति में निर्धारित उद्देश्यों की दिशा में देश में सभी कौशल प्रयासों को लागू करने और समन्वय करने के लिए 15 जुलाई 2015 (विश्व युवा कौशल दिवस 15 जुलाई) को राष्ट्रीय कौशल विकास मिशन शुरू किया गया था। मिशन कौशल विकास और उद्यमिता मंत्रालय (MSDE) के अंतर्गत आता है और मिशन के उद्देश्यों को प्राप्त करने के लिए प्रमुख संस्थागत तंत्र को तीन-स्तरीय संरचना में विभाजित किया गया है:

केंद्रीय स्तर (शासी परिषद, संचालन समिति, मिशन निदेशालय)

↑

राज्य स्तर (राज्य कौशल विकास मिशन, संचालन समिति, मिशन निदेशालय)

↑

जिला स्तर (कार्यात्मक स्तर पर जिला समितियाँ)

कौशल विकास के लिए भारत सरकार की कुछ पहलें:

- प्रधानमंत्री कौशल विकास योजना।
- प्रधानमंत्री कौशल केंद्र।
- जन शिक्षण संस्थान।
- आजीविका संवर्धन के लिए कौशल अधिग्रहण और ज्ञान जागरूकता (संकल्प)।
- आकांक्षात्मक कौशल अभियान।
- राष्ट्रीय प्रशिक्षुता प्रोत्साहन योजना (एनएपीएस)।
- औद्योगिक मूल्य संवर्धन के लिए कौशल सुदृढ़ीकरण।
- **प्राइम (PRIME):** इलेक्ट्रॉनिक्स और सूचना प्रौद्योगिकी मंत्रालय ने AI, ब्लॉकचेन, साइबर सुरक्षा, आईओटी आदि जैसी उभरती प्रौद्योगिकियों में आईटी पेशेवरों को दक्ष बनाने के लिए एक ऑनलाइन प्लेटफॉर्म बनाने के लिए नैसकॉम के साथ साझेदारी की है, ताकि उनकी रोजगार क्षमता बढ़ाई जा सके, जिसे **फ्यूचर स्किल्स प्राइम** (रोजगार के लिए आईटी मैनपावर के पुनर्कौशल/दक्ष बनाने के लिए कार्यक्रम) कहा जाता है।
- **असीम (ASEEM):** कुशल कार्यबल बाजार में सूचना प्रवाह को बेहतर बनाने और माँग-आपूर्ति के अंतर को पाटने के प्रयास में, कौशल विकास और उद्यमिता मंत्रालय ने 10 जुलाई 2020 को कुशल लोगों को स्थायी आजीविका के अवसर खोजने में मदद करने के लिए **'आत्मनिर्भर कुशल कर्मचारी नियोक्ता मानचित्रण (ASEEM)'** पोर्टल लॉन्च किया। असीम विभिन्न क्षेत्रों में कुशल कार्यबल की माँग-आपूर्ति के अंतर को कम करने के लिए एक एआई-आधारित डिजिटल प्लेटफॉर्म है। पोर्टल क्षेत्रों और स्थानीय उद्योग की माँगों के आधार पर श्रमिकों के विवरण का मानचित्रण ।
- **डिजी सक्षम:** यह एक डिजिटल कौशल कार्यक्रम है जो तेजी से प्रौद्योगिकी संचालित युग में आवश्यक डिजिटल कौशल प्रदान करके युवाओं की रोजगार क्षमता को बढ़ाता है। यह श्रम मंत्रालय और माइक्रोसॉफ्ट इंडिया की एक संयुक्त पहल है और ग्रामीण और अर्ध-शहरी क्षेत्रों के युवाओं का समर्थन करने के लिए सरकार के चल रहे कार्यक्रमों का विस्तार है।

7.10 भूमि बैंक और राष्ट्रीय एकल खिड़की प्रणाली (Land Bank and National Single Window System NSWS)

भूमि बैंक

- भारत सरकार (डीपीआईआईटी, वाणिज्य एवं उद्योग मंत्रालय) एक **'राष्ट्रीय भूमि बैंक पोर्टल'** बनाने की प्रक्रिया में है, जो विभिन्न औद्योगिक बेल्टों और विशेष आर्थिक क्षेत्रों में फैली लगभग 5 लाख हेक्टेयर भूमि का मानचित्रण करेगा।

- भूमि बैंक बनाने से सरकार को निजी निवेशकों को तुरंत भूमि प्रदान करने की सुविधा मिलती है, बजाय इसके कि निवेशक द्वारा भूमि की माँग किए जाने पर हर बार भूमि अधिग्रहण की लंबी प्रक्रिया का इंतजार करना पड़े। निवेशक यह जानने में भी रुचि रखते हैं कि भूमि अधिग्रहित है और उपलब्ध है, और उन्हें भविष्य में राजनीतिक समस्याओं का सामना नहीं करना पड़ेगा।
- 21 राज्यों में पहले से ही जीआईएस सक्षम भूमि बैंक हैं जिन्हें राष्ट्रीय भूमि बैंक के साथ एकीकृत किया जाएगा। राज्य सरकारों ने निजी भूमि, सामान्य भूमि, वन भूमि से भूमि बैंक बनाए हैं और यदि किसी कंपनी द्वारा कुछ भूमि अधिग्रहित की गई थी, लेकिन उसने काम शुरू नहीं किया, तो सरकार भूमि का कब्जा ले लेती है और उसे भूमि बैंक में डाल देती है। (भूमि राज्य का विषय है और इसलिए अब तक ज्यादातर राज्यों ने अपने स्वयं के भूमि बैंक बनाए हैं)। डीपीआईआईटी अभी एक राष्ट्रीय पोर्टल बना रहा है जो देश भर के सभी भूमि बैंकों को निवेशकों के लिए अन्य उपयोगी सूचनाओं के साथ एकीकृत करेगा और इसलिए यदि कोई विदेशी निवेशक आ रहा है, तो उसे हर राज्य में भूमि की तलाश नहीं करनी पड़ेगी, बल्कि वह 'राष्ट्रीय भूमि बैंक पोर्टल' की जाँच कर सकता है। निवेशक भूमि का पता लगाने में सक्षम होंगे और उन्हें रसद, भूमि और रेल संपर्क और यहां तक कि कच्चे माल की आपूर्ति के विवरण तक पहुंच प्राप्त होगी, जिससे उनके लिए परियोजना शुरू करना आसान हो जाएगा।
- केंद्र सरकार विनिर्माण को एक बड़ा बढ़ावा देने की योजना बना रही है जो 1991 में अर्थव्यवस्था के उदारीकरण के बाद पिछले तीन दशकों में सकल घरेलू उत्पाद के लगभग 16% पर स्थिर हो गया है। डीपीआईआईटी एक **'निवेश मंजूरी सेल'** (एक तरह की एकल खिड़की मंजूरी) बनाने की प्रक्रिया में भी है, जो निवेशकों के लिए समयबद्ध और परेशानी मुक्त तरीके से सभी आवश्यक केंद्रीय और राज्य अनुमोदन प्राप्त करने के लिए एक डिजिटल मंच होगा।

राष्ट्रीय एकल खिड़की प्रणाली (NSWS)

- DPIIT ने NSWS लॉन्च किया है जो निवेशकों को उनकी व्यावसायिक आवश्यकताओं के अनुसार अनुमोदन की पहचान करने और आवेदन करने के लिए मार्गदर्शन करने के लिए एक डिजिटल प्लेटफॉर्म है।
- यह अनुमोदन और पंजीकरण के लिए सरकारी कार्यालयों में जाने की आवश्यकता को समाप्त कर देगा, अर्थात व्यापार करने में आसानी और जीवन जीने में आसानी।
- NSWS पारिस्थितिकी तंत्र में पारदर्शिता, जवाबदेही और जवाबदेही लाएगा और सभी जानकारी एक ही डैशबोर्ड पर उपलब्ध होगी। आवेदन करने, ट्रैक करने और प्रश्नों का उत्तर देने के लिए एक आवेदक डैशबोर्ड होगा।
- NSWS की परिकल्पना सूचना विषमता, प्लेटफॉर्म और प्राधिकरणों में प्रस्तुत की गई जानकारी के दोहराव और निवेशकों द्वारा सामना की जाने वाली अनुमोदन और पंजीकरण की अक्षम ट्रैकिंग को समझने के लिए की गई है।
- NSWS को उद्यमियों और निवेशकों की जरूरतों को ध्यान में रखते हुए डिजाइन किया गया है।
- NSWS पोर्टल विभिन्न केंद्रीय विभागों और राज्यों में अनुमोदनों को होस्ट करता है।

7.11 ई-कॉमर्स (E-Commerce)

ई-कॉमर्स में इलेक्ट्रॉनिक नेटवर्क में (i) डिजिटल उत्पादों सहित वस्तुओं और (ii) सेवाओं की खरीद, बिक्री, विपणन या वितरण शामिल है। डिजिटल उत्पादों और सेवाओं सहित वस्तुओं की डिलीवरी ऑनलाइन या भौतिक डिलीवरी के पारंपरिक तरीके से हो सकती है।

ई-कॉमर्स और निर्यात को लाभ

- इलेक्ट्रॉनिक कॉमर्स मार्केटिंग, विज्ञापन की लागत को कम करने में मदद करता है।
- ई-कॉमर्स विक्रेताओं या व्यापारियों और उपभोक्ताओं को भूगोल और समय की सीमाओं से परे संवाद करने और जुड़ने का अवसर प्रदान करता है।
- यह नए बाजारों और उपभोक्ताओं तक पहुँच को बेहतर बनाने में मदद करता है। परिधान, कपड़ा और आभूषण निर्यातक इसके कुछ उदाहरण हैं।

- ई-कॉमर्स ने पारंपरिक सेट-अप में कई बिचौलियों के कारण लागत में कमी के कारण निर्यातकों के लिए बेहतर मूल्य प्राप्ति में मदद की है।

ई-कॉमर्स और एमएसएमई क्षेत्र

- ई-कॉमर्स (मार्केट प्लेस) भारतीय एमएसएमई के विकास के लिए एक उत्कृष्ट मंच है, क्योंकि यह उन्हें विश्व बाजार तक पहुँच प्राप्त करके और समान अवसर का आनंद लेते हुए अपनी पहुँच का विस्तार करने की अनुमति देता है।
- यह हीरे, रत्न और आभूषण, तैयार चमड़े के सामान, ग्रेनाइट और संगमरमर, हथकरघा उत्पादों और हस्तशिल्प जैसे उत्पाद श्रेणियों के लिए वैश्विक बाजार खोलता है, और भारत में छोटे पैमाने के उद्योगों को अंतरराष्ट्रीय उपभोक्ता आधार तक पहुँचने की अनुमति देता है।
- डिजिटलीकरण ने यह सुनिश्चित किया है कि कई छोटे उद्योग, जो पहले अलग-थलग थे, अब एक बड़ी अर्थव्यवस्था का हिस्सा बन गए हैं।

अमेजॅन ने एमएसएमई को ई-कॉमर्स क्षेत्र में अवसरों का लाभ उठाने और अपने उत्पादों को ऑनलाइन बेचने में मदद करने के लिए फेडरेशन ऑफ इंडियन एमएसएमई के साथ भागीदारी की है।

ई-कॉमर्स और असमानता

- हम एक नई डिजिटल दुनिया देख रहे हैं। इस दुनिया में, नेटवर्क प्रभाव की उपस्थिति का मतलब है कि आकार आकार को जन्म देता है: चाहे वह ई-कॉमर्स प्लेटफॉर्म हो, सोशल मीडिया नेटवर्क हो या सर्च इंजन। **'नेटवर्क प्रभाव'** की उपस्थिति का मतलब है कि डेटा के युग में, फर्म जितनी बड़ी होगी, डेटा के संभावित स्रोतों तक पहुँच उतनी ही अधिक होगी और इसकी सफलता की संभावना भी उतनी ही अधिक होगी।
- डेटा तक अधिक पहुँच एक निगम को अधिक डिजिटल पूँजी प्रदान करती है, जिससे उसे अपने प्रतिस्पर्धियों पर लाभ मिलता है। पर्याप्त डेटा तक पहुँच के बिना, एमएसएमई और स्टार्टअप बड़ी संख्या में अभिनव समाधान (innovative solutions) विकसित करने में नुकसान में रहते हैं।
- जबकि लोगों को उम्मीद थी कि इंटरनेट युग असमानता को कम करने का एक साधन होगा और बड़ी संख्या में विक्रेताओं तक अधिक पहुँच प्रदान करेगा, छोटे विक्रेताओं को लाभ पहुँचाएगा, आदि, वास्तविकता कुछ अलग रही है। जबकि उपभोक्ताओं को कम कीमतों और अधिक विविधता के माध्यम से बढ़ी हुई प्रतिस्पर्धा के लाभों तक पहुँच मिली है, घाटे में बेचना और 'नकदी का उपभोग करना' और पूँजी का उपभोग करना प्रतिस्पर्धा-विरोधी परिणाम थे।
- आज मुट्ठी भर कंपनियाँ डिजिटल अर्थव्यवस्था पर हावी हैं। वे डेटा-संचालित पारिस्थितिकी तंत्र (ecosystem) में महत्वपूर्ण **पहले प्रस्तावक के लाभ** का सफलतापूर्वक दोहन कर रहे हैं। एक बार एक निश्चित पैमाने पर पहुँचने के बाद, 'दूसरे प्रस्तावक' के लिए, अपने दम पर, इस पारिस्थितिकी तंत्र में प्रवेश करना लगभग असंभव हो जाता है।

ई-कॉमर्स और डब्ल्यूटीओ

भारत अब तक बहुपक्षीय स्तर पर **ई-कॉमर्स पर बातचीत का पक्षकार नहीं रहा है।** WTO के तहत इन वार्ताओं का उद्देश्य सभी WTO सदस्य देशों पर (अन्य बातों के अलावा) इलेक्ट्रॉनिक ट्रांसमिशन पर सीमा शुल्क लगाने पर रोक को स्थायी रूप से स्वीकार करने के संबंध में बाध्यकारी दायित्व बनाना है। स्थायी रोक **(भारत ने फिलहाल अस्थायी रूप से सीमा शुल्क नहीं लगाने पर सहमति जताई है)** पर सहमत होने से, जिन देशों के पास टैरिफ शेड्यूल हैं, जो इस तरह के उत्पादों पर शुल्क लगाने की अनुमति देते हैं, वे इन अधिकारों को हमेशा के लिए छोड़ देंगे और राजस्व खो देंगे।

7.12 खुदरा क्षेत्र में प्रत्यक्ष विदेशी निवेश (FDI in Retail)

ई-कॉमर्स कंपनियाँ भारत में दो अलग-अलग मॉडल के तहत काम कर सकती हैं।

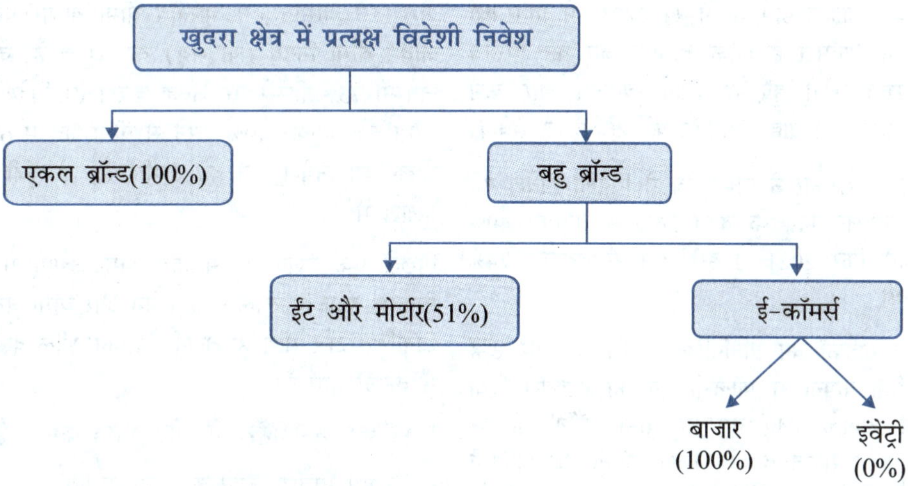

- पहला मॉडल **मार्केट प्लेस** मॉडल है, जिसमें ई-कॉमर्स फर्म केवल एक प्लेटफॉर्म के रूप में कार्य करती है जो खरीदारों और विक्रेताओं को जोड़ती है। इस मॉडल में ई-कॉमर्स कंपनियों में 100% एफडीआई की अनुमति है।
- दूसरा मॉडल **इन्वेंट्री-आधारित** है, जहाँ पोर्टल पर बेचे जाने वाले सामानों की इन्वेंट्री का स्वामित्व या नियंत्रण ई-कॉमर्स कंपनी के पास होता है। इस मॉडल के तहत एफडीआई की अनुमति नहीं है।

पहले अमेजॅन और फ्लिपकार्ट जैसी बड़ी ई-कॉमर्स कंपनियाँ, खुद इन्वेंट्री के मालिक न होते हुए भी, क्रमशः क्लाउडटेल और डब्ल्यूएस रिटेल जैसी अपनी समूह कंपनियों के लिए एक प्लेटफॉर्म प्रदान कर रही थीं। यह खेल के मैदान को तिरछा करने जैसा था, खासकर अगर इन विक्रेताओं को दूसरों की तुलना में ई-कॉमर्स फर्म से विशेष प्रोत्साहन मिले। ये नियंत्रित या स्वामित्व वाले विक्रेता तब ग्राहकों को छूट देने में सक्षम हो सकते हैं, जो प्रतिस्पर्धी शायद ही दे पाएँ। इसलिए, दिसंबर 2019 में सरकार ने ई-कॉमर्स में एफडीआई नीति में निम्नलिखित स्पष्टीकरण/परिवर्तन किए:

1. वे विक्रेता जिनके पास किसी ई-कॉमर्स कंपनी के स्वामित्व वाली कोई भी हिस्सेदारी है, वे उस ई-कॉमर्स कंपनी के पोर्टल पर अपने उत्पाद नहीं बेच सकते।
2. कोई भी विक्रेता जो किसी ई-कॉमर्स समूह कंपनी से अपनी इन्वेंट्री का 25% या उससे अधिक खरीदता है, उसे उस ई-कॉमर्स समूह कंपनी द्वारा नियंत्रित माना जाएगा और इस प्रकार उसे अपने पोर्टल पर बेचने से रोक दिया जाएगा।
3. ई-कॉमर्स मार्केट प्लेस इकाई किसी भी विक्रेता को केवल अपने प्लेटफॉर्म पर कोई उत्पाद बेचने के लिए बाध्य नहीं करेगी।
4. ई-कॉमर्स फर्म को किसी विशेष विक्रेता को प्रोत्साहन देकर अपने पोर्टल पर बेचे जाने वाले उत्पाद की कीमत को प्रभावित करने की अनुमति नहीं होगी।

7.13 बीमा में एफडीआई (FDI in Insurance)

बीमा व्यवसाय का राष्ट्रीयकरण 1972 में सामान्य बीमा व्यवसाय (राष्ट्रीयकरण) अधिनियम 1972 के पारित होने के साथ हुआ था, जो 1 जनवरी, 1973 से प्रभावी हुआ।

बीमा विनियामक और विकास प्राधिकरण अधिनियम, 1999 **(आईआरडीए अधिनियम, 1999)** के अधिनियमन के बाद 2000 में बीमा क्षेत्र को निजी क्षेत्र के लिए खोल दिया गया था, जिसने प्रत्यक्ष विदेशी निवेश (एफडीआई) की सीमा को बढ़ाकर 26% कर दिया था क्योंकि इस क्षेत्र को धन की भारी कमी का सामना करना पड़ रहा था [आईआरडीए को अप्रैल, 2000 में एक वैधानिक निकाय के रूप में शामिल

किया गया था। आईआरडीए के प्रमुख उद्देश्यों में प्रतिस्पर्धा को बढ़ावा देना शामिल है ताकि बीमा बाजार की वित्तीय सुरक्षा सुनिश्चित करते हुए उपभोक्ता विकल्प और कम प्रीमियम के माध्यम से ग्राहक संतुष्टि को बढ़ाया जा सके]।

फरवरी 2015 में सरकार ने बीमा क्षेत्र में विदेशी निवेश की सीमा को स्वचालित मार्ग के तहत 26% से बढ़ाकर 49% कर दिया और फिर 2021 में इसे फिर से बढ़ाकर 74% कर दिया गया।

बीमा दलाल ग्राहकों का प्रतिनिधित्व करते हैं, और उन्हें किसी भी बीमा कंपनी से पॉलिसी देने का लाइसेंस दिया जाता है। वे आपके लिए उपयुक्त बीमा पॉलिसियों पर विशेषज्ञ सलाह दे सकते हैं और जिस कंपनी की पॉलिसी आप अंततः चुनते हैं, वह उन्हें ब्रोकरेज का भुगतान करती है। सरकार ने फरवरी 2020 में बीमा मध्यस्थों/दलालों में 100% FDI की अनुमति दी है।

बीमा के दो मुख्य प्रकार हैं:

जीवन बीमा: जीवन बीमा एक बीमा कवरेज है जो बीमित व्यक्ति या उसके निर्दिष्ट लाभार्थियों को किसी निश्चित घटना जैसे कि बीमित व्यक्ति की मृत्यु पर एक निश्चित राशि का भुगतान करता है।

सामान्य (गैर-जीवन) बीमा: सामान्य बीमा एक बीमा पॉलिसी है जो आपको जीवन बीमा द्वारा कवर किए गए नुकसानों जैसे कि आग, समुद्री, मोटर, घर, स्वास्थ्य आदि के अलावा अन्य नुकसानों और क्षतियों से बचाती है।

> ❖ ***बीमा भेदन** (Insurance Penetration) को सकल घरेलू उत्पाद में बीमा प्रीमियम के प्रतिशत के रूप में मापा जाता है (वित्त वर्ष 2020-21 के इको सर्वे के अनुसार, जीवन के लिए बीमा भेदन सकल घरेलू उत्पाद का 2.82% और गैर-जीवन के लिए सकल घरेलू उत्पाद का 0.94% था)।*
>
> ❖ ***बीमा घनत्व** (Insurance Density) को कुल जनसंख्या में प्रीमियम अमेरिका के $ के अनुपात के रूप में मापा जाता है (वित्त वर्ष 2020-21 के इको सर्वे के अनुसार, जीवन के लिए बीमा घनत्व 58.0 अमेरिकी डॉलर और गैर-जीवन के लिए 19 अमेरिकी डॉलर था)।*

भारत में बीमा क्षेत्र: भारतीय बीमा बाजार पर वर्तमान में जीवन बीमा निगम (पीएसयू) का प्रभुत्व है, जो बाजार के लगभग 75% हिस्से पर कब्जा करता है। विदेशी निवेश की सीमा को बढ़ाकर 49% करने से बीमा क्षेत्र में 6-8 बिलियन डॉलर का निवेश होने की उम्मीद है, जो पूँजी विकास की तलाश में है।

पिछले एक दशक में भारतीय बीमा उद्योग में उल्लेखनीय विकास हुआ है, लेकिन बीमा पैठ और बीमा घनत्व का स्तर विकसित और साथ ही तुलनीय विकासशील देशों की तुलना में काफी कम है।

बीमा की कम पहुँच के पीछे निम्न कारण हैं:

- समग्र वित्तीय जागरूकता का अभाव,
- बीमा उत्पादों की समझ का अभाव,
- कम लाभ की धारणा,
- वित्त-पोषकों के आग्रह, वैधानिक आवश्यकताओं आदि जैसे प्रतिक्रियात्मक कारकों के आधार पर बीमा खरीदने की प्रवृत्ति।

भारतीय अर्थव्यवस्था पर बढ़ी हुई सीमा का प्रभाव

- अधिक एफडीआई/एफपीआई आकर्षित होगा और भारत में बीमा उद्योग के विकास को बढ़ावा मिलेगा, जिसके परिणामस्वरूप कम बीमा वाले बाजारों में अधिक नौकरियाँ पैदा होंगी।
- विदेशी निवेशक पेशेवर प्रबंधन, पूँजी और नई तकनीक लाएँगे।
- भारतीय बीमा बाजार में प्रतिस्पर्धा बढ़ेगी, जिससे नए उत्पाद, प्रतिस्पर्धी कोटेशन/प्रीमियम, बेहतर सेवाएँ और बेहतर दावा निपटान अनुपात सामने आएँगे, जिससे आम आदमी को लाभ होगा।
- बीमा क्षेत्र में आम जनता से दीर्घकालिक पूँजी (प्रीमियम के माध्यम से) लाने की क्षमता है, जिसे बाद में लंबी अवधि की बुनियादी ढाँचा परियोजनाओं के वित्त-पोषण में लगाया जा सकता है।

पहले व्यक्तियों को केवल 65 वर्ष की आयु तक ही स्वास्थ्य बीमा पॉलिसी खरीदने की अनुमति थी। अब, हालिया संशोधन

के अनुसार, IRDAI ने किसी भी उम्र के व्यक्ति को नई स्वास्थ्य बीमा पॉलिसी खरीदने की अनुमति दे दी है।

वाणिज्य एवं उद्योग मंत्रालय की 2022 की एफडीआई नीति के अनुसार, निम्नलिखित क्षेत्रों में एफडीआई **प्रतिबंधित** है:

- लॉटरी व्यवसाय।
- कैसीनो सहित जुआ और सट्टेबाजी।
- चिट फंड।
- निधि कंपनी।
- हस्तांतरणीय विकास अधिकारों (टीडीआर) में व्यापार।
- रियल एस्टेट व्यवसाय या फार्म हाउस का निर्माण।
- सिगार, चुरूट, सिगारिलो और तंबाकू या तंबाकू के विकल्प से बनी सिगरेट का निर्माण।
- रेलवे संचालन और परमाणु ऊर्जा।

7.14 आत्मनिर्भर भारत (Atmanirbhar Bharat)

कोरोना के कारण दुनिया में अब तक का सबसे बड़ा और अभूतपूर्व संकट आया है। इसने दुनिया के हर देश को प्रभावित किया है, 50 करोड़ से ज्यादा लोग संक्रमित हुए हैं और 62 लाख लोगों की मौत हुई है।

एक राष्ट्र के तौर पर आज हम बहुत ही अहम मोड़ पर खड़े हैं। हम पिछली सदी से सुनते आ रहे हैं कि 21वीं सदी भारत की है। हमने देखा है कि कोरोना से पहले की दुनिया कैसी थी और वैश्विक व्यवस्थाएँ कैसी थीं। जब हम इन दोनों कालखंडों को भारत के नजरिए से देखते हैं, तो लगता है कि 21वीं सदी भारत की सदी है। यह हमारा सपना नहीं, बल्कि हम सबकी जिम्मेदारी है। आज दुनिया की स्थिति हमें सिखाती है कि **'आत्मनिर्भर भारत'** ही एकमात्र रास्ता है।

लेकिन, आज वैश्विक परिदृश्य में आत्मनिर्भरता शब्द के मायने बदल गए हैं। मानव केंद्रित वैश्वीकरण बनाम अर्थव्यवस्था केंद्रित वैश्वीकरण पर बहस जारी है। भारत की मौलिक सोच दुनिया को उम्मीद की किरण दिखाती है। भारत की संस्कृति और परंपरा आत्मनिर्भरता की बात करती है और इसकी आत्मा में **वसुधैव कुटुम्बकम** की भावना विराजती है।

जब आत्मनिर्भरता की बात आती है तो भारत स्व-केंद्रित व्यवस्थाओं की वकालत नहीं करता है। भारत की आत्मनिर्भरता दुनिया के सुख, सहयोग और शांति में निहित है।

यह वो संस्कृति है जो विश्व के कल्याण में विश्वास करती है, सभी जीवों के लिए और जो पूरे विश्व को एक परिवार मानती है। इसका आधार है **'माता भूमिः पुत्रो अहम् पृथ्वीः'** (भूमि हमारी माता है और हम उसके पुत्र हैं), वो संस्कृति जो पृथ्वी को माँ मानती है। और जब भारत भूमि, आत्मनिर्भर बनती है, तो यह एक समृद्ध विश्व की संभावना सुनिश्चित करती है। भारत की प्रगति हमेशा से विश्व की प्रगति का अभिन्न अंग रही है।

भारत के लक्ष्य और कार्य वैश्विक कल्याण को प्रभावित करते हैं। जब भारत खुले में शौच से मुक्त होता है, तो इसका दुनिया की छवि पर प्रभाव पड़ता है। चाहे टीबी हो, कुपोषण हो, पोलियो हो, भारत के अभियानों ने दुनिया को प्रभावित किया है। इंटरनेशनल सोलर अलायंस ग्लोबल वार्मिंग के खिलाफ भारत का उपहार है। इंटरनेशनल योग दिवस की पहल तनाव दूर करने के लिए भारत का उपहार है। भारतीयों दवाओं (कोविड-19 वैक्सीन सहित) ने दुनिया के अलग-अलग हिस्सों में लोगों को नई जिंदगी दी है।

इन कदमों ने भारत को गौरवान्वित किया है और इससे हर भारतीय को गर्व महसूस होता है। दुनिया को विश्वास होने लगा है कि भारत, मानव जाति के कल्याण के लिए बहुत अच्छा कर सकता है।

प्रश्न है - कैसे?

इस सवाल का जवाब है - **आत्मनिर्भर** भारत के लिए 135 करोड़ नागरिकों का संयुक्त संकल्प। आज हमारे पास संसाधन हैं, हमारे पास शक्ति है और हमारे पास दुनिया का सबसे बेहतरीन टैलेंट है। हम बेहतरीन उत्पाद बनाएँगे, अपनी गुणवत्ता को और बेहतर बनाएँगे, सप्लाई चेन को और आधुनिक बनाएँगे, हम ये कर सकते हैं और हम जरूर करेंगे।

और आत्मनिर्भर भारत की यह भव्य इमारत 5 स्तंभों पर खड़ी होगी:

- पहला स्तंभ है **अर्थव्यवस्था**, एक ऐसी अर्थव्यवस्था जो वृद्धिशील परिवर्तन के बजाय क्वांटम जंप लाए।
- दूसरा स्तंभ है **आधारभूत अवसंरचना**, ऐसा **अवसंरचना** जो आधुनिक भारत की पहचान बने।
- तीसरा स्तंभ है हमारी **व्यवस्था**। एक ऐसा व्यवस्था जो तकनीक से संचालित हो जो 21वीं सदी के सपनों को पूरा कर सके; एक ऐसी व्यवस्था जो पिछली सदी की नीतियों पर आधारित न हो।
- चौथा स्तंभ है हमारी **जनसांख्यिकी**। हमारी जीवंत जनसांख्यिकी दुनिया के सबसे बड़े लोकतंत्र में हमारी ताकत है, जो आत्मनिर्भर भारत के लिए हमारी ऊर्जा का स्रोत है।
- पाँचवाँ स्तंभ है माँग। हमारी अर्थव्यवस्था में माँग और आपूर्ति श्रृंखला का चक्र, वो ताकत है जिसका पूरी क्षमता से इस्तेमाल किए जाने की जरूरत है। देश में माँग बढ़ाने के लिए और इस माँग को पूरा करने के लिए हमारी आपूर्ति श्रृंखला के हर स्टेक-होल्डर को सशक्त बनाने की जरूरत है। हम अपनी आपूर्ति श्रृंखला को मजबूत करेंगे जो मिट्टी की खुशबू और हमारे मजदूरों के पसीने से बनी है।

लेकिन आज का **आत्मनिर्भर भारत** स्वतंत्रता के बाद के दौर में अपनाए गए विकास के **आत्मनिर्भरता मॉडल** से निम्नलिखित तरीके से अलग है:

- स्वतंत्रता के बाद के दौर में, हमने अपने निजी क्षेत्र को सीमित कर दिया था और अधिकांश उद्योग सरकार के लिए आरक्षित थे। लेकिन आज हम उद्यमियों और व्यवसायों को प्रोत्साहित कर रहे हैं और सार्वजनिक उपक्रमों में निवेश बंद कर रहे हैं और कोयला, रेलवे, रक्षा, अंतरिक्ष आदि जैसे सभी क्षेत्रों को निजी व्यवसायों के लिए खोल रहे हैं।
- अतीत में हमारे पास **लाइसेंस राज** था जिसके लिए हर उद्योग को सरकारी अनुमति लेनी पड़ती थी, लेकिन आज हम व्यापार करने में आसानी और समय पर मंजूरी देने पर अधिक ध्यान केंद्रित कर रहे हैं।
- अतीत में हम **आयात प्रतिस्थापन** और अलगाववाद का पालन करते थे और निर्यात पर ध्यान केंद्रित नहीं करते थे, लेकिन आज हम वैश्विक आपूर्ति श्रृंखला में भाग लेने और निर्यात को प्रोत्साहित करने के लिए तैयार हैं।
- योजना आयोग के 'कमांडिंग हाइट्स' से निर्देशित एक केंद्रीकृत, टॉप-डाउन मॉडल का सुझाव देने से दूर, आत्मनिर्भर भारत भारतीय उद्यमिता और नवाचार को नौकरशाही बाधाओं से मुक्त करने की बात करता है। यह विकेंद्रीकृत स्थानीयता के बारे में है जो स्थानीय ब्रांडों पर गर्व करता है, और लचीलेपन पर जोर देता है, और स्थानीय क्षमता निर्माण और स्वदेशीकरण को प्रोत्साहित करता है।
- स्वतंत्रता के बाद की अवधि में, हमने विदेशी पूँजी (FDI/FPI) को प्रतिबंधित कर दिया और खुद को विदेशी प्रौद्योगिकी से वंचित कर लिया, लेकिन आज भारत 'मेक इन इंडिया' के लिए हर क्षेत्र में विदेशी पूंजी को आकर्षित करने के लिए तैयार है।
- हम अपने MSME उद्यमों को क्रेडिट गारंटी और अन्य सहायता प्रदान करके उनका समर्थन कर रहे हैं, न कि उन उत्पादों को आरक्षित करके जिन्हें केवल एमएसएमई द्वारा उत्पादित किया जा सकता है, जैसा कि हमने 1991 से पहले की अवधि में किया था। इससे हमारे एमएसएमई को वैश्विक आपूर्ति श्रृंखला में भाग लेने और उन्हें अक्षम बनाने के बजाय प्रतिस्पर्धी बनने में मदद मिलेगी।

इसलिए, आत्मनिर्भर भारत के बौद्धिक आधार को समझने के लिए, **इस शब्द के समाजवादी युग के अर्थ को छोड़कर स्वामी विवेकानंद जैसे विचारकों के पहले के युग में जाना आवश्यक है।** आज का 'आत्मनिर्भर भारत' 19वीं शताब्दी के उत्तरार्ध में स्वामी विवेकानंद द्वारा दिए गए 'आत्मनिर्भरता' के विचार को दर्शाता है, जो लचीलेपन, आंतरिक शक्तियों का लाभ उठाने, व्यक्तिगत जिम्मेदारी और राष्ट्रीय मिशन की भावना के बारे में था। आत्मनिर्भर भारत केवल एक नारा नहीं है बल्कि भारत की बौद्धिक परंपरा में गहरी जड़ें रखने वाला एक विजन है और इसका मतलब है दुनिया में आत्मविश्वास से खड़ा होना, न कि 'संकीर्ण घरेलू दीवारों' के पीछे अलगाववाद।

भारतीय संस्कृति में कहा गया है कि 'सर्वम् आत्म वशं सुखम' यानी जो हमारे नियंत्रण में है, वही सुख है। आत्मनिर्भरता से खुशी, संतुष्टि और सशक्तिकरण होता है। 21वीं सदी को भारत की सदी बनाने का हमारा दायित्व आत्मनिर्भर भारत के संकल्प से पूरा होगा। इस दायित्व को 130 करोड़ नागरिकों की प्राणशक्ति से ही ऊर्जा मिलेगी। आत्मनिर्भर भारत का यह युग प्रत्येक भारतवासी के लिए एक नया संकल्प भी होगा और एक नया पर्व भी। अब हमें एक नए संकल्प और दृढ़ संकल्प के साथ आगे बढ़ना है। जब नैतिकता कर्त्तव्य से भरी हो, परिश्रम की पराकाष्ठा हो, कौशल की पूँजी हो, तो भारत को आत्मनिर्भर बनने से कौन रोक सकता है? हम भारत को आत्मनिर्भर राष्ट्र बना सकते हैं। हम भारत को आत्मनिर्भर बनाएँगे। और यह हम 1991 में शुरू किए गए सुधारों को और अधिक आक्रामक तरीके से आगे बढ़ाकर और उस अवधि के दौरान अछूते रह गए सुधारों को लागू करके करने की योजना बना रहे हैं, उदाहरण के लिए, रेलवे, कोयला, रक्षा, एयरोस्पेस, बिजली, श्रम आदि।

2014 के बाद, ग्रामीण/कृषि और विनिर्माण क्षेत्र की ओर ध्यान का एक स्पष्ट बदलाव हुआ है। पिछले कुछ वर्षों में सरकार ने जीएसटी, आईबीसी, बैंकिंग/भुगतान, श्रम कानून आदि जैसे कई संरचनात्मक सुधार पेश किए हैं और ग्रामीण बुनियादी ढाँचे के साथ-साथ सड़क, रेलवे, मेट्रो, हवाई अड्डे, बिजली आदि जैसे सामान्य बुनियादी ढाँचे के लिए अधिक बजटीय संसाधन आवंटित किए हैं। इसने धीरे-धीरे अर्थव्यवस्था की समग्र दक्षता में सुधार करना शुरू कर दिया है, जिसके परिणामस्वरूप आर्थिक विकास पर गुणक प्रभाव पड़ा है और सकल घरेलू उत्पाद में विनिर्माण का हिस्सा बढ़ रहा है।

2023-24	कृषि	उद्योग				सेवाएँ
	कृषि वानिकी, मत्स्य पालन	खनन एवं उत्खनन (2.4%)	विनिर्माण (18%)	निर्माण (8%)	बिजली, गैस, जलापूर्ति (2.6%)	व्यापार, होटल, वित्तीय, रक्षा आदि।
जीडीपी में % हिस्सा	15%	31%				54%
श्रम बल का %	40%	28%				32%

भारतीय अर्थव्यवस्था में गतिमान पाँच गतिशील परिवर्तन

1. कृषि क्षेत्र के पक्ष में सौभाग्यशाली का बदलाव।
2. नवीकरणीय ऊर्जा के पक्ष में ऊर्जा मिश्रण में बदलाव।
3. विकास को गति देने के लिए आईसीटी और स्टार्ट-अप का लाभ उठाना।
4. घरेलू और वैश्विक दोनों आपूर्ति/मूल्यश्रृंखलाओं में बदलाव।
5. बल गुणक के रूप में बुनियादी ढाँचा।

11 जून 2020 को कोलकाता में भारतीय चैंबर ऑफ कॉमर्स के 95वें वार्षिक पूर्ण अधिवेशन को संबोधित करते हुए हमारे प्रधानमंत्री ने कहा कि भारतीय अर्थव्यवस्था को 'कमांड एंड कंट्रोल' से 'प्लग एंड प्ले' की ओर ले जाने का समय आ गया है।

'कमांड एंड कंट्रोल' (Command and Control): 1950 से 1990 के बीच केंद्र सरकार हर चीज की योजना बनाती थी कि प्रमुख वस्तुओं (स्टील, सीमेंट, कोयला आदि) का कितना उत्पादन किया जाएगा, प्लांट की क्षमता क्या होनी चाहिए, प्लांट किस तकनीक पर आधारित होगा और उसी के अनुसार सरकार ऊपर से नीचे तक लगभग हर चीज तय करती थी। निर्णय माँग और आपूर्ति की बाजार शक्तियों पर आधारित नहीं थे, बल्कि केंद्र सरकार द्वारा नियंत्रित/आदेशित थे। 1991 के एलपीजी सुधारों के बाद यह आसान होने लगा।

'प्लग एंड प्ले' (Plug and Play): प्लग एंड प्ले का शाब्दिक अर्थ उन उपकरणों का वर्णन करने के लिए उपयोग किया जाता है जो कनेक्ट होते ही कंप्यूटर सिस्टम के साथ काम करते हैं। उदाहरण के लिए, एक वीडियो कार्ड या हार्ड ड्राइव एक 'प्लग एंड प्ले' डिवाइस हो सकता है, जिसका अर्थ है कि कंप्यूटर इसे स्थापित होते ही पहचान लेगा। लेकिन यहाँ हमारे प्रधानमंत्री की 'प्लग एंड प्ले' के संबंध में व्याख्या यह है कि सरकार सभी सहायक सामग्री/नीति समर्थन/भूमि और बुनियादी ढाँचा प्रदान करेगी और निजी व्यवसायियों को बिना किसी लालफीताशाही या नौकरशाही बाधाओं/नियंत्रण के बस अपना व्यवसाय स्थापित करना होगा और गतिविधि शुरू करनी होगी।

अमृत काल

भारत ने आजादी के 75 साल पूरे कर लिए हैं और अमृत काल [2022-2047] में प्रवेश कर चुका है; भारत के 100 साल पूरे होने तक 25 साल का लंबा सफर। प्रधानमंत्री ने भारत के लिए अगले 25 सालों के लिए पाँच प्रतिबद्धताएँ बताई हैं, जिन्हें 'अमृत काल के पंच प्रण' कहा जाता है। ये हैं:

1. देश को एक बड़े संकल्प के साथ आगे बढ़ना चाहिए और वह बड़ा संकल्प है विकसित भारत का।
2. गुलामी के सभी चिन्हों को मिटाना।
3. हमें अपनी विरासत पर गर्व महसूस करना चाहिए।
4. एकता और एकजुटता।
5. नागरिकों के कर्त्तव्य।

विगत वर्षों के प्रश्न

प्रारंभिक परीक्षा

1. भारत में संचालित विदेशी स्वामित्व वाली ई-कॉमर्स फर्मों के संदर्भ में, निम्नलिखित में से कौन-सा कथन सही है/हैं? **[2022]**

1. वे अपने प्लेटफॉर्म को मार्केट-प्लेस के रूप में पेश करने के अलावा अपना खुद का सामान भी बेच सकते हैं।
2. जिस हद तक वे अपने प्लेटफॉर्म पर बड़े विक्रेताओं को अपने पास रख सकते हैं, वह सीमित है।

नीचे दिए गए कोड का उपयोग करके सही उत्तर चुनें:

(a) केवल 1 (b) केवल 2
(c) 1 और 2 दोनों (d) न तो 1 और न ही 2

2. भारत के संदर्भ में निम्नलिखित कथनों पर विचार करें: **[2023]**

1. सूक्ष्म, लघु और मध्यम उद्यम विकास (MSMED) अधिनियम, 2006 के अनुसार, 'मध्यम उद्यम' वे हैं जिनके पास 1.5 करोड़ से 25 करोड़ के बीच की मशीनरी है।
2. सूक्ष्म, लघु और मध्यम उद्यमों को दिए जाने वाले सभी बैंक ऋण प्राथमिकता क्षेत्र के अंतर्गत आते हैं।

ऊपर दिए गए कथनों में से कौन-सा सही है/हैं?

(a) केवल 1 (b) केवल 2
(c) 1 और 2 दोनों (d) न तो 1 और न ही 2

3. निम्नलिखित कथनों पर विचार करें: **[2023]**

कथन-I:
भारत का योगदान वैश्विक वस्तुओं के निर्यात का 32% हिस्सा है।

कथन-II:
भारत में कार्यरत कई स्थानीय कंपनियों और कुछ विदेशी कंपनियों ने भारत की उत्पादन-लिंक्ड प्रोत्साहन योजना का लाभ उठाया है।

उपर्युक्त कथनों के संबंध में निम्नलिखित में से कौन-सा सही है?

(a) कथन-I और कथन-II दोनों सही हैं और कथन-II कथन-I का सही स्पष्टीकरण है।

(b) कथन-I और कथन-II दोनों सही हैं और कथन-I कथन-I का सही स्पष्टीकरण नहीं है।

(c) कथन-I सही है लेकिन कथन-II गलत है।

(d) कथन-I गलत है लेकिन कथन-II सही है।

उत्तर

1. (b) **2.** (b) **3.** (d)

मुख्य परीक्षा

1. तीव्र आर्थिक विकास के लिए सकल घरेलू उत्पाद में विनिर्माण क्षेत्र की हिस्सेदारी में वृद्धि की आवश्यकता है, विशेष रूप से एमएसएमई की। इस संबंध में सरकार की वर्तमान नीतियों पर टिप्पणी करें। [2023]

2. भारतीय अर्थव्यवस्था में डिजिटलीकरण की स्थिति क्या है? इस संबंध में आने वाली समस्याओं की जाँच करें और सुधार के सुझाव दें। [2023]

○○○

8

समावेशी विकास और मुद्दे

(Inclusive Growth and Issues)

8.1 समावेशी विकास (Inclusive Growth)

आर्थिक विकास की रणनीति के रूप में 'समावेशी विकास' पर इस बढ़ती चिंता के कारण ध्यान गया कि आर्थिक विकास के लाभों को समान रूप से साझा नहीं किया गया है। समावेशी विकास का मूल रूप से अर्थ यह सुनिश्चित करना है कि सभी को विकास में शामिल किया जाए, चाहे उनका आर्थिक वर्ग, लिंग, और धर्म कुछ भी हो। समावेशी विकास वह आर्थिक विकास है जो जनसंख्या के सभी वर्गों के लिए अवसर पैदा करता है और समाज के हर वर्ग को बढ़ी हुई समृद्धि का लाभ देता है। ग्यारहवीं योजना समावेशी विकास को "एक विकास प्रक्रिया के रूप में परिभाषित करती है जो व्यापक-आधारित लाभ प्रदान करती है और सभी के लिए अवसर की समानता सुनिश्चित करती है", यह "समान विकास" या "सामाजिक न्याय के साथ विकास" के लिए है। यह अवधारणा पारंपरिक आर्थिक विकास मॉडल का विस्तार करती है जिसमें स्वास्थ्य, मानव पूँजी, पर्यावरण गुणवत्ता, सामाजिक सुरक्षा और खाद्य सुरक्षा की समानता पर ध्यान केंद्रित करना शामिल है।

विकास तब समावेशी होता है जब:

- यह उन क्षेत्रों में होता है जिनमें **गरीब वर्ग के लोग काम करते हैं** (जैसे, कृषि);
- उन जगहों पर होता है **जहाँ गरीब रहते हैं** (जैसे, कम संसाधनों वाले अविकसित क्षेत्र);
- **गरीबों के पास मौजूद** उत्पादन के कारकों का उपयोग करता है (जैसे, अकुशल श्रम); और
- **गरीबों द्वारा उपभोग** की जाने वाली वस्तुओं (जैसे भोजन, ईंधन और कपड़े) की कीमतों को कम करता है।

समाज के सबसे कमजोर लोगों पर विशेष ध्यान देने के साथ 'अवसर की समानता' और 'सभी लोगों की विकास में भागीदारी' समावेशी विकास का आधार है।

दो शब्दों के शाब्दिक अर्थ के रूप में समावेशी विकास आर्थिक विकास की गति और पैटर्न दोनों को संदर्भित करता है। इस विषय पर प्रत्यक्ष आय पुनर्वितरण या साझा विकास और समावेशी विकास के बीच बारीक अंतर है। समावेशी विकास दृष्टिकोण एक **दीर्घकालिक परिप्रेक्ष्य** है क्योंकि बहिष्कृत समूहों के लिए आय बढ़ाने के साधन के रूप में प्रत्यक्ष आय पुनर्वितरण के बजाय **उत्पादक रोजगार** पर ध्यान केंद्रित किया जाता है। अल्पावधि में, सरकारें विकास को गति देने के उद्देश्य से बनाई गई नीतियों के कारण गरीबों पर पड़ने वाले नकारात्मक प्रभावों को कम करने के लिए आय वितरण योजनाओं का उपयोग कर सकती हैं, लेकिन हस्तांतरण योजनाएँ दीर्घावधि में समाधान नहीं हो सकती हैं और अल्पावधि में समस्याएँ भी पैदा कर सकती हैं। गरीब देशों में ऐसी योजनाएँ पहले से ही तंग बजट पर महत्त्वपूर्ण बोझ डाल सकती हैं,और पुनर्वितरण के माध्यम से गरीबी को कम करना सैद्धांतिक रूप से असंभव है। इसलिए, समावेशी विकास को आय वितरण योजनाओं से अलग स्वाभाविक रूप से संधारणीय माना जाता है। जबकि आय वितरण योजनाएँ लोगों को अल्पावधि में आर्थिक विकास से लाभ उठाने की अनुमति दे सकती हैं, समावेशी विकास लोगों को दीर्घावधि के लिए संधारणीय तरीके से 'आर्थिक विकास में योगदान करने और लाभ उठाने' की अनुमति देता है।

समावेशिता में चार विशेषताएँ शामिल होती हैं। वे हैं **अवसर, क्षमता, पहुँच और सुरक्षा।** अवसर विशेषता लोगों के लिए

अधिक से अधिक अवसर पैदा करने और उनकी आय बढ़ाने पर ध्यान केंद्रित करती है। क्षमता लोगों को उपलब्ध अवसरों का दोहन करने के लिए अपनी क्षमताओं को बनाने या बढ़ाने के साधन प्रदान करने पर ध्यान केंद्रित करती है। पहुँच विशेषता अवसरों और क्षमताओं को एक साथ लाने के साधन प्रदान करने पर ध्यान केंद्रित करती है। सुरक्षा लोगों को आजीविका के अस्थायी या स्थायी नुकसान से स्वयं को बचाने के साधन प्रदान करती है। साथ में समावेशी विकास एक ऐसी प्रक्रिया है जिसमें आर्थिक विकास को सकल घरेलू उत्पाद में निरंतर विस्तार द्वारा मापा जाता है जो सभी चार आयामों के पैमाने और दायरे के विस्तार में योगदान देता है।

गरीबी में तेजी से और निरंतर कमी के लिए समावेशी विकास की आवश्यकता होती है जो लोगों को आर्थिक विकास में योगदान करने और उससे लाभ उठाने की अनुमति देता है। पर्याप्त गरीबी में कमी के लिए विकास की तीव्र गति निस्संदेह आवश्यक है, लेकिन इस विकास को लंबे समय तक टिकाऊ बनाने के लिए, इसे सभी क्षेत्रों में व्यापक आधार पर होना चाहिए और देश की श्रम शक्ति के बड़े हिस्से को शामिल करना चाहिए।

असमानता के मुद्दे करने के अलावा, समावेशी विकास समाज के गरीब और कमजोर वर्गों के लिए स्पष्ट रूप से उत्पादक आर्थिक अवसर पैदा करके गरीबी कम करने के प्रयासों को और अधिक प्रभावी बना सकता है। अब तक बहिष्कृत आबादी को शामिल करके समावेशी विकास अर्थव्यवस्था को कई अन्य लाभ भी पहुँचा सकता है। 'समावेश' की अवधारणा को बहिष्कृत लोगों को ऐसे एजेंटों के रूप में शामिल करने की प्रक्रिया के रूप में देखा जाना चाहिए जिनकी भागीदारी विकास प्रक्रिया के डिजाइन में आवश्यक है, न कि केवल विकास कार्यक्रमों के कल्याण लक्ष्यों के रूप में।

समावेशी विकास की विशेषताएँ (विश्व बैंक के अनुसार)

- समावेशी विकास आर्थिक विकास पर केंद्रित है जो गरीबी में कमी के लिए एक आवश्यक और महत्त्वपूर्ण शर्त है। समावेशी विकास दीर्घकालिक परिप्रेक्ष्य को अपनाता है और निरंतर विकास से संबंधित है।
    (a) विकास को लंबे समय तक बनाए रखने के लिए, इसे सभी क्षेत्रों में व्यापक आधार पर होना चाहिए। इसलिए आर्थिक विविधीकरण के लिए संरचनात्मक परिवर्तन के मुद्दे सबसे आगे हैं।

    (b) इसमें देश के श्रम बल के बड़े हिस्से को भी शामिल किया जाना चाहिए, जहाँ समावेशिता का अर्थ है बाजारों, संसाधनों व व्यवसायों और व्यक्तियों के लिए निष्पक्ष विनियामक वातावरण तक पहुँच के मामले में अवसर की समानता।
- समावेशी विकास विकास की गति और पैटर्न दोनों पर ध्यान केंद्रित करता है। विकास कैसे उत्पन्न होता है यह गरीबी में कमी लाने के लिए महत्त्वपूर्ण है, और किसी भी समावेशी विकास रणनीति को देश-विशिष्ट परिस्थितियों के अनुरूप बनाया जाना चाहिए।
- समावेशी विकास आय पुनर्वितरण के बजाय उत्पादक रोजगार पर केंद्रित है। इसलिए ध्यान केवल रोजगार वृद्धि पर ही नहीं बल्कि उत्पादकता वृद्धि पर भी है।
- समावेशी विकास में न केवल फर्म, बल्कि व्यक्ति भी विश्लेषण का विषय है।
- समावेशी विकास सापेक्ष नहीं, बल्कि गरीब समर्थक विकास की पूर्ण परिभाषा के अनुरूप है।

(पूर्ण परिभाषा के तहत, विकास को तब तक गरीब समर्थक माना जाता है जब तक गरीब लोगों को पूर्ण रूप से लाभ मिलता है, जैसा कि गरीबी के कुछ सहमत उपायों में परिलक्षित होता है। इसके विपरीत, सापेक्ष परिभाषा में, विकास 'गरीब समर्थक' तभी होता है जब गरीब लोगों की आय समग्र रूप से आबादी की तुलना में तेजी से बढ़ती है, यानी असमानता कम होती है।)

- समावेशी विकास को रोजगार सृजन या आय वितरण जैसे विशिष्ट लक्ष्यों के संदर्भ में परिभाषित नहीं किया जाता है। ये संभावित परिणाम हैं, विशिष्ट लक्ष्य नहीं।
- समावेशी विकास आमतौर पर बाजार संचालित विकास स्रोतों द्वारा संचालित होता है जिसमें सरकार एक सहायक की भूमिका निभाती है।

भारत में समावेशी विकास की आवश्यकता

1990 के दशक की शुरुआत में शुरू हुए आर्थिक उदारीकरण

ने भारत की विकास दर को 1990 के दशक में 6% और बाद के दशकों में लगभग 7% से 8% तक बढ़ा दिया है, जबकि स्वतंत्रता के बाद पहले तीन दशकों में यह मात्र 3.5% की वृद्धि दर हासिल की गई थी। इस अवधि के दौरान भारत ने खुद को कृषि अर्थव्यवस्था से सेवा अर्थव्यवस्था में बदल लिया। अब भारतीय अर्थव्यवस्था में सेवाओं का हिस्सा 54% है। सूचना प्रौद्योगिकी और सूचना प्रौद्योगिकी समर्थित सेवाओं के विकास और वृद्धि ने अर्थव्यवस्था की तस्वीर बदलने में महत्त्वपूर्ण भूमिका निभाई है। और भारत बड़ी अर्थव्यवस्थाओं में सबसे तेजी से बढ़ने वाला देश बन गया है।

हालाँकि, यह उच्च विकास दर अभी भी लोगों के एक बड़े वर्ग को दरकिनार कर रही है। गाँवों में रहने वाले भारतीयों का एक बड़ा हिस्सा; महिलाएँ, बच्चे, पिछड़ी जातियाँ और वर्ग और अन्य अल्पसंख्यक भारत की विकास कहानी से बाहर हैं। निम्न कृषि विकास, निम्न गुणवत्ता वाले रोजगार विकास, निम्न मानव विकास, ग्रामीण-शहरी विभाजन, लैंगिक और सामाजिक असमानताएँ, तथा क्षेत्रीय असमानताएँ आदि के संदर्भ में बहिष्कार जारी रहा। क्षेत्रीय, सामाजिक और स्थानिक असमानताओं ने सरकारी नियोजन के कल्याणकारी दृष्टिकोणों पर सवाल उठाए हैं, तथा देश में विकास के मुद्दों को संबोधित करने में निजी क्षेत्र की भूमिका पर बल दिया है। रोजगार सृजन, सामाजिक और विकासात्मक अवसंरचना, स्वास्थ्य सेवा और ग्रामीण विविधीकरण कुछ प्रमुख चिंताएँ हैं। दोषपूर्ण दृष्टिकोणों और अक्सर राजनीतिक रूप से प्रेरित नीतियों के कारण, विकास ने असमानताएँ उत्पन्न की हैं। योजनाकारों और नीति-निर्माताओं के लिए व्यावहारिक नीतियों को अपनाकर विकास को समावेशी बनाना अनिवार्य है। आर्थिक विकास के परिणामों को संतुलित करने की दिशा में यात्रा में कई चुनौतियाँ शामिल हैं। प्रमुख चुनौतियों में मानव विकास और स्थिरता से समझौता किए बिना आर्थिक विकास की गति को बनाए रखने की अनिवार्यता शामिल है।

समावेशी विकास योजना/नीति-क्षेत्रों में चर्चा का विषय बन गया है, जिसमें हाल ही में बहिष्करण के विशिष्ट पैटर्न के साथ तीव्र विकास की घटना देखने को मिली है। सरकार का उद्देश्य 'समावेशी विकास' को बढ़ावा देना था क्योंकि उसने माना कि केवल उच्च राष्ट्रीय आय वृद्धि से रोजगार संवर्धन, गरीबी में कमी और संतुलित क्षेत्रीय विकास या मानव विकास में सुधार की चुनौती का समाधान नहीं हो सकता। सतत विकास और धन और समृद्धि के समान वितरण के लिए समावेशी विकास आवश्यक है।

भारत जैसे देश में समावेशी विकास हासिल करना सबसे बड़ी चुनौती है। भारत जैसे लोकतांत्रिक देश में ग्रामीण भारत में रहने वाले 60% लोगों को मुख्यधारा में लाना सबसे बड़ी चिंता है। चुनौती यह है कि विकास के स्तर को समाज के सभी वर्गों और देश के सभी हिस्सों तक पहुँचाया जाए। समावेशी विकास हासिल करने का सबसे अच्छा तरीका लोगों के कौशल का विकास करना है। पूर्व प्रधानमंत्री मनमोहन सिंह के अनुसार, समावेशी विकास रणनीति के प्रमुख घटकों में ग्रामीण क्षेत्रों, ग्रामीण बुनियादी ढाँचे और कृषि में निवेश में तेज वृद्धि, किसानों के लिए ऋण में वृद्धि, एक अद्वितीय सामाजिक सुरक्षा जाल के माध्यम से ग्रामीण रोजगार में वृद्धि और शिक्षा और स्वास्थ्य देखभाल पर सार्वजनिक खर्च में तेज वृद्धि शामिल है।

भारत जैसे विकासशील देश के लिए, देश की समग्र प्रगति को प्राप्त करने के लिए समावेशी विकास की आवश्यकता महत्त्वपूर्ण है। **भारत जैसे विकासशील देशों के लिए समावेशी विकास को प्राप्त करने के लिए निम्नलिखित प्रमुख चिंताएँ हैं:**

- गुणवत्तापूर्ण प्राथमिक शिक्षा का अभाव
- स्वास्थ्य सुविधाओं का अभाव
- कौशल की कमी
- क्षेत्रीय असमानताएँ
- विशाल अनौपचारिक क्षेत्र
- सरकार के निचले स्तर पर सार्वजनिक सेवाओं के प्रावधान में भ्रष्टाचार
- सब्सिडी/मुफ्त सुविधाएँ पूँजीगत व्यय को कम कर देती हैं

चोरी, हत्या, नक्सलवाद जैसी घटनाओं की संख्या में वृद्धि आर्थिक बहिष्कार और निम्न वर्ग के लोगों की अधूरी आकाँक्षाओं का प्रत्यक्ष परिणाम है। निम्न वर्ग के लोगों की इन आकाँक्षाओं को नजरअंदाज नहीं किया जा सकता। यदि भारत इन आकाँक्षाओं को पूरा करने में असमर्थ है, तो 'जनसांख्यिकीय लाभांश' एक जनसांख्यिकीय दुःस्वप्न बन

जाएगा। यह विशाल कार्य अकेले सरकार द्वारा नहीं किया जा सकता। समावेशी विकास को आगे बढ़ाने के लिए उद्योग और नागरिक समाज को सरकार के साथ भागीदारी करनी चाहिए। आय असमानताओं और लोगों की बढ़ती आकांक्षाओं को ध्यान में रखते हुए, सरकार मनरेगा और आधार जैसे कार्यक्रमों के माध्यम से इनको संबोधित करने के लिए काम कर रही है। नागरिक समाज ने डिजाइन और शासन की निगरानी में योगदान दिया है। लेकिन समावेशन को बढ़ावा देने के लिए सबसे बड़ा साधन नौकरियाँ हैं।

जबकि यह स्पष्ट है कि समानता के उद्देश्य को प्राप्त करने के लिए समावेशी विकास अनिवार्य है, जो शायद इतना स्पष्ट नहीं है, वह यह है कि विकास की गति को बनाए रखने के लिए भी समावेशी विकास को अब क्यों आवश्यक माना जाता है। ग्रामीण क्षेत्रों में रहने वाली अधिकांश आबादी की पहचान अक्सर कृषि क्षेत्र से की जाती है। **हालाँकि, यह असंगठित गैर-कृषि क्षेत्र है जो तेजी से अधिकांश श्रम शक्ति को अवशोषित कर रहा है।** इस क्षेत्र में विकास की अपार संभावनाएँ हैं, जब बुनियादी ढाँचे में पर्याप्त निवेश हो, जिससे बाजारों से जुड़ाव सुनिश्चित हो और परिसंपत्तियों और कौशल तक आसान पहुँच हो। उचित तकनीक, कौशल और ऋण तक आसान पहुँच, विशेष रूप से स्टार्ट-अप पूँजी, बाजार के विकास को सुविधाजनक बनाने के अलावा, इस क्षेत्र को आत्मनिर्भर रोजगार और धन सृजन के लिए एक विस्तारित आधार बना सकती है और रचनात्मक और प्रतिस्पर्धी उद्योग की संस्कृति को भी बढ़ावा दे सकती है। नई परियोजनाओं और उद्यमों के लिए सक्षम प्रतिस्पर्धी माहौल और वित्त की आसान उपलब्धता के जरिए उद्यमशीलता के विकास को प्रोत्साहित किया जाना चाहिए। प्रो. सी. के. प्रहलाद के शब्दों में, 'अगर हम गरीबों को पीड़ित या बोझ के रूप में मानना बंद कर दें, और उन्हें लचीले और रचनात्मक उद्यमी के रूप में पहचानना शुरू करें और जागरूक उपभोक्ताओं को महत्त्व दें, तो अवसरों की एक पूरी दुनिया खुल जाएगी।'

8.2 भारत में गरीबी का आकलन (Poverty Estimation in India)

विकास आर्थिक नीति का एकमात्र उद्देश्य नहीं है। यह सुनिश्चित करना आवश्यक है कि विकास का लाभ समाज के सभी वर्गों को मिले। इसलिए गरीबी का उन्मूलन एक महत्त्वपूर्ण उद्देश्य है। जीवित रहने के लिए मनुष्य को भोजन और गैर-खाद्य पदार्थों की एक निश्चित न्यूनतम खपत की आवश्यकता होती है। हालाँकि, गरीबी का गठन करने वाली धारणा समय और देशों के अनुसार बदलती रहती है। फिर भी, गरीबी के माप की आवश्यकता है। तभी, यह मूल्यांकन करना संभव होगा कि अर्थव्यवस्था अपने सभी नागरिकों को एक निश्चित न्यूनतम जीवन स्तर प्रदान करने के मामले में कैसा प्रदर्शन कर रही है। इसलिए, गरीबी के माप के महत्त्वपूर्ण नीतिगत निहितार्थ हैं।

भारत में गरीबी के मापन पर अध्ययनों का लंबा इतिहास रहा है। इसके लिए मोटे तौर पर दो दृष्टिकोण हैं।

गरीबी मापन के उपागम

- वंचना
- आय/व्यय

कुछ विश्लेषक वंचना पर ध्यान केंद्रित करते हैं, लेकिन इस दृष्टिकोण से जुड़ी कई समस्याएँ हैं, जिसमें संकेतकों में मापनीयता और एकत्रीकरण में कठिनाइयाँ शामिल हैं। उदाहरण के लिए, सुरक्षित पेयजल तक पहुँच को बाल मृत्यु दर जैसे संकेतकों के साथ नहीं जोड़ा जा सकता है।

अधिकांश लोगों के दिमाग में, अमीर या गरीब होना आय के स्तर से जुड़ा हुआ है। गरीबी के विभिन्न गैर-आय संकेतक वास्तव में अपर्याप्त आय का प्रतिबिंब हैं। आय के संदर्भ में या ऐसे डेटा के अभाव में व्यय के संदर्भ में गरीबी को परिभाषित करना सबसे उपयुक्त लगता है, और यही वह तरीका है जिसका भारत सहित अधिकांश देशों में पालन किया जाता है।

इसलिए, गरीबी को प्रति व्यक्ति या अधिमानतः प्रति परिवार कुछ न्यूनतम उपभोग व्यय के संदर्भ में देखा जाता है। उपभोग व्यय के इस स्तर को पूरा करने में विफल रहने वाले किसी भी परिवार को गरीब परिवार माना जा सकता है। उपभोग व्यय के इस न्यूनतम स्तर को बदले में, खाद्य और गैर-खाद्य वस्तुओं पर न्यूनतम व्यय के संदर्भ में प्राप्त किया जा सकता है। न्यूनतम खाद्य उपभोग कुछ पोषण मानकों को पूरा करने से संबंधित है, लेकिन न्यूनतम गैर-खाद्य उपभोग का अनुमान लगाना अधिक कठिन है।

भारत में गरीबी का अनुमान कैसे लगाया गया है?

दादाभाई नौरोजी की 1901 की पुस्तक 'भारत में गरीबी और गैर-ब्रिटिश शासन' के समय से, गरीबी का अनुमान मौद्रिक उपाय का उपयोग करके लगाया जाता रहा है। गरीबी पर आधिकारिक डेटा योजना आयोग द्वारा जनता को उपलब्ध कराया जाता था। इसका अनुमान राष्ट्रीय नमूना सर्वेक्षण संगठन (NSSO) द्वारा एकत्र किए गए उपभोग व्यय डेटा के आधार पर लगाया जाता था। इसका विचार एक धनराशि पर पहुँचने का था जिसे या तो निर्वाह आहार खाने या न्यूनतम जीवन स्तर प्राप्त करने के लिए आवश्यक माना जाता है।

चूँकि आय पर डेटा एकत्र करना मुश्किल था, इसलिए भारत ने नियमित (पाँच-वार्षिक) उपभोग व्यय सर्वेक्षणों का उपयोग किया, जो दिखाते थे कि लोग खाद्य और गैर-खाद्य वस्तुओं की खपत पर कितना खर्च कर रहे थे। इस डेटा के आधार पर, डीटी लकड़वाला (1993), सुरेश तेंदुलकर (2009) और सी रंगराजन (2014) के नेतृत्व में कई विशेषज्ञ समितियों ने एक 'गरीबी रेखा' खींची। यह रेखा उपभोग व्यय (रुपए में) का वह स्तर है जो उन लोगों को विभाजित करता है जो गरीब हैं और जो नहीं हैं।

विभिन्न समूहों द्वारा गरीबी के अनुमान निम्नलिखित हैं।

	1973-74	1993-94	2004-05	2009-10	2011-12	2009-10	2011-12
	लकड़वाला			तेंदुलकर		रंगराजन	
ग्रामीण	56.4%	37.3%	28.3%	33.8%	25.7%	39.6%	30.9%
नगरीय	49.0%	32.4%	25.7%	20.9%	13.7%	35.1%	26.4%
अखिल भारत	54.9%	36.0%	27.5%	29.8%	21.9%	38.2%	29.5%
कुल	32 cr	32 cr	30.2 cr	35.5 cr	27 cr	45.5 cr	36.3 cr

तेंदुलकर रिपोर्ट के अनुसार, यदि लोग ग्रामीण क्षेत्र में प्रतिदिन 27 रुपए से कम और शहरी क्षेत्र में प्रतिदिन 33 रुपए से कम खर्च कर रहे हैं, तो उन्हें बीपीएल माना जाएगा और **2011-12 में बीपीएल के रूप में 21.9% आबादी आई।** हालांकि, यह राशि इतनी कम थी कि इसे तुरंत मीडिया और समाज के सभी वर्गों से कड़ी आलोचना का सामना करना पड़ा और सरकार ने गरीबी आकलन पद्धति की समीक्षा के लिए सी. रंगराजन के नेतृत्व में एक और समिति गठित की। रंगराजन समिति ने इन सीमाओं को बढ़ाकर ग्रामीण क्षेत्र में प्रतिदिन 32 रुपए और शहरी क्षेत्र में प्रतिदिन 47 रुपए कर दिया और **2011-12 में 29.5% की गरीबी** रेखा निर्धारित की।

भारत में गरीबी रेखा को परिभाषित करना हमेशा से एक विवादास्पद मुद्दा रहा है। 2014 में आई नई एनडीए सरकार ने गरीबी रेखा पर उपरोक्त रंगराजन और तेंदुलकर समिति के किसी भी अनुमान को स्वीकार नहीं किया है, लेकिन अनौपचारिक रूप से तेंदुलकर समिति के अनुमानों का समर्थन किया है। भारत के अंतिम आधिकारिक गरीबी आँकड़े (उपभोग व्यय पर आधारित) तेंदुलकर/रंगराजन समितियों की रिपोर्ट पर आधारित 2011-12 के हैं। तब से, गरीबी के अनुमान प्रकाशित नहीं किए गए हैं क्योंकि सरकार ने 75वें दौर के तहत राष्ट्रीय नमूना सर्वेक्षण (एनएसएस) द्वारा किए गए 2017-18 के उपभोग व्यय सर्वेक्षण को रद्द कर दिया था। उस सर्वेक्षण में ग्रामीण उपभोग में गिरावट देखी गई और इस तरह, गरीबी में वृद्धि की ओर इशारा किया गया। (यह जीएसटी और विमुद्रीकरण के प्रभाव के कारण हो सकता है)।

राष्ट्रीय नमूना सर्वेक्षण (एनएसएस) का 79वाँ दौर फिर से घरेलू उपभोग व्यय पर था जो पहले ही पूरा हो चुका है (1 जुलाई 2022 से 30 जून 2023)। और एनएसएस ने अगस्त 2023 से जुलाई 2024 तक घरेलू उपभोग व्यय (HSCE) पर फिर से 80वाँ दौर शुरू किया है। घरेलू उपभोग व्यय के लगातार दो वर्षों के डेटा गरीबी का अनुमान लगाने के लिए बेहतर और अधिक सटीक होंगे। इसलिए, उपभोग

(व्यय) दृष्टिकोण के माध्यम से नवीनतम गरीबी अनुमान केवल 2025 में उपलब्ध होंगे।

हाल ही में [जुलाई 2023], वैश्विक बहुआयामी गरीबी सूचकांक (एमपीआई) और भारतीय एमपीआई (नीति आयोग रिपोर्ट, जो राष्ट्रीय परिवार स्वास्थ्य सर्वेक्षण (एनएफएचएस) 2019-21 पर आधारित है) प्रकाशित हुई थी, जिसके अनुसार भारत की बहुआयामी गरीबी 2019-21 में क्रमशः 16.4% और 15% तक कम हो गई। लेकिन बहुआयामी गरीबी अनुमान जो शिक्षा, स्वास्थ्य और जीवन स्तर के आधार पर **अभावों पर** ध्यान केंद्रित करते हैं, **उपभोग आधारित** गरीबी अनुमानों से अलग हैं।

विश्व बैंक अत्यधिक गरीबी को प्रतिदिन $2.15 (पीपीपी विनिमय दर में) से कम पर रहने वाले लोगों के रूप में परिभाषित करता है।

विभिन्न सरकारी योजनाओं के लिए गरीबों की पहचान

वर्तमान में, भारत में, राज्य सरकारों द्वारा गरीबी रेखा से नीचे (बीपीएल) जनगणनाओं से प्राप्त जानकारी के आधार पर गरीबों की पहचान की जाती है, जिनमें से नवीनतम सामाजिक-आर्थिक जाति जनगणना 2011 (SECC 2011) है।

भारत सरकार से तकनीकी और वित्तीय सहायता के तहत ग्रामीण और शहरी क्षेत्रों के लिए राज्यों/केंद्र शासित प्रदेशों द्वारा एक साथ एसईसीसी जनगणना आयोजित की गई थी। इसमें परिवारों के बारे में आँकड़े एकत्र किए गए - व्यक्तिगत विवरण, आवास, अभाव, रोजगार, आय, संपत्ति/सुविधाएँ और भूमि स्वामित्व। एसईसीसी 2011 में 17.97 करोड़ ग्रामीण परिवारों और 6.51 करोड़ शहरी परिवारों की सामाजिक आर्थिक स्थिति के बारे में डेटा एकत्र किया गया। SECC 2011 ने परिवारों को तीन श्रेणियों में वर्गीकृत किया:

- **स्वचालित रूप से बहिष्कृत:** बहिष्करण मानदंड को पूरा करने वाले परिवार - 13 संपत्ति और आय-आधारित मापदंडों में से कोई भी (उदाहरण के लिए एक पैरामीटर 'घर का सदस्य सरकारी कर्मचारी' है) स्वतः से कल्याण लाभों से बाहर हो जाते हैं;
- **स्वचालित रूप से शामिल:** समावेशन मानदंड को पूरा करने वाले परिवार - 5 तीव्र सामाजिक अभाव मापदंडों में से कोई भी (आश्रय के बिना परिवार, भिक्षा पर रहने वाले निराश्रित, मैनुअल स्केवेंजर परिवार, आदिम जनजातीय समूह, बंधुआ मजदूर) स्वचालित रूप से कल्याण लाभों के लिए शामिल किए जाते हैं;
- **अन्य:** 'अन्य' को अभाव के 7 संकेतकों के आधार पर रैंक किया गया है और संसाधनों की अनुमति मिलने पर वे कल्याणकारी लाभों के लिए पात्र होंगे।

बीपीएल जनगणनाओं के विपरीत, SECC-2011 पहली बार परिवारों के **अभाव** को ट्रैक करने और गरीबी की **बहुआयामिता पर ध्यान केंद्रित करते हुए** अंतराल को प्रभावी ढंग से संबोधित करने की अनुमति देता है। जनगणना अधिनियम के बाहर होने के कारण, यह प्रत्येक परिवार के विशिष्ट अभाव को जानने का एक दुर्लभ अवसर प्रदान करता है। **सुमित बोस समिति** (2017) ने यथासंभव सभी केंद्र प्रायोजित, केंद्रीय और राज्य सरकार की योजनाओं के लिए लाभार्थियों की पहचान करने के लिए SECC 2011 डेटा का उपयोग करने की सिफारिश की।

सरकार ने प्रधानमंत्री आवास योजना-ग्रामीण, दीनदयाल अंत्योदय योजना-राष्ट्रीय ग्रामीण आजीविका मिशन, प्रधानमंत्री जन आरोग्य योजना-आयुष्मान भारत, प्रधानमंत्री सहज बिजली हर घर योजना और प्रधानमंत्री उज्ज्वला योजना सहित अपने **सामाजिक कल्याण कार्यक्रमों को लागू करते समय लाभार्थी परिवारों की पहचान के लिए SECC डेटा का उपयोग किया है।** इसका उपयोग कई राज्य सरकारों द्वारा राष्ट्रीय खाद्य सुरक्षा अधिनियम को लागू करने के लिए भी किया जा रहा है।

सरकारी कार्यक्रमों के कार्यान्वयन में SECC डेटा का उपयोग साक्ष्य आधारित विकासात्मक हस्तक्षेपों की अनुमति देता है। सामाजिक आर्थिक जाति जनगणना (एसईसीसी) डेटा के उपयोग से, कल्याणकारी कार्यक्रम के वित्तीय स्थान को ध्यान में रखते हुए कार्यक्रम-विशिष्ट प्राथमिकता सूची तैयार की जाती है, ताकि विशिष्ट गरीब-हितैषी हस्तक्षेपों को लक्षित किया जा सके। लाभार्थियों का चयन ग्रामसभाओं के माध्यम से मान्य किया जाता है, जबकि पहचान आधार के माध्यम से स्थापित की जाती है, जहाँ भी कानूनी रूप से अनुमति दी जाती है। इससे सही लाभार्थियों का चयन होता है और दोहराव और धोखाधड़ी कम होती है। इसने आय या व्यय-आधारित गरीबी से परे जाकर बहुआयामी गरीबी से निपटने के लिए सरकार के प्रयासों की प्रभावशीलता को काफी हद तक बढ़ाया है।

राष्ट्रीय नमूना सर्वेक्षण (एनएसएस)

राष्ट्रीय नमूना सर्वेक्षण (एनएसएस) एक राष्ट्रीय सामाजिक-आर्थिक सर्वेक्षण है जिसे **विषयों के चक्र** के साथ **वार्षिक रूप** से आयोजित किया जाता है। उदाहरण के लिए, 2014 में आयोजित राष्ट्रीय नमूना सर्वेक्षण (एनएसएस) के 71वें दौर का उद्देश्य स्वास्थ्य और शिक्षा पर संकेतक विकसित करना था। राष्ट्रीय नमूना सर्वेक्षण के 68वें दौर (जुलाई 2011-जून 2012) और 75वें दौर (जुलाई 2017-जून 2018) का उद्देश्य घरेलू उपभोग व्यय था।

घरेलू उपभोग व्यय सर्वेक्षण (सीईएस) आमतौर पर एनएसएस के इन वार्षिक दौरों के दौरान हर पाँच साल (पाँच साल) के बाद आता है।

एनएसएस उपभोक्ता व्यय सर्वेक्षण (सीईएस) घरेलू मासिक प्रति व्यक्ति उपभोक्ता व्यय (एमपीसीई) और एमपीसीई वर्गों में घरों और व्यक्तियों के वितरण का अनुमान लगाता है। इसे घरों द्वारा उपभोग की जाने वाली वस्तुओं और सेवाओं (खाद्य और गैर-खाद्य) की खपत पर व्यय के बारे में जानकारी एकत्र करने के लिए डिजाइन किया गया है।

परिणाम जारी होने के बाद, जीडीपी और अन्य मैक्रो-इकोनॉमिक संकेतकों को फिर से निर्धारित करने के लिए भी उपयोग किया जाता है। एनएसएस का 79वाँ (2022 से 2023) और 80वाँ (2023 से 2024) दौर फिर से घरेलू उपभोग व्यय (एचसीईएस) पर है। यह एचसीईएस सरकार के कल्याण कार्यक्रमों से मुफ्त में प्राप्त वस्तुओं पर भी डेटा एकत्र करेगा।

नीचे दिया गया चित्र दर्शाता है कि किस प्रकार निम्न आर्थिक विकास और स्वास्थ्य एवं शिक्षा का निम्न स्तर गरीबी के जाल में फँस जाता है:

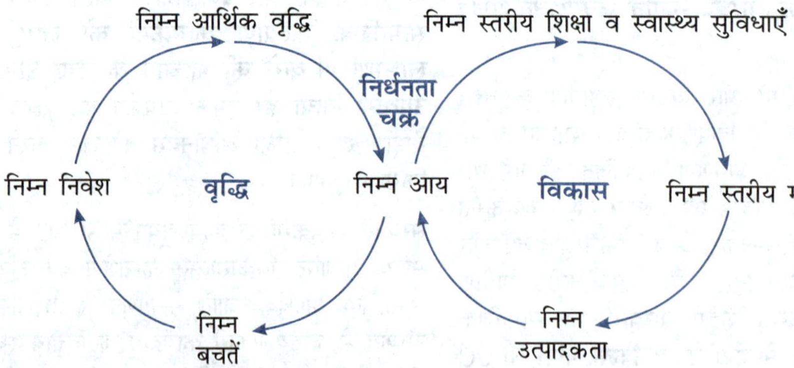

स्वतंत्रता के बाद से गरीबी कम करने के प्रति सरकार का दृष्टिकोण तीन आयामों में रहा है।

1. विकासोन्मुख [प्रथम पंचवर्षीय योजना से]
2. गरीबी उन्मूलन कार्यक्रम [तृतीय पंचवर्षीय योजना से]
3. बुनियादी न्यूनतम सुविधाएँ प्रदान करना [पाँचवीं पंचवर्षीय योजना से]

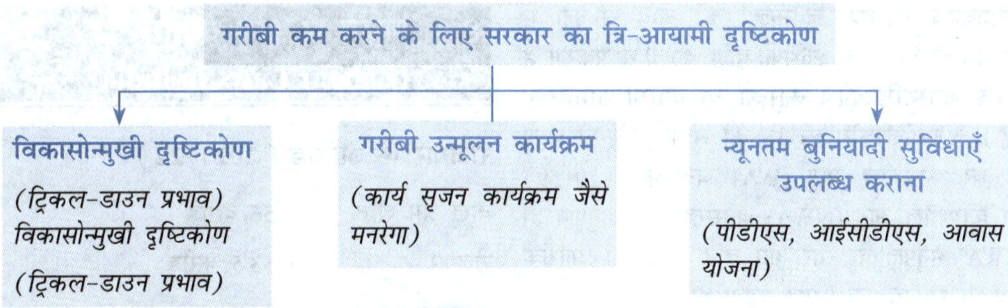

8.3 जनसांख्यिकीय लाभांश (Demographic Dividend)

हाल के जनसांख्यिकीय रुझान

- कुल प्रजनन दर (TFR) को उन बच्चों की कुल संख्या के रूप में परिभाषित किया जाता है जो प्रत्येक महिला द्वारा जन्मे जाएँगे यदि वह अपने बच्चे पैदा करने की आयु के अंत तक जीवित रहती है।
- प्रतिस्थापन स्तर प्रजनन क्षमता (RLF) प्रजनन क्षमता का वह स्तर है जिस पर एक जनसंख्या एक पीढ़ी से दूसरी पीढ़ी में खुद को बिल्कुल बदल देती है। आदर्श रूप से यह 2.0 होना चाहिए लेकिन आमतौर पर यह पूरी दुनिया में 2.1 है,क्योंकि हम यह उम्मीद नहीं कर सकते कि सभी महिलाएँ बच्चे पैदा करने की आयु तक जीवित रहेंगी।
- नवीनतम राष्ट्रीय परिवार स्वास्थ्य सर्वेक्षण (NFHS) के अनुसार, भारत का TFR घटकर 2.0 हो गया है जो प्रतिस्थापन स्तर प्रजनन क्षमता से कम है। लेकिन फिर भी अगले दो दशकों में सकारात्मक जनसंख्या वृद्धि होगी, क्योंकि:
    (a) जनसंख्या गति (ऐसा इसलिए होता है क्योंकि यह केवल प्रति महिला बच्चों की संख्या नहीं है जो जनसंख्या वृद्धि को निर्धारित करती है, बल्कि प्रजनन आयु में महिलाओं की संख्या भी है जो भारत के लिए अधिक है।), और
    (b) जीवन प्रत्याशा में निरंतर वृद्धि
- भारत में जनसंख्या वृद्धि हाल के दशकों में धीमी हो रही है, जो 1971-81 के दौरान 2.5% की वार्षिक वृद्धि दर से 2020 के दशक में लगभग 1% हो गई है।
- भारत की युवा (यानी 0-19 वर्ष) आबादी का हिस्सा घटने लगा है और 2041 तक इसके 25 प्रतिशत तक गिरने का अनुमान है। दूसरी ओर, बुजुर्ग (60 वर्ष और उससे अधिक) आबादी का हिस्सा बढ़ रहा है और 2041 तक बढ़कर 16 प्रतिशत हो जाएगा।
- भारत की कामकाजी आयु (20-59) की आबादी 2041 तक बढ़ती रहेगी। भारत का जनसांख्यिकीय लाभांश 2041 के आसपास चरम पर होगा, जब कामकाजी आयु (20-59 वर्ष) की आबादी का गैर-कामकाजी आयु की आबादी में हिस्सा अधिकतम 1.43 (WA/NWA = 59%/41% = 1.43) तक पहुँचने की उम्मीद है।

[*आर्थिक सर्वेक्षण 2018-19 में, कामकाजी उम्र के लोगों के संबंध में एक विश्लेषण किया गया है जहाँ कामकाजी उम्र 20+ मानी गई है क्योंकि अब बहुत सारे लोग 19 वर्ष की आयु प्राप्त करने के बाद नौकरी के बाजार में प्रवेश कर रहे हैं। कानूनी तौर पर काम करने की उम्र 14+ हो सकती है लेकिन व्यावहारिक रूप से शिक्षा के कारण पिछले कुछ वर्षों में इसमें वृद्धि हुई है।*]

भारत की जनसंख्या	युवा आयु (0-19) (गिरावट आनी शुरू हो गई है)	कार्यशील आयु (20-59) (अभी भी बढ़ रही है)	वृद्धावस्था (60+) (बढ़ने लगी है)
2011	41%	50.4%	8.6%
2041	25%	59%	16%

जनसांख्यिकीय लाभांश जनसंख्या की आयु संरचना में परिवर्तन द्वारा प्रेरित उच्च आर्थिक वृद्धि का एक प्रकरण है **(यह मात्र जनसांख्यिकीय कारकों के कारण अतिरिक्त वृद्धि है)**। जनसांख्यिकीय लाभांश को संचालित करने वाला विशिष्ट चर कार्यशील आयु (WA) जनसंख्या (20-59) और गैर-कार्यशील आयु (NWA) जनसंख्या का अनुपात है। WA/NWA अनुपात के स्तर और वृद्धि दोनों का आर्थिक गतिविधि पर सकारात्मक प्रभाव पड़ता है।

भारत का जनसांख्यिकीय चक्र चीन, कोरिया, ब्राजील आदि जैसे अन्य देशों की तुलना में लगभग 10-30 वर्ष पीछे है, जो दर्शाता है कि अगले कुछ दशक भारत के लिए उनके प्रतिव्यक्ति आय के स्तर को पकड़ने का अवसर प्रस्तुत करते हैं। इसका मतलब यह नहीं है कि इसके बाद जनसांख्यिकीय लाभांश नकारात्मक हो जाएगा, बल्कि सकारात्मक प्रभाव धीमा हो जाएगा।

भारत में एक विशिष्ट विशेषता राज्यों के बीच उनकी जनसांख्यिकीय प्रोफाइल विकास में बड़ी विविधता है। प्रायद्वीपीय भारत (पश्चिम बंगाल, कर्नाटक, केरल, तमिलनाडु और आंध्र प्रदेश) के बीच एक स्पष्ट विभाजन है जहाँ WA/NWA जनसंख्या अनुपात भीतरी इलाकों के राज्यों (मध्य प्रदेश, राजस्थान, उत्तर प्रदेश और बिहार) की तुलना में जल्दी चरम पर होगा। प्रायद्वीपीय भारत और भीतरी इलाकों के राज्यों के WA/NWA अनुपात में अंतर कुल प्रजनन दर (एक महिला के प्रजनन वर्षों में होने वाले बच्चों की औसत संख्या) के स्तरों में अंतर के कारण है। इसलिए जनसांख्यिकी के लिहाज से, दो भारत हैं, जिनकी नीतिगत चिंताएँ अलग-अलग हैं: एक जल्द ही वृद्ध होने वाला भारत जहाँ बुजुर्गों और उनकी जरुरतों पर ज्यादा ध्यान देने की जरूरत होगी: और एक युवा भारत जहाँ शिक्षा, कौशल और रोजगार के अवसर प्रदान करना ध्यान का केंद्र होना चाहिए। बेशक, भारत के भीतर विविधता अधिक श्रम गतिशीलता के माध्यम से इनमें से कुछ चिंताओं को दूर करने का लाभ प्रदान करती है, जो वास्तव में इस जनसांख्यिकीय असंतुलन को कम करेगी।

8.4 भारत में श्रम कानून (Labour Laws in India)

रोजगार के आँकड़े (2021-22)

कुल श्रम शक्ति	= 56 करोड़
रोजगार	= 53.5 करोड़
औपचारिक	= 6 करोड़ (11%)
अनौपचारिक	= 47.5 करोड़ (89%)

परिचय:

भारत के संविधान के अनुसार, श्रम एक समवर्ती विषय है। केंद्र सरकार ने कुल 44 श्रम कानून बनाए हैं और हर राज्य ने भी अपने-अपने कानून बनाए हैं। भारतीय श्रम कानूनों की कल्पना स्वतंत्रता-पूर्व काल में या उसके तुरंत बाद आर्थिक विकास के आयात-प्रतिस्थापन और राज्यवादी (राज्य हस्तक्षेप और नियंत्रण) मॉडल के आधार पर की गई थी। श्रम कानूनों को बनाने का उद्देश्य सराहनीय था, लेकिन बदलते आर्थिक परिवेश ने उन्हें पुराना बना दिया है। प्रतिमान वैश्विक प्रतिस्पर्धा, उत्पादकता, दक्षता और आपसी सहयोग की ओर स्थानांतरित हो गया है। देश को अब नए कानूनों की आवश्यकता है जो सुरक्षा मानक प्रदान करें, श्रमिकों की बुनियादी जरूरतों को पूरा करें, उनके कल्याण का ध्यान रखें और नौकरियों को नष्ट करने के बजाय उनका सृजन करने के लिए पर्याप्त लचीले हों।

मौजूदा कानूनों से जुड़ी समस्याएँ और अर्थव्यवस्था पर असर:

औद्योगिक विवाद अधिनियम 1947 (आईडी एक्ट) में कहा गया है कि नियोक्ता उचित सरकार की पूर्व अनुमति के बिना किसी भी कर्मचारी को नौकरी से नहीं निकाल सकता या छंटनी नहीं कर सकता या प्रतिष्ठान का संचालन बंद नहीं कर सकता। नियोक्ताओं और अर्थशास्त्रियों के अनुसार यह संगठित क्षेत्र में रोजगार सृजन में एक बड़ी बाधा रही है।

औद्योगिक विवाद अधिनियम (1980 के दशक के मध्य **में किए गए संशोधन के माध्यम से) के अनुसार 100 से अधिक कर्मचारियों को रोजगार देने वाली किसी भी फर्म को कर्मचारियों की छंटनी करने से पहले राज्य सरकार से अनुमति लेनी होगी। इन** कठोरताओं को देखते हुए नियोक्ता अपने कर्मचारियों की संख्या 100 से कम रखने के इरादे से प्रौद्योगिकी उन्नयन का सहारा ले रहे हैं। औद्योगिक विवाद अधिनियम की प्रयोज्यता से संबंधित खंड ने भारतीय उद्यमों को छोटा बनाए रखा है। उनके अनुसार संगठित क्षेत्र में भारतीय फर्मों में श्रमिकों की औसत संख्या 75 है, जबकि इंडोनेशिया में यह 178 और चीन में 191 है। भारत सरकार के आर्थिक सर्वेक्षण (2012-13) में कहा गया है कि यह पुराने श्रम कानूनों के कारण हो सकता है।

औद्योगिक विवाद अधिनियम ने संभवत: किसी भी अन्य नीति की तुलना में भारत के विनिर्माण क्षेत्र के विकास को रोकने में अधिक भूमिका निभाई है। इस और कई अन्य भारतीय श्रम कानूनों (जैसे अनुबंध श्रम अधिनियम 1970) के बारे में उल्लेखनीय बात यह है कि इनमें मुक्त अनुबंध के लिए कोई स्थान नहीं है। मान लीजिए कि कोई फर्म ऐसे उत्पाद का निर्माण करना चाहती है जिसकी माँग अस्थिर है- जैसे कि वस्त्र। यह फर्म श्रमिकों को उच्च वेतन देना चाहती है, लेकिन उन्हें यह स्पष्ट कर देती है कि उन्हें एक महीने का नोटिस देकर नौकरी छोड़ने के लिए कहा जा सकता है। ऐसे अनुबंध का कोई कानूनी आधार नहीं होगा क्योंकि आईडी एक्ट में पहले से ही बताया गया है कि श्रमिकों को कैसे और कब हटाया जा सकता है या नहीं। इसी तरह, अनुबंध श्रम अधिनियम कहता है कि अनुबंध श्रमिकों को केवल उन गतिविधियों के लिए नियोजित किया जा सकता है जो प्रकृति में परिधीय हैं और किसी संगठन की मुख्य गतिविधि नहीं हैं। यह कंपनियों के लिए अपने मुख्य गतिविधि के लिए अनुबंध श्रमिकों को काम पर रखने पर प्रतिबंध लगाता है।

पहली दृष्टि में यह कानून उस तरह का कानून लगता है जो गरीब श्रमिकों की नौकरियों की रक्षा करता है। लेकिन इस लोकप्रिय दृष्टिकोण में यह तथ्य नजरअंदाज किया गया है कि यह कानून लाखों कर्मचारियों को बेरोजगार भी रखता है क्योंकि फर्म इस बात से चिंतित हैं कि वे उन्हें नौकरी से नहीं निकाल पाएँगी, इसलिए वे पहले से ही काम पर नहीं रखती हैं। साथ ही, अस्थिर माँग वाले क्षेत्रों में, कई फर्म अस्तित्व में ही नहीं आई हैं क्योंकि उन्हें लगता है कि भारत की मौजूदा कानूनी व्यवस्था उन्हें अव्यावहारिक बनाती है। 1980 के दशक के श्रम संबंधित ऑकडों से ज्ञात होता है कि भारत में रोजगार मुख्य रूप से छोटे उद्यमों में केंद्रित है और 100 से ज्यादा कर्मचारियों वाली फर्म में काम करने वाले लोगों की संख्या में कमी आई है। यह 1980 के दशक के मध्य में संशोधन के प्रति बाजार की स्वाभाविक प्रतिक्रिया है। इसलिए, फर्म को जानबूझकर कर्मचारियों को नौकरी से निकालने की आजादी नहीं बल्कि एक ऐसी कानूनी व्यवस्था की जरूरत है जिसके तहत फर्म अपने कर्मचारियों की जरूरतों के हिसाब से उनके साथ अलग-अलग तरह के अनुबंध कर सकें। एक फर्म कम मजदूरी और आजीवन काम की गारंटी दे सकती है और दूसरी फर्म ज्यादा मजदूरी और बहुत कम समय में काम छोड़ने की गारंटी दे सकती है। ट्रेड यूनियन अधिनियम, 1926 के अनुसार, किसी प्रतिष्ठान में कार्यरत या नियोजित कुल कर्मचारियों में से कम से कम 10% या 100 कर्मचारी, जो भी कम हो, आवेदन के समय उस प्रतिष्ठान से जुड़े ट्रेड यूनियन के सदस्य होने चाहिए। और एक ही नियोक्ता के संबंध में एक से अधिक ट्रेड यूनियन पंजीकृत होना संभव है। अधिनियम ट्रेड यूनियनों को हड़ताल करने और नियोक्ताओं के साथ विवादों में श्रम न्यायालयों में अपने सदस्यों का प्रतिनिधित्व करने का अधिकार देता है। चूँकि यूनियन के पदाधिकारी बाहरी व्यक्ति हो सकते हैं, इसलिए यूनियनों के गठन के साथ ऐसे विवादों की संभावना बढ़ जाती है। इस प्रकार, जब तक उनके पास कम कर्मचारी हैं, तब तक फर्म श्रम संबंधी समस्याओं को कम कर सकती हैं। परिधान क्षेत्र में छोटी फर्मों का प्रभुत्व इस तथ्य से कुछ लेना-देना है।

भारत में श्रम कानूनों की भरमार है (केंद्र और राज्य सहित लगभग 200) जो भ्रम पैदा करते हैं और एक-दूसरे के साथ पूरी तरह से सुसंगत नहीं हैं, जिसके कारण यह टिप्पणी की जाती है कि **'आप 20 प्रतिशत का उल्लंघन किए बिना भारतीय श्रम कानूनों को 100 प्रतिशत लागू नहीं कर सकते'।** भले ही इनमें से प्रत्येक और अन्य केंद्रीय और राज्य विधानों को खराब तरीके से लागू किया जाता है, लेकिन वे कागजी कार्रवाई और फाइलिंग आवश्यकताओं के मामले में छोटी फर्मों पर काफी बोझ डालते हैं। वास्तव में,

कई फर्मों को बड़ी संख्या में केंद्रीय और राज्य विधानों के तहत अपने सटीक दायित्वों के बारे में पता ही नहीं है। एक या अधिक क्षेत्रों में अनजाने में गैर-अनुपालन अपरिहार्य है, विशेष रूप से सभी के लिए, सिवाय असाधारण रूप से बड़ी फर्मों के, जो श्रम विभाग के निरीक्षकों द्वारा भ्रष्टाचार का द्वार खोलते हैं। यह स्थिति और भी गंभीर हो जाती है, क्योंकि अक्सर, केंद्रीय कानून राज्य को कानून के प्रावधान को इसके अंतर्गत शामिल नहीं किए गए प्रतिष्ठानों तक विस्तारित करने का अधिकार देता है, जिसका राज्य बिना किसी संकोच के उपयोग करते हैं।

यह पाया गया है कि कम कठोर राष्ट्रों में अधिक कुशल अर्थव्यवस्थाएँ, उच्च वेतन और लंबे समय तक बेरोजगार रहने वाले श्रमिकों का एक छोटा हिस्सा होता है। श्रम बाजार विनियमन में लचीलापन लाने से विदेशी पूँजी आकर्षित हो सकती है, रोजगार सृजित हो सकते हैं और उच्च विकास को बढ़ावा मिल सकता है। भारतीय श्रम कानून अव्यवस्थित, पुराने, अतिव्यापी और विरोधाभासी हैं, जिन्हें तत्काल सुधार की आवश्यकता है। चूँकि श्रम कानूनों में सुधार, आम धारणा के विपरीत, श्रमिकों के हित में हैं, इसलिए सरकार को इस विषय पर बहस करानी चाहिए और इसे स्पष्ट करना चाहिए, ताकि श्रमिक ऐसे सुधारों का विरोध करने के बजाय इसके समर्थक बनें।

नई श्रम संहिताएँ: *केंद्र सरकार ने मौजूदा 29 श्रम कानूनों को चार श्रम-संहिताओं में मिला दिया है। ये चार श्रम संहिताएँ अधिनियम बन गई हैं और बहुत जल्द लागू हो सकती हैं।*

1. मजदूरी संहिता, 2019

इसने चार पिछले अधिनियमों को प्रतिस्थापित (निरस्त) किया है: मजदूरी भुगतान अधिनियम, 1936, न्यूनतम मजदूरी अधिनियम, 1948, बोनस भुगतान अधिनियम, 1965, समान पारिश्रमिक अधिनियम, 1976।

- **'फ्लोर वेज'** की एक **वैधानिक** अवधारणा शुरू की गई है जो संगठित या असंगठित क्षेत्र के सभी श्रमिकों पर लागू होगी। न तो केंद्र और न ही राज्य एजेंसियाँ किसी भी तरह के रोजगार के लिए न्यूनतम मजदूरी को **'फ्लोर वेज'** से कम कर सकती हैं।
- संहिता में प्रावधान है कि पाँच साल से अधिक के अंतराल पर न्यूनतम मजदूरी की समीक्षा/संशोधन किया जाएगा। इसके अलावा, ओवरटाइम काम के लिए मजदूरी की दर सामान्य मजदूरी की दर से दोगुनी से कम नहीं होगी। मनरेगा मजदूरी को मजदूरी संहिता के दायरे से बाहर रखा गया है।
- न्यूनतम मजदूरी दरों के निर्धारण की विधि को सरल बनाया गया है। वेतन निर्धारण की पिछली प्रणाली के विपरीत कौशल के प्रकार और भौगोलिक स्थिति को ध्यान में रखा जाना चाहिए।
- यदि कर्मचारी को हटा दिया जाता है, बर्खास्त कर दिया जाता है, छँटनी कर दी जाती है, या वह इस्तीफा दे देता है या प्रतिष्ठान बंद होने के कारण बेरोजगार हो जाता है, तो मजदूरी का भुगतान दो कार्य-दिवसों के भीतर किया जाना आवश्यक है।
- पिछले न्यूनतम मजदूरी अधिनियम और मजदूरी भुगतान अधिनियम के प्रावधान केवल एक निश्चित सीमा से कम वेतन पाने वाले और केवल अनुसूचित रोजगारों में काम करने वाले श्रमिकों पर लागू होते थे। हालाँकि, संहिता के तहत, न्यूनतम मजदूरी और मजदूरी के भुगतान के प्रावधान सभी प्रतिष्ठानों, कर्मचारियों और नियोक्ताओं पर लागू होते हैं।
- "मजदूरी" की परिभाषा में मूल वेतन, महँगाई भत्ता और प्रतिधारण भत्ता शामिल होते हैं। इसमें विशेष रूप से वैधानिक बोनस, उपयोगिताएँ (प्रकाश, जल, चिकित्सा आदि), परिवहन भत्ता, मकान किराया भत्ता, ओवरटाइम भत्ता आदि जैसे घटक शामिल नहीं हैं। हालाँकि निर्दिष्ट बहिष्करण कुल पारिश्रमिक के 50% से अधिक नहीं हो सकते हैं। इसका उद्देश्य यह सुनिश्चित करना है कि कंपनियाँ ऐसी मुआवजा संरचनाएँ न अपनाएँ जिसके परिणामस्वरूप कुल मुआवजे के 50% से कम मजदूरी कम हो जाए।
- सभी कर्मचारी जिनका वेतन एक निश्चित मासिक राशि (केंद्र या राज्य सरकार द्वारा अधिसूचित) से अधिक नहीं है, वे वार्षिक बोनस के हकदार होंगे। बोनस न्यूनतम वेतन या बोनस के भुगतान के लिए उपयुक्त सरकार द्वारा निर्धारित वेतन सीमा में से जो

भी अधिक हो, उस पर देय होगा। संहिता के तहत निर्धारित न्यूनतम बोनस 8.33 प्रतिशत है और देय अधिकतम बोनस वेतन का 20 प्रतिशत है।

- वेतन संवितरण की तिथि को महीने की 7 तारीख तक आगे बढ़ा दिया गया है।

न्यूनतम मजदूरी

(नए श्रम संहिता लागू होने के बाद इसमें बदलाव होगा)

- केंद्र सरकार ने राष्ट्रीय फ्लोर लेवल न्यूनतम मजदूरी (NFLMW) की घोषणा की है जो गैर-वैधानिक है लेकिन एक बेंचमार्क के रूप में कार्य करता है जो श्रमिकों के वेतन को बढ़ाता है। NFLMW सबसे कम वेतन पाने वाले श्रमिकों की सुरक्षा के लिए पारंपरिक फ्लोर वेज के रूप में काम नहीं करता है। वर्तमान में NFLMW 176 रुपए प्रतिदिन है।
- भारत 1948 में न्यूनतम मजदूरी अधिनियम के अधिनियमन के साथ न्यूनतम मजदूरी लागू करने वाले पहले विकासशील देशों में से एक था। यह अधिनियम नियमित और आकस्मिक दोनों तरह के श्रमिकों की सुरक्षा करता है। चयनित 'अनुसूचित' रोजगार में काम करने वाले कर्मचारियों के लिए न्यूनतम मजदूरी दरें केंद्र और राज्य दोनों सरकारों द्वारा निर्धारित की जाती हैं। कौशल स्तर, स्थान और व्यवसायों के अनुसार श्रमिकों की विभिन्न श्रेणियों के लिए न्यूनतम मजदूरी निर्धारित की गई है।
- **भारत में जटिल न्यूनतम मजदूरी प्रणाली**
  - जटिलता का पहला सेट इसके कवरेज से संबंधित मुद्दों से उत्पन्न होता है।
  - लगभग 429 अनुसूचित रोजगार और अकुशल श्रमिकों के लिए 1ए915 अनुसूचित नौकरी श्रेणियाँ हैं जिनके लिए न्यूनतम मजदूरी निर्धारित है।
  - जटिलताओं का दूसरा सेट न्यूनतम मजदूरी दर तय करने के लिए एक समान मानदंड की कमी से उत्पन्न होता है। कुछ राज्यों में न्यूनतम मजदूरी एक परिवर्तनीय महँगाई भत्ते (वीडीए) के माध्यम से जीवन-यापन की लागत से जुड़ी हुई है, जबकि अन्य राज्यों में वीडीए घटक शामिल नहीं है।
  - जटिलताओं का तीसरा सेट इस तथ्य से उत्पन्न होता है कि न्यूनतम मजदूरी अधिनियम सभी मजदूरी श्रमिकों को शमिल नहीं करता है। भारत में हर तीन में से एक मजदूरी कर्मचारी न्यूनतम मजदूरी कानून द्वारा संरक्षित नहीं है। कुछ प्रमुख कमजोर श्रेणियाँ - जैसे घरेलू कामगार - वर्तमान में केवल 18 राज्यों और केंद्र-शासित प्रदेशों में ही अनुपालित की जाती हैं।
- राज्यों में न्यूनतम मजदूरी के विभिन्न स्तरों को जारी रखने का मुख्य औचित्य यह है कि वे आर्थिक विकास के विभिन्न स्तरों को दर्शाते हैं। न्यूनतम मजदूरी दरों और अनुसूचित रोजगारों का प्रसार अनुपालन के लिए एक मजबूत बाधा है।
- न्यूनतम वेतन की प्रभावशीलता को बेहतर बनाने के लिए एक सरल प्रणाली जो अधिक से अधिक श्रमिकों को कवर करती हो, सभी को समझ में आती हो और आसानी से लागू की जा सकती हो, महत्त्वपूर्ण है। भारत की विकास कहानी निजी उपभोग से प्रेरित है। इसलिए, अनौपचारिक अर्थव्यवस्था में 90% से अधिक श्रमिकों के साथ, एक अच्छी तरह से डिजाइन की गई न्यूनतम वेतन प्रणाली आय में असमानताओं को कम कर सकती है, वेतन में लिंग अंतर को कम कर सकती है और गरीबी को कम कर सकती है।
- लेकिन न्यूनतम दर को बहुत ऊँचे स्तर पर रखने से भारत में श्रम आधारित उद्योगों में निवेश को नुकसान हो सकता है क्योंकि भारत सस्ते श्रम के मामले में प्रतिस्पर्धात्मकता खो देगा।

2. व्यावसायिक सुरक्षा, स्वास्थ्य और कार्य स्थिति संहिता, 2020

इसने फैक्ट्रीज एक्ट 1948 सहित 13 पिछले अधिनियमों को प्रतिस्थापित (निरस्त) कर दिया है।

- संहिता कार्यस्थल सुरक्षा और कार्य स्थितियों के संबंध में नियोक्ता के कर्तव्यों से संबंधित है, तथा सभी कर्मचारियों के लिए रोजगार-पत्र जारी करना अनिवार्य बनाती है, यह एक ऐसा कदम है जो रोजगार के औपचारिकीकरण को बढ़ावा देगा।
- संहिता अवकाश और कार्य के घंटे निर्दिष्ट करती है (जो 8 घंटे तक सीमित है, तथा किसी भी ओवरटाइम के लिए श्रमिकों की सहमति की आवश्यकता होती है और वेतन दोगुना होना चाहिए), पर्याप्त प्रकाश व्यवस्था और वेंटिलेशन सहित स्वास्थ्य और सुरक्षा मानदंडों की आवश्यकता होती है तथा पुरुष, महिला और ट्रांसजेंडर कर्मचारियों के लिए अलग-अलग शौचालय जैसी अन्य कल्याणकारी सुविधाएँ भी शामिल हैं।
- एक विनिर्माण इकाई को कारखाना माना जाएगा यदि उसमें 20 श्रमिक कार्यरत हैं (और बिजली का उपयोग करते हैं) या 40 श्रमिक (बिजली का उपयोग किए बिना) कार्यरत हैं ।
- राज्य सरकार जनहित में, आर्थिक गतिविधि और रोजगार सृजन को बढ़ाने के हित में किसी भी नए औद्योगिक प्रतिष्ठान को संहिता के "सभी या किसी भी प्रावधान" से छूट दे सकती है।
- सभी प्रतिष्ठानों में सभी प्रकार के कार्यों के लिए और रात्रि पाली में महिलाओं को रोजगार की अनुमति दी गई है, बशर्ते कि उनकी सहमति हो और नियोक्ताओं को पर्याप्त सुरक्षा उपाय प्रदान करने की अनिवार्यता होती है। इससे लैंगिक समानता को बढ़ावा मिलेगा।

3. सामाजिक सुरक्षा संहिता, 2020

इसने 9 पिछले अधिनियमों को प्रतिस्थापित (निरस्त) किया है।

- संहिता देश के सभी कर्मचारियों और श्रमिकों (लगभग 52 करोड़) को सामाजिक सुरक्षा लाभ प्रदान करने का प्रस्ताव करती है, जिसमें असंगठित क्षेत्र के कर्मचारी भी शामिल हैं, जिससे सामाजिक सुरक्षा का सार्वभौमिकरण होगा।
- रोजगार के उभरते नए रूपों को पूरा करने के लिए, एग्रीगेटर, गिग वर्कर, प्लेटफॉर्म वर्कर जैसी नई परिभाषाएँ पेश की गई हैं। गिग और प्लेटफॉर्म वर्करों को देय पाँच प्रतिशत की सीमा के अधीन टर्नओवर के एक से दो प्रतिशत के बीच एग्रीगेटर से एक छोटा-सा योगदान देने का प्रावधान है।
- मृत्यु और दुर्घटना बीमा, मातृत्व लाभ और पेंशन कवर जैसे लाभों को देश के 50 करोड़ से अधिक कार्यबल के सभी 90% (मूल रूप से अनौपचारिक) लोगों तक पहुँचाने के लिए सामाजिक सुरक्षा योजनाओं को निधि देने के लिए **'सामाजिक सुरक्षा कोष'** बनाया जाएगा, जो अब तक किसी भी प्रकार के सामाजिक सुरक्षा कवर के अंतर्गत नहीं आते हैं।
- असंगठित क्षेत्र के कामगारों, गिग कामगारों, प्लेटफॉर्म कामगारों और यहाँ तक कि स्वरोजगार करने वालों और उनके परिवार के सदस्यों को लाभ प्रदान करने के लिए योजना बनाई जाएगी। प्रतिष्ठानों को स्वैच्छिक आधार पर कर्मचारी भविष्य निधि संगठन (ईपीएफओ) और कर्मचारी राज्य बीमा निगम (ईएसआईसी) में शामिल होने की अनुमति दी जाएगी, भले ही उनके पास कम कर्मचारी हों (यदि वे बिजली का उपयोग करते हैं तो 20 से कम या यदि वे बिजली का उपयोग नहीं करते हैं तो 40 से कम)।
- ईपीएफओ कवरेज 20 कर्मचारियों वाले सभी प्रतिष्ठानों पर लागू होगा। पहले यह केवल प्रासंगिक अनुसूची में शामिल प्रतिष्ठानों पर लागू था।

4. औद्योगिक संबंध संहिता, 2020

नया अधिनियम निम्नलिखित पिछले अधिनियमों की जगह लेता है (कुछ प्रावधान संहिता के प्रभावी होने पर निरस्त कर दिए जाएँगे और कुछ प्रावधान भविष्य में निरस्त किए जा सकते हैं):

- ट्रेड यूनियन अधिनियम, 1926
- *औद्योगिक रोजगार अधिनियम, 1946*
- औद्योगिक विवाद अधिनियम, 1947
- फर्मों का एक बहुत बड़ा हिस्सा - जिनके पास **300** तक कर्मचारी हैं (पहले 100 के बजाय) वे बिना सरकार की पूर्व अनुमति के बंद करने और छँटनी

का सहारा ले सकेंगे। और राज्य सरकारों को सिर्फ एक **अधिसूचना** के जरिए इस 300 सीमा को बढ़ाने का अधिकार है।

- 300 से ज्यादा कर्मचारियों वाली कंपनियों को किसी भी कर्मचारी को निकालने के लिए मंजूरी के लिए आवेदन करना होगा, लेकिन अगर अधिकारी उनके अनुरोध का जवाब नहीं देते हैं, तो इसे **मंजूरी** माना जाएगा।
- केंद्र या राज्य सरकार जनहित में किसी भी (मौजूदा या नए) औद्योगिक प्रतिष्ठान को संहिता के "सभी या किसी भी प्रावधान" से एक निश्चित अवधि के लिए छूट दे सकती है।
- संहिता किसी भी मुख्य गतिविधि में ठेका श्रमिकों के रोजगार पर **रोक लगाती** है, और विशेष रूप से केंटीन, सुरक्षा और स्वच्छता सेवाओं सहित गैर-मुख्य गतिविधियों की एक निर्दिष्ट सूची में रोजगार की अनुमति देती है।
- निश्चित अवधि के रोजगार को सभी उद्योगों के लिए लागू किया गया है, जो उन व्यवसायों की मदद करेगा जो गतिविधियों में मौसमी उछाल/परिवर्तन देखते हैं।
- हड़ताल और तालाबंदी के लिए अनिवार्य 14-दिवसीय नोटिस की आवश्यकता अब सभी इकाइयों पर लागू होगी, जो पहले केवल सार्वजनिक उपयोगिता फर्मों के लिए थी।
- हड़ताल की परिभाषा में संशोधन करके इसके दायरे में 'सामूहिक आकस्मिक अवकाश' को शामिल किया गया है। 50% या उससे अधिक श्रमिकों द्वारा एक निश्चित दिन पर सामूहिक आकस्मिक अवकाश को हड़ताल माना जाएगा।
- ट्रेड यूनियनों के प्रसार पर अंकुश लगाया जाएगा, क्योंकि केवल उन्हीं यूनियनों को प्रबंधन के साथ शर्तों पर बातचीत करने का अधिकार होगा, जिन्हें संबंधित इकाई के मस्टर रोल पर **51% से अधिक** श्रमिकों का समर्थन प्राप्त होगा।
- विवादों को बातचीत के माध्यम से सुलझाने को प्रोत्साहित करता है।

श्रम कानूनों के पक्ष में तर्क

- नए श्रम कोड बदलते समय और बदलती आवश्यकताओं की माँग थे क्योंकि कुछ श्रम कानून स्वतंत्रता प्राप्ति से पूर्व के हैं। यह श्रम कल्याण और उद्योग कल्याण के बीच संतुलन बनाता है।
- श्रम कानूनों को सरल बनाएगा और व्यापार करने के लिए अनुकूल माहौल सुनिश्चित करेगा जो देश को बहुत जरूरी आर्थिक विकास लाने में बहुत मदद करेगा और रोजगार सृजन में मदद करेगा।
- निवेश को बढ़ावा देगा और देश में सामंजस्यपूर्ण औद्योगिक संबंध बनाएगा।
- छोटे उद्यमों को छूट के रूप में, व्यावसायिक सुरक्षा संहिता (जो सुरक्षा मानकों और अधिकतम कार्य घंटों को निर्धारित करती है) छोटे प्रतिष्ठानों को इसके दायरे से छूट देती है।
- श्रम मुद्दा संविधान की समवर्ती सूची में है और इसलिए राज्यों को श्रम कानूनों में बदलाव करने की छूट दी गई है क्योंकि वे निवेश के लिए कंपनियों को आकर्षित करना चाहते हैं। पिछले कानूनों में मौजूद कई आवश्यक विशेषताएं अब नए श्रम संहिताओं में निर्दिष्ट नहीं हैं, बल्कि उन्हें सरकार द्वारा नियमों के माध्यम से निर्धारित करने के लिए सौंप दिया गया है (उदाहरण के लिए छंटनी सीमा, सामाजिक सुरक्षा योजनाएँ, सुरक्षा मानक आदि)।
- श्रम सुधार को बनाने में दो दशक लगे। यह जटिलता और आंतरिक विरोधाभासों को काफी हद तक कम करता है, लचीलापन बढ़ाता है और सुरक्षा/कार्य स्थितियों पर विनियमों को आधुनिक बनाता है।

आलोचना

- नियोक्ताओं के पक्ष में है और औद्योगिक शांति पर प्रतिकूल प्रभाव डालेगा।
- श्रमिक की सौदेबाजी की शक्ति को कम किया गया है।
- कोड के प्रावधानों को छूट देने के लिए राज्यों को दी गई शक्ति से श्रमिकों के अधिकारों और सुरक्षा पर गंभीर प्रभाव पड़ सकता है।

श्रम कानूनों के मुख्य बिंदु

- उद्योगों को व्यवसाय करने और श्रमिकों को काम पर रखना और निकालना आसान करता है।
- निश्चित अवधि के रोजगार को बढ़ावा देते हुए औद्योगिक हड़तालों को कम करता है।
- ट्रेड यूनियनों के प्रभाव को कम करता है।
- अनुपालन में लागत और जटिलता को कम करता है।
- नौकरियों के औपचारिकीकरण की ओर ले जाता है जिसके परिणामस्वरूप कर्मचारियों के वेतन में वृद्धि होती है।
- न्यूनतम वेतन का सार्वभौमिकरण और इसे वैधानिक अधिकार बनाता है ।
- अनौपचारिक क्षेत्र के श्रमिकों को लाभ का विस्तार करके सामाजिक सुरक्षा का सार्वभौमिकरण करता है।

8.5 रोजगार के विभिन्न प्रकार (Different Types of Employments)

रोजगार के प्रकार

स्थायी | निश्चित/अवधि | अनुबंधित | गिग (अस्थायी)

1. स्थायी कर्मचारी:

स्थायी कर्मचारी वह कर्मचारी होता है जिसे किसी कंपनी के साथ अनिश्चितकालीन रोजगार अनुबंध के लिए रखा गया है और इसकी कोई निर्धारित समाप्ति तिथि नहीं है। स्थायी कर्मचारियों को आमतौर पर स्वास्थ्य बीमा, भुगतान किया गया अवकाश और सेवानिवृत्ति योजना जैसे लाभ मिलते हैं। उनसे आम तौर पर नियमित घंटे काम करने की उम्मीद की जाती है और वे नौकरी की सुरक्षा और कुछ कानूनी सुरक्षा के हकदार होते हैं। वे कंपनी के पेरोल पर होते हैं।

2. निश्चित अवधि रोजगार:

निश्चित अवधि रोजगार एक अनुबंध है जिसमें एक उद्यम एक निश्चित अवधि या एक विशिष्ट कार्य (उदाहरण के लिए एक परियोजना) के लिए एक श्रमिक को काम पर रखता है और भुगतान पहले से तय होता है और अवधि समाप्त होने तक इसमें कोई बदलाव नहीं किया जाता है। ऐसे अनुबंध नियमित नौकरियों के लिए नहीं दिए जाते हैं और आमतौर पर उन नौकरियों के लिए दिए जाते हैं जो अस्थायी प्रकृति की होती हैं। अवधि समाप्त होने के बाद कर्मचारी नौकरी छोड़ देगा और कर्मचारी को नौकरी से निकालने का कोई मामला नहीं होगा और उसे नियमित/स्थायी कर्मचारियों के सभी लाभ मिलेंगे। निश्चित अवधि के कर्मचारी कंपनी के पेरोल पर होते हैं।

निश्चित अवधि के रोजगार के सकारात्मक पहलू

- उद्योगों को रोजगार में लचीलापन मिलेगा और इससे औपचारिक क्षेत्र में अधिक रोजगार सृजन होगा।
- उद्योग ठेकेदार के माध्यम के बजाय सीधे निश्चित अवधि के लिए श्रमिकों को काम पर रख सकते हैं।
- नए अधिनियमित श्रम संहिताओं के अनुसार, निश्चित अवधि के रोजगार श्रमिकों को स्थायी कर्मचारी के बराबर वेतन और भत्ते मिलने चाहिए।
- निश्चित अवधि के रोजगार कर्मचारी पीएफ, ग्रेच्युटी, चिकित्सा बीमा जैसे सभी वैधानिक लाभों के लिए पात्र होंगे जो सेवा की अवधि के अनुसार एक स्थायी कर्मचारी को आनुपातिक रूप से उपलब्ध होते हैं।

निश्चित अवधि के रोजगार के नकारात्मक पहलू

"निश्चित अवधि के रोजगार" की शुरुआत के कारण, एक जोखिम है कि कंपनियाँ अपने स्थायी/नियमित कर्मचारियों को भी "निश्चित अवधि के रोजगार" में बदल सकती हैं क्योंकि "निश्चित अवधि" के श्रमिकों को काम पर रखने और निकालने का कोई मुद्दा नहीं होता है। निश्चित अवधि के श्रमिकों को कार्यकाल या कार्य समाप्त होने के बाद स्वचालित रूप से छोड़ना होगा और यदि कंपनी चाहती है कि वे अधिक समय तक रहें, तो कंपनियाँ हमेशा उनका कार्यकाल बढ़ा सकती हैं।

3. अनुबंधित कर्मचारी:

अनुबंधित कर्मचारियों को बाहरी एजेंसी यानी ठेकेदार के माध्यम से काम पर रखा जाता है (मूल रूप से ठेकेदार

के पास श्रमिकों का एक समूह होता है जिसे वे गैर-मुख्य गतिविधियों के लिए अनुबंध के आधार पर कंपनियों को प्रदान करते हैं), और कंपनी ठेकेदार/एजेंसी को मुआवजा देती है जो फिर अनुबंधित श्रमिकों को भुगतान अग्रेषित करती है। लेकिन बीच में, ठेकेदार एक मोटी रकम काट लेता है और कंपनियों द्वारा प्रदान किए गए सभी लाभों को अनुबंधित श्रमिकों को नहीं देता है। अनुबंधित श्रमिकों के मामले में, श्रमिक कंपनी के 'पेरोल'/कर्मचारी पर नहीं होता है, बल्कि ठेकेदार का कर्मचारी होता है।

4. गिग वर्करः

वे कर्मचारी जो काम करते हैं या काम की व्यवस्था में भाग लेते हैं और पारंपरिक नियोक्ता-कर्मचारी संबंध के बाहर ऐसी गतिविधियों से कमाते हैं, उन्हें गिग वर्कर कहा जाता है। गिग वर्कर को आगे **प्लेटफॉर्म** और **गैर-प्लेटफॉर्म** वर्कर के रूप में वर्गीकृत किया जा सकता है।

प्लेटफॉर्म गिग वर्कर डिजिटल प्लेटफॉर्म या ऑनलाइन सॉफ्टवेयर ऐप के माध्यम से काम करते हैं। प्लेटफॉर्म (गिग) वर्कर का एक उदाहरण 'उबर' कैब के ड्राइवर हैं। यहाँ उपभोक्ता कैब ड्राइवर से परिवहन सेवाएँ खरीद रहे हैं, इसके लिए वे 'उबर' को एक प्लेटफॉर्म के रूप में इस्तेमाल कर रहे हैं। इसलिए, 'उबर' प्लेटफॉर्म उपभोक्ताओं को कैब ड्राइवरों से जोड़ रहा है। उपभोक्ता 'उबर' से यात्रा सेवाएँ नहीं खरीद रहे हैं और 'उबर' को बस उपभोक्ताओं द्वारा कैब ड्राइवर को दिए जाने वाले भुगतान में से कुछ कमीशन (%) मिल रहा है।

गैर-प्लेटफॉर्म गिग वर्कर पारंपरिक क्षेत्रों में अंशकालिक या पूर्णकालिक रूप से आकस्मिक वेतन कर्मचारी या स्वयं के खाते वाले वर्कर (own-account workers) के रूप में काम करते हैं। गैर-प्लेटफॉर्म (गिग) वर्कर का एक उदाहरण एक संस्थान में पढ़ाने वाला एक स्वतंत्र शिक्षक होगा। इस व्यवस्था में, छात्र संस्थान से कोर्स खरीदेंगे, न कि शिक्षक से, संस्थान शिक्षक की सेवाएँ खरीद रहा है और शैक्षिक सेवाएँ तैयार कर रहा है और फिर उन्हें छात्रों को बेच रहा है। छात्र किसी भी प्लेटफॉर्म के माध्यम से शिक्षक से सीधे कोर्स नहीं खरीद रहे हैं। इस मामले में शिक्षक संस्थान का स्थायी कर्मचारी हो सकता है या प्रति घंटे के अनुबंध के आधार पर पढ़ा रहा हो सकता है। इसलिए, यदि शिक्षक अस्थायी अनुबंध पर प्रति घंटे के आधार पर पढ़ा रहा है, तो वह गिग-वर्कर होगा और वह कंपनी के पेरोल पर नहीं होगा और नियोक्ता द्वारा उसे कोई सामाजिक सुरक्षा लाभ भी नहीं मिलेगा। गैर-प्लेटफॉर्म गिग वर्कर के अन्य उदाहरण घरेलू कामगार (नौकरानियाँ), निर्माण श्रमिक हैं।

8.6 प्रवासी मजदूर (Migrant Labour)

2011 की जनगणना के अनुसार, उत्तर प्रदेश, बिहार, झारखंड, राजस्थान और मध्य प्रदेश राज्यों से 5.6 करोड़ प्रवासी मजदूर हैं जो देश के अधिक विकसित भागों में अनौपचारिक अनुबंध कार्य के लिए राज्य की सीमाओं को पार करते हैं। हालाँकि कोई आधिकारिक डेटा उपलब्ध नहीं है, लेकिन अनुमान है कि वर्तमान में कम से कम 10 करोड़ प्रवासी मजदूर हैं, जो भारत के सकल घरेलू उत्पाद का 10% हिस्सा हैं।

प्रवासी मजदूरों के सामने निम्नलिखित मुद्दे हैं

- उन्हें दूसरे दर्जे के नागरिक के रूप में माना जाता है।
- उचित आवास की कमी, जीवन स्तर का निम्न स्तर, कम वेतन, पहचान प्रमाण और अन्य दस्तावेजों की कमी के कारण राज्य द्वारा दी जाने वाली सेवाओं तक पहुँच न होना।
- आमतौर पर वे जिस जगह पर प्रवास करते हैं, वहाँ की भाषा बोलने में असमर्थ होते हैं, शायद ही कभी किसी संघ या सामाजिक आंदोलन द्वारा उनका प्रतिनिधित्व किया जाता है, उन्हें कभी-कभी नियोक्ताओं, सरकारी संस्थानों और अन्य श्रमिकों द्वारा भी परेशान किया जाता है।
- यह कमजोरी उन्हें अधिक आसानी से नियंत्रित, सस्ता और अनावश्यक बनाती है।
- किसानों के विपरीत, जो कई सरकारी योजनाओं से लाभान्वित होते हैं और ग्रामीण क्षेत्रों के मजदूर जो मनरेगा से लाभान्वित होते हैं - प्रवासी मजदूरों को कोई औपचारिक सरकारी सहायता नहीं मिलती है।

प्रवासी मजदूरों के हितों की रक्षा करने और उनके शोषण से बचने के लिए, अंतर-राज्यीय प्रवासी कामगार (रोजगार और

सेवा की शर्तों का विनियमन) अधिनियम, 1979 में पारित किया गया था, जिसे अब व्यावसायिक सुरक्षा, स्वास्थ्य और कार्य स्थिति संहिता, 2020 द्वारा प्रतिस्थापित किया गया है। नवीन संहिता, 2020 में प्रवासी मजदूरों के लिए निम्नलिखित विभिन्न विशेषताएँ/लाभ शामिल किए गए हैं:

- एक अंतर-राज्यीय प्रवासी श्रमिक को ऐसे व्यक्ति के रूप में परिभाषित किया गया है जो किसी अन्य राज्य में किसी प्रतिष्ठान में कार्यरत है और जिसका वेतन 18,000 रुपए/माह या केंद्र सरकार द्वारा अधिसूचित किसी भी उच्च राशि से अधिक नहीं है।
- केंद्र सरकार और राज्य सरकारें अंतर-राज्यीय प्रवासी श्रमिकों के लिए डेटाबेस/रिकॉर्ड बनाए रखेंगी।
- अंतर-राज्यीय प्रवासी श्रमिक के लिए काम की उपयुक्त परिस्थितियाँ सुनिश्चित करना ठेकेदार या नियोक्ता की जिम्मेदारी होगी।
- अंतर-राज्यीय प्रवासी श्रमिक को भविष्य निधि, बीमा, चिकित्सा जाँच आदि के संबंध में सभी लाभ प्रदान करना जो किसी अन्य श्रमिक को उपलब्ध हैं।
- नियोक्ता प्रत्येक अंतर-राज्यीय प्रवासी श्रमिक को प्रत्येक वर्ष उसके रोजगार के स्थान से उसके मूल स्थान तक आने-जाने के लिए एकमुश्त किराया देगा।
- सरकार अंतर-राज्यीय प्रवासी श्रमिक को उसके मूल राज्य या जहाँ वह कार्यरत है, वहाँ सार्वजनिक वितरण प्रणाली का लाभ उठाने का विकल्प प्रदान करने के लिए योजना बनाएगी।

8.7 कर्मचारी भविष्य निधि संगठन (Employees Provident Fund Organisation-EPFO)

कर्मचारी भविष्य निधि संगठन (ईपीएफओ) कर्मचारी भविष्य निधि और विविध प्रावधान अधिनियम, 1952 के तहत स्थापित एक वैधानिक निकाय है और यह भारत सरकार के श्रम और रोजगार मंत्रालय के प्रशासनिक नियंत्रण में है। ईपीएफओ दो योजनाएँ प्रदान करता है:

1. कर्मचारी भविष्य निधि (ईपीएफ)
2. कर्मचारी पेंशन योजना (ईपीएस)।

कर्मचारी भविष्य निधि (ईपीएफ) योजना

- कर्मचारी भविष्य निधि (ईपीएफ) कर्मचारी भविष्य निधि और विविध प्रावधान अधिनियम, 1952 के तहत एक योजना है और ईपीएफओ के दायरे में विनियमित है। मूल रूप से, यह एक सामाजिक सुरक्षा योजना है।
- यदि किसी प्रतिष्ठान (कारखाना या सेवा उद्योग) में 20 से अधिक कर्मचारी हैं तो ईपीएफओ के साथ पंजीकरण कराना अनिवार्य है। लेकिन ऐसे पंजीकृत (ईपीएफओ के साथ) प्रतिष्ठान में काम करने वाले सभी कर्मचारियों को ईपीएफ योजना की सदस्यता लेने की आवश्यकता नहीं है। केवल वे कर्मचारी जिनका वेतन 15000 रुपए तक है, उन्हें अपने मूल वेतन (महँगाई भत्ते सहित) का 12% इस योजना में योगदान करने की आवश्यकता है और नियोक्ता द्वारा भी उतनी ही राशि का योगदान दिया जाता है। 15000 रुपए से अधिक कमाने वाले अन्य कर्मचारियों के लिए यह स्वैच्छिक है।

कर्मचारी पेंशन योजना (ईपीएस) 1995

- कर्मचारी भविष्य निधि और विविध प्रावधान अधिनियम, 1952 में मूल रूप से किसी पेंशन योजना का प्रावधान नहीं था। 1995 में, एक संशोधन के माध्यम से, कर्मचारियों की पेंशन (मौजूदा और नए ईपीएफ सदस्यों) के लिए एक योजना तैयार की गई, जिसमें पेंशन फंड में नियोक्ता के योगदान का 8.33 प्रतिशत जमा होना था, जिसे भविष्य निधि (ईपीएफ) कोष में किया जाना था। उस समय, अधिकतम पेंशन योग्य वेतन 5,000 रुपए प्रति माह था, जिसे बाद में बढ़ाकर 6,500 रुपए कर दिया गया।
- कर्मचारी और नियोक्ता दोनों कर्मचारी के मूल वेतन और महँगाई भत्ते का 12 प्रतिशत ईपीएफ में योगदान करते हैं। कर्मचारी का पूरा हिस्सा ईपीएफ में जाता है, जबकि नियोक्ता द्वारा किया गया 12 प्रतिशत योगदान ईपीएफ में 3.67 प्रतिशत और ईपीएस में 8.33 प्रतिशत योगदान के रूप में विभाजित किया जाता है। इसके अलावा, भारत सरकार कर्मचारी की पेंशन के लिए 1.16 प्रतिशत का योगदान भी करती है। कर्मचारी पेंशन योजना में योगदान नहीं करते हैं।

- ईपीएफ पेंशन जिसे तकनीकी रूप से ईपीएस (कर्मचारी पेंशन योजना) के रूप में जाना जाता है, ईपीएफओ द्वारा प्रदान की जाने वाली एक सामाजिक सुरक्षा योजना है। यह योजना संगठित क्षेत्र में काम करने वाले कर्मचारियों के लिए 58 वर्ष की आयु में उनकी सेवानिवृत्ति के बाद पेंशन का प्रावधान करती है।

8.8 राष्ट्रीय/नई पेंशन प्रणाली (National/New Pension System-NPS)

- राष्ट्रीय पेंशन प्रणाली (NPS) भारत सरकार द्वारा भारत के नागरिकों को वृद्धावस्था सुरक्षा प्रदान करने के लिए शुरू की गई एक पेंशन सह-निवेश योजना है। इस योजना को पीएफआरडीए अधिनियम, 2013 के तहत स्थापित पेंशन फंड नियामक और विकास प्राधिकरण (पीएफआरडीए) द्वारा प्रशासित और विनियमित किया जाता है। पीएफआरडीए द्वारा स्थापित राष्ट्रीय पेंशन प्रणाली ट्रस्ट (NPST) एनपीएस के तहत सभी परिसंपत्तियों का पंजीकृत स्वामी है।
- **एनपीएस को मुख्यतः** दो श्रेणियों में वर्गीकृत किया गया है:

1. सरकारी क्षेत्र

(a) **केंद्र सरकार:** केंद्र सरकार ने 1 जनवरी, 2004 से राष्ट्रीय पेंशन प्रणाली (एनपीएस) शुरू की थी **(सशस्त्र बलों को छोड़कर)**। केंद्रीय स्वायत्त निकायों (सीएबी) के सभी कर्मचारी जो उपर्युक्त तिथि को या उसके बाद शामिल हुए हैं, वे भी एनपीएस के सरकारी क्षेत्र के अंतर्गत आते हैं। केंद्र सरकार/सीएबी कर्मचारी नियोक्ता से मिलान योगदान के साथ मासिक वेतन से पेंशन के लिए योगदान करते हैं। एनपीएस केंद्र सरकार और सीएबी कर्मचारियों के लिए **अनिवार्य है**।

सरकारी कर्मचारी अपने वेतन के 10% की दर से मासिक योगदान करते हैं और केंद्र सरकार द्वारा मिलान योगदान का भुगतान किया जाता है। केंद्र सरकार के कर्मचारियों के लिए, **नियोक्ता** की अंशदान दर 01.04.2019 से बढ़ाकर **14%** कर दी गई है।

(b) **राज्य सरकार:** कोई भी राज्य सरकार और उसके स्वायत्त निकाय भी एनपीएस को अपना सकते हैं। राज्य सरकार/राज्य स्वायत्त निकायों के कर्मचारी भी नियोक्ता के योगदान के साथ मासिक वेतन से पेंशन के लिए योगदान करते हैं। (पश्चिम बंगाल और तमिलनाडु इसमें शामिल नहीं हुए हैं और अब राजस्थान और छत्तीसगढ़ ने इससे बाहर निकलने का फैसला किया है)

2. निजी क्षेत्र

(a) **कॉर्पोरेट:** कंपनियाँ अपने कर्मचारियों के लिए रोजगार की शर्तों के अनुसार अंशदान दरों के साथ एनपीएस को **अपना सकती** हैं।

(b) **भारत के सभी नागरिक:** कोई भी व्यक्ति (18-70 वर्ष की आयु के बीच) जो उपरोक्त किसी भी क्षेत्र से आच्छादित (covered) नहीं है, उसे 01 मई, 2009 से **स्वैच्छिक** आधार पर एनपीएस में शामिल होने की अनुमति दी गई है।

- एनआरआई को भी एनपीएस खाता खोलने की अनुमति दी गई है।
- एनपीएस के तहत कर लाभ हैं, लेकिन यहाँ हमें इस तरह के विस्तार में जाने की आवश्यकता नहीं है।
- एनपीएस खाता केवल व्यक्तिगत क्षमता में खोला जा सकता है, संयुक्त रूप से नहीं।

नई पेंशन योजना (एनपीएस) और पुरानी पेंशन योजना (ओपीएस) के बीच तुलना इस प्रकार है:

नई पेंशन योजना (एनपीएस)	पुरानी पेंशन योजना (ओपीएस)
• एनपीएस में, सरकार द्वारा नियोजित लोग अपने वेतन (मूल और महँगाई भत्ता) का 10 प्रतिशत योगदान करते हैं, जबकि उनके नियोक्ता 14 प्रतिशत योगदान करते हैं।	• ओपीएस में, सेवानिवृत्ति पर, कर्मचारियों को उनके अंतिम आहरित वेतन (मूल और महँगाई भत्ता) का 50 प्रतिशत या सेवा के अंतिम दस महीनों में उनकी औसत कमाई, जो भी उनके लिए अधिक फायदेमंद हो, प्राप्त होती है।
• निजी क्षेत्र के कर्मचारी भी स्वैच्छिक रूप से एनपीएस में भाग ले सकते हैं और उनके नियोक्ता का योगदान वैकल्पिक है।	• कर्मचारी द्वारा दस साल की सेवा की अनिवार्यता पूरी की जानी चाहिए।
• सेवानिवृत्ति के समय, कर्मचारियों को संचित कोष के न्यूनतम 40% के साथ मासिक पेंशन के लिए वार्षिकी योजना खरीदने की आवश्यकता होती है। कर्मचारी शेष कोष (60%) को एकमुश्त निकाल सकता है।	• ओपीएस के तहत, कर्मचारियों को अपनी पेंशन में कुछ भी योगदान करने की आवश्यकता नहीं है।
• एनपीएस में, ग्राहक के पास बहुत अधिक लचीलापन होता है और उसे अपने भाग्य पर अधिक नियंत्रण की भावना होती है क्योंकि ग्राहक फंड मैनेजर चुन सकते हैं और साथ ही वे इक्विटी और डेट में निवेश किए गए फंड का प्रतिशत तय कर सकते हैं।	• ओपीएस सरकारी नौकरी लेने के लिए एक प्रमुख प्रोत्साहन था क्योंकि बिना किसी योगदान के सेवानिवृत्ति के बाद पेंशन की गारंटी थी।
• एनपीएस के तहत, परिपक्वता के समय फंड का मूल्य जो भी हो, आप अधिकतम राशि निकाल सकते हैं। 60% एक बार (एकमुश्त) और बाकी 40% के लिए आपको एन्युटी खरीदनी होगी। 60% एकमुश्त राशि कर से मुक्त है। 40% फंड भी तब कर से मुक्त है जब आप प्राप्त करते हैं, लेकिन एन्युटी आय जो आपको सालाना (एन्युटी खरीद से) मिलती है, आयकर स्लैब दर के अनुसार कर योग्य है।	• जीवन प्रत्याशा में वृद्धि के कारण ओपीएस सरकारों के लिए अरक्षणीय हो गया। • OPS के तहत, मासिक पेंशन आयकर स्लैब दर के अनुसार कर योग्य है।

8.9 अनौपचारिक और औपचारिक अर्थव्यवस्था (Informal and Formal Economy)

असंगठित/अनौपचारिक और संगठित/औपचारिक क्षेत्र की परिभाषाओं में भिन्नता है जो कानूनी स्थिति, रोजगार के आकार, संगठनात्मक रूप और प्रौद्योगिकी जैसी विशेषताओं में अंतर के आधार पर इन दोनों क्षेत्रों में सीमाएँ खींचने का प्रयास करती हैं। लेकिन सामान्य तौर पर, अनौपचारिक/असंगठित क्षेत्र को अर्थव्यवस्था के उस हिस्से के रूप में परिभाषित किया जाता है जो न तो पंजीकृत है, न ही उन पर कर लगाया जाता है और न ही सरकार द्वारा किसी भी प्रकार की निगरानी की जाती है या कभी-कभी 10 से भी कम कर्मचारी होते हैं।

भारत में पिछले कुछ वर्षों में, अनौपचारिक या असंगठित श्रेणी से संबंधित उद्यमों की संख्या ने रोजगार के मामले में काफी महत्त्व की स्थिति बनाए रखी है (52 करोड़ की कुल श्रम शक्ति का 90% से अधिक अनौपचारिक क्षेत्र में कार्यरत है) और उन्होंने भारत के कुल उत्पादन/जीडीपी में 30% से अधिक का योगदान दिया है। अनौपचारिक क्षेत्र के रोजगार में प्रमुख हिस्सेदारी रखने वाले उप-क्षेत्र विनिर्माण, निर्माण और व्यापार (थोक और खुदरा) हैं। असंगठित क्षेत्र का एक बड़ा हिस्सा 'स्वयं खाता उद्यम' (OAEs & own account enterprises) या वे हैं जो नियमित आधार पर किसी भी किराये के श्रमिक को रोजगार नहीं देते हैं और आमतौर पर घरेलू परिसर में स्थित 'घरेलू इकाइयाँ' या निश्चित स्थान के बिना इकाइयाँ होती हैं जैसे कि सड़क विक्रेताओं या मोबाइल बाजारों में की जाने वाली गतिविधियां।

1990 के दशक की शुरुआत में किए गए सुधारों के परिणामस्वरूप भारतीय विनिर्माण क्षेत्र में प्रतिस्पर्धात्मक दबाव बढ़ गया, जिसमें अधिकांश उद्योगों के लिए लाइसेंसिंग आवश्यकताओं को समाप्त कर दिया गया और अंतर्राष्ट्रीय व्यापार और विदेशी निवेश को उदार बनाया गया। हालाँकि, श्रम बाजारों के विनियमन को काफी हद तक अछूता छोड़ दिया गया और यह औपचारिक और अनौपचारिक क्षेत्र के बीच एक महत्त्वपूर्ण अंतर है। लागत में कटौती और लचीलेपन को बढ़ाने का दबाव, साथ ही केवल औपचारिक उद्यमों को प्रभावित करने वाले सख्त श्रम कानून, औपचारिक उद्यमों के लिए अनौपचारिक क्षेत्र को गतिविधियों को उप-अनुबंधित करने के लिए स्पष्ट प्रोत्साहन बनाते हैं और इस प्रकार अधिक से अधिक लोगों को अनौपचारिक क्षेत्रों में धकेलते हैं। औपचारिक क्षेत्र में रोजगार के अवसरों की अनुपस्थिति एक बड़ी अनौपचारिक अर्थव्यवस्था का कारण बताती है। चूँकि भारतीय कृषि आवश्यक अवसर प्रदान नहीं करती है, इसलिए लोग बहुत कम आय के साथ गैर-कृषि अनौपचारिक अर्थव्यवस्था में काम करने के लिए कुछ काम ढूँढते हैं।

एक बड़ी अनौपचारिक अर्थव्यवस्था मौजूद है क्योंकि कम मजदूरी इसे विनिर्माण, निर्माण और व्यापार के माध्यम से अलग-अलग गैर-कृषि गतिविधियों की मेजबानी में औपचारिक क्षेत्र के साथ प्रतिस्पर्धा करने की अनुमति देती है। असंगठित इकाइयों और अनौपचारिक रोजगार के प्रसार का एक और कारण कई ऐसे क्षेत्र हो सकते हैं जहाँ अनौपचारिक क्षेत्र न केवल औपचारिक क्षेत्र के साथ प्रतिस्पर्धा में है, बल्कि वास्तव में यह इसकी आवश्यकताओं को भी पूरा करता है और इस प्रक्रिया में अनौपचारिक अर्थव्यवस्था में कम मजदूरी औपचारिक क्षेत्र में लाभ को बनाए रखने में मदद करती है।

औपचारिक क्षेत्र की फर्में अपने अनौपचारिक समकक्षों की तुलना में **बहुत अधिक उत्पादक** हैं। अनौपचारिक इकाइयों की कम उत्पादकता का कारण वित्तीय संसाधनों, तकनीकी विशेषज्ञता, पेशेवर प्रबंधन आदि की कमी है, जिसके परिणामस्वरूप अनौपचारिक क्षेत्रों में कम मजदूरी मिलती है। यह श्रमिकों की समग्र प्रगति में बाधा डालता है क्योंकि वे अपने कौशल को उन्नत करने में सक्षम नहीं होते हैं और अपने जीवनभर एक ही तरह के काम में फँसे रहते हैं और बेसहारा रहते हैं। अगर हम वास्तव में चाहते हैं कि गरीबों की स्थिति में सुधार हो और हम समावेशी विकास हासिल कर सकें तो उन्हें औपचारिक रोजगार में लाया जाना चाहिए।

8.10 बेरोजगारी और उसके प्रकार (Unemployment and its Types)

देश की पूरी आबादी को 'श्रम शक्ति' और 'श्रम शक्ति में नहीं' में वर्गीकृत किया जा सकता है। श्रम शक्ति में नहीं का मतलब है वह आबादी जो काम नहीं कर सकती जैसे बच्चे और बुजुर्ग या जो घर संभाल रहे हैं या कोई और व्यक्ति जो किसी काम में दिलचस्पी नहीं रखता। श्रम शक्ति का मतलब है वह आबादी जो या तो रोजगार में है या जो बेरोजगार है यानी जो रोजगार में नहीं है लेकिन सक्रिय रूप से नौकरी की तलाश में है। अर्थशास्त्री बेरोजगार व्यक्ति को ऐसे व्यक्ति के रूप में परिभाषित करते हैं जो आधे दिन में एक घंटे का भी रोजगार नहीं पा पाता। बेरोजगारी को बेरोजगार लोगों की संख्या और श्रम शक्ति के प्रतिशत के रूप में संदर्भित किया जाता है।

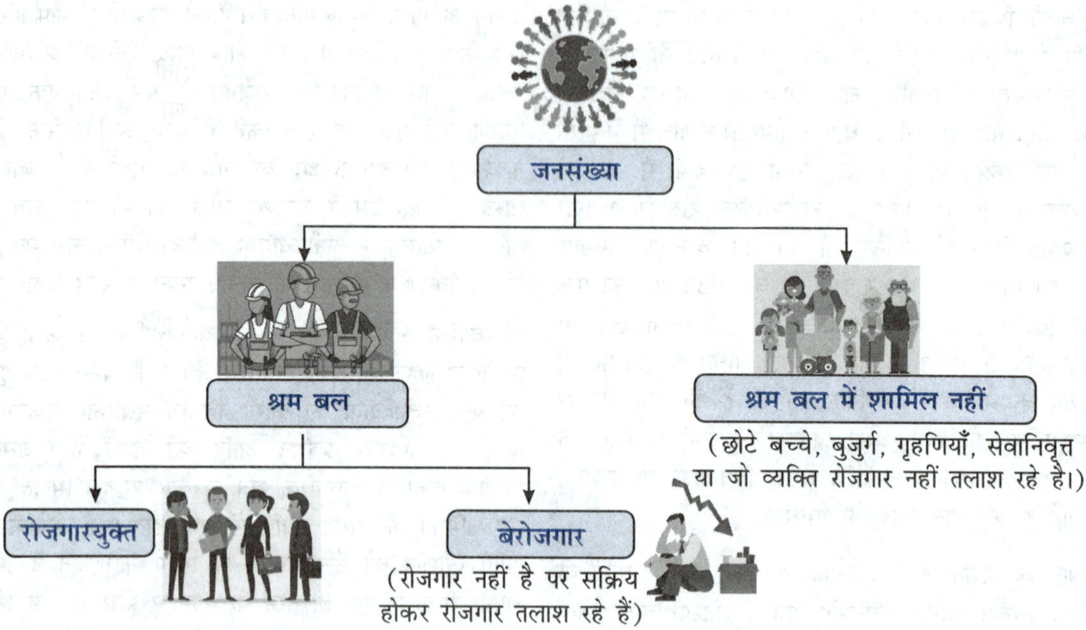

$$\text{बेरोजगारी\%} = \frac{\text{बेरोजगार लोग}}{\text{श्रम बल}} \times 100\%$$

बेरोजगारी के बारे में आँकड़ों के विभिन्न स्रोत हैं:

- भारत की जनगणना की रिपोर्ट।
- राष्ट्रीय सांख्यिकी कार्यालय (NSO) द्वारा किया गया आवधिक श्रम बल सर्वेक्षण (PLFS)।
- रोजगार और प्रशिक्षण महानिदेशालय रोजगार कार्यालयों (श्रम और रोजगार मंत्रालय के अधीन) में पंजीकरण का डेटा।

बेरोजगारी के विभिन्न प्रकार

1. **संरचनात्मक बेरोजगारी:** अर्थव्यवस्था में मूलभूत बदलावों के कारण बेरोजगारी का एक लंबे समय तक चलने वाला रूप। संरचनात्मक बेरोजगारी कई कारणों से होती है - कामगारों के पास अपेक्षित नौकरी कौशल की कमी, सरकारी नीति में बदलाव या तकनीक में बदलाव, या वे उन क्षेत्रों से दूर रहते हैं जहाँ नौकरियाँ उपलब्ध हैं लेकिन वे वहाँ जाने में असमर्थ हैं या मौजूदा वेतन स्तर बहुत कम होने के कारण काम करने के लिए तैयार नहीं हैं। इसलिए, जबकि नौकरियाँ उपलब्ध हैं, कंपनियों की जरूरतों और कर्मचारियों की पेशकश के बीच एक गंभीर बेमेल है।

संरचनात्मक बेरोजगारी तब होती है जब नौकरियाँ उपलब्ध होती हैं और लोग काम करने के लिए तैयार होते हैं, लेकिन रिक्त नौकरियों को भरने के लिए पर्याप्त संख्या में योग्य लोग नहीं होते हैं। दूसरे शब्दों में, नियोक्ता न तो पर्याप्त कर्मचारी ढूँढ पाते हैं और न ही कर्मचारी ऐसी नौकरियाँ ढूँढ पाते हैं जिसके लिए वे योग्य हों। संरचनात्मक बेरोजगारी अक्सर तब होती है जब अर्थव्यवस्था में बदलाव के साथ विशिष्ट प्रकार के श्रम की माँग में बदलाव होता है।

उदाहरण: पहले लोग कपड़ा बनाने के लिए हाथ से चलने वाले करघों का इस्तेमाल करते थे। कई बुनकर इन हाथ से चलने वाले करघों के इस्तेमाल से कपड़ा बनाते थे। औद्योगिक क्रांति आई और ऐसी मशीनें बनाई गई जो बिना किसी कुशल बुनकर के इस्तेमाल के कपड़ा बुन सकती थीं। अचानक, बुनकर बेरोजगार हो गए और उनके कौशल बाजार की जरूरतों से मेल नहीं खाते।

2. **चक्रीय बेरोजगारी:** इस प्रकार की बेरोजगारी व्यापार चक्र में चक्रीय प्रवृत्तियों के कारण होती है। जब व्यापार चक्र अपने चरम पर होते हैं, तो चक्रीय बेरोजगारी कम होगी क्योंकि आर्थिक गतिविधि अधिक होती है। जब आर्थिक उत्पादन (जीडीपी) गिरता है, तो व्यापार चक्र कम होता है और चक्रीय बेरोजगारी बढ़ जाती है। चक्रीय बेरोजगारी इसलिए पैदा होती है क्योंकि व्यापार चक्र में गिरावट के कारण श्रम की कुल माँग में गिरावट आती है।

3. **घर्षणात्मक बेरोजगारी:** इस तरह की बेरोजगारी लोगों के नौकरी, करियर या स्थान के बीच आने-जाने या लोगों के श्रम बल में प्रवेश करने और बाहर निकलने या श्रमिकों और नियोक्ताओं के बीच असंगत या अधूरी जानकारी होने के कारण पैदा होती है। बहुत-से लोग पहले नौकरी छोड़ते हैं और फिर अपनी पसंद के अनुसार नई नौकरी खोजने की कोशिश करते हैं और इस प्रक्रिया में नई नौकरी के लिए आवेदन करने और नियोक्ताओं को चयन करने में कुछ समय लगता है और इसलिए वे इस संक्रमण अवधि के लिए बेरोजगार रहते हैं। यही कारण है कि घर्षणात्मक बेरोजगारी को संक्रमणकालीन बेरोजगारी भी कहा जाता है और यह अर्थव्यवस्था में हमेशा मौजूद रहती है। घर्षणात्मक बेरोजगारी तब भी हो सकती है जब कोई अर्थव्यवस्था **पूर्ण रोजगार** पर हो - जहाँ कोई भी व्यक्ति जो प्रचलित मजदूरी पर काम करने को तैयार है, वास्तव में, कार्यरत है।

4. **मौसमी बेरोजगारी:** मौसमी बेरोजगारी तब होती है जब लोग साल के कुछ समय में बेरोजगार होते हैं, क्योंकि वे ऐसे उद्योगों में काम करते हैं जहाँ पूरे साल उनकी जरूरत नहीं होती है। ऐसे उद्योगों के उदाहरण जहाँ माँग, उत्पादन और रोजगार मौसमी हैं, उनमें पर्यटन और अवकाश, खेती, चीनी कारखाने आदि शामिल हैं।

5. **छिपी हुई बेरोजगारी:** छिपी हुई बेरोजगारी तब होती है जब श्रम शक्ति का एक हिस्सा या तो बिना काम के रह जाता है या अनावश्यक तरीके से काम करता है। इस तरह की बेरोजगारी के तहत, श्रम की कुल उत्पादकता बहुत कम होती है और श्रम की सीमांत उत्पादकता शून्य होती है। छिपी हुई/गुप्त बेरोजगारी अक्सर विकासशील देशों में होती है, जिनकी बड़ी आबादी श्रम शक्ति में अधिशेष पैदा करती है। भारत में, कृषि क्षेत्र इस तरह की बेरोजगारी का सामना कर रहा है।

6. **मुक्त बेरोजगारी:** कई शहरों में, आप कुछ चुनिंदा इलाकों में लोगों को काम के लिए लोगों की तलाश में खड़े पाएँगे। कुछ लोग कारखानों और दफ्तरों में जाकर अपना बायोडाटा देकर नौकरी माँगते हैं, लेकिन जब काम नहीं मिलता तो घर पर ही रहते हैं। कुछ लोग रोजगार कार्यालयों में जाकर रोजगार कार्यालयों के जरिए अधिसूचित रिक्तियों के लिए खुद को पंजीकृत कराते हैं। खुली बेरोजगारी एक ऐसी स्थिति है जिसमें वे सभी लोग जो काम की कमी के कारण काम नहीं कर रहे हैं, लेकिन या तो रोजगार कार्यालयों, बिचौलियों, दोस्तों या रिश्तेदारों के जरिए काम की तलाश करते हैं या संभावित नियोक्ताओं को आवेदन देकर या काम और पारिश्रमिक की मौजूदा स्थिति के तहत काम करने की इच्छा व्यक्त करते हैं। इस तरह की बेरोजगारी समाज में साफतौर पर दिखाई देती है।

राष्ट्रीय सांख्यिकी कार्यालय (NSO) द्वारा आवधिक श्रम बल सर्वेक्षण (PLFS) के माध्यम से बेरोजगारी के आंकड़े एकत्र किए जाते हैं। NSO दो तरीकों से बेरोजगारी के आँकड़ों को एकत्र करता है:

- **वर्तमान साप्ताहिक स्थिति** (CWS): वर्तमान साप्ताहिक स्थिति में बेरोजगारों का अनुमान सर्वेक्षण की तारीख से पहले 7 दिनों की छोटी अवधि में बेरोजगारी की औसत तस्वीर देता है। वर्तमान साप्ताहिक स्थिति दृष्टिकोण के अनुसार, यदि कोई व्यक्ति सप्ताह के दौरान 1 घंटे भी काम नहीं करता है, लेकिन सप्ताह के दौरान कम से कम 1 घंटे काम की तलाश करता है या काम के लिए उपलब्ध रहता है, तो उसे एक सप्ताह में बेरोजगार माना जाता है।
- **सामान्य स्थिति:** सामान्य स्थिति में श्रम शक्ति के अनुमान में वे लोग शामिल होते हैं, जिन्होंने सर्वेक्षण की तिथि से पहले 365 दिनों के अपेक्षाकृत लंबे समय तक काम किया या काम की तलाश में थे।

उदाहरण के लिए, यदि कोई व्यक्ति कुल सात महीनों तक काम करने और/या काम की तलाश करने/उपलब्ध होने की रिपोर्ट करता है, तो वह श्रम शक्ति का हिस्सा है और यदि इन सात महीनों में से वह केवल दो महीने काम कर रहा था और शेष पाँच महीनों के लिए काम की तलाश/उपलब्ध होने की रिपोर्ट करता है, तो उसे सामान्य प्रमुख स्थिति के आधार पर 'बेरोजगार' के रूप में वर्गीकृत किया जाएगा।

8.11 अल्प-रोजगार (Under-employment)

अल्प-रोजगार एक ऐसी स्थिति है, जिसमें कोई कर्मचारी कार्यरत तो होता है, लेकिन वांछित क्षमता में नहीं, चाहे वह मुआवजे, कौशल स्तर, अनुभव, शिक्षा या उनकी उपलब्धता के संदर्भ में हो। तकनीकी रूप से बेरोजगार न होते हुए भी, अल्प-रोजगार वाले लोग अक्सर उपलब्ध नौकरियों के लिए प्रतिस्पर्धा करते हैं। अल्प-रोजगार वाले श्रमिकों को कई श्रेणियों में विभाजित किया जा सकता है। अल्प-रोजगार वाले श्रमिकों का सबसे सामान्य प्रकार नीचे सूचीबद्ध है:

- कम वेतन वाली नौकरियों में कुशल श्रमिक।
- कम कौशल वाली नौकरियों में कुशल श्रमिक।
- पूर्णकालिक घंटे की नौकरी पसंद करने वाले अंशकालिक श्रमिक।

अल्प-रोजगार एक सामाजिक समस्या है जो अल्प-रोजगार वाले श्रमिकों की नौकरी की वृद्धि, गरीबी के स्तर, आर्थिक विकास और भावनात्मक स्वास्थ्य को प्रभावित करती है। अल्प-रोजगार एक दुष्चक्र है जिसमें प्रत्येक प्रभाव अगले से जुड़ा होता है। उदाहरण के लिए, अल्प-रोजगार वाले श्रमिकों के पास आम तौर पर कम खर्च करने योग्य आय होती है जो कम खर्च करने की प्रवृत्ति पैदा करती है, जो आर्थिक विकास, गरीबी के स्तर और अल्प-रोजगार वाले श्रमिकों के भावनात्मक दृष्टिकोण को प्रभावित करती है।

लंबे समय से, हम भारत में बेरोजगारी विकास के संकट का सामना कर रहे हैं, लेकिन वर्तमान में देश के सामने सबसे बड़ी चुनौती बेरोजगारी के बजाय 'अल्प-रोजगार' है। इसका एक संभावित कारण यह हो सकता है कि भारतीय उद्यमियों की केवल पूँजी-गहन व्यवसायों या उच्च-स्तरीय कौशल की आवश्यकता वाले व्यवसायों में निवेश करने की प्रवृत्ति है। भारत में सफल उद्योग पूँजी-प्रधान या कुशल-श्रम-प्रधान रहे हैं क्योंकि भारतीय उद्यमियों ने मुख्य रूप से उन उद्योगों में कदम रखा है जिनमें उच्च-स्तरीय तकनीकी या पूँजी निवेश की आवश्यकता होती है। और इन क्षेत्रों ने पिरामिड के निचले हिस्से में रहने वालों के लिए अच्छे वेतन वाली नौकरियाँ नहीं बनाई। जबकि भारतीय फर्मों ने ऑटोमोबाइल, सॉफ्टवेयर, दूरसंचार, वित्त और इंजीनियरिंग जैसे क्षेत्रों में सफलता प्राप्त की है; कपड़ों, हल्के विनिर्माण या खाद्य प्रसंस्करण में निवेश, जहाँ कम या बिना कौशल वाले लोगों के लिए नौकरियाँ बहुत हो सकती हैं, बहुत कम रहा है। यही कारण है कि भारत में कार्यबल को कृषि से उद्योग और सेवाओं की ओर ले जाने का संक्रमण दुनिया में सबसे धीमा है। सरकार के साथ-साथ निजी क्षेत्र ने 'नौकरियाँ बनाने' का अच्छा काम नहीं किया है, क्योंकि हमारे 90% से अधिक कार्यबल अनौपचारिक/असंगठित क्षेत्र में हैं, जहाँ उत्पादकता कम है और नौकरियाँ में अच्छा भुगतान नहीं किया जाता है।

जबकि पिछले तीन दशकों में वृद्धि काफी अच्छी थी, हमने कार्यबल में परिवर्तन नहीं देखा है क्योंकि कृषि से पलायन करने वालों के लिए पर्याप्त अच्छी तरह से भुगतान वाली नौकरियाँ नहीं सृजित हो रही थीं। भारत में बड़े पैमाने पर बेरोजगारी एक गंभीर समस्या है, जिसके कारण उत्पादकता कम हुई है और सरकार तथा उद्योग संघों को इसे युद्ध स्तर पर लेना चाहिए।

चीन में, पिछले एक दशक से अधिक समय से मजदूरी में सालाना 10 प्रतिशत से अधिक की वृद्धि हो रही है और वर्तमान में यह भारत में मजदूरी की तुलना में औसतन 2-3 गुना है। चीन में मजदूरी भारत की तुलना में बहुत तेजी से बढ़ती रहेगी। बहुत-सी श्रम-गहन कंपनियाँ चीन से बाहर जा रही हैं और भारत उनके लिए स्वाभाविक गंतव्य होना चाहिए।

8.12 आवधिक श्रम बल सर्वेक्षण एवं अखिल भारतीय त्रैमासिक प्रतिष्ठान आधारित रोजगार सर्वेक्षण (PLFS and AQEES)

आवधिक श्रम बल सर्वेक्षण (पीएलएफएस)

एनएसएसओ द्वारा आयोजित रोजगार और बेरोजगारी सर्वेक्षण (ईयूएस) भारत में राष्ट्रीय और राज्य स्तर पर श्रम बाजार डेटा

का प्राथमिक स्रोत थे। 1972 से नियमित ईयूएस पंचवर्षीय (हर पांच साल बाद) आयोजित किए जाते थे। अधिक लगातार अंतराल पर श्रम बल आँकड़ों की उपलब्धता के महत्त्व को ध्यान में रखते हुए, सांख्यिकी और कार्यक्रम कार्यान्वयन मंत्रालय के तहत राष्ट्रीय सांख्यिकी कार्यालय (एनएसओ) शहरी और ग्रामीण दोनों क्षेत्रों के लिए रोजगार और बेरोजगारी विशेषताओं के वार्षिक आँकड़े तैयार करने के लिए पीएलएफएस **(आवधिक श्रम बल सर्वेक्षण)** आयोजित कर रहा है, साथ ही शहरी क्षेत्रों के लिए तिमाही अनुमान भी। जुलाई 2017- जून 2018 के दौरान पीएलएफएस में एकत्र किए गए आँकड़ों के आधार पर पहली वार्षिक रिपोर्ट मई 2019 में प्रकाशित हुई थी।

पीएलएफएस को रोजगार और बेरोजगारी के मापन के लिए दो प्रमुख उद्देश्यों के साथ डिजाइन किया गया था।

- पहला केवल शहरी क्षेत्रों के लिए तीन महीने के छोटे समय अंतराल में श्रम बल भागीदारी और रोजगार की स्थिति में गतिशीलता को मापना था।
- दूसरा सर्वेक्षण ग्रामीण और शहरी दोनों क्षेत्रों के लिए था, जिसमें श्रम शक्ति भागीदारी दर, श्रमिक जनसंख्या अनुपात आदि जैसे प्रमुख मापदंडों पर वार्षिक आधार पर श्रम शक्ति अनुमानों को मापा गया।

अखिल भारतीय त्रैमासिक प्रतिष्ठान-आधारित रोजगार सर्वेक्षण (AQEES)

AQEES को श्रम ब्यूरो (श्रम और रोजगार मंत्रालय) द्वारा नौ चयनित क्षेत्रों के संगठित और असंगठित दोनों खंडों में रोजगार और प्रतिष्ठानों के संबंधित उत्पाद के बारे में तिमाही अपडेट प्रदान करने के लिए शुरू किया गया है। ये क्षेत्र गैर-कृषि प्रतिष्ठानों में कुल रोजगार का बहुमत प्रदान करते हैं। ये नौ चयनित क्षेत्र विनिर्माण, निर्माण, व्यापार, परिवहन, शिक्षा, स्वास्थ्य, आवास और रेस्तराँ, आईटी/बीपीओ और वित्तीय सेवाएँ हैं।

AQEES के अंतर्गत दो घटक हैं:

- **त्रैमासिक रोजगार सर्वेक्षण (त्रै):** यह 10 या उससे अधिक श्रमिकों को रोजगार देने वाले प्रतिष्ठानों के संबंध में है (ज्यादातर में 'संगठित' खंड होते हैं)
- **क्षेत्र फ्रेम स्थापना सर्वेक्षण (।थै):** यह 9 या उससे कम श्रमिकों को रोजगार देने वाले प्रतिष्ठानों (ज्यादातर 'असंगठित' खंड) के संबंध में एक फ्रेम बनाने के लिए है

अप्रैल से जून 2021 की अवधि को कवर करने वाली QES की पहली रिपोर्ट सितंबर 2021 में जारी की गई थी। QES के पहले दौर की रिपोर्ट की मुख्य विशेषताएँ निम्नलिखित हैं:

- लगभग 90% प्रतिष्ठानों में 100 से कम श्रमिकों के साथ काम करने का अनुमान है
- महिला श्रमिकों की कुल भागीदारी 29 प्रतिशत रही
- ✓ AFES का क्षेत्र कार्य हाल ही में शुरू हुआ है।

AQEES (QES और AFES) नियमित अंतराल पर माँग पक्ष से रोजगार परिदृश्य प्रदान करेगा जो नीति नियोजन के लिए आवश्यक था। **आर्थिक जनगणनाएँ** स्थापना आधारित (मांग पक्ष) होती हैं, लेकिन अनियमित अंतराल पर आयोजित की जाती हैं और सभी प्रकार की संस्थाओं को कवर नहीं करती हैं। आर्थिक जनगणना वर्ष 1977, 1980, 1990, 1998, 2005, 2013-14 और 2020 में आयोजित की गई थी। 7वीं आर्थिक जनगणना [2020] के परिणाम अभी सार्वजनिक डोमेन में आने बाकी हैं।

8.13 बढ़ती आय असमानता (Rising Income Inequality)

पिछले तीन दशकों में शानदार आर्थिक विकास ने भारत को वैश्विक आर्थिक महाशक्ति बना दिया है। 1990 और 2019 के बीच, भारत की अर्थव्यवस्था स्थिर कीमतों पर लगभग 7% की दर से बढ़ी, जिससे यह 2.9 ट्रिलियन डॉलर की अर्थव्यवस्था बन गई। भारतीय अर्थव्यवस्था अब चीन और संयुक्त राज्य अमेरिका के बाद क्रय शक्ति समता के हिसाब से दुनिया की तीसरी सबसे बड़ी अर्थव्यवस्था है। बढ़ती आर्थिक वृद्धि ने अपने नागरिकों की जीवन स्थितियों में सुधार किया है, लेकिन ये सुधार भारत की विविध आबादी के बीच समान रूप से वितरित नहीं हुए। दुनिया के सबसे अमीर देशों में से एक होने के बावजूद, भारत ने हाल के वर्षों में रूस के बाद दुनिया के दूसरे सबसे असमानता वाले देश के रूप में नकारात्मक ध्यान आकर्षित किया है।

1980 के दशक से जब देश में आर्थिक और व्यापार उदारीकरण शुरू हुआ, तब से भारत में आय असमानता ऐतिहासिक रूप से उच्च स्तर पर पहुँच गई है, 2014 में जनसंख्या के शीर्ष एक प्रतिशत के पास राष्ट्रीय आय का 22% हिस्सा था। धन के संदर्भ में, भारत की आबादी के शीर्ष 1% के पास इसकी लगभग 60% संपत्ति है।

गिनी गुणांक आय, धन और उपभोग में असमानता के रुझानों की जाँच करने के लिए उपयोग किए जाने वाले महत्त्वपूर्ण चर में से एक है। कुछ अनुमानों के अनुसार, भारत में 2011-12 में उपभोग गिनी गुणांक 0.36 था। दूसरी ओर, आय में असमानता 0.55 के गिनी गुणांक के साथ उच्च थी जबकि 2011-12 में धन गिनी गुणांक 0.74 था। इस प्रकार, आय गिनी उपभोग गिनी से लगभग 20 अंक अधिक थी जबकि धन गिनी उपभोग गिनी से लगभग 40 अंक अधिक थी। इस प्रकार, भारत में आय और संपत्ति में असमानता उपभोग की तुलना में बहुत अधिक है।

स्वतंत्रता के बाद 1950 से लेकर साढ़े तीन दशकों तक भारत में असमानता में कमी आई। लेकिन 1991 में जबसे हमने सुधार शुरू किए हैं, तब से इसमें वृद्धि हुई है और 2004 से 2011-2 के उच्च विकास चरण में यह और भी अधिक बढ़ गई है। इसके कारणों को **साइमन कुजनेट** द्वारा 1955 में लिखे गए एक प्रसिद्ध शोधपत्र में पाया जा सकता है, जिसमें उन्होंने तर्क दिया है कि आर्थिक विकास के शुरुआती दौर में आय का वितरण बिगड़ जाता है, यानी असमानता बढ़ जाती है और आर्थिक विकास के एक निश्चित स्तर पर पहुँचने के बाद ही आय के वितरण में सुधार होता है।

सुधार के बाद की अवधि में असमानता में वृद्धि का एक मुख्य कारण यह है कि जब 1991 में अर्थव्यवस्था को खोला गया था, तो वित्तीय और शैक्षिक संसाधनों वाले लोगों ने अर्थव्यवस्था के खुलने से पैदा हुए अवसरों का लाभ उठाया और इन संसाधनों से वंचित गरीब लोगों की तुलना में अपनी संपत्ति और आय को बहुत तेजी से बढ़ाने में सक्षम हुए। लेकिन एक बार जब सरकार (कर) के संसाधन विस्तारित अर्थव्यवस्था से बढ़ेंगे और सरकार इन संसाधनों को मानव पूँजी में खर्च करेगी तो भविष्य में असमानता कम हो सकती है। मानव पूँजी को शिक्षा और मजबूत स्वास्थ्य से प्राप्त व्यक्ति की संपत्ति के रूप में समझा जा सकता है। जब कोई आबादी कमोबेश समान रूप से मानव पूँजी से संपन्न होती है तो श्रम का रिटर्न उस देश की तुलना में अपेक्षाकृत समान होगा जिसमें मानव पूँजी का वितरण असमान है, जो कि भारत के लिए अब तक का मामला है। सरकार अभी भी स्वास्थ्य और शिक्षा के बजाय सब्सिडी पर बहुत अधिक खर्च कर रही है जो अंततः अवसरों की समानता प्रदान करेगी।

कई अर्थशास्त्रियों का मानना है कि खराब शासन (poor governance) नई पीढ़ी की आकांक्षाओं को प्राप्त करने और भारत में गरीबी और असमानता को कम करने में सबसे बड़ी बाधा है। एक प्रमुख संस्थागत चुनौती सेवा प्रदाताओं, विशेष रूप से सार्वजनिक क्षेत्र की जवाबदेही है। हाल के साहित्य में असमानताओं को कम करने के लिए भ्रष्टाचार के उन्मूलन पर भी ध्यान केंद्रित किया गया है। चुनावी सुधार, क्रोनी पूँजीवाद, चुनाव निधि और भ्रष्टाचार जैसे मुद्दे असमानताओं को कम करने के लिए सुधार एजेंडे का हिस्सा होने चाहिए और आर्थिक सुधारों को सार्वजनिक सेवाओं की कुशल वितरण प्रणाली पर अधिक ध्यान केंद्रित करना चाहिए। भौतिक और सामाजिक अवसंरचना में सार्वजनिक निवेश जैसे राजकोषीय साधनों का उपयोग असमानता को कम करने के लिए किया जा सकता है। असमानता को कम करने के लिए, कुछ लोग अमीरों के लिए उच्च करों के माध्यम से गरीबों के पक्ष में संपत्ति और धन के पुनर्वितरण जैसे उपायों की वकालत करते हैं। हालाँकि, ये व्यावहारिक समाधान नहीं हो सकते हैं। कर दर बढ़ाने के बजाय व्यापक कर आधार के साथ कर/जीडीपी अनुपात को बढ़ाया जाना चाहिए। नया और महत्त्वाकांक्षी भारत पुनर्वितरण उपायों के बजाय अवसरों की समानता चाहता है।

जब हमने 1991 में सुधारों की शुरुआत की, तो भारतीय अर्थव्यवस्था 6.3% की उच्च वृद्धि दर पर आगे बढ़ी, जिससे सरकार को अधिक संसाधन जुटाने में मदद मिली और इसने विकास प्रक्रिया में बहुत अधिक आबादी को भी शामिल किया। गरीबी रेखा से नीचे रहने वाली राष्ट्रव्यापी आबादी का अनुपात (योजना आयोग के अनुमान के अनुसार) 1993-94 में 36% (40.7 करोड़) से घटकर 2004-05 में 27.5% (35.5 करोड़) और 2011-12 में 21.9% (26.9 करोड़) हो गया। विकास दो तरह से गरीबी को कम करने में मदद करता है; पहला, रिसने वाले प्रभाव (percolation) टपकन

सिद्धांत (trickle down) के माध्यम से और दूसरा, सामाजिक क्षेत्र के व्यय में वृद्धि के लिए सरकार की ओर से अधिक संसाधन जुटाने की क्षमता के माध्यम से।

जबकि भारत की विशाल आबादी के जीवन स्तर को बढ़ाने में आर्थिक विकास अत्यंत महत्त्वपूर्ण है, आर्थिक विकास के वितरणात्मक प्रभाव, जैसा कि आय वितरण द्वारा मापा जाता है, नागरिकों के दीर्घकालिक विकास के रुझान और सामाजिक-आर्थिक कल्याण को निर्धारित करने में महत्त्वपूर्ण भूमिका निभाते हैं। भारत दुनिया के सबसे अमीर देशों में से एक है, और फिर भी, अत्यधिक विषम आय वितरण के परिणामस्वरूप औसत भारतीय अपेक्षाकृत गरीब है। आर्थिक असमानता कई सामाजिक समस्याओं को प्रतिकूल रूप से बढ़ा सकती है, जिसमें अंतर-समूह संबंध और संघर्ष, सामाजिक सामंजस्य और हिंसक अपराध शामिल हैं। असमानता न केवल गरीबों को बल्कि बढ़ते अपराध और कार्यस्थल दुर्घटनाओं में वृद्धि के साथ सभी को नुकसान पहुँचाती है।

टिप्पणी: पिछले तीन दशकों से आय असमानता बढ़ रही है। भारत में असमानता को केवल व्यक्तियों की क्षमताओं को समान करके ही समाप्त किया जा सकता है। शिक्षा और स्वास्थ्य के माध्यम से संगठित सार्वजनिक कार्रवाई इस परिणाम का साधन है। नीति उद्यमियों द्वारा लगातार आगे बढ़ाए जा रहे आय हस्तांतरण इस मुद्दे को पूरी तरह से टाल देते हैं।

अब हमें अपनी सार्वजनिक नीति को फिर से तैयार करने की आवश्यकता है ताकि सरकार निजी उद्यमिता को और अधिक सक्षम बना सके, जबकि सामाजिक नीति के माध्यम से अवसरों की समानता में सीधे तौर पर शामिल हो, जो पिरामिड के निचले स्तर पर स्वास्थ्य और शिक्षा के स्तर को बढ़ाती है।

पिछले वर्षों के आर्थिक सर्वेक्षण निष्कर्ष

- स्वास्थ्य, शिक्षा, जीवन प्रत्याशा, शिशु मृत्यु दर, जन्म और मृत्यु दर, प्रजनन दर, अपराध, नशीली दवाओं के उपयोग और मानसिक स्वास्थ्य सहित कई सामाजिक आर्थिक संकेतकों के साथ असमानता और प्रति व्यक्ति आय के सहसंबंध की जाँच करके, सर्वेक्षण इस बात पर प्रकाश डालता है कि आर्थिक विकास (जैसा कि प्रति व्यक्ति आय में परिलक्षित होता है) और असमानता दोनों का सामाजिक-आर्थिक संकेतकों के साथ समान संबंध है (उदाहरण के लिए असमानता और विकास में वृद्धि के साथ जन्म और प्रजनन दर दोनों में गिरावट आती है)। इस प्रकार, उन्नत अर्थव्यवस्थाओं के विपरीत, भारत में आर्थिक विकास और असमानता सामाजिक-आर्थिक संकेतकों पर उनके प्रभावों के संदर्भ में अभिसरित होते हैं (और इसलिए आर्थिक विकास और असमानता के बीच सामंजस्य (trade-off) का अभाव है)।
- इसके अलावा, आर्थिक विकास का असमानता की तुलना में गरीबी उन्मूलन पर कहीं अधिक प्रभाव पड़ता है। इसलिए, भारत के विकास के चरण को देखते हुए और यह जानते हुए कि हमारी विकास क्षमता उच्च है (और गरीबी का पूर्ण स्तर भी उच्च है), भारत को समग्र पाई का विस्तार करके गरीबों को गरीबी से बाहर निकालने के लिए आर्थिक विकास पर ध्यान केंद्रित करना जारी रखना चाहिए। ध्यान दें कि इस नीतिगत फोकस का अर्थ यह नहीं है कि पुनर्वितरण के उद्देश्य महत्त्वहीन हैं, बल्कि यह है कि विकासशील अर्थव्यवस्था में पुनर्वितरण तभी संभव है जब आर्थिक अस्त-व्यस्तता का आकार बढ़ता है।

8.14 गरीबी उन्मूलनः सार्वजनिक सेवाएँ या आय सहायता (Poverty Eradication: Public Services or Income Support)

गरीबी को एक मानवीय स्थिति के रूप में परिभाषित किया जाता है, जिसमें पर्याप्त जीवन स्तर के आनंद के लिए आवश्यक संसाधनों, क्षमताओं, विकल्पों, सुरक्षा और शक्ति के निरंतर या जीर्ण अभाव व्याप्त होता है। जब अंग्रेज भारत से गए थे, तब गरीबी लगभग 66% थी और उस समय जनसंख्या 33 करोड़ थी। 2011-12 तक, गरीबी का स्तर घटकर 29.5% (रंगराजन रिपोर्ट) या निरपेक्ष रूप से 36 करोड़ लोग रह गया। 2011-12 में स्वतंत्रता के समय भारत की जनसंख्या से अधिक लोग गरीबी में रहते थे।

पिछले पचास वर्षों से गरीबी पर ध्यान केंद्रित किया जा रहा है (इंदिरा गाँधी ने 1971 में 'गरीबी हटाओ' का नारा दिया था), लेकिन फिर भी हम इसे खत्म नहीं कर पाए हैं। ऐसा इसलिए है क्योंकि समस्या के प्रति सार्वजनिक नीति का दृष्टिकोण ऐसी योजनाओं को शुरू करना रहा है जो एक उपशामक उपाय से अधिक कुछ नहीं हो सकतीं, जैसा कि समय के साथ चर्चा में आमतौर पर इस्तेमाल किए जाने वाले शब्द 'गरीबी उन्मूलन' से पता चलता है। ये योजनाएँ गरीबी की जड़ तक पहुँचने में विफल रहीं, जो कि क्षमता का अभाव है जो किसी व्यक्ति को काम या उद्यमिता के माध्यम से पर्याप्त आय अर्जित करने में असमर्थ बनाता है। आय गरीबी अभाव की अभिव्यक्ति है, और केवल आय की कमी पर ध्यान केंद्रित करने से केवल लक्षण का समाधान हो सकता है।

गरीबी क्षमता का अभाव है। स्वास्थ्य, शिक्षा और भौतिक अवसंरचना व्यक्तियों की क्षमताओं के लिए केंद्रीय बिन्दु हैं, और समाज में उनकी उपस्थिति की सीमा यह निर्धारित करती है कि गरीब ऐसे ही रहेंगे या हमेशा के लिए गरीबी से बाहर निकल जाएँगे। जिस पैमाने पर इन इनपुट की आवश्यकता सभी भारतीयों को अपेक्षित क्षमताएँ प्रदान करने के लिए होगी, उससे यह संभावना अधिक है कि हमें सार्वजनिक प्रावधान पर निर्भर रहना होगा।

गरीबी को खत्म करने के दृष्टिकोण से, यूनिवर्सल बेसिक इनकम (UBI) के बजाय, सार्वजनिक स्रोतों से यूनिवर्सल बेसिक सर्विसेज (UBS) की आवश्यकता है। UBI का मूल मामला यूरोपीय अर्थशास्त्रियों से आया था। यह पूरी तरह से आश्चर्यजनक नहीं है। यूरोप शायद सार्वजनिक रूप से उपलब्ध कराए जाने वाले यूबीएस से पूर्ण है। साथ ही, इसके कुछ देश अत्यधिक समृद्ध हैं। इसलिए, यदि सार्वजनिक राजस्व का एक हिस्सा मूल आय के रूप में भुगतान किया जाता है, तो वहाँ सार्वजनिक सेवाएँ प्रदान करने की परियोजना प्रभावित नहीं होगी। भारत में ऐसा नहीं है, जहाँ सार्वजनिक सेवाएँ प्रदान करने के लिए साधन बनाने का कार्य गंभीरता से शुरू भी नहीं किया गया है।

गरीबी को खत्म करने में सेवाओं की महत्त्वपूर्ण भूमिका है। चूँकि ये सेवाएँ हमेशा बाजार में नहीं खरीदी जा सकती हैं, इसलिए गरीबी को खत्म करने के लिए केवल आय सहायता पर्याप्त नहीं हो सकती है। लोगों को उत्पादक और सम्मानजनक जीवन जीने में सक्षम बनाने में सेवाओं की भूमिका को मान्यता देने के कारण ही वैश्विक स्तर पर गरीबी पर चिंतन में बहुआयामिता का विचार हावी हो गया है। कम से कम इन सेवाओं में स्वास्थ्य और शिक्षा के अलावा पानी, स्वच्छता और आवास की आपूर्ति शामिल होगी। यह अनुमान लगाया गया है कि यदि ऐसी सेवाओं की अनुपस्थिति को ध्यान में रखा जाए, तो भारत में गरीबी वर्तमान में दर्ज की गई दर से कहीं अधिक पाई जाएगी। अगर हमें बहुआयामी गरीबी को खत्म करना है, तो सार्वजनिक सेवाओं को किस पैमाने पर प्रदान करना होगा, इसके बजटीय निहितार्थ की अब कल्पना की जा सकती है। यह हमें प्रभावी गरीबी को समाप्त करने की चुनौती का मूल्याँकन करने और मुख्य राजनीतिक दलों द्वारा प्रस्तावित आय-सहायता योजनाओं की क्षमता का आकलन करने की अनुमति देता है। गरीबी को समाप्त करने के लिए कोई छोटा रास्ता (Shortcut) नहीं है, लेकिन अगर हम आय समर्थन के बजाय आय सृजन पर अधिक ध्यान केंद्रित कर सकते हैं, तो इसे जल्दी खत्म करना भी असंभव नहीं है।

8.15 सतत विकास लक्ष्य (Sustainable Development Goals-SDG)

सतत विकास वह विकास है जो भविष्य की पीढ़ियों की अपनी जरूरतों को पूरा करने की क्षमता से समझौता किए बिना वर्तमान की जरूरतों को पूरा करता है। सतत विकास की अवधारणा की व्याख्या कई अलग-अलग तरीकों से की जा सकती है, लेकिन इसके मूल में विकास के लिए एक दृष्टिकोण है जो समाज के रूप में हमारे सामने आने वाली **पर्यावरणीय, सामाजिक और आर्थिक सीमाओं** के बारे में जागरूकता के साथ अलग-अलग और अक्सर प्रतिस्पर्धी जरूरतों को संतुलित करने की कोशिश करता है।

सतत विकास का केंद्र केवल पर्यावरण पर ही नहीं है। यह एक मजबूत, स्वस्थ और न्यायपूर्ण समाज सुनिश्चित करने के बारे में भी है। इसका मतलब है मौजूदा और भविष्य के समुदायों में सभी लोगों की विविध जरूरतों को पूरा करना, व्यक्तिगत कल्याण, सामाजिक सामंजस्य और समावेश को बढ़ावा देना और समान अवसर पैदा करना।

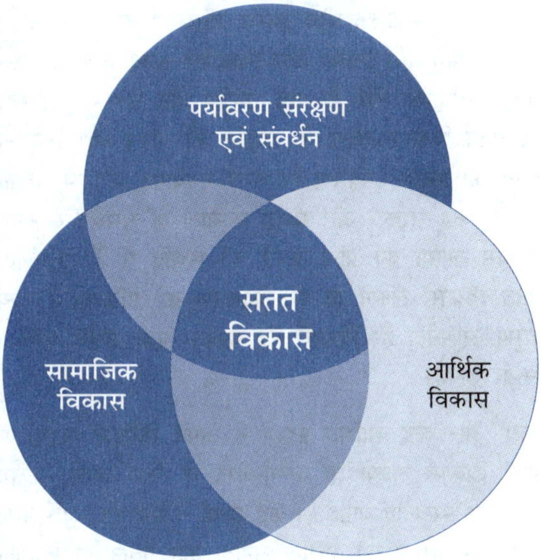

सतत विकास लक्ष्य (एसडीजी), जिन्हें वैश्विक लक्ष्य भी कहा जाता है, को 2015 में संयुक्त राष्ट्र के सभी सदस्य देशों द्वारा गरीबी को समाप्त करने, पृथ्वी ग्रह की रक्षा करने और यह सुनिश्चित करने के लिए कार्रवाई के लिए एक सार्वभौमिक आह्वान के रूप में अपनाया गया था ताकि 2030 तक सभी लोग शांति और समृद्धि का आनंद लें।

17 सतत विकास लक्ष्य एकीकृत हैं, यानी, वे मानते हैं कि एक क्षेत्र में कार्रवाई दूसरे क्षेत्रों में परिणामों को प्रभावित करेगी, और विकास को सामाजिक, आर्थिक और पर्यावरणीय स्थिरता को संतुलित करना चाहिए।

किसी को पीछे न छोड़ने की शपथ के माध्यम से, विश्व के देशों ने सबसे पीछे रहने वालों के लिए सबसे पहले प्रगति को तेज करने के लिए प्रतिबद्ध किया है। यही कारण है कि एसडीजी को दुनिया को कई जीवन-बदलने वाले 'शून्य' पर लाने के लिए बनाया गया है, जिसमें शून्य-गरीबी, भूख, एड्स और महिलाओं और लड़कियों के खिलाफ भेदभाव शामिल हैं।

इन महत्त्वाकांक्षी लक्ष्यों को प्राप्त करने के लिए सभी की आवश्यकता है। हर संदर्भ में एसडीजी को प्राप्त करने के लिए पूरे समाज से रचनात्मकता, ज्ञान, प्रौद्योगिकी और वित्तीय संसाधन आवश्यक हैं। प्रमुख संयुक्त राष्ट्र विकास एजेंसी के रूप में, यूएनडीपी एसडीजी को प्राप्त करने में देशों का समर्थन करता है। **निम्नलिखित 17 सतत विकास लक्ष्य हैं:**

- गरीबी को खत्म करना।
- भुखमरी को मिटाना।
- अच्छा स्वास्थ्य और खुशहाली स्थापित करना।
- गुणवत्तापूर्ण शिक्षा प्रदान करना।
- लैंगिक समानता लागू करना।
- स्वच्छ जल और स्वच्छता में सुधार करना।
- सस्ती और स्वच्छ ऊर्जा।
- उत्तम कार्य और आर्थिक विकास का सृजन करना।
- उद्योग, नवाचार और बुनियादी ढाँचे को बढ़ाना।
- असमानता को कम करना।
- संधारणीय शहरों और समुदायों को संगठित करना।
- जिम्मेदार उपभोग और उत्पादन को प्रभावित करना।
- जलवायु कार्रवाई का आयोजन करना।
- जल में जीवन का विकास करना।
- भूमि पर जीवन को आगे बढ़ाना।
- शांति, न्याय और मजबूत संस्थानों की गारंटी देना।
- लक्ष्यों के लिए साझेदारी बनाना।

सरकार की नीतियों, योजनाओं और कार्यक्रमों में सतत विकास लक्ष्यों को मुख्यधारा में लाने के लिए राष्ट्रीय और उप-राष्ट्रीय स्तर पर कई पहल की गई हैं। भारत 'समानता के आधार पर और उनकी साझा लेकिन अलग-अलग जिम्मेदारियों और संबंधित क्षमताओं के अनुसार' अपने दायित्वों को पूरा करने के लिए कई सक्रिय जलवायु कार्रवाई कर रहा है। जैसा कि UNFCCC और उसके पेरिस समझौते में अनिवार्य किया गया है, विकासशील देशों की जलवायु कार्रवाई को विकसित देशों से विकासशील देशों को वित्त प्रवाह द्वारा समर्थित किया जाना चाहिए। देश द्वारा प्रस्तुत **राष्ट्रीय स्तर पर निर्धारित योगदान** (NDC) देश की विकासात्मक अनिवार्यताओं को ध्यान में रखते हुए तैयार किया गया है और यह 'सर्वोत्तम प्रयास के आधार पर' (best effort basis) है।

हमें राष्ट्रों के बीच और राष्ट्र के भीतर समानता और पीढ़ियों के बीच समानता के लिए प्रयास करने की आवश्यकता है। कोविड-19 महामारी और उसके परिणामस्वरूप लॉकडाउन

के अन्यायपूर्ण प्रभाव ने इस तथ्य पर फिर से जोर दिया है कि सतत विकास ही आगे बढ़ने का एकमात्र तरीका है।

2030 एजेंडा के तहत लक्ष्यों को प्राप्त करने के उद्देश्य से किसी भी रणनीति के लिए **एसडीजी का स्थानीयकरण** महत्त्वपूर्ण है। अनिवार्य रूप से, एसडीजी को स्थानीय बनाने में संबंधित संस्थानों और हितधारकों द्वारा राष्ट्रीय से स्थानीय स्तर पर एसडीजी को अनुकूलित करने, योजना बनाने, लागू करने और निगरानी करने की प्रक्रिया शामिल है। संस्थाओं की सहभागिता और सहयोग के संदर्भ में, यह महत्त्वपूर्ण है कि केंद्र, राज्य और स्थानीय सरकारें राष्ट्रीय स्तर पर सतत विकास लक्ष्यों को प्राप्त करने के लिए किस तरह मिलकर काम करती हैं; और किस तरह सतत विकास लक्ष्य स्थानीय स्तर पर सतत विकास लक्ष्यों को प्राप्त करने के लिए उप-राष्ट्रीय और स्थानीय नीति, योजना और कार्रवाई के लिए रूपरेखा प्रदान करते हैं। सतत विकास लक्ष्यों की उपलब्धियों में तेजी लाने के लिए, देश ने सहकारी और प्रतिस्पर्धी संघवाद के दृष्टिकोण को अपनाया है जो राष्ट्र निर्माण में केंद्र-राज्य सहयोग और विभिन्न विकास परिणामों में राज्यों के बीच स्वस्थ प्रतिस्पर्धा पर आधारित है। नीति आयोग द्वारा निर्मित और विकसित सतत विकास लक्ष्य भारत सूचकांक और डैशबोर्ड राष्ट्रीय और उप-राष्ट्रीय स्तर पर सतत विकास लक्ष्यों के प्रदर्शन को मापने और निगरानी करने का प्रमुख उपकरण है। राज्य संस्थागत रूप से सशक्त हैं और केंद्र सरकार और संबद्ध संस्थानों के समर्थन से सतत विकास लक्ष्यों को प्राप्त करने की स्थिति में हैं। इसलिए, सतत विकास लक्ष्यों के स्थानीयकरण की प्रक्रिया में राज्य प्रमुख अभिनेता हैं, जिसमें केंद्र सरकार एक सक्षम भूमिका निभा रही है।

राज्यों और केंद्र शासित प्रदेशों ने अपने विशिष्ट संदर्भों में सतत विकास लक्ष्यों के कार्यान्वयन के लिए अलग-अलग संस्थागत संरचनाएं बनाई हैं। कई राज्यों ने समन्वय, अभिसरण और डेटा प्रबंधन को अधिक सटीक और पूर्वानुमानित बनाने के लिए प्रत्येक विभाग और जिला स्तर पर नोडल तंत्र भी बनाए हैं। नीचे दिया गया चित्र (A & B) SDG स्थानीयकरण के लिए संस्थागत व्यवस्था को दर्शाता है।

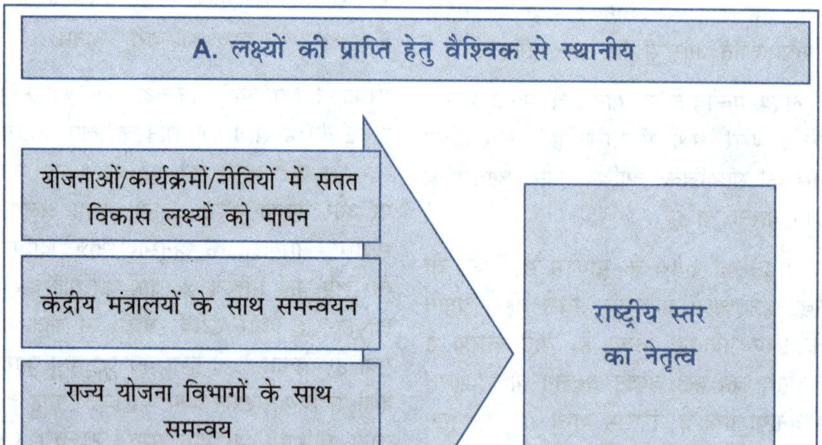

स्रोत : नीति आयोग

B. योजना विभागों द्वारा सहायता पाने वाले राज्य/केंद्र शासित प्रदेश

- राज्यों, केंद्र शासित प्रदेशों के लिए सतत विकास लक्ष्य दृष्टि दस्तावेज
- संबद्ध विभागों (25 राज्य/केंद्र शासित प्रदेश) में लक्ष्यों का मापन

- विभागों व जिलों के साथ समन्वय
- एसडीजी प्रकोष्ठ समन्वय केंद्र

- एसडीजी (16 राज्यों/केंद्र शासित प्रदेशों के साथ बजट को जोड़ना
- आवधिक एसडीजी की समीक्षा

- 23 राज्यों/केंद्र शासित प्रदेशों की जिला स्तरीय अधिकारियों की क्षमता निर्माण

8.16 सामाजिक आर्थिक संकेतक (Socio Economic Indicators)

1. लोरेंज वक्र और गिनी गुणाँक

लोरेंज वक्र को मैक्स ओ लोरेंज ने 1905 में किसी देश या प्रांत के धन वितरण की असमानता को दर्शाने के लिए विकसित किया था। लोरेंज वक्र का उपयोग यह दिखाने के लिए किया जाता है कि किसी देश के कितने प्रतिशत निवासियों के पास उस देश की कितनी प्रतिशत संपत्ति है। जबकि लोरेंज वक्र का उपयोग अक्सर आर्थिक असमानता को दर्शाने के लिए किया जाता है, इसका उपयोग किसी भी प्रणाली में असमानता को दर्शाने के लिए किया जा सकता है।

नीचे दिए गए चित्र पर विचार करें जहाँ X अक्ष अर्थव्यवस्था में परिवारों के प्रतिशत को दर्शाता है और Y अक्ष इन परिवारों के पास मौजूद आय के प्रतिशत को दर्शाता है। विकर्ण द्वारा दर्शाई गई आदर्श रेखा से लोरेंज वक्र जितना दूर होगा, असमानता का स्तर उतना ही अधिक होगा।

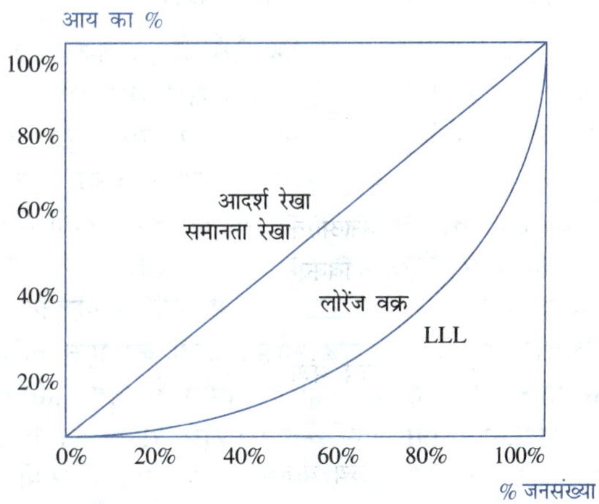

गिनी सूचकांक किसी देश के निवासियों के आय वितरण का माप है। यह संख्या, जो 0 से 1 के बीच होती है और निवासियों की शुद्ध आय पर आधारित होती है, अमीर और गरीब के बीच अंतर को परिभाषित करने में मदद करती है, जिसमें 0 पूर्ण समानता का प्रतिनिधित्व करता है और 1 पूर्ण असमानता का प्रतिनिधित्व करता है। इसे आमतौर पर प्रतिशत के रूप में व्यक्त किया जाता है, जिसे गिनी गुणांक कहा जाता है।

गिनी गुणाँक

$$= \frac{\text{आदर्श रेखा और लोरेंज वक्र के बीच का क्षेत्र}}{\text{आदर्श रेखा के नीचे का कुल क्षेत्रफल}}$$

2. कुजनेट वक्र

कुजनेट वक्र एक काल्पनिक वक्र है जो आर्थिक विकास के दौरान प्रति व्यक्ति आय के विरुद्ध आर्थिक असमानता को दर्शाता है। 1950 और 1960 के दशक में, साइमन कुजनेट ने परिकल्पना की थी कि जैसे-जैसे अर्थव्यवस्था विकसित होती है, बाजार की शक्तियाँ पहले समाज की समग्र आर्थिक असमानता को बढ़ाती हैं और फिर घटाती हैं, जिसे कुजनेट वक्र के उल्टे यू-आकार द्वारा दर्शाया गया है। उदाहरण के लिए, परिकल्पना यह मानती है कि अर्थव्यवस्था के शुरुआती विकास में, उन लोगों के लिए नए निवेश के अवसर बढ़ जाते हैं जिनके पास पहले से ही निवेश करने के लिए पूँजी है। इन नए निवेश अवसरों का मतलब है कि जिन लोगों के पास पहले से ही धन हैं, उनके पास इस धन को बढ़ाने का अवसर है। इसके विपरीत, शहरों में सस्ते ग्रामीण श्रम के प्रवाह से श्रमिक वर्ग के लिए मजदूरी कम हो जाती है, जिससे आय का अंतर बढ़ता है और आर्थिक असमानता बढ़ती है।

कुजनेट्स वक्र का तात्पर्य है कि जैसे-जैसे समाज औद्योगिक होता है, अर्थव्यवस्था का केंद्र ग्रामीण क्षेत्रों से शहरों की ओर स्थानांतरित होता है क्योंकि ग्रामीण मजदूर जैसे किसान बेहतर वेतन वाली नौकरियों की तलाश में पलायन करना शुरू कर देते हैं। हालाँकि, इस प्रवास के परिणामस्वरूप ग्रामीण-शहरी आय का अंतर बहुत बड़ा हो जाता है और शहरी आबादी बढ़ने पर ग्रामीण आबादी घट जाती है। लेकिन कुजनेट्स की परिकल्पना के अनुसार, **जब औसत आय का एक निश्चित स्तर पहुँच जाता है और औद्योगीकरण से जुड़ी प्रक्रियाएँ, जैसे लोकतंत्रीकरण और कल्याणकारी राज्य** का विकास, जोर पकड़ लेती हैं, तो उसी आर्थिक असमानता में कमी आने की उम्मीद है।

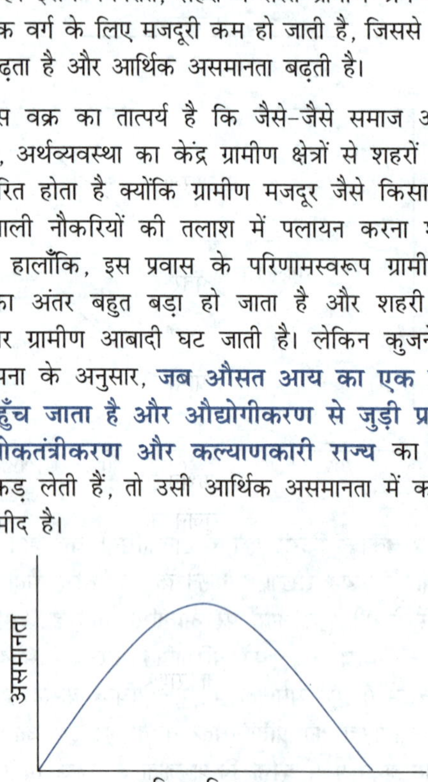

पर्यावरण कुजनेट वक्र से पता चलता है कि आर्थिक विकास शुरू में पर्यावरण क्षरण की ओर ले जाता है, लेकिन आर्थिक विकास के एक निश्चित स्तर के बाद, एक समाज पर्यावरण के साथ अपने संबंधों को बेहतर बनाना शुरू कर देता है और पर्यावरण क्षरण के स्तर कम हो जाते हैं। यह भी एक यू आकार का वक्र है।

3. मानव विकास सूचकांक

मानव विकास सूचकांक (एचडीआई) महबूब-उल-हक और अमर्त्य सेन द्वारा विकसित किया गया था। यूएनडीपी के अनुसार, एचडीआई मानव विकास के प्रमुख आयामों में औसत उपलब्धि का सारांश माप है: एक लंबा और स्वस्थ जीवन, ज्ञानवान होना और एक सभ्य जीवन स्तर होना। एचडीआई निम्नलिखित तीन मापदंडों का एक समग्र सूचकांक है:

- जीवन स्तर, प्रति व्यक्ति सकल राष्ट्रीय आय द्वारा मापा जाता है
- स्वास्थ्य, जन्म के समय जीवन प्रत्याशा द्वारा मापा जाता है
- शिक्षा, एक बच्चे के लिए अपेक्षित स्कूली शिक्षा के वर्षों और 25 वर्ष और उससे अधिक आयु के वयस्कों के लिए स्कूली शिक्षा के वर्षों के औसत द्वारा मापा जाता है

तीनों मापदंडों की गणना 0 से 1 के पैमाने पर अलग-अलग की जाती है और फिर एचडीआई को तीनों आयामों में से प्रत्येक के लिए सामान्यीकृत सूचकांकों के ज्यामितीय माध्य से प्राप्त किया जाता है।

संयुक्त राष्ट्र विकास कार्यक्रम (यूएनडीपी) अपनी वार्षिक रिपोर्ट 'मानव विकास रिपोर्ट' (एचडीआर) प्रकाशित करता है, जो एचडीआई के बारे में अवगत कराता है। वर्ष 2010 से, एच.डी.आर. में असमानता-समायोजित एच.डी. आई., लैंगिक असमानता सूचकांक (जी.आई.आई.) तथा बहुआयामी गरीबी सूचकांक (एम.पी.आई.) भी शामिल हैं।

विगत वर्षों के प्रश्न

प्रारंभिक परीक्षा

1. निम्नलिखित में से कौन सरकार के समावेशी विकास के उद्देश्य को आगे बढ़ाने में सहायता कर सकता है? [2011]

(i) स्वयं सहायता समूहों को बढ़ावा देना

(ii) सूक्ष्म, लघु और मध्यम उद्यमों को बढ़ावा देना

(iii) शिक्षा का अधिकार अधिनियम लागू करना

नीचे दिए गए कोड का उपयोग करके सही उत्तर चुनें:

(a) केवल (i)

(b) केवल (i) और (ii)

(c) केवल (ii) और (iii)

(d) (i), (ii) और (iii)

2. भारत में किसी प्रदत्त वर्ष में, कुछ राज्यों में आधिकारिक गरीबी रेखाएँ अन्य की तुलना में अधिक हैं क्योंकि [2019]

(a) गरीबी दर राज्य-दर-राज्य अलग-अलग होती है

(b) मूल्य स्तर राज्य-दर-राज्य अलग-अलग होते हैं

(c) सकल राज्य उत्पाद राज्य-दर-राज्य अलग-अलग होता है

(d) सार्वजनिक वितरण की गुणवत्ता राज्य-दर-राज्य अलग-अलग होती है

उत्तर

1. (d) 2. (b)

मुख्य परीक्षा

1. यह तर्क दिया जाता है कि समावेशी विकास की रणनीति का उद्देश्य समावेशिता और स्थिरता के उद्देश्यों को एक साथ पूरा करना है। इस कथन पर टिप्पणी करें। [2019]

2. समावेशी विकास और सतत विकास के परिप्रेक्ष्य से समानता के अंतर-पीढ़ीगत और अंतर-पीढ़ीगत मुद्दों की व्याख्या करें। [2020]

3. क्या बाजार अर्थव्यवस्था के तहत समावेशी विकास संभव है? भारत में आर्थिक विकास प्राप्त करने में वित्तीय समावेशन के महत्त्व को बताएँ। [2022]

4. "हाल के दिनों में आर्थिक विकास श्रम उत्पादकता में वृद्धि के कारण हुआ है"। इस कथन की व्याख्या करें। विकास पैटर्न का सुझाव दें जो श्रम उत्पादकता से समझौता किए बिना अधिक नौकरियों का सृजन करेगा। [2022]

5. भारत में अधिकांश बेरोजगारी प्रकृति में संरचनात्मक है। देश में बेरोजगारी की गणना करने के लिए अपनाई गई पद्धति की जाँच करें और सुधार सुझाएँ। [2023]

6. 'देखभाल अर्थव्यवस्था' और 'मौद्रिक अर्थव्यवस्था' के बीच अंतर ज्ञात करें। महिला सशक्तिकरण के माध्यम से देखभाल अर्थव्यवस्था को मौद्रिक अर्थव्यवस्था में कैसे लाया जा सकता है? [2023]

OOO

9

सब्सिडी
(Subsidies)

9.1 परिचय (Introduction)

सब्सिडी को सरकार द्वारा बजटीय संसाधनों के माध्यम से उन वस्तुओं के प्रावधान के लिए किए गए खर्च के रूप में मापा जाता है जिन्हें **'सार्वजनिक वस्तुओं'** के रूप में वर्गीकृत नहीं किया जाता है। सार्वजनिक वस्तुओं की निम्नलिखित दो विशेषताएँ हैं:

- **गैर-प्रतिंद्वद्वी:** किसी व्यक्ति द्वारा उपभोग किए जाने से दूसरों के लिए उस वस्तु की उपलब्धता कम नहीं होती
- **गैर-बहिष्कृत:** किसी को भी उस वस्तु के लाभों का आनंद लेने से बाहर रखने का कोई व्यवहार्य तरीका नहीं है

उदाहरण के लिए, पुलिस सेवाएँ, सीमा सुरक्षा सेवाएँ, आदि सार्वजनिक वस्तुएँ हैं।

सब्सिडी को विभिन्न तरीकों से वर्गीकृत किया जा सकता है:

I		II		III		IV	
उपभोक्ता	**उत्पादक**	**प्रत्यक्ष**	**अप्रत्यक्ष**	**स्पष्ट**	**अंतर्निहित**	**सामाजिक**	**आर्थिक**
उपभोक्ताओं को लाभ प्रदान किया जाता है उदाहरण: एल.पी.जी.	उत्पादकों को लाभ प्रदान किया जाता है उदाहरण: किसानों को एम.एस.पी.	नकद में सीधा भुगतान उदाहरण: एल.पी.जी.	बाजार मूल्य से कम कीमत पर सामान और सेवाएँ प्रदान करना और बाजार मूल्य से अधिक सरकारी खरीद उदाहरण: उर्वरक	बजट दस्तावेज में निर्दिष्ट या बजटीय संसाधनों के माध्यम से उदाहरण: पीडीएस	सब्सिडी वाली सार्वजनिक सेवाएँ प्रदान करके और बजट में प्रदान नहीं की जाती हैं उदाहरण: रेलवे	सामाजिक सेवाओं के लिए दी जाने वाली सब्सिडी उदाहरण: स्वास्थ्य	आर्थिक सेवाओं के लिए दी जाने वाली सब्सिडी उदाहरण: बिजली

केंद्र सरकार द्वारा दी जाने वाली विभिन्न सब्सिडी इस प्रकार हैं: स्वास्थ्य, शिक्षा, आवास, सामाजिक कल्याण और पोषण, शहरी विकास, जल आपूर्ति और स्वच्छता, अनुसूचित जातियों, जनजातियों का कल्याण, कृषि और संबद्ध गतिविधियाँ आदि।

केन्द्र सरकार की प्रमुख स्पष्ट सब्सिडी:

रुपए (करोड़ में)	खाद्य	उर्वरक	ईंधन	कुल
2023-24	2.12 लाख करोड़	1.89 लाख करोड़	0.12 लाख करोड़	4.13 लाख करोड़
2024-25	2.05 लाख करोड़	1.64 लाख करोड़	0.12 लाख करोड़	3.81 लाख करोड़

9.2 सब्सिडी वितरित करने/लागू करने के विभिन्न तरीके (Different ways of Disbursing/ Implementing Subsidies

आर्थिक विकास ऐतिहासिक रूप से गरीबों के लिए अच्छा रहा है, प्रत्यक्ष रूप से क्योंकि यह आय बढ़ाता है, और अप्रत्यक्ष रूप से, क्योंकि यह राज्य को सार्वजनिक सेवाएँ और सामाजिक सुरक्षा जाल प्रदान करने के लिए संसाधन देता है जिसकी गरीबों को आवश्यकता होती है। सरकार इन संसाधनों का उपयोग विभिन्न प्रकार की सब्सिडी देकर गरीबों की मदद करने के लिए करती है, जो भारत में गरीबी उन्मूलन प्रवचन और सरकार की अपनी नीतिगत पहलों का एक महत्वपूर्ण हिस्सा बन गया है।

आजादी के बाद से सरकार गरीबों को 'मूल्य सब्सिडी' दे रही है। 2014 के बाद से, जन धन खाता, आधार और मोबाइल (JAM) की मदद से, सरकार ने विभिन्न प्रकार की सब्सिडी के लिए 'DBT' (प्रत्यक्ष लाभ हस्तांतरण) पर जाना शुरू कर दिया। 2019 से, इसने किसानों को 'आय संबंधी सहायता' देना भी शुरू कर दिया है। इसलिए, गरीबों को सहायता/ सब्सिडी तीन तरीकों से दी जा सकती है, जैसे मूल्य सब्सिडी, प्रत्यक्ष लाभ हस्तांतरण (DBT) और आय सहायता।

9.2.1 मूल्य सब्सिडी

हालाँकि मूल्य सब्सिडी ने गरीब परिवारों को मुद्रास्फीति और मूल्य अस्थिरता का सामना करने में मदद की है, लेकिन मूल्य सब्सिडी ने गरीबों के जीवन स्तर को नहीं बदला है।

मूल्य सब्सिडी से जुड़े विभिन्न मुद्दे निम्नलिखित हैं:

1. **मूल्य सब्सिडी अक्सर प्रतिगामी होती है:**

   प्रतिगामी का अर्थ है कि एक अमीर परिवार को एक गरीब परिवार की तुलना में मूल्य सब्सिडी से अधिक लाभ होता है। चूँकि विभिन्न राज्य सरकारें बिजली पर सब्सिडी देती हैं, और चूँकि अमीर परिवार गरीबों की तुलना में अधिक बिजली की खपत करते हैं, इसका मतलब है कि अमीर परिवार गरीबों की तुलना में अधिक सब्सिडी का आनंद ले रहे हैं। पानी और एलपीजी सिलेंडर के लिए भी यही सच है क्योंकि अपेक्षाकृत अमीर परिवारों द्वारा खपत गरीबों की तुलना में अधिक है।

2. **मूल्य सब्सिडी बाजारों को इस तरह से विकृत करती है जो अंततः गरीबों को नुकसान पहुँचाती है:**

   एक बाजार अर्थव्यवस्था में, कीमतें विभिन्न क्षेत्रों को दुर्लभ संसाधनों को आवंटित करने में महत्वपूर्ण भूमिका निभाती हैं। सरकार न्यूनतम समर्थन मूल्य पर गेहूँ और चावल खरीदकर इसके लिए सब्सिडी प्रदान करती है। इन फसलों की गारंटीशुदा खरीद के कारण, किसान गैर-एमएसपी समर्थित फसलों जैसे दालें, तिलहन, प्याज आदि को उगाने के लिए तैयार नहीं हैं, जिसके कारण इन फसलों की खेती कम हो रही है। परिणामस्वरूप आपूर्ति माँग का बेमेल गैर-एमएसपी समर्थित फसलों की कीमतों को बढ़ाता है और उन्हें अधिक अस्थिर बनाता है। यह खाद्य मूल्य की मुद्रास्फीति में योगदान देता है जो कि गरीब परिवारों को असमान रूप से नुकसान पहुँचाता है, जिनके पास अनिश्चित आय के स्रोत होते हैं और आर्थिक झटकों का सामना करने के लिए परिसंपत्तियों की कमी होती है।

3. **रिसाव मूल्य/उत्पाद सब्सिडी की प्रभावशीलता को कमजोर करता है:**

   मूल्य सब्सिडी में लीकेज की संभावना होती है और यह बहुत सारे सरकारी संसाधनों को बर्बाद करती है,

जिनका उपयोग अन्य कल्याणकारी कार्यक्रमों के लिए किया जा सकता है। उर्वरक सब्सिडी के उदाहरण पर विचार करें जो उर्वरकों को बाजार मूल्य से कम पर बेचकर प्रदान की जाती है। घरेलू बाजार में सब्सिडी वाले यूरिया की कीमत लगभग 5 रुपए प्रति किलोग्राम और अंतरराष्ट्रीय बाजार में लगभग 20 रुपए प्रति किलोग्राम है। अब घरेलू बाजार में यूरिया बेचने वाली एजेंसियाँ पड़ोसी देशों नेपाल और बांग्लादेश में यूरिया भेजती हैं (बजाय इच्छित लाभार्थियों को बेचने के) जहाँ उन्हें अंतरराष्ट्रीय कीमत मिलती है और वे सरकार से सब्सिडी के रूप में 15 रुपए प्रति किलोग्राम (20 रुपए प्रति किलोग्राम – 5 रुपए प्रति किलोग्राम) का अंतर भी वसूलते हैं। इसी तरह कुछ यूरिया भारत में रासायनिक कंपनियों को भी बेचा जाता है जो इसे अन्य उत्पाद बनाने के लिए इनपुट के रूप में उपयोग करती हैं।

(अब सरकार ने यूरिया की खरीद के लिए आधार आधारित प्रमाणीकरण शुरू किया है)।

9.2.2 प्रत्यक्ष लाभ हस्तांतरण (डीबीटी)
Direct Benefit Transfer (DBT)

डीबीटी के मामले में, सरकार लोगों को बाजार से/बाजार में उत्पाद खरीदने/बेचने की अनुमति देती है और यह सीधे उनके खाते में पैसा स्थानांतरित करती है। डीबीटी की महत्वपूर्ण विशेषताएँ निम्नलिखित हैं:

1. नकद हस्तांतरण सरकारी विभागों की संख्या और वितरण प्रक्रिया में शामिल लागतों को कम करके गरीबी उन्मूलन कार्यक्रमों की प्रभावशीलता को बढ़ाता है।
2. जब सरकार लाभार्थी के आधार से जुड़े बैंक खाते में नकद राशि हस्तांतरित करती है और वह बाजार मूल्य पर उत्पाद खरीदता है तो इससे रिसाव और विचलन (leakages and diversion) की संभावना समाप्त हो जाती है।
3. नकद हस्तांतरण से बाजार में खरीदी और बेची जाने वाली विभिन्न वस्तुओं और सेवाओं की कीमतें कम हो जाती हैं, जो अर्थव्यवस्था में संसाधनों को कुशलतापूर्वक आवंटित करने और दीर्घकालिक विकास को बढ़ावा देने की अपनी भूमिका निभाती हैं।

एलपीजी सब्सिडी में डीबीटी को लागू करके, सरकार प्रति वर्ष 10,000 करोड़ रुपए से अधिक की बचत करने में सक्षम रही है।

9.2.3 आय सहायता

आय सहायता की सबसे महत्वपूर्ण विशेषता यह है कि गरीबों को इस तरह की सहायता पाने के लिए किसी विशेष वस्तु को खरीदने/बेचने की जरूरत नहीं होती। सरकार जनता को एक निश्चित राशि हस्तांतरित करती है और वे उस पैसे का क्या करना है, यह तय करने के लिए स्वतंत्र होंगे। मूल्य सब्सिडी और डीबीटी के मामले में ऐसा नहीं है, जहाँ लाभार्थी को सब्सिडी का लाभ पाने के लिए किसी विशेष वस्तु को खरीदने/बेचने की जरूरत होती है। इस विशेषता के कारण, आय सहायता बाजार को विकृत नहीं करती है। आय सहायता आबादी के एक वर्ग को दी जा सकती है (उदाहरण के लिए पीएम-किसान (PM-KISAN) किसानों को दिया जाता है) या इसे पूरी आबादी तक बढ़ाया जा सकता है, ऐसे मामले में इसे यूनिवर्सल बेसिक इनकम (यूबीआई) कहा जाता है।

सार्वभौमिक आधार आय (UBI) सामाजिक न्याय और उत्पादक अर्थव्यवस्था दोनों के बारे में सोचने में एक क्रांतिकारी और सम्मोहक प्रतिमान बदलाव है। यह इक्कीसवीं सदी के लिए वही हो सकता है जो बीसवीं सदी के लिए नागरिक और राजनीतिक अधिकार थे। यह इस विचार पर आधारित है कि एक न्यायपूर्ण समाज को प्रत्येक व्यक्ति को एक न्यूनतम आय की गारंटी देना जरूरी है जिस पर वे भरोसा कर सकें, और जो बुनियादी वस्तुओं तक पहुँच और सम्मान के साथ जीवन जीने के लिए आवश्यक भौतिक आधार प्रदान करता है। एक सार्वभौमिक बुनियादी आय, कई अधिकारों की तरह, बिना शर्त और सार्वभौमिक है: इसके लिए आवश्यक है कि प्रत्येक व्यक्ति को नागरिक होने के नाते अपनी जरूरतों को पूरा करने के लिए एक बुनियादी आय का अधिकार होना चाहिए। यूबीआई की निम्नलिखित विशेषताएँ हैं:

- **आवधिक:** नियमित अंतराल पर भुगतान किया जाता है और एकमुश्त अनुदान के रूप में नहीं।
- **नकद भुगतान:** इसे उचित माध्यम से भुगतान किया जाता है, जिससे इसे प्राप्त करने वाले यह तय कर सकें कि वे इसे किस पर खर्च करना चाहते हैं। इसलिए इसका भुगतान किसी वस्तु या किसी विशिष्ट उपयोग के लिए निर्मित वाउचर में नहीं किया जाता है।

- **व्यक्तिगत:** इसका भुगतान व्यक्तिगत आधार पर किया जाता है, न कि परिवार को।
- **सार्वभौमिक:** इसका भुगतान बिना किसी साधन परीक्षण के सभी को किया जाता है।
- **बिना शर्त:** इसका भुगतान काम करने या काम करने की इच्छा प्रदर्शित करने की आवश्यकता के बिना किया जाता है।

यूबीआई के बारे में कुछ गलत धारणाएँ/तर्क हैं

- क्या यूबीआई काम करने के लिए प्रोत्साहन को कम करता है? जिस स्तर पर यूबीआई को लगाया जा सकता है, वह न्यूनतम गारंटी होगी; वे काम करने के लिए प्रोत्साहन को बढ़ाने की संभावना नहीं रखते हैं।
- नैतिक जोखिम: क्या यूबीआई श्रम आपूर्ति को कम करेगा? यूबीआई के खिलाफ एक और तर्क नैतिक जोखिम है, यानी मुफ्त पैसा लोगों को आलसी बनाता है और वे श्रम बाजार से बाहर हो जाते हैं।
- क्या यूबीआई बुराई (प्रलोभन वस्तुओं) को प्रोत्साहित करेगा? यूबीआई के आलोचकों का तर्क है कि, नकद हस्तांतरण कार्यक्रम के रूप में, यह नीति शराब, तंबाकू आदि जैसी सामाजिक बुराइयों पर खर्च को प्रोत्साहित करेगी।

यूबीआई को अमीरों से गरीबों को हस्तांतरण भुगतान के रूप में तैयार नहीं किया जाना चाहिए। यूबीआई का विचार यह है कि हमें नागरिक होने के नाते न्यूनतम आय का अधिकार है। यह अर्थव्यवस्था को एक साझा परियोजना के रूप में स्वीकार करना है। इस अधिकार के लिए यह आवश्यक है कि बुनियादी आर्थिक संरचना को इस तरह से बनाया जाए कि हर व्यक्ति को बुनियादी आय मिले।

मूल्य सब्सिडी, प्रत्यक्ष लाभ भुगतान और आय सहायता के बीच अंतर

मूल्य सब्सिडी	प्रत्यक्ष लाभ भुगतान	आय सहायता
• प्रतिगामी • विकृत • रिसाव	• प्रतिगामी • विकृत • कोई रिसाव नहीं	• प्रतिगामी नहीं • विकृत नहीं • कोई रिसाव नहीं

9.3 ईंधन सब्सिडी (Fuel Subsidies)

ईंधन सब्सिडी पहले चार वस्तुओं पर दी जाती थी, जैसे एलपीजी, केरोसिन, पेट्रोल, डीजल।

1. **पेट्रोल और डीजल:** पेट्रोल और डीजल की कीमतों को 2002 में नियंत्रणमुक्त कर दिया गया था और इन्हें बाजार मूल्य पर बेचा जा रहा है और पेट्रोल और डीजल पर कोई सब्सिडी नहीं है।
2. **एलपीजी:** सरकार उन उपभोक्ताओं को डीबीटी के माध्यम से एलपीजी सब्सिडी दे रही है जिनकी कर योग्य आय 10 लाख रुपए से कम या उसके बराबर है। इसलिए, यदि किसी उपभोक्ता (या उसके पति/पत्नी) की कर योग्य आय 10 लाख रुपए से अधिक है तो उसे इससे बाहर रखा जाएगा। उपभोक्ता बाजार मूल्य पर एलपीजी सिलेंडर खरीदते हैं और सरकार सब्सिडी राशि को उनके खाते में साल में केवल 12 सिलेंडर तक ही ट्रांसफर करती है।
3. **केरोसिन:** केंद्र सरकार ने केरोसिन सब्सिडी को समाप्त कर दिया है जिसका उपयोग पारंपरिक रूप से प्रकाश और खाना पकाने की जरूरतों को पूरा करने के लिए किया जाता है, खासकर ग्रामीण क्षेत्रों में। सरकार ने प्रकाश की आवश्यकताओं के लिए बिजली की बढ़ती कवरेज और स्वच्छ खाना पकाने के ईंधन के रूप में एलपीजी के मद्देनजर खाना पकाने और प्रकाश व्यवस्था के लिए केरोसिन के उपयोग को चरणबद्ध तरीके से समाप्त करने का निर्णय लिया है। सौभाग्य (प्रधानमंत्री सहज बिजली हर घर योजना) और उज्ज्वला योजना के बाद केरोसिन का उपयोग लगातार कम हो रहा है।

36 राज्यों/केंद्र शासित प्रदेशों में से 11 राज्य/केंद्र शासित प्रदेश केरोसिनमुक्त हैं, यानी इन राज्यों/केंद्र शासित प्रदेशों को पेट्रोलियम और प्राकृतिक गैस मंत्रालय (MOP-NG) द्वारा कोई पीडीएस केरोसिन आवंटित नहीं किया जाता है। शेष राज्यों/केंद्र शासित प्रदेशों को पेट्रोलियम और प्राकृतिक गैस मंत्रालय द्वारा तिमाही आधार पर पीडीएस केरोसिन आवंटित किया जाता है। केरोसिन पीडीएसके माध्यम से वितरित किया जाता है और शून्य केंद्रीय सब्सिडी के साथ

बाजार मूल्य पर बेचा जाता है। एलपीजी तक पहुँच, पीडीएस केरोसिन का उठाव न होना, आत्मसमर्पण/कटौती के स्वैच्छिक अनुरोध जैसे कारकों के आधार पर आवंटन राज्य दर राज्य अलग-अलग होता है। तमिलनाडु की राज्य सरकार अभी भी राज्य सब्सिडी के माध्यम से केरोसिन पर सब्सिडी दे रही है।

1 मार्च, 2020 से प्रभावी, पीडीएस केरोसिन का खुदरा विक्रय मूल्य अखिल भारतीय स्तर पर शून्य अंडर-रिकवरी स्तर पर बनाए रखा जा रहा है और राज्यों को बाजार मूल्य पर उपलब्ध कराया जा रहा है।

9.4 उर्वरक सब्सिडी (Fertilizer Subsidies)

उर्वरक (MT) (2022-23)	यूरिया (N)	डायमोनियम फॉस्फेट (P)	म्यूरेट ऑफ पोटाश (K)	मिश्रित (NPK)
घरेलू उत्पादन	28.5	4.3	0	9.3
आयात	6	7.1	1.4	2.8
उपभोग	34.5	11.4	1.4	12.1

भारत में खपत होने वाले चार प्रमुख उर्वरक यूरिया, डायमोनियम फॉस्फेट (डीएपी), म्यूरेट ऑफ पोटाश (एमओपी) और कॉम्प्लेक्स उर्वरक हैं। यूरिया की कीमतें सरकार द्वारा विनियमित/निर्धारित की जाती हैं, लेकिन डीएपी, एमओपी और मिश्रित उर्वरकों की कीमतों को विनियमन मुक्त कर दिया गया है (बाजार संचालित)।

उर्वरक तीन प्रमुख पोषक तत्व प्रदान करते हैं जो कृषि उपज को बढ़ाते हैं। इष्टतम एन : पी : के अनुपात मिट्टी के प्रकारों के अनुसार अलग-अलग होता है, लेकिन आमतौर पर यह 4 : 2 : 1 के आसपास होता है।

स्थायी कृषि विकास के उद्देश्य से, भारत सरकार 1970 के दशक से किसानों को सब्सिडी वाले उर्वरक प्रदान कर रही है। सब्सिडी वाले उर्वरक जैसे यूरिया (N), डीएपी (P) और एमओपी (K) पहले **रिटेंशन प्राइसिंग स्कीम** (आरपीएस) के तहत बेचे जाते थे। इस योजना के तहत उर्वरक निर्माताओं को अपने निवेश पर 12% का निश्चित रिटर्न मिलता था और वे उर्वरक को सरकार द्वारा अधिसूचित मूल्य पर बेचते थे। इसमें दो बड़ी कमियाँ थीं:

- निर्माताओं को अपनी लेखा-परीक्षित लागत सरकार को प्रस्तुत करनी होती थी, जिसके आधार पर सरकार उन्हें शुद्ध लागत के साथ-साथ निवेश पर 12% प्रतिफल की प्रतिपूर्ति करती थी। इससे कंपनियों को अपनी लागत बढ़ाने के लिए प्रेरित किया जाता था और भ्रष्टाचार की आशंका बढ़ जाती थी।
- निर्माताओं को अपनी लागत कम करने और कुशल बनने के लिए कोई प्रेरणा नहीं थी, क्योंकि वे सरकार से सभी लागत समायोजित/प्रतिपूर्ति प्राप्त करते थे।

लेकिन अब यूरिया सब्सिडी और डीएपी और एमओपी सब्सिडी के लिए अलग-अलग तंत्र हैं।

यूरिया सब्सिडी

'नई यूरिया नीति 2015' के अंतर्गत:

- सरकार ने 1 जुलाई 2015 से यूरिया के लिए **गैस की पूलिंग** लागू की। इस नीति के तहत घरेलू गैस को आयातित री-गैसीफाइड लिक्विफाइड नेचुरल गैस (आर-एलएनजी) के साथ पूल किया जाता है ताकि यूरिया के निर्माण के उद्देश्य से सभी प्राकृतिक गैस ग्रिड से जुड़े यूरिया विनिर्माण संयंत्रों को एकसमान वितरित मूल्य पर प्राकृतिक गैस उपलब्ध कराई जा सके।
- सभी गैस आधारित यूरिया संयंत्रों को समूह विशेष ऊर्जा मानदंडों (यूरिया की एक विशेष मात्रा का उत्पादन करने के लिए कितनी गैस की आवश्यकता है) के आधार पर तीन श्रेणियों में रखा गया है। एक ही श्रेणी में आने वाले यूरिया संयंत्रों को सरकार द्वारा निर्धारित प्रति किलोग्राम (प्रत्येक समूह संयंत्र की मानक लागत के आधार पर) के बराबर सब्सिडी मिलेगी, चाहे उनकी उत्पादन की वास्तविक लागत कितनी भी हो। इससे संयंत्रों को अधिक कुशल बनने के लिए विवश होना पड़ेगा क्योंकि एक समूह के भीतर प्रत्येक संयंत्र के लिए सब्सिडी समान होगी और अधिक कुशल या कम उत्पादन लागत वाला संयंत्र अधिक लाभदायक होगा।

'नई यूरिया नीति 2015' के कुछ लाभ निम्नलिखित हैं:

- इस नीति से स्वदेशी यूरिया उत्पादन को अधिकतम करने की उम्मीद है, जिससे सालाना लगभग 2 मीट्रिक टन अतिरिक्त उत्पादन होगा, जिससे यूरिया क्षेत्र में आयात निर्भरता कम होगी।
- यह **समूह आधारित मानदंडों** के कारण यूरिया इकाइयों में ऊर्जा दक्षता को बढ़ावा देगा, जिससे अंततः सरकार पर सब्सिडी का बोझ कम होगा।
- ऊर्जा की बचत से कार्बन-फुटप्रिंट कम होगा और इस प्रकार यह अधिक पर्यावरण अनुकूल होगा।
- यूरिया इकाइयाँ दुनिया में उपलब्ध सर्वोत्तम तकनीक को अपनाएँगी और वैश्विक स्तर पर अधिक प्रतिस्पर्धी बन जाएँगी।

मई 2015 से, भारत सरकार ने सभी स्वदेशी यूरिया निर्माताओं (और यूरिया के आयातकों के लिए भी) के लिए 100% **नीम लेपित यूरिया (Neem coated urea)** का उत्पादन करना अनिवार्य कर दिया है, ताकि किसानों को लाभ हो। नीम लेपित यूरिया की आवश्यकता कम होती है और यह एक ही आकार के भूखंड पर कम मात्रा में होता है और इससे फसल की पैदावार अधिक होती है। नीम कोटिंग से यूरिया के रिसाव के कारण भूमिगत जल संदूषण भी कम होता है, क्योंकि नीम लेपित यूरिया में नाइट्रोजन बहुत धीरे-धीरे पौधों तक पहुँचता है। नीम लेपित यूरिया औद्योगिक उपयोग के लिए उपयुक्त नहीं है, इसलिए उद्योगों को इसके अवैध रूप से भेजे जाने की संभावना भी कम होगी। किसान नीम लेपित यूरिया के प्रति बैग के लिए केवल 14 रुपए का अतिरिक्त मूल्य चुकाते हैं।

यूरिया सब्सिडी से जुड़े मुद्दे: वर्तमान में सरकार यूरिया के उत्पादन और वितरण में निम्नलिखित तरीकों से हस्तक्षेप करती है:

- सरकार एक नियंत्रित अधिकतम खुदरा मूल्य (एमआरपी) निर्धारित करती है जिस पर किसानों को यूरिया बेचा जाना चाहिए, जो कर को छोड़कर **5.36 रुपए** प्रति किलोग्राम (50 किलोग्राम के प्रति बैग 268 रुपए) है (आयातित/अंतर्राष्ट्रीय मूल्य लगभग **30 रुपए प्रति किलोग्राम** है)।
- सरकार एमआरपी और उत्पादन की लागत (समूह-आधारित मानदंड) के बीच के अंतर के आधार पर यूरिया संयंत्रों को सब्सिडी प्रदान करती है और इसका भुगतान उर्वरक कंपनी को किया जाता है।
- घरेलू गैस की सीमित उपलब्धता के कारण, यूरिया बनाने वाली कंपनियाँ उत्पादन के लिए ज्यादातर महँगी आयातित गैस पर निर्भर रहती हैं। और केवल तीन कंपनियों को भारत में यूरिया आयात करने की अनुमति है **(नहरीकरण-canalisation)**।
- उर्वरक की लगभग आधी आवाजाही **निर्देशित** होती है, अर्थात सरकार निर्माताओं और आयातकों को बताती है कि उन्हें कितना यूरिया आयात करना है और कहां बेचना है।

इस प्रकार, लगभग सभी कर्ता-उपभोक्ता, उत्पादक, आयातक और वितरक सरकार द्वारा नियंत्रित होते हैं। यूरिया के लिए परिवहन योजना सरकार द्वारा हर महीने यूरिया आपूर्तिकर्ताओं को दी जाती है, ताकि देश के सभी हिस्सों में इसकी समय पर और पर्याप्त उपलब्धता सुनिश्चित की जा सके, जिसका अर्थ है कि **केंद्र सरकार उर्वरक आपूर्ति श्रृंखला को नियंत्रित करती है।** इससे एक-दूसरे को नुकसान पहुँचाने वाली विकृतियाँ पैदा हुई हैं और साथ में एक ऐसा माहौल बना है जिससे रिसाव, छोटे किसानों के लिए कम उपलब्धता, कम कीमत के कारण अकुशल खपत हो रही है।

नैनो यूरिया:

तरल नैनो यूरिया को इफको द्वारा विकसित और पेटेंट किया गया है। इफको नैनो यूरिया भारत सरकार द्वारा अनुमोदित एकमात्र नैनो उर्वरक है और उर्वरक नियंत्रण आदेश (FCO) में शामिल है। किसानों को सही समय पर और सही कीमत पर सही गुणवत्ता वाले उर्वरकों की पर्याप्त उपलब्धता सुनिश्चित करने के लिए, उर्वरक को एक आवश्यक वस्तु घोषित किया गया था और देश में उर्वरकों के विनियमन, व्यापार, मूल्य, गुणवत्ता और वितरण के लिए आवश्यक वस्तु अधिनियम, 1955 की धारा 3 के तहत उर्वरक नियंत्रण आदेश (FCO) प्रख्यापित किया गया था।

- नैनो यूरिया की 1 बोतल (आधा लीटर) का उपयोग प्रभावी रूप से कम से कम 1 बैग यूरिया (50 किलोग्राम) की जगह ले सकता है।

- वर्तमान में नैनो यूरिया पर कोई सब्सिडी नहीं है।
- पत्तियों पर छिड़के जाने पर, नैनो यूरिया आसानी से रंध्रों और अन्य छिद्रों के माध्यम से प्रवेश करता है और पौधे की कोशिकाओं द्वारा आत्मसात कर लिया जाता है। यह पौधे की आवश्यकता के अनुसार फ्लोएम के माध्यम से स्रोत से सिंक तक आसानी से वितरित किया जाता है।
- तरल नैनो यूरिया में मात्रा के हिसाब से 4% नाइट्रोजन होता है और यह नैनोकणों के रूप में आता है।
- पारंपरिक यूरिया के 25% की तुलना में इसकी दक्षता 85%-90% है
- अप्रयुक्त नाइट्रोजन पौधे के रिक्तिका में संग्रहीत होता है और पौधे की उचित वृद्धि और विकास के लिए धीरे-धीरे प्रवाहित होता जाता है।
- नैनो यूरिया का छोटा आकार (20-50 एनएम) फसल के लिए इसकी उपलब्धता को 80% से अधिक बढ़ा देता है।

डीएपी (P) और एमओपी (K) और कॉम्प्लेक्स उर्वरक (NPK) [पोषक तत्व आधारित सब्सिडी]

डीएपी और एमओपी उर्वरकों में सब्सिडी व्यवस्था को पोषक तत्व आधारित सब्सिडी (एनबीएस) कहा जाता है जो 2010 से प्रभावी है। इस व्यवस्था के तहत, डीएपी और एमओपी उर्वरकों के उत्पादकों और आयातकों को पोषक तत्व (N, P और K) उर्वरक की एक निश्चित मात्रा में मौजूद होते हैं, की मात्रा के आधार पर सब्सिडी मिलती है। इसलिए डीएपी और एमओपी उर्वरकों पर प्रति किलोग्राम सब्सिडी सरकार द्वारा हर साल तय की जाती है और वे बाजार की कीमतों के साथ भिन्न नहीं होती हैं। इन उर्वरकों की बाजार कीमतों (जिस पर किसान खरीदते हैं) को विनियमित नहीं किया जाता है (लेकिन सरकार द्वारा दी गई निश्चित पोषक तत्व सब्सिडी के साथ समायोजित किया जाता है) यानी, निर्माता उस बाजार मूल्य को तय करने के लिए स्वतंत्र हैं जिस पर वे बेचना चाहते हैं। इसका मतलब यह है कि उत्पादक और आयातक इन उर्वरकों को किसी भी कीमत पर बेचने के लिए स्वतंत्र हैं, लेकिन चूँकि उन्हें सरकार से एक निश्चित सब्सिडी मिलती है और बाजार में प्रतिस्पर्धा के कारण, वे सब्सिडी के अनुपात में बाजार मूल्य कम कर देते हैं। डीएपी और एमओपी उर्वरकों में सरकार की भागीदारी उत्पादकों और आयातकों को एक निश्चित पोषक तत्व-आधारित सब्सिडी का भुगतान करने तक सीमित है जो उत्पादन लागत का लगभग 35 प्रतिशत है।

उर्वरक विभाग ने वर्ष 2020-21 के लिए विभिन्न पोषक तत्वों पर निम्न दरों पर सब्सिडी तय की है: नाइट्रोजन (एन) 18.78 रुपए प्रति किलोग्राम, फास्फोरस (पी) 14.88 रुपए प्रति किलोग्राम, पोटाश (के) 10.11 रुपए प्रति किलोग्राम और सल्फर (एस) 2.37 रुपए प्रति किलोग्राम। डीएपी में फास्फोरस का अनुपात अधिक होता है और एमओपी में पोटेशियम का अनुपात अधिक होता है लेकिन इन उर्वरकों में कुछ अनुपात में अन्य पोषक तत्व यानी एन, पी, के और एस भी होते हैं। उर्वरकों में मौजूद पोषक तत्वों के अनुपात के आधार पर, डीएपी और एमओपी पर प्रति किलोग्राम सब्सिडी की गणना की जा सकती है। उर्वरक कंपनियों को उर्वरक बैग पर स्पष्ट रूप से लागू सब्सिडी के साथ अधिकतम खुदरा मूल्य (एमआरपी) प्रिंट करना आवश्यक है। 24000/टन तथा एमओपी के लिए यह लगभग 16000/टन है तथा यह नियंत्रण मुक्त है।

मुद्रित एमआरपी से अधिक मूल्य पर कोई भी बिक्री आवश्यक वस्तु अधिनियम के तहत दंडनीय है। डीएपी के लिए एमआरपी वर्तमान में 24000 रुपए प्रति टन और एमओपी के लिए लगभग 16000 रुपए प्रति टन है और यह नियंत्रण मुक्त है।

नैनो डीएपी

- इफको नैनो डीएपी सभी फसलों के लिए उपलब्ध नाइट्रोजन (एन) और फास्फोरस (P2O5) का एक उत्तम स्रोत है और खड़ी फसलों में नाइट्रोजन और फास्फोरस की कमी को ठीक करने में मदद करता है।
- नैनो डीएपी फॉर्मूलेशन में नाइट्रोजन (8.0% N w/v) और फास्फोरस (16.0% P2O5 w/v) होता है। नैनो डीएपी (तरल) सतह क्षेत्र से आयतन के मामले में लाभप्रद है क्योंकि इसके कण का आकार 100 नैनोमीटर (एनएम) से कम है। यह अद्वितीय गुण इसे बीज की सतह के अंदर या रंध्रों और अन्य पौधों के छिद्रों के माध्यम से आसानी से प्रवेश करने में सक्षम बनाता है।

- नैनो डीएपी (तरल) स्वदेशी और गैर-सब्सिडी वाला उर्वरक है।
- इष्टतम क्षेत्र स्थितियों के अंतर्गत पोषक तत्व उपयोग दक्षता 90 प्रतिशत से अधिक है।

उर्वरक में डीबीटी:

जनवरी 2018 में, सरकार ने सभी राज्यों और केंद्र शासित प्रदेशों (यूटी) में उर्वरक सब्सिडी के लिए डीबीटी सुविधा लागू की। उर्वरकों में डीबीटी मॉडल एलपीजी में लागू की जा रही डीबीटी की पारंपरिक प्रणाली से अलग है। उर्वरक सब्सिडी में डीबीटी प्रणाली के तहत, किसानों/लाभार्थियों को वैधानिक सब्सिडी वाले मूल्यों (5.36 रुपए प्रति किलोग्राम) पर यूरिया और बाजार में सब्सिडी वाले मूल्यों पर P और K उर्वरक मिलते रहेंगे। उर्वरक कंपनियाँ जो पहले जिला स्तर पर उर्वरकों की प्राप्ति पर सब्सिडी प्राप्त करती थीं, अब उन्हें सब्सिडी तभी मिलेगी जब खुदरा विक्रेताओं द्वारा आधार कार्ड या मतदाता पहचान पत्र या किसान क्रेडिट कार्ड द्वारा बायोमेट्रिक प्रमाणीकरण के माध्यम से पॉइंट ऑफ सेल (PoS) मशीनों (उर्वरक विभाग के ई-उर्वरक डीबीटी पोर्टल से जुड़ी) के माध्यम से किसानों/लाभार्थियों को उर्वरक बेचे जाएँगे।

सरकार ने प्रत्यक्ष नकद हस्तांतरण, डीसीटी (जो मूल रूप से एलपीजी के मामले में लागू किया जा रहा डीबीटी है) को लागू करने के लिए एक अध्ययन किया है, जहाँ किसान बाजार मूल्य पर उर्वरक खरीदेंगे और सरकार उर्वरकों को किसानों/लाभार्थियों को बेचेगी। किसानों के खाते में नकद राशि हस्तांतरित की जाएगी। लेकिन अधिकांश किसान डीसीटी की इस व्यवस्था को नहीं चाहते हैं, क्योंकि किसानों को पहले ही बाजार मूल्य का भुगतान करना होगा जो काफी अधिक हो सकता है और उन्हें अपने खाते में सरकारी धन का इंतजार करना होगा जो आमतौर पर देरी से होता है और कुछ मामलों में यह आया ही नहीं है। किसानों द्वारा बाजार मूल्य के अग्रिम भुगतान की इस समस्या को दूर करने के लिए, सरकार प्रत्येक किसान के लिए ई-वॉलेट खाता बनाने और बुवाई के मौसम से पहले प्रत्येक किसान के ई-वॉलेट में धन हस्तांतरित करने की योजना बना रही है और किसानों द्वारा वास्तविक खरीद पर इसे समायोजित किया जाएगा और अगले वर्ष के लिए आगे बढ़ाया जाएगा।

उर्वरक क्षेत्र में प्रस्तावित सुधार:

- उर्वरक सब्सिडी के बदले में प्रति किसान सालाना 5000 से 6000 रुपए हस्तांतरित करें।
- उर्वरक उत्पादन में आत्मनिर्भर बनें।
- यूरिया के लिए एनबीएस मॉडल भी लागू करें।
- पौधों के लिए पोषक तत्वों के वैकल्पिक स्रोत यानी गैर-रासायनिक उर्वरक विकसित करें।
- आवश्यकता-आधारित उपयोग के माध्यम से उर्वरक दक्षता में सुधार करें। उदाहरण के लिए, इफको द्वारा विकसित नैनो यूरिया।

हाल ही में, रसायन और उर्वरक मंत्रालय, भारत सरकार ने दो महत्वपूर्ण योजनाएँ शुरू की हैं:

1. प्रधानमंत्री किसान समृद्धि केंद्र (PMKSK)

प्रधानमंत्री ने रसायन और उर्वरक मंत्रालय के तहत 600 प्रधान मंत्री किसान समृद्धि केंद्रों का उद्घाटन किया। इस योजना के तहत, देश में खुदरा उर्वरक दुकानों को चरणबद्ध तरीके से पीएम के एस के में परिवर्तित किया जाएगा। प्रधान मंत्री किसान समृद्धि केंद्र किसानों की विभिन्न प्रकार की जरूरतों को पूरा करेगा और प्रदान करेगा:

- कृषि-इनपुट (उर्वरक, बीज, उपकरण),
- मिट्टी, बीज और उर्वरकों के लिए परीक्षण सुविधाएँ;
- किसानों के बीच जागरूकता पैदा करना;
- विभिन्न सरकारी योजनाओं के बारे में जानकारी प्रदान करना और
- ब्लॉक/जिला स्तर की दुकानों पर खुदरा विक्रेताओं की नियमित क्षमता निर्माण सुनिश्चित करना।
- पीएम केएसके केवल उर्वरक के बिक्री केंद्र नहीं हैं, बल्कि देश के किसानों के साथ गहरा रिश्ता बनाने का एक तंत्र हैं।
- 3.3 लाख से अधिक खुदरा उर्वरक दुकानों को उर्वरक केंद्रों में बदलने की योजना है।

2. प्रधानमंत्री भारतीय जन उर्वरक परियोजना - एक राष्ट्र एक उर्वरक (ONOF)

- ओएनओएफ के तहत कंपनियों को अपने बैग के केवल एक-तिहाई स्थान पर अपना नाम, ब्रांड, लोगो

और अन्य प्रासंगिक उत्पाद जानकारी प्रदर्शित करने की अनुमति है।

- शेष दो-तिहाई स्थान पर "भारत" ब्रांड और प्रधानमंत्री भारतीय जन उर्वरक परियोजना का लोगो दिखाना होगा।
- सभी उर्वरक कंपनियों, राज्य व्यापार संस्थाओं (एसटीई) और उर्वरक विपणन संस्थाओं (एफएमई) के लिए यूरिया, डीएपी, एमओपी और कॉम्प्लेक्स उर्वरकों (एनपीके) आदि के लिए एकल ब्रांड नाम क्रमशः भारत यूरिया, भारत डीएपी, भारत एमओपी और भारत एनपीके आदि होगा।
- इससे देश भर में उर्वरक ब्रांडों में एकरूपता आएगी।
- किसान को उर्वरक की गुणवत्ता और इसकी उपलब्धता के बारे में सभी प्रकार के भ्रम से छुटकारा मिलेगा।

3. **मातृ-भूमि के पुनरुद्धार, जागरूकता सृजन, पोषण और सुधार के लिए प्रधानमंत्री कार्यक्रम (पीएम- प्रणाम)**
   - केंद्र उन राज्यों को प्रोत्साहित करेगा जो रासायनिक उर्वरकों के उपयोग को कम करके बचाई गई सब्सिडी से वैकल्पिक उर्वरकों (जैसे नैनो-उर्वरक और जैव-उर्वरक) को अपनाएँगे।
   - उदाहरण के लिए, यदि कोई राज्य 10 लाख टन पारंपरिक उर्वरकों का उपयोग कर रहा था और अपनी खपत में तीन लाख टन की कमी करता है, तो सब्सिडी की बचत लगभग 3,000 करोड़ रुपए होगी। उस सब्सिडी बचत में से, केंद्र उस राज्य सरकार को 50% देगा।

9.5 खाद्य सब्सिडी (Food Subsidy)

खाद्य सब्सिडी को केंद्र और राज्य सरकारों द्वारा संयुक्त रूप से लागू किया जा रहा है, लेकिन इसका बड़ा वित्तीय बोझ केंद्र सरकार अपनी एजेंसी भारतीय खाद्य निगम (FCI) के माध्यम से उठाती है।

9.5.1 भारतीय खाद्य निगम (FCI)

FCI की स्थापना 1965 में खाद्य निगम अधिनियम 1964 के तहत खाद्य नीति के निम्नलिखित उद्देश्यों को पूरा करने के लिए की गई थी।

- किसानों के हितों की रक्षा के लिए प्रभावी मूल्य समर्थन संचालन।
- सार्वजनिक वितरण प्रणाली के लिए पूरे देश में खाद्यान्नों का वितरण।
- राष्ट्रीय खाद्य सुरक्षा सुनिश्चित करने के लिए खाद्यान्नों के परिचालन और बफर स्टॉक के सुरक्षा स्तर को बनाए रखना।

अपनी स्थापना के बाद से, FCI ने संकट प्रबंधन-उन्मुख खाद्य सुरक्षा को एक स्थिर सुरक्षा प्रणाली में बदलने में भारत की सफलता में महत्वपूर्ण भूमिका निभाई है। FCI प्रभावी बाजार हस्तक्षेप सुनिश्चित करता है जिससे कीमतें नियंत्रण में रहती हैं।

अपने उद्देश्यों को प्राप्त करने के लिए, FCI निम्नलिखित कार्य करता है:

1. **खरीद:** खाद्यान्नों (गेहूँ और धान) की खरीद को सुविधाजनक बनाने के लिए, FCI और विभिन्न राज्य एजेंसियां राज्य सरकारों के परामर्श से विभिन्न मंडियों और प्रमुख बिंदुओं पर बड़ी संख्या में खरीद केंद्र स्थापित करती हैं। **खरीद नीति मुक्त** है। इसका मतलब है कि किसानों द्वारा निर्धारित अवधि के भीतर और भारत सरकार द्वारा निर्धारित विनिर्देशों के अनुरूप जो भी (बिना किसी सीमा के) गेहूँ और धान की पेशकश की जाती है, उसे केंद्रीय पूल के लिए भारतीय खाद्य निगम (FCI) सहित सरकारी एजेंसियों द्वारा न्यूनतम समर्थन मूल्य (MSP) पर खरीदा जाता है। केंद्र सरकार दो तरीकों से गेहूँ और चावल/धान खरीदती है:
   - एक तरीका है **'केंद्रीकृत खरीद प्रणाली'** जहाँ या तो एफसीआई खरीद करता है या राज्यों से खरीद करने और स्टॉक को एफसीआई को सौंपने के लिए कहता है और एफसीआई इसका भुगतान करता है। और फिर एफसीआई एनएफएसए के तहत भंडारण और वितरण करता है।
   - दूसरा है **'विकेंद्रीकृत खरीद प्रणाली'** जहाँ केंद्र ने राज्यों से एनएफएसए और अन्य कल्याणकारी योजनाओं के तहत खरीद, भंडारण और वितरण करने के लिए कहा है और केंद्र (एफसीआई) राज्यों को भुगतान करता है।

2. **भंडारण और अनुबंध:** एफसीआई अपने द्वारा खरीदे गए मिलियन टन खाद्यान्न के लिए वैज्ञानिक भंडारण सुविधा प्रदान करता है। कमी वाले, दूरदराज और दुर्गम क्षेत्रों में आसान भौतिक पहुँच प्रदान करने के लिए, एफसीआई के पास पूरे भारत में रणनीतिक रूप से स्थित भंडारण डिपो का एक नेटवर्क है। इन डिपो में साइलो, गोदाम और कवर और प्लिंथ (CAP) नामक एक स्वदेशी विधि शामिल है।

   24 राज्यों में निजी उद्यमी गारंटी (पीईजी) योजना के तहत निजी क्षेत्र के साथ-साथ केंद्रीय भंडारण निगम (सीडब्ल्यूसी) और राज्य भंडारण निगम (एसडब्ल्यूसी) के माध्यम से पीपीपी मोड में गोदामों का निर्माण किया गया है।

   भारत सरकार ने भंडारण बुनियादी ढाँचे को आधुनिक बनाने और संग्रहीत खाद्यान्नों के शेल्फ जीवन में सुधार करने के उद्देश्य से सार्वजनिक निजी भागीदारी (पीपीपी) प्रणाली में देश में 100 एलएमटी की क्षमता के लिए स्टील ढाँचों (Steel Silos) के निर्माण के साथ कार्य योजना को भी मंजूरी दी है।

3. **परिवहन:** खाद्यान्न अधिशेष राज्यों से खरीदा जाता है और पूर्वोत्तर और दक्षिणी राज्यों के घाटे वाले राज्यों में ले जाया जाता है। खाद्यान्न अधिशेष उत्तरी राज्यों तक ही सीमित है और परिवहन में पूरे देश में लंबी दूरी तय करनी पड़ती है। बाजार और खरीद केंद्रों में खरीदे गए स्टॉक को सबसे पहले नजदीकी डिपो में एकत्र किया जाता है और वहाँ से सीमित समय में प्राप्तकर्ता राज्यों को भेज दिया जाता है।

4. **बफर स्टॉक:** एफसीआई निम्नलिखित उद्देश्यों के लिए बफर स्टॉक (केंद्रीय पूल) बनाए रखता है:
   - लक्षित सार्वजनिक वितरण प्रणाली (टीपीडीएस) और अन्य योजनाओं को पूरा करने के लिए
   - खराब कृषि वर्षों के दौरान उत्पादन सामान्य मांग से कम होने की अवधि के दौरान खाद्य सुरक्षा सुनिश्चित करने के लिए
   - खुले बाजार में बिक्री के माध्यम से उत्पादन में कमी के दौरान कीमतों को स्थिर करने के लिए

   एफसीआई को **केंद्रीय पूल** में लगभग 25 मिलियन टन (एमटी) बफर स्टॉक (गेहूँ और चावल दोनों मिलाकर) रखने का अधिकार है, जिसमें 2 मीट्रिक टन चावल और 3 मीट्रिक टन गेहूँ का रणनीतिक भंडार शामिल है। लेकिन औसतन एफसीआई के पास अनिवार्य स्टॉक से दोगुना से भी अधिक स्टॉक है, जिससे भंडारण लागत और बर्बादी बहुत अधिक होती है। इसका कारण यह है कि एफसीआई किसानों द्वारा मंडियों में लाए जाने वाले सभी स्टॉक को खरीदने के लिए बाध्य है, लेकिन राष्ट्रीय खाद्य सुरक्षा अधिनियम के तहत केवल सीमित मात्रा में ही वितरित करने की आवश्यकता है। एफसीआई घरेलू बाजार में खाद्यान्न बेचता है और साथ ही केंद्रीय पूल से इसका निर्यात भी करता है।

एफसीआई के गठन के समय से लेकर आज तक खाद्यान्न (अनाज) के मोर्चे पर एक बड़ा बदलाव आया है। भारत खाद्यान्न की कमी वाले देश से खाद्यान्न अधिशेष वाले देश में बदल गया है, जिसके उत्पादन में पर्याप्त वृद्धि हुई है और यह अनाज का शुद्ध निर्यातक बन गया है। सुनिश्चित खरीद और वितरण की सरकारी नीतियों ने उस समय उत्पादन बढ़ाने के लिए सही प्रोत्साहन दिया। लेकिन मौजूदा खाद्यान्न अर्थव्यवस्था खरीद, भंडारण, परिवहन और वितरण में विभिन्न आर्थिक अक्षमताओं से भरी हुई है। किसान बाजार में माँग के पैटर्न से नहीं बल्कि अनाज की खरीद और वितरण की सरकारी नीतियों से अपने संचालित होते हैं।

इसलिए, इन नीतियों को अब विविधीकरण और पर्यावरण की दृष्टि से टिकाऊ उत्पादन को प्रोत्साहित करने के लिए आगे बढ़ने की आवश्यकता है। किसानों को प्रत्यक्ष निवेश सब्सिडी और नकद हस्तांतरण के माध्यम से सशक्त बनाने की आवश्यकता है, जो फसल-तटस्थ हैं और किसानों के फसल निर्णयों में हस्तक्षेप नहीं करते हैं।

न्यूनतम समर्थन मूल्य (MSP): भारत सरकार द्वारा घोषित वह दर जिस पर भारत सरकार और राज्य सरकारों और उनकी एजेंसियों द्वारा केंद्रीय पूल के लिए किसानों से खरीद की जाती है। MSP पूरे देश के लिए समान है और मात्रा के संदर्भ में खरीद की कोई सीमा नहीं है बशर्ते कि स्टॉक उचित औसत गुणवत्ता (FAQ) को संतुष्ट करता हो।

केंद्रीय निर्गम मूल्य (CIP): वह मूल्य जिस पर लक्षित सार्वजनिक वितरण प्रणाली (TPDS)/NFSA के तहत

वितरण के लिए समान कीमतों पर केंद्रीय पूल से राज्य सरकारों/केंद्र शासित प्रदेशों को खाद्यान्न (गेहूँ और चावल) जारी किए जाते हैं। केंद्रीय निर्गम मूल्य खाद्य और सार्वजनिक वितरण विभाग, उपभोक्ता मामले, खाद्य और सार्वजनिक वितरण मंत्रालय द्वारा तय किया जाता है।

आर्थिक लागतः खरीद (MSP पर), भंडारण, परिवहन और वितरण (निकटतम डिपो तक) के माध्यम से केंद्र सरकार द्वारा वहन की गई लागत।

उपभोक्ता सब्सिडीः आर्थिक लागत और केंद्रीय निर्गम मूल्य (सीआईपी) के बीच के अंतर को उपभोक्ता सब्सिडी कहा जाता है और इसका वहन केंद्र सरकार करती है।

उपर्युक्त के अलावा, एफसीआई के पास खाद्यान्नों के बड़े बफर स्टॉक (भविष्य की आपात स्थितियों के लिए) हैं, जिसके लिए पर्याप्त परिवहन/भंडारण लागत की आवश्यकता होती है और इसे बफर सब्सिडी कहा जाता है। उपभोक्ता सब्सिडी और बफर सब्सिडी मिलकर भारत सरकार की कुल खाद्य सब्सिडी में जुड़ जाती है।

9.5.2 सार्वजनिक वितरण प्रणाली (पीडीएस)

देश में सार्वजनिक वितरण प्रणाली (पीडीएस) की अवधारणा द्वितीय विश्व युद्ध (1942) के दौरान खाद्यान्नों की कमी के कारण विकसित हुई और खाद्यान्नों के वितरण में सरकार का हस्तक्षेप कुछ आवश्यक वस्तुओं से शुरू हुआ। 1960 के दशक की गंभीर खाद्यान्न कमी (चीन युद्ध 1962, पाकिस्तान युद्ध 1965, 1965 के दो सूखे, 1966) के दौरान पीडीएस ने मुख्य रूप से शहरी क्षेत्रों में खाद्यान्नों के वितरण पर ध्यान केंद्रित किया। हरित क्रांति के मद्देनजर, जैसे-जैसे राष्ट्रीय कृषि उत्पादन बढ़ा, 1970 और 1980 के दशक में जनजातीय ब्लॉकों और गरीबी की उच्च घटनाओं वाले क्षेत्रों तक सार्वजनिक वितरण प्रणाली का विस्तार किया गया।

सार्वजनिक वितरण प्रणाली कमी के प्रबंधन और सस्ती कीमतों पर खाद्यान्न वितरण की प्रणाली के रूप में विकसित हुई है। पिछले कुछ वर्षों में और पंचवर्षीय योजना के प्रत्येक चरण के साथ, यह देश में खाद्य अर्थव्यवस्था के प्रबंधन के लिए सरकार की नीति का एक महत्वपूर्ण हिस्सा बन गई है। **सार्वजनिक वितरण प्रणाली वृद्धिशील प्रकृति की है** और इसका उद्देश्य किसी परिवार या समाज के एक वर्ग को इसके तहत वितरित किसी भी वस्तु की पूरी आवश्यकता उपलब्ध कराना नहीं है। सार्वजनिक वितरण प्रणाली के तहत मुख्य रूप से गेहूँ, चावल, चीनी और मिट्टी का तेल वितरित किया जाता है, लेकिन कुछ राज्य दालें, खाद्य तेल, आयोडीनयुक्त नमक, मसाले आदि भी वितरित करते हैं।

1992 तक सार्वजनिक वितरण प्रणाली बिना किसी विशिष्ट लक्ष्य के सभी उपभोक्ताओं के लिए एक सामान्य पात्रता योजना थी। जून 1992 में पूरे देश में 1775 ब्लॉकों में संशोधित सार्वजनिक वितरण प्रणाली शुरू की गई। सार्वजनिक वितरण प्रणाली को सुदृढ़ और सुव्यवस्थित करने के साथ-साथ दूर-दराज, पहाड़ी, दूरस्थ और दुर्गम क्षेत्रों में इसकी पहुँच में सुधार करने के उद्देश्य से आर.पी.डी.एस. की शुरुआत की गई थी, जहाँ गरीबों का एक बड़ा वर्ग रहता है।

लक्षित सार्वजनिक वितरण प्रणाली (टी.पी.डी.एस.) जून 1997 में, भारत सरकार ने गरीबों पर ध्यान केंद्रित करते हुए टी.पी.डी.एस. की शुरुआत की। टी.पी.डी.एस. के तहत, राज्यों को खाद्यान्न की डिलीवरी के लिए गरीबों की पहचान करने और उचित मूल्य की दुकान (एफ.पी.एस.) स्तर पर पारदर्शी और जवाबदेह तरीके से इसके वितरण के लिए पुख्ता व्यवस्था बनाने और उसे लागू करने की आवश्यकता थी।

जब इस योजना को शुरू किया गया था, तो इसका उद्देश्य 6 करोड़ गरीब परिवारों को लाभ पहुँचाना था। टी.पी.डी.एस. के तहत गरीबी रेखा से नीचे की आबादी ज्ञात करने के लिए, प्रोफेसर लकड़ावाला की अध्यक्षता में योजना आयोग द्वारा गठित विशेषज्ञ समूह द्वारा इस्तेमाल की जाने वाली पद्धति को अपनाने का निर्णय लिया गया। दिशा-निर्देश जारी किए गए, जिसमें राज्यों को ग्राम पंचायतों और नगर-पालिकाओं को शामिल करके बी.पी.एल. परिवारों की पहचान करने की सलाह दी गई। ऐसा करते समय, जोर इस बात पर होगा कि समाज के वास्तव में गरीब और कमजोर वर्गों को शामिल किया जाए, जैसे कि ग्रामीण क्षेत्रों में भूमिहीन कृषि मजदूर, सीमांत किसान, ग्रामीण कारीगर/शिल्पकार जैसे कि कुम्हार, बुनकर, लोहार, बढ़ई आदि तथा शहरी क्षेत्रों में झुग्गी-झोपड़ी में रहने वाले लोग और अनौपचारिक क्षेत्र में दैनिक आधार पर अपनी आजीविका कमाने वाले लोग जैसे कि कुम्हार, रिक्शा चालक, गाड़ी चालक, फुटपाथ पर फल और फूल बेचने वाले आदि।

राज्य को बीपीएल की आवश्यकता से अधिक खाद्यान्न की मात्रा 'अस्थायी आवंटन' के रूप में प्रदान की गई थी। इसका उद्देश्य बीपीएल से ऊपर की आबादी को सब्सिडी वाले खाद्यान्न का लाभ जारी रखना था, क्योंकि पीडीएस के तहत मौजूद लाभों को अचानक वापस लेना अवांछनीय माना जाता था। अस्थायी आवंटन उन कीमतों पर जारी किया गया था, जो सब्सिडी वाली थीं, लेकिन बीपीएल कोटे के खाद्यान्न की कीमतों से अधिक थीं।

2000 में किए गए एक राष्ट्रीय नमूना सर्वेक्षण (एनएसएस) से ज्ञात होता है कि देश की कुल आबादी का लगभग 5% हिस्सा दिन में दो वक्त का खाना खाए बिना सोता है। आबादी के इस हिस्से को भूखा कहा जा सकता है। टीपीडीएस को इस श्रेणी की आबादी पर अधिक केंद्रित और लक्षित बनाने के लिए, दिसंबर 2000 में 1 करोड़ सबसे गरीब परिवारों के लिए **'अंत्योदय अन्न योजना'** (AAY) शुरू की गई थी। उन्हें प्रति परिवार 35 किलोग्राम गेहूँ और चावल क्रमशः 2 रुपए प्रति किलोग्राम और 3 रुपए प्रति किलोग्राम की दर से उपलब्ध कराया जाना था। बाद में, इस योजना का विस्तार करके 1.5 करोड़ और परिवारों को शामिल किया गया।

टीपीडीएस योजना के तहत, थोक विक्रेताओं/खुदरा विक्रेताओं, परिवहन शुल्क, लेवी, स्थानीय करों आदि के मार्जिन को ध्यान में रखते हुए राज्यों/संघ शासित प्रदेशों द्वारा अंतिम खुदरा मूल्य तय किया जाता है। टीपीडीएस के तहत, राज्यों से अनुरोध किया गया था कि वे बीपीएल परिवारों को वितरण के लिए केंद्रीय निर्गम मूल्य (सीआईपी) के ऊपर 50 पैसे प्रति किलोग्राम से अधिक के अंतर पर खाद्यान्न प्रदान करें। एएवाई के लिए, अंतिम खुदरा मूल्य सीआईपी पर बनाए रखा जाना था, अर्थात गेहूँ के लिए 2 रुपए प्रति किलोग्राम और चावल के लिए 3 रुपए प्रति किलोग्राम। टीपीडीएस के तहत एपीएल और अन्य कल्याणकारी योजनाओं पर कोई प्रतिबंध नहीं था और उन्हें राज्य द्वारा तय किए गए सीआईपी से ऊपर अंतिम खुदरा मूल्य पर जारी किया जाना था।

9.5.3 राष्ट्रीय खाद्य सुरक्षा अधिनियम (एनएफएसए) 2013

(खाद्य सुरक्षा को इस प्रकार परिभाषित किया गया है "जब सभी लोगों के पास, हर समय, पर्याप्त, सुरक्षित और पौष्टिक भोजन तक भौतिक और आर्थिक पहुँच हो जो एक सक्रिय और स्वस्थ जीवन के लिए उनकी आहार संबंधी जरूरतों और खाद्य प्राथमिकताओं को पूरा करता हो")। पहले की टीपीडीएस योजना, कुछ बदलावों और अतिरिक्त प्रोत्साहनों के साथ, अब राष्ट्रीय खाद्य सुरक्षा अधिनियम 2013 में परिवर्तित हो गई है। यह अधिनियम ग्रामीण आबादी के 75% (लगभग 65 करोड़) और शहरी आबादी के 50% (लगभग 19 करोड़) यानी कुल 84 करोड़ लोगों पर लागू है। इसके लिए केंद्र को 1.90 लाख करोड़ की लागत वाले कुल खाद्यान्न में से लगभग 60 मीट्रिक टन की आवश्यकता होती है। इस अधिनियम से पहले, टीपीडीएस के तहत लाभार्थी लगभग 40 करोड़ लोग थे।

लाभार्थी परिवारों को दो श्रेणियों में विभाजित किया गया है।

- **अंत्योदय अन्न योजना (एएवाई):** प्रति परिवार प्रति माह 35 किलोग्राम चावल 3 रुपए प्रति किलोग्राम, गेहूँ 2 रुपए प्रति किलोग्राम और मोटा अनाज 1 रुपए प्रति किलोग्राम।
- **प्राथमिकता वाले परिवार:** प्रति व्यक्ति प्रति माह 5 किलोग्राम चावल 3 रुपए प्रति किलोग्राम, गेहूँ 2 रुपए प्रति किलोग्राम और मोटा अनाज 1 रुपए प्रति किलोग्राम।

[1 जनवरी 2023 से, केंद्र सरकार ने एनएफएसए 2013 के तहत शून्य मूल्य पर खाद्यान्न (चावल, गेहूँ और मोटे अनाज) मुफ्त में उपलब्ध कराना शुरू कर दिया है]

परिवारों की पहचान: प्रत्येक राज्य के लिए ग्रामीण और शहरी क्षेत्रों में अधिनियम के तहत कवरेज का प्रतिशत, 75% ग्रामीण आबादी और 50% शहरी आबादी की सीमा के अधीन, केंद्र सरकार द्वारा निर्धारित किया जाएगा और राज्य के ऐसे ग्रामीण और शहरी क्षेत्रों में कवर किए जाने वाले कुल व्यक्तियों की संख्या की गणना उस जनगणना के अनुसार जनसंख्या अनुमानों के आधार पर की जाएगी, जिसके प्रासंगिक आंकड़े प्रकाशित किए गए हैं।

राज्य सरकार, ऊपर निर्धारित व्यक्तियों में से, निम्नलिखित की पहचान करेगी:

- उक्त योजना के लिए लागू दिशा-निर्देशों के अनुसार अंत्योदय अन्न योजना के तहत कवर किए जाने वाले परिवार।

- राज्य सरकार द्वारा निर्दिष्ट दिशा-निर्देशों के अनुसार प्राथमिकता वाले परिवारों के रूप में शेष परिवार।

अधिनियम निम्नलिखित को अतिरिक्त लाभ प्रदान करता है:

- गर्भवती महिलाओं और स्तनपान कराने वाली माताओं को: गर्भावस्था के दौरान और बच्चे के जन्म के बाद छह महीने तक आँगनवाड़ी के माध्यम से मुफ्त भोजन और किश्तों में 6000 रुपए।
- 6 महीने से 6 वर्ष की आयु के बच्चों को: स्थानीय आँगनवाड़ी में मुफ्त भोजन
- 6 वर्ष से 14 वर्ष की आयु के बच्चों को: स्कूल में मध्याह्न भोजन योजना

राष्ट्रीय खाद्य सुरक्षा अधिनियम 2013 की मुख्य विशेषताएँ निम्नलिखित हैं:

1. महिला सशक्तिकरण:

- प्रत्येक पात्र परिवार में सबसे बड़ी महिला, जो 18 वर्ष से कम आयु की नहीं है, राशन कार्ड के उद्देश्य से परिवार की मुखिया होगी।
- जब कोई महिला 18 वर्ष से अधिक नहीं है, लेकिन महिला 18 वर्ष से कम है, तो पुरुष सदस्य (सबसे बड़ा) को राशन कार्ड मिलेगा और 18 वर्ष की आयु प्राप्त करने पर महिला को राशन कार्ड मिलेगा।

2. शिकायत निवारण तंत्र:

- प्रत्येक राज्य सरकार एक आंतरिक शिकायत निवारण तंत्र स्थापित करेगी, जिसमें कॉल सेंटर, हेल्पलाइन नंबर, नोडल अधिकारियों की नियुक्ति या ऐसा कोई अन्य तंत्र शामिल हो सकता है, जैसा कि निर्धारित किया जा सकता है।
- प्रत्येक राज्य सरकार इस अधिनियम के कार्यान्वयन की निगरानी और समीक्षा के उद्देश्य से एक राज्य खाद्य आयोग का गठन करेगी, जिसमें एक अध्यक्ष और पाँच अन्य सदस्य होंगे।

3. केंद्र सरकार और राज्य सरकार के दायित्व:

- राज्य सरकारें संबंधित राज्य में केंद्र सरकार के नामित डिपो से खाद्यान्न की डिलीवरी लेंगी, इसके लिए उन्हें एफसीआई को केंद्रीय निर्गम मूल्य (सीआईपी) यानी 3 रुपए प्रति किलोग्राम चावल, 2 रुपए प्रति किलोग्राम गेहूँ और 1 रुपए प्रति किलोग्राम मोटे अनाज का भुगतान करना होगा, प्रत्येक एफपीएस के दरवाजे पर अपनी अधिकृत एजेंसियों के माध्यम से आवंटित खाद्यान्न की डिलीवरी के लिए अंतर-राज्य आवंटन का आयोजन करना होगा और उपर्युक्त कीमतों पर पात्र व्यक्तियों को खाद्यान्न की वास्तविक डिलीवरी या आपूर्ति सुनिश्चित करनी होगी।
- केंद्र सरकार राज्य सरकार को अंतर-राज्यीय आवागमन, खाद्यान्नों की हैंडलिंग तथा उचित मूल्य दुकान (एफपीएस) डीलरों को भुगतान किए जाने वाले मार्जिन (लाभ) पर होने वाले व्यय को पूरा करने में सहायता प्रदान करेगी, जैसा कि केंद्र सरकार द्वारा निर्धारित मानदंडों और तरीके से किया जा सकता है।

4. विविध प्रावधान

- इस अधिनियम के प्रावधान केंद्र सरकार या राज्य सरकार को अन्य खाद्य-आधारित कल्याणकारी योजनाओं को जारी रखने या तैयार करने से नहीं रोकेंगे।
- राज्य सरकार स्वयं के संसाधनों से इस अधिनियम के तहत प्रदान किए गए लाभों से अधिक लाभ प्रदान करने वाली खाद्य या पोषण-आधारित योजनाओं या योजनाओं को जारी रख सकती है या तैयार कर सकती है।
- केंद्र सरकार या राज्य सरकार, जैसा भी मामला हो, इस अधिनियम के तहत हकदार किसी भी व्यक्ति द्वारा किए गए दावे के लिए उत्तरदायी होगी, सिवाय युद्ध, बाढ़, सूखा, आग, चक्रवात, भूकंप के मामले में जो इस अधिनियम के तहत ऐसे व्यक्ति को खाद्यान्न या भोजन की नियमित आपूर्ति को प्रभावित करता है।
- खाद्य और पोषण सुरक्षा को आगे बढ़ाने के उद्देश्य से केंद्र सरकार, राज्य सरकार और स्थानीय प्राधिकरण किसानों को लाभकारी मूल्य, इनपुट, ऋण, सिंचाई, बिजली, फसल बीमा आदि तक पहुँच के माध्यम से उत्तरोत्तर आजीविका सुरक्षा सुनिश्चित करने का प्रयास करेंगे।

एक राष्ट्र एक राशन कार्ड (ONORC):

- राष्ट्रीय खाद्य सुरक्षा अधिनियम, 2013 के तहत राशन कार्डों की राष्ट्रव्यापी पोर्टेबिलिटी के लिए, केंद्र सरकार ने ONORC योजना शुरू की है। ONORC योजना का उद्देश्य प्रवासी श्रमिकों और उनके परिवार के सदस्यों को NFSA के तहत देश में कहीं भी किसी भी उचित मूल्य की दुकान से सब्सिडी वाला राशन खरीदने में सक्षम बनाना है।
- ONORC प्रवासी लाभार्थियों को देश में किसी भी उचित मूल्य की दुकान (FPS) से पूरा या आंशिक खाद्यान्न लेने की अनुमति देता है, जबकि घर पर परिवार के सदस्य, यदि कोई हों, उसी राशन कार्ड पर शेष खाद्यान्न ले सकते हैं।
- पहले, NFSA लाभार्थी अपने PDS लाभों को उस विशिष्ट उचित मूल्य की दुकान के अधिकार क्षेत्र के बाहर प्राप्त करने में सक्षम नहीं थे, जिसके लिए उन्हें नियुक्त किया गया था। ओएनओआरसी की परिकल्पना उन्हें किसी भी उचित मूल्य की दुकान से लाभ प्राप्त करने की सुविधा देने के लिए की गई थी।
- ओएनओआरसी प्रौद्योगिकी पर आधारित है जिसमें लाभार्थियों के राशन कार्ड, आधार संख्या और इलेक्ट्रॉनिक पॉइंट्स ऑफ सेल (Electronic Points of Sale -ePOS) का विवरण शामिल होता है।

9.6 शांता कुमार समिति की सिफारिशें (Shanta Kumar Committee Recommendations)

भारत सरकार (जीओआई) ने अगस्त 2014 में शांता कुमार की अध्यक्षता में एक **उच्च स्तरीय समिति** (HLC) का गठन किया, ताकि एफसीआई की **परिचालन दक्षता** और **वित्तीय प्रबंधन** में सुधार के उद्देश्य से इसके पुनर्गठन या विघटन का सुझाव दिया जा सके। समिति ने 2015 में अपनी सिफारिशें प्रस्तुत कीं। इसकी प्रमुख सिफारिशें निम्नलिखित हैं:

खरीद

- एफसीआई गेहूँ, धान और चावल की सभी खरीद गतिविधियों को उन राज्यों को सौंप दे, जिन्होंने इस संबंध में पर्याप्त अनुभव प्राप्त कर लिया है और खरीद के लिए उचित बुनियादी ढाँचा तैयार कर लिया है। एफसीआई इन राज्य सरकारों से केवल अधिशेष (एनएफएसए के तहत राज्यों की जरूरतों को घटाने के बाद) को घाटे वाले राज्यों को स्थानांतरित करने के लिए स्वीकार करेगा।

पीडीएस और एनएफएसए

- उच्च स्तरीय समिति ने 67 प्रतिशत आबादी के वर्तमान कवरेज पर पुनर्विचार करने की सिफारिश की है क्योंकि यह बहुत अधिक है, और इसे लगभग 40 प्रतिशत तक लाया जाना चाहिए, जो बीपीएल परिवारों को आसानी से कवर करेगा और कुछ इससे भी ऊपर के हैं।
- प्राथमिकता वाले परिवारों को प्रति व्यक्ति 5 किलोग्राम अनाज वास्तव में बीपीएल परिवारों की स्थिति को और खराब कर रहा है, जिन्हें टीपीडीएस के तहत 7 किलोग्राम प्रति व्यक्ति मिलता था। इसलिए, एचएलसी ने सिफारिश की है कि उन्हें 7 किलोग्राम प्रति व्यक्ति दिया जाना चाहिए। केंद्रीय निर्गम मूल्यों पर, एचएलसी ने सिफारिश की है कि अंत्योदय परिवारों को फिलहाल 3/2/1 रुपए प्रति किलोग्राम की दर से अनाज दिया जा सकता है, लेकिन प्राथमिकता वाले परिवारों के लिए मूल्य निर्धारण को एमएसपी से जोड़ा जाना चाहिए, जैसे कि एमएसपी का 50 प्रतिशत। अन्यथा, एचएलसी को लगता है कि यह एनएफएसए सरकारी खजाने पर अनावश्यक वित्तीय बोझ डालेगा, और कृषि और खाद्य क्षेत्र में निवेश प्रभावित हो सकता है।
- एचएलसी ने पीडीएस में धीरे-धीरे नकद हस्तांतरण शुरू करने की सिफारिश की है।

भंडारण और संचलन

- एफसीआई को अपने भंडारण कार्यों को विभिन्न एजेंसियों जैसे केंद्रीय भंडारण निगम, राज्य भंडारण निगम, निजी क्षेत्र को आउटसोर्स करना चाहिए।
- एफसीआई के कई पुराने पारंपरिक भंडारण जो लंबे समय से मौजूद हैं, उन्हें निजी क्षेत्र और अन्य भंडारण एजेंसियों की मदद से भूमिगत कक्षों में बदला जा सकता है। सभी भूमिगत कक्षों के साथ-साथ पारंपरिक भंडारण में बेहतर मशीनीकरण की आवश्यकता है।

- अनाज की आवाजाही को धीरे-धीरे कंटेनरीकृत करने की आवश्यकता है, जिससे पारगमन घाटे को कम करने में मदद मिलेगी और रेलवे साइडिंग में अधिक मशीनीकृत सुविधाओं के कारण तेजी से टर्न-अराउंड-टाइम होगा।

बफर स्टॉकिंग और परिसमापन नीति

- एक पारदर्शी परिसमापन नीति समय की माँग है, जो बफर मानदंडों की तुलना में एफसीआई के अधिशेष स्टॉक का सामना करने पर स्वत: ही लागू हो जानी चाहिए। खुले बाजार बिक्री योजना (ओएमएसएस) और निर्यात बाजारों में काम करने के लिए व्यवसाय उन्मुखीकरण के साथ एफसीआई को अधिक लचीलापन की आवश्यकता है।

श्रम

- एफसीआई लोडिंग/अनलोडिंग के काम को सुचारू रूप से और समय पर पूरा करने के लिए बड़ी संख्या में श्रमिकों (लोडर) को नियुक्त करता है, जिसके परिणाम-स्वरूप सरकार के लिए बहुत अधिक लागत आती है। एफसीआई को इन डिपो को मशीनीकरण के लिए प्राथमिकता देनी चाहिए ताकि विभागीय श्रम पर निर्भरता कम हो।

किसानों को प्रत्यक्ष सब्सिडी

- चूँकि खाद्य प्रबंधन की पूरी प्रणाली राष्ट्रीय और घरेलू स्तर पर खाद्य सुरक्षा प्रदान करने के दायरे में काम करती है, इसलिए यह समझना जरूरी है कि देश में उत्पादकता और समग्र खाद्य उत्पादन बढ़ाने के लिए किसानों को उचित प्रोत्साहन की आवश्यकता है। समिति ने सिफारिश की है कि किसानों को सीधे नकद सब्सिडी (लगभग 7000 रुपए प्रति हेक्टेयर) दी जानी चाहिए और फिर उर्वरक क्षेत्र को विनियमन मुक्त किया जा सकता है।

शुरू से अंत तक कम्प्यूटरीकरण

- किसानों से खरीद से लेकर भंडारण, परिवहन और अंत में टीपीडीएस के माध्यम से वितरण तक संपूर्ण खाद्य प्रबंधन प्रणाली का शुरू से अंत तक संपूर्ण कम्प्यूटरीकरण।

एफसीआई का नया चेहरा

- एफसीआई का नया चेहरा खाद्य प्रबंधन प्रणाली में नवाचारों के लिए एक एजेंसी के समान होगा, जिसका प्राथमिक ध्यान खाद्यान्न आपूर्ति शृंखला के हर खंड में प्रतिस्पर्धा पैदा करने पर होगा, खरीद से लेकर भंडारण, परिवहन और अंत में टीपीडीएस में वितरण तक, ताकि प्रणाली की समग्र लागत में काफी कमी आए, रिसावों को रोका जा सके और यह अधिक संख्या में किसानों और उपभोक्ताओं को सहायता कर सकें।

विगत वर्षों के प्रश्न

प्रारंभिक परीक्षा

1. राष्ट्रीय खाद्य सुरक्षा अधिनियम, 2013 के अंतर्गत किए गए प्रावधानों के संदर्भ में निम्नलिखित कथनों पर विचार करें: **[2018]**

(i) केवल 'गरीबी रेखा से नीचे (बीपीएल)' की श्रेणी में आने वाले परिवार ही सब्सिडी वाले अनाज प्राप्त करने के पात्र हैं।

(ii) राशन कार्ड जारी करने के उद्देश्य से परिवार की सबसे बड़ी महिला, जिसकी आयु 18 वर्ष या उससे अधिक हो, परिवार की मुखिया होगी।

(iii) गर्भवती महिलाएँ और स्तनपान कराने वाली माताएँ गर्भावस्था के दौरान और उसके बाद छह महीने तक प्रतिदिन 1600 कैलोरी का 'टेक-होम राशन' पाने की हकदार हैं।

ऊपर दिए गए कथनों में से कौन-सा/से सही है/हैं?

(a) केवल (i) और (ii)

(b) केवल (ii)

(c) केवल (i) और (iii)

(d) केवल (iii)

2. भारतीय खाद्य निगम को खाद्यान्न की आर्थिक लागत न्यूनतम समर्थन मूल्य और किसानों को दिया जाने वाला बोनस (यदि कोई हो) है, तथा साथ में यह भी दिया जाता है: [2019]

(a) केवल परिवहन लागत

(b) केवल ब्याज लागत

(c) खरीद आकस्मिक व्यय और वितरण लागत

(d) खरीद आकस्मिक व्यय और गोदामों के लिए शुल्क

3. भारत में रासायनिक उर्वरकों के संदर्भ में, निम्नलिखित कथनों पर विचार करें: [2020]

(i) वर्तमान में, रासायनिक उर्वरकों का खुदरा मूल्य बाजार द्वारा संचालित है और सरकार द्वारा प्रशासित नहीं है।

(ii) अमोनिया, जो यूरिया का एक इनपुट है, प्राकृतिक गैस से उत्पादित होता है।

(iii) सल्फर, जो फॉस्फोरिक एसिड उर्वरक के लिए एक कच्चा माल है, तेल रिफाइनरियों का एक उप-उत्पाद है।

ऊपर दिए गए निम्नलिखित कथनों में से कौन सा सही है/हैं?

(a) केवल 1 (b) केवल 2 और 3

(c) केवल 2 (d) 1, 2 और 3

उत्तर

1. (b) **2.** (c) **3.** (b)

मुख्य परीक्षा

1. राष्ट्रीय खाद्य सुरक्षा अधिनियम, 2013 की मुख्य विशेषताएँ क्या हैं? खाद्य सुरक्षा विधेयक ने भारत में भूख और कुपोषण को खत्म करने में कैसे मदद की है? [2021]

2. भारत में सार्वजनिक वितरण प्रणाली (PDS) की प्रमुख चुनौतियाँ क्या हैं? इसे कैसे प्रभावी और पारदर्शी बनाया जा सकता है? [2022]

○○○

10

कृषि: भाग-I
(Agriculture: Part-I)

10.1 परिचय (Introduction)

तथ्य:

किसान की श्रेणी	जोतों की संख्या (करोड़)	जोतों का प्रतिशत	क्षेत्रफल (करोड़ हेक्टेयर)
सीमांत (0-1 हेक्टेयर)	10.03	67.59	3.80
लघु (1-2 हेक्टेयर)	2.58	18.81	3.64
अर्ध-मध्यम (2-4 हेक्टेयर)	1.40	9.34	3.72
मध्यम (4-10 हेक्टेयर)	0.56	3.72	3.14
बड़ा (10 हेक्टेयर से अधिक)	0.08	0.54	1.42
कुल	14.65	100.00	15.78

देश में किसानों की संख्या के अनुमान के अभाव में, भूमि जोतों की संख्या (14.65 करोड़) को इसका प्रतिनिधि माना जाता है।

- कृषि/खेती योग्य भूमि = 15.78 करोड़ (157.8 मिलियन) हेक्टेयर
- किसानों की संख्या = 14.65 करोड़ (146.5 मिलियन)
- प्रति किसान औसत भूमिजोत = 1.08 हेक्टेयर (15.78/14.65)
- सिंचाई के अंतर्गत क्षेत्र = लगभग 50%
- छोटे और सीमांत किसान 86% हैं जो कुल कृषि क्षेत्र के 47% पर काम करते हैं
- 73.2% ग्रामीण महिलाएँ खेती-बाड़ी से जुड़ी हैं, लेकिन केवल 12.8% के पास ही जमीन है

निम्नलिखित चार्ट पिछले कुछ वर्षों में कृषि (और संबद्ध) क्षेत्र की वास्तविक जीडीपी वृद्धि दर को दर्शाता है:

2014-15	2015-16	2016-17	2017-18	2018-19	2019-20	2020-21	2021-22	2022-23
-0.2%	0.6%	6.8%	6.6%	2.10%	6.2%	4.10%	3.50%	3.30%

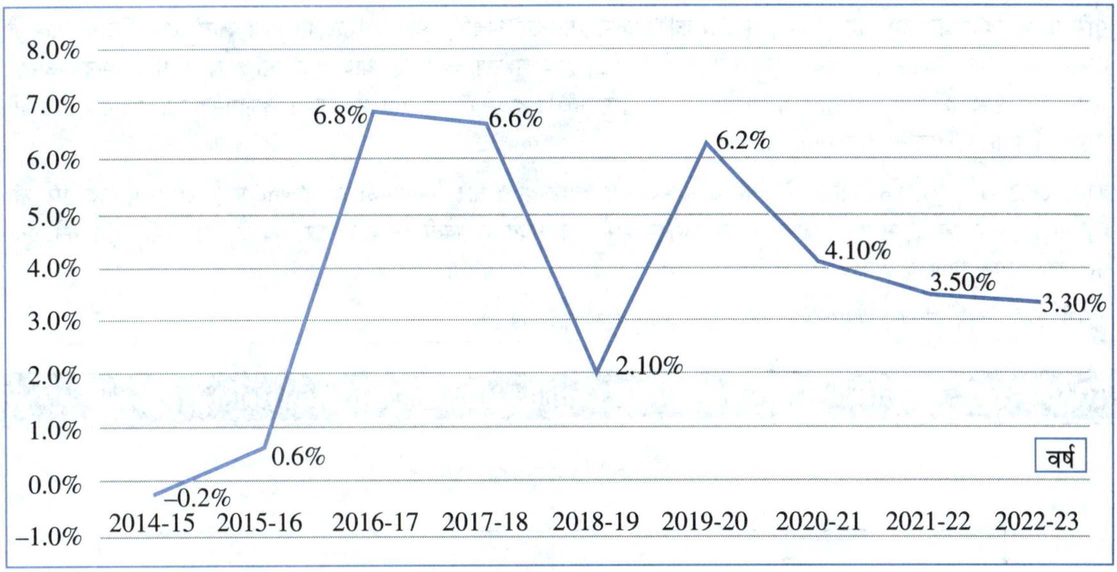

कृषि जनगणना

भारत में कृषि जनगणना कृषि एवं किसान कल्याण मंत्रालय द्वारा पंचवर्षीय (पाँच वर्ष के अंतराल पर) आधार पर आयोजित की जाती है। पहली कृषि जनगणना 1970-71 में की गई थी और पिछली जनगणना 2015-16 (जुलाई-जून) में हुई थी, जो इस शृंखला में 10वीं जनगणना थी।

कृषि जनगणना के मुख्य उद्देश्य हैं:

- भूमि उपयोग, सिंचाई, विभिन्न फसलों के अंतर्गत सिंचित और असिंचित क्षेत्र, कृषि मशीनरी और उपकरणों का उपयोग, उर्वरकों, बीजों, कृषि ऋण आदि के उपयोग सहित परिचालन जोतों पर सांख्यिकीय डेटा प्रदान करके कृषि की संरचना और विशेषताओं का वर्णन करना।
- नए कृषि विकास कार्यक्रम तैयार करने और उनकी प्रगति का मूल्यांकन करने के लिए बेंचमार्क डेटा प्रदान करना।
- भविष्य के कृषि सर्वेक्षणों को करने के लिए परिचालन जोतों का मूल ढाँचा प्रदान करना और,
- वर्तमान कृषि सांख्यिकी के लिए एक एकीकृत कार्यक्रम विकसित करने के लिए आधार तैयार करना।

कृषि जनगणना 2015-16 के कुछ निष्कर्ष:

- देश में कुल **परिचालन जोतों** की संख्या 2010-11 में 138.35 मिलियन से बढ़कर 2015-16 में 146.45 मिलियन हो गई है, जो 5.86% की वृद्धि दर्शाती है।
- देश में कुल **परिचालन क्षेत्र** 2010-11 में 159.59 मिलियन हेक्टेयर से घटकर 2015-16 में 157.82 मिलियन हेक्टेयर हो गया है, जो 1.11% की कमी दर्शाता है।
- परिचालन जोतों का औसत आकार 2010-11 में 1.15 हेक्टेयर की तुलना में 2015-16 में घटकर **1.08 हेक्टेयर** (=157.82/146.45) हो गया।

परिचालन जोत शब्द महत्त्वपूर्ण है क्योंकि इसका उपयोग विभिन्न कृषि डेटा में किया जाता है।

परिचालन जोत का अर्थ है कृषि भूमि जिसका संचालन/प्रबंधन अकेले एक व्यक्ति या अन्य लोगों द्वारा किया जाता है (स्वामित्व शीर्षक, आकार या स्थान की परवाह किए बिना)। उदाहरण के लिए, यदि एक व्यक्ति के पास 4 अलग-अलग स्थानों पर भूमि है और वह भूमि का प्रबंधन (मजदूरों की मदद से) कर रहा है, तो 4 अलग-अलग स्थानों पर सभी भूमि को एक परिचालन जोत माना जाएगा।

दूसरा उदाहरण, यदि एक व्यक्ति ने चार अलग-अलग व्यक्तियों (चार अलग-अलग स्थानों पर) से भूमि पट्टे पर ली है, लेकिन यदि वह भूमि का प्रबंधन (भागीदारों/मजदूरों की मदद से खेती करना) कर रहा है, तो सभी भूमि को एक परिचालन जोत माना जाएगा।

11वीं कृषि जनगणना (2021-22) जुलाई 2022 में शुरू की गई थी।

10.2 भारत में कृषिः संक्षिप्त इतिहास (Agriculture in India: A Brief History)

कृषि एवं अन्य संबद्ध उत्पाद

- **खाद्यान** *(गेहूँ, चावल, मोटा अनाज (ज्वार, बाजरा) आदि)*
- **तिलहन** *(मूँगफली सरसों सूर्यमुखी आदि)*
- **बागवानी** *(फल एवं सब्जियाँ)*
- **मवेशी** *(दूध, माँस मुर्गीपालन, अंडा आदि)*
- **बागान** *(चाय, काफी, रबड़, गन्ना, केला)*

गरीबी उन्मूलन और रोजगार सृजन तथा देश के सकल घरेलू उत्पाद में योगदान के दृष्टिकोण से कृषि भारतीय अर्थव्यवस्था का सबसे महत्त्वपूर्ण क्षेत्र है। राष्ट्रीय सकल घरेलू उत्पाद में कृषि का हिस्सा 1950-51 में 50% से घटकर 2019-20 में 16% रह गया है। 1950-51 में कृषि ने 70% रोजगार प्रदान किया था जो अब घटकर लगभग 42% रह गया है। इसलिए भारतीय कृषि के विकास को 'समावेशी विकास' के लिए आवश्यक शर्त माना जा सकता है। विश्व बैंक द्वारा प्रकाशित एक रिपोर्ट में कहा गया है कि *'किसी भी अर्थव्यवस्था के लिए कृषि में वृद्धि महत्त्वपूर्ण है क्योंकि शोध से पता चला है कि कृषि से उत्पन्न सकल घरेलू उत्पाद की वृद्धि गरीबी को कम करने में कृषि से बाहर उत्पन्न सकल घरेलू उत्पाद की वृद्धि से कम से कम दोगुनी प्रभावी है'।*

1951 और 1966 के बीच खाद्यान्न उत्पादन 2.8% प्रति वर्ष की दर से बढ़ा, यह दर बढ़ती आबादी की खपत की माँग को पूरा करने में विफल रही जो प्रति वर्ष 2 प्रतिशत से अधिक की दर से बढ़ रही थी। इस प्रकार, 1950 के दशक के मध्य से, भारत ने अपनी बढ़ती आबादी को खिलाने के लिए खाद्यान्न के आयात पर निर्भर रहना शुरू कर दिया। 1956 में, भारत ने खाद्य सहायता प्राप्त करने के लिए संयुक्त राज्य अमेरिका के साथ सार्वजनिक कानून (पीएल) 480 के समझौते पर हस्ताक्षर किए, जो कि ज्यादातर गेहूँ के संबंध में था।

दो युद्धों (1962 में चीन और 1965 में पाकिस्तान के साथ) के कारण, भारत अपने संसाधनों को ग्रामीण निवेश में नहीं लगा पाया और लगातार दो सूखों (1965 और 1966) ने देश को अभूतपूर्व खाद्य संकट में डाल दिया, जिसमें 1966 में खाद्यान्न उत्पादन और उपज में क्रमशः 19% और 17% की गिरावट आई। बड़े पैमाने पर भुखमरी से बचने के लिए, खाद्यान्न आयात बढ़ा दिया गया। शीत युद्ध की पृष्ठभूमि में, खाद्य सहायता का उपयोग प्राप्तकर्ता देशों को दबाव ("twist the arms") देने के लिए किया गया था ताकि अनुपालन सुनिश्चित किया जा सके और भारत इस नीति का शिकार हो गया जब एक अवसर पर, सूखे की चरम सीमा पर अमेरिकी शिपमेंट को 48 घंटे के लिए अचानक रोक दिया गया था। भारतीय नेताओं को तब खाद्य सुरक्षा के लिए विदेशी

स्रोतों पर निर्भर रहने में निहित उच्च स्तर के राजनीतिक जोखिम का एहसास हुआ और उन्होंने खाद्यान्न उत्पादन में आत्मनिर्भरता हासिल करने का संकल्प लिया।

हरित क्रांति

हरित क्रांति का तात्पर्य 1940 के दशक में मैक्सिको में शुरू हुई कृषि पद्धतियों के नवीनीकरण से है। हरित क्रांति की शुरुआत कृषि में रुचि रखने वाले अमेरिकी वैज्ञानिक नॉर्मन बोरलॉग को माना जाता है। 1940 के दशक में उन्होंने मैक्सिको में शोध करना शुरू किया और गेहूँ की नई रोग प्रतिरोधक उच्च उपज वाली किस्में विकसित कीं। इसकी सफलता के कारण, 1950 और 1960 के दशक में हरित क्रांति की तकनीकें दुनियाभर में फैल गईं।

बीज, उर्वरक, कीटनाशक, बेहतर सिंचाई सुविधाएँ, मशीनीकृत उपकरण और आधुनिक कृषि तकनीकों की उच्च उपज देने वाली किस्म (HYV) की शुरुआत को सामूहिक रूप से **हरित क्रांति** के रूप में जाना जाता है। हरित क्रांति का विचार खाद्य उत्पादन बढ़ाने के लिए प्रौद्योगिकी का उपयोग करना और अधिक पश्चिमी प्रकार की कृषि तकनीकों की शुरुआत करना था। एम.एस. स्वामीनाथन को **'भारत में हरित क्रांति के जनक'** के रूप में जाना जाता है।

भारत में हरित क्रांति को तीन चरणों में विभाजित किया जा सकता है:

- **चरण I (1966-72):** 1966 में, भारत ने 18,000 टन गेहूँ के HYV बीजों के आयात का आदेश दिया, जिन्हें पंजाब, हरियाणा और पश्चिमी उत्तर प्रदेश के अत्यधिक सिंचित क्षेत्रों में वितरित किया गया।
- **चरण II (1973-80):** ट्यूबवेल (निजी और सरकारी दोनों) के विकास के कारण गेहूँ से चावल तक HYV तकनीक का विस्तार हुआ, जिससे हरित क्रांति पूर्वी उत्तर प्रदेश, आंध्र प्रदेश, कर्नाटक और तमिलनाडु के तटीय क्षेत्रों में फैल गई।
- **चरण III (1981-90):** हरित क्रांति पश्चिम बंगाल, बिहार, असम और ओडिशा के पूर्वी क्षेत्र के पहले अल्प विकास वाले क्षेत्रों में फैल गई।

हरित क्रांति के कारण खाद्यान्न उत्पादन 1966-67 में 74 मीट्रिक टन से बढ़कर 1971-72 में 105 मीट्रिक टन हो गया और उस वर्ष भारत खाद्यान्न आयात लगभग शून्य हो जाने के साथ ही आत्मनिर्भर बन गया।

वर्ष	1950-51	1966-67	1971-72	2000-01	2013-14	2023-24
खाद्यान (मीट्रिक टन)	51	74	105	197	265	309

*खाद्यान्न में गेहूँ, चावल, मोटे अनाज और दालें शामिल हैं

कुछ तथ्य:

- *खाद्यान्न उत्पादन (2023-24) मीट्रिक टन में*
  चावल: 124 मीट्रिक टन
  गेहूँ: 112 मीट्रिक टन
  मोटे अनाज: 50 मीट्रिक टन
  दालें: 23.5 मीट्रिक टन
- *2023-24 में बागवानी उत्पादन लगभग 355 मीट्रिक टन है*
- *भारत दूध का सबसे बड़ा उत्पादक है, जो वैश्विक दुग्ध उत्पादन में 24% योगदान देता है*
- *भारत दुनिया में दालों का सबसे बड़ा उत्पादक (वैश्विक उत्पादन का 25%) और उपभोक्ता है*
- *भारत चावल, गेहूँ, गन्ना और फलों और सब्जियों का दूसरा सबसे बड़ा उत्पादक है*
- *भारत चावल का सबसे बड़ा निर्यातक और गोमाँस और कपास का दूसरा सबसे बड़ा निर्यातक है*
- *वित्त वर्ष 2023-24 में, भारतीय कृषि-निर्यात $44 बिलियन तथा आयात $33 बिलियन था। यह उस देश के लिए किसी आश्चर्य से कम नहीं है जो 1960 के दशक के मध्य में अपने अनाज के लिए अमेरिकी आयात पर निर्भर हुआ करता था।*

श्वेत क्रांति

डॉ. वर्गीस कुरियन, जिन्हें 'भारत का मिल्कमेन' भी कहा जाता है, 1949 में अपने पेशेवर करियर की शुरुआत करने के लिए आनंद आए थे। आनंद में एक सरकारी क्रीमरी (मक्खन की दुकान) में काम करते हुए, उन्होंने देखा कि दूध के वितरकों द्वारा गरीब और अनपढ़ किसानों का इस्तेमाल किया जा रहा था। हालाँकि उनके उत्पाद बेहतर गुणवत्ता के थे, लेकिन भारतीय किसानों का शोषण किया जा रहा था। सबसे पहले, उन्हें दूध के लिए अच्छा भुगतान नहीं किया जाता था और दूसरे, उन्हें सीधे विक्रेताओं को दूध बेचने की अनुमति नहीं थी। काम करते समय, कुरियन नेता त्रिभुवनदास पटेल से प्रेरित हुए, जो इस शोषण के खिलाफ सहकारी आंदोलन पर काम कर रहे थे। कुरियन ने पटेल के साथ गुजरात के खेड़ा जिले में सहकारी समितियों पर काम करना शुरू किया। इसके परिणामस्वरूप **1949 में 'अमूल' की स्थापना हुई, जिसे KDCMPUL (कैरा जिला सहकारी दुग्ध उत्पादक संघ लिमिटेड) के रूप में भी जाना जाता है** और यह दुग्ध और अन्य डेयरी उत्पादों की आपूर्ति करता था, लेकिन इसकी उचित आपूर्ति शृंखला नहीं थी। जब इसकी शुरुआत हुई, तब इसमें दो सहकारी समितियाँ और 247 लीटर दूध था।

अमूल सहकारी योजना पर काम कर रहा था और यह इतना लोकप्रिय हुआ कि सरकार का ध्यान इस ओर गया। अमूल के नए पशु-आहार संयंत्र का उद्घाटन करने के लिए, तत्कालीन प्रधानमंत्री श्री लाल बहादुर शास्त्री को 1964 में आनंद आमंत्रित किया गया था। वे पूरी प्रक्रिया से इतने प्रभावित हुए कि उन्होंने डॉ. कुरियन से पूरे देश में इसी मॉडल को दोहराने के लिए कहा क्योंकि यह मॉडल किसानों की आर्थिक स्थिति को सुधारने में मदद कर रहा था। इस उद्देश्य को पूरा करने के लिए, **वर्ष 1965 में राष्ट्रीय डेयरी विकास बोर्ड (NDDB) का गठन** किया गया और डॉ. कुरियन को इस बोर्ड का प्रभारी बनाया गया।

उस समय दूध की माँग बढ़ रही थी और राष्ट्रीय डेयरी विकास बोर्ड इसकी आपूर्ति कर रहा था, लेकिन वित्त-पोषण सबसे बड़ी समस्या थी। 1969 में NDDB ने विश्व बैंक से संपर्क किया और पूरे **भारत में आनंद परियोजना के कामकाज को दोहराने के लिए ऑपरेशन फ्लड के रूप में जाने जाने वाले** ऑपरेशन के लिए ऋण स्वीकृत किया। ऑपरेशन फ्लड के मुख्य उद्देश्य थे:

- दुग्ध उत्पादन में वृद्धि ('दूध की बाढ़')
- ग्रामीण आय में वृद्धि
- उपभोक्ताओं के लिए उचित मूल्य

"ऑपरेशन फ्लड" का व्यवसाय मॉडल तीन स्तरीय संरचना पर आधारित था:

ग्रामीण समाज: गाँव स्तर पर दुग्ध उत्पादक गाँव डेयरी सहकारी समिति (DCS) बनाते हैं। कोई भी उत्पादक शेयर खरीदकर और केवल समिति को दूध बेचने के लिए प्रतिबद्ध होकर DCS का सदस्य बन सकता है। प्रत्येक DCS में एक दुग्ध संग्रह केंद्र होता है जहाँ सदस्य प्रतिदिन दूध लेते हैं। प्रत्येक सदस्य के दूध की गुणवत्ता की जाँच की जाती है और वसा और SNF के प्रतिशत के आधार पर भुगतान किया जाता है। प्रत्येक वर्ष के अंत में, DCS के मुनाफे का एक हिस्सा प्रत्येक सदस्य को खरीदे गए दूध की मात्रा के आधार पर संरक्षण बोनस देने के लिए उपयोग किया जाता है।

जिला संघ: एक जिला सहकारी दुग्ध उत्पादक संघ का स्वामित्व डेयरी सहकारी समितियों के पास होता है। संघ सभी समितियों का दूध खरीदता है, फिर तरल दूध और उत्पादों को संसाधित और विपणन करता है। अधिकांश संघ डीसीएस और उनके सदस्यों को कई तरह की इनपुट और सेवाएँ भी प्रदान करते हैं: चारा, पशु चिकित्सा देखभाल, कृत्रिम गर्भाधान, ताकि दुग्ध उत्पादन और सहकारी समितियों के व्यवसाय में वृद्धि को बनाए रखा जा सके। संघ के कर्मचारी डीसीएस नेताओं और कर्मचारियों का समर्थन करने के लिए प्रशिक्षण देते हैं और परामर्श सेवाएँ प्रदान करते हैं।

राज्य संघ: जिला सहकारी दुग्ध उत्पादकों के संघ राज्य के रूप में, एक राज्य संघ है, जो सदस्य संघों के तरल दूध और उत्पादों के विपणन के लिए जिम्मेदार है। कुछ संघ चारा भी बनाते हैं और अन्य संघ गतिविधियों का समर्थन करते हैं

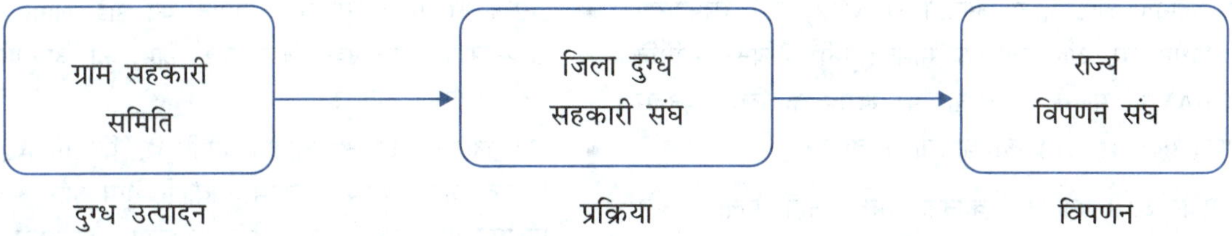

दूध को गाँव की डेयरी सोसायटी में एकत्र किया जाता है, जिला दुग्ध संघ में प्राप्त और संसाधित किया जाता है, और राज्य दुग्ध महासंघ में बेचा जाता है।

श्वेत क्रांति की उपलब्धियाँ:

- भारत में दुग्ध उत्पादन की अभूतपूर्व वृद्धि - केवल 40 वर्षों की अवधि में 20 मिलियन मीट्रिक टन से 100 मिलियन मीट्रिक टन तक - केवल डेयरी सहकारी आंदोलन के कारण ही संभव हो पाई है। इसने भारत को आज दुनिया में सबसे बड़ा दुग्ध उत्पादक देश (2020-21 में 210 मीट्रिक टन) के रूप में उभरने के लिए प्रेरित किया है।
- डेयरी सहकारी आंदोलन पूरे देश में फैल चुका है, जो 22 राज्यों के 180 जिलों के 125,000 से अधिक गाँवों को समाविष्ट करता है।

गुलाबी क्रांति

गुलाबी क्रांति माँस और पोल्ट्री प्रसंस्करण क्षेत्र के आधुनिकीकरण से संबंधित है। आधुनिकीकरण का तात्पर्य माँस उद्योग में प्रक्रियाओं के विशेषज्ञता, मशीनीकरण और मानकीकरण से है। वैश्विक मानकों के साथ बने रहने के लिए भारतीय संस्थाओं के लिए तकनीकी उन्नयन और औद्योगीकरण आवश्यक है। साथ ही, बड़े पैमाने पर उत्पादन क्षमताओं को अपनाने और विकसित करने से उद्योग को अधिक उत्पादक बनने में मदद मिलेगी। घरेलू बाजार के विकास के लिए विशेष रूप से अपार संभावनाएँ हैं। भारतीयों की एक बड़ी संख्या अभी भी मानकीकृत पैकेज्ड मीट के बजाय स्थानीय दुकान या गीले बाजार से माँस खरीदना पसंद करती है। इसके अतिरिक्त, जूनोटिक बीमारियों (जानवरों से मनुष्यों में होने वाली बीमारियाँ) के बढ़ते खतरे के मद्देनजर, भारत के लिए शीर्ष पायदान की सुविधाओं को बनाए रखना या बनाना महत्त्वपूर्ण है ताकि भारत से निर्यात अन्य देशों द्वारा प्रतिबंधित न हो।

'भारतीय माँस उद्योग परिप्रेक्ष्य' नामक एक रिपोर्ट में, संयुक्त राष्ट्र के खाद्य और कृषि संगठन (एफएओ) ने चार कदम बताए हैं जो भारत के खाद्य उद्योग को सफलतापूर्वक आकर्षक बनाने के लिए उठाए जाने चाहिए। ये अनुशंसित कदम थे:

- अत्याधुनिक माँस प्रसंस्करण संयंत्र स्थापित करना;
- माँस उत्पादन के लिए नर भैंस बछड़ों को पालने के लिए तकनीक विकसित करना;
- अनुबंधित खेती के तहत भैंस पालने वाले किसानों की संख्या बढ़ाना; और
- पशुओं के पालन के लिए रोगमुक्त क्षेत्र स्थापित करना

भारत पहले से ही काफी समृद्ध हो गया है और पिछले एक दशक में माँस उत्पादन लगातार बढ़ रहा है। संयुक्त राज्य कृषि विभाग (यूएसडीए) की विदेशी कृषि सेवा के अनुसार, भारत वर्ष 2012 में भैंस के माँस का सबसे बड़ा निर्यातक बन गया, जिसने लगभग 1.5 मिलियन मीट्रिक टन गोमाँस का निर्यात किया। भारतीय माँस के सबसे बड़े आयातक मुख्य रूप से मध्य पूर्व और दक्षिण पूर्व एशिया के देश हैं।

10.3 न्यूनतम समर्थन मूल्य (Minimum Support Price-MSP)

कृषि फसल वर्ष: 1 जुलाई - 30 जून

खरीफ फसलों का विपणन सत्र 1 अक्टूबर से शुरू होता है
रबी फसलों का विपणन सत्र 1 अप्रैल से शुरू होता है

बुवाई से पहले, प्रत्येक रबी और खरीफ फसल सत्र के दौरान, भारत सरकार, कृषि और किसान कल्याण मंत्रालय

कृषि लागत और मूल्य आयोग (CACP) की सिफारिश के आधार पर और आर्थिक मामलों की कैबिनेट समिति (CCEA) की मंजूरी के आधार पर खरीद के लिए न्यूनतम समर्थन मूल्य (MSP) की घोषणा करता है।

MSP को अभी तक कोई कानूनी समर्थन नहीं मिला है और किसान इसे कानूनी अधिकार के रूप में माँग नहीं कर सकते हैं। एमएसपी पर कुछ खाद्यान्न खरीदना सरकार की नीति और प्रशासनिक निर्णय मात्र है। और सरकार निजी कंपनियों को एमएसपी पर खरीद करने के लिए बाध्य भी नहीं कर सकती।

एमएसपी की सिफारिश करने वाला कृषि लागत और मूल्य आयोग भी कोई वैधानिक निकाय नहीं है और यह कृषि मंत्रालय से जुड़ा एक कार्यालय मात्र है। सीएसीपी केवल एमएसपी की सिफारिश करता है, लेकिन इसे तय करने और न तय करने तथा इसके क्रियान्वयन (यानी एमएसपी पर खरीद) का निर्णय सरकार के पास होता है।

सीएसीपी कृषि विभाग को एमएसपी की सिफारिश करने के लिए निम्नलिखित कारकों को ध्यान में रखता है:

- उत्पादन की लागत और किसानों को मिलने वाला लाभ।
- माँग और आपूर्ति।
- घरेलू और अंतरराष्ट्रीय दोनों बाजारों में कीमतों का रुझान।
- अंतर-फसल मूल्य समता।
- कृषि और गैर-कृषि उत्पादों के बीच व्यापार की शर्तें।
- उस उत्पाद के उपभोक्ताओं पर एमएसपी का संभावित प्रभाव।

एमएसपी की सिफारिश करने के लिए कई मानदंडों में से सबसे महत्त्वपूर्ण है किसानों की उत्पादन लागत और उस पर लाभ। कृषि उपज की उत्पादन लागत (अखिल भारतीय भारित औसत उत्पादन लागत) की गणना तीन तरीकों से की जाती है: A2, A2 + FL और C2.

- A2 लागत में मूल रूप से किसानों द्वारा बीज, उर्वरक, रसायन, किराए पर लिए गए श्रम, ईंधन, सिंचाई, मशीनरी आदि पर किए गए सभी भुगतान किए गए खर्च शामिल होते हैं, चाहे वह नकद हो या वस्तु।
- A2 + FL में वास्तविक भुगतान की गई लागत के साथ-साथ अवैतनिक पारिवारिक श्रम का अनुमानित मूल्य शामिल होता है।
- C2 लागत अधिक व्यापक होती है, जिसमें A2 + FL के ऊपर क्रमश: स्वामित्व वाली भूमि और अचल पूँजीगत परिसंपत्तियों पर छोड़े गए किराए और ब्याज को शामिल किया जाता है।

वित्त मंत्री ने 2018-19 का बजट पेश करते हुए घोषणा की कि सरकार उत्पादन लागत (A2 + FL) से कम से कम 50 प्रतिशत अधिक MSP की पेशकश करेगी। किसी विशेष फसल के लिए पूरे भारत में MSP एक समान है।

अभी तक, CACP 23 वस्तुओं के MSP की सिफारिश करता है, जिनमें शामिल हैं:

- 7 अनाज (धान, गेहूँ, मक्का, ज्वार, बाजरा, जौ और रागी),
- 5 दालें (चना, अरहर, मूँग, उड़द, मसूर),
- 7 तिलहन (मूँगफली, रेपसीड-सरसों, सोयाबीन, सीसम, सूरजमुखी, कुसुम, नाइजरसीड), और
- 4 वाणिज्यिक फसलें (खोपरा (गरी), गन्ना, कपास और कच्चा जूट)।

लेकिन उपरोक्त 23 फसलों के अलावा, 'तोरिया' और 'छिलके रहित नारियल' के MSP क्रमश: रेपसीड/सरसों और खोपरा के MSP के आधार पर तय किए जाते हैं।

इसलिए, हालाँकि CACP 23 फसलों के लिए MSP की सिफारिश करता है, लेकिन MSP 25 फसलों के लिए घोषित की जाती है, जिसमें गन्ना भी शामिल है, जिसके लिए इसे उचित और लाभकारी मूल्य (FRP) कहा जाता है।

गन्ने के लिए, उपभोक्ता मामले, खाद्य और सार्वजनिक वितरण मंत्रालय उचित और लाभकारी मूल्य (FRP) की सिफारिश करता है, जबकि कुछ राज्य स्वयं के राज्य परामर्श मूल्य (SAP) की घोषणा करते हैं। SAP/FRP वह मूल्य है जिस पर मिल मालिक किसानों से गन्ना खरीदने के लिए बाध्य होते हैं और यह आवश्यक वस्तु अधिनियम 1955 के तहत 'गन्ना नियंत्रण आदेश 1966' के माध्यम से किया जाता है।

दो अलग-अलग बातें हैं, एक है एमएसपी की घोषणा और दूसरी है सरकारी एजेंसियों द्वारा एमएसपी पर खाद्यान्नों की खरीद। एमएसपी की घोषणा का उद्देश्य यह नहीं है कि सरकार एमएसपी के तहत सभी फसलों की खरीद करने जा रही है, बल्कि इसका उद्देश्य यह है कि किसानों को वह न्यूनतम मूल्य मिलना चाहिए। और अगर मंडी/निजी बाजारों में कीमतें एमएसपी से ऊपर हैं तो सरकार का उद्देश्य पहले ही पूरा हो चुका है और सरकार किसानों से फसलें नहीं खरीद सकती है और किसान भी एमएसपी पर सरकार को बेचने को तैयार नहीं होंगे।

न्यूनतम समर्थन मूल्य (MSP)

खरीफ फसलें		रबी फसलें	
1.	धान	15.	गेहूँ
2.	ज्वार	16.	जौ
3.	बाजरा	17.	चना
4.	रागी	18.	मसूर
5.	मक्का	19.	रेपसीड/सरसों
6.	तुअर (अरहर)	20.	कुसुम
7.	मूँग	21.	तोरिया
8.	उड़द	**अन्य फसलें**	
9.	मूँगफली	22.	खोपरा
10.	सूरजमुखी के बीज	23.	छिलका रहित नारियल
11.	सोयाबीन	24.	जूट
12.	तिल	25.	गन्ना (उचित और लाभकारी मूल्य)
13.	नाइजरसीड		
14.	कपास		

भले ही एमएसपी 25 फसलों के लिए घोषित की जाती है, लेकिन सरकार ज्यादातर गेहूँ और चावल खरीदती है और वह भी ज्यादातर पंजाब, हरियाणा और पश्चिमी यूपी, एमपी जैसे कुछ अन्य राज्यों से। कुछ अन्य फसलें जो खरीदी जाती हैं, वे हैं कॉटन कॉरपोरेशन ऑफ इंडिया द्वारा कपास, बफर स्टॉक के लिए दालें और चीनी मिलों द्वारा गन्ना।

एमएसपी से जुड़ी समस्याएँ:

- एमएसपी का लागत-प्लस मूल्य निर्धारण जोखिम भरा है क्योंकि यह माँग पक्ष, यानी माँग-आपूर्ति, घरेलू और अंतर्राष्ट्रीय मूल्य प्रवृत्तियों, व्यापार की शर्तों, अंतर-फसल मूल्य समता आदि को पूरी तरह से नजरअंदाज कर देता है। इतिहास और अनुभव से यह स्पष्ट है कि उच्च एमएसपी से किसानों को बेहतर मूल्य नहीं मिलता है, न ही यह संकटपूर्ण अधिशेष और मूल्य में गिरावट को रोकता है, बल्कि यह घाटे और अधिशेष का कारण बनता है।
- एमएसपी आधार मूल्य बन जाता है और मुद्रास्फीति का कारण बनता है
- एमएसपी आधारित खरीद बाजार में विकृतियाँ पैदा करती है, जो न केवल कीमतों को प्रभावित करती है, बल्कि फसल पैटर्न, मिट्टी की गुणवत्ता में गिरावट, जल स्तर आदि को भी प्रभावित करती है।
- अन्य दुष्प्रभाव भी हैं, सबसे गंभीर है इस क्षेत्र में नए, निजी निवेश को रोकना - निवेशक मुक्त बाजार से आकर्षित होते हैं, मुक्त बाजार को प्रतिबंधित करके नहीं।

[सरकार के लिए पूरे भारत में एमएसपी पर सभी फसलों की खरीद करना व्यावहारिक रूप से संभव नहीं है। अगर सरकार पूरे भारत से सभी 25 फसलों को एमएसपी पर खरीदेगी (जो एक बहुत बड़ा वित्तीय बोझ होगा और व्यावहारिक रूप से संभव नहीं है) तो जो किसान फल, सब्जियाँ, पशुधन उगा रहे हैं, जो लगभग 50% मूल्य का हिस्सा हैं और जिनके लिए कोई एमएसपी नहीं है, तो ये किसान भी उन 25 फसलों का उत्पादन करना शुरु कर देंगे और फसलों के सभी विविधीकरण जो सरकार कोशिश कर रही है, वह बेकार हो जाएगा। इससे खरीद प्रक्रिया में भी भारी भ्रष्टाचार होगा जो गेहूँ और चावल की एमएसपी खरीद में पहले से ही मौजूद है। और अगर सरकार कुछ क्षेत्रों में एमएसपी पर केवल कुछ फसलों की खरीद करेगी तो उस क्षेत्र के सभी किसान केवल उन कुछ फसलों का ही उत्पादन करेंगे और आप जानते हैं कि पंजाब और हरियाणा किस समस्या का सामना कर रहे हैं। भारी मात्रा में पानी की निकासी, कीटनाशकों, उर्वरकों और गेहूँ और चावल की एक ही फसल पद्धति के कारण भूमि के बंजर होने की संभावना है। सबसे अच्छा तरीका किसानों

को आय सहायता (पीएम-किसान) देना और सब्सिडी को हटाना और उन्हें बाजार की माँग के अनुसार उत्पादन करने के लिए कहना है। इससे फसलों के विविधीकरण, पर्यावरण, मिट्टी के क्षरण की समस्या और पानी की समस्या के संदर्भ में समस्या का समाधान हो जाएगा।]

[भारत में कृषि क्षेत्र को दी जाने वाली सब्सिडी क्या हैं?

उत्तर: *भारत में किसानों को कृषि के आगत (input) और निर्गत (output) दोनों पक्षों पर सहायता प्रदान की जाती है। आगत पक्ष पर, एक औसत भारतीय किसान को उर्वरक, बीज, कृषि मशीनरी और उपकरण, बिजली आदि पर सब्सिडी मिलती है। निर्गत पक्ष पर, एमएसपी और लॉजिस्टिक्स सब्सिडी की पेशकश की जाती है। हालाँकि, छोटे और सीमांत किसानों को इन सब्सिडी की केवल एक छोटी राशि ही मिल पाती है।]*

लघु वनोपज (एमएफपी) का एमएसपी

'न्यूनतम समर्थन मूल्य (एमएसपी) के माध्यम से लघु वनोपज (एमएफपी) के विपणन के लिए तंत्र और एमएफपी के लिए मूल्य शृंखला का विकास' जनजातीय मामलों के मंत्रालय के तहत एक केंद्र प्रायोजित योजना (सीएसएस) है। इस योजना को एमएफपी संग्रहकर्ताओं को उचित मूल्य प्रदान करने और उनकी आय के स्तर को बढ़ाने और एमएफपी की सतत कटाई सुनिश्चित करने के उद्देश्य से शुरू किया गया है।

जनजातीय मामलों के मंत्रालय के तहत मूल्य निर्धारण प्रकोष्ठ द्वारा लघु वनोपज (एमएफपी) के लिए न्यूनतम समर्थन मूल्य (एमएसपी) की हर तीन साल में एक बार समीक्षा/संशोधन किया जाता है।

भारतीय जनजातीय सहकारी विपणन विकास संघ (ट्राइफेड) राज्य स्तरीय कार्यान्वयन एजेंसियों के माध्यम से योजना के कार्यान्वयन और निगरानी के लिए केंद्रीय नोडल एजेंसी के रूप में कार्य करता है। राज्य द्वारा नामित एजेंसियाँ अधिसूचित एमएफपी की खरीद (आमतौर पर बाजार मूल्य एमएसपी से नीचे होने की स्थिति में) सीधे एमएफपी संग्रहकर्ताओं (व्यक्तिगत या सामूहिक) से जमीनी स्तर पर अधिसूचित खरीद केंद्रों पर पूर्वनिर्धारित न्यूनतम समर्थन मूल्य पर करती हैं और एमएफपी संग्रहकर्ताओं को मौके पर ही पूरा और समय पर भुगतान सुनिश्चित करती हैं। केंद्र सरकार इन लघु वनोपजों के लिए खरीद, बुनियादी ढाँचे के निर्माण, भंडारण क्षमता, प्रसंस्करण इकाइयों के लिए 75:25 (केंद्र: राज्य) के अनुपात में वित्तीय सहायता प्रदान करती है।

भारत सरकार द्वारा घोषित एमएसपी ही एमएसपी तय करने के लिए संदर्भ एमएसपी होगा और राज्य सरकार के पास भारत सरकार द्वारा घोषित एमएसपी का 10% का दायरा होगा, यानी राज्य भारत सरकार द्वारा घोषित एमएसपी से 10% अधिक या कम एमएसपी तय कर सकते हैं।

10.4 प्रधानमंत्री अन्नदाता आय संरक्षण अभियान (PM – AASHA)

सरकार की किसान हितैषी पहलों को बढ़ावा देने और अन्नदाता के प्रति अपनी प्रतिबद्धता और समर्पण को ध्यान में रखते हुए, केंद्रीय मंत्रिमंडल ने सितंबर 2018 में एक नई अम्ब्रेला योजना "प्रधानमंत्री अन्नदाता आय संरक्षण अभियान' (PM-AASHA) को मंजूरी दी। इस योजना का उद्देश्य किसानों को उनकी उपज के लिए लाभकारी मूल्य सुनिश्चित करना है, जैसा कि 2019 के केंद्रीय बजट में घोषित किया गया था। अम्ब्रेला योजना में किसानों को लाभकारी मूल्य सुनिश्चित करने की व्यवस्था शामिल है और इसमें तीन उप-योजनाएँ शामिल हैं:

- **मूल्य समर्थन योजना (PSS):** मूल्य समर्थन योजना (PSS) में, दालों, तिलहन और खोपरा की भौतिक खरीद केंद्रीय नोडल एजेंसियों द्वारा राज्य सरकारों की सक्रिय भूमिका के साथ की जाएगी। यह भी निर्णय लिया गया है कि NAFED के अलावा, भारतीय खाद्य निगम

(FCI) राज्यों/जिलों में PSS संचालन करेगा। खरीद व्यय और खरीद के कारण होने वाले नुकसान को मानदंडों के अनुसार केंद्र सरकार द्वारा वहन किया जाएगा।

- **मूल्य न्यूनता भुगतान योजना (पीडीपीएस):** मूल्य न्यूनता भुगतान योजना (पीडीपीएस) के अंतर्गत उन सभी तिलहनों को शामिल करने का प्रस्ताव है, जिनके लिए एमएसपी अधिसूचित है। इसमें एमएसपी और बिक्री/मॉडल मूल्य के बीच के अंतर का सीधा भुगतान पूर्व-पंजीकृत किसानों को पारदर्शी नीलामी प्रक्रिया के माध्यम से अधिसूचित बाजार यार्ड में अपनी उपज बेचने के लिए किया जाएगा। सारा भुगतान सीधे किसान के पंजीकृत बैंक खाते में किया जाएगा। इस योजना में फसलों की कोई भौतिक खरीद शामिल नहीं है क्योंकि किसानों को अधिसूचित बाजार में निपटान के समय एमएसपी मूल्य और बिक्री/मॉडल मूल्य के बीच के अंतर का भुगतान किया जाता है। पीडीपीएस के लिए केंद्र सरकार का समर्थन मानदंडों के अनुसार दिया जाएगा।
- **निजी खरीद एवं स्टॉकिस्ट योजना (पीपीएसएस) का पायलट:** एक निजी एजेंसी पीपीएसएस दिशानिर्देशों के अनुरूप अधिसूचित अवधि के दौरान पंजीकृत किसानों से अधिसूचित बाजारों में एमएसपी पर वस्तु की खरीद करेगी, जब भी बाजार में कीमतें अधिसूचित एमएसपी से नीचे आती हैं और जब भी राज्य/केंद्र शासित प्रदेश को सरकार द्वारा बाजार में प्रवेश करने के लिए अधिकृत किया जाता है तो अधिसूचित एमएसपी के 15% तक अधिकतम सेवा शुल्क देय होगा।

10.5 प्रधानमंत्री किसान (PM-KISAN)

- प्रधानमंत्री किसान सम्मान निधि (PM-KISAN) योजना 1.12.2018 से प्रभावी है।
- यह भारत सरकार द्वारा 100% वित्त-पोषित एक केंद्रीय क्षेत्र की योजना है।
- इस योजना के तहत देशभर के सभी पात्र किसान परिवारों को हर चार महीने में 2000/- रुपए की तीन समान किस्तों में 6000/- रुपए प्रति वर्ष की आय सहायता प्रदान की जाती है।
- योजना के लिए परिवार की परिभाषा पति, पत्नी और नाबालिग बच्चे हैं।
- लाभार्थी किसान परिवारों की पहचान की पूरी जिम्मेदारी राज्य/केंद्र शासित प्रदेश सरकारों की है।
- कुछ किसानों को इस योजना से बाहर रखा गया है, उदाहरण के लिए, केंद्र और राज्य सरकार के कर्मचारी, पीएसयू कर्मचारी, पेंशनभोगी आदि।
- निधि सीधे लाभार्थियों के बैंक खातों में स्थानांतरित की जाती है।
- नामांकन के लिए, किसान को राज्य सरकार द्वारा नामित स्थानीय पटवारी/राजस्व अधिकारी/नोडल अधिकारी (पीएम-किसान) से संपर्क करना होगा।
- कॉमन सर्विस सेंटर (CSC) को भी शुल्क का भुगतान करने पर योजना के लिए किसानों का पंजीकरण करने के लिए अधिकृत किया गया है।

पीएम-किसान योजना का मुद्रास्फीति पर कुछ प्रभाव हो सकता है क्योंकि नकदी से उपभोक्ता का प्रमुख और अन्य वस्तुओं पर खर्च होगा, लेकिन यह एमएसपी और इनपुट सब्सिडी जैसी अन्य योजनाओं/सब्सिडी की तुलना में बहुत कम मुद्रास्फीतिकारी होने की संभावना है। इससे भी महत्त्वपूर्ण बात यह है कि यह बाजार को विकृत नहीं करेगा क्योंकि यह सहायता किसी विशेष फसल के उत्पादन से जुड़ी नहीं है या उत्पादन से जुड़ी ही नहीं है। किसान कोई कृषि उत्पादन करे या न करे, उसे लाभ तो मिलेगा ही। जब तक सरकार कृषि बाजारों को मुक्त करने और बिचौलियों की भूमिका को सीमित करने के लिए अन्य सुधार करने में सक्षम नहीं हो जाती, तब तक यह कृषि संकट को कम करने की शायद सबसे अच्छी रणनीति है।

10.6 कृषि विस्तार सेवाएँ (Agriculture Extension Services)

विस्तार सेवाएँ, जिन्हें ग्रामीण सलाहकार सेवाएँ भी कहा जाता है, किसानों को सर्वोत्तम प्रथाओं, प्रौद्योगिकी को अपनाने, आकस्मिकताओं से निपटने, बाजार की जानकारी आदि के

लिए समय पर सलाहकार सेवाएँ प्रदान करके कृषि में उत्पादकता में सुधार के लिए एक महत्त्वपूर्ण इनपुट का गठन करती हैं।

भारत में, कृषि विस्तार/सलाहकार सेवाएँ प्रदान करने वाली कई एजेंसियाँ हैं।

- **कृषि एवं सहकारिता विभाग (डीएसी) ने नाबार्ड के साथ मिलकर** कृषि स्नातकों द्वारा कृषि क्लीनिक/कृषि व्यवसाय केंद्र/उद्यमों की स्थापना के लिए एक योजना शुरू की है।
- **आईसीएआर** (ICAR) देश भर में कृषि विज्ञान केंद्रों (केवीके) और संस्थान ग्राम संपर्क कार्यक्रम (आईवीएलपी) के माध्यम से कृषि विस्तार गतिविधियों से भी जुड़ा हुआ है।
- **एफपीओ, एनजीओ** और **कॉर्पोरेट क्षेत्र**

12वीं पंचवर्षीय योजना अवधि के दौरान शुरू किए गए राष्ट्रीय कृषि विस्तार एवं प्रौद्योगिकी मिशन (एनएमएईटी) में 4 उप मिशन शामिल हैं:

1. **कृषि विस्तार पर उप मिशन (एसएमएई):** कृषि उत्पादन और उत्पादकता बढ़ाने के लिए गुणवत्तापूर्ण बीजों को अपनाना सबसे अधिक लागत प्रभावी साधन है। विस्तार सेवाएँ प्रदान करने के लिए कृषि क्लीनिक, कृषि व्यवसाय केंद्र, किसान कॉल सेंटर का उपयोग किया जाएगा।
2. **बीज और रोपण सामग्री पर उप मिशन (एसएमएसपी):** उप मिशन बीज श्रृंखला के संपूर्ण दायरे को कवर करेगा, जिसमें बीज की आपूर्ति से लेकर बीज की बीजाई तक शामिल है। एसएमएसपी में पौधों की किस्मों, किसानों और पौधों के प्रजनकों के अधिकारों के संरक्षण और पौधों की नई किस्मों के विकास को प्रोत्साहित करने के लिए एक प्रभावी प्रणाली स्थापित करने के लिए पौध किस्मों और किसानों के अधिकार प्राधिकरण (पीपीवी और एफआरए) को मजबूत करने की भी परिकल्पना की गई है।
3. **कृषि यंत्रीकरण पर उप-मिशन (एसएमएएम):** कृषि बिजली की उपलब्धता और कृषि उत्पादकता के बीच एक मजबूत सह-संबंध है। इसलिए, कृषि यंत्रीकरण पर उप-मिशन कृषि यंत्रीकरण पर ध्यान केंद्रित करता है। उप-मिशन मुख्य रूप से छोटे और सीमांत किसानों की जरूरतों को पूरा करेगा और उन क्षेत्रों में जहाँ कृषि बिजली की उपलब्धता कम है, ताकि संस्थागत व्यवस्थाओं जैसे **कस्टम हायरिंग सेंटर**, चयनित गाँवों का मशीनीकरण, मशीनों और उपकरणों की खरीद के लिए सब्सिडी आदि के माध्यम से पैमाने की प्रतिकूल अर्थव्यवस्थाओं और व्यक्तिगत स्वामित्व की उच्च लागत को संतुलित किया जा सके।
4. **पौध संरक्षण और पौध संगरोध (एसएमपीपी) पर उप-मिशन:** मिशन में एकीकृत कीट प्रबंधन को बढ़ावा देने के माध्यम से वैज्ञानिक और पर्यावरण अनुकूल तकनीकों का उपयोग करके फसल को रोगमुक्त रखकर कृषि उत्पादन में वृद्धि की परिकल्पना की गई है।

'कस्टम हायरिंग सेंटर (सीएचसी)' क्या हैं?

सीएचसी **(कस्टम हायरिंग सेंटर)** मूल रूप से एक इकाई है जिसमें महँगी, उन्नत और बड़ी कृषि मशीनरी, औजार और उपकरण (जुताई, बुवाई, रोपण, कटाई, कटाई, थ्रेसिंग, पौध संरक्षण, अंतर-खेती और अवशेष प्रबंधन के लिए उपयोग किए जाने वाले) का एक सेट होता है, जो किसानों द्वारा किराए के आधार पर कस्टम हायरिंग के लिए होता है, जो उच्च-स्तरीय कृषि मशीनरी और उपकरण खरीदने का जोखिम नहीं उठा सकते। सरकार एसएमएएम के माध्यम से ग्रामीण स्तर के उद्यमियों, एसएचजी आदि को सीएचसी स्थापित करने के लिए धन/सब्सिडी प्रदान कर रही है। एसएमएएम योजना के तहत, कस्टम हायरिंग सेंटर स्थापित करने के लिए सरकार द्वारा किसानों को परियोजना लागत का 40% (60 लाख रुपए तक की सीमा तक) और किसानों के समूह को 10 लाख रुपए की परियोजना लागत तक 80% सब्सिडी प्रदान की जा रही है।

एनएमएईटी में सभी 4 उप-मिशनों में चलने वाले सामान्य सूत्र विस्तार और प्रौद्योगिकी हैं। इसलिए, जबकि प्रशासनिक सुविधा के लिए 4 अलग-अलग उप-मिशनों का प्रस्ताव किया गया है, ये क्षेत्र स्तर पर एक-दूसरे से अभिन्न रूप से जुड़े हुए हैं और इनके अधिकांश घटकों को एक मजबूत

विस्तार नेटवर्क के माध्यम से किसानों और अन्य हितधारकों के बीच प्रसारित किया जाना है। कृषि विस्तार और प्रौद्योगिकी को साथ-साथ चलना होगा और यही राष्ट्रीय कृषि विस्तार और प्रौद्योगिकी मिशन की उत्पत्ति है।

मिशन का उद्देश्य किसानों को उपयुक्त प्रौद्योगिकी और बेहतर कृषि पद्धतियों की डिलीवरी को सक्षम करने के लिए कृषि विस्तार को पुनर्गठित और मजबूत करना है। इस लक्ष्य को व्यापक भौतिक पहुँच और सूचना प्रसार के संवादात्मक तरीकों, आईसीटी के उपयोग, आधुनिक और उपयुक्त प्रौद्योगिकियों के लोकप्रियकरण, क्षमता निर्माण और मशीनीकरण को बढ़ावा देने के लिए संस्थागत सुदृढ़ीकरण, गुणवत्ता वाले बीजों की उपलब्धता, पौध संरक्षण आदि के विवेकपूर्ण मिश्रण द्वारा प्राप्त किया जाना है और किसान उत्पादक संगठन (एफपीओ) बनाने के लिए किसानों को हित समूहों में एकत्र करने के लिए प्रोत्साहित करना है।

आर्थिक सर्वेक्षण 2019-20 के अनुसार, भारत में कृषि मशीनीकरण केवल 40 प्रतिशत है, जबकि चीन में यह लगभग 60 प्रतिशत और ब्राजील में लगभग 75 प्रतिशत है।

10.7 कृषि विज्ञान केंद्र (केवीके) (Krishi Vigyan Kendra-KVK)

भारत में, कृषि में विज्ञान और प्रौद्योगिकी की भूमिका न केवल देश की खाद्य सुरक्षा सुनिश्चित करने के लिए, बल्कि किसानों को प्रतिस्पर्धात्मक बढ़त प्रदान करने और बड़े पैमाने पर जनता के लिए खाद्य पदार्थों की सामर्थ्य बनाए रखने के लिए भी प्रासंगिक है। अपनी वास्तविक क्षमता का एहसास करने के लिए, किसानों के पास अत्याधुनिक तकनीकों, आवश्यक इनपुट और संबंधित जानकारी तक पहुँच होनी चाहिए। इस संदर्भ में, भारत सरकार ने भारतीय कृषि अनुसंधान परिषद (आईसीएआर) के माध्यम से देशभर में 700 से अधिक कृषि विज्ञान केंद्रों (केवीके) का एक बड़ा नेटवर्क स्थापित किया है, जिसका उद्देश्य बहु-विषयक दृष्टिकोण के साथ प्रौद्योगिकी मूल्याँकन और परिशोधन, ज्ञान प्रसार और किसानों के लिए महत्त्वपूर्ण इनपुट संबंधी सहायता प्रदान करना है।

कृषि विज्ञान केंद्र कृषि क्षेत्र को विभिन्न प्रकार की कृषि सहायता प्रदान करते हैं:

- वे स्थान-विशिष्ट कृषि प्रौद्योगिकियों का प्रदर्शन करने के लिए खेत पर परीक्षण करने में महत्त्वपूर्ण भूमिका निभाते हैं। केवीके किसानों के खेतों पर विभिन्न फसलों की क्षमता सिद्ध करने के लिए प्रदर्शन आयोजित करते हैं।
- वे किसानों, कृषि से जुड़ी महिलाओं और ग्रामीण युवाओं के लाभ के लिए आवश्यकता-आधारित प्रशिक्षण कार्यक्रम भी आयोजित करते हैं।
- केवीके बड़ी संख्या में विस्तार कार्यक्रमों के माध्यम से उन्नत कृषि प्रौद्योगिकियों के बारे में जागरूकता पैदा कर रहे हैं।

केवीके द्वारा बीज, रोपण सामग्री, जैविक उत्पाद, जैव-उर्वरक और पशुधन, सुअर और मुर्गी के बच्चे जैसे महत्त्वपूर्ण और गुणवत्ता वाले इनपुट का उत्पादन किया जाता है और किसानों को उपलब्ध कराया जाता है।

कृषि समुदाय को सशक्त बनाने के लिए केवीके भविष्य के जमीनी स्तर के संस्थानों के रूप में विकसित हो रहे हैं। केवीके कृषि और संबद्ध क्षेत्र में विकास के वांछित स्तर को प्राप्त करने के लिए विकेंद्रीकृत योजना और कार्यान्वयन साधन का हिस्सा बन गए हैं। 721 केवीके के साथ 3.37 लाख सामान्य सेवा केंद्रों (सीएससी) को जोड़ने से केवीके की पहुँच में जबरदस्त वृद्धि हुई है और किसानों को माँग आधारित सेवाएं और जानकारी प्रदान की गई है।

10.8 किसान उत्पादक संगठन (एफपीओ) (Farmers Producer Organization)

भारतीय कृषि में सीमांत और छोटे किसानों का वर्चस्व है, जो अनुपात, विपणन के लिए अलाभकारी स्थिति और मूल्य जोखिम के मामले में गंभीर रूप से नुकसान उठाते हैं। छोटे आकार के किसान इनपुट और आउटपुट बाजारों में विभिन्न लेन-देन में सौदेबाजी की शक्ति के मामले में भी वंचित हैं। किसानों को किसान उत्पादक संगठन (एफपीओ) जैसे कुछ संस्थागत तंत्र के तहत संगठित करके इन बाधाओं को दूर किया जा सकता है।

- एफपीओ एक कंपनी, एक सहकारी समिति, ट्रस्ट या किसी अन्य प्रकार की कानूनी इकाई हो सकती है जो किसानों के बीच लाभ साझा करने का प्रावधान करती है। स्वामित्व नियंत्रण हमेशा सदस्यों/किसानों के पास होता है और प्रबंधन सदस्यों के प्रतिनिधियों के माध्यम से होता है। एफपीओ का मुख्य उद्देश्य अपने स्वयं के संगठन के माध्यम से किसानों के लिए बेहतर आय सुनिश्चित करना है।
- एफपीओ सदस्य किसानों को इनपुट की खरीद, प्रसंस्करण और उनकी उपज के विपणन में पैमाने की अर्थव्यवस्थाओं का लाभ उठाने में सक्षम बनाता है और समय पर और पर्याप्त ऋण सुविधाओं और बाजार से जुड़ाव तक पहुँच भी प्रदान कर सकता है।
- लघु कृषक कृषि व्यवसाय संघ (एसएफएसी), राष्ट्रीय सहकारी विकास निगम (एनसीडीसी) और नाबार्ड एफपीओ की स्थापना को बढ़ावा दे रहे हैं और इसमें मदद कर रहे हैं।
- एसएफएसी इक्विटी अनुदान निधि (ईजीएफ) योजना संचालित कर रहा है, जिसके तहत यह एफपीओ में शेयरधारकों/किसानों की इक्विटी राशि के बराबर इक्विटी प्रदान कर रहा है, जिसकी सीमा 10 लाख रुपए है।
- मुख्यधारा के बैंकों और वित्तीय संस्थानों से ऋण तक एफपीओ की पहुँच सुनिश्चित करने के लिए, नाबार्ड और एनसीडीसी द्वारा एक ऋण गारंटी निधि (सीजीएफ) स्थापित की गई है, जो एफपीओ को ऋण देने के लिए वित्तीय संस्थानों के जोखिम को कम करके एफपीओ को संस्थागत ऋण के प्रवाह में तेजी लाने के लिए उपयुक्त ऋण गारंटी कवर प्रदान करेगी, ताकि बेहतर व्यावसायिक योजनाओं को निष्पादित करने के लिए उनकी वित्तीय क्षमता में सुधार हो सके और लाभ में वृद्धि हो सके।
- नाबार्ड एफपीओ सदस्यों को शेयर पूँजी में योगदान के लिए बिना किसी सहायता के 25000 रुपए प्रति सदस्य तक ऋण प्रदान करता है। नाबार्ड एफपीओ के व्यावसायिक संचालन के लिए ऋण सहायता भी प्रदान करता है। नाबार्ड एफपीओ के संचालन, क्षमता निर्माण और बाजार हस्तक्षेप प्रयासों के लिए तकनीकी, प्रबंधकीय और वित्तीय सहायता भी प्रदान करता है।
- एसएफएसी और नाबार्ड एफपीओ के शीर्ष प्रबंधन को प्रशिक्षण प्रदान करते हैं ताकि वे प्रभावी ढंग से कार्य कर सकें। इसके अलावा, भारतीय कृषि अनुसंधान परिषद (आईसीएआर) कृषि विज्ञान केंद्रों (केवीके) के माध्यम से एफपीओ को तकनीकी सहायता प्रदान कर रहा है।
- पीओ (सहकारी/कंपनी/ट्रस्ट) के कानूनी स्वरूप के आधार पर एफपीओ बनाने के लिए सदस्यों की कुछ न्यूनतम संख्या की आवश्यकता होती है। अध्ययनों से ज्ञात हुआ है कि एक एफपीओ को स्थायी संचालन के लिए लगभग 700 से 1000 सक्रिय उत्पादकों/किसानों की आवश्यकता होगी।
- प्राथमिक उत्पादकों के पास उत्पादन में कौशल और विशेषज्ञता होती है। हालांकि, उन्हें आमतौर पर अपने उत्पादन के विपणन के लिए समर्थन की आवश्यकता होती है। एफपीओ मूल रूप से इस अंतर को खत्म कर देगा। एफपीओ कच्चे माल की खरीद से लेकर अंतिम उत्पाद को अंतिम उपभोक्ता के दरवाजे तक पहुँचाने तक उत्पाद की मूल्य शृंखला में किसी एक या अधिक गतिविधियों की जिम्मेदारी संभालेगा। संक्षेप में, पीओ निम्नलिखित गतिविधियाँ कर सकता है:

  इनपुट की खरीद, बाजार की जानकारी का प्रसार, प्रौद्योगिकी और नवाचारों का प्रसार, इनपुट के लिए वित्त की सुविधा, उपज का एकत्रीकरण और भंडारण, प्राथमिक प्रसंस्करण जैसे सुखाना, साफ करना और ग्रेडिंग, ब्रांड निर्माण, पैकेजिंग, लेबलिंग और मानकीकरण, गुणवत्ता नियंत्रण, संस्थागत खरीदारों को विपणन, कमोडिटी एक्सचेंजों और निर्यात में भागीदारी।
- एक एफपीओ उपरोक्त गतिविधियों में से किसी एक/कई/सभी को करके किसानों को अधिक आय प्राप्त करने में सहायता करेगा। इनपुट की माँग को एकत्रित करके, एफपीओ थोक में खरीद सकता है, इस प्रकार व्यक्तिगत खरीद की तुलना में सस्ती कीमत पर खरीद कर सकता है। इसके अलावा, थोक में माल मंगाकर

वहन की लागत कम हो जाती है। इस प्रकार, उत्पादन की कुल लागत कम हो जाती है। इसी तरह, पीओ सभी सदस्यों की उपज को एकत्रित कर सकता है और थोक में बाजार में बेच सकता है, इस प्रकार, उपज की प्रति इकाई बेहतर कीमत प्राप्त कर सकता है। पीओ उत्पादकों को बाजार की जानकारी भी प्रदान कर सकता है ताकि वे बाजार मूल्य अनुकूल होने तक अपनी उपज को बनाए रख सकें। इन सभी हस्तक्षेपों के परिणामस्वरूप प्राथमिक उत्पादकों को अधिक आय होगी।

- कृषि गतिविधियों के माध्यम से एफपीओ द्वारा अर्जित आय को कृषि आय माना जाता है और इसे **कराधान से छूट दी जाती है।**
- वर्तमान में 7000 से अधिक एफपीओ पंजीकृत और कार्यरत हैं। (उदाहरण: काशी विश्वनाथ किसान उत्पादक कंपनी लिमिटेड, वाराणसी द्वारा आलू-पापड़ बनाना)
- भारत सरकार ने 6865 करोड़ रुपए के बजटीय प्रावधान के साथ देश में 10,000 नए एफपीओ बनाने और बढ़ावा देने के लिए एक स्पष्ट रणनीति और प्रतिबद्ध संसाधनों के साथ '10,000 एफपीओ का गठन और संवर्धन' नामक एक नई केंद्रीय क्षेत्र योजना शुरू की है।

कृषि ऋण से संबद्ध मुद्दे

सस्ते ऋण ने हमेशा किसी भी क्षेत्र को आगे बढ़ाने में मदद की है। लेकिन कृषि के मामले में भले ही सरकार किसानों को कृषि ऋण पर सब्सिडी दे रही हो, लेकिन इससे 86% छोटे और सीमांत किसानों को कोई मदद नहीं मिल रही है और उनकी आय स्थिर हो रही है। हर साल सरकार बजट में कृषि ऋण के लिए लक्ष्य निर्धारित करती है। वित्त वर्ष 2024-25 के लिए सरकार ने 22 लाख करोड़ रुपए (निजी क्षेत्र के माध्यम से) का लक्ष्य रखा है, लेकिन सवाल यह है कि यह सारा कृषि ऋण कहाँ जा रहा है। इसमे निम्नलिखित मुद्दे देखे गए हैं:

- 86% छोटे और सीमांत किसानों को बैंकों और सहकारी समितियों से मिलने वाले संस्थागत ऋण का केवल 15% ही मिल रहा है, जबकि बड़े किसानों को 79% सब्सिडी वाला ऋण मिल रहा है।
- भूमि जोत में वृद्धि के साथ संस्थागत ऋण का हिस्सा बढ़ रहा है और कृषि ऋण का बड़ा हिस्सा बड़े किसानों द्वारा हड़प लिया जाता है और कृषि व्यवसाय कंपनियों को दे दिया जाता है।
- कृषि ऋण में वृद्धि के बावजूद, 95% ट्रैक्टर और अन्य कृषि उपकरणों को एनबीएफसी के माध्यम से अप्रत्यक्ष रूप से वित्तपोषित किया जा रहा है।
- आरबीआई ने कृषि क्षेत्र को 18% ऋण (प्राथमिकता क्षेत्र को कुल 40% में से) और इसमें से 8% छोटे और सीमांत किसानों को देने का लक्ष्य रखा है, लेकिन इसे बड़े किसानों और कंपनियों को दे दिया जा रहा है।

यह सब गैर-कृषि उद्देश्यों के लिए कृषि ऋण के विचलन को दर्शाता है। इस विचलन का एक कारण यह है कि 4% से 7% ब्याज दर पर वितरित सब्सिडी वाले ऋण को छोटे किसानों को 36% तक की ब्याज दर पर पुनर्वित्त किया जा रहा। खुले बाजारों में उपरोक्त मुद्दों के लिए आगे का मार्ग यह है:

- छोटे और सीमांत किसानों को सब्सिडी वाले ऋण के बजाय प्रति हेक्टेयर या प्रति किसान के आधार पर आय सहायता प्रदान करें। अधिकांश राज्यों में भूमि रिकॉर्ड का डिजिटलीकरण हो रहा है, इसलिए सरकार के लिए प्रति हेक्टेयर के आधार पर सहायता प्रदान करना आसान हो सकता है।
- छोटे किसानों के एफपीओ के माध्यम से कृषि ऋण प्रदान करें

10.9 कृषि उपज का विपणन (Marketing of Agricultural Produce)

10.9.1 कृषि उपज और विपणन समिति (एपीएमसी) अधिनियम

देश के अधिकांश भागों में कृषि बाजार राज्य एपीएमसी अधिनियमों के तहत स्थापित और विनियमित हैं। किसी राज्य में संपूर्ण भौगोलिक क्षेत्र को विभिन्न बाजार क्षेत्रों/मंडियों में विभाजित किया जाता है, जिसमें प्रत्येक बाजार

का प्रबंधन राज्य सरकार द्वारा गठित एक बाजार समिति द्वारा किया जाता है। एक बार जब कोई विशेष क्षेत्र बाजार क्षेत्र घोषित हो जाता है और बाजार समिति के अधिकार क्षेत्र में आ जाता है, तो किसी भी व्यक्ति या एजेंसी को बाजार के बाहर थोक विपणन गतिविधियों को स्वतंत्र रूप से करने की अनुमति नहीं होती है। अधिनियम में कहा गया है कि क्षेत्र में उत्पादित कृषि वस्तुओं जैसे अनाज, दालें, खाद्य तिलहन, फल और सब्जियाँ और यहाँ तक कि मुर्गी, बकरी, भेड़, चीनी, मछली आदि की **पहली बिक्री** केवल एपीएमसी के तत्वावधान में अधिनियम के तहत स्थापित एपीएमसी द्वारा लाइसेंस प्राप्त कमीशन एजेंटों के माध्यम से की जा सकती है। थोक व्यापारी, खुदरा व्यापारी (रिलायंस फ्रेश जैसी खुदरा शृंखलाएँ) या खाद्य प्रसंस्करण कंपनियाँ सीधे किसानों से कृषि उपज नहीं खरीद सकती हैं, बल्कि उन्हें इन स्थापित मंडियों से खरीदना होगा और किसानों को भी अपनी उपज को इन मंडियों में बेचनी होगा।

एपीएमसी अधिनियम की मुख्य विशेषताएँ

- मंडी में काम करने के लिए व्यापारी को लाइसेंस लेना होगा, जिसके लिए मंडी में उसकी दुकान या गोदाम होना चाहिए
- किसानों की उपज की कीमत नीलामी के माध्यम से तय की जाएगी, ताकि किसानों को उनकी उपज का अच्छा मूल्य मिल सके

एपीएमसी अधिनियमों के साथ निम्नलिखित विभिन्न मुद्दे हैं:

- थोक व्यापारी, खुदरा व्यापारी (रिलायंस फ्रेश जैसी खुदरा शृंखलाएँ) या खाद्य प्रसंस्करण कंपनियाँ सीधे किसानों से कृषि उपज नहीं खरीद सकती हैं, बल्कि उन्हें इन स्थापित मंडियों से खरीदना होगा और किसानों को भी अपनी उपज इन मंडियों में बेचनी होगी।
- विभिन्न राज्य अलग-अलग मंडी शुल्क लगाते हैं, जिससे बाजार में विकृति पैदा होती है। व्यापार के पहले स्तर पर ये मंडी शुल्क कीमतों पर महत्त्वपूर्ण प्रभाव डालते हैं क्योंकि वस्तु आपूर्ति शृंखला से होकर गुजरती है।
- एक राज्य में स्थित मंडियाँ एकीकृत नहीं हैं और एक राज्य के भीतर एक मंडी से दूसरी मंडी में उपज ले जाने के लिए पर्याप्त लेनदेन लागत होती है। एक राज्य के भीतर विभिन्न मंडियों में व्यापार करने के लिए प्रत्येक मंडी के लिए अलग-अलग लाइसेंस की आवश्यकता होती है।

एपीएमसी अधिनियम ने किसानों और उपभोक्ताओं का किस तरह शोषण किया है

- लाइसेंस प्राप्त करने के लिए रिश्वत देनी पड़ती है और इससे भ्रष्टाचार होता है
- नीलामी नहीं होती है और अगर होती भी है, तो इन मंडियों में व्यापारी एक कार्टेल बनाते हैं और सामूहिक रूप से कीमतें कम रखते हैं जिससे अंततः किसानों को नुकसान होता है। व्यवस्थित अवधि (peak season) के दौरान जब व्यापारी किसानों से कम कीमतों पर खरीदारी करते हैं, तो वे अंतिम उपभोक्ताओं को कीमतें कम नहीं करते हैं और कम व्यस्त अवधि (lean season) के दौरान जब उपभोक्ता कीमतें अधिक होती हैं, तो व्यापारी इसे किसानों तक नहीं पहुँचाते हैं

10.9.2 इलेक्ट्रॉनिक - राष्ट्रीय कृषि बाजार (ई-एनएएम)

राष्ट्रीय कृषि बाजार पूरी तरह से एक नई अवधारणा नहीं है, लेकिन यह **एक ऑनलाइन प्लेटफॉर्म** है जिसके पीछे भौतिक बाजार या मंडियाँ हैं। एनएएम एक समानांतर विपणन संरचना नहीं है, बल्कि **भौतिक मंडियों का एक राष्ट्रीय नेटवर्क बनाने** का एक साधन है, जिसे ऑनलाइन एक्सेस किया जा सकता है। एनएएम एक ऑनलाइन ट्रेडिंग पोर्टल के माध्यम से मंडियों के भौतिक बुनियादी ढाँचे का लाभ उठाने का प्रयास करता है, जिससे राज्य के बाहर स्थित खरीदार भी स्थानीय स्तर पर व्यापार में भाग ले सकें। एनएएम एक अखिल भारतीय इलेक्ट्रॉनिक ट्रेडिंग पोर्टल प्रदान करता है जो कृषि वस्तुओं के लिए एकीकृत राष्ट्रीय बाजार बनाने के लिए चयनित एपीएमसी मंडियों को जोड़ता है। यह योजना लघु कृषक कृषि व्यवसाय संघ (एसएफएसी) के माध्यम से कार्यान्वित की जा रही है, जो कृषि और सहकारिता विभाग (डीएसी) के तहत एक स्वायत्त संगठन है।

एनएएम को अप्रैल 2016 में भारत सरकार, कृषि मंत्रालय द्वारा शुरु किया गया था, और इसकी योजना ई-एनएएम के माध्यम से पूरे भारत में सभी 2500 एपीएमसी मंडियों को जोड़ने की है, जिनमें से 1400 पहले ही इस प्लेटफॉर्म से जुड़ चुकी हैं।

ई-एनएएम बिक्री में, पूरे भारत के व्यापारी बोली लगा सकते हैं और जो भी सबसे अधिक कीमत बताएगा, किसान उस व्यापारी को अपनी उपज बेच सकता है (यह अंतर-राज्यीय हो सकता है)। फिर किसान उसके खाते में भुगतान प्राप्त होगा और उसके बाद ही व्यापारी भौतिक उपज ले सकता है। परिवहन शुल्क व्यापारी के खाते में जाएगा। यहां तक कि अगर कोई किसान ई-नाम के माध्यम से अपनी उपज ऑनलाइन बेचना चाहता है, तो उसे अपनी उपज एपीएमसी मंडी या एफपीओ संग्रह केंद्र या डब्ल्यूडीआरए पंजीकृत गोदामों में ले जाना होगा (वास्तव में इन्हें ई-नाम प्लेटफॉर्म के साथ एकीकृत किया गया है)।

सरकार उन तौर-तरीकों पर काम कर रही है, जिससे किसान अपने घर बैठे अपने मोबाइल के जरिए ऑनलाइन अपनी उपज बेच सकेंगे, लेकिन इसमें एक साल या उससे ज्यादा समय लग सकता है।

एन ए एम की कुछ महत्त्वपूर्ण विशेषताएँ/लाभ इस प्रकार हैं:

- एन ए एम से किसान को अपनी उपज मंडी में लाने के बाद विकल्प बढ़ जाते हैं। वह अपनी उपज स्थानीय व्यापारियों (भौतिक मंडी में मौजूद) को बेच सकता है या वह दूसरे राज्यों में बैठे इलेक्ट्रॉनिक प्लेटफॉर्म पर व्यापारियों को अपनी उपज बेच सकता है।
- एन एन एम ई-प्लेटफॉर्म में सभी प्रमुख मंडियों के क्रमिक एकीकरण से लाइसेंस जारी करने, शुल्क लगाने और उपज की आवाजाही के लिए समान प्रक्रियाएँ सुनिश्चित होंगी। अगले 3-5 वर्षों में व्यापार की मात्रा में उल्लेखनीय वृद्धि होगी, जिससे अधिक प्रतिस्पर्धा और बेहतर मूल्य निर्धारण होगा और किसानों को अधिक रिटर्न, खरीदारों के लिए कम लेनदेन लागत और स्थिर मूल्य और उपभोक्ताओं को उपलब्धता के माध्यम से बड़े लाभ होंगे।
- एन एन एम देश भर में प्रमुख कृषि वस्तुओं में एकीकृत मूल्य श्रृंखलाओं के उद्भव की सुविधा प्रदान करेगा और कृषि वस्तुओं के वैज्ञानिक भंडारण और आवाजाही को बढ़ावा देने में मदद करेगा।
- संबंधित एपीएमसी मंडियों को ई-प्लेटफॉर्म के माध्यम से बेचे जाने वाले कृषि उत्पादों के गुणवत्ता मानकों को सुनिश्चित करना होगा। एनएएम में कृषि उत्पादों के गुणवत्ता मानकों के सामंजस्य और प्रत्येक बाजार में गुणवत्ता परीक्षण बुनियादी ढाँचे के प्रावधान की परिकल्पना की गई है ताकि खरीदारों द्वारा सूचित बोली लगाई जा सके।
- कृषि उत्पादों के परिवहन के लिए लॉजिस्टिक सेवाओं को भी ई-एनएएम के साथ एकीकृत किया गया है और कई अन्य सेवाएँ भी हैं जिन्हें ई-एनएएम प्लेटफॉर्म के माध्यम से QC सेवाओं, परिवहन और वितरण सेवाओं, छंटाई/ग्रेडिंग सेवाओं, पैकेजिंग सेवाओं, बीमा, व्यापार वित्त, गोदामों आदि जैसी सेवाओं के साथ एकीकृत किया जा रहा है।

चुनौतियाँ:

- इलेक्ट्रॉनिक पोर्टल की सबसे बड़ी चुनौती उन व्यापारियों को ऑनलाइन करना है जो लंबे समय से भौतिक रूप से और नकद में लेन-देन कर रहे हैं।
- एक और चुनौती उपज की गुणवत्ता को जानने में है क्योंकि किसान और व्यापारी अलग-अलग मंडियों/स्थानों में हो सकते हैं। सरकार गुणवत्ता प्रयोगशालाएँ स्थापित कर रही है ताकि जब किसान अपनी उपज मंडी में लाएँ, तो एक गुणवत्ता प्रमाण-पत्र तैयार हो जाए जिसे ऑनलाइन अपलोड किया जाए और दूसरी मंडी में बैठे व्यापारी गुणवत्ता प्रमाण-पत्र तक पहुँच सकें। फिर भी, व्यापारी भौतिक रूप से गुणवत्ता की पुष्टि करना चाहते हैं।
- एक और बड़ी चुनौती मंडियों में भंडारण क्षमता है क्योंकि किसानों को अभी भी अपनी उपज मंडी में लानी पड़ती है और दूसरी मंडियों के व्यापारियों को यह उपज लेने में समय लगता है।

- पहले व्यापारियों को ऑनलाइन भुगतान करना होगा, उसके बाद ही वे मंडी से उपज लेने के पात्र होंगे।
- अप्रैल 2016 में ई-नाम परियोजना शुरू होने के बाद से, कृषि वस्तुओं के थोक व्यापार का 5% से भी कम हिस्सा ऑनलाइन स्थानांतरित हुआ है और जहाँ तक अंतर-मंडी/अंतर-राज्य ई-नाम व्यापार का सवाल है, यह अभी भी शुरू नहीं हुआ है।

10.9.3 [मॉडल] कृषि उपज और पशुधन विपणन अधिनियम 2017

केंद्र सरकार 25 अप्रैल 2017 को एक मॉडल कानून 'कृषि उपज और पशुधन विपणन (संवर्धन और सुविधा) अधिनियम 2017' लायी। यह कानून कृषि-उत्पादों और पशुधन में व्यापार को उदार बनाने का प्रयास करता है और इस तरह 2023 तक किसानों की आय को दोगुना करने में मदद करेगा। नया मॉडल कानून 2003 में केंद्र द्वारा प्रस्तावित पहले के मॉडल कानून की जगह लेता है जिसे राज्य अपनाने के लिए उत्सुक नहीं थे।

मॉडल अधिनियम की कुछ महत्त्वपूर्ण विशेषताएँ निम्नलिखित हैं:

- कानून निजी थोक बाजार, किसानों द्वारा थोक खरीदारों को सीधी बिक्री (वर्तमान में राज्य किसानों से सीधे थोक खरीद को प्रतिबंधित करते हैं) और इलेक्ट्रॉनिक व्यापार को बढ़ावा देने का प्रस्ताव करता है।
- कानून गोदामों और कोल्ड स्टोरेज को विनियमित बाजारों के रूप में कार्य करने की भी अनुमति देता है। वर्तमान में प्रति 462 वर्ग किलोमीटर पर एक विनियमित बाजार उपलब्ध है जबकि आदर्श रूप से हर 5 वर्ग किलोमीटर पर एक होना चाहिए। इसलिए, इसका लक्ष्य उन रास्तों को बढ़ाना है जहाँ किसान अपनी उपज बेच सकता है, जिससे खरीदारों के बीच प्रतिस्पर्धा बढ़ेगी और किसानों को बेहतर फार्म गेट मूल्य मिलेंगे।
- कानून में राज्य स्तर पर एकल लाइसेंस और बाजार शुल्क/मंडी शुल्क लगाने का एकल बिंदु रखने का प्रस्ताव है और फिर धीरे-धीरे राष्ट्रीय स्तर पर एकल लाइसेंस और बाजार शुल्क लगाने के एकल बिंदु की ओर बढ़ना है। विचार यह है कि किसानों और व्यापारियों को देशभर में व्यापार करने के लिए हतोत्साहित करने वाली चीजों को हटाया जाए। *(वर्तमान में एक व्यापारी को प्रत्येक मंडी में व्यापार करने के लिए अलग-अलग लाइसेंस की आवश्यकता होती है और यदि उपज कई मंडियों से होकर गुजरती है तो मंडी शुल्क कई बार लगाया जाता है)* कानून में फलों और सब्जियों के लिए बिक्री मूल्य के 2% और खाद्यान्न के लिए 1% पर बाजार शुल्क लगाने की सीमा का भी प्रस्ताव है।
- मॉडल अधिनियम के अन्य प्रस्तावों में अंतर-राज्यीय व्यापार लाइसेंस, ग्रेडिंग और मानकीकरण तथा गुणवत्ता प्रमाणन, बाजार शुल्क और कमीशन प्रभारों को युक्तिसंगत बनाने, विशेष वस्तु बाजार यार्ड का प्रावधान और पारदर्शिता बढ़ाने के लिए ई-ट्रेडिंग को बढ़ावा देने के प्रावधान के माध्यम से कृषि उपज के लिए राष्ट्रीय बाजार को बढ़ावा देना शामिल है।

प्रभाव/लाभ

- कृषि उपज के विपणन को उदार बनाने के लिए एक नया मॉडल कानून जारी करने का केंद्र का निर्णय एक लंबे समय से प्रतीक्षित उपाय है जो न केवल किसानों को बेहतर सौदा देगा बल्कि उपभोक्ताओं को खाद्य वस्तुओं की अधिक स्थिर कीमतों में भी मदद करेगा।
- भारत को एक साझा बाजार में बदलने के लिए कृषि और पशुधन उत्पादों की मुक्त आवाजाही के लिए अंतर-राज्य और अंतर-राज्य बाधाओं को कम करना भी आवश्यक है।

टिप्पणी: अधिनियम की सफलता की कुँजी राज्य सरकारों द्वारा इस अधिनियम को कुशलतापूर्वक अपनाने और लागू करने में निहित है क्योंकि यह राज्य का विषय है और यह कानून राज्यों पर बाध्यकारी नहीं है।

10.10 अनुबंध खेती (Contract Farming)

परिचय

अनुबंध खेती को एक खरीदार और किसानों के बीच एक समझौते के अनुसार किए गए कृषि उत्पादन के रूप में

परिभाषित किया जा सकता है, जो एक कृषि उत्पाद या उत्पादों के उत्पादन और विपणन **के लिए** शर्तें स्थापित करता है। आमतौर पर, किसान एक विशिष्ट कृषि उत्पाद की निश्चित सहमत मात्रा प्रदान करने के लिए राजी होता है। इन्हें खरीदार के गुणवत्ता मानकों को पूरा करना चाहिए और खरीदार द्वारा निर्धारित समय पर आपूर्ति की जानी चाहिए। बदले में, खरीदार उत्पाद खरीदने के लिए प्रतिबद्ध होता है और, कुछ मामलों में, उदाहरण के लिए, कृषि इनपुट की आपूर्ति, भूमि की तैयारी और तकनीकी सलाह के प्रावधान के माध्यम से उत्पादन का समर्थन करता है।

लाभ

अनुबंध खेती में लगे दोनों भागीदारों को लाभ प्राप्त हो सकता है।

- किसानों के पास एक गारंटीकृत बाजार आउटलेट है, कीमतों के बारे में उनकी अनिश्चितता कम है और अक्सर बीज और उर्वरक जैसे कृषि इनपुट के प्रावधान के माध्यम से उन्हें ऋण की आपूर्ति की जाती है।
- क्रय करने वाली फर्मों को कृषि उत्पादों की गारंटीकृत आपूर्ति होने से लाभ होता है जो गुणवत्ता, मात्रा और वितरण के समय के बारे में उनके विनिर्देशों को पूरा करते हैं।

मुद्दे:

किसी भी अन्य प्रकार के संविदात्मक संबंध की तरह, अनुबंध खेती से जुड़े संभावित नुकसान और जोखिम भी हैं।

यदि अनुबंध की शर्तों का अनुबंध करने वाले पक्षों में से किसी एक द्वारा सम्मान नहीं किया जाता है, तो प्रभावित पक्ष को नुकसान होता है। आम संविदात्मक समस्याओं में किसान द्वारा किसी अन्य खरीदार को बिक्री (साइड सेलिंग या अतिरिक्त-अनुबंध विपणन), किसी कंपनी द्वारा सहमत कीमतों पर उत्पाद खरीदने से इनकार करना या कंपनी द्वारा उत्पाद की गुणवत्ता को कम करना शामिल है।

- अनुबंध खेती व्यवस्था की एक लगातार आलोचना किसानों और उनके खरीदारों के बीच व्यापार संबंधों की असमान प्रकृति है। खरीदार फर्म, जो हमेशा किसानों से ज्यादा शक्तिशाली होती हैं, अपने सौदेबाजी के प्रभाव का इस्तेमाल अपने अल्पकालिक वित्तीय लाभ के लिए कर सकती हैं, हालाँकि लंबे समय में यह उल्टा होगा क्योंकि किसान उन्हें आपूर्ति करना बंद कर देंगे।

इन समस्याओं के बावजूद, फर्मों और किसानों दोनों के लिए फायदे और नुकसान के बीच सकारात्मक संतुलन है। दुनियाभर में कृषि में अनुबंध व्यवस्था का इस्तेमाल तेजी से बढ़ रहा है।

2003 में, केंद्र सरकार ने राज्यों को एक **मॉडल** कृषि उपज और विपणन समिति (APMC) अधिनियम का प्रस्ताव दिया था जिसमें अनुबंध खेती के लिए स्पष्ट प्रावधान थे, जो खरीदारों और विक्रेताओं को मंडियों के माध्यम से जाने के बिना लेन-देन करने की अनुमति देता था। फिर भी, अनुबंध खेती को बढ़ावा नहीं दिया गया है या उम्मीद के मुताबिक लोकप्रिय नहीं हुआ है। यहाँ तक कि जिन राज्यों ने मॉडल विपणन अधिनियम को अपनाया और संगठित निजी क्षेत्र और उत्पादकों/किसानों के बीच सीधे लेन-देन की अनुमति दी, वहाँ भी अनुबंध खेती बहुत कम रही है।

भारत में अनुबंध खेती की कुछ बड़ी सफलता की कहानियाँ हैं। उदाहरण के लिए, पोल्ट्री में यह व्यापक रूप से सफल रहा है, **लेकिन कई अन्य वस्तुओं में अनुबंध खेती शुरू नहीं हुई है या विफल हो गई है। अनुबंध खेती के लिए बाधाएँ बाजार की माँग और आपूर्ति दोनों पक्षों से संबंधित हैं।**

- **आपूर्ति पक्ष** पर, सबसे महत्त्वपूर्ण बाधा कृषि उपज का पैमाना रही है। अधिकांश भारतीय किसान सीमांत और छोटे हैं (86% भूमि जोत 2 हेक्टेयर से कम है)। पंजाब को छोड़कर सभी राज्यों में औसत आकार एक हेक्टेयर से कम है। इतनी छोटी जोत के साथ, व्यक्तिगत किसान का विपणन योग्य अधिशेष बहुत कम हो गया है। उच्च लेन-देन (जैसे बातचीत से संबंधित लागत) और विपणन लागत (जैसे उपज एकत्र करने की लागत) के कारण बड़ी संख्या में छोटे और सीमांत किसानों के साथ अनुबंध खेती के लिए खरीदारों के पास कोई प्रोत्साहन नहीं है। इसके अलावा समस्या बड़ी संख्या में छोटे किसानों के साथ उपज की गुणवत्ता में विविधता है, जिनकी गुणवत्ता और सुरक्षा की निगरानी नहीं की

जा सकती है। यदि अनुबंध खेती को सफल होना है, तो हमें फर्म-फार्म समन्वय के अग्रदूत के रूप में किसान उत्पादक संगठनों (एफपीओ) और स्वयं सहायता समूहों के माध्यम से किसानों को एकजुट करना होगा।

- **माँग पक्ष** पर, हमने हाल ही में अमेजन, टेस्को जैसी बड़ी विदेशी खुदरा शृंखलाओं को भारत में निवेश करने की अनुमति दी है (खाद्य खुदरा क्षेत्र में एफडीआई की अनुमति 2016 में ही दी गई थी)। इन खुदरा शृंखलाओं के पास एक कुशल आपूर्ति शृंखला है और अन्य देशों में इनका एक सफल व्यवसाय मॉडल चल रहा है। अगर ये कंपनियाँ भारत में आएंगी, तो वे तकनीक और विशेषज्ञता लेकर आएँगी, जिससे निश्चित रूप से किसानों से कृषि उपज की सीधी सोर्सिंग की माँग पैदा होगी।

[मॉडल] अनुबंध खेती अधिनियम 2018

भारत सरकार ने मई 2018 में **मॉडल कृषि उपज और पशुधन अनुबंध खेती और सेवा (संवर्धन और सुविधा) अधिनियम,** 2018 का मसौदा तैयार किया और राज्यों से इसे लागू करने के लिए कहा। (मॉडल कृषि उपज और पशुधन विपणन (संवर्धन और सुविधा) अधिनियम, 2017 ने अनुबंध खेती से संबंधित सभी प्रावधानों को छोड़ दिया और **अनुबंध खेती** के विषय पर एक **विशेष मॉडल कानून** का मसौदा तैयार करने का मार्ग प्रशस्त किया।)

मॉडल अनुबंध खेती अधिनियम 2018 की मुख्य विशेषताएँ निम्नलिखित हैं:

- अनुबंध खेती के प्रावधानों के तहत सौंपे गए जनादेश को पूरा करने और हितधारकों के बीच इसे लोकप्रिय बनाने के लिए "अनुबंध खेती (विकास और संवर्धन) प्राधिकरण" नामक एक उपयुक्त और निष्पक्ष राज्य स्तरीय एजेंसी की स्थापना।
- अनुबंध खेती प्रायोजक (खरीदार) के पंजीकरण और अनुबंध की रिकॉर्डिंग के लिए जिला/ब्लॉक/तालुका स्तर पर एक "पंजीकरण और अनुबंध रिकॉर्डिंग समिति" का गठन, ताकि अनुबंध खेती को प्रभावी ढंग से लागू किया जा सके।
- अनुबंध खेती प्रायोजक को कोई अधिकार, शीर्षक स्वामित्व या कब्जा हस्तांतरित या अलग या निहित नहीं किया जाएगा।
- गुणवत्तापूर्ण इनपुट, वैज्ञानिक कृषि संबंधी प्रथाओं, प्रौद्योगिकी, प्रबंधकीय कौशल और आवश्यक ऋण की आपूर्ति के माध्यम से अनुबंध करने वाले किसानों या किसानों के समूह को विस्तार सेवाओं सहित उत्पादन सहायता में सक्षम बनाता है।
- उत्पादन और उत्पादन के बाद की गतिविधियों में अर्थव्यवस्था के पैमाने से लाभ उठाने के लिए छोटे और सीमांत किसानों को संगठित करने के लिए किसान उत्पादक संगठन (एफपीओ)/किसान उत्पादक कंपनियों (एफपीसी) को बढ़ावा देना।
- अनुबंध के अनुसार अनुबंधित कृषि उत्पादक के एक या अधिक कृषि उपज, पशुधन या उसके उत्पाद की पूरी पूर्व-सहमत मात्रा (निर्दिष्ट गुणवत्ता की) की खरीद सुनिश्चित करना
- पूर्व-सहमत मूल्य तय करने के लिए अनुबंध करने वाले पक्षों को मार्गदर्शन करने का प्रावधान करना और साथ ही आमने-सामने ढाँचे के रूप में पूर्व-सहमत मूल्य की तुलना में बाजार मूल्य में तीव्र आंदोलन (उतार या गिरावट) के मामले में बिक्री-खरीद मूल्य तय करना।
- अनुबंधित कृषि उपज, पशुधन और/या उसके उत्पाद के उत्पादन और उत्पादन के बाद की गतिविधियों से संबंधित त्वरित और आवश्यकता आधारित निर्णय लेने के लिए गाँव/पंचायत स्तर पर अनुबंध खेती सुविधा समूह (सीएफएफजी) प्रदान करना।
- अनुबंध के उल्लंघन या अधिनियम के किसी प्रावधान के उल्लंघन से उत्पन्न विवादों के त्वरित निपटान के लिए निम्नतम स्तर पर विवाद निपटान तंत्र प्रदान करना।

कृषि में 1966 की **हरित क्रांति** को **'बाजार सुधार'** नहीं माना जाता है। ऐसा इसलिए है क्योंकि हरित क्रांति को **सरकार द्वारा दी जाने वाली भारी सब्सिडी** जैसे कि MSP, उर्वरक, बिजली, पानी आदि द्वारा समर्थन दिया गया था। इसलिए, सभी इनपुट मुफ्त प्रदान किए गए थे और उपज को सरकार द्वारा बाजार मूल्य (MSP) से अधिक पर खरीदा गया था। इसलिए, यह सरकार द्वारा संचालित उछाल था न कि बाजार सुधार। लेकिन सरकार द्वारा संचालित समर्थन टिकाऊ नहीं है और सरकार इतने बड़े देश के लिए लंबे समय तक इसका समर्थन नहीं कर सकती है, और अब सरकार के लिए MSP और सब्सिडी के मामले में इस समर्थन को बनाए रखना असंतुलित हो गया है। इसलिए, भारत सरकार ने राज्यों को 'कृषि भूमि पट्टा अधिनियम 2016', 'कृषि उपज और पशुधन विपणन अधिनियम 2017' और 'अनुबंध खेती अधिनियम 2018' जैसे 'मॉडल' अधिनियमों की सिफारिश की है, और अब इसे लागू करना राज्यों पर निर्भर है।

10.11 कृषि आधारित क्लस्टर (Agriculture Based Clusters)

- इक्कीसवीं सदी में कृषि वैश्वीकरण, मानकीकरण, उच्च मूल्य उत्पादन, माँग में भारी वृद्धि, खुदरा और पैकेजिंग नवाचारों और दक्षता में वृद्धि द्वारा नए वैश्विक व्यवसाय के रूप में खुद को फिर से स्थापित कर रही है। निरंतर उत्पादकता और बाजार के दबावों का सामना करते हुए, 'नई कृषि' को अपनी प्रतिस्पर्धात्मकता और नवाचार क्षमता को बढ़ाने के लिए नए उपकरणों की आवश्यकता है। इनमें से एक उपकरण कृषि आधारित क्लस्टरों को बढ़ावा देना है।
- क्लस्टर को उद्योगों की भौगोलिक सांद्रता के रूप में परिभाषित किया जा सकता है जो सह-स्थान के माध्यम से लाभ प्राप्त करते हैं। कृषि क्लस्टर (एसी) उत्पादकों, कृषि-उद्योगों, व्यापारियों और अन्य निजी और सार्वजनिक कंपनियों का एक समूह है जो एक ही उद्योग में लगे हुए हैं और औपचारिक या अनौपचारिक रूप से मूल्य नेटवर्क का निर्माण करते हुए, सामान्य चुनौतियों का समाधान करते हैं और सामान्य अवसरों का अनुसरण करते हैं।
- कृषि क्लस्टर **'मूल्य नेटवर्क'** के निर्माण पर आधारित है जो निम्नलिखित का एकत्रीकरण है:
  - उत्पादकों के बीच **क्षैतिज संबंध** (horizontal relationship) जो उत्पादक समूहों, स्वयं सहायता समूहों या किसान उत्पादक संगठन (एफपीओ) का रूप लेते हैं।
  - कच्चे माल/उत्पादन इनपुट, कृषि उत्पादकों, प्रसंस्करण कर्ताओं और निर्यातकों, ब्रांडेड खरीदारों और खुदरा विक्रेताओं के आपूर्तिकर्ताओं के बीच **ऊर्ध्वाधर संबंध** (vertical relationship)।
- कृषि क्लस्टर (एसी) छोटे उत्पादकों और कृषि व्यवसाय फर्मों को कई लाभ प्रदान करते हैं, जिसमें समूह अर्थव्यवस्था से लेकर स्थानीय और वैश्विक बाजारों तक पहुँच में सुधार, उच्च मूल्य-वर्धित उत्पादन शामिल हैं। नतीजतन, एसी किसानों और कृषि व्यवसाय फर्मों के प्रतिस्पर्धात्मक लाभ को बढ़ाते हैं क्योंकि वे उनकी वर्तमान उत्पादकता और उनकी नवीन क्षमता को बढ़ाते हैं।
- क्लस्टर 'सह-प्रतिस्पर्धा' (प्रतिस्पर्धा और सहयोग के बीच संतुलन) को बढ़ावा देते हैं।
- कृषि क्लस्टर किसी दिए गए क्षेत्र के आर्थिक और सामाजिक विकास के लिए एक महत्त्वपूर्ण उपकरण हैं। वे आय वृद्धि, रोजगार सृजन और क्लस्टर के श्रमिकों और उद्यमियों की भलाई पर सकारात्मक प्रभाव डाल सकते हैं और, अधिक सामान्य रूप से, वे स्थानीय अर्थव्यवस्था में सुधार के लिए बहुत संभावना प्रदान करते हैं।

कृषि क्लस्टरों के लिए चुनौतियाँ

- बड़ी संख्या में छोटे और सीमांत किसानों की मौजूदगी (86%)।
- एपीएमसी और भूमि पट्टे जैसी विनियामक बाधाएँ।
- उपभोक्ताओं की माँगों को बेहतर तरीके से कैसे पूरा किया जाए और साथ ही दक्षता और उत्पादकता कैसे बढ़ाई जाए।

- बाजार संचालित नवाचार और नई तकनीकों को पेश करने की जरूरत।
- पर्यावरण संबंधी नियमन में सख्ती।

कृषि आधारित क्लस्टरों के उदाहरण

- पश्चिम बंगाल के ग्रामीण इलाकों में जूट आधारित उद्योग।
- पूर्वोत्तर में बांस और जैविक खाद्य आधारित प्रसंस्करण सुविधाएँ।
- पंजाब, उत्तराखंड और कुछ अन्य राज्यों में मेगा फूड पार्क कृषि आधारित क्लस्टरों का एक उदाहरण हैं क्योंकि यह किसानों, आपूर्तिकर्ताओं, खाद्य प्रसंस्करण कर्ताओं और खुदरा शृंखलाओं को कृषि परिवेश में जोड़ता है।

10.12 कृषि अवसंरचना निधि (Agriculture Infrastructure Fund)

कृषि अवसंरचना निधि एक केंद्रीय क्षेत्र की योजना है जो ब्याज अनुदान और वित्तीय सहायता के माध्यम से फसल-पश्चात प्रबंधन अवसंरचना और सामुदायिक कृषि परिसंपत्तियों के लिए व्यवहार्य परियोजनाओं में निवेश के लिए मध्यम से दीर्घकालिक ऋण वित्त-पोषण सुविधा प्रदान करेगी।

- इस योजना के तहत बैंकों और वित्तीय संस्थानों द्वारा प्राथमिक कृषि ऋण समितियों (पीएसीएस), विपणन सहकारी समितियों, किसान उत्पादक संगठनों (एफपीओ), एपीएमसी, स्वयं सहायता समूह (एसएचजी), किसानों, संयुक्त देयता समूहों (जेएलजी), बहुउद्देशीय सहकारी समितियों, कृषि उद्यमियों, स्टार्ट-अप, एकीकृत बुनियादी ढाँचा प्रदाताओं और केंद्रीय/राज्य एजेंसी या स्थानीय निकाय प्रायोजित सार्वजनिक निजी भागीदारी परियोजनाओं को ऋण के रूप में एक लाख करोड़ रुपए प्रदान किए जाते हैं।
- इस वित्त-पोषण सुविधा के तहत सभी ऋणों के लिए, सरकार 2 करोड़ रुपए तक के ऋणों के लिए 3% प्रति वर्ष की ब्याज छूट प्रदान कर रही है और यह छूट अधिकतम सात वर्षों की अवधि के लिए उपलब्ध होगी।
- इसके अलावा, सूक्ष्म और लघु उद्यमों के लिए क्रेडिट गारंटी फंड ट्रस्ट (सीजीटीएमएसई) योजना के तहत इस वित्त-पोषण/निधि सुविधा से उधारकर्ताओं को 2 करोड़ रुपए तक के ऋण के लिए क्रेडिट गारंटी कवरेज उपलब्ध होगी और इस कवरेज के लिए शुल्क सरकार द्वारा भुगतान किया जाएगा।
- सरकार द्वारा कुल बजटीय सहायता अनुदान और गारंटी के तहत 10,736 करोड़ रुपए की राशि दी जाएगी।
- कृषि और कृषि प्रसंस्करण आधारित गतिविधियों के लिए औपचारिक ऋण की सुविधा के माध्यम से इस योजना से ग्रामीण क्षेत्रों में रोजगार के कई अवसर उत्पन्न होने की आशा है। योजना की अवधि वित्त वर्ष 2020 से वित्त वर्ष 2033 तक होगी।

यह किसानों की मदद करेगी और ग्रामीण अर्थव्यवस्था को निम्नलिखित तरीके से बढ़ावा देगी:

- कृषि और कृषि प्रसंस्करण आधारित गतिविधियों के लिए औपचारिक ऋण की सुविधा के माध्यम से इस योजना से ग्रामीण क्षेत्रों में रोजगार के कई अवसर पैदा होने की उम्मीद है।
- इस कोष के माध्यम से बनाई गई भंडारण और प्रसंस्करण सुविधाओं से किसानों को अपनी फसलों के लिए उच्च मूल्य प्राप्त करने में मदद मिलेगी क्योंकि वे लंबे समय तक उपज को संग्रहीत करने में सक्षम होंगे
- इस कोष के माध्यम से बनाया गया बुनियादी ढाँचा बर्बादी को कम करने और प्रसंस्करण और मूल्य संवर्धन को बढ़ाने में मदद करेगा।
- यह योजना किसानों और कृषि क्षेत्र को बढ़ावा देगी और वैश्विक मंच पर प्रतिस्पर्धा करने की भारत की क्षमता को बढ़ाएगी।
- भारत के पास वेयरहाउसिंग, कोल्ड चेन और खाद्य प्रसंस्करण जैसे फसल-उपरांत प्रबंधन समाधानों में निवेश करने के लिए बहुत-से अवसर हैं, जिसके माध्यम से वह जैविक और ठोस आहार के खाद्य पदार्थों जैसे क्षेत्रों में वैश्विक उपस्थिति बना सकता है।

10.13 पशुपालन अवसंरचना विकास निधि (Animal Husbandry Infrastructure Development Fund)

- पशुपालन अवसंरचना विकास निधि (एएचआईडीएफ) का उद्देश्य निजी क्षेत्र में डेयरी और माँस प्रसंस्करण और मूल्य संवर्धन अवसंरचना की स्थापना और पशु चारा संयंत्र की स्थापना के लिए निवेश को प्रोत्साहित करना है।
- योजना के तहत पात्र लाभार्थी एफपीओ, एमएसएमई, गैर-लाभकारी कंपनियाँ, और व्यक्तिगत उद्यमी होंगे, जो परियोजना के लिए न्यूनतम 10% (मार्जिन) राशि का योगदान देंगे और शेष 90% अनुसूचित बैंकों द्वारा उपलब्ध कराया जाने वाला ऋण घटक होगा।
- भारत सरकार पात्र लाभार्थियों को 3% ब्याज अनुदान (आकांक्षी जिलों के लाभार्थियों को 4%) प्रदान करेगी।
- मूल ऋण राशि के लिए 2 वर्ष की स्थगन अवधि होगी तथा उसके बाद 6 वर्ष की पुनर्भुगतान अवधि होगी।

10.14 प्रधानमंत्री फसल बीमा योजना (Pradhan Mantri Fasal Bima Yojna -PMFBY)

'प्रधानमंत्री फसल बीमा योजना' (PMFBY) 2016 के खरीफ मौसम से लागू की जा रही है। PMFBY योजना की मुख्य विशेषताएँ निम्नलिखित हैं: -

- सभी खाद्यान्नों, तिलहनों तथा दालों के लिए प्रत्येक मौसम के लिए केवल एक प्रीमियम दर - एक मौसम के भीतर फसलों तथा जिलों में दरों में सभी भिन्नताओं को दूर करना। खरीफ-2% तथा रबी-1.5%। बागवानी तथा कपास की फसलों के लिए प्रीमियम 5% तक हो सकता है
- इसलिए, किसानों का प्रीमियम तय है जबकि सरकार (केंद्र तथा राज्य समान रूप से) प्रीमियम का शेष वित्तीय भार वहन करती है
- किसानों को पूर्ण बीमा कवर मिलता है। बीमा राशि की कोई सीमा नहीं होगी, और इसलिए दावा राशि में कटौती या कमी नहीं की जाएगी
- पहली बार, चक्रवातों और बेमौसम बारिश से होने वाले फसल-पश्चात नुकसान को भी राष्ट्रीय स्तर पर कवर किया गया है
- पहली बार, दावों के सटीक आकलन और त्वरित निपटान की सुविधा के लिए मोबाइल और उपग्रह प्रौद्योगिकी पर जोर दिया गया है

फसलों का कवरेजः

- खाद्य फसलें (अनाज, बाजरा और दालें),
- तिलहन
- वाणिज्यिक/बागवानी फसलें

जोखिमों का कवरेजः

फसल के निम्नलिखित चरण और फसल के नुकसान के लिए जोखिम इस योजना के तहत कवर किए जाते हैं।

- **रोकी गई बुवाई/रोपण जोखिमः** बीमित क्षेत्र को कम वर्षा या प्रतिकूल मौसमी परिस्थितियों के कारण बुवाई/रोपण से रोका जाता है
- **खड़ी फसल (बुवाई से कटाई तक):** गैर-रोकथाम योग्य जोखिमों के कारण उपज के नुकसान को कवर करने के लिए व्यापक जोखिम बीमा प्रदान किया जाता है जैसे सूखा, बाढ़, जलप्लावन, कीट और रोग, भूस्खलन, प्राकृतिक आग और बिजली, तूफान, ओलावृष्टि, चक्रवात, आँधी, चक्रवात, तूफान और बवंडर।
- **कटाई के बाद होने वाले नुकसानः** चक्रवात और चक्रवाती बारिश और बेमौसम बारिश के विशिष्ट खतरों के खिलाफ उन फसलों के लिए कटाई से अधिकतम दो सप्ताह की अवधि तक कवरेज उपलब्ध है, जिन्हें कटाई के बाद खेत में कटी हुई और फैली हुई स्थिति में सूखने दिया जाता है।
- **स्थानीय आपदाएँः** अधिसूचित क्षेत्रों में अलग-अलग खेतों को प्रभावित करने वाले ओलावृष्टि, भूस्खलन और जलप्लावन के पहचाने गए स्थानीय जोखिमों की घटना से होने वाली हानि/क्षति।

युद्ध और परमाणु जोखिमों, दुर्भावनापूर्ण क्षति और अन्य रोके जा सकने वाले जोखिमों से होने वाले नुकसान को बाहर रखा जाएगा। यह योजना वैकल्पिक है।

फसल बीमा के लिए प्रौद्योगिकी का उपयोग:

ड्रोन प्रौद्योगिकी का उपयोग फसल बीमा के लिए किया जा सकता है जो तीव्र वृद्धि का अनुभव कर रही है। ड्रोन कम लागत वाले होते हैं, कम ऊँचाई पर उड़ सकते हैं और फसल के नुकसान का आकलन करने के लिए आवश्यक सभी रिज़ॉल्यूशन में चित्र प्राप्त कर सकते हैं। वे बादलों से बचने के मामले में उपग्रहों और रिमोट सेंसिंग से भी बेहतर हैं और उनकी छवियाँ उच्च आवृत्ति की हैं। कम लागत वाले उपग्रह जिन्हें डव (doves) कहा जाता है, फसल निगरानी में भी उपयोगी हो सकते हैं। उनके पास अच्छा रिज़ॉल्यूशन है, वे कम ऊँचाई में उड़ते हैं और पृथ्वी पर कहीं से भी डेटा एकत्र करने में सक्षम हैं। इन तकनीकों के साथ, फसल क्षति की निगरानी और आकलन बहुत आसान, तेज और लागत प्रभावी हो जाएगा।

योजना का कार्यान्वयन:

एक मौसम के दौरान एक फसल के लिए 'बीमा की इकाई' राज्य द्वारा तय की जाती है। प्रमुख फसलों के लिए, बीमा की इकाई आमतौर पर गाँव पंचायत स्तर की होगी और छोटी फसलों के लिए उच्च स्तर पर हो सकती है ताकि अधिसूचित फसल मौसम के दौरान आवश्यक संख्या में फसल कटाई प्रयोग किए जा सकें। एक बीमा इकाई में एक फसल के लिए थ्रेसहोल्ड उपज (threshhold yield) पिछले सात वर्षों की औसत उपज पर आधारित होगी और उसके आधार पर, उस बीमा इकाई में सभी बीमित किसानों को बीमा सुरक्षा दी जाएगी। किसानों के लिए बीमा राशि बीमित फसल की थ्रेशोल्ड उपज × एमएसपी या गेट मूल्य तक होगी।

राज्य सरकार सभी सूचीबद्ध बीमा कंपनियों को अधिसूचित बीमा इकाई क्षेत्र में अधिसूचित फसलों, थ्रेशोल्ड पैदावार, बीमित राशि आदि के लिए अपने प्रीमियम दरों को उद्धृत करने के लिए आमंत्रित करेगी, जैसा कि राज्य द्वारा मौसम के लिए संकेत दिया गया है। न्यूनतम बीमा प्रीमियम उद्धृत करने वाली कंपनी का चयन किया जाएगा और प्रत्येक जिले के लिए केवल एक कंपनी होगी।

क्षति/नुकसान का आकलन करने के लिए, राज्य को सभी अधिसूचित फसलों के लिए अधिसूचित बीमा इकाई क्षेत्र के स्तर पर आवश्यक संख्या में फसल कटाई प्रयोग (सीसीई) आयोजित करने होंगे और उपज के आँकड़े निर्धारित समय सीमा (फसल के एक महीने के भीतर) के भीतर बीमा कंपनी को प्रस्तुत किए जाएँगे। बीमा एजेंसी निर्धारित दावों की देयता को संसाधित करेगी और दावों को मंजूरी देगी। विवरण के साथ दावा राशि व्यक्तिगत नोडल बैंकों को जारी की जाएगी। जमीनी स्तर पर बैंक, बदले में, किसानों के खातों में क्रेडिट करेंगे और अपने नोटिस बोर्ड पर लाभार्थियों के विवरण प्रदर्शित करेंगे। बैंक बीमा एजेंसी को किसानवार विवरण दावा ऋण विवरण प्रदान करेंगे और इसे केंद्रीकृत डेटा संग्रह में शामिल किया जाएगा।

यह योजना अच्छा प्रदर्शन कर रही है और इसका कवरेज बढ़कर लगभग 40% किसानों (हर साल औसतन लगभग 5.5 करोड़ किसान) तक पहुँच गया है। लेकिन, कुछ घटनाएँ सामने आईं जैसे कि राज्यों द्वारा समय पर प्रीमियम सब्सिडी का अपना हिस्सा नहीं देना और किसानों को दावों के निपटान में देरी और बीमा कंपनियों द्वारा भारी मुनाफा कमाना।

PMFBY के तहत, यदि बीमा कंपनी 40% प्रीमियम लेती है तो किसान 2% (खरीफ फसल के लिए तय) का भुगतान करते हैं और शेष 38% प्रीमियम केंद्र और राज्य द्वारा समान रूप से साझा किया जाता है, यानी केंद्र 19% और राज्य भी 19% का भुगतान करेगा। और यदि बीमा कंपनी द्वारा लिया जाने वाला प्रीमियम बढ़ता है तो किसानों पर बोझ हमेशा 2% पर स्थिर रहता है और केंद्र और राज्य समान रूप से बोझ साझा करते हैं।

लेकिन **फरवरी 2020** में, केंद्र सरकार ने घोषणा की कि केंद्र उपरोक्त फार्मूले का अनुपालन तभी करेगा जब प्रीमियम अधिकतम 30% हो, लेकिन यदि प्रीमियम 30% से अधिक हो जाता है, जैसे कि 35%, तो केंद्र केवल 14% का भुगतान करेगा (जो कि कंपनी द्वारा लगाए गए प्रीमियम के मामले में केंद्र का प्रीमियम भार 30% है), किसानों को 2% का भुगतान करना होगा और राज्यों को 14% + 5% का भुगतान करना होगा। इसका मतलब है कि 30% से अधिक जो भी अतिरिक्त भार होगा, वह राज्यों द्वारा वहन किया जाएगा। यह 30% की सीमा असिंचित क्षेत्र के लिए है। सिंचित क्षेत्र के लिए यह 25% है।

10.15 किसानों की आय में वृद्धि (Increasing Farmers' Income)

कृषि उत्पादन में वृद्धि **मूल्य कारक** के कारण किसानों की आय में आनुपातिक वृद्धि में परिवर्तित नहीं होती है। अनुभव से ज्ञात होता है कि कुछ मामलों में, उत्पादन में वृद्धि से किसानों की आय में समान वृद्धि होती है, लेकिन कई मामलों में किसानों की आय उत्पादन में वृद्धि के साथ बहुत अधिक नहीं बढ़ी। किसानों का कल्याण कृषि उत्पादन के बजाय किसानों की आय (उत्पादन × मूल्य) से अधिक जुड़ा हुआ है।

जहाँ तक कृषि का सवाल है, हमारी राजनीतिक और नौकरशाही व्यवस्था हमेशा से किसान-केंद्रित से ज्यादा टनभार-केंद्रित रही है। उत्पादन बढ़ने पर हम खुश और संतुष्ट होते हैं, लेकिन इस बात की परवाह नहीं करते कि किसानों को इससे फायदा हुआ है या नहीं। यही वजह है कि **केंद्र सरकार ने 2015 में कृषि मंत्रालय का नाम बदलकर कृषि और किसान कल्याण मंत्रालय कर दिया।**

किसानों की आय बढ़ाने के लिए, कृषि क्षेत्र के भीतर और बाहर किसानों की आय में वृद्धि के सभी संभावित स्रोतों का दोहन करने के लिए मजबूत उपायों की जरूरत है। **दलवई समिति ने 2018 में किसानों की आय बढ़ाने के लिए निम्नलिखित सात बिंदुओं की सिफारिश की:**

1. **फसलों की उत्पादकता में सुधार:** देश में ज्यादातर फसलों की उत्पादकता कम है और इसे बढ़ाने की काफी गुंजाइश है। गेहूँ को छोड़कर, देश में अन्य फसलों की उत्पादकता विश्व औसत से कम है और कृषि के मामले में उन्नत देशों की तुलना में बहुत कम है। यहाँ तक कि देश के भीतर भी, विभिन्न राज्यों में पैदावार में काफी अंतर है, जो सिंचाई की पहुँच में भिन्नता के कारण है। सिंचाई तक पहुँच बढ़ाना और तकनीकी उन्नति देश में कृषि उत्पादकता और उत्पादन बढ़ाने के सबसे शक्तिशाली साधन हैं।

2. **पशुधन उत्पादकता में सुधार:** पशुधन किसानों की अर्थव्यवस्था में महत्त्वपूर्ण भूमिका निभाता है। भारत में किसान मिश्रित कृषि प्रणाली का प्रयोग करते हैं, यानी फसल और पशुधन का संयोजन, जहाँ एक उद्यम का उत्पादन दूसरे उद्यम का इनपुट बन जाता है, जिससे संसाधन दक्षता का एहसास होता है। कृषि और खाद्य उपभोग पैटर्न में संरचनात्मक परिवर्तनों से प्रेरित होकर, इस क्षेत्र की वृद्धि को उपभोग व्यय में इन वस्तुओं की बढ़ती हिस्सेदारी में परिलक्षित बढ़ती माँग से मेल खाना चाहिए।

3. **फसल सघनता में वृद्धि:** भारत में खरीफ और रबी नामक दो मुख्य फसल उगाने के मौसम हैं, जिसमें ही भूमि पर एक वर्ष में दो फसलें उगाना संभव होता है। सिंचाई और नई प्रौद्योगिकियों की उपलब्धता के कारण मुख्य खरीफ और रबी मौसम के बाद कम अवधि की फसलें उगाना संभव हो गया है। भूमि उपयोग के आँकड़े बताते हैं कि दूसरी फसल केवल शुद्ध बोए गए क्षेत्र के 39 प्रतिशत पर ली जाती है। इसका अर्थ है कि देश में 60 प्रतिशत से अधिक कृषि भूमि उत्पादक अवधि के आधे समय तक अप्रयुक्त रहती है। फसल की आवश्यकता को पूरा करने के लिए पानी की कमी (कृषि योग्य भूमि का 50% से कम हिस्सा सिंचाई के अधीन है) को कम फसल सघनता का मुख्य कारण बताया जाता है।

4. **संसाधन उपयोग दक्षता या उत्पादन की लागत में बचत:** कुल कारक उत्पादकता (TFP) में सुधार उत्पादन वृद्धि का एक महत्त्वपूर्ण स्रोत है जो सीधे लागत बचत में योगदान देता है और इस प्रकार किसानों की आय में वृद्धि करता है। TFP उत्पादन में उपयोग किए जाने वाले कुल इनपुट में वृद्धि के सापेक्ष कुल उत्पादन वृद्धि में प्रभावों को दर्शाता है। टीएफपी वृद्धि तकनीकी परिवर्तन, कौशल, बुनियादी ढांचे आदि के प्रभाव को दर्शाती है।

5. **उच्च मूल्य वाली फसलों की ओर विविधीकरण:** उच्च मूल्य वाली फसलों (एचवीसी) की ओर विविधीकरण किसानों की आय में सुधार के लिए बहुत गुंजाइश प्रदान करता है। मुख्य फसलें (अनाज, दालें, तिलहन) सकल फसल क्षेत्र के 77 प्रतिशत पर होती हैं, लेकिन फसल क्षेत्र के कुल उत्पादन में इनका केवल 41 प्रतिशत का योगदान होता है। दिलचस्प बात

यह है कि उत्पादन का लगभग समान मूल्य HVC (फल, सब्जियां, फाइबर, मसाले, गन्ना) द्वारा योगदान दिया जाता है, जो सकल फसल क्षेत्र के केवल 19 प्रतिशत पर की जाती है।

6. **किसानों के लिए व्यापार के संदर्भ में सुधार:** किसानों की वास्तविक आय में परिवर्तन पर पहुँचने के लिए, हमें किसानों की वर्तमान आय को उचित मुद्रास्फीति सूचकांक के साथ समायोजित करने की आवश्यकता है। यदि अर्थव्यवस्था में मुद्रास्फीति कृषि उपज की कीमतों से अधिक है, तो वास्तव में यह किसानों की वास्तविक आय को कम करती है। और जब कृषि उपज के लिए किसानों को मिलने वाली कीमतें मुद्रास्फीति की तुलना में तेजी से बढ़ती हैं, तो यह उत्पादन की मात्रा में वृद्धि के बिना भी वास्तविक आय में इजाफा करती है।
7. **किसानों को खेती से हटाकर गैर-कृषि व्यवसायों में लगाना:** लगभग 43% श्रम शक्ति कृषि गतिविधियों में लगी हुई है, जो सकल घरेलू उत्पाद में मात्र 17% का योगदान देती है। यह कृषि पर कार्यबल की अत्यधिक निर्भरता को दर्शाता है, जिसमें अल्परोजगार महत्त्वपूर्ण है। यह कृषि और गैर-कृषि क्षेत्रों के बीच प्रति श्रमिक उत्पादकता में बड़े अंतर को भी दर्शाता है। इस प्रकार, कृषि से कार्यबल को हटाकर गैर-कृषि गतिविधियों जैसे कृषि-प्रसंस्करण, खाद्य प्रसंस्करण, पर्यटन, चमड़ा, जूते, मिट्टी के बर्तन, शिल्प, हथकरघा आदि में लगाकर किसानों की आय में काफी सुधार किया जा सकता है, क्योंकि उपलब्ध कृषि आय कम संख्या में कार्यबल में वितरित की जाएगी।

कृषि क्षेत्र में अपेक्षित सुधारों की उपेक्षा ने कृषि क्षेत्र और गैर-कृषि क्षेत्रों के बीच व्यापक असमानता पैदा कर दी है। 1990-91 तक, दोनों क्षेत्रों में वृद्धि दर एक साथ चलती थी और बहुत करीबी सहसंबंध दिखाती थी। **जैसे-जैसे एलपीजी सुधार आगे बढ़े, विकास की दिशाएँ अलग-अलग होती गईं। गैर-कृषि क्षेत्र में वृद्धि दर 6% से बढ़कर अधिकांश अवधि में 8% से अधिक हो गई। हालाँकि, कृषि क्षेत्र 3% की दीर्घकालिक प्रवृत्ति के आसपास चक्रीय पथ पर आगे बढ़ा।** इस तुलना से यह ज्ञात होता है कि कृषि क्षेत्र में बाजार सुधारों के अभाव में, कृषि विकास कम रहा और यह क्षेत्र गैर-कृषि क्षेत्र में वृद्धि के साथ तालमेल नहीं रख सका। किसानों की आय को दोगुना करने के लिए न केवल कृषि क्षेत्र को विकसित करने के लिए हस्तक्षेप की आवश्यकता होगी, बल्कि कृषि इकाइयों को कृषि उद्यमों में बदलने के लिए विनिर्माण और सेवा क्षेत्रों के साथ मजबूत संबंधों की भी आवश्यकता होगी। इस प्रकार, यह कोई एकमात्र खेल नहीं है जो भारतीय कृषि की सूरत बदल देगा; बल्कि, इसके लिए समग्र विकास के लिए सभी ताकतों को एक साथ लाने और इस क्षेत्र को अधिक आधुनिक और पेशेवर अभिविन्यास प्रदान करने की आवश्यकता होगी।

10.16 कृषि निर्यात नीति 2018 (Agriculture Export Policy 2018)

कृषि निर्यात को बढ़ावा देने के लिए, सरकार ने 2018 में एक व्यापक 'कृषि निर्यात नीति' पेश की, जिसका उद्देश्य कृषि निर्यात को दोगुना करना और भारतीय किसानों और कृषि उत्पादों को वैश्विक मूल्य श्रृंखलाओं के साथ एकीकृत करना है। कृषि निर्यात नीति का निम्नलिखित दृष्टिकोण है:

'उपयुक्त नीतिगत साधनों के माध्यम से भारतीय कृषि की निर्यात क्षमता का दोहन करना, ताकि भारत को कृषि में वैश्विक शक्ति बनाया जा सके और किसानों की आय बढ़ाई जा सके।'

कृषि निर्यात नीति के उद्देश्य इस प्रकार थे:

- स्थिर व्यापार नीति व्यवस्था के साथ कृषि निर्यात को 30+ बिलियन डॉलर (2017-18) से दोगुना करके 2022 तक 60+ बिलियन डॉलर तक पहुँचाना और उसके बाद अगले कुछ वर्षों में 100 बिलियन डॉलर तक पहुँचाना।
- हमारे निर्यात बास्केट, गंतव्यों में विविधता लाना और जल्दी खराब होने वाले उत्पादों पर ध्यान देने सहित उच्च मूल्य और मूल्यवर्धित कृषि निर्यात को बढ़ावा देना।
- नवीन, स्वदेशी, जैविक, जातीय, पारंपरिक और गैर-पारंपरिक कृषि उत्पादों के निर्यात को बढ़ावा देना।

- बाजार तक पहुंच बनाने, बाधाओं से निपटने और स्वच्छता और फाइटो-सैनिटरी मुद्दों से निपटने के लिए एक संस्थागत तंत्र प्रदान करना।
- जल्द से जल्द वैश्विक मूल्य शृंखला के साथ एकीकरण करके विश्व कृषि निर्यात में भारत की हिस्सेदारी को दोगुना करने का प्रयास करना।
- किसानों को विदेशी बाजार में निर्यात अवसरों का लाभ उठाने में सक्षम बनाना।

हालाँकि कृषि निर्यात लक्ष्य से कम रहा, लेकिन नीति की सिफारिशें परीक्षा के लिए प्रासंगिक हैं।

प्रमुख सिफारिशें:

1. **स्थिर व्यापार नीति व्यवस्था:** कुछ कृषि वस्तुओं की घरेलू कीमत और उत्पादन अस्थिरता को देखते हुए, मुद्रास्फीति को नियंत्रित करने, किसानों को मूल्य समर्थन प्रदान करने और घरेलू उद्योग की रक्षा करने के अल्पकालिक लक्ष्यों को प्राप्त करने के लिए व्यापार नीति का उपयोग करने की प्रवृत्ति रही है। ऐसे परिस्थितिजन्य उपाय अक्सर उत्पाद और क्षेत्र-विशेष होते हैं, उदाहरण के लिए, प्याज और गैर-बासमती चावल के निर्यात के लिए न्यूनतम निर्यात मूल्य (एमईपी) पर अस्थायी प्रतिबंध या अधिरोपण। ऐसे उपायों के लिए निरंतर सुधार की आवश्यकता होती है और **बाजार में उत्सुकता बनी रहती है।** भारत को कई विकासशील देशों, आसियान अर्थव्यवस्थाओं में उच्च गुणवत्ता वाले कृषि उत्पादों के स्रोत के रूप में देखा जाता है और घरेलू मूल्य में उतार-चढ़ाव, धार्मिक और सामाजिक विश्वास के आधार पर निर्यात व्यवस्था में बदलाव के दीर्घकालिक परिणाम हो सकते हैं। हालाँकि ये निर्णय घरेलू मूल्य-संतुलन बनाए रखने के तात्कालिक उद्देश्य की पूर्ति कर सकते हैं, लेकिन वे दीर्घकालिक और विश्वसनीय आपूर्तिकर्ता के रूप में अंतर्राष्ट्रीय व्यापार में भारत की छवि को बिगाड़ते हैं। अंतर्राष्ट्रीय बाजार को सकारात्मक संकेत भेजने के लिए सीमित राज्य हस्तक्षेप के साथ एक स्थिर और पूर्वानुमानित नीति तैयार करना अनिवार्य है।

   इस प्रकार, नीति का उद्देश्य यह नीति आश्वासन प्रदान करना है कि **प्रसंस्कृत कृषि उत्पादों और सभी प्रकार के जैविक उत्पादों को किसी भी प्रकार के निर्यात प्रतिबंध (जैसे एमईपी, निर्यात शुल्क, निर्यात प्रतिबंध, आदि) के दायरे में नहीं लाया जाएगा,** भले ही प्राथमिक कृषि उत्पाद जो खाद्य सुरक्षा के दृष्टिकोण से आवश्यक हैं या गैर-जैविक कृषि उत्पाद किसी प्रकार के निर्यात प्रतिबंध के तहत लाए जाते हैं।

2. **बुनियादी ढाँचा और रसद:** मजबूत बुनियादी ढांचे की उपस्थिति एक मजबूत कृषि मूल्य शृंखला का एक महत्त्वपूर्ण घटक है। इसमें फसल-पूर्व और फसल-पश्चात की हैंडलिंग सुविधाएँ, भंडारण और वितरण, प्रसंस्करण सुविधाएँ, सड़कें और बंदरगाहों पर विश्व स्तरीय निकास बिंदु अवसंरचना शामिल हैं जो तेजी से व्यापार की सुविधा प्रदान करती हैं। उनके जल्दी खराब होने वाली प्रकृति और कड़े आयात मानकों को देखते हुए, कृषि वस्तुओं के लिए कुशल और समय के प्रति संवेदनशील ढंग से हैंडलिंग अत्यंत महत्त्वपूर्ण है। रणनीतिक रूप से महत्त्वपूर्ण समूहों की पहचान करना, बंदरगाहों पर समर्पित कृषि अवसंरचना के साथ-साथ अंतर्देशीय परिवहन लिंक बनाना और जल्दी खराब होने वाली वस्तुओं के लिए 24 × 7 सीमा शुल्क निकासी, व्यापार को तेजी से बढ़ाने में एक लंबा रास्ता तय करेगा। **अक्सर यह बताया जाता है कि भारत में लॉजिस्टिक्स हैंडलिंग पर होने वाला खर्च निर्यात की लागत का कुछ विकसित अर्थव्यवस्थाओं में 8 से 9% के मुकाबले, लगभग 14 से 15% है।** बेहतर लॉजिस्टिक्स के कारण होने वाली बचत भारतीय कृषि निर्यात को वैश्विक बाजार स्थान पर काफी प्रतिस्पर्धी बना सकती है

3. **क्लस्टर विकास:** बागवानी उत्पादों के निर्यात के लिए आयात की माँग से मेल खाने वाले मानक मापदंडों के साथ एक ही किस्म के उच्च गुणवत्ता वाले उत्पादों की महत्त्वपूर्ण मात्रा की आवश्यकता होती है। भारत में छोटे भूमि स्वामित्व पैटर्न और कम किसान जागरूकता का मतलब अक्सर कई फसलों की विभिन्न किस्मों की सीमित मात्रा होती है, जिसमें बहुत कम या कोई

मानकीकरण नहीं होता है। **राज्यों में निर्यात उन्मुख क्लस्टर विकास मानक** भौतिक और गुणवत्ता मापदंडों के साथ अधिशेष उत्पादन सुनिश्चित करने के लिए महत्त्वपूर्ण होगा जो निर्यात माँगों को पूरा करते हैं।

4. **मूल्यवर्धित निर्यात को बढ़ावा देना:** भारत की निर्यात टोकरी में बहुत कम या बिना प्रसंस्करण या मूल्य संवर्धन वाले उत्पाद शामिल हैं। **उद्योग के अनुमान यह भी बताते हैं कि हमारे निर्यात की एक महत्त्वपूर्ण मात्रा उन देशों में जाती है जो सीमित मूल्य संवर्धन करते हैं और इसे फिर से निर्यात करते हैं।** वैश्विक बाजार में प्रसंस्कृत उत्पादों की भारी माँग है। भारत से केवल सीमित उत्पाद (आम का गूदा, प्यूरी, तेल फसलों के उप-उत्पाद, सोया खली, केक और कुछ तैयार खाने वाले उत्पाद) और एकल प्रसंस्कृत उत्पाद जैसे चीनी, चाय, खाद्य तेल, कॉफी और आवश्यक तेलों का निर्यात किया जाता है। भारत मूल्यवर्धित फलों और सब्जियों, खाने के लिए तैयार उत्पादों, अचार, सूप और सॉस, डेयरी उत्पादों, प्रसंस्कृत पशुधन, जलीय कृषि उत्पादों, कपड़ा उत्पादों आदि की एक पूरी श्रृंखला के निर्यात पर विचार कर सकता है।

5. **व्यापार करने में आसानी:** व्यापार और बाजार से संबंधित जानकारी तक पहुँचने के लिए एक समर्पित मंच के लिए विभिन्न क्षेत्रों के निर्यातकों की ओर से लगातार माँग की जा रही है। ट्रेड एनालिटिक्स पर एक पोर्टल है जो विभिन्न बाजारों में विभिन्न वस्तुओं के रुझान प्रदान करता है। इसी तरह, APEDA (कृषि और प्रसंस्कृत खाद्य निर्यात विकास प्राधिकरण) और MPEDA (समुद्री उत्पाद निर्यात विकास प्राधिकरण) अपने हितधारकों को बाजार की जानकारी प्रदान करने के लिए क्रमशः कृषि विनिमय पोर्टल और मछली विनिमय पोर्टल संचालित करते हैं। भारत व्यापार पोर्टल मुक्त व्यापर समझौते और गैर मुक्त व्यापार समझौते स्थितियों में टैरिफ परिदृश्यों, एसपीएस (स्वच्छता और फाइटोसैनिटरी) अधिसूचनाओं से संबंधित जानकारी प्रदान करता है और भारतीय दूतावासों को बाजार की जानकारी देने के लिए एक विंडो भी प्रदान करता है। इस प्रकार, बाजार की जानकारी पर प्रासंगिक जानकारी विभिन्न वेब पेजों में बिखरी हुई है। टैरिफ, गैर-टैरिफ, दस्तावेजीकरण, कीटनाशक और रासायनिक एमआरएल अधिसूचनाओं से संबंधित वास्तविक समय अपडेट के लिए एक एकीकृत ऑनलाइन पोर्टल विकसित करने की आवश्यकता है। यह पोर्टल निर्यातकों को बाजार, मूल्य निर्धारण, हेजिंग और एसपीएस अधिसूचनाओं से संबंधित सुविचारित निर्णय लेने में सुविधा प्रदान करेगा। पोर्टल में शिकायत निवारण तंत्र भी शामिल हो सकता है, जिससे निर्यातक बाजार से संबंधित मुद्दों और चुनौतियों को उजागर कर सकेंगे।

   निर्यातकों ने बताया कि बंदरगाहों पर लंबे और बोझिल दस्तावेजीकरण और परिचालन प्रक्रियाएँ लगातार चुनौती बनी हुई हैं। उन्होंने अक्सर देश भर के प्रमुख बंदरगाहों पर खराब होने वाले आयात और निर्यात के लिए 24 × 7 सिंगल विंडो क्लीयरेंस लागू करने की सिफारिश की है। रणनीतिक रूप से महत्त्वपूर्ण बंदरगाहों पर अधिक संगरोध अधिकारियों (quarantine officers) को तैनात करना भी उतना ही महत्त्वपूर्ण है।

6. **एसपीएस और टीबीटी (व्यापार में तकनीकी बाधाएँ) प्रतिक्रिया तंत्र:** यह सर्वविदित है कि बाजार पहुँच से संबंधित मुद्दे महीनों, कभी-कभी वर्षों तक चलते हैं, इससे पहले कि देश उत्पादों के लिए बाजार पहुँच की अनुमति दें। टैरिफ बाधाओं के अलावा, जो मुक्त व्यापार समझौतों और क्षेत्रीय व्यापार समझौतों के कारण पिछले कुछ वर्षों में कम हो रही हैं, गैर-टैरिफ बाधाएँ (एनटीबी) और कड़े गुणवत्ता/फाइटो-सैनिटरी मानक बाजार पहुँच को प्रतिबंधित/रोकने के लिए आदर्श बन रहे हैं। त्वरित अलर्ट और चेतावनियों पर प्रतिक्रिया देना और यह सुनिश्चित करना आवश्यक है कि चिंताएँ/समस्या क्षेत्र उत्पादकों/प्रसंस्करणकर्ताओं और निर्यातकों तक पहुँचें। प्रतिक्रिया तंत्र के अभाव में, अस्थायी प्रतिबंध की संभावना बहुत अधिक है और कभी-कभी प्रतिबंध हटाने में वर्षों लग सकते हैं। (उदाहरण के लिए, यूरोपीय संघ को फलों और सब्जियों पर प्रतिबंध, सऊदी अरब को हरी मिर्च पर प्रतिबंध, आदि)।

7. **समुद्री प्रोटोकॉल विकसित करना:** लंबी दूरी के बाजारों के लिए नाशवान वस्तुओं के लिए समुद्री प्रोटोकॉल विकसित करना प्राथमिकता पर लिया जाना चाहिए। नाशवान वस्तुओं के निर्यात के लिए वांछित तापमान पर विशेष भंडारण, परिवहन और हैंडलिंग की आवश्यकता होती है। समय एक बड़ी बाधा है और निर्यातकों के लिए हवाई माल ढुलाई महँगी साबित होती है। हालाँकि, यदि चयनित वस्तुओं की निर्यात योग्य किस्मों में समुद्री प्रोटोकॉल स्थापित किए जाते हैं, तो भारत के ताजे उत्पादों का निर्यात तेजी से बढ़ सकता है। **एक समुद्री प्रोटोकॉल यह संकेत देगा कि समुद्र द्वारा परिवहन के लिए किस परिपक्वता स्तर पर कटाई की जा सकती है।** यह अभ्यास शिपिंग लाइनों, रीफर सेवा प्रदाताओं, भारतीय कृषि अनुसंधान परिषद और एपीडा के साथ साझेदारी में किया जाना चाहिए। फिलीपींस और इक्वाडोर इस मामले में एक बेहतरीन उदाहरण हैं - दोनों देश क्रमश: 40 और 24 दिनों की समुद्री यात्रा के लिए केले के निर्यात के लिए समुद्री प्रोटोकॉल विकसित करने में सफल रहे। फिलीपींस मध्य पूर्व में केले भेज रहा है जिसमें लगभग 18 दिन लगते हैं जबकि भारत केवल 2-4 दिनों की पारगमन अवधि में ही उत्पाद भेज पाता है। इस प्रकार, समुद्री प्रोटोकॉल विकसित करने से व्यापार को बढ़ावा देने में काफी मदद मिलेगी।

8. **अनुरूपता मूल्याँकन:** कई आयातक देश भारत की निर्यात निरीक्षण और नियंत्रण प्रक्रियाओं को मान्यता नहीं देते हैं। भारतीय परीक्षण प्रक्रियाओं और अनुरूपता मानकों की मान्यता न होना निर्यातकों और इसलिए किसानों के लिए महँगा साबित होता है। कई बार, इसका मतलब है देश भर में विभिन्न प्रयोगशालाओं द्वारा किए जाने वाले परीक्षणों की बहुलता और दोहराव। मसाले, जैविक खाद्य पदार्थ, बासमती उत्पाद इससे सबसे अधिक प्रभावित हुए हैं। इसी तरह से, सरकार को जातीय और जैविक उत्पादों और मानकों की पारस्परिक मान्यता के लिए द्विपक्षीय चर्चाओं के दौरान ठोस प्रयास करने चाहिए।

10.17 चीन के साथ भारतीय कृषि की तुलना (2018-19) (A Comparison of Indian Agriculture with China (2018-19))

तुलना	भारत	चीन
कृषि भूमि	158 मिलियन हेक्टेयर	120 मिलियन हेक्टेयर
सिंचाई कवरेज	48%	41%
कृषि उत्पादन	$ 540 बिलियन (17%)	$ 1400 बिलियन (7%)
कृषि अनुसंधान एवं विकास और विस्तार पर व्यय	$ 1.5 बिलियन	$ 7.8 बिलियन
उर्वरक खपत	166 kg/ha	503 kg/ha
कृषि में श्रम शक्ति	40%	25%

- दोनों ने कृषि में आधुनिक तकनीकों को अपनाया है, जिसकी शुरुआत 1960 के दशक के मध्य में उच्च उपज वाली किस्म (HYV) के बीजों से हुई, सिंचाई कवर में वृद्धि हुई और सीमित भूमि से अधिक खाद्यान्न उत्पादन के लिए अधिक रासायनिक उर्वरकों का उपयोग किया गया।

- चीन ने अपने किसानों से समर्थन मूल्य पर खरीद शुरू की, जिसके परिणामस्वरूप भारी मात्रा में स्टॉक जमा हो गया और उसे भारी खर्च उठाना पड़ा। अपनी उँगलियाँ जला लेने के बाद, चीन ने मकई के लिए मूल्य समर्थन योजना बंद कर दी और गेहूँ और चावल के लिए समर्थन मूल्य कम करना शुरू कर दिया। लेकिन भारत ने एमएसपी पर खरीद को बढ़ाना जारी रखा है।
- चीन ने अपनी प्रमुख इनपुट सब्सिडी को एक ही योजना में मिला दिया है, जो किसानों को प्रति हेक्टेयर के आधार पर सीधे भुगतान की अनुमति देता है और **2018-19 में इस उद्देश्य के लिए 20.7 बिलियन डॉलर खर्च किए हैं। इससे किसानों को किसी भी फसल का उत्पादन करने की स्वतंत्रता मिलती है, न कि उन्हें विशिष्ट फसलों का उत्पादन करने के लिए प्रोत्साहित किया जाता है।** इनपुट की कीमत बाजार मूल्य पर तय की जाती है, जिससे किसानों को संसाधनों का बेहतर उपयोग करने के लिए सही संकेत मिलते हैं। दूसरी ओर, भारत ने 2018-19 में अपनी प्रत्यक्ष आय योजना, पीएम-किसान के तहत केवल 3 बिलियन डॉलर खर्च किए, लेकिन देश ने उर्वरकों, बिजली, सिंचाई, बीमा और ऋण पर भारी सब्सिडी देने पर 27 बिलियन डॉलर खर्च किए हैं। इससे उनके उपयोग में बड़ी अकुशलता आती है और पर्यावरणीय समस्याएँ भी पैदा होती हैं। भारत के लिए बेहतर होगा कि वह अपनी सभी इनपुट सब्सिडी को समेकित करे और उन्हें प्रति हेक्टेयर के आधार पर सीधे किसानों को दे और कीमतों को सभी नियंत्रणों से मुक्त करे। यह भारतीय कृषि में दक्षता और उत्पादकता को बढ़ावा देने में एक लंबा मार्ग तय करेगा।
- अधिकांश फसलों में चीन की उत्पादकता भारत की तुलना में 50 से 100 प्रतिशत अधिक है।

विगत वर्षों के प्रश्न

प्रारंभिक परीक्षा

1. गन्ने के उचित और लाभकारी मूल्य (आरएफपी) को द्वारा अनुमोदित किया जाता है: [2015]

(a) आर्थिक मामलों की कैबिनेट समिति

(b) कृषि लागत और मूल्य आयोग

(c) विपणन और निरीक्षण निदेशालय, कृषि मंत्रालय

(d) कृषि उपज विपणन समिति

2. भारत में, कृषि उत्पादों के बाजारों को के तहत विनियमित किया जाता है: [2015]

(a) आवश्यक वस्तु अधिनियम, 1955

(b) राज्यों द्वारा अधिनियमित कृषि उपज बाजार समिति अधिनियम

(c) कृषि उपज (ग्रेडिंग और मार्किंग) अधिनियम, 1937

(d) खाद्य उत्पाद आदेश, 1956 और माँस और खाद्य उत्पाद आदेश, 1973

3. 'प्रधानमंत्री फसल बीमा योजना' के संदर्भ में, निम्नलिखित कथनों पर विचार करें: [2016]

(i) इस योजना के तहत, किसानों को वर्ष के किसी भी मौसम में किसी भी फसल की खेती के लिए दो प्रतिशत का एक समान प्रीमियम देना होगा।

(ii) यह योजना चक्रवातों और बेमौसम बारिश से होने वाले फसल-पश्चात नुकसान को कवर करती है

ऊपर दिए गए कथनों में से कौन-सा सही है/हैं?

(a) केवल (i)

(b) केवल (ii)

(c) दोनों (i) और (ii)

(d) न तो (i) और न ही (ii)

4. निम्नलिखित कथनों पर विचार करें: [2017]

राष्ट्रव्यापी 'मृदा स्वास्थ्य कार्ड योजना' का उद्देश्य है

(i) सिंचाई के तहत खेती योग्य क्षेत्र का विस्तार करना।

(ii) बैंकों को मिट्टी की गुणवत्ता के आधार पर किसानों को दिए जाने वाले ऋण की मात्रा का आकलन करने में सक्षम बनाना।

(iii) कृषि भूमि में उर्वरकों के अत्यधिक उपयोग की जाँच करना।

ऊपर दिए गए कथनों में से कौन-सा सही है/हैं?

(a) केवल (i) और (ii) (b) केवल (iii)

(c) केवल (ii) और (iii) (d) (i), (ii) और (iii)

5. 'राष्ट्रीय कृषि बाजार' योजना को लागू करने का/के क्या लाभ/लाभ है/हैं? [2017]

(i) यह कृषि वस्तुओं के लिए अखिल भारतीय इलेक्ट्रॉनिक ट्रेडिंग पोर्टल है।

(ii) यह किसानों को उनकी उपज की गुणवत्ता के अनुरूप कीमतों के साथ राष्ट्रव्यापी बाजार तक पहुँच प्रदान करता है।

नीचे दिए गए कोड का उपयोग करके सही उत्तर चुनें:

(a) केवल (i)

(b) केवल (ii)

(c) दोनों (i) और (ii)

(d) न तो (i) और न ही (ii)

6. भारत में, निम्नलिखित में से किसे कृषि में सार्वजनिक निवेश माना जा सकता है? [2020]

(i) सभी फसलों की कृषि उपज के लिए न्यूनतम समर्थन मूल्य तय करना

(ii) प्राथमिक कृषि ऋण समितियों का कम्प्यूटरीकरण

(iii) सामाजिक पूँजी विकास

(iv) किसानों को मुफ्त बिजली आपूर्ति

(v) बैंकिंग प्रणाली द्वारा कृषि ऋण की माफी

(vi) सरकारों द्वारा कोल्ड स्टोरेज सुविधाओं की स्थापना

नीचे दिए गए कोड का उपयोग करके सही उत्तर चुनें:

(a) केवल (i), (ii) और (v)

(b) केवल (i), (iii), (iv) और (v)

(c) केवल (ii), (iii) और (vi)

(d) (i), (ii), (iii), (iv), (v) और (vi)

7. हाल के दिनों में भारत में चावल की कीमत को प्रभावित करने वाले निम्नलिखित कारकों/नीतियों में से कौन-से कारक/नीतियाँ थीं? [2020]

1. न्यूनतम समर्थन मूल्य 2. सरकार का व्यापार

3. सरकार का भंडारण 4. उपभोक्ता सब्सिडी

नीचे दिए गए कोड का उपयोग करके सही उत्तर चुनें:

(a) केवल 1, 2 और 4 (b) केवल 1, 3 और 4

(c) केवल 2 और 3 (d) 1, 2, 3 और 4

8. निम्नलिखित कथनों पर विचार करें: [2023]

1. भारत में चीन की तुलना में अधिक कृषि योग्य क्षेत्र है।
2. चीन की तुलना में भारत में सिंचित क्षेत्र का अनुपात अधिक है।
3. भारतीय कृषि में प्रति हेक्टेयर औसत उत्पादकता चीन की तुलना में अधिक है।

उपर्युक्त कथनों में से कितने सही हैं?

(a) केवल एक (b) केवल दो

(c) तीनों (d) कोई नहीं

9. निम्नलिखित में से कौन-सा 'छोटा किसान बड़ा खेत' (Small Farmer Large Field) की अवधारणा का सबसे अच्छा वर्णन करता है? [2023]

(a) युद्ध के कारण अपने देशों से उजड़े हुए लोगों की एक बड़ी संख्या का पुनर्वास, उन्हें एक बड़ी कृषि योग्य भूमि देकर, जिस पर वे सामूहिक रूप से खेती करते हैं और उपज को साझा करते हैं

(b) एक क्षेत्र में कई सीमांत किसान खुद को समूहों में संगठित करते हैं और चयनित कृषि कार्यों को समन्वित और सुसंगत बनाते हैं

(c) एक क्षेत्र में कई सीमांत किसान एक साथ एक कॉर्पोरेट निकाय के साथ एक अनुबंध करते हैं और एक निश्चित अवधि के लिए अपनी जमीन कॉर्पोरेट निकाय को सौंप देते हैं, जिसके लिए कॉर्पोरेट निकाय किसानों को सहमत राशि का भुगतान करता है

(d) एक कंपनी एक क्षेत्र में कई छोटे किसानों को ऋण, तकनीकी ज्ञान और सामग्री इनपुट प्रदान करती है ताकि वे कंपनी द्वारा अपनी विनिर्माण प्रक्रिया और वाणिज्यिक उत्पादन के लिए आवश्यक कृषि वस्तु का उत्पादन करें

उत्तर

1. (a) **2.** (b) **3.** (b) **4.** (b) **5.** (c) **6.** (c) **7.** (d) **8.** (b) **9.** (b)

मुख्य परीक्षा

1. न्यूनतम समर्थन मूल्य (MSP) से आपका क्या तात्पर्य है? एमएसपी किसानों को कम आय के जाल से कैसे बचाएगा? **[2018]**

2. भारत में कृषि उपज के परिवहन और विपणन में मुख्य बाधाएँ कौन-सी हैं? **[2020]**

3. ई-प्रौद्योगिकी किसानों को कृषि उपज के उत्पादन और विपणन में कैसे मदद करती है? इसे समझाएँ। **[2023]**

OOO

11

कृषि: भाग-II
(Agriculture: Part-II)

11.1 भारत में सिंचाई (Irrigation in India)

परिचय

कृषि किसी भी देश की रीढ़ है क्योंकि यह सजीव प्राणियों के जीवित रहने के लिए आवश्यक है। फसल उगाने के लिए सिंचाई एक प्रमुख प्रक्रिया है। सिंचाई को भूमि या मिट्टी में पानी का कृत्रिम अनुप्रयोग कहा जाता है (जबकि वर्षा आधारित खेती प्रत्यक्ष वर्षा के माध्यम से मिट्टी में पानी का प्राकृतिक अनुप्रयोग है।) यह वर्षा जल का विकल्प या पूरक है जो पानी के किसी अन्य स्रोत से प्राप्त होता है। इसका उपयोग शुष्क क्षेत्रों में और अपर्याप्त वर्षा की अवधि के दौरान किया जाता है। इसे कृषि उत्पादन के लिए आवश्यक बुनियादी ढाँचा और महत्त्वपूर्ण इनपुट माना जाता है।

सिंचाई के स्रोत

1. **नहरें (24%):** नहरें 1950 और 60 के दशक की अवधि से सिंचाई का सबसे महत्त्वपूर्ण स्रोत हैं, लेकिन 1970 के दशक में उनका स्थान कुओं और नलकूपों से पहले था और अब वे भारत में सिंचाई का दूसरा सबसे महत्त्वपूर्ण स्रोत बन गए हैं। नहरें निम्न-स्तरीय राहत, गहरी उपजाऊ मिट्टी, पानी के बारहमासी स्रोत और व्यापक कमांड क्षेत्र वाले क्षेत्रों में सिंचाई की सबसे प्रभावी तकनीक हैं। इसलिए, नहर सिंचाई का मुख्य केंद्र भारत के उत्तरी मैदान में है, विशेष रूप से उत्तर प्रदेश, हरियाणा और पंजाब के क्षेत्रों में।

   नहरों का निर्माण नदी पर कोई बाँध बनाकर किया जाता है जो पूरे वर्ष बहती रहती है और नहर के माध्यम से इसके पानी को दूर और पास के कृषि क्षेत्रों में मोड़ दिया जाता है। बड़े बिजली के पंपों के माध्यम से नदी से पानी निकालकर नहरों का निर्माण भी किया जाता है।

   इंदिरा गाँधी नहर भारत की सबसे लंबी नहर और दुनिया की सबसे बड़ी सिंचाई परियोजना है। यह 649 किलोमीटर लंबी है और भारतीय राज्य पंजाब में सतलुज और व्यास नदियों के संगम से कुछ किलोमीटर नीचे हरिके में हरिके बैराज से शुरू होती है और हरियाणा से बहते हुए राजस्थान राज्य के उत्तर पश्चिम में थार रेगिस्तान में समाप्त होती है। यह नहर भारत में हरित क्रांति की परियोजनाओं में से एक है और यह महान थार रेगिस्तान से भी होकर गुजरती है।

2. **कुएँ (17%):** कुएँ भारत में सिंचाई का सबसे व्यापक रूप से वितरित स्रोत प्रदान करते हैं। कुआँ जमीन में खोदा गया एक छेद होता है जिससे भूमिगत जल प्राप्त होता है। एक सामान्य कुआँ लगभग 3-5 मीटर गहरा होता है, लेकिन 15 मीटर तक गहरे कुएं भी खोदे जाते हैं। कुआँ सिंचाई उन क्षेत्रों में अधिक लोकप्रिय है जहाँ भूजल प्रचुर मात्रा में है और जहाँ नहरें कम हैं, जैसे पूर्वी उत्तर प्रदेश, बिहार आदि। सिंचाई के लिए कुएँ के पानी का उपयोग करने के लिए हमेशा किसी न किसी प्रकार के उत्तोलक की आवश्यकता होती है, जबकि मोट जैसी पुरानी विधियाँ अभी भी कई क्षेत्रों में व्यापक रूप से प्रचलित हैं, अधिकांश भाग में बिजली से चलने वाले पंप अत्यधिक लोकप्रिय हो गए हैं।

3. **ट्यूबवेल (46%):** ट्यूबवेल उन क्षेत्रों में आम हैं जहाँ भूजल स्तर काफी गहरा है, जैसे कि 15 मीटर से अधिक। गहरे कुएँ से पंपिंग के माध्यम से भूमिगत जल का दोहन किया जाता है। इंडो-गंगा घाटी और कुछ तटीय डेल्टा क्षेत्रों में ट्यूबवेल आम है।

4. **टैंक (12% सिंचाई):** एक टैंक एक सिंचाई भंडारण प्रणाली के रूप में कार्य करता है जिसे एक धारा के पार मिट्टी या पत्थरों का एक छोटा-सा बाँध बनाकर विकसित किया जाता है। बाँध द्वारा जमा किए गए पानी का उपयोग सिंचाई और अन्य उद्देश्यों के लिए किया जाता है। कुछ तालाब आंशिक रूप से खोदे गए हैं और आंशिक रूप से बाँधों को घेरकर बनाए गए हैं। तालाब अलग-अलग आकार के होते हैं लेकिन ज्यादातर तालाब छोटे आकार के होते हैं और इन्हें व्यक्तिगत किसानों या किसानों के समूहों द्वारा बनाया जाता है। प्रायद्वीपीय पठारी क्षेत्र जैसे आंध्र प्रदेश (तेलंगाना सहित) और तमिलनाडु में तालाब सिंचाई ज्यादा उपयुक्त है। इन राज्यों में मिट्टी के तटबंध बनाकर प्राकृतिक अवसाद के जरिए तालाब बनाए जाते हैं। वहाँ हमारे पास कठोर चट्टानें और गैर-छिद्रपूर्ण चट्टानें हैं जो लंबे समय तक पानी को रोक कर रखती हैं। तेलंगाना सहित आंध्र प्रदेश तालाब सिंचाई का सबसे बड़ा राज्य है, जिसके पास भारत के तालाब सिंचित क्षेत्र का लगभग 29 प्रतिशत हिस्सा है। ओडिशा और कर्नाटक में भी कुछ तालाब सिंचाई क्षेत्र है।

सिंचाई की तकनीकें

1. सतही/बाढ़ सिंचाई

- **बेसिन:** बेसिन सिंचाई सतही सिंचाई का सबसे आम रूप है, खासकर छोटे आकार के खेतों वाले क्षेत्रों में। यदि कोई खेत सभी दिशाओं में समतल है, अपवाह को रोकने के लिए एक बाँध/तटबंध द्वारा घिरा हुआ है, और खेत में पानी का एक अनियंत्रित प्रवाह प्रदान करता है, तो इसे बेसिन कहा जाता है। एक बेसिन आम तौर पर आकार में चौकोर होता है, लेकिन सभी प्रकार के अनियमित और आयताकार विन्यास में मौजूद होता है। यह खाँचेदार या नालीदार हो सकता है, कुछ फसलों के लाभ के लिए इसमें उभरी हुई क्यारियाँ हो सकती हैं, लेकिन जब तक इन फील्ड संशोधनों में अंतर्वाह अनियंत्रित और अनिर्देशित है, तब तक यह बेसिन ही रहता है। यह धान, गेहूँ की फसलों के लिए उपयुक्त है।

- **कुंड (FurUow):** कुंड सिंचाई मुख्य ढलान की दिशा में खेत की लंबाई के साथ छोटे समानांतर चैनल बनाकर की जाती है। प्रत्येक कुंड के ऊपरी सिरे पर पानी डाला जाता है और गुरुत्वाकर्षण के प्रभाव में खेत में नीचे की ओर बहता है। गेटेड पाइप, साइफन और हेड डिच का उपयोग करके पानी की आपूर्ति की जा सकती है। पानी की गति ढलान, सतह का खुरदरापन और कुंड के आकार जैसे कई कारकों से निर्धारित होती है, लेकिन सबसे महत्त्वपूर्ण रूप से अंतर्वाह दर और मिट्टी में घुसपैठ की दर से। आसन्न कुंड के बीच की दूरी फसल की प्रजातियों द्वारा नियंत्रित होती है,

आम तौर पर दूरी 0.75 से 2 मीटर तक होती है। फसल कुंड के बीच की मेड़ पर लगाई जाती है। यह कपास, गन्ना और फलों और सब्जियों जैसी फसलों के लिए उपयुक्त है।

- **खाड़ी/सीमाः** सीमा पट्टी या खाड़ी सिंचाई को समतल बेसिन और कुंड सिंचाई का संकर रूप माना जा सकता है। खेत को कई खाड़ियों या पट्टियों में विभाजित किया जाता है, प्रत्येक खाड़ी को उभरी हुई मिट्टी की सीमाओं (checkbanks) द्वारा अलग किया जाता है। बेसिन सिंचाई की तुलना में खाड़ियाँ आमतौर पर लंबी और संकरी होती हैं और खेत की ढलान के साथ लंबाई में संरेखित होती हैं। आम तौर पर खाड़ी के आयाम 10-70 मीटर चौड़े और 100-700 मीटर लंबे होते हैं। पानी खाड़ी के ऊपरी सिरे पर लगाया जाता है, जिसे आम तौर पर बहाव के अंत में मुक्त-प्रवाह की स्थिति को सुविधाजनक बनाने के लिए बनाया जाता है। इस तकनीक का एक आम उपयोग डेयरी उत्पादन के लिए चारागाह की सिंचाई में शामिल है जिसका इस्तेमाल आम तौर पर बड़े खेतों के लिए किया जाता है।

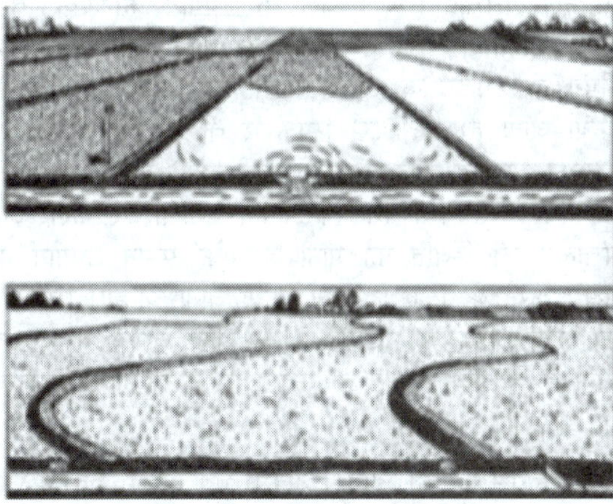

2. सूक्ष्म सिंचाई (ड्रिप/ट्रिकल/स्प्रिंकलर/स्थानीयकृत)

ड्रिप सिंचाई में बहुत कम दर (2-20 लीटर/घंटा) पर मिट्टी पर पानी टपकाना शामिल है, जिसमें छोटे व्यास के प्लास्टिक पाइप लगे होते हैं, जिन्हें एमिटर या ड्रिपर कहा जाता है। पानी को पौधों के करीब डाला जाता है, ताकि मिट्टी का केवल वह हिस्सा गीला हो, जिसमें जड़ें उगती हैं, जबकि सतही और स्प्रिंकलर सिंचाई में पूरी मिट्टी को गीला करना शामिल होता है। ड्रिप सिंचाई के पानी के साथ, अन्य तरीकों की तुलना में अधिक बार (आमतौर पर हर 1-3 दिन में) पानी डाला जाता है और इससे मिट्टी में बहुत अनुकूल उच्च नमी का स्तर मिलता है, जिसमें पौधे पनप सकते हैं।

ड्रिप सिंचाई पंक्ति फसलों (सब्जियाँ, अंगूर जैसे नरम फल), पेड़ और बेल की फसलों के लिए सबसे उपयुक्त है, जहाँ प्रत्येक पौधे के लिए एक या अधिक एमिटर प्रदान किए जा सकते हैं। आमतौर पर, ड्रिप सिस्टम लगाने की उच्च पूँजी लागत के कारण केवल उच्च मूल्य वाली फसलों पर विचार किया जाता है।

ड्रिप सिंचाई किसी भी खेती योग्य ढलान के लिए

अनुकूल है। आम तौर पर फसल को समोच्च रेखाओं के साथ लगाया जाएगा और जल आपूर्ति पाइप (पार्श्व) भी समोच्च के साथ बिछाए जाएँगे। भूमि की ऊँचाई में परिवर्तन के परिणामस्वरूप एमिटर डिस्चार्ज में परिवर्तन को कम करने के लिए ऐसा किया जाता है।

ड्रिप सिंचाई अधिकांश मिट्टी के लिए उपयुक्त है। चिकनी मिट्टी पर सतही जल तालाब और अपवाह से बचने के लिए पानी को धीरे-धीरे डालना चाहिए। रेतीली मिट्टी पर मिट्टी की पर्याप्त पार्श्व नमी सुनिश्चित करने के लिए उच्च एमिटर डिस्चार्ज दरों की आवश्यकता होगी।

बाँस सिंचाई (एक प्रकार की ड्रिप सिंचाई): मेघालय और कुछ उत्तर-पूर्वी राज्यों में, बागानों की सिंचाई के लिए बाँस के पाइपों का उपयोग करके धारा और झरने के पानी का दोहन करने की एक सरल प्रणाली व्यापक रूप से प्रचलित है। यह इतना परिष्कृत है कि बाँस की पाइप प्रणाली में प्रति मिनट प्रवेश करने वाला लगभग 18-20 लीटर पानी कई सौ मीटर तक ले जाया जाता है और अंत में पौधे के स्थल पर प्रति मिनट 20-80 बूँदों तक कम हो जाता है। खासी और जैंतिया पहाड़ियों के आदिवासी किसान 200 साल पुरानी प्रणाली का उपयोग करते हैं।

बाँस की ड्रिप सिंचाई प्रणाली का उपयोग आम तौर पर सुपारी के बागों या मिश्रित बागों में लगाए गए पान के पत्ते या काली मिर्च की फसलों की सिंचाई के लिए किया जाता है। बाँस के पाइपों का उपयोग पहाड़ियों की चोटी पर बारहमासी झरनों को गुरुत्वाकर्षण द्वारा निचले इलाकों में मोड़ने के लिए किया जाता है अंतर्ग्राही पाइप (intake pipe) की स्थिति में बदलाव करने से पार्श्व पाइप (lateral pipe) में पानी का प्रवाह भी नियंत्रित होता है। पानी के अनुप्रयोग के अंतिम चरण में कम चैनल सेक्शन और डायवर्जन इकाइयों का उपयोग किया जाता है। अंतिम चैनल सेक्शन पौधे की जड़ों के पास पानी गिराने में सक्षम बनाता है।

स्प्रिंकलर सिंचाई

स्प्रिंकलर सिंचाई सिंचाई जल के उपयोग की एक विधि है जो प्राकृतिक वर्षा के समान है। पानी को आमतौर पर पंपिंग द्वारा पाइप की एक प्रणाली के माध्यम से वितरित किया जाता है। फिर इसे स्प्रिंकलर के माध्यम से हवा में छिड़का जाता है ताकि यह पानी की छोटी बूँदों में टूट जाए जो जमीन पर गिरती हैं। पंप आपूर्ति प्रणाली, स्प्रिंकलर और संचालन की स्थिति को पानी के एक समान उपयोग को सक्षम करने के लिए डिजाइन किया जाना चाहिए। स्प्रिंकलर को उनके सहायक पाइपलाइन के साथ जमीन में बिछाया जाता है, हालाँकि जमीन के ऊपर और चलने वाले स्प्रिंकलर भी आम हैं।

स्प्रिंकलर सिंचाई का उपयोग अक्सर तब किया जाता है **जब जमीन असमान होती है और इस प्रकार, सतही सिंचाई के लिए उपयुक्त नहीं होती है।** यह विधि सतही सिंचाई से बेहतर है क्योंकि इसमें कम पानी बर्बाद होता है और पानी अधिक समान रूप से वितरित होता है। स्प्रिंकलर से सुसज्जित पाइप खेत के ऊपर या साथ में बिछाए जाते हैं। स्प्रिंकलर में घूमने वाले सिर होते हैं, जो फसलों पर पानी छिड़कते हैं।

स्प्रिंकलर अत:स्पंदन वाली रेतीली मिट्टी के लिए सबसे उपयुक्त हैं, हालाँकि वे अधिकांश मिट्टी के लिए अनुकूल हैं। स्प्रिंकलर सिंचाई अधिकांश पंक्ति, खेत और वृक्ष फसलों के लिए उपयुक्त है और पानी को फसल की छतरी के ऊपर या नीचे छिड़का जा सकता है।

11.2 भारत में कृषि प्रणाली और फसल पद्धति (Farming System and Cropping Pattern in India)

कृषि हमारे देश में सदियों पुरानी आर्थिक गतिविधि है। गत वर्षों में, भौतिक पर्यावरण, तकनीकी ज्ञान और सामाजिक-सांस्कृतिक प्रथाओं की विशेषताओं के आधार पर खेती के तरीकों में काफी बदलाव आया है। खेती निर्वाह से लेकर व्यावसायिक प्रकार तक भिन्न होती है। वर्तमान में, भारत के विभिन्न भागों में, **निम्नलिखित कृषि प्रणालियों का अभ्यास किया जाता है।**

- **आदिम निर्वाह खेती:** इस प्रकार की खेती अभी भी भारत के कुछ इलाकों में प्रचलित है। आदिम निर्वाह खेती कुदाल, दाव और खुदाई की छड़ियों जैसे आदिम औजारों और परिवार/समुदाय के श्रम की मदद से जमीन के छोटे-छोटे टुकड़ों पर की जाती है। इस प्रकार की खेती मानसून, मिट्टी की प्राकृतिक उर्वरता और उगाई जाने वाली फसलों के लिए अन्य पर्यावरणीय परिस्थितियों की उपयुक्तता पर निर्भर करती है। किसान अपने परिवार को पालने के लिए जमीन का एक टुकड़ा साफ करते हैं और अनाज और अन्य खाद्य फसलें उगाते हैं। जब मिट्टी की उर्वरता कम हो जाती है, तो किसान खेती के लिए जमीन का एक नया टुकड़ा साफ करते हैं। इस प्रकार की शिफ्टिंग प्रकृति को प्राकृतिक प्रक्रियाओं के माध्यम से मिट्टी की उर्वरता को फिर से भरने की अनुमति देती है; इस प्रकार की कृषि में भूमि की उत्पादकता कम होती है क्योंकि किसान उर्वरकों या अन्य आधुनिक इनपुट का उपयोग नहीं करता है।
- **गहन निर्वाह खेती:** इस प्रकार की खेती भूमि पर उच्च जनसंख्या दबाव वाले क्षेत्रों में की जाती है। यह श्रम गहन खेती है, जहाँ उच्च उत्पादन प्राप्त करने के लिए जैव रासायनिक इनपुट और सिंचाई की उच्च मात्रा का उपयोग किया जाता है। हालाँकि 'विरासत के अधिकार' के कारण भूमि का लगातार पीढ़ियों के बीच विभाजन हो गया है, जिससे भूमि-जोत का आकार अलाभकारी हो गया है, लेकिन किसान आजीविका के वैकल्पिक स्रोत के अभाव में सीमित भूमि से अधिकतम उत्पादन लेना जारी रखते हैं। इस प्रकार, कृषि भूमि पर भारी दबाव है।
- **वाणिज्यिक खेती:** इस प्रकार की खेती की मुख्य विशेषता उच्च उत्पादकता प्राप्त करने के लिए आधुनिक इनपुट, जैसे उच्च उपज वाली किस्म (HYV) के बीज, रासायनिक उर्वरक, कीटनाशक और कीटनाशकों की उच्च मात्रा का उपयोग है। कृषि के व्यावसायीकरण की मात्रा एक क्षेत्र से दूसरे क्षेत्र में भिन्न होती है। उदाहरण के लिए, हरियाणा और पंजाब में चावल एक व्यावसायिक फसल है, लेकिन ओडिशा में यह एक निर्वाह फसल है।

वृक्षारोपण भी एक प्रकार की व्यावसायिक खेती है। इस प्रकार की खेती में, एक ही फसल को व्यापक क्षेत्र में उगाया जाता है। वृक्षारोपण में कृषि और उद्योग का इंटरफेस होता है। वृक्षारोपण बड़े भूभाग को आच्छादित करता है, जिसमें प्रवासी मजदूरों की मदद से पूँजीयुक्त आगत का उपयोग किया जाता है, समस्त उपज का उपयोग संबंधित उद्योगों में कच्चे माल के रूप में किया जाता है। भारत में, चाय, कॉफी, रबर, गन्ना आदि महत्त्वपूर्ण वृक्षारोपण फसलें हैं। चूँकि उत्पादन मुख्य रूप से बाजार के लिए होता है, इसलिए वृक्षारोपण क्षेत्रों, प्रसंस्करण उद्योगों और बाजारों को जोड़ने वाले परिवहन और संचार का एक अच्छी तरह से विकसित नेटवर्क वृक्षारोपण के विकास में महत्त्वपूर्ण भूमिका निभाता है।

फसल पैटर्न को इस प्रकार परिभाषित किया जाता है कि समय और स्थान में फसलें कैसे वितरित की जाती हैं। फसल प्रणाली में खेत पर उगाए जाने वाले सभी फसल पैटर्न और कृषि संसाधनों, अन्य घरेलू उद्यमों और भौतिक, जैविक, तकनीकी और समाजशास्त्रीय कारकों या वातावरण के साथ उनका सामंजस्य शामिल होता है।

भारत में तीन फसल ऋतुएँ हैं- रबी, खरीफ और जायद **(रबी और खरीफ की फसल के बीच ग्रीष्मकाल के महीने)**। भूभाग, स्थलाकृति, ढलान, तापमान, वर्षा की मात्रा और विश्वसनीयता, मिट्टी और सिंचाई के लिए पानी की उपलब्धता के आधार पर, फसल पैटर्न क्षेत्र दर क्षेत्र अलग-अलग होते हैं। भारत में अपनाए जाने वाले विभिन्न प्रकार के **फसल पैटर्न** निम्नलिखित हैं:

- **मोनोक्रॉपिंग या मोनोकल्चर:** इस प्रणाली में, साल दर साल खेत की जमीन पर केवल एक ही फसल उगाई जाती है। उदाहरण के लिए, गेहूँ, मक्का उन क्षेत्रों में जहाँ सिंचाई की सुविधा उपलब्ध नहीं है।
- **बहुफसल:** एक वर्ष में एक ही जमीन पर एक से अधिक फसल उगाना।
    - **अंतर फसल:** एक ही क्षेत्र में वैकल्पिक पंक्तियों में या एक साथ दो या अधिक फसलों को उगाना, जहाँ अंतर फसल प्रतिस्पर्धा होती है जैसे, ज्वार के साथ लगाया गया अरहर।
    - **मिश्रित फसल:** एक ही जमीन पर बिना किसी निश्चित पंक्ति पैटर्न या निश्चित अनुपात के दो या दो से अधिक फसलों की एक साथ खेती। जैसे, उत्तर भारत में गेहूँ और सरसों की फसलें।
    - **अनुक्रमिक फसल:** एक कृषि वर्ष में एक ही जमीन पर त्वरित क्रम में दो या दो से अधिक फसलों को उगाना। अगली फसल की बुवाई और पिछली फसल की कटाई एक साथ या त्वरित क्रम में की जा सकती है, जैसे मक्का की कटाई के तुरंत बाद आलू बोया जाता है और आलू की खुदाई के तुरंत बाद मिर्च बोई जाती है। उत्तर भारत में चावल-गेहूँ, असम और पश्चिम बंगाल और आंध्र, तमिलनाडु के तटीय क्षेत्रों में चावल-चावल। महाराष्ट्र, मध्य प्रदेश और राजस्थान में सोयाबीन-गेहूँ। छत्तीसगढ़, ओडिशा और बिहार में चावल-दलहन।
    - **बहुफसल (Relay Cropping):** रिले रोपण आम तौर पर, पहली फसल के प्रजनन चरण में पहुँचने के बाद दूसरी फसल लगाई जाती है, जैसे कि मक्का की कटाई से पहले आलू लगाया जाता है और आलू की कटाई से पहले मूली बोई जाती है।
- **फसल चक्रण:** फसल चक्रण का अर्थ है हर मौसम या हर साल खेत में उगाई जाने वाली फसलों के प्रकार को बदलना (या फसल को परती में बदलना)। उदाहरण के लिए, एक साल मक्का और अगले साल सेम लगाना।
- **रैटूनिंग:** सघन फसल उगाने की एक महत्त्वपूर्ण विधि, जिसमें मूल फसल के ठूंठों को कटाई के बाद फिर से उगने दिया जाता है और दूसरी फसल उगाई जाती है।
- **मिश्रित खेती:** किसी विशेष खेत पर खेती की एक प्रणाली जिसमें फसल उत्पादन, पशुधन पालन, मुर्गी पालन, मत्स्य पालन, मधुमक्खी पालन आदि शामिल हैं ताकि किसान की यथासंभव अधिक से अधिक जरूरतों को पूरा किया जा सके। इसका उद्देश्य जीविका है जबकि पारिस्थितिकी संतुलन को बदले बिना अधिक लाभप्रदता खेती प्रणाली में महत्त्वपूर्ण है।

11.3 खाद्य प्रणालियाँ (Food Systems)

खाद्य प्रणाली (FS) में कृषि, वानिकी या मत्स्य पालन से उत्पन्न खाद्य उत्पादों के उत्पादन, एकत्रीकरण, प्रसंस्करण, वितरण, उपभोग और निपटान में शामिल पक्षकारों और उनकी परस्पर मूल्य-वर्धित गतिविधियों की पूरी शृंखला शामिल है, और व्यापक आर्थिक, सामाजिक और प्राकृतिक वातावरण के वे हिस्से भी शामिल हैं जिनमें वे अंतर्निहित हैं।

खाद्य प्रणाली उप-प्रणालियों (जैसे, खेती प्रणाली, अपशिष्ट प्रबंधन प्रणाली, इनपुट आपूर्ति प्रणाली, आदि) से बनी होती है और अन्य प्रमुख प्रणालियों (जैसे, ऊर्जा प्रणाली, व्यापार प्रणाली, स्वास्थ्य प्रणाली, आदि) के साथ अंत:क्रिया करती है। इसलिए, खाद्य प्रणाली में संरचनात्मक परिवर्तन किसी अन्य प्रणाली में परिवर्तन से उत्पन्न हो सकता है; उदाहरण के लिए, ऊर्जा प्रणाली में अधिक जैव ईंधन को बढ़ावा देने वाली नीति का खाद्य प्रणाली पर महत्त्वपूर्ण प्रभाव पड़ेगा।

एक संधारणीय खाद्य प्रणाली (SFS- sustainable food system) एक खाद्य प्रणाली है जो सभी के लिए खाद्य सुरक्षा और पोषण इस तरह से प्रदान करती है कि भविष्य की पीढ़ियों के लिए खाद्य सुरक्षा और पोषण उत्पन्न करने के लिए आर्थिक, सामाजिक और पर्यावरणीय आधारों से समझौता न हो।

- **आर्थिक स्थिरताः** इसे सभी श्रेणियों के हितधारकों के लिए लाभ या आर्थिक मूल्य-वर्धित उत्पन्न करना चाहिएः श्रमिकों के लिए मजदूरी, सरकारों के लिए कर, उद्यमों के लिए लाभ और उपभोक्ताओं के लिए खाद्य आपूर्ति में सुधार।
- **सामाजिक स्थिरताः** एक खाद्य प्रणाली को तब टिकाऊ माना जाता है जब लिंग, आयु, जाति और इसी तरह से वर्गीकृत कमजोर समूहों को ध्यान में रखते हुए आर्थिक मूल्य-वर्धित के वितरण में समानता हो। खाद्य प्रणाली गतिविधियों को पोषण और स्वास्थ्य जैसे महत्त्वपूर्ण सामाजिक-सांस्कृतिक परिणामों की उन्नति में योगदान करना चाहिए।
- **पर्यावरणीय स्थिरताः** स्थिरता यह सुनिश्चित करके निर्धारित की जाती है कि खाद्य प्रणाली गतिविधियों का आसपास के प्राकृतिक पर्यावरण पर प्रभाव तटस्थ या सकारात्मक हो, जिसमें जैव विविधता, पानी, मिट्टी, पशु और पौधों का स्वास्थ्य, कार्बन पदचिह्न, जल पदचिह्न, खाद्य हानि और अपशिष्ट, और विषाक्तता को ध्यान में रखा जाता है।

एक सतत खाद्य प्रणाली संयुक्त राष्ट्र के सतत विकास लक्ष्यों (एसडीजी) के केंद्र में है। 2015 में अपनाए गए सतत विकास लक्ष्य (एसडीजी) में 2030 तक भुखमरी को समाप्त करने, खाद्य सुरक्षा प्राप्त करने और पोषण में सुधार लाने के लिए कृषि और खाद्य प्रणालियों में बड़े बदलावों का आह्वान किया गया है।

11.4 पशुपालन (Animal Husbandry)

भारत का पशुधन क्षेत्र दुनिया में सबसे बड़ा है, जिसमें 2022-23 में भारत के कुल सकल घरेलू उत्पाद का 4.5% और कृषि सकल घरेलू उत्पाद का 30% शामिल है। पशुधन क्षेत्र कृषि के कई अन्य क्षेत्रों की तुलना में तेजी से बढ़ रहा है और भारतीय कृषि के लिए विकास का इंजन है।

ग्रामीण अर्थव्यवस्था में पशुधन एक महत्त्वपूर्ण भूमिका निभाता है। भारत में किसान मिश्रित खेती प्रणाली को बनाए रखते हैं, यानी फसल और पशुधन का एक संयोजन, जहाँ एक उद्यम का उत्पादन दूसरे उद्यम का इनपुट बन जाता है, जिससे संसाधन दक्षता का एहसास होता है। पशुधन पालन छोटे और सीमाँत किसानों के लिए एक प्रमुख आजीविका और जोखिम शमन रणनीति है, खासकर भारत के वर्षा आधारित क्षेत्रों में। पशुधन कई अलग-अलग तरीकों से किसानों की सेवा करते हैं, जैसेः

1. **आयः** पशुधन भारत में कई परिवारों के लिए सहायक आय का स्रोत है, खासकर उन गरीब परिवारों के लिए जो कुछ ही पशु रखते हैं। अगर गाय और भैंस दूध देती हैं तो वे दूध की बिक्री के माध्यम से पशुपालकों को नियमित आय प्रदान करेंगी। पशु विवाह, बीमार व्यक्तियों के उपचार, बच्चों की शिक्षा, घरों की मरम्मत आदि जैसी आपात स्थितियों के दौरान आय के स्रोत के रूप में भी काम आते हैं। पशु संपत्ति के रूप में भी काम आते हैं जो मालिकों को आर्थिक सुरक्षा प्रदान करते हैं।
2. **रोजगारः** भारत में बड़ी संख्या में लोग कम साक्षर और अकुशल होने के कारण अपनी आजीविका के लिए कृषि पर निर्भर हैं। लेकिन कृषि मौसमी प्रकृति की होने के कारण साल में अधिकतम 180 दिनों के लिए रोजगार प्रदान कर सकती है। कम भूमि वाले लोग कम कृषि मौसम के दौरान अपने श्रम का उपयोग करने के लिए पशुधन पर निर्भर रहते हैं।
3. **भोजनः** पशुधन उत्पाद जैसे दूध, माँस और अंडे पशुधन मालिकों के सदस्यों के लिए पशु प्रोटीन का एक महत्त्वपूर्ण स्रोत हैं।
4. **सामाजिक सुरक्षाः** पशु समाज में अपने मालिकों को सामाजिक सुरक्षा प्रदान करते हैं। जिन परिवारों, विशेषकर भूमिहीनों के पास पशु हैं, वे उन लोगों की तुलना में बेहतर स्थिति में हैं जिनके पास पशु नहीं हैं। विवाह के दौरान पशुओं को उपहार में देना देश के विभिन्न भागों में एक बहुत ही सामान्य घटना है। पशुओं का पालन-पोषण भारतीय संस्कृति का एक हिस्सा है। पशुओं का उपयोग विभिन्न सामाजिक व धार्मिक कार्यों के लिए किया जाता है। गृह प्रवेश समारोहों के लिए गाय; विभिन्न धार्मिक कार्यों के दौरान बैल और गाय की पूजा की जाती है।
5. **बैल (Bullocks):** बैल भारतीय कृषि की रीढ़ हैं। किसान, खास तौर पर सीमाँत और छोटे किसान,

जुताई, गाड़ी चलाने और इनपुट और आउटपुट दोनों के परिवहन के लिए बैलों पर निर्भर रहते हैं।

6. **गोबर:** ग्रामीण क्षेत्रों में गोबर का उपयोग कई उद्देश्यों के लिए किया जाता है, जिसमें ईंधन (गोबर के उपले), उर्वरक (खेत की खाद) और प्लास्टरिंग सामग्री (गरीबों का सीमेंट) शामिल हैं।

कृषि और खाद्य उपभोग पैटर्न में संरचनात्मक परिवर्तनों से प्रेरित होकर, पशुधन की उपयोगिता में लगातार बदलाव आ रहा है। पशुधन के गैर-खाद्य कार्य कमजोर होते जा रहे हैं। कृषि कार्यों के मशीनीकरण और खेत के आकार में कमी के कारण 'ड्राफ्ट पावर' के स्रोत के रूप में पशुधन का महत्त्व काफी कम हो गया है। गोबर की खाद का उपयोग तेजी से रासायनिक उर्वरकों द्वारा प्रतिस्थापित किया जा रहा है। दूसरी ओर, गुणवत्तापूर्ण और पौष्टिक भोजन के स्रोत के रूप में उनका महत्त्व बढ़ गया है। सतत आय और आर्थिक वृद्धि, तेजी से बढ़ती शहरी आबादी, मध्यम आय वर्ग में वृद्धि, बदलती जीवनशैली, कार्यबल में महिलाओं का बढ़ता अनुपात, परिवहन और भंडारण प्रथाओं में सुधार और विशेष रूप से शहरों और कस्बों में सुपरमार्केट का बढ़ना पशु खाद्य उत्पादों की खपत में तेजी से वृद्धि को बढ़ावा दे रहा है।

पशुपालन के कुछ महत्त्वपूर्ण पहलू निम्नलिखित हैं:

ग्रामीण क्षेत्र में, **पशुधन संपदा भूमि से जुड़ी संपदा की तुलना में अधिक समान रूप से वितरित की जाती** है। इस प्रकार, जब हम समावेशी विकास के लक्ष्य के बारे में सोचते हैं, तो हमें यह नहीं भूलना चाहिए कि समानता और आजीविका के दृष्टिकोण से, पशुधन पालन गरीबी उन्मूलन कार्यक्रमों के केंद्र में होना चाहिए।

घरेलू स्तर पर पशुधन पालन काफी हद तक महिलाओं के नेतृत्व वाली गतिविधि है, और इसलिए पशुधन पालन से होने वाली आय और घर के भीतर पशुधन के प्रबंधन से संबंधित निर्णय मुख्य रूप से महिलाओं द्वारा लिए जाते हैं। भारत में यह देखा गया कि पशुधन पालन के लिए समर्थन ने **महिलाओं के सशक्तीकरण** में महत्त्वपूर्ण योगदान दिया है और घर और गाँव दोनों स्तरों पर निर्णय लेने में उनकी भूमिका बढ़ रही है

- पशुधन पालन, विशेष रूप से देश के वर्षा-आधारित क्षेत्रों में, **सबसे गरीब लोगों के लिए एक प्रमुख जोखिम शमन रणनीति के रूप में भी उभर** रहा है। वे तेजी से अनिश्चित और अनियमित मौसम की स्थिति का सामना करते हैं जो कृषि क्षेत्र में फसल उत्पादकता और मजदूरी श्रम को नकारात्मक रूप से प्रभावित करते हैं।

  हालाँकि पशुधन उत्पाद कई कम आय वाले ग्रामीण परिवारों के लिए खाद्य सुरक्षा और गरीबी में कमी लाने में महत्त्वपूर्ण योगदान देते हैं, लेकिन नीति और संस्थागत ढाँचा इन सबसे गरीब परिवारों की जरूरतों को पूरा करने में विफल रहा है।

पशुधन क्षेत्र में सामने आने वाली प्रमुख चुनौतियाँ निम्नलिखित हैं:

- पशु चिकित्सा रोगों के लिए अपर्याप्त परीक्षण और उपचार सुविधाएँ, जो कि ज्यादातर ग्रामीण क्षेत्रों में हैं, जहाँ 95% से अधिक पशुधन केंद्रित है।
- छोटे पशुपालकों को बेहतर भुगतान वाले बाजारों से जोड़ने में विफलता।
- बीमा और ऋण सुविधाओं की कमी।
- पारंपरिक चरवाहों और छोटे धारकों सहित पशुधन उत्पादक, प्राकृतिक संसाधनों के क्षरण के शिकार हो गए हैं, जिससे पशु उत्पादकता प्रभावित हो रही है।

पशुधन स्वास्थ्य और रोग नियंत्रण कार्यक्रम के संशोधित प्रावधानों के अनुसार, पशु चिकित्सा सेवाओं - मोबाइल पशु चिकित्सा इकाइयों (एमवीयू) की स्थापना और सुदृढ़ीकरण पर मुख्य ध्यान दिया गया है। एमयूवी किसानों के घर पर बीमारियों, रोगों या किसी अन्य आपातकालीन पशु चिकित्सा स्थितियों के लिए पशु चिकित्सा निदान और उपचार सुविधाएँ प्रदान करके स्थिर अस्पतालों की सीमाओं से उत्पन्न चुनौतियों का समाधान करेंगे।

11.5 राष्ट्रीय पशुधन मिशन (National Livestock Mission)

(कुल सकल घरेलू उत्पाद में पशुधन का हिस्सा लगभग 4.5% है)

भारत सरकार का पशुपालन एवं डेयरी विभाग वित्तीय वर्ष 2014-15 से राष्ट्रीय पशुधन मिशन की योजना को क्रियान्वित कर रहा है। क्षेत्र की वर्तमान आवश्यकता को देखते हुए एनएलएम योजना को संशोधित कर वित्तीय वर्ष 2021-22 से पुनर्गठित किया गया है। राष्ट्रीय पशुधन मिशन (एनएलएम) की संशोधित योजना का उद्देश्य रोजगार सृजन, उद्यमिता विकास, प्रति पशु उत्पादकता में वृद्धि करना तथा इस प्रकार अम्ब्रेला योजना विकास कार्यक्रम के अंतर्गत माँस, बकरी का दूध, अंडा और ऊन के उत्पादन में वृद्धि करना है। अतिरिक्त उत्पादन घरेलू माँगों को पूरा करने के बाद निर्यात आय में मदद करेगा। एनएलएम योजना की अवधारणा असंगठित क्षेत्र में उपलब्ध उपज के लिए आगे और पीछे की कड़ी बनाने तथा संगठित क्षेत्र से जोड़ने के लिए उद्यमी को विकसित करना है।

मिशन के उद्देश्य

एनएलएम का उद्देश्य निम्नलिखित उद्देश्यों को प्राप्त करना है:

- छोटे जुगाली करने वाले पशुओं, मुर्गीपालन और सूअरपालन क्षेत्र तथा चारा क्षेत्र में उद्यमिता विकास के माध्यम से रोजगार सृजन।
- नस्ल सुधार के माध्यम से प्रति पशु उत्पादकता में वृद्धि।
- माँस, अंडा, बकरी का दूध, ऊन और चारे के उत्पादन में वृद्धि।
- चारा और फीड की उपलब्धता में वृद्धि, ताकि माँग में पर्याप्त कमी लाई जा सके।
- चारा बीज आपूर्ति शृंखला को मजबूत करने और प्रमाणित चारा बीजों की उपलब्धता के माध्यम से।
- माँग-आपूर्ति के अंतर को कम करने के लिए चारा प्रसंस्करण इकाइयों की स्थापना को प्रोत्साहित करना।
- किसानों के लिए पशुधन बीमा सहित जोखिम प्रबंधन उपायों को बढ़ावा देना।
- मुर्गी पालन, भेड़, बकरी, चारा और चारे के प्राथमिकता वाले क्षेत्रों में अनुप्रयुक्त अनुसंधान को बढ़ावा देना।
- किसानों को गुणवत्तापूर्ण विस्तार सेवा प्रदान करने के लिए मजबूत विस्तार मशीनरी के माध्यम से राज्य के अधिकारियों और पशुधन मालिकों की क्षमता निर्माण।
- उत्पादन की लागत को कम करने और पशुधन क्षेत्र के उत्पादन में सुधार के लिए कौशल-आधारित प्रशिक्षण और प्रौद्योगिकियों के प्रसार को बढ़ावा देना।

पुनर्गठित राष्ट्रीय पशुधन मिशन में निम्नलिखित तीन उप-मिशन हैं:

- पशुधन और मुर्गीपालन के नस्ल विकास पर उप-मिशन
- चारा और चारा विकास पर उप-मिशन
- नवाचार और विस्तार पर उप-मिशन

11.6 बागवानी के एकीकृत विकास के लिए मिशन (Mission for Integrated Development of Horticulture-MIDH)

बागवानी के एकीकृत विकास के लिए मिशन (MIDH) बागवानी क्षेत्र के समग्र विकास के लिए एक केंद्र प्रायोजित योजना है, जिसमें फल, सब्जियाँ, जड़ और कंद वाली फसलें, मशरूम, मसाले, फूल, सुगंधित पौधे, नारियल, काजू, कोको और बाँस शामिल हैं।

मुख्य विशेषताएँ

- MIDH के तहत, भारत सरकार राज्यों में विकास कार्यक्रमों के लिए कुल परिव्यय का 60% योगदान देती है और 40% हिस्सा राज्य सरकारों द्वारा दिया जाता है। पूर्वोत्तर राज्यों और हिमालयी राज्यों के मामले में, भारत सरकार 90% योगदान देती है।
- राष्ट्रीय बागवानी बोर्ड (एनएचबी), नारियल विकास बोर्ड (सीडीबी), केंद्रीय बागवानी संस्थान (सीआईएच), नागालैंड और राष्ट्रीय स्तर की एजेंसियों (एनएलए) के मामले में, भारत सरकार 100% योगदान देती है।
- एमआईडीएच केसर मिशन और राष्ट्रीय कृषि विकास योजना (आरकेवीवाई) जैसी अन्य बागवानी संबंधी गतिविधियों के लिए राज्य सरकारों/राज्य बागवानी मिशनों (एसएचएम) को तकनीकी सलाह और प्रशासनिक सहायता भी प्रदान करता है।
- एमआईडीएच की रणनीति गुणवत्ता वाले बीजों और रोपण सामग्री के उत्पादन, उत्पादकता सुधार उपायों के

माध्यम से उत्पादन में वृद्धि के साथ-साथ कटाई के बाद होने वाले नुकसान को कम करने के लिए बुनियादी ढाँचे के निर्माण के लिए समर्थन और सभी हितधारकों, विशेष रूप से किसान समूहों और एफपीओ की सक्रिय भागीदारी के साथ उपज के बेहतर विपणन पर है।

11.7 राष्ट्रीय बाँस मिशन (National Bamboo Mission)

राष्ट्रीय बाँस मिशन का लक्ष्य **क्षेत्र-आधारित, क्षेत्रीय रूप से विभेदित रणनीति** अपनाकर बाँस क्षेत्र के समग्र विकास को बढ़ावा देना तथा बाँस की खेती और विपणन के अंतर्गत क्षेत्र को बढ़ाना है। मिशन के अंतर्गत, नई नर्सरियों की स्थापना तथा मौजूदा नर्सरियों को सुदृढ़ करने में सहायता करके गुणवत्तापूर्ण रोपण सामग्री की उपलब्धता बढ़ाने के लिए कदम उठाए गए हैं। आगे एकीकरण को संबोधित करने के लिए, मिशन बाँस उत्पादों, विशेष रूप से हस्तशिल्प वस्तुओं के विपणन को मजबूत करने के लिए कदम उठा रहा है।

उद्देश्यः

- कृषि आय को बढ़ाने तथा जलवायु परिवर्तन के प्रति लचीलेपन में योगदान देने के लिए गैर-वनीय सरकारी और निजी भूमि में बाँस रोपण के अंतर्गत क्षेत्र को बढ़ाना, साथ ही उद्योगों की आवश्यकता के अनुसार गुणवत्तापूर्ण कच्चे माल की उपलब्धता सुनिश्चित करना।
- बाँस रोपण को मुख्य रूप से किसानों के खेतों, घरों, सामुदायिक भूमि, कृषि योग्य बंजर भूमि तथा सिंचाई नहरों, जल निकायों आदि के किनारे बढ़ावा दिया जाएगा।
- उत्पादन के स्रोत के निकट नवीन प्राथमिक प्रसंस्करण इकाइयों, प्राथमिक उपचार और मसाला संयंत्रों, संरक्षण प्रौद्योगिकियों और बाजार अवसंरचना की स्थापना के माध्यम से कटाई के बाद प्रबंधन में सुधार करना।
- सूक्ष्म, लघु और मध्यम स्तर पर अनुसंधान एवं विकास, उद्यमिता और व्यापार मॉडल की सहायता करके बाजार की माँग को ध्यान में रखते हुए उत्पाद विकास को बढ़ावा देना और बड़े उद्योगों को बढ़ावा देना।
- भारत में अविकसित बाँस उद्योग को पुनर्जीवित करना।
- उत्पादन से लेकर बाजार की माँग तक बाँस क्षेत्र के विकास के लिए कौशल विकास, क्षमता निर्माण, जागरूकता सृजन को बढ़ावा देना।
- बेहतर उत्पादकता और उद्योग के लिए घरेलू कच्चे माल की उपयुक्तता के माध्यम से बाँस और बाँस उत्पादों के आयात पर निर्भरता को कम करने के लिए प्रयासों को फिर से संगठित करना, ताकि प्राथमिक उत्पादकों की आय में वृद्धि हो सके।

भारत में 67% बाँस उत्तर पूर्वी राज्यों में उगाया जाता है और सरकार उत्तर पूर्वी राज्यों में बाँस आधारित क्लस्टरों की स्थापना के लिए सहायता/सब्सिडी प्रदान कर रही है।

11.8 आनुवंशिक रूप से संशोधित फसलें (Genetically Modified Crops)

जी.एम. फसलें वे पौधे हैं जिनके डीएनए (एक अणु जो आनुवंशिक जानकारी को एन्कोड करता है) को आनुवंशिक इंजीनियरिंग का उपयोग करके संशोधित किया गया है। जी.एम. फसलों के कुछ लाभ निम्नलिखित हैं:

- अधिक पोषण मूल्य।
- बैक्टीरिया, वायरस और अन्य घटकों के प्रति प्रतिरोध जो पौधे को नुकसान पहुँचा सकते हैं।
- लंबी शेल्फ लाइफ।
- कम खर्चीले जी.एम. खाद्य पदार्थ और अधिक उपज।

जी.एम. फसलों को विनियमित करने के लिए पर्यावरण संरक्षण अधिनियम 1986 के तहत पर्यावरण और वन मंत्रालय में जेनेटिक इंजीनियरिंग मूल्यांकन समिति (जी.ई.ए.सी.) सर्वोच्च निकाय है।

वर्तमान में, सरकार केवल एक जी.एम. फसल के वाणिज्यिक उत्पादन की अनुमति देती है जो कि बीटी कपास है और इसे 2002 से अनुमति दी गई है। हालाँकि बीटी बैंगन ने अपने क्षेत्र परीक्षण पास कर लिए हैं, लेकिन इसे वाणिज्यिक उत्पादन के लिए जाने की अनुमति नहीं दी गई और नागरिक समाज समूहों द्वारा कड़े विरोध के बीच 2010 से इस पर

रोक लगा दी गई है। एक लॉबी है जो जी.एम. खाद्य पदार्थों के उपयोग का कड़ा विरोध करती है, उनका दावा है कि कुछ जी.एम. खाद्य पदार्थ मनुष्यों (कपास बीनने वालों) में एलर्जी प्रतिक्रियाओं को ट्रिगर कर सकते हैं और प्रकृति में विषाक्त भी हो सकते हैं।

बीटी कपास बीज मूल्य निर्धारण के संबंध में सरकारी विनियमन

भारत में, मोनसेंटो महिको बायोटेक (इंडिया) लिमिटेड (महिको सीड्स लिमिटेड और मोनसेंटो के बीच एक संयुक्त उद्यम) ने रॉयल्टी शुल्क के बदले में 50 बीज कंपनियों को अपने पेटेंट बोलगार्ड II कपास बीज प्रौद्योगिकी का लाइसेंस दिया। भारत में उगाए जाने वाले 90% से अधिक कपास में इसी प्रौद्योगिकी का उपयोग किया गया।

मार्च **2016** में, सरकार ने आनुवंशिक रूप से संशोधित बोलगार्ड II कपास बीज की कीमत **830 - 1000** रुपए से घटाकर **800** रुपए प्रति **450** ग्राम पैकेट कर दी और देश भर में बीटी कपास बीज के मूल्य निर्धारण में एकरूपता लाने के लिए रॉयल्टी (विशेषता) शुल्क को 163 रुपए से घटाकर 43 रुपए कर दिया। सरकार ने कहा कि बीटी कपास बीज की कीमतों को विनियमित करने का आदेश 'आवश्यक वस्तु अधिनियम 1955' की धारा 3 के तहत कृषक समुदाय के हितों की रक्षा के लिए जारी किया गया है।

आर एंड डी फर्मों की उद्योग लॉबी ने सरकार के इस निर्णय की आलोचना करते हुए कहा कि 'यह मुक्त बाजार अर्थशास्त्र के सिद्धांत का उल्लंघन करता है। उन्होंने कहा कि यह निर्णय अल्पकालिक लोकलुभावन उपायों के लिए लिया गया है जो लंबे समय में हानिकारक होगा क्योंकि कंपनियों को देश में बीज-आधारित आर एंड डी में अपने निवेश पर पुनर्विचार करना पड़ सकता है। यह अंतरराष्ट्रीय स्तर पर एक बुरा संकेत भेजता है कि हम काफी मनमानी करते हैं। हमारे पास पेटेंट को विनियमित करने की शक्ति है, इसमें कोई संदेह नहीं है, लेकिन यह खुला, पारदर्शी और ठोस, वैध उद्देश्य के लिए मजबूत कार्यप्रणाली पर आधारित होना चाहिए।' दिल्ली उच्च न्यायालय के समक्ष एक मामले में, जिसमें मोनसेंटो और नुजिवीडू (बीज कंपनी) और दूसरे में पौध किस्म और किसान अधिकार संरक्षण (पीपीवीएफआर) प्राधिकरण शामिल है, सरकार ने प्रस्तुत किया है कि भारतीय पेटेंट अधिनियम 1970 (धारा 3 (जे)) बीज, पौधों और उनकी किस्मों के पेटेंट को बाहर करता है और मोनसेंटो को दिया गया पेटेंट कानूनी नहीं है। जबकि, मोनसेंटो का तर्क है कि वह बीटी कॉटन के बीजों का पेटेंट नहीं करा रहा है, बल्कि उनमें मौजूद जीन का पेटेंट करा रहा है (जब आप सीडी पर कोई सॉफ्टवेयर खरीदते हैं, तो कॉपीराइट सॉफ्टवेयर का होता है, भले ही वह सीडी के माध्यम से उपलब्ध कराया गया हो), सरकार तर्क दे रही है कि पीपीवीएफआर अधिनियम 2001 के तहत, एक बार जब बीज में जीन डाल दिया जाता है, तो यह एक पौधे की 'किस्म' बन जाती है और इसलिए भारतीय पेटेंट अधिनियम 1970 के तहत पेटेंट योग्य नहीं है। यानी, भले ही पेटेंट वैध हो, लेकिन यह उस समय अमान्य हो जाता है, जब जीन को बीज में डाला जाता है और नए संकर बनाने के लिए क्रॉस-परागण किया जाता है। अप्रैल 2018 में दिल्ली उच्च न्यायालय ने मोनसेंटो के बोलगार्ड और बोलगार्ड-II पेटेंट को अवैध घोषित करके नुजिवीडू और पीपीवीएफआर प्राधिकरण के पक्ष में फैसला सुनाया और मोनसेंटो को सर्वोच्च न्यायालय जाने की अनुमति दी। जनवरी 2019 में सर्वोच्च न्यायालय ने मोनसेंटो के पक्ष में फैसला सुनाया और भारत में बीटी कॉटन पेटेंट को तब तक बहाल रखा, जब तक कि इसकी वैधता पर उच्च न्यायालय द्वारा अंतिम रूप से निर्णय नहीं लिया जाता। सुप्रीम कोर्ट ने मामले की जटिलताओं को देखते हुए मामले को पूर्ण साक्ष्य परीक्षण के लिए निचली अदालत को वापस भेज दिया। लेकिन मोनसेंटो को लाभ होगा या नहीं, यह अभी भी स्पष्ट नहीं है क्योंकि बीटी कपास के बीजों की कीमतें अभी भी आवश्यक वस्तु अधिनियम 1955 के तहत सरकार द्वारा विनियमित हैं।

जी.एम. सरसों

- अक्टूबर 2022 में, पर्यावरण (संरक्षण) अधिनियम, 1986 के तहत गठित जेनेटिक इंजीनियरिंग मूल्याँकन समिति (जीईएसी) ने आनुवंशिक रूप से संशोधित (जीएम) सरसों की किस्म डीएमएच (धारा मस्टर्ड हाइब्रिड)-11 को पर्यावरण के लिए जारी करने की सिफारिश की है, जिससे देश की पहली जीएम खाद्य फसल के व्यावसायीकरण का मार्ग प्रशस्त होगा।
- लेकिन जीईएसी की मंजूरी वाणिज्यिक रिलीज के लिए अंतिम मंजूरी नहीं है, बल्कि एक कदम आगे है। यह देखना बाकी है कि केंद्र सरकार जीईएसी की सिफारिशों को स्वीकार करती है या नहीं।
- मंजूरी देते हुए, जीईएसी ने कहा है कि मधुमक्खियों और अन्य परागणकों पर जीएम सरसों के प्रभाव पर आईसीएआर के साथ एक साथ क्षेत्र अध्ययन करना होगा
- डीएमएच-11 मौजूदा किस्मों की तुलना में 30 प्रतिशत अधिक उपज देने वाली साबित हुई है। मौजूदा सरसों की किस्मों की औसत उपज लगभग 1,000 – 1,200 किलोग्राम प्रति हेक्टेयर है, जबकि वैश्विक औसत 2,000–2,200 किलोग्राम से अधिक है।
- पर्यावरण कार्यकर्ताओं और आरएसएस से जुड़े स्वदेशी जागरण मंच ने इस कदम का विरोध किया है और सरकार से अंतिम मंजूरी न देने का आग्रह किया है क्योंकि इसमें कई मुद्दे और चिंताएँ हैं जैसे:
    1. अध्ययनों से ज्ञात हुआ है कि पिछले 20 वर्षों में अमेरिका में जीएम फसलों की वृद्धि, उनके द्वारा प्रचारित शाकनाशियों और तीव्र किडनी की चोट, मधुमेह, अल्जाइमर और कैंसर जैसी बीमारियों के बीच एक मजबूत संबंध है। (जापान, रूस, इजराइल और अधिकांश यूरोप सहित 20 सबसे विकसित देशों में से 17 जीएम फसलें उगाने से इनकार करते हैं)।
    2. जी.एम. फसलों को शाकनाशी सहिष्णु कहा जाता है (यानी, जीएम फसलों में जड़ी-बूटियों/खरपतवारों को हटाने के लिए शाकनाशी का उपयोग किया जा सकता है)। लेकिन यह एक ही शाकनाशी के लगातार संपर्क को बढ़ावा देता है जिसके लिए खरपतवार अंततः प्रतिरोधी हो जाते हैं। और इन खरपतवारों को नियंत्रित करने के लिए, हताश किसान इन खरपतवारनाशकों का उपयोग कई गुना बढ़ा देते हैं जो मानव स्वास्थ्य के लिए बहुत खतरनाक है।
    3. यदि भारत में जी.एम. सरसों को लागू किया जाता है, तो इसका असर हर उस भारतीय पर पड़ेगा जो किसी भी रूप में सरसों का सेवन करता है, क्योंकि वह इसमें मौजूद खरपतवारनाशकों के अवशेषों को खा जाएगा; लाखों गरीब महिलाएँ जो अपने परिवार का भरण-पोषण करने के लिए खरपतवारों पर निर्भर हैं, वे विस्थापित हो जाएँगी; मधुमक्खी पालक जिनका शहद दूषित हो जाएगा; किसान जिनकी उपज अंततः मधुमक्खियों के मरने से कम हो जाएगी; और भारतीय राष्ट्र, जो पाएगा कि उसने अपनी बीज विविधता और अपने गैर-जी.एम. सरसों और शहद के अंतर्राष्ट्रीय प्रतिस्पर्धी लाभ को खो दिया है।
    4. हमारे छोटे और सीमाँत किसान न (86%) जी.एम. (सरसों) फसलों की खेती की उच्च लागत वहन करने में सक्षम नहीं होंगे और यह उन्हें और अधिक गरीबी में धकेल देगा।

पौधा किस्मों और कृषक अधिकारों का संरक्षण (PPVFR) अधिनियम 2001

यह अधिनियम पौधों की किस्मों के संरक्षण, किसानों और पादप प्रजनकों के अधिकारों और पौधों की नई किस्मों के विकास को प्रोत्साहित करने के लिए एक प्रभावी प्रणाली की स्थापना का प्रावधान करता है। पीपीवीएफआर अधिनियम के तहत प्रजनकों और किसानों को निम्नलिखित अधिकार दिए गए हैं:

प्रजनकों के अधिकार

- प्रजनक कोई व्यक्ति या व्यक्तियों का समूह या किसान या किसानों का समूह या कोई संस्था हो सकती है जिसने किसी पौधे की किस्म का प्रजनन, या विकास किया हो। और संरक्षित किस्म के प्रजनक (या उसके

उत्तराधिकारी, उसके एजेंट या लाइसेंसधारी) को ऐसी किस्म का उत्पादन, बिक्री, विपणन, वितरण, निर्यात और आयात करने का अधिकार होगा।

किसानों के अधिकार

- कोई किसान जो भूमि प्रजातियों और आर्थिक पौधों के जंगली रिश्तेदारों के आनुवंशिक संसाधनों के संरक्षण और चयन और संरक्षण के माध्यम से उनके सुधार में लगा हुआ है, वह निर्धारित तरीके से जीन फंड से मान्यता और पुरस्कार के लिए हकदार होगा, बशर्ते कि इस तरह से चयनित और संरक्षित सामग्री का उपयोग इस अधिनियम के तहत पंजीकृत किस्मों में जीन के दाताओं के रूप में किया गया हो।
- कोई किसान इस अधिनियम के तहत संरक्षित किस्म के बीज सहित अपने कृषि उत्पाद को उसी तरह से बचाने, उपयोग करने, दोबारा बोने, विनिमय करने, साझा करने या बेचने का हकदार माना जाएगा, जैसा कि वह इस अधिनियम के लागू होने से पहले हकदार था, बशर्ते कि किसान इस अधिनियम के तहत संरक्षित किस्म के **ब्रांडेड (पैकेज्ड) बीज को बेचने** का हकदार नहीं होगा।

राष्ट्रीय जीन कोष

केंद्र सरकार एक राष्ट्रीय जीन कोष का गठन करेगी:

- प्रजनक को रॉयल्टी देनी होगी (ऐसे प्रजनक/एजेंट द्वारा प्राप्त लाभ के आधार पर) जो राष्ट्रीय जीन कोष में जाएगी।
- यदि कोई व्यक्ति यह दावा करता है कि उसके पास मौजूद आनुवंशिक सामग्री का उपयोग प्रजनक द्वारा बीज किस्म के विकास में किया गया था, तो दावेदार को राष्ट्रीय जीन कोष से 'लाभ साझाकरण' मिलेगा। किसी किस्म के लिए 'लाभ साझाकरण' की राशि उस किस्म के प्रजनक को राष्ट्रीय जीन कोष में जमा करनी होगी। ('लाभ साझाकरण', किसी किस्म के संबंध में, उस किस्म के प्रजनक को मिलने वाले लाभ का ऐसा अनुपात है जिसके लिए दावेदार प्राधिकरण के अनुसार हकदार होगा)।

11.9 जैविक खेती (Organic Farming)

परिचय:

जैविक खेती कृषि का एक रूप है जो फसल चक्र, हरी खाद और जैविक कीट नियंत्रण जैसी तकनीकों पर निर्भर करती है। यह खेती की एक ऐसी पद्धति है जिसका मुख्य उद्देश्य भूमि पर खेती करना और फसलें उगाना है, ताकि मिट्टी को जीवित और स्वस्थ रखा जा सके, **जैविक अपशिष्टों** और अन्य **जैविक सामग्रियों** के साथ-साथ लाभकारी **सूक्ष्मजीवों (जैव उर्वरकों)** का उपयोग करके फसलों को पोषक तत्त्व प्रदान किए जा सकें, ताकि पर्यावरण के अनुकूल प्रदूषणमुक्त वातावरण में अधिक टिकाऊ उत्पादन हो सके। यह खेती की एक ऐसी पद्धति है जो जमीनी स्तर पर काम करती है, मिट्टी की प्रजनन और पुनर्योजी क्षमता, अच्छे पौधे पोषण और ध्वनि मिट्टी प्रबंधन को संरक्षित करती है, जीवन शक्ति से भरपूर पौष्टिक भोजन का उत्पादन करती है जिसमें रोगों के प्रति प्रतिरोधक क्षमता होती है।

सभी राज्यों में, **मध्य प्रदेश** ने जैविक प्रमाणीकरण के तहत सबसे बड़ा क्षेत्र कवर किया है, उसके बाद हिमाचल प्रदेश और राजस्थान हैं। **जनवरी 2016** में पीएम नरेंद्र मोदी द्वारा घोषित **सिक्किम भारत का पहला सही अर्थों में जैविक राज्य है।** भारत में उत्पादित जैविक उत्पादों में गन्ना, तिलहन, अनाज और बाजरा, कपास, दालें, औषधीय पौधे, चाय, फल, मसाले, सूखे मेवे, सब्जियाँ, कॉफी, कपास फाइबर आदि सभी प्रकार के खाद्य उत्पाद शामिल हैं।

जैविक उत्पाद और प्रमाणन:

कभी खेती की प्राकृतिक, संतुलित और पर्यावरण के अनुकूल प्रणाली को संदर्भित करने के लिए इस्तेमाल किया जाने वाले 'जैविक' की परिभाषा हाल के वर्षों में बहुत अधिक विशिष्ट हो गई है। जैविक खाद्य के प्रमाणन को नियंत्रित करने वाले नियम अधिक सख्त होने के साथ, इस शब्द का उपयोग केवल रासायनिक कीटनाशकों, उर्वरकों या आनुवंशिक रूप से संशोधित कच्चे माल का उपयोग किए बिना उत्पादित खाद्य पदार्थों को संदर्भित करने के लिए किया जाता है और रासायनिक योजक या अन्य सिंथेटिक पदार्थों का उपयोग किए

बिना संसाधित किया जाता है। यह परिभाषा एंटीबायोटिक दवाओं या कृत्रिम विकास हार्मोन का उपयोग किए बिना उत्पादित माँस, मुर्गी और डेयरी उत्पादों तक भी फैली हुई है। जबकि यह जैविक भोजन की सामान्य, सार्वभौमिक रूप से स्वीकृत समझ है, सटीक परिभाषा प्रत्येक देश में भिन्न होती है।

भारतीय खाद्य सुरक्षा और मानक प्राधिकरण (FSSAI) भारत में जैविक खाद्य पदार्थों को नियंत्रित करता है। FSSAI ने नवंबर 2017 में जैविक खाद्य पदार्थों पर नियम प्रकाशित किए जो भारत में जैविक खाद्य पदार्थों के निर्माण, बिक्री, वितरण और आयात को नियंत्रित करते हैं। परिणामस्वरूप, भारत में 'जैविक' के रूप में बेचे जाने वाले किसी भी खाद्य पदार्थ को दो प्रचलित प्रणालियों में से किसी एक के तहत प्रमाणित होना होगा। ये दो प्रणालियाँ हैं राष्ट्रीय जैविक उत्पादन कार्यक्रम **(NPOP)** और भारत के लिए भागीदारी गारंटी प्रणाली **(PGS-भारत)**।

जैविक उत्पाद

PGS -भारत
स्व-प्रमाणित
(कृषि मंत्रालय)

NPOP
तृतीय पक्ष का प्रमाणन
(वाणिज्य एवं उद्योग मंत्रालय)

दोनों कार्यक्रम (एनपीओपी और पीजीएस-इंडिया) एक-दूसरे से स्वतंत्र हैं और एक प्रणाली के तहत प्रमाणित उत्पादों को किसी अन्य प्रणाली के तहत संसाधित या लेबल नहीं किया जा सकता है। जबकि एनपीओपी प्रमाणित उत्पादों का निर्यात और आयात सहित घरेलू बाजार में कारोबार किया जा सकता है, पीजीएस-इंडिया प्रमाणित उत्पादों का कारोबार केवल घरेलू बाजार में ही किया जा सकता है।

इन विनियमों को लागू करने के अलावा, FSSAI ने भारत से जैविक खाद्य (या तो एनपीओपी या पीजीएस इंडिया के तहत प्रमाणित) के लिए एक एकीकृत लोगो भी विकसित किया है, जिसे जैविक उत्पादों को गैर-जैविक उत्पादों से अलग करने के लिए एक पहचान चिह्न के रूप में 'जैविक भारत' कहा जाता है। जैविक के रूप में लेबल किए गए सभी उत्पादों को एनपीओपी या पीजीएस-इंडिया के तहत प्रमाणित होना आवश्यक होगा और संबंधित प्रमाणन कार्यक्रम (पीजीएस-इंडिया या एनपीओपी) के लोगो के साथ-साथ जैविक भारत (एफएसएसएआई जैविक खाद्य लोगो) का लोगो भी लगाना होगा। जैविक विनियम भारत में पुनः प्रमाणित किए बिना जैविक खाद्य के आयात की अनुमति देते हैं, यदि निर्यातक देश के जैविक मानकों को एनपीओपी के समकक्ष माना जाता है।

एनपीओपीः राष्ट्रीय जैविक उत्पादन कार्यक्रम (एनपीओपी) एक तृतीय-पक्ष प्रमाणन कार्यक्रम है, जिसे वाणिज्य एवं उद्योग मंत्रालय द्वारा वर्ष 2001 से चलाया जा रहा है, जो जैविक खाद्य उत्पादन को नियंत्रित करने वाले मानदंड निर्धारित करता है। दिशा-निर्देशों का दायरा बहुत व्यापक है और वे छोटी-छोटी बातों को भी कवर करते हैं। इन मानदंडों का पालन उन किसानों और उद्यमों को करना चाहिए जो जैविक फलों, सब्जियों, अनाजों के उत्पादन और प्रसंस्करण एवं पैकेजिंग में शामिल हैं। उदाहरण के लिए, शहद निर्माण उद्यम को प्रमाणित किए जाने के लिए मधुमक्खी के बक्से से लेकर किसान की भूमि जिस पर मधुमक्खी का बक्सा रखा जाता है, मधुमक्खी के बक्से के 5 किलोमीटर के दायरे में स्थित खेतों तक, सभी को जैविक मानकों को पूरा करना होगा।

जबकि एनपीओपी दिशा-निर्देश निर्धारित करता है, राष्ट्रीय प्रत्यायन बोर्ड (एनएबी) और कृषि एवं प्रसंस्कृत खाद्य उत्पाद निर्यात विकास प्राधिकरण (एपीईडीए) जैसे केंद्रीय निकाय प्रमाणन निकायों को मान्यता देते हैं जो निरीक्षण करते हैं और व्यक्तिगत किसानों और उद्यमों को उनके खेतों, भंडारण और

प्रसंस्करण इकाइयों के सत्यापन के बाद जैविक दर्जा प्रदान करते हैं। भारतीय जैविक प्रमाणन एजेंसी (INDOCERT), नेचुरल ऑर्गेनिक सर्टिफिकेशन प्राइवेट लिमिटेड जैसी कई निजी प्रमाणन संस्थाओं के अलावा, केंद्र सरकार की एजेंसी FSSAI और उत्तराखंड राज्य जैविक प्रमाणन एजेंसी जैसी राज्य सरकार की संस्थाएँ भी जैविक उत्पादों के लिए प्रमाणन जारी करती हैं। भारत के मान्यताप्राप्त प्रमाणन निकायों द्वारा विधिवत प्रमाणित भारतीय जैविक उत्पादों को आयात करने वाले देशों द्वारा स्वीकार किया जाता है।

पीजीएस-इंडिया (Participatory Guarantee System-India **भागीदारी गारंटी योजना**): पीजीएस-इंडिया को राष्ट्रीय जैविक खेती केंद्र के माध्यम से कृषि मंत्रालय द्वारा कार्यान्वित किया जाता है। एनपीओपी के टॉप-डाउन दृष्टिकोण के विपरीत, पीजीएस-इंडिया में सहकर्मी-समीक्षा दृष्टिकोण शामिल है और यह परम्परागत कृषि विकास योजना के माध्यम से समर्थित एक **स्व-प्रमाणन प्रक्रिया है**। यहाँ, किसान यह प्रमाणित करने में भूमिका निभाते हैं कि उनके आस-पास के खेतों में जैविक खेती की प्रथाओं का पालन किया गया है या नहीं।

पीजीएस एक अंतरराष्ट्रीय स्तर पर लागू जैविक गुणवत्ता आश्वासन प्रणाली है [जैसे आईएसओ 9000] जिसे प्रतिबद्ध जैविक किसान-उत्पादकों द्वारा सक्रिय भागीदारी के माध्यम से उपभोक्ताओं के साथ सत्यापन योग्य विश्वास के आधार पर प्रक्रिया में लागू और नियंत्रित किया जाता है। यह कोई "इंस्पेक्टर राज" प्रमाणन प्रणाली नहीं है, बल्कि यह व्यक्तिगत ईमानदारी और साथियों के दबाव पर आधारित है। ईमानदारी तब होती है जब कोई भी आपकी निगरानी करते हुए यह नहीं देखता कि आप क्या कर रहे हैं। किसान वचन देता है कि उत्पादन प्रक्रिया निर्मित रसायनों [उर्वरक, कीटनाशक, शाकनाशी, हार्मोन, आदि] से मुक्त है और ईमानदारी के वचन पर चलता है। पाँच या उससे अधिक जैविक किसानों का "स्थानीय समूह" PGS की स्व-नियामक सहायता प्रणाली का आधार है। गुणवत्ता आश्वासन मानकों को PGS ऑर्गेनिक काउंसिल द्वारा सुसंगत बनाया जाता है, जो गुणवत्ता के चिह्न के रूप में किसी उत्पाद पर अपने PGS लेबल के उपयोग की अनुमति देता है।

जैविक खेती/उत्पादों के लाभ:

भारत में जैविक खेती एक अंतर्निहित कृषि तकनीक है। प्राचीन काल से, खेती की सर्वोत्तम प्रथाओं में फसल चक्र और प्राकृतिक खाद जैसी विधियाँ शामिल हैं जो फसल के स्वास्थ्य को बढ़ावा देती हैं और मिट्टी की उर्वरता को बढ़ाती हैं। रासायनिक उर्वरकों, कीटनाशकों और कीटनाशकों के उपयोग में वृद्धि के साथ, फसल की गुणवत्ता के साथ-साथ मिट्टी की उर्वरता भी बहुत कम हो गई है। जैविक खेती में इन परिवर्तनों को पलटने की क्षमता है। उपभोग के दृष्टिकोण से जैविक उत्पादों के विभिन्न लाभ निम्नलिखित हैं:

- **भोजन में पोषण की मात्रा में वृद्धि:** जैविक खेती का अभ्यास यह सुनिश्चित करता है कि मिट्टी का पोषण और उर्वरता बनी रहे। इसके परिणामस्वरूप उगाए गए भोजन में खनिजों और विटामिनों के रूप में बेहतर पोषण प्रतिधारण होता है।
- **जहरीले तत्त्वों से मुक्त:** चूँकि जैविक खेती कीटनाशकों और उर्वरकों जैसे रासायनिक उत्पादों के उपयोग को हतोत्साहित करती है, इसलिए फसल द्वारा अवशोषित विषाक्त पदार्थ भी बहुत कम होते हैं। इसके परिणामस्वरूप विषमुक्त भोजन मिलता है और इन विषाक्त पदार्थों के कारण होने वाली स्वास्थ्य समस्याओं में कमी आती है।
- **बेहतर और मूल स्वाद:** जैविक खाद्य पदार्थों में बेहतर पोषण होता है और इस प्रकार उनका स्वाद भी बेहतर होता है। यदि प्रसंस्कृत खाद्य पदार्थ जैविक रूप से तैयार किए गए हैं, तो वे परिरक्षकों से भी मुक्त होते हैं और इस प्रकार उनका स्वाद ताजे तैयार भोजन के समान होता है।
- **लंबे समय तक भंडारण जीवन:** जैविक पौधों में गैर-जैविक उगाई गई फसलों की तुलना में उनकी कोशिकीय संरचना में अधिक चयापचय और संरचनात्मक अखंडता होती है। यह जैविक भोजन को लंबे समय तक संगृहीत करने में सक्षम बनाता है।

भारत में जैविक खेती का दायरा

अत्यधिक उर्वरकों और कीटनाशकों के उपयोग से कृषि उत्पादन (हरित क्रांति) का वैज्ञानिक तरीका कई स्वास्थ्य

संबंधी और पर्यावरणीय समस्याओं को जन्म दे रहा है। यह सब्जियों और खाद्यान्नों को दूषित कर रहा है और स्वास्थ्य संबंधी मुद्दों और जीवनशैली संबंधी बीमारियों का कारण बन रहा है। जैविक खेती का उपयोग पारंपरिक कृषि पद्धतियों और तरीकों को पुनर्जीवित करने के लिए किया जा सकता है ताकि मिट्टी और कृषि उपज को रासायनिक इनपुट के कारण होने वाले प्रदूषण से बचाया जा सके।

यह एक सिद्ध तथ्य है कि जैविक खेती की उत्पादकता कम होगी और उत्पादकता में कोई महत्त्वपूर्ण गिरावट न आए, यह सुनिश्चित करने के लिए अधिक जैविक संसाधनों की आवश्यकता होगी। इसलिए, जैविक किसानों को अपनी उपज को प्रीमियम कीमतों पर बेचने के लिए मजबूर होना पड़ेगा जो आम आदमी के लिए असहनीय होगा।

140 करोड़ लोगों की आबादी वाले देश को खिलाने के लिए आवश्यक बड़े पैमाने पर खेती के लिए जैविक खेती व्यावहारिक नहीं हो सकती है। इसलिए, भारत को एक संतुलित दृष्टिकोण अपनाना होगा जो जैविक तरीकों और विज्ञान और प्रौद्योगिकी दोनों का विवेकपूर्ण मिश्रण बनाता है।

भारत में जैविक खेती/उत्पादों के सामने आने वाली विभिन्न चुनौतियाँ निम्नलिखित हैं:

- सबसे पहले, आपूर्ति शृंखला अविकसित है और पहाड़ी क्षेत्रों और आदिवासी क्षेत्रों में स्थित छोटे और मध्यम आकार के किसानों को बाजार तक पहुँचना बेहद मुश्किल लगता है। पैक हाउस और रेफ्रिजरेटेड वाहनों की कमी है, जिससे खराब होने की संभावना है। क्रॉस-संदूषण से बचने के लिए जैविक उत्पादों को पारंपरिक उत्पादों से अलग से संगृहीत किया जाना चाहिए और मौजूदा आपूर्ति शृंखला अक्सर वह सुविधा प्रदान नहीं करती है।
- दूसरा, जबकि सरकार भारत के लिए भागीदारी गारंटी प्रणाली (PGS) के तहत किसानों को सब्सिडी दे रही है, इन किसानों को निर्यात करने की अनुमति नहीं है। वास्तव में, APEDA ने निर्यात के लिए तीसरे पक्ष का प्रमाणन अनिवार्य कर दिया है।
- तीसरा, जब कोई किसान अपनी जमीन को पारंपरिक रसायन-आधारित खेती से जैविक खेती में बदलता है, तो रासायनिक इनपुट और उच्च उपज देने वाली किस्मों के बीजों को हटाने के कारण उपज में कमी का जोखिम होता है। कई देशों ने रूपांतरण अवधि के दौरान उपज के नुकसान की भरपाई के लिए सब्सिडी को सावधानीपूर्वक डिजाइन किया है। हालाँकि, भारत में ऐसी कोई सब्सिडी नहीं है।
- चौथा, अच्छी गुणवत्ता वाले जैविक इनपुट की गंभीर कमी है, जिससे उपज के नुकसान का जोखिम बढ़ जाता है। उपलब्ध जैविक उर्वरक आवश्यक मात्रा से बहुत कम हैं और अच्छी गुणवत्ता वाले जैविक बीजों की भी कमी है।
- पाँचवीं और सबसे बड़ी चुनौती यह है कि कई ब्राँड उपलब्ध हैं जो जैविक उत्पाद पेश करते हैं, लेकिन सभी सरकार के नियमों का सख्ती से पालन नहीं करते हैं। दिशा-निर्देशों के अनुसार, जैविक ब्राँडों के सागर में से कौन-सा ब्राँड प्रामाणिक है?

11.10 शून्य बजट प्राकृतिक खेती, (Zero Budget Natural Farming (ZBNF))

- प्राकृतिक खेती एक ऐसी प्रणाली है, जिसमें प्रकृति के नियमों को कृषि पद्धतियों पर लागू किया जाता है। यह विधि प्रत्येक खेती वाले क्षेत्र की प्राकृतिक जैव विविधता के साथ काम करती है, जो प्रत्येक विशेष पारिस्थितिकी तंत्र को आकार देने वाले जीवों, पौधों और जानवरों की जटिलता को प्रोत्साहित करती है, जो खाद्य पौधों के साथ पनपने के लिए होते हैं।
- ZBNF मिट्टी में सूक्ष्मजीव गतिविधि को उत्तेजित करने पर आधारित है, जिसे गाय के गोबर और मूत्र को किण्वित करके बनाए गए जीवाणु संवर्धन को लागू करके प्राप्त किया जाता है।
- भारतीय अर्थव्यवस्था के नव-उदारीकरण ने एक गहरे कृषि संकट को जन्म दिया है, जो छोटे पैमाने पर खेती को एक अव्यावहारिक व्यवसाय बना रहा है। निजीकृत बीज, इनपुट और बाजार किसानों के लिए दुर्गम और महँगे हैं। भारतीय किसान तेजी से खुद को कर्ज के दुष्चक्र में फँसा हुआ पाते हैं, क्योंकि उत्पादन लागत अधिक है, ऋण के लिए ब्याज दरें अधिक हैं, फसलों

की अस्थिर बाजार कीमतें हैं, जीवाश्म ईंधन आधारित इनपुट की बढ़ती लागत है, और निजी बीज हैं। भारत में सभी आकार के किसानों के लिए कर्ज एक समस्या है। ऐसी परिस्थितियों में, 'शून्य बजट' खेती कर्ज पर निर्भरता को खत्म करने और उत्पादन लागत में भारी कटौती करने का वादा करती है, जिससे हताश किसानों के लिए कर्ज का चक्र खत्म हो जाता है।

- 'बजट' शब्द का अर्थ है ऋण और व्यय, इस प्रकार 'शून्य बजट' वाक्यांश का अर्थ है बिना किसी ऋण का उपयोग किए, और खरीदे गए इनपुट पर कोई पैसा खर्च किए बिना। 'प्राकृतिक खेती' का अर्थ है प्रकृति के साथ और बिना रसायनों के खेती करना।

जीरो बजट प्राकृतिक खेती (ZBNF) की विशेषताएँ:

- ZBNF का आधार यह है कि मिट्टी में पौधों के लिए आवश्यक सभी पोषक तत्त्व मौजूद होते हैं। पौधों को ये पोषक तत्त्व उपलब्ध कराने के लिए हमें सूक्ष्मजीवों की मध्यस्थता की आवश्यकता होती है। इसके लिए, "ZBNF के चार चक्र" सुझाए गए हैं:
  - **बीजामृत,** गाय के मूत्र और गोबर के मिश्रण से बीजों पर सूक्ष्मजीवी लेप लगाना है।
  - **जीवामृत,** गाय के गोबर, गोमूत्र और गुड़ के मिश्रण से मिट्टी में सूक्ष्मजीवों को बढ़ाना है।
  - **मल्चिंग** (भूमि में वायु प्रवाह), मिट्टी को फसलों या फसल अवशेषों से ढकना है, जो ह्यूमस बनाता है और मित्रवत सूक्ष्मजीवों के विकास को प्रोत्साहित करता है।
  - **वाफासा** (भूमि में वायु प्रवाह) मिट्टी में ह्यूमस का निर्माण करके मिट्टी में वायु संचार को बढ़ाता है।
- ZBNF के सिद्धाँतों के अनुसार, पौधों को 98% पोषक तत्त्व हवा, पानी और सूरज की रोशनी से मिलते हैं। और शेष 2% की पूर्ति अच्छी गुणवत्ता वाली मिट्टी से की जा सकती है, जिसमें मित्र सूक्ष्मजीव (friendly micro-organisms) भरपूर मात्रा में हों। (जैसे कि जंगलों और प्राकृतिक प्रणालियों में होता है)
- इस प्रणाली में केवल भारतीय नस्ल की गाय से प्राप्त गोबर और गोमूत्र की आवश्यकता होती है। जहाँ तक गोबर और मूत्र में सूक्ष्मजीवों की बात है, देसी गाय सबसे शुद्ध है।
- ZBNF में, एकल फसल पद्धति की तुलना में बहु-फसल पद्धति को प्रोत्साहित किया जाता है।

  उदाहरण: प्राकृतिक खेती का सूरत मॉडल

(आजादी के 75 साल यानी अमृत काल के सिलसिले में, सूरत जिले की हर पंचायत में 75 किसान प्राकृतिक खेती को अपना रहे हैं।)

ZBNF के सामने आने वाली चुनौतियाँ:

- कम उपज।
- मूत्र और गोबर के लिए पशुधन की उपलब्धता।
- ZBNF की ओर रुख करने के लिए किसानों को उचित प्रशिक्षण नहीं दिया जाता।

जैविक खेती और ZBNF के बीच समानताएँ:

- जैविक और प्राकृतिक खेती दोनों प्रणालियाँ किसानों को पौधों और सभी कृषि पद्धतियों में किसी भी रासायनिक उर्वरक, कीटनाशक का उपयोग करने से हतोत्साहित करती हैं।
- दोनों ही खेती के तरीके किसानों को स्थानीय नस्लों के बीजों और सब्जियों, अनाज, दालों और अन्य फसलों की देशी किस्मों का उपयोग करने के लिए प्रोत्साहित करते हैं।
- दोनों ही खेती के तरीके गैर-रासायनिक और घरेलू कीट नियंत्रण विधियों को बढ़ावा देते हैं।

जैविक खेती और ZBNF के बीच अंतर:

- जैविक खेती में, जैविक खाद और खाद जैसे कम्पोस्ट, वर्मीकम्पोस्ट, गोबर की खाद आदि का उपयोग किया जाता है और बाहरी स्रोतों से खेतों में मिलाया जाता है। जबकि प्राकृतिक खेती में, न तो रासायनिक और न ही जैविक खाद मिट्टी में डाली जाती है। वास्तव में, मिट्टी में कोई बाहरी खाद नहीं डाली जाती है और न ही पौधों को दी जाती है। प्राकृतिक खेती में, सूक्ष्मजीवों और केंचुओं द्वारा कार्बनिक पदार्थों के अपघटन को मिट्टी की सतह पर ही प्रोत्साहित किया जाता है, जो धीरे-धीरे मिट्टी में पोषण जोड़ता है।

- जैविक खेती के लिए बुनियादी कृषि पद्धतियों जैसे जुताई, खाद का मिश्रण, निराई आदि की आवश्यकता होती है। जबकि प्राकृतिक खेती में न तो जुताई होती है, न ही मिट्टी की जुताई होती है और न ही उर्वरकों का इस्तेमाल होता है और न ही प्राकृतिक पारिस्थितिकी तंत्र की तरह निराई-गुड़ाई की जाती है।
- जैविक खेती अभी भी महँगी है क्योंकि इसमें भारी मात्रा में खाद की जरूरत होती है और इसका आसपास के वातावरण पर पारिस्थितिकीय प्रभाव पड़ता है; जबकि प्राकृतिक खेती बेहद कम लागत वाली खेती पद्धति है, जो पूरी तरह से स्थानीय जैव विविधता के साथ ढली हुई है।

11.11 एकीकृत कृषि प्रणाली (आईएफएस) (Integrated Farming System-IFS)

एकीकृत कृषि प्रणाली (आईएफएस) एक अभिनव दृष्टिकोण है जिसमें एकल कृषि प्रणालियों को पशुधन, जलीय कृषि, वानिकी या अन्य अंतर-संबंधित उद्यमों के साथ एकीकृत किया जाता है ताकि लाभ को कई गुना बढ़ाया जा सके और इनपुट लागत को कम किया जा सके। एक उद्यम से निकलने वाला कचरा दूसरे के लिए उत्पाद बन जाता है, जिससे लागत कम हो जाती है, उत्पादन बढ़ जाता है और अंतिम आय कई गुना बढ़ जाती है। विभिन्न उद्यमों का एकीकरण न केवल किसानों की आय को बढ़ाता है बल्कि पारिवारिक श्रम रोजगार को बढ़ाने और जोखिम को कम करने में भी मदद करता है और **सीमित संसाधनों वाले छोटे आकार के खेतों** के लिए सबसे उपयुक्त है।

वर्तमान में, किसान मुख्य रूप से फसल उत्पादन पर ध्यान केंद्रित करते हैं, जो आय में अनिश्चितता और किसानों द्वारा अकुशल संसाधन उपयोग के उच्च स्तर के अधीन है। इस संदर्भ में, एकीकृत कृषि प्रणाली को अपनाकर खेत की आय बढ़ाने के लिए उपयुक्त रणनीति विकसित करना अनिवार्य है।

आईएफएस के निम्नलिखित लाभ हैं:

- संबद्ध उद्यमों के उप-उत्पादों से इनपुट रीसाइक्लिंग और संसाधनों के इष्टतम उपयोग के माध्यम से घटकों की कम उत्पादन लागत। उदाहरण के लिए, मुर्गी के गोबर का उपयोग मछली के लिए फीडस्टॉक के रूप में किया जाता है। एक अन्य उदाहरण है, फसल अवशेषों और खेत के कचरे के साथ मिश्रित मवेशियों के गोबर को पोषक तत्त्वों से भरपूर वर्मी-कम्पोस्ट में बदला जा सकता है।
- जैविक अपशिष्ट पुनर्चक्रण के माध्यम से स्थायी मिट्टी की उर्वरता और उत्पादकता और जलवायु परिवर्तनशीलता के लिए लचीला और अनुकूल है।
- एकीकृत खेती सुअर पालन, मुर्गी पालन और कबूतर पालन जैसी पशु गतिविधियों से निकलने वाले कचरे के प्रभावी पुनर्चक्रण के माध्यम से पर्यावरण संरक्षण में मदद करेगी और जल संरक्षण में भी मदद करेगी।
- संबद्ध गतिविधियों के एकीकरण से प्रोटीन, कार्बोहाइड्रेट, वसा, खनिज और विटामिन से भरपूर पौष्टिक भोजन की उपलब्धता होगी।
- एकीकृत खेती से जुड़ी गतिविधियों से अंडा, दूध, मशरूम, सब्जियाँ, शहद और रेशमकीट कोकून जैसे उत्पादों के माध्यम से नियमित स्थिर आय।
- डेयरी, पोल्ट्री, सुअर पालन, मत्स्य पालन, रेशम उत्पादन आदि जैसे कृषि उद्यमों का विवेकपूर्ण मिश्रण, जो दिए गए कृषि-जलवायु परिस्थितियों और किसानों की सामाजिक-आर्थिक स्थिति के अनुकूल हो, खेती में समृद्धि लाएगा।
- आईएफएस उपागम में स्थिरता, खाद्य सुरक्षा, किसान सुरक्षा और गरीबी में कमी के कई उद्देश्य हैं। और कृषि-जलवायु क्षेत्रों के आधार पर अलग-अलग आईएफएस मॉडल हो सकते हैं जैसे चावल-मछली-पोल्ट्री मॉडल, सुअर/पोल्ट्री - मछली - सब्जी मॉडल, चावल - मछली - सब्जी मॉडल आदि।

चित्र: एकीकृत कृषि व्यवस्था

भारतीय कृषि अनुसंधान परिषद (आईसीएआर) ने खेती में जोखिम को कम करने, कृषि उत्पादकता/लाभप्रदता को बढ़ाने और संसाधन विहीन छोटे और सीमाँत किसानों की आजीविका को सुरक्षित करने के लिए किसानों की भागीदारी साधन के रूप में 60 स्थान-विशिष्ट, लागत प्रभावी, पर्यावरण-अनुकूल, सामाजिक रूप से स्वीकार्य बहु-उद्यम आईएफएस मॉडल विकसित किए हैं। यद्यपि ये मॉडल अत्यधिक स्थान-विशिष्ट हैं, लेकिन एक मॉडल का चुनाव स्थान-दर-स्थान और यहाँ तक कि एक ही क्षेत्र में किसान-दर-किसान अलग-अलग होता है। आईएफएस से शुद्ध लाभ भी चयनित मॉडल, मिट्टी की विशेषताओं, संसाधनों के इनपुट आदि के आधार पर भिन्न होता है।

विभिन्न कृषि-जलवायु क्षेत्रों के लिए उच्च उत्पादकता क्षमता वाली जैव-गहन फसल प्रणालियों को संबंधित राज्यों के फसल उत्पादन मार्गदर्शिका/अभ्यासों के पैकेज में शामिल किया गया है। इन मॉडलों को आईसीएआर कृषि विज्ञान केंद्रों (केवीके) की राष्ट्रव्यापी शृंखला के माध्यम से छोटे और सीमाँत किसानों तक भी पहुँचाया जा रहा है।

11.12 कृषि पारिस्थितिकी (Agroecology)

कृषि पारिस्थितिकी वह खेती है जो खाद्य उत्पादन पर केंद्रित है जो इन संसाधनों को नुकसान पहुँचाए बिना प्रकृति की वस्तुओं और सेवाओं का सर्वोत्तम उपयोग करती है। खेती तब सफल होती है जब वह स्थानीय पारिस्थितिकी तंत्र के साथ काम करती है, उदाहरण के लिए, उपलब्ध बायोमास और जैव विविधता के माध्यम से मिट्टी और पौधों की गुणवत्ता में सुधार करना, बजाय रासायनिक इनपुट के साथ प्रकृति से लड़ने के।

कृषि पारिस्थितिकी एक एकीकृत दृष्टिकोण है जो खाद्य और कृषि प्रणालियों के डिजाइन और प्रबंधन के लिए पारिस्थितिक और सामाजिक अवधारणाओं और सिद्धाँतों को एक साथ लागू करता है। **यह पौधों, जानवरों, मनुष्यों और पर्यावरण के बीच बातचीत को अनुकूलित करने का प्रयास करता है,** जबकि एक स्थायी और निष्पक्ष खाद्य प्रणाली के लिए जिन सामाजिक पहलुओं को संबोधित करने की आवश्यकता है, उन्हें ध्यान में रखते हुए।

दुनिया भर में, वैज्ञानिक, जमीनी स्तर के संगठन, गैर सरकारी संगठन, उपभोक्ता, विश्वविद्यालय और सार्वजनिक एजेंसियाँ कृषि पारिस्थितिकी पर आधारित टिकाऊ और पौष्टिक खाद्य प्रणालियों का निर्माण करने के लिए किसानों के साथ काम कर रही हैं।

कृषि की वर्तमान प्रणाली सतत नहीं है:

कृषि की वर्तमान प्रणाली के परिणामस्वरूप खाद्य प्रणालियों और जैव विविधता के लिए खतरा पैदा हो गया है। औद्योगिक खेती के परिणामस्वरूप, मित्र कीट अब कृषि परिदृश्य का हिस्सा नहीं हैं, जल प्रदूषण व्याप्त है, मिट्टी का क्षय आम बात है और भूजल स्तर में गिरावट आम बात हो गई है। कृषि के केवल औद्योगिक तरीकों में निवेश करने से होने वाली अवसर लागत वह है जो बड़े पैमाने पर कृषक समुदाय और प्राकृतिक प्रणालियों द्वारा वहन की गई है।

वैश्विक स्तर पर कृषि पारिस्थितिकी को आगे बढ़ाने के लिए अब अभूतपूर्व अवसर हैं क्योंकि कॉर्पोरेट खाद्य प्रणाली लोगों के स्वास्थ्य, पर्यावरण और पारिवारिक किसानों की भलाई पर नकारात्मक प्रभाव डालती है। **कृषि पारिस्थितिकी को जलवायु परिवर्तन के लिए शमन और अनुकूलन रणनीति दोनों के रूप में मान्यता प्राप्त है।** उपभोक्ता तेजी से स्वस्थ भोजन और खाद्य उत्पादकों के साथ घनिष्ठ संबंध की माँग कर रहे हैं। दुनिया भर में सामाजिक आँदोलन - जिनमें से

कई महिलाओं और स्वदेशी संगठनों के महत्त्वपूर्ण नेतृत्व में हैं - पर्यावरण और मानवाधिकार लोकाचार पर आधारित एक स्वस्थ खाद्य प्रणाली के लिए अभियान चला रहे हैं। कृषि पारिस्थितिकी की माँग बढ़ती जा रही है।

कृषि पारिस्थितिकी को क्या अलग बनाता है?

कृषि पारिस्थितिकी मूल रूप से सतत विकास के अन्य तरीकों से अलग है। यह नीचे से ऊपर और क्षेत्रीय प्रक्रियाओं पर आधारित है, जो स्थानीय समस्याओं के लिए प्रासंगिक समाधान देने में मदद करता है। कृषि पारिस्थितिकी नवाचार ज्ञान के सह-निर्माण पर आधारित हैं, जो विज्ञान को उत्पादकों के पारंपरिक, व्यावहारिक और स्थानीय ज्ञान के साथ जोड़ते हैं। अपनी स्वायत्तता और अनुकूलन क्षमता को बढ़ाकर, कृषि पारिस्थितिकी उत्पादकों और समुदायों को परिवर्तन के प्रमुख एजेंट के रूप में सशक्त बनाती है।

अस्थायी कृषि प्रणालियों की प्रथाओं में बदलाव करने के बजाय, कृषि पारिस्थितिकी खाद्य और कृषि प्रणालियों को बदलने का प्रयास करती है, समस्याओं के मूल कारणों को एकीकृत तरीके से संबोधित करती है और समग्र और दीर्घकालिक समाधान प्रदान करती है। इसमें खाद्य प्रणालियों के सामाजिक और आर्थिक आयामों पर स्पष्ट ध्यान केंद्रित करना शामिल है। कृषि पारिस्थितिकी महिलाओं, युवाओं और स्वदेशी लोगों के अधिकारों पर एक मजबूत ध्यान केंद्रित करती है।

लाभः

वर्तमान में हमारे पास एक सब्सिडी-आधारित कृषि प्रणाली है जहाँ कृषि इनपुट पूरी तरह से निगमों और उनके कुलीन नेटवर्क के हाथों में है। कृषि-पारिस्थितिकी आधारित खेती प्रतिगामी नहीं है, बल्कि पारंपरिक मुहावरे के साथ भविष्य की तकनीक है। कृषि पारिस्थितिकी के निम्नलिखित लाभ हैं:

- उपजाऊ परिदृश्यों को बढ़ाता है,
- पैदावार बढ़ाता है,
- मिट्टी के स्वास्थ्य और जैव विविधता को बहाल करता है,
- जलवायु के लचीलापन को बढ़ावा देता है, और
- किसानों की भलाई में सुधार करता है

11.13 संरक्षण कृषि (Conservation Agriculture)

संरक्षण कृषि (सीए) को एक स्थायी कृषि उत्पादन प्रणाली के रूप में परिभाषित किया गया है, जिसमें प्रत्येक क्षेत्र की फसलों और स्थानीय परिस्थितियों की आवश्यकताओं के अनुकूल खेती की पद्धतियों का एक समूह शामिल है, जिसकी खेती और मृदा प्रबंधन तकनीकें मिट्टी को कटाव और क्षरण से बचाती हैं, इसकी गुणवत्ता और जैव विविधता में सुधार करती हैं, और पैदावार को अनुकूलित करते हुए प्राकृतिक संसाधनों, पानी और हवा के संरक्षण में योगदान देती हैं।

इस पवित्र संसाधन संरक्षण अभ्यास में न के बराबर या न्यूनतम मृदा व्यवधान शामिल है, **फसल अवशेषों या अन्य आवरण फसलों के माध्यम से वनस्पति मृदा आवरण प्रदान करना, और उच्च उत्पादकता प्राप्त करने और प्रतिकूल पर्यावरणीय प्रभावों को कम करने के लिए फसल चक्रण करना।**

संरक्षण कृषि तीन मुख्य सिद्धाँतों पर आधारित है:

- न्यूनतम मृदा विक्षोभ (कोई जुताई नहीं या कम जुताई)।
- स्थायी मृदा आवरण का रखरखाव।
- फसल प्रणाली विविधता, फसल चक्र।

संरक्षण कृषि (सीए) के लाभः

- **संरक्षण कृषि** आधारित फसल प्रबंधन पद्धतियाँ न केवल फसल उत्पादकता को बढ़ाती हैं, बल्कि उत्पादन की लागत को भी कम करती हैं।
- अवशेषों के अपघटन, पुनर्चक्रण में वृद्धि और पौधों के पोषक तत्त्वों की उपलब्धता के माध्यम से संसाधन उपयोग दक्षता में सुधार।
- कार्बनिक पदार्थों की सुरक्षा और मृदा एवं जल संरक्षण।
- ग्रीनहाउस गैस उत्सर्जन में कमी।

संरक्षण कृषि को अपनाने में चुनौतियाँ:

- न्यूनतम मृदा विक्षोभ के साथ बीज बोने, फसल कटाई और प्रबंधन प्रणालियों को विकसित करने के लिए

कृषि प्रौद्योगिकी/मशीनरी का विकास, मानकीकरण और अपनाना।

- कृषि नेताओं, विस्तार एजेंटों और किसानों को संरक्षण कृषि की क्षमता के बारे में जानकारी का अभाव।
- संरक्षण कृषि को संबंधित मंत्रालयों, विभागों या संस्थानों में मुख्यधारा में लाया जाना चाहिए और सामग्री, मानव और वित्तीय संसाधनों के पर्याप्त प्रावधान द्वारा समर्थित किया जाना चाहिए ताकि यह सुनिश्चित हो सके कि किसानों को अच्छी तरह से प्रशिक्षित और प्रेरित विस्तार कर्मचारियों से प्रभावी और समय पर सहायता मिले।

संसाधनों के क्षरण की व्यापक समस्याओं को देखते हुए प्रतिमान परिवर्तन एक आवश्यकता बन गया है, जो उत्पादन को बढ़ाने की पिछली रणनीतियों के साथ संसाधन अखंडता के लिए बहुत कम चिंता के साथ जुड़ा हुआ था। **उत्पादकता, संसाधन संरक्षण और मिट्टी की गुणवत्ता और पर्यावरण की चिंताओं को एकीकृत करना अब निरंतर उत्पादकता वृद्धि के लिए आधारभूत है जिसके लिए संरक्षण कृषि ही समाधान है।**

पारंपरिक और संरक्षण कृषि की कुछ विशिष्ट विशेषताएँ इस प्रकार हैं:

परम्परागत कृषि	संरक्षण कृषि
विज्ञान और प्रौद्योगिकी का उपयोग करके प्रकृति पर हावी होने के लिए भूमि पर खेती करना	प्राकृतिक प्रक्रियाओं में न्यूनतम हस्तक्षेप
अत्यधिक याँत्रिक जुताई और मिट्टी का कटाव	बिना जुताई या बहुत कम जुताई (जैविक जुताई)
अवशेषों को जलाना या हटाना	अवशेषों की सतह पर अवधारण (स्थायी रूप से ढका हुआ)
एक्स-सिटू खाद का उपयोग	इन-सीटू कार्बनिक/खाद का उपयोग
मोनो क्रॉपिंग, कम कुशल रोटेशन	विविध और अधिक कुशल रोटेशन

11.14 संरक्षित खेती (Protected Cultivation)

- संरक्षित खेती मुख्य रूप से बागवानी फसलों का गुणात्मक और मात्रात्मक उत्पादन करने का सबसे समकालीन तरीका है और पिछले कुछ दशकों में यह दुनिया भर में व्यापक रूप से फैल गई है। इसे **नियंत्रित वातावरण कृषि (सीईए)** के रूप में भी जाना जाता है और यह अत्यधिक उत्पादक है। यह जल और भूमि संरक्षण को प्रोत्साहित करता है और साथ ही पर्यावरण की रक्षा करता है।
- इस तकनीक में नियंत्रित वातावरण में बागवानी फसलों की खेती शामिल है **जिसमें अधिकतम उत्पादन प्राप्त करने के साथ-साथ ऑफ-सीजन के दौरान भी नियमित आपूर्ति की अनुमति देने के लिए फसल की आवश्यकता** के अनुसार **तापमान, आर्द्रता, प्रकाश, मिट्टी, पानी, उर्वरक आदि जैसे कारकों में बदलाव किया जाता है।**
- पॉली हाउस में उगाई जाने वाली फसलों को तीव्र गर्मी, तेज धूप, तेज हवाओं, ओलों और शीत लहरों से बचाया जाता है। **पॉली हाउस में फसल को प्रभावित करने वाले हर कारक को नियंत्रित किया जा सकता है।** उच्च तकनीक वाले पॉली हाउस में मिट्टी को अवाँछित वायरस, बैक्टीरिया आदि से शुद्ध करने के लिए हीटिंग सिस्टम के साथ-साथ मिट्टी को गर्म करने की प्रणाली भी होती है।
- उच्च मूल्य वाली बागवानी फसलों की संरक्षित खेती में भारत में विशेष रूप से छोटे किसानों की आय बढ़ाने की बहुत संभावना है, जो उन्हें हर साल अपनी जमीन से अधिक फसलें पैदा करने में मदद कर सकती है, खासकर ऑफ-सीजन के दौरान जब कीमतें अधिक होती हैं।

संरक्षित खेती के उद्देश्य

- फसल की निरंतर वृद्धि के लिए अनुकूल वातावरण बनाना, ताकि प्रतिकूल जलवायु परिस्थितियों में भी इसकी अधिकतम क्षमता का एहसास हो सके।

- पौधों को अजैविक तनाव (भौतिक या निर्जीव जीवों द्वारा) जैसे तापमान, अधिक/कम पानी, गर्म और ठंडी लहरें और जैविक कारक जैसे कीट और रोग की घटनाओं आदि से बचाना।
- न्यूनतम खरपतवार संक्रमण के साथ कुशल जल उपयोग।
- प्रति इकाई क्षेत्र उत्पादकता बढ़ाना।
- फसल उत्पादन में कीटनाशकों के उपयोग को कम करना।
- उच्च मूल्य, गुणवत्ता वाले बागवानी उत्पादों को बढ़ावा देना।
- फूल, सब्जी या फलों की फसलों का साल भर और बेमौसम (Off-season) उत्पादन।
- रोगमुक्त और आनुवंशिक रूप से बेहतर प्रत्यारोपण का उत्पादन।

संरक्षित खेती के विभिन्न प्रकार हो सकते हैं

1. ग्रीनहाउस/पॉलीहाउस

पॉलीहाउस या ग्रीनहाउस एक घर या काँच या पॉलीइथिलीन जैसी पारभासी सामग्री से बना एक ढाँचा है, जहाँ पौधे नियंत्रित जलवायु परिस्थितियों में बढ़ते और विकसित होते हैं। ग्रीनहाउस एक काँच का घर होता है, जिसका अंदरूनी हिस्सा सूरज की किरणों के संपर्क में आने पर गर्म हो जाता है क्योंकि घर ग्रीनहाउस गैस को बाहर निकलने से रोकता है। इसलिए, जब बाहर ठंड होती है, तो अंदर का तापमान पौधों के लिए जीवित रहने के अनुकूल और गर्म होता है।

पॉलीहाउस/ग्रीनहाउस की विभिन्न संरचनाएँ हो सकती हैं:

(a) अर्धवृत्ताकार: यह एक फ्रेमयुक्त संरचना है जो यूवी स्थिर (यूवी विकिरण को अवशोषित करती है और नुकसान को रोकती है) प्लास्टिक फिल्मों से ढकी होती है जिसमें आंशिक या नियंत्रित पर्यावरण स्थितियों के तहत फसलें उगाई जाती हैं। यह दिन के दौरान सूर्य की किरणों के प्रवेश के माध्यम से गर्म होता है जो पौधों, मिट्टी और संरचना को गर्म करती हैं। यह गर्मी रात भर धीरे-धीरे निकलती है।

(b) वॉक-इन टनल: ये यूवी फिल्म से ढके होते हैं, जो सभी प्रकार की फसलों, फूलों और सब्जियों के लिए उपयुक्त होते हैं।

(c) **प्लास्टिक सुरंग:** ये ग्रीनहाउस जैसा प्रभाव पैदा करने वाली छोटी संरचनाएँ हैं। यह कार्बन डाइऑक्साइड को फँसाने में मदद करता है जिससे प्रकाश संश्लेषण की क्रिया बढ़ जाती है। यह पौधों को बारिश, हवा, ओले, बर्फ आदि जैसी कठोर जलवायु परिस्थितियों से बचाता है। इनका उपयोग मुख्य रूप से नर्सरी उगाने के लिए किया जाता है।

2. शेड नेट:

शेड नेट हाउस एक संरचना है जो एग्रो नेट या किसी अन्य बुने हुए पदार्थ से घिरा होता है ताकि आवश्यक सूर्य की रोशनी, नमी और हवा को अंतराल से गुजरने की अनुमति मिल सके। शेड नेट हाउस को जलवायु परिस्थितियों के बावजूद विभिन्न बागवानी फसलों के लिए स्वस्थ ग्राफ्ट/पौधों के विकास और कठोरता प्रदान करने के लिए प्रमुख तकनीकों में से एक माना जाता है।

3. प्लास्टिक मल्चिंग: मिट्टी की नमी को संरक्षित करने के लिए पौधे के चारों ओर की मिट्टी को प्लास्टिक फिल्म से ढकना, जिससे खरपतवार की वृद्धि रुकती है और मिट्टी का तापमान नियंत्रित रहता है।

संरक्षित खेती के लाभ:

- उत्पादन की बेहतर गुणवत्ता।
- उच्च उत्पादकता।
- संसाधनों का कुशल उपयोग।
- बेहतर कीट और रोग नियंत्रण तथा कीटनाशकों का कम उपयोग।
- विदेशी/गैर-देशी और बेमौसमी सब्जियों का उत्पादन और गुणवत्तापूर्ण पौध उगाना।

संरक्षित खेती की चुनौतियाँ

- प्रारंभिक अवसंरचना (पूँजीगत लागत) की उच्च लागत।
- कुशल मानव शक्ति की अनुपलब्धता और तकनीकी ज्ञान की कमी।
- कड़ी निगरानी और निरीक्षण की आवश्यकता होती है।
- मरम्मत और रखरखाव बड़ी बाधाएँ हैं।
- सुनिश्चित विपणन की आवश्यकता होती है, क्योंकि समय, प्रयास और वित्त जैसे संसाधनों का निवेश बहुत अधिक होने की उम्मीद है।

कृषि और किसान कल्याण मंत्रालय विभिन्न योजनाओं जैसे कि बागवानी के एकीकृत विकास के लिए मिशन, राष्ट्रीय बागवानी मिशन, पूर्वोत्तर और हिमालयी राज्यों के लिए बागवानी मिशन के माध्यम से पॉलीहाउस, शेडनेट आदि जैसी विभिन्न संरचनाओं के निर्माण के लिए विभिन्न निवेश (परियोजना लागत) सब्सिडी प्रदान कर रहा है।

11.15 'स्थायी कृषि' (Permaculture)

'पर्माकल्चर, जिसे मूल रूप से **'स्थायी कृषि'** कहा जाता है, को अक्सर बागवानी तकनीकों के एक समूह के रूप में देखा जाता है, लेकिन वास्तव में यह एक संपूर्ण डिजाइन दर्शन और कुछ लोगों के जीवन के लिए एक दर्शन के रूप में विकसित हुआ है। इसका केंद्रीय विषय मानव प्रणालियों का निर्माण है जो मानव आवश्यकताओं को पूरा करते हैं, लेकिन कई प्राकृतिक तत्त्वों का उपयोग करते हैं और प्राकृतिक पारिस्थितिकी प्रणालियों से प्रेरणा लेते हैं। इसके लक्ष्य और प्राथमिकताएँ उन चीजों से मेल खाती हैं जिन्हें कई लोग स्थिरता के लिए मुख्य आवश्यकताएँ मानते हैं। 'स्थायी कृषि' से संबंधित कुछ महत्त्वपूर्ण बिंदु निम्नलिखित हैं:

- स्थायी कृषि जीवन जीने के संधारणीय तरीके बनाने के लिए एक अभिनव ढाँचा है।

- यह पारिस्थितिक रूप से सामंजस्यपूर्ण, कुशल और उत्पादक प्रणालियों को विकसित करने की एक व्यावहारिक विधि है जिसका उपयोग कोई भी, कहीं भी कर सकता है।
- स्थायी कृषि भोजन उपजाने, घर बनाने और समुदाय बनाने और साथ ही पर्यावरणीय प्रभाव को कम करने के तरीके से निपटती है।
- हम अपने संसाधनों-भोजन, ऊर्जा, आश्रय और अन्य भौतिक और गैर-भौतिक आवश्यकताओं - का उपयोग करने के तरीके के बारे में सावधानी से सोचकर स्थायी कृषि का उपयोग करके जीवन से बहुत कुछ प्राप्त करना संभव है। हम कम प्रयास में अधिक उत्पादक बन सकते हैं, वर्तमान और आने वाली पीढ़ियों के लिए हम अपने पर्यावरण और खुद के लिए लाभ उठा सकते हैं।
- स्थायी कृषि का सार हमारे घरों, बगीचों, समुदायों और व्यवसायों में रहने के पारिस्थितिक रूप से स्वस्थ तरीके का डिजाइन है। यह प्रकृति के साथ सहयोग करके और पृथ्वी और उसके लोगों की देखभाल करके बनाया जाता है।

स्थायी कृषि के सिद्धाँतों को दुनियाभर के लोगों द्वारा बहुत अलग-अलग जलवायु और साँस्कृतिक परिस्थितियों में लगातार विकसित और परिष्कृत किया जा रहा है।

11.16 कृषि में प्रौद्योगिकी का उपयोग (Use of Technology in Agriculture)

पिछले 50 वर्षों में कृषि उद्योग में आमूलचूल परिवर्तन हुआ है। मशीनरी में प्रगति ने कृषि उपकरणों के पैमाने, गति और उत्पादकता का विस्तार किया है, जिससे अधिक भूमि पर अधिक कुशल खेती हो रही है। बीज, सिंचाई और उर्वरकों में भी काफी सुधार हुआ है, जिससे किसानों को पैदावार बढ़ाने में मदद मिली है। अब, कृषि एक और क्रांति के शुरुआती दिनों में है, जिसके केंद्र में डेटा और कनेक्टिविटी है। आर्टिफिशियल इंटेलिजेंस, एनालिटिक्स, कनेक्टेड सेंसर, इंटरनेट ऑफ थिंग्स (IoT) और अन्य उभरती हुई तकनीकें पैदावार को और बढ़ा सकती हैं, पानी और अन्य इनपुट की दक्षता में सुधार कर सकती हैं, और फसल की खेती और पशुपालन में स्थिरता और लचीलापन बना सकती हैं।

कृषि में प्रौद्योगिकी का अनुप्रयोग:

- आर्टिफिशियल इंटेलिजेंस का उपयोग ऐतिहासिक मौसम डेटा के साथ बीज बोने के लिए सबसे अच्छे समय की भविष्यवाणी करने के लिए किया जा सकता है। खेतों से ऐतिहासिक डेटा की मदद से, AI खेती की प्रक्रिया के अन्य चरणों की भविष्यवाणी कर सकता है जैसे कि खेत की सिंचाई कब करनी है और उर्वरक आदि कब डालना है, ताकि कम से कम इनपुट लागत के साथ अधिकतम उपज प्राप्त की जा सके।
- किसान कृषि सटीकता में सुधार और उत्पादकता बढ़ाने के लिए मौसमी पूर्वानुमान मॉडल बनाने के लिए भी AI का उपयोग कर रहे हैं। ये मॉडल किसानों के निर्णयों में सहायता करने के लिए आने वाले मौसम के पैटर्न का महीनों पहले पूर्वानुमान लगाने में सक्षम हैं।
- रिमोट सेंसर वाले IoT-आधारित डिवाइस को वास्तविक समय में फसल, मिट्टी, आर्द्रता और मौसम की स्थिति रिकॉर्ड करने के लिए खेतों में रखा जा सकता है और डिवाइस द्वारा एकत्र किए गए डेटा को AI और ML का उपयोग करके खेत-विशिष्ट, फसल-विशिष्ट और फसल-चरण-विशिष्ट बुद्धिमत्ता उत्पन्न करने के लिए उपयोग किया जाता है जिसे ऐप/संदेशों के माध्यम से किसानों तक पहुँचाया जा सकता है। किसान इन जानकारियों और पूर्वानुमानों का उपयोग अपने सिंचाई प्रबंधन, कीट और रोग प्रबंधन, उर्वरक, कवकनाशी और कीटनाशक के उपयोग की योजना बनाने या फसलों के लिए इष्टतम विकास की स्थिति बनाने के लिए

आवश्यक कोई अन्य समायोजन करने के लिए कर सकते हैं।

- किसान अधिक सिंचाई करते हैं क्योंकि उनके पास फसल के जीवन चक्र में आवश्यक पानी (या अन्य इनपुट) की मात्रा का आकलन करने का कोई निश्चित तरीका नहीं है। मिट्टी ऊपर से सूखी दिख सकती है, लेकिन यह जड़ क्षेत्र में पानी को बरकरार रखती है। परिणामस्वरूप, कृषि भारत के सबसे बड़े प्राकृतिक संसाधन यानी पानी को तेजी से खत्म कर रही है, जिसे तकनीक का उपयोग करके संरक्षित किया जा सकता है।
- जमीनी डेटा के अलावा, किसान खेत की निगरानी के लिए आसमान से भी डेटा ले रहे हैं। AI सक्षम कैमरों के साथ ड्रोन तकनीक का उपयोग करके, कृषि किसान और कीट नियंत्रण कंपनियाँ वस्तुतः हर फसल पर चल सकती हैं और अनियमित फसल गिरावट, कीट, रोग के धब्बे या मृत मिट्टी की तलाश के लिए लगभग पूर्णकालिक निगरानी प्रदान कर सकती हैं। फिर एक किसान एक विशिष्ट फसल क्षेत्र से डेटा एकत्र कर सकता है और बीमारी के प्रसार को रोक सकता है। मानवरहित ड्रोन पैदल चलने वाले मनुष्यों की तुलना में बहुत कम समय में बहुत अधिक भूमि को कवर करने में सक्षम हैं, जिससे बड़े खेतों की अधिक बार निगरानी की जा सकती है।
- कृषि मशीनरी, ड्रोन इमेजरी और फसल विश्लेषण जैसी तकनीकों के माध्यम से एकत्र किए गए डेटा की मात्रा मनुष्यों के लिए संसाधित करने के लिए बहुत अधिक है। किसान और कृषि प्रौद्योगिकी कार्यकर्ता डेटा बिंदुओं का विश्लेषण करने में मदद करने के लिए AI की ओर रुख कर रहे हैं, इस प्रकार इन डेटा स्रोतों से प्राप्त मूल्य को बढ़ा रहे हैं।
- AI के क्रियान्वयन से, किसान अपने खेत से एकत्रित मौसम की स्थिति, तापमान, पानी के उपयोग और मिट्टी की स्थिति का विश्लेषण कर सकते हैं, ताकि वे उस वर्ष सबसे व्यवहार्य फसल विकल्पों का निर्धारण करने या किस संकर बीज से बर्बादी कम हुई, जैसे व्यावसायिक विकल्पों पर सूचित निर्णय ले सकें। **बिग डेटा विश्लेषण** भी अनुकूलित सिंचाई का निर्धारण करता है, ग्रीनहाउस गैस उत्सर्जन को कम करने में मदद करता है, और प्रसार के लिए आवश्यक मिट्टी, प्रकाश, भोजन और पानी की सटीक आवश्यकताओं को इंगित करता है।
- ब्लू रिवर टेक्नोलॉजी फेसबुक AI और मशीन लर्निंग के साथ मिलकर कैमरा-सक्षम मशीनें बनाने के लिए काम कर रही है जो संपर्क बिंदु पर खरपतवारों को लेबल करने के लिए छवि पहचान तकनीक का उपयोग करती हैं और उन्हें तुरंत हटा देती हैं या स्प्रे करती हैं।
- माइक्रोसॉफ्ट ने भारत में किसानों के लिए AI-बुवाई ऐप विकसित किया है। तकनीकी दिग्गज AI और ऐतिहासिक मौसम डेटा का उपयोग करके बीज बोने और खेती की प्रक्रिया के अन्य चरणों के लिए सबसे अच्छे समय की भविष्यवाणी कर रहे हैं, और उस जानकारी को SMS के माध्यम से किसानों तक पहुँचा रहे हैं, जिसके परिणामस्वरूप पैदावार में 30% की वृद्धि हुई है।
- **परिशुद्धः** सटीक खेती एक ऐसा तरीका है जहाँ **पारंपरिक खेती तकनीकों की तुलना में औसत पैदावार बढ़ाने के लिए इनपुट का सटीक मात्रा और सटीक तरीके से उपयोग किया जाता है।** यह सूचना और प्रौद्योगिकी आधारित कृषि प्रबंधन प्रणाली है जो सही जगह और समय पर और सही तरीके से फसल उत्पादन पद्धतियों का संचालन करके **खेतों में विविधता** का विश्लेषण और प्रबंधन करती है, ताकि भूमि संसाधन की अधिकतम लाभप्रदता, स्थिरता और सुरक्षा हो सके। भारत में, एक बड़ी समस्या खेतों का छोटा आकार है। देश में 58 प्रतिशत से अधिक परिचालन जोत का आकार एक हेक्टेयर (हेक्टेयर) से कम है।
- **परिशुद्ध कृषि** (Precision Farming) में पौधों में होने वाली बीमारियों, कीटों और खेतों में पौधों के खराब पोषण का पता लगाने में सहायता के लिए AI तकनीक का उपयोग किया जाता है। AI सेंसर खरपतवारों का पता लगा सकते हैं और उन्हें लक्षित कर सकते हैं, साथ ही यह तय कर सकते हैं कि सही बफर के भीतर

कौन से शाकनाशी का उपयोग करना है – शाकनाशियों के अत्यधिक उपयोग और हमारे भोजन में मिलने वाले अत्यधिक विषाक्त पदार्थों को रोकना।

- **परिशुद्ध कृषि** (Precision Farming) बागवानी फसलों के लिए बहुत मददगार हो सकती है। बागवानी फसलें उच्च इनपुट और उच्च आउटपुट वाली फसलें हैं जिन्हें मिट्टी के पोषक तत्त्वों, कीटों और बीमारियों की निरंतर निगरानी और सक्रिय प्रबंधन की आवश्यकता होती है। यहीं पर ज्यादातर किसानों को समस्याओं का सामना करना पड़ता है।
- **श्रम चुनौती का समाधानः** खेती के पेशे में कम लोगों के आने से, ज्यादातर खेतों को कर्मचारियों की कमी की चुनौती का सामना करना पड़ रहा है। श्रमिकों की इस कमी को दूर करने में मदद करने का एक समाधान AI कृषि बॉट (bot) है। ये बॉट मानव श्रम कार्यबल को बढ़ाते हैं और विभिन्न रूपों में उपयोग किए जाते हैं। ये बॉट मानव मजदूरों की तुलना में अधिक मात्रा में और तेज गति से फसल काट सकते हैं, खरपतवारों की अधिक सटीक पहचान कर उन्हें खत्म कर सकते हैं और चौबीसों घंटे मजदूरों की मौजूदगी से खेतों की लागत कम कर सकते हैं। चौटबॉट किसानों को कई तरह के सवालों के जवाब देने और विशिष्ट कृषि समस्याओं पर सलाह और सिफारिशें देने में भी मदद कर रहे हैं।

स्मार्ट खेती

- स्मार्ट खेती आधुनिक सूचना और संचार प्रौद्योगिकी (ICT) के कृषि में अनुप्रयोग का प्रतिनिधित्व करती है। स्मार्ट खेती डेटा को कैप्चर करने और खेत पर सभी कार्यों को प्रबंधित करने के लिए कार्रवाई योग्य जानकारी देने के लिए हार्डवेयर (IoT) और सॉफ्टवेयर (SaaS यानी सॉफ्टवेयर एज ए सर्विस) का उपयोग करती है, दोनों कटाई से पहले और बाद में। डेटा व्यवस्थित है, हर समय सुलभ है और वित्त और क्षेत्र संचालन के हर पहलू पर दुनिया में कहीं से भी निगरानी की जा सकती है।
- कृषि में IoT (इंटरनेट ऑफ थिंग्स) में इंटरनेट के माध्यम से जुड़े सेंसर, ड्रोन और रोबोट शामिल हैं जो स्वचालित रूप से और अर्ध स्वचालित रूप से संचालन करते हैं और दक्षता और पूर्वानुमान बढ़ाने के उद्देश्य से डेटा एकत्र करते हैं।
- **अर्ध-स्वचालित रोबोट** खरपतवारों का पता लगा सकते हैं और प्रभावित पौधों में कीटनाशकों का छिड़काव कर सकते हैं, जिससे पौधों के साथ-साथ कुल कीटनाशक लागत भी बचती है। इन रोबोटों का उपयोग कटाई और उठाने में भी किया जा सकता है। भारी कृषि वाहनों को भी घर बैठे फोन स्क्रीन के माध्यम से काम करने के लिए नेविगेट किया जा सकता है और जीपीएस हर समय उनकी स्थिति को ट्रैक कर सकता है।
- खेतों की इमेजिंग, मैपिंग और सर्वेक्षण के लिए सेंसर और कैमरों से लैस **ड्रोन का** उपयोग किया जाता है। उन्हें दूर से नियंत्रित किया जा सकता है या वे सेंसर और जीपीएस के समन्वय में काम करते हुए अपने एम्बेडेड सिस्टम में सॉफ्टवेयर-नियंत्रित उड़ान योजनाओं के माध्यम से स्वचालित रूप से उड़ सकते हैं। ड्रोन डेटा से फसल के स्वास्थ्य, सिंचाई, छिड़काव, रोपण, मिट्टी और खेत, पौधों की गिनती और उपज की भविष्यवाणी और बहुत कुछ के बारे में जानकारी प्राप्त की जा सकती है।
- IoT आधारित रिमोट सेंसिंग डेटा एकत्र करने के लिए मौसम स्टेशनों जैसे खेतों के साथ लगाए गए सेंसर का उपयोग करता है जिसे विश्लेषण के लिए विश्लेषणात्मक उपकरण में प्रेषित किया जाता है। वे प्रकाश, आर्द्रता, तापमान, आकार और आकार में परिवर्तन के लिए फसलों की निगरानी करते हैं। आर्द्रता, तापमान, नमी वर्षा और ओस का पता लगाने के मामले में सेंसर द्वारा एकत्र किए गए डेटा से खेतों में मौसम के पैटर्न को निर्धारित करने में मदद मिलती है ताकि उपयुक्त फसलों के लिए खेती की जा सके।
- **कंप्यूटर इमेजिंग** में खेत के विभिन्न कोनों में स्थापित सेंसर कैमरों या कैमरों से लैस ड्रोन का उपयोग करके छवियाँ तैयार की जाती हैं जो डिजिटल इमेज प्रोसेसिंग से गुजरती हैं। छवियों का उपयोग गुणवत्ता नियंत्रण, रोग का पता लगाने, छँटाई और ग्रेडिंग उपज और सिंचाई

निगरानी के लिए छवि प्रसंस्करण के माध्यम से किया जाता है, जिसमें मशीन लर्निंग शामिल है जो डेटाबेस से छवियों का उपयोग फसलों की छवियों के साथ तुलना करने के लिए आकार, आकृति, रंग और विकास को निर्धारित करने के लिए करता है, जिससे गुणवत्ता को नियंत्रित किया जाता है।

पारंपरिक खेती	स्मार्ट खेती
पूरे क्षेत्र में एक ही फसल की खेती के लिए एक ही तरह की पद्धतियाँ।	प्रत्येक खेत का विश्लेषण किया जाता है ताकि अनुकूलन के लिए उपयुक्त फसलें और पानी की आवश्यकताएँ देखी जा सकें।
भू-टैगिंग और जोन का पता लगाना संभव नहीं।	सैटेलाइट इमेजरी खेतों में विभिन्न क्षेत्रों का पता लगाती है।
पूरे खेत में खाद और कीटनाशकों का इस्तेमाल।	प्रभावित क्षेत्र में ही शीघ्र पहचान और अनुप्रयोग, जिससे लागत बचती है।
मौसम का पूर्वानुमान लगाने का कोई तरीका नहीं।	मौसम विश्लेषण और पूर्वानुमान।
खेत की सिंचाई के लिए पारंपरिक सिंचाई पद्धति का इस्तेमाल किया जाता है, जिससे बहुत सारे जल संसाधन बर्बाद होते हैं।	स्मार्ट IoT सक्षम सेंसर के साथ ड्रिप सिंचाई प्रणाली नमी के स्तर को ट्रैक करती है और जहाँ जरूरत होती है वहाँ पानी को प्रभावी ढंग से लागू करती है।

- **लाभ**
  - उच्च फसल उत्पादकता।
  - पानी, उर्वरकों और कीटनाशकों का कम उपयोग जिससे उत्पादन लागत कम हो जाती है।
  - अधिक दक्षता और कृषि उत्पाद की कम कीमतें।
  - प्राकृतिक पारिस्थितिकी तंत्र पर कम प्रभाव।
  - नदियों और भूजल में रसायनों का कम बहाव।
- **चुनौतियाँ:**
  - उच्च लागत।
  - तकनीकी विशेषज्ञता ज्ञान और प्रौद्योगिकी की कमी।
  - छोटे भूमि जोतों के लिए लागू नहीं या कठिन/महँगा।
  - फसल प्रणालियों की विविधता।

विगत वर्षों के प्रश्न

प्रारंभिक परीक्षा

1. निम्न कथनों पर विचार कीजिए **[2024]**

कथन-I भारत संयुक्त राज्य अमेरिका से सेब आयात नहीं करता है।

कथन-II भारत में विधि के अनुसार सक्षम प्राधिकारी के अनुमोदन के बिना आनुवंशिक रूप से रूपांतरित खाद्य (फूड) के आयात पर प्रतिषेध है।

उपरोक्त कथनों के संबंध में निम्न में से कौन-सा सही है?

(a) कथन-I और कथन-II दोनों सही हैं तथा कथन-II कथन-I की व्याख्या करता है।

(b) कथन-I और कथन-II दोनों सही हैं, किन्तु कथन-II कथन-I की व्याख्या नहीं करता है।

(c) कथन-I सही है, लेकिन कथन-II गलत है।

(d) कथन-I गलत है, लेकिन कथन-II सही है।

उत्तर

1. (d)

मुख्य परीक्षा

1. हाल के दिनों में कुछ फसलों पर जोर देने से फसल पैटर्न में कैसे बदलाव आए हैं? बाजरा उत्पादन और खपत पर जोर देते हुए विस्तार से बताएँ। [2018]
2. सिक्किम भारत का पहला 'जैविक राज्य' है। जैविक राज्य के पारिस्थितिक और आर्थिक लाभ क्या हैं? [2018]
3. बागवानी खेतों के उत्पादन, उत्पादकता और आय को बढ़ाने में राष्ट्रीय बागवानी मिशन (एनएचएम) की भूमिका का आकलन करें। यह किसानों की आय बढ़ाने में कितनी सफल रही है? [2018]
4. एकीकृत कृषि प्रणाली (आईएफएस) कृषि उत्पादन को बनाए रखने में किस हद तक सहायक है? [2019]
5. चावल-गेहूँ प्रणाली को सफल बनाने के लिए कौन से प्रमुख कारक जिम्मेदार हैं? इस सफलता के बावजूद यह प्रणाली भारत में कैसे अभिशाप बन गई है? [2020]
6. फसल विविधीकरण के समक्ष वर्तमान चुनौतियाँ क्या हैं? उभरती प्रौद्योगिकियाँ फसल विविधीकरण के लिए किस तरह अवसर प्रदान करती हैं? [2021]
7. सूक्ष्म सिंचाई भारत के जल संकट को हल करने में कैसे और किस हद तक मदद करेगी? [2021]
8. एकीकृत कृषि प्रणाली क्या है? यह भारत में छोटे और सीमाँत किसानों के लिए किस तरह सहायक है? [2022]
9. उपभोग पैटर्न और विपणन स्थितियों में परिवर्तन के संदर्भ में भारत में फसल पैटर्न में हुए परिवर्तनों की व्याख्या करें। [2023]

○○○

12

आपूर्ति शृंखला और खाद्य प्रसंस्करण उद्योग
(Supply Chain and Food Processing Industry)

12.1 आपूर्ति शृंखला: एक परिचय (Supply Chain: An Introduction)

आपूर्ति शृंखला संगठनों, लोगों, गतिविधियों, सूचना और संसाधनों की एक प्रणाली है जो किसी उत्पाद या सेवा को आपूर्तिकर्ता से ग्राहक तक ले जाने में शामिल होती है। आपूर्ति शृंखला गतिविधियाँ प्राकृतिक संसाधनों, कच्चे माल और घटकों को एक तैयार उत्पाद में बदल देती हैं जिसे अंतिम ग्राहक तक पहुँचाया जाता है।

आपूर्ति शृंखला प्रबंधन एक एकीकृत कार्य है जिसकी प्राथमिक जिम्मेदारी कंपनियों के भीतर और उनके बीच प्रमुख व्यावसायिक कार्यों और व्यावसायिक प्रक्रियाओं को एक सुसंगत और उच्च प्रदर्शन वाले व्यवसाय मॉडल में जोड़ने की है। इसमें सभी रसद प्रबंधन गतिविधियाँ, विनिर्माण प्रक्रियाएँ और संचालन, चैनल भागीदार जो आपूर्तिकर्ता, मध्यस्थ, तृतीय पक्ष सेवा प्रदाता और ग्राहक हो सकते हैं, शामिल हैं। आपूर्ति शृंखला प्रबंधन के लिए मार्केटिंग, बिक्री, उत्पाद डिजाइन, वित्त और सूचना प्रौद्योगिकी के साथ प्रक्रियाओं और गतिविधियों के समन्वय की आवश्यकता होती है। एक संगठन के भीतर, जैसे कि एक निर्माता, आपूर्ति शृंखला में ग्राहक के अनुरोध को प्राप्त करने और उसे पूरा करने में शामिल सभी कार्य शामिल होते हैं।

उदाहरण:

मान लीजिए, एक ग्राहक डिटर्जेंट खरीदने के लिए (बिग बाजार) स्टोर में जाता है। आपूर्ति शृंखला ग्राहक और डिटर्जेंट की उनकी जरूरत से शुरू होती है। इस आपूर्ति शृंखला का अगला चरण 'बिग बाजार' खुदरा स्टोर है, जहाँ ग्राहक आते हैं। बिग बाजार अपनी अलमारियों में ऐसे माल का स्टॉक रखता है, जो बिग बाजार द्वारा प्रबंधित तैयार माल के गोदाम से या थोक विक्रेता/वितरक से आपूर्ति किया गया हो सकता है। थोक विक्रेता को बदले में निर्माता (हिंदुस्तान यूनिलीवर लिमिटेड) द्वारा स्टॉक किया जाता है। एचयूएल प्लांट को विभिन्न आपूर्तिकर्ताओं से कच्चा माल प्राप्त होता है, जिन्हें संभवत: निचले स्तर के आपूर्तिकर्ताओं द्वारा आपूर्ति की गई हो।

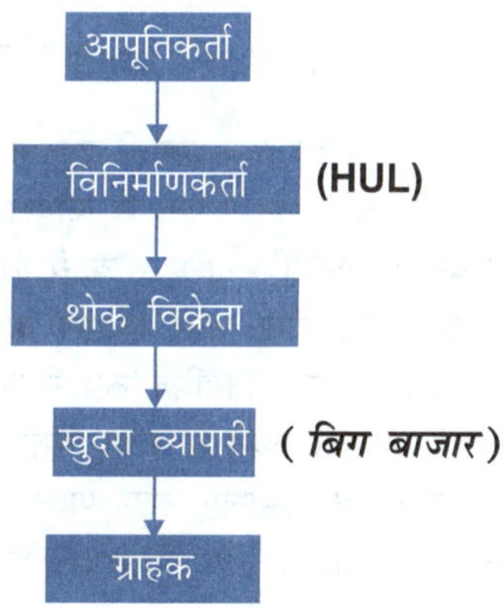

तीर आपूर्तिकर्ता से ग्राहक तक उत्पादों की आवाजाही की दिशा को इंगित करता है और इसे **अग्र दिशा** के रूप में संदर्भित किया जाता है। और **अग्र दिशा** के विपरीत दिशा को **पश्च दिशा** के रूप में संदर्भित किया जाता है। एक आपूर्ति शृंखला (supply chain) गतिशील होती है और इसमें विभिन्न चरणों के बीच सूचना, उत्पाद और धन का निरंतर प्रवाह शामिल होता है। उपलब्धता, मूल्य निर्धारण और धन प्रवाह के बारे में जानकारी भी आपूर्ति शृंखला का एक

हिस्सा है। इसलिए, एक सामान्य आपूर्ति शृंखला में शामिल हो सकते हैं:

- ग्राहक
- खुदरा विक्रेता
- थोक विक्रेता/वितरक
- निर्माता
- कच्चे माल का आपूर्तिकर्ता

प्रतिकूल चरण (Upstream Stage): उत्पादन प्रक्रिया के प्रतिकूल चरण में कच्चे माल की खोज और निष्कर्षण शामिल है। उत्पादन प्रक्रिया का प्रतिकूल भाग सामग्री के साथ कुछ भी नहीं करता है जैसे कि सामग्री को संसाधित करना।

अनुकूल चरण (Downstream Stage): उत्पादन प्रक्रिया में अनुकूल चरण में प्रतिकूल चरण के दौरान एकत्रित सामग्री को तैयार उत्पादों में संसाधित करना शामिल है।

अनुकूल चरण में उस उत्पाद की वास्तविक बिक्री भी शामिल है।

प्रतिकूल और अनुकूल व्यावसायिक शब्द हैं जो उत्पादन प्रक्रिया पर लागू होते हैं जो कई उद्योगों में मौजूद हैं। पहले ये शब्द मूल रूप से तेल और गैस तथा धातु उद्योगों के लिए इस्तेमाल किए जाते थे, लेकिन आजकल ये शब्द सभी उद्योगों में इस्तेमाल किए जाते हैं। **अनुकूल और प्रतिकूल शब्द संदर्भ बिंदु पर निर्भर करते हैं।** उदाहरण के लिए, उपरोक्त मामले में, थोक विक्रेता के संदर्भ में, निर्माता और कच्चे माल का आपूर्तिकर्ता प्रतिकूल क्षेत्र से संबंधित है और खुदरा विक्रेता अनुकूल क्षेत्र से संबंधित होगा।

उर्ध्वाधर (Vertical) एवं क्षैतिज एकीकरण (Horizontal Integration)

बिजली क्षेत्र से एक उदाहरण पर विचार करें:

कोयला खदान ⟶ बिजली उत्पादन (टाटा पॉवर) ⟶ ट्रांसमिशन और वितरण ⟶ ग्राहक

टाटा पावर बिजली उत्पादन व्यवसाय में संलग्न थी जबकि वह किसी अन्य कोयला खनन कंपनी से कोयला खरीद रही थी और वह अपनी बिजली दिल्ली में सरकारी वितरण कंपनी को बेच रही थी। चूँकि टाटा पावर कोयले की खरीद के लिए कोयला कंपनी के साथ नियमित रूप से व्यापार करती है और यह अपनी बिजली बेचने के लिए वितरण कंपनी के साथ भी डील करती है, इसलिए टाटा पावर को **कोयला खनन क्षेत्र** और **ट्रांसमिशन और वितरण** क्षेत्र का काफी अनुभव है।

यदि टाटा पावर कोयला खदान कंपनी का अधिग्रहण करती है या कोयला खनन क्षेत्र में कोई नया व्यवसाय शुरू करती है तो इसे **बैकवर्ड इंटीग्रेशन** कहा जाता है। जब टाटा पावर किसी ट्रांसमिशन और वितरण कंपनी का अधिग्रहण करती है या ट्रांसमिशन और वितरण क्षेत्र में कोई नया व्यवसाय शुरू करती है तो इसे फॉरवर्ड इंटीग्रेशन कहा जाता है। **और फॉरवर्ड या बैकवर्ड इंटीग्रेशन को 'वर्टिकल इंटीग्रेशन' कहा जाता है।**

लेकिन जब टाटा पावर अपनी बाजार हिस्सेदारी बढ़ाने के लिए बिजली उत्पादन के उसी क्षेत्र में 'रिलायंस पावर' जैसी किसी अन्य कंपनी का अधिग्रहण करती है तो इसे **'क्षैतिज एकीकरण'** ('Horizontal Integration') कहा जाता है।

12.2 खाद्य प्रसंस्करण उद्योग (Food Processing Industry)

परिचय

भारत खाद्य उत्पादों के साथ-साथ दुनिया के सबसे बड़े उत्पादकों में से एक है, यह क्षेत्र देश के विकास में योगदान देने में महत्वपूर्ण भूमिका निभाता है। खाद्य और खाद्य उत्पाद भारत में सबसे बड़ी खपत श्रेणी है, जिसका बाजार आकार 250 बिलियन डॉलर है।

खाद्य प्रसंस्करण भारत में एक **उभरता हुआ उद्योग** है और इसे ग्रामीण अर्थव्यवस्था को आगे बढ़ाने के लिए

एक संभावित स्रोत के रूप में देखा जा रहा है क्योंकि यह उपभोक्ता, उद्योग और कृषि के बीच तालमेल लाता है। एक अच्छी तरह से विकसित खाद्य प्रसंस्करण उद्योग से फार्म गेट की कीमतों में वृद्धि (किसानों को खेत के स्थान पर उनकी उपज के लिए प्राप्त होने वाली कीमतें), अपव्यय को कम करने, मूल्य संवर्धन सुनिश्चित करने, फसल विविधीकरण को बढ़ावा देने, रोजगार के अवसर पैदा करने के साथ-साथ निर्यात आय की उम्मीद की जाती है। खाद्य प्रसंस्करण क्षेत्र में प्रमुख उद्योग हैं अनाज पिसाई, चीनी, खाद्य तेल, पेय पदार्थ, फल एवं सब्जी प्रसंस्करण, माँस एवं मुर्गी/पालन, डेयरी उत्पाद, चॉकलेट, कन्फेक्शनरी, सोया आधारित उत्पाद, खनिज जल एवं उच्च प्रोटीन खाद्य पदार्थ।

भारत में खाद्य प्रसंस्करण क्षेत्र/उद्योग के तथ्य:

लगभग 10% की वार्षिक वृद्धि दर

विनिर्माण सकल घरेलू उत्पाद में 9% का योगदान देता है

खाद्य प्रसंस्करण	असंगठित	संगठित
उद्यमों की संख्या	25,00,000	40,000
मूल्य संवर्धन	28%	72%
प्लांट और एम/सी में निवेश	7%	93%
रोजगार	74%	26%

स्थान: भारत में, अधिकांश खाद्य प्रसंस्करण उद्योग आंध्रप्रदेश, कर्नाटक, केरल, महाराष्ट्र, गुजरात और पश्चिम बंगाल के तटीय क्षेत्रों और उत्तर प्रदेश तथा पंजाब के गैर-तटीय प्रदेशों में केंद्रित हैं। भारत के पास एक रणनीतिक भौगोलिक स्थिति है और खाद्य आयातक देशों से निकटता है जो प्रसंस्कृत खाद्य पदार्थों के निर्यात के मामले में इसके पक्ष में है। खाद्य वस्तुओं का निर्यात लगातार बढ़ रहा है, मुख्य निर्यात गंतव्य मध्य पूर्व और दक्षिण पूर्व एशिया हैं।

सरकार की नीति: भारत सरकार द्वारा की गई कुछ प्रमुख पहलें निम्नलिखित हैं जो खाद्य प्रसंस्करण उद्योग के भविष्य के विकास को बढ़ावा देंगी:

- खाद्य प्रसंस्करण उद्योगों में स्वचालित मार्ग के तहत 100% एफडीआई की अनुमति है
- **भारतीय किसानों से प्राप्त या भारत में निर्मित या उत्पादित खाद्य उत्पादों** के संबंध में ई-कॉमर्स के माध्यम से व्यापार के लिए सरकारी अनुमोदन मार्ग के माध्यम से मल्टी-ब्रांड खुदरा में 100% एफडीआई की अनुमति है।
- RBI ने खाद्य एवं कृषि आधारित प्रसंस्करण इकाइयों तथा कोल्ड चेन को ऋण देने को प्राथमिकता क्षेत्र ऋण (Private Sector Lending) के लिए कृषि गतिविधियों के अंतर्गत वर्गीकृत किया है।
- अचार आदि जैसे कई खाद्य प्रसंस्करण क्षेत्र जो पहले 2015 तक आरक्षित सूची के तहत लघु उद्योगों के लिए आरक्षित थे, अब उन्हें अनारक्षित कर दिया गया है।

संभावना और विकास चालक: भारत के पास 160 मिलियन हेक्टेयर के बड़े कृषि योग्य भूमि संसाधन हैं, जिसमें 127 कृषि जलवायु क्षेत्र हैं और दुनिया के 60 मिट्टी के प्रकारों में से 46 यहाँ हैं। **यह दूध का सबसे बड़ा उत्पादक और फलों तथा सब्जियों का दूसरा सबसे बड़ा उत्पादक है।** अर्थव्यवस्था के उदारीकरण और संगठित खुदरा व्यापार के विकास के साथ, भारतीय खुदरा बाजार वैश्विक खिलाड़ियों के लिए अधिक आकर्षक बन गया है। बड़े कृषि संसाधन आधार, प्रचुर पशुधन और लागत प्रतिस्पर्धात्मकता के साथ, भारत तेजी से प्रसंस्कृत खाद्य पदार्थों के सोर्सिंग हब के रूप में उभर रहा है। भारतीय खाद्य प्रसंस्करण उद्योग के लिए कुछ **प्रमुख विकास चालक** निम्नलिखित हैं:

- अनुकूल आर्थिक और सांस्कृतिक परिवर्तन, दृष्टिकोण और जीवन शैली में बदलाव के साथ, उपभोक्ता विभिन्न व्यंजनों, स्वाद और नए ब्रांडों के साथ प्रयोग कर रहे हैं।
- 2030 तक चालीस प्रतिशत आबादी शहरी क्षेत्रों में रह रही होगी और यह शहरीकरण खपत को पैकेज्ड और रेडी-टू-ईट खाद्य पदार्थों की ओर ले जाएगा।
- बढ़ती आय, शहरीकृत युवा आबादी, बढ़ते मध्यम वर्ग और एकल परिवारों के बीच प्रसंस्कृत खाद्य पदार्थों की माँग बढ़ रही है।
- बड़ी आबादी और अलग-अलग उपभोक्ता खंड प्रत्येक खंड के भीतर अनुकूलित पेशकश/नई श्रेणियों और ब्रांडों का समर्थन करते हैं।

- बदलती जीवनशैली और स्वास्थ्य और तंदुरुस्ती के प्रति जागरूकता और चिंता में वृद्धि ने स्वास्थ्य और पोषण संबंधी भोजन जैसे उच्च प्रोटीन, कम वसा, साबुत अनाज और जैविक भोजन पर खर्च बढ़ा दिया है।

रोजगार सृजन

खाद्य प्रसंस्करण क्षेत्र में छोटे पैमाने के उद्योगों की एक बड़ी उपस्थिति है जो रोजगार सृजन में इस क्षेत्र की भूमिका की ओर इशारा करती है। खाद्य प्रसंस्करण उद्योग प्रमुख रोजगार गहन क्षेत्रों में से एक है और कृषि से विनिर्माण क्षेत्र में श्रमिकों की आवाजाही को प्रोत्साहित करने में एक प्रमुख भूमिका निभा सकता है, जिससे छिपी हुई बेरोजगारी की समस्या दूर हो सकती है और श्रम और मजदूरी की उत्पादकता बढ़ सकती है। 2024 तक, खाद्य प्रसंस्करण क्षेत्र में भारत में 9 मिलियन लोगों को रोजगार मिलने की उम्मीद है।

खाद्य प्रसंस्करण उद्योग में चुनौतियाँ

खाद्य प्रसंस्करण इकाइयों के सामने आने वाली कई समस्याएँ मुख्य रूप से कच्चे माल की शीघ्र खराब होने वाली प्रकृति, उनके संचालन की मौसमी प्रकृति और संचालन के कम पैमाने के कारण उत्पन्न होती हैं। सूक्ष्म और लघु-स्तरीय खंड में इकाइयों की एक बड़ी संख्या के साथ, ये उद्यम कम स्तर की निवेशित पूँजी, ऋण तक अपर्याप्त पहुँच, ऋण की उच्च लागत, कम रिटर्न और लाभप्रदता और कम निवेश योग्य अधिशेष के दुष्चक्र में उलझे हुए हैं। इसलिए, खाद्य प्रसंस्करण क्षेत्र के लिए चुनौतियाँ विविध और माँग वाली हैं, और अधिकतम बाजार लाभ प्राप्त करने के लिए कई मोर्चों पर उनका समाधान करने की आवश्यकता है। कुछ प्रमुख चुनौतियाँ हैं: -

1. **अपर्याप्त बुनियादी ढाँचा सुविधाएँ:** अपर्याप्त सहायक बुनियादी ढाँचा खाद्य प्रसंस्करण क्षेत्र के विस्तार में सबसे बड़ी बाधा है, निवेश और निर्यात दोनों के संदर्भ में इसमें शामिल हैं: लंबी और खंडित आपूर्ति श्रृंखला, अपर्याप्त कोल्ड स्टोरेज और वेयरहाउसिंग सुविधाएँ, सड़क, रेल और बंदरगाह बुनियादी ढाँचा। इसके अलावा, आधुनिक लॉजिस्टिक्स इंफ्रास्ट्रक्चर जैसे कि लॉजिस्टिक्स पार्क, एकीकृत कोल्ड चेन समाधान, अंतिम मील कनेक्टिविटी, रेल की तुलना में सड़क पर निर्भरता, अनुकूलित परिवहन, प्रौद्योगिकी अपनाना (बारकोड, आरएफआईडी) की कमी आपूर्ति श्रृंखला और लॉजिस्टिक्स क्षेत्र में मौजूद कुछ कमियाँ हैं। भारत में, सड़क और रेलवे परिवहन का बुनियादी ढाँचा बहुत खराब, धीमा और महँगा है, जो फलों और सब्जियों को दूरदराज के इलाकों से शहरी केंद्रों तक पहुँचाने में समस्या पैदा करता है और अंतिम उपभोक्ताओं के लिए उत्पादों को महँगा बनाता है। अपर्याप्त कोल्ड चेन और लॉजिस्टिक्स इंफ्रास्ट्रक्चर की वजह से खेत से उपभोक्ताओं तक पहुँचने से पहले खाद्य पदार्थों की बर्बादी लगभग 25% होने का अनुमान है।
2. **प्रौद्योगिकी और अनुप्रयुक्त अनुसंधान का अभाव:** यद्यपि केंद्रीय खाद्य प्रौद्योगिकी अनुसंधान संस्थान (सीएफटीआरआई), केंद्रीय फसलोत्तर अभियांत्रिकी संस्थान (सीआईपीएचईटी), चयनित आईआईटी और आईआईएम तथा राज्य कृषि विश्वविद्यालय जैसे केंद्रीय संस्थान खाद्य प्रौद्योगिकी पर विशेष पाठ्यक्रम प्रदान करते हैं तथा अनुप्रयुक्त अनुसंधान भी करते हैं, लेकिन अधिकांश अनुसंधान एवं विकास संस्थान वैश्विक स्तर के अभिनव उत्पाद, प्रसंस्करण और मशीनरी विकसित करने में सक्षम नहीं हैं, जैसा कि वैश्विक व्यापार में भारत की हिस्सेदारी में परिलक्षित होता है। इसके प्रमुख कारण अनुप्रयुक्त अनुसंधान से शिक्षाविदों का अलगाव, अपर्याप्त उद्योग संपर्क, कम वाणिज्यिक अभिविन्यास तथा वैश्विक साथियों के साथ सहयोगात्मक प्रयासों का अभाव है। केले के पेस्ट, विभिन्न फलों के रसों के सांद्रण, कच्चे फलों और सब्जियों की छँटाई, सफाई, धुलाई, वैक्सिंग और पैकेजिंग जैसी वस्तुओं के उत्पादन के लिए बड़े पैमाने पर निर्यातोन्मुख इकाइयों की स्थापना के लिए अभी भी प्रौद्योगिकी का आयात किया जा रहा है।
3. **कुशल जनशक्ति का अभाव:** पिछले कुछ वर्षों में खाद्य प्रसंस्करण क्षेत्र में कई सकारात्मक विकासों के परिणामस्वरूप विशिष्ट कौशल की माँग और उपलब्ध आपूर्ति के बीच बेमेल के कारण उभरती हुई कौशल की कमी के बारे में आशंका पैदा हुई है। हाल ही में,

कुशल और अर्ध-कुशल श्रमिकों की कमी भारतीय खाद्य उद्योग की प्रतिस्पर्धात्मकता को प्रभावित करने वाले एक महत्वपूर्ण कारक के रूप में उभरी है। इस उद्योग में कई संगठन उपलब्ध प्रशिक्षित जनशक्ति के कौशल और उनके काम के लिए उपयुक्त और आधुनिक उपकरणों, उपकरणों और प्रौद्योगिकियों का उपयोग करने की उनकी क्षमता से असंतुष्ट हैं।

4. **संगठित खुदरा व्यापार की कमी:** उपरोक्त भारतीय बाजार में किसान से लेकर अंतिम उपभोक्ता तक फलों और सब्जियों की बिक्री के लिए एक सामान्य प्रवाह आरेख है। किसान अपने ताजे फल और सब्जियों को स्थानीय व्यापारियों या एग्रीगेटर्स को सप्लाई करता है, जो बदले में उस क्षेत्र में मौजूद थोक मंडी को सप्लाई करते हैं। खुदरा विक्रेता फिर थोक मंडियों से इन फलों और सब्जियों को खरीदते हैं और अंतिम उपभोक्ताओं को सप्लाई करते हैं। आपूर्ति श्रृंखला काफी लंबी है और बड़े कॉर्पोरेट खुदरा विक्रेता दृश्य से गायब हैं (खुदरा बाजार का 95% से अधिक हिस्सा छोटे/असंगठित खुदरा विक्रेताओं के कब्जे में है)। कॉर्पोरेट खुदरा विक्रेताओं के प्रवेश से अधिक कोल्ड स्टोरेज सुविधाओं का निर्माण होगा और प्रसंस्कृत वस्तुओं की बिक्री होगी, जो अब तक छोटे खुदरा विक्रेताओं द्वारा नहीं किया गया है।

5. **प्रतिस्पर्धात्मकता:** भारत कृषि-वस्तुओं के प्रमुख उत्पादकों में से एक होने के बावजूद, यहाँ खाद्य प्रसंस्करण और मूल्य संवर्धन का स्तर कम बना हुआ है, जिससे हमारी प्रतिस्पर्धात्मकता और निर्यात प्रदर्शन और किसानों की आय प्रभावित हो रही है।

6. प्रसंस्करणकर्ताओं, निर्यातकों और थोक खरीदारों के किसानों के साथ **अपर्याप्त संबंध** के परिणामस्वरूप उद्योग की आवश्यकताओं और किसानों द्वारा कृषि-उत्पादों की आपूर्ति के बीच बेमेल हो रहा है। वस्तु भंडारण और आवागमन पर प्रतिबंधों से संबंधित कानूनी प्रावधानों से अक्सर समस्या और भी जटिल हो जाती है।

7. **विनियमन:** राज्य सरकारों द्वारा एपीएमसी अधिनियमों के माध्यम से खाद्य आपूर्ति श्रृंखला को अत्यधिक विनियमित किया जाता है। खुदरा विक्रेताओं और खाद्य प्रसंस्करण इकाइयों को किसानों से सीधे खरीदने की अनुमति नहीं है, जिसके परिणामस्वरूप इनपुट लागत अधिक होती है।

8. **विनियामक मंजूरी:** खाद्य प्रसंस्करण इकाइयों की स्थापना के लिए कई मंजूरी की आवश्यकता होती है। छोटे प्रसंस्करणकर्ताओं को भी उन्हीं प्रक्रियाओं से गुजरना पड़ता है जो बड़ी इकाइयों के लिए लागू होती हैं। भूमि उपयोग में परिवर्तन (सीएलयू), पर्यावरण मंजूरी, पानी और बिजली कनेक्शन के लिए अनुमति प्राप्त करना न केवल समय लेने वाला है बल्कि महँगा भी है।

12.3 आवश्यक वस्तु अधिनियम 1955 (Essential Commodities Act 1955)

परिचय:

जबकि भारत एक बाजार अर्थव्यवस्था है जहाँ कीमतें माँग और आपूर्ति द्वारा तय की जाती हैं, आवश्यक वस्तु अधिनियम केंद्र को उपभोक्ता हितों की रक्षा के लिए बाजार में हस्तक्षेप करने का अधिकार देता है। यह अधिनियम केंद्र सरकार को सशक्त बनाता है तथा प्रत्यायोजित शक्तियों के अंतर्गत, राज्य सरकारें/संघशासित प्रशासन आवश्यक घोषित वस्तुओं के

संबंध में **उत्पादन, वितरण, मूल्य निर्धारण** तथा व्यापार के अन्य पहलुओं को विनियमित कर सकते हैं, ताकि उन्हें उचित मूल्य पर उपभोक्ताओं को उपलब्ध कराया जा सके।

अधिनियम के अंतर्गत वस्तुओं की सूची में औषधियाँ, उर्वरक, खाद्य पदार्थ, पेट्रोलियम तथा पेट्रोलियम उत्पाद, हैंक यार्न, कच्चा जूट तथा खाद्य फसलों/फलों/सब्जियों के बीज शामिल हैं, [इस अधिनियम के माध्यम से गन्ना तथा चीनी सहित खाद्य फसलों को भी विनियमित किया जाता है]। अधिनियम में आवश्यक वस्तुओं की कोई विशिष्ट परिभाषा नहीं है, जो कहती है कि "आवश्यक वस्तु" का अर्थ अधिनियम की अनुसूची में निर्दिष्ट वस्तु है। केंद्र [राज्य सरकारों के परामर्श से] आवश्यकता पड़ने पर नई वस्तुओं को शामिल कर सकता है तथा स्थिति में सुधार होने पर उन्हें सूची/अनुसूची से हटा सकता है।

यह कैसे काम करता है:

यदि केंद्र को लगता है कि किसी निश्चित वस्तु की आपूर्ति कम है तथा उसकी कीमत बढ़ रही है, तो वह निर्दिष्ट अवधि के लिए उस पर **स्टॉक-होल्डिंग सीमा** अधिसूचित कर सकता है। राज्य इस अधिसूचना पर कार्य करते हुए सीमाएँ निर्दिष्ट करते हैं तथा यह सुनिश्चित करने के लिए कदम उठाते हैं कि इनका पालन किया जाए। किसी भी वस्तु का व्यापार या सौदा करने वाले को, चाहे वह थोक विक्रेता हो, खुदरा विक्रेता हो या आयातक हो, एक निश्चित मात्रा से अधिक स्टॉक रखने से रोका जाता है।

हालाँकि, कोई राज्य कोई प्रतिबंध न लगाने का विकल्प चुन सकता है। लेकिन एक बार ऐसा करने पर, व्यापारियों को अनिवार्य मात्रा से अधिक स्टॉक को तुरंत बाजार में बेचना पड़ता है। इससे आपूर्ति में सुधार होता है और कीमतें कम होती हैं। चूँकि सभी दुकानदार और व्यापारी इसका पालन नहीं करते, इसलिए राज्य की एजेंसियाँ सभी को नियम के मुताबिक रखने के लिए छापेमारी करती हैं और दोषी लोगों को दंडित किया जाता है। अतिरिक्त स्टॉक की नीलामी की जाती है या उचित मूल्य की दुकानों के माध्यम से बेचा जाता है।

गुण:

- आवश्यक वस्तु अधिनियम उपभोक्ताओं को आवश्यक वस्तुओं की कीमतों में बेवजह उछाल से सुरक्षा प्रदान करता है। सरकार ने पर्याप्त आपूर्ति सुनिश्चित करने के लिए कई बार इस अधिनियम को लागू किया है। यह ऐसी वस्तुओं के जमाखोरों और कालाबाजारी करने वालों पर नकेल कसता है।

दोष:

- यह देखते हुए कि लगभग सभी फसलें मौसमी होती हैं, चौबीसों घंटे आपूर्ति सुनिश्चित करने के लिए सीजन के दौरान पर्याप्त स्टॉक बनाए रखने की आवश्यकता होती है। इसलिए, वास्तविक स्टॉक निर्माण और सट्टा जमाखोरी के बीच अंतर करना हमेशा संभव नहीं हो सकता है।
- साथ ही, मौसम संबंधी व्यवधानों के कारण वास्तविक कमी हो सकती है, जिस स्थिति में कीमतें बढ़ जाएँगी। इसलिए, यदि कीमतों पर हमेशा नजर रखी जाती है, तो किसानों को खेती करने के लिए कोई प्रोत्साहन नहीं मिल सकता है।
- बहुत बार स्टॉक सीमा के साथ, व्यापारियों के पास बेहतर भंडारण बुनियादी ढाँचे में निवेश करने का कोई कारण नहीं हो सकता है।
- साथ ही, खाद्य प्रसंस्करण उद्योगों को अपने संचालन को सुचारू रूप से चलाने के लिए बड़े स्टॉक को बनाए रखने की आवश्यकता होती है। स्टॉक सीमा उनके संचालन को कम करती है। ऐसी स्थिति में, खाद्य प्रसंस्करण और कोल्ड स्टोरेज सुविधाओं में बड़े पैमाने पर निजी निवेश आने की संभावना नहीं है।

आवश्यक वस्तु अधिनियम आम आदमी, अवसरवादी व्यापारियों और दुकानदारों की दया पर निर्भर हो जाएगा। यह सरकार को कीमतों को **प्रत्यक्षतः** नियंत्रित करने का अधिकार देता है। लेकिन यह देश में भंडारण बुनियादी ढाँचे में निवेश को नुकसान पहुँचाता है।

यह अधिनियम ऐसे समय में लागू किया गया था जब भारत खाद्य उत्पादन में कमी का सामना कर रहा था और खाद्य पदार्थों के आयात पर निर्भर था और जमाखोरी और कालाबाजारी को रोकने की जरूरत थी। लेकिन अब स्थिति बदल गई है और हम खाद्यान्न की कमी के दौर से निकलकर कृषि-वस्तुओं के प्रमुख निर्यातक बन गए हैं।

12.4 आपूर्ति श्रृंखला योजनाएँ (Supply Chain Schemes)

12.4.1 मूल्य स्थिरीकरण कोष (पीएसएफ)

- प्याज, आलू और दालों जैसी महत्वपूर्ण कृषि-बागवानी वस्तुओं की कीमतों में उतार-चढ़ाव को नियंत्रित करने में मदद के लिए उपभोक्ता मामले विभाग के तहत 2014-15 में मूल्य स्थिरीकरण कोष (पीएसएफ) की स्थापना की गई थी।
- यह योजना मूल्य अस्थिरता को कम करने तथा जमाखोरी और बेईमान सट्टेबाजी को हतोत्साहित करने के लिए बाद में केलिब्रेटेड रिलीज के लिए उपर्युक्त वस्तुओं का एक रणनीतिक बफर बनाए रखने का प्रावधान करती है।
- इस तरह के स्टॉक के निर्माण के लिए, यह योजना फार्म गेट/मंडी में किसानों/किसान संघ से सीधी खरीद को बढ़ावा देती है।
- पीएसएफ के तहत, सरकार कृषि-बागवानी वस्तुओं की खरीद और वितरण के लिए कार्यशील पूँजी और अन्य आकस्मिक खर्चों के लिए बजटीय सहायता (ब्याज मुक्त ऋण) प्रदान करती है।
- हस्तक्षेप से चयनित उपज की खरीद (राज्य/संघ राज्य क्षेत्र सरकार और केंद्रीय एजेंसियों/केंद्रीय सार्वजनिक उपक्रमों/नेफेड, एनसीसीएफ जैसे सहकारी संगठनों द्वारा), बफर स्टॉक के रखरखाव और बाजार में विनियमित रिलीज के माध्यम से मूल्य अस्थिरता को नियंत्रित करने की आशा है।
- किसानों/थोक मंडियों से घरेलू खरीद के अलावा, फंड से समर्थन के साथ आयात भी किया जा सकता है।
- पहले आलू, प्याज, दालें पीएसएफ योजना के अंतर्गत शामिल थीं, जिन्हें नैफेड और एनसीसीएफ किसानों से (फसल के समय) खरीदते थे और कीमतें बढ़ने पर (खुदरा) बाजार में जारी करते थे। अब, नैफेड और एनसीसीएफ भारतीय खाद्य निगम (एफसीआई) से गेहूँ और चावल भी खरीदेंगे और इसे खुदरा बाजार में (भारत आटा, भारत चावल ब्रांड के तहत) जारी करेंगे।

12.4.2 संपदा (SAMPADA)

(Scheme for Agro-Marine Processing and Development of Agro-processing Clusters) *कृषि-समुद्री प्रसंस्करण और कृषि प्रसंस्करण क्लस्टरों के विकास के लिए योजना)*

संपदा योजना का उद्देश्य कृषि को पूरक बनाना, प्रसंस्करण (समुद्री और कृषि-उत्पादों का) का आधुनिकीकरण करना और कृषि-अपशिष्ट को कम करना है।

संपदा भारत सरकार की एक **अम्ब्रेला योजना** है। संपदा योजना की उप-योजनाएँ और महत्वपूर्ण विशेषताएँ निम्नलिखित हैं:

- एकीकृत कोल्ड चेन और मूल्य संवर्धन अवसंरचना योजना।
- खाद्य सुरक्षा और गुणवत्ता आश्वासन योजना।
- खाद्य प्रसंस्करण और संरक्षण क्षमता सृजन/विस्तार योजना।
- कृषि प्रसंस्करण क्लस्टर योजना के लिए अवसंरचना विकास का सृजन।
- खाद्य सुरक्षा और गुणवत्ता आश्वासन योजना।
- अनुसंधान और विकास।
- कौशल विकास।
- ऑपरेशन ग्रीन्स योजना।

1. दीर्घकालिक हस्तक्षेप

- उत्पादन क्लस्टरों और एफपीओ को मजबूत करने और किसानों को बाजार से जोड़ने के लिए लक्षित हस्तक्षेपों द्वारा किसानों की मूल्य प्राप्ति को बढ़ाना।
- फार्म गेट अवसंरचना के निर्माण, उपयुक्त कृषि-लॉजिस्टिक्स के विकास, उपभोग केंद्रों को जोड़ने वाली उपयुक्त भंडारण क्षमता के निर्माण द्वारा कटाई के बाद होने वाले नुकसान में कमी।
- पहचाने गए उत्पादन क्लस्टरों के साथ मजबूत संबंध बनाकर खाद्य प्रसंस्करण क्षमताओं और मूल्य श्रृंखला में मूल्य संवर्धन में वृद्धि।

2. अल्पकालिक हस्तक्षेप

- योजना का उद्देश्य पात्र फसलों (eligible crops) के उत्पादकों को संकट में बिक्री से बचाना और कटाई के बाद होने वाले नुकसान को कम करना है। फलों

और सब्जियों के परिवहन और भंडारण सुविधाओं को किराए पर लेने के लिए सब्सिडी प्रदान की जाती है। उदाहरण: खाद्य प्रसंस्करण उद्योग मंत्रालय 'किसान रेल' रेलों के माध्यम से अधिसूचित फलों और सब्जियों के परिवहन पर सब्सिडी (50%) देता है। किसान रेल किसानों की उपज को मामूली लागत (सरकार द्वारा सब्सिडी) पर देश के विभिन्न हिस्सों में पहुँचाने में मदद करती है।

लाभ:

- संपदा के कार्यान्वयन से खेत से लेकर खुदरा दुकानों तक कुशल आपूर्ति श्रृंखला प्रबंधन के साथ आधुनिक बुनियादी ढाँचे का निर्माण होगा।
- यह न केवल देश में खाद्य प्रसंस्करण क्षेत्र के विकास को बढ़ावा देगा बल्कि किसानों को बेहतर मूल्य प्रदान करने में भी मदद करेगा और किसानों की आय को दोगुना करने की दिशा में एक बड़ा कदम है।
- यह विशेष रूप से ग्रामीण क्षेत्रों में रोजगार के बड़े अवसर पैदा करेगा।
- यह कृषि उपज की बर्बादी को कम करने, प्रसंस्करण स्तर को बढ़ाने, उपभोक्ताओं को सस्ती कीमत पर सुरक्षित और सुविधाजनक प्रसंस्कृत खाद्य पदार्थों की उपलब्धता और प्रसंस्कृत खाद्य पदार्थों के निर्यात को बढ़ाने में भी मदद करेगा।

12.4.3 पीएम मत्स्य संपदा योजना (पीएमएमएसवाई)

मत्स्य पालन राष्ट्रीय सकल घरेलू उत्पाद का 1.2% और कृषि सकल घरेलू उत्पाद का 7.28% है।

पीएमएमएसवाई को अम्बेला योजना (मत्स्य पालन विभाग के तहत) के रूप में क्रियान्वित किया जाता है, जिसके दो अलग-अलग घटक हैं (ए) केंद्रीय क्षेत्र योजना (सीएस) और (बी) केंद्र प्रायोजित योजना (सीएसएस)। यह योजना भारत में मत्स्य पालन क्षेत्र के सतत और जिम्मेदार विकास के माध्यम से नीली क्रांति लाएगी। इस योजना के तहत केंद्र सरकार एक निश्चित सीमा तक परियोजना लागत (संयंत्रों और मशीनरी में निवेश) का कुछ प्रतिशत वित्तपोषित कर रही है।

योजना की मुख्य विशेषताएँ हैं:

- योजना का उद्देश्य मछली उत्पादन और उत्पादकता में महत्वपूर्ण अंतराल को दूर करना है।
- मत्स्य पालन की क्षमता का टिकाऊ, जिम्मेदार, समावेशी, न्यायसंगत तरीके से दोहन।
- समुद्री, अंतर्देशीय मत्स्य पालन और जलीय कृषि का विकास।
- भूमि और जल के विस्तार, गहनता, विविधीकरण और उत्पादक उपयोग के माध्यम से मछली उत्पादन और उत्पादकता में वृद्धि।
- मूल्य श्रृंखला का आधुनिकीकरण और सुदृढ़ीकरण - कटाई के बाद प्रबंधन और गुणवत्ता में सुधार।
- बुनियादी ढाँचे का विकास-मछली पकड़ने के बंदरगाह, कोल्ड चेन, बाजार आदि।
- मछुआरों और मछली किसानों की आय को दोगुना करना और रोजगार सृजन।
- कृषि जीवीए (सकल मूल्य वर्धन) और निर्यात में योगदान बढ़ाना।
- मछुआरों और मछली किसानों के लिए सामाजिक, भौतिक और आर्थिक सुरक्षा।
- मजबूत मत्स्य प्रबंधन और नियामक ढाँचा।
- सरकार मत्स्य पालन विस्तार सेवाएँ प्रदान करने के लिए "सागर मित्र" को पंजीकृत करेगी और अपने लक्ष्यों को प्राप्त करने में सहायता के लिए मत्स्य किसान उत्पादक संगठनों के गठन को प्रोत्साहित करेगी।

भारत तीसरा सबसे बड़ा मछली उत्पादक देश है, जो वैश्विक मछली उत्पादन में 8 प्रतिशत का योगदान देता है और जलीय कृषि उत्पादन में दूसरे स्थान पर है। 2021-22 में मछली उत्पादन 16.24 मीट्रिक टन है, जिसमें समुद्री मछली उत्पादन 4.12 मीट्रिक टन और जलीय कृषि और अंतर्देशीय मछली पकड़ने से 12.12 मीट्रिक टन शामिल है। कुछ हद तक चुनौतियों का सामना करना पड़ता है, जिसमें गुणवत्ता वाले बीज की उपलब्धता बढ़ाना, कोल्ड चेन, बुनियादी ढाँचे की आवश्यकताओं को पूरा करना और कटाई के बाद के बुनियादी ढाँचे शामिल हैं।

12.4.4 सूक्ष्म खाद्य प्रसंस्करण उद्यम योजना का औपचारीकरण

देश में असंगठित खाद्य प्रसंस्करण क्षेत्र जिसमें लगभग 25 लाख खाद्य प्रसंस्करण उद्यम शामिल हैं, असंगठित और अपंजीकृत हैं। इनमें से लगभग 66% इकाइयाँ ग्रामीण क्षेत्रों में स्थित हैं और उनमें से लगभग 80% परिवार आधारित उद्यम हैं। इस क्षेत्र को कई चुनौतियों का सामना करना पड़ रहा है, जिसमें उद्यमियों की ऋण तक पहुँच में असमर्थता, संस्थागत ऋण की उच्च लागत, आधुनिक प्रौद्योगिकी तक पहुँच की कमी और खाद्य आपूर्ति शृंखला के साथ एकीकृत करने में असमर्थता और स्वास्थ्य और सुरक्षा मानकों का अनुपालन शामिल है। इन चुनौतियों का समाधान करने के लिए, सरकार ने एक अखिल भारतीय केंद्र प्रायोजित योजना शुरू की है।

इस योजना का उद्देश्य है:

- मौजूदा व्यक्तिगत सूक्ष्म उद्यमों की प्रतिस्पर्धात्मकता को आधुनिक बनाना और बढ़ाना तथा औपचारिक क्षेत्र में उनका लेन-देन **सुनिश्चित करना**।
- सेवाओं के पैकेज की डिलीवरी, मूल्य शृंखला के साथ सामान्य बुनियादी ढाँचे का निर्माण, बैकवर्ड और फॉरवर्ड लिंकेज, ब्रांडिंग और मार्केटिंग आदि सुनिश्चित करने के लिए एफपीओ/एसएचजी/सहकारिताओं का समर्थन करना।

योजना की मुख्य विशेषताएँ:

- व्यय को केंद्र और राज्य सरकारों के बीच 60:40 के अनुपात में साझा किया जाता है और इसे 2020-21 से 2024-25 तक पाँच वर्षों की अवधि में 10,000 करोड़ रुपए के परिव्यय के साथ लागू किया जाएगा और इसमें 2,00,000 उद्यम शामिल होंगे।
- क्लस्टर दृष्टिकोण और जल्दी खराब होने वाली वस्तुओं पर ध्यान केंद्रित करना।
- अपनी इकाई के उन्नयन के इच्छुक मौजूदा व्यक्तिगत सूक्ष्म खाद्य प्रसंस्करण इकाइयाँ पात्र परियोजना लागत के 35% की दर से ऋण-लिंक्ड सब्सिडी का लाभ उठा सकती हैं, जिसकी अधिकतम सीमा 10 लाख रुपए प्रति इकाई है।
- इसके अतिरिक्त, एफपीओ/एसएचजी/उत्पादक सहकारी समितियों को पूँजी निवेश और मूल्य शृंखला के साथ सामान्य बुनियादी ढाँचे के लिए 35% का ऋण-लिंक्ड अनुदान प्रदान किया जाएगा।
- खेत स्तर के उन्नयन के लिए योजना कि विस्तृत परियोजना रिपोर्ट तैयारी, कौशल प्रशिक्षण, बैंक ऋण प्राप्त करना, एफएसएसएआई/ स्थानीय निकाय लाइसेंस, उद्योग आधार आदि के लिए सहायता।
- सूक्ष्म उद्यमों के लिए ब्रॉन्ड निर्माण और विपणन में एसएचजी/एफपीओ/सहकारी समितियों को सहायता।
- यह योजना इनपुट की खरीद, सामान्य सेवाओं का लाभ उठाने और उत्पादों के विपणन के मामले में पैमाने का लाभ उठाने के लिए एक जिला एक उत्पाद (ओडीओडीपी) दृष्टिकोण को अपनाती है। राज्य मौजूदा क्लस्टरों और कच्चे माल की उपलब्धता को ध्यान में रखते हुए एक जिले के लिए खाद्य उत्पाद की पहचान करेंगे। ओडीओपी उत्पाद एक खराब होने वाली उपज आधारित उत्पाद या अनाज आधारित उत्पाद या एक जिले और उनके संबद्ध क्षेत्रों में व्यापक रूप से उत्पादित खाद्य उत्पाद हो सकता है।
- यह योजना अपशिष्ट से धन उत्पादों, लघु वन उत्पादों और आकांक्षी जिलों पर भी ध्यान केंद्रित करती है।

12.5 गोदाम रसीदें (Warehouse Receipts)

गोदाम रसीद एक ऐसा दस्तावेज है जो किसी वस्तु के स्वामित्व को प्रमाणित करता है जिसे किसी मान्यताप्राप्त स्थान, जैसे गोदाम या गोदाम में संगृहीत किया जाता है। चाहे वह स्टील की छड़ें हों या अनाज की बोरियाँ, गोदाम रसीदों का उपयोग यह दिखाने के लिए किया जाता है कि किसी वस्तु का स्वामित्व किस पार्टी के पास है, साथ ही संगृहीत किए जा रहे उत्पादों के विशिष्ट विवरण भी। मुख्य रूप से स्वामित्व के प्रमाण के दस्तावेज के रूप में, गोदाम रसीद का उपयोग गोदाम संचालकों द्वारा स्वयं भी किया जाता है, इस बात के प्रमाण के रूप में कि निर्दिष्ट मात्रा और गुणवत्ता की वस्तु सुरक्षित है और उनके परिसर में सुरक्षित रखी जा रही है।

परक्राम्य (Negotiable) गोदाम रसीदें (NWRs) किसी वस्तु को भौतिक वस्तु वितरित किए बिना गोदाम में संगृहीत वस्तु के स्वामित्व को स्थानांतरित करने की अनुमति देती हैं।

भारत सरकार ने वेयरहाउसिंग (विकास और विनियमन) अधिनियम 2007 को अधिनियमित किया जिसके तहत उसने अधिनियम के प्रावधानों के कार्यान्वयन के लिए उपभोक्ता मामले, खाद्य और सार्वजनिक वितरण मंत्रालय के तहत वेयरहाउसिंग विकास और विनियामक प्राधिकरण (WDRA) का गठन किया है। अधिनियम का मुख्य उद्देश्य गोदामों के विकास और विनियमन, गोदाम रसीदों की परक्राम्यता और संबंधित मामलों के लिए प्रावधान करना है।

कोई भी व्यक्ति जो गोदाम व्यवसाय शुरू करता है या चलाता है और परक्राम्य गोदाम रसीदें (NWRs) जारी करने का इरादा रखता है, उसे गोदाम को वेयरहाउसिंग डेवलपमेंट एंड रेगुलेटरी अथॉरिटी (WDRA) के साथ पंजीकृत करवाना होगा। WDRA विभिन्न मापदंडों पर गोदाम की जाँच करता है, जैसे कि क्या निर्माण मानदंडों के अनुसार किया गया है, क्या इसमें प्रशिक्षित कर्मचारी हैं, क्या यह आधुनिक कीट नियंत्रण और धूमन सुविधाओं से सुसज्जित है, इसकी सुरक्षा, अग्निशमन और माल तौलने की सुविधाएँ आदि और फिर WDRA NWRs वाली एक पुस्तिका जारी करता है। फिर गोदाम इन रसीदों को ग्राहकों (किसानों और उन लोगों को जिन्होंने गोदामों में अपनी उपज संगृहीत की है) को जारी करता है। चूँकि ये रसीदें सरकार द्वारा मान्यताप्राप्त हैं, इसलिए बैंक आसानी से उनके लिए ऋण दे सकते हैं। किसान को आधिकारिक तौर पर मान्यताप्राप्त रसीद मिलती है, जिसके आधार पर वह आगे की कृषि गतिविधियों के लिए बैंक से ऋण ले सकता है या वैकल्पिक रूप से अपनी उपज को भौतिक कब्जे में लिए बिना, रसीद पर हस्ताक्षर करके किसी तीसरे व्यक्ति को बेच सकता है।

अधिनियम के अनुसार, जनवरी 2021 तक WDRA ने NWR जारी करने के लिए 119 कृषि वस्तुओं और 26 बागवानी वस्तुओं को अधिसूचित किया है।

2017 में, सरकार ने इलेक्ट्रॉनिक नेगोशिएबल वेयरहाउस रसीदें (e-NWRs) लॉन्च कीं। ई-एनडब्ल्यूआर में किसी भी तरह की छेड़छाड़, विकृति, धोखाधड़ी, हानि या क्षति की कोई संभावना नहीं होगी और किसी भी तरह के बहु-वित्तपोषण की संभावना नहीं होगी। इसलिए, ये एनडब्ल्यूआर न केवल बैंकों और अन्य वित्तीय संस्थानों द्वारा आसान प्रतिज्ञा/संपार्श्विक वित्तपोषण (वेयरहाउस रसीद वित्त) की सुविधा प्रदान करेंगे, बल्कि कमोडिटी एक्सचेंजों, इलेक्ट्रॉनिक राष्ट्रीय कृषि बाजारों (ई-एनएएम) और अन्य इलेक्ट्रॉनिक प्लेटफार्मों जैसे विभिन्न व्यापारिक केंद्रों पर सुचारू व्यापार भी करेंगे (अप्रैल 2020 से, सरकार ने ई-एनडब्ल्यूआर को ई-एनएएम प्लेटफॉर्म पर बेचने की अनुमति दी है)। ये ई-एनडब्ल्यूआर लॉजिस्टिक्स में होने वाले खर्च को बचाएँगे क्योंकि स्टॉक को बिना भौतिक मूवमेंट के कई खरीदारों के माध्यम से ट्रेड किया जा सकता है और आंशिक ट्रांसफर या निकासी के लिए भी विभाजित किया जा सकता है। यह कृषि वस्तुओं के विपणन में क्रांति लाएगा और किसानों को उनकी उपज के लिए बेहतर कीमत प्राप्त करने में मदद करेगा।

वेयरहाउस रसीद वित्त में ब्लॉकचेन तकनीक का उपयोग

'व्हर्ल' (Whrrl) एक स्टार्ट-अप है जो वेयरहाउस रसीद वित्त पोषण के लिए 'ब्लॉकचेन प्लेटफॉर्म' प्रदान करता है और इसने अब इस प्लेटफॉर्म पर ऋणदाता के रूप में महाराष्ट्र राज्य सहकारी बैंक को शामिल किया है। पहले, किसानों के लिए ऋण प्रक्रिया में बहुत सारे दस्तावेज और सत्यापन के साथ 7-15 दिन लगते थे, लेकिन अब **'व्हर्ल'** किसानों को सुरक्षित और पारदर्शी तरीके से केवल पाँच मिनट में ऋण राशि हस्तांतरित करने की अनुमति देता है। व्हर्ल का समाधान **ब्लॉकचेन** को **प्वज** और स्मार्ट कॉन्ट्रैक्ट्स के साथ जोड़ता है ताकि किसानों के लिए बिना किसी गारंटर के गोदाम में पड़ी किसी भी वस्तु के बदले ऋण प्राप्त करना आसान हो जाए। बैंकों के लिए, यह जोखिम-मुक्त ऋण प्रक्रिया बन जाती है और सिस्टम में पारदर्शिता लाती है।

12.6 एफएसएस अधिनियम 2006 और एफएसएसएआई (FSS Act 2006 and FSSAI)

परिचयः

'खाद्य पदार्थों में मिलावट और खाद्य पदार्थों का उत्पादन, आपूर्ति और वितरण' का विषय समवर्ती सूची में आता है।

खाद्य मिलावट निवारण अधिनियम, 1954, फल उत्पाद आदेश 1955, माँस खाद्य उत्पाद आदेश 1973, वनस्पति तेल उत्पाद (नियंत्रण) आदेश, 1947, खाद्य तेल पैकेजिंग (विनियमन) आदेश 1988, तेल रहित भोजन और खाद्य आटा (नियंत्रण) आदेश, 1967, दूध और दूध उत्पाद आदेश, 1992 आदि जैसे विभिन्न केंद्रीय अधिनियम खाद्य सुरक्षा और मानक (एफएसएस) अधिनियम 2006 के अधिनियमन के बाद निरस्त कर दिए गए।

अधिनियम बहु-स्तरीय, बहु-विभागीय नियंत्रण से एकल कमांड लाइन में स्थानांतरित करके खाद्य सुरक्षा और मानकों से संबंधित सभी मामलों के लिए एक एकल संदर्भ बिंदु स्थापित करता है। उपरोक्त उद्देश्य के लिए, अधिनियम एक स्वतंत्र वैधानिक प्राधिकरण-भारतीय खाद्य सुरक्षा और मानक प्राधिकरण (FSSAI) की स्थापना करता है जिसका मुख्यालय दिल्ली में है। FSSAI संबंधित राज्य खाद्य सुरक्षा प्राधिकरणों के साथ अधिनियम के विभिन्न प्रावधानों को लागू करेगा। तदनुसार, विभिन्न राज्य सरकारों ने अधिनियम के तहत प्रावधानों को लागू करने के लिए खाद्य और औषधि प्रशासन के लिए अपनी स्वयं की एजेंसियाँ स्थापित की हैं। उदाहरण के लिए:

- *अधिनियम की धारा 30 के अनुसार, प्रत्येक राज्य सरकार अधिनियम के तहत निर्धारित खाद्य सुरक्षा और मानकों के कुशल कार्यान्वयन के लिए 'खाद्य सुरक्षा आयुक्त' की नियुक्ति करेगी।*
- *अधिनियम की धारा 94 के अनुसार, कोई भी राज्य सरकार FSSAI की पूर्व स्वीकृति के साथ अधिनियम के तहत कार्यों को पूरा करने के लिए नियम बना सकती है और नियम राज्य विधानमंडल द्वारा पारित किए जाएँगे।*

अधिनियम के अनुसार भारतीय खाद्य सुरक्षा एवं मानक प्राधिकरण (FSSAI) के कार्य:

- स्वास्थ्य एवं परिवार कल्याण मंत्रालय, FSS अधिनियम के कार्यान्वयन के लिए प्रशासनिक मंत्रालय है। अधिनियम द्वारा FSSAI को निम्नलिखित कार्य करने का अधिकार दिया गया है:
  - खाद्य पदार्थों के लिए मानक और दिशा-निर्देश निर्धारित करने के लिए विनियम बनाना तथा इन मानकों को लागू करने की उचित प्रणाली निर्दिष्ट करना।
  - खाद्य सुरक्षा प्रबंधन प्रणाली के प्रमाणन में लगे प्रयोगशालाओं और अन्य निकायों के प्रमाणन के लिए तंत्र और दिशा-निर्देश निर्धारित करना।
  - खाद्य उपभोग, खाद्य में संदूषक, उभरते जोखिमों की पहचान और त्वरित चेतावनी प्रणाली की शुरुआत के बारे में डेटा एकत्र करना।
  - देशभर में एक सूचना नेटवर्क बनाना ताकि जनता, उपभोक्ता, स्थानीय निकाय आदि को खाद्य सुरक्षा के बारे में त्वरित, विश्वसनीय और वस्तुनिष्ठ जानकारी प्राप्त हो।
  - खाद्य व्यवसाय में शामिल या शामिल होने का इरादा रखने वाले व्यक्तियों के लिए प्रशिक्षण कार्यक्रम प्रदान करना।
  - खाद्य, स्वच्छता और फाइटो-सैनिटरी मानकों के लिए अंतर्राष्ट्रीय तकनीकी मानकों के विकास में योगदान देना।

विगत वर्षों के प्रश्न

प्रारंभिक परीक्षा

1. निम्नलिखित कथनों पर विचार करें: [2018]

   (i) खाद्य सुरक्षा और मानक अधिनियम, 2006 ने खाद्य अपमिश्रण निवारण अधिनियम, 1954 को प्रतिस्थापित किया।

   (ii) खाद्य सुरक्षा और मानक अधिनियम, 2006 ने खाद्य अपमिश्रण निवारण अधिनियम, 1954 को प्रतिस्थापित किया।

   भारतीय मानक प्राधिकरण (FSSAI) केंद्रीय स्वास्थ्य और परिवार कल्याण मंत्रालय में स्वास्थ्य सेवाओं के महानिदेशक के प्रभार में है।

   ऊपर दिए गए कथनों में से कौन-सा सही है/हैं?

   (a) केवल (i)

   (b) केवल (ii)

(c) दोनों (i) और (ii)

(d) न तो (i) और न ही (ii)

2. भारत में जैविक खेती के संदर्भ में, निम्नलिखित कथनों पर विचार करें: **[2018]**

(i) राष्ट्रीय जैविक उत्पादन कार्यक्रम (NPOP) केंद्रीय ग्रामीण विकास मंत्रालय के दिशा-निर्देशों और निर्देशों के तहत संचालित किया जाता है।

(ii) कृषि और प्रसंस्कृत खाद्य उत्पाद निर्यात विकास प्राधिकरण (APEDA) राष्ट्रीय जैविक उत्पादन कार्यक्रम (NPOP) के कार्यान्वयन के लिए सचिवालय के रूप में कार्य करता है।

(iii) सिक्किम भारत का पहला पूर्ण जैविक राज्य बन गया है।

ऊपर दिए गए कथनों में से कौन-सा सही है/हैं?

(a) केवल (i) और (ii)

(b) केवल (ii) और (iii)

(c) केवल (iii)

(d) (i), (ii) और (iii)

उत्तर

1. (a) **2.** (b)

मुख्य परीक्षा

1. फलों, सब्जियों और खाद्य पदार्थों की आपूर्ति श्रृंखला प्रबंधन में सुपरमार्केट की भूमिका की जाँच करें। वे मध्यस्थों की संख्या को कैसे समाप्त करते हैं? **[2018]**

2. प्रसंस्करण क्षेत्र की चुनौतियों का सामना करने के लिए भारत सरकार द्वारा अपनाई गई नीति को विस्तार से बताइए। **[2019]**

3. देश में खाद्य प्रसंस्करण क्षेत्र की चुनौतियाँ और अवसर क्या हैं? खाद्य प्रसंस्करण को प्रोत्साहित करके किसानों की आय में किस प्रकार पर्याप्त वृद्धि की जा सकती है? **[2020]**

4. भारत में खाद्य प्रसंस्करण उद्योग के दायरे और महत्व को विस्तार से बताइए करें। **[2022]**

5. भारत में कृषि उत्पादों के विपणन की अपस्ट्रीम और डाउनस्ट्रीम प्रक्रिया में मुख्य बाधाएँ क्या हैं? **[2022]**

OOO

13

अंतर्राष्ट्रीय संगठन
(International Organizations)

13.1 ब्रेटन वुड्स सम्मेलन (Bretton Woods Conference)

संयुक्त राष्ट्र मौद्रिक और वित्तीय सम्मेलन

जुलाई 1944 में, 44 मित्र राष्ट्रों के प्रतिनिधि द्वितीय विश्व युद्ध के बाद अंतर्राष्ट्रीय मौद्रिक और वित्तीय व्यवस्था को विनियमित करने के लिए संयुक्त राज्य अमेरिका के न्यू हैम्पशायर के ब्रेटन वुड्स में स्थित माउंट वाशिंगटन होटल में मिले। अंतर-युद्ध काल (प्रथम और द्वितीय विश्व युद्ध) के दौरान, स्वर्ण मानक के पतन, महामंदी और संरक्षणवाद के उदय के कारण वित्तीय प्रणाली अव्यवस्थित हो गई थी। यह निर्णय लिया गया कि सम्मेलन को आर्थिक बुराइयों - प्रतिस्पर्धी अवमूल्यन और व्यापार में विनाशकारी बाधाओं को दूर करना चाहिए जो द्वितीय विश्व युद्ध से पहले थीं। इसलिए, सम्मेलन ने निम्नलिखित प्रस्ताव रखा:

1. अंतर्राष्ट्रीय व्यापार के लिए नियम और विनियम स्थापित करने के लिए **एक अंतर्राष्ट्रीय व्यापार संगठन (आईटीओ) का निर्माण।**
2. द्वितीय विश्व युद्ध से तबाह हुए राष्ट्रों के पुनर्निर्माण में मदद करने के लिए **पुनर्निर्माण और विकास के लिए अंतर्राष्ट्रीय बैंक (आईबीआरडी) का निर्माण।**
3. विनिमय दरों की निगरानी करने तथा व्यापार घाटे वाले देशों को आरक्षित मुद्राएँ उधार देने के लिए **अंतर्राष्ट्रीय मुद्रा कोष (IMF) का निर्माण।**

13.2 टैरिफ और व्यापार का सामान्य समझौता (General Agreement on Tariffs and Trade) (GATT) 1947

पहले एजेंडे के बारे में, यह निर्णय लिया गया कि 1947 में क्यूबा के हवाना में होने वाले व्यापार और रोजगार पर संयुक्त राष्ट्र सम्मेलन में अंतर्राष्ट्रीय व्यापार संगठन (ITO) बनाया जाएगा। इस बीच 15 देशों (ब्रेटन वुड्स सम्मेलन का हिस्सा रहे 44 देशों में से) ने व्यापार को बढ़ावा देने के लिए सीमा शुल्क को कम करने और बाध्य करने के लिए दिसंबर 1945 में बातचीत शुरू की थी। वे व्यापार और उदारीकरण को जल्दी बढ़ावा देना चाहते थे और 1930 के दशक की शुरुआत से चली आ रही संरक्षणवादी उपायों की विरासत को ठीक करना चाहते थे।

पहले दौर की बातचीत के परिणामस्वरूप व्यापार नियमों का एक पैकेज और 45,000 टैरिफ रियायतें बनीं, जिससे 10 बिलियन डॉलर का व्यापार प्रभावित हुआ। 30 अक्टूबर, 1947 को जिनेवा में समझौते पर हस्ताक्षर किए जाने तक समूह का विस्तार 23 देशों तक हो चुका था। टैरिफ रियायतें 30 जून, 1948 को **'अस्थायी आवेदन के प्रोटोकॉल'** के माध्यम से प्रभावी हुई और इस प्रकार 23 संस्थापक सदस्यों के साथ नए 'टैरिफ और व्यापार पर सामान्य समझौते' का जन्म हुआ।

23 देश ITO चार्टर पर बातचीत करने वाले बड़े समूह का भी हिस्सा थे। हवाना सम्मेलन GATT पर हस्ताक्षर किए

जाने के एक महीने से भी कम समय बाद, 2 नवंबर, 1947 को शुरू हुआ। ITO चार्टर पर अंततः मार्च 1948 में सहमति बनी, लेकिन **कुछ राष्ट्रीय विधायिकाओं में अनुसमर्थन** असंभव सिद्ध हुआ। सबसे गंभीर विरोध अमेरिकी कांग्रेस में था (संप्रभुता से संबंधित अमेरिकी और यूरोपीय देशों के बीच मतभेद थे क्योंकि यूरोपीय संघ ITO को न्यायिक शक्तियाँ देना चाहता था, जिसके बारे में अमेरिका को लगा कि इससे संप्रभुता के मुद्दे पैदा हो सकते हैं) और 1950 में, अमेरिकी सरकार ने घोषणा की कि वह हवाना चार्टर के कांग्रेस के अनुसमर्थन की माँग नहीं करेगी और ITO प्रभावी रूप से समाप्त हो गया।

वार्ता और पैकेज के दौर

किसी भी बहुपक्षीय मुद्दे पर एक बार में एक ही बैठक में बातचीत और निष्कर्ष नहीं निकाला जा सकता है। आम तौर पर, उन जटिल मुद्दों को हल करने के लिए कई बैठकें होती हैं और यही कारण है कि GATT वार्ता चर्चा के दौर के माध्यम से होती है। GATT दौर व्यापार वार्ता के लिए एक पैकेज दृष्टिकोण (मुद्दों का एक सेट) भी प्रदान करता है जो कभी-कभी एक ही मुद्दे पर बातचीत की तुलना में अधिक फलदायी हो सकता है। यदि इसमें पैकेज शामिल है तो ट्रेड-ऑफ के माध्यम से समझौते तक पहुँचना आसान हो सकता है ताकि यदि कोई सदस्य किसी सौदे पर पहुँचने के लिए एक मुद्दे पर समझौता करता है तो अन्य सदस्य भी पैकेज पर अंतिम सौदे पर पहुँचने और चर्चाओं को समाप्त करने के लिए अन्य मुद्दों पर समझौता कर सकते हैं। इसलिए, कोई भी GATT दौर (चर्चा का) तब शुरू होता है जब मुद्दों का एक सेट (पैकेज) होता है और जिस स्थान पर उस दौर की पहली बैठक होती है उसे उस दौर का नाम दिया जाता है। उदाहरण के लिए, GATT वार्ता का आठवाँ दौर 1986 में शुरू हुआ और इसकी पहली बैठक उरुग्वे में हुई थी, इसलिए आठवें दौर को उरुग्वे दौर भी कहा जाता है।

उरुग्वे/आठवाँ दौर (सितंबर 1986-अप्रैल 1994)

वस्तुओं के व्यापार पर सामान्य वार्ता के अलावा, वार्ता के इस दौर ने व्यापार प्रणाली को कई नए क्षेत्रों में विस्तारित किया, विशेष रूप से सेवाओं और बौद्धिक संपदा अधिकारों में व्यापार और कृषि के संवेदनशील क्षेत्रों में व्यापार में सुधार के लिए और इस दौर के दौरान GATT के सभी मूल लेखों की समीक्षा की गई। विवाद निपटान प्रणाली और व्यापार नीति समीक्षा तंत्र को कारगर बनाने के लिए एक नई संस्था के निर्माण का एजेंडा भी था, जिसने GATT सदस्यों की राष्ट्रीय व्यापार नीतियों और प्रथाओं की पहली व्यापक, व्यवस्थित और नियमित समीक्षा की।

उरुग्वे दौर की वार्ता 1994 में संपन्न हुई और 15 अप्रैल को मोरक्को के मारकेश में एक बैठक में 123 देशों के मंत्रियों ने एक समझौते पर हस्ताक्षर किए। **उरुग्वे दौर के दौरान हस्ताक्षरित मुख्य समझौते निम्नलिखित थे:**

- WTO की स्थापना करने वाला समझौता (WTO समझौता)।
- टैरिफ और व्यापार पर अद्यतन सामान्य समझौता (GATT) 1994।
- सेवाओं में व्यापार पर सामान्य समझौता (GATS)।
- बौद्धिक संपदा अधिकारों के व्यापार संबंधी पहलू (TRIPS)।
- व्यापार नीति समीक्षा तंत्र।
- विवाद निपटान।
- कृषि पर समझौता।

मुक्त व्यापार समझौते (एफटीए): मुक्त व्यापार समझौता एक वरीयता वाली व्यवस्था है जिसमें सदस्य आपस में व्यापार पर शुल्क कम करते हैं, जबकि गैर-सदस्यों के साथ व्यापार के लिए अपनी स्वयं की शुल्क दरें बनाए रखते हैं।

सीमा शुल्क संघ (सीयू): सीमा शुल्क संघ एक मुक्त व्यापार समझौता (एफटीए) है जिसमें सदस्य गैर-सदस्यों से आयात के लिए एक सामान्य बाहरी शुल्क (सीईटी) अनुसूची लागू करते हैं।

साझा बाजार (सीएम): एक साझा बाजार एक सीमा शुल्क संघ (सीयू) है जहाँ सदस्य देशों के बीच उत्पादन के कारकों की आवाजाही अपेक्षाकृत मुक्त होती है।

आर्थिक संघ (ईयू): एक आर्थिक संघ एक साझा बाजार (सीएम) है जहाँ सदस्य देश मैक्रो-इकोनॉमिक और विनिमय दर नीतियों का समन्वय करते हैं।

इन सभी समझौतों पर उरुग्वे दौर के दौरान बातचीत की गई और 15 अप्रैल, 1994 को हस्ताक्षर किए गए और 1 जनवरी, 1995 को लागू हुए। कुल 60 समझौतों पर हस्ताक्षर किए गए। मारकेश समझौते में सदी के अंत में कृषि और सेवाओं पर वार्ता पुनः शुरू करने की प्रतिबद्धताएँ शामिल थीं, जो 2000 के आरंभ में शुरू हुईं और 2001 के अंत में दोहा विकास एजेंडा में शामिल कर ली गई।

उरुग्वे दौर के बाद के एजेंडे में बौद्धिक संपदा अधिकारों पर भी विचार किया जाना था।

13.3 विश्व व्यापार संगठन के समझौते (WTO Agreements)

डब्लूटीओ समझौते

डब्ल्यूटीओ की स्थापना करने वाला समझौता		
वस्तुएँ	सेवाएँ	बौद्धिक संपदा
जीएटीटी (1994)	जीएटीएस	ट्रिप्स (TRIPS)
अन्य माल समझौते और अनुलग्नक	सेवाएँ अनुलग्नक	
देशों की प्रतिबद्धताओं की अनुसूची	देशों की प्रतिबद्धताओं की अनुसूची	
विवाद निपटान		
व्यापार नीति समीक्षा तंत्र		

इन समझौतों को अक्सर WTO के व्यापार नियम कहा जाता है और WTO को अक्सर 'नियम-आधारित' यानी नियमों पर आधारित प्रणाली के रूप में वर्णित किया जाता है। लेकिन यह याद रखना महत्वपूर्ण है कि नियम वास्तव में ऐसे समझौते हैं जिन पर सरकारों ने विचार-विमर्श किया है।

WTO के निर्माण के कारण:

- GATT अनंतिम था और GATT के निर्माण के समय, ITO से अंतर्राष्ट्रीय व्यापार का प्रबंधन करने की अपेक्षा की गई थी और GATT को ITO के चार्टर में शामिल किए जाने की अपेक्षा की गई थी।
- सेवाओं में व्यापार GATT नियमों के अंतर्गत नहीं आता था और यह विश्व व्यापार का प्रमुख हिस्सा बन रहा था और अधिक से अधिक देशों के लिए काफी रुचि का विषय था।
- विश्व अर्थव्यवस्था और वैश्वीकरण में परिवर्तन।
- GATT के तहत विवादों को निपटाने की प्रक्रियाएँ मौजूद थीं, लेकिन इसमें कोई निश्चित समय-सारिणी नहीं थी, फैसलों को रोकना आसान था और कई मामले लंबे समय तक चलते थे।

WTO के बारे में कुछ महत्वपूर्ण विशेषताएँ निम्नलिखित हैं:

- यह एक ऐसा स्थान है जहाँ सदस्य सरकारें व्यापार समस्याओं को सुलझाने का प्रयास करती हैं।
- WTO के वर्तमान कार्य का बड़ा हिस्सा उरुग्वे दौर और GATT के तहत पहले की वार्ताओं से आता है।
- WTO वार्ता से पैदा हुआ है और WTO जो कुछ भी करता है वह वार्ता का परिणाम है।
- WTO में समझौतों का एक समूह होता है, जिस पर वार्ता की जाती है और दुनिया के अधिकांश व्यापारिक राष्ट्रों द्वारा इस पर हस्ताक्षर किए जाते हैं। ये दस्तावेज अंतर्राष्ट्रीय वाणिज्य के लिए कानूनी आधारभूत नियम प्रदान करते हैं। वे अनिवार्य रूप से अनुबंध हैं, जो सरकारों को अपनी व्यापार नीतियों को सहमत सीमाओं के भीतर रखने के लिए बाध्य करते हैं।
- WTO का लक्ष्य वस्तुओं और सेवाओं के उत्पादकों, निर्यातकों और आयातकों को अपना व्यवसाय संचालित करने में मदद करना है, जबकि सरकार को सामाजिक और पर्यावरणीय उद्देश्यों को पूरा करने की अनुमति देना है।
- WTO का प्रमुख उद्देश्य व्यापार को यथासंभव स्वतंत्र रूप से प्रवाहित करने में मदद करना है, जब तक कि कोई अवांछनीय दुष्प्रभाव न हो, क्योंकि यह आर्थिक विकास/कल्याण के लिए महत्वपूर्ण है।
- WTO यह भी सुनिश्चित करता है कि व्यक्तियों, कंपनियों और सरकारों को पता हो कि दुनियाभर में व्यापार नियम क्या हैं और उन्हें यह विश्वास दिलाएँ कि नीति में कोई अचानक बदलाव नहीं होगा। दूसरे शब्दों में, नियमों को पारदर्शी और पूर्वानुमानित होना चाहिए।

13.4 WTO व्यापार के सिद्धांत (Principles of WTO Trade)

WTO समझौते लंबे और जटिल होते हैं क्योंकि वे कानूनी पाठ होते हैं जो गतिविधियों की एक विस्तृत शृंखला को कवर करते हैं। वे कृषि, कपड़ा, परिधान, बैंकिंग, दूरसंचार, सरकारी खरीद, औद्योगिक मानकों, उत्पादों और सुरक्षा, खाद्य स्वच्छता विनियमों, बौद्धिक संपदा और बहुत कुछ से संबंधित हैं। लेकिन इन सभी दस्तावेजों में कई सरल मौलिक सिद्धांत हैं। **ये सिद्धांत बहुपक्षीय व्यापार प्रणाली की नींव हैं। ये सिद्धांत निम्नलिखित हैं:**

1. **बिना भेदभाव के व्यापार:**

- **सर्वाधिक पसंदीदा राष्ट्र (MFN):** WTO समझौतों के तहत, देश आमतौर पर अपने व्यापारिक भागीदारों के बीच भेदभाव नहीं कर सकते हैं। सामान्य तौर पर MFN का मतलब है कि जब भी कोई देश व्यापार बाधा (आयात शुल्क) को कम करता है या बाजार खोलता है या किसी देश को विशेष लाभ देता है, तो उसे अपने सभी व्यापारिक भागीदारों–चाहे वे अमीर हों या गरीब, कमजोर हों या मजबूत–से समान वस्तुओं या सेवाओं के लिए ऐसा करना पड़ता है। विकासशील देशों के मामले में या यदि किसी देश से किसी उत्पाद का अनुचित तरीके से व्यापार किया जाता है, तो केवल सख्त शर्तों के तहत कुछ अपवादों की अनुमति है।

  हालाँकि, इस नियम के लिए अनुमत अपवादों में निम्नलिखित शामिल हैं:

  (a) **मुक्त व्यापार समझौते (FTA):** WTO सदस्य देशों को मुक्त व्यापार समझौते पर हस्ताक्षर करने की अनुमति है, लेकिन WTO का कहना है कि FTA भागीदारों को जो भी लाभ दिए जाते हैं, उन्हें सभी WTO सदस्य देशों को क्रमिक रूप से दिया जाना चाहिए (कोई समय सीमा निर्दिष्ट नहीं)।

  (b) **सुरक्षा खंड:** भारत ने WTO के सदस्य के रूप में अपनी प्रतिबद्धताओं के अनुसार 1996 में पाकिस्तान को MFN का दर्जा दिया था। लेकिन पुलवामा में हमले के बाद, फरवरी 2019 में भारत ने GATT में **'सुरक्षा अपवाद'** खंड का उपयोग करके MFN का दर्जा वापस ले लिया। *ऐसा इसलिए है क्योंकि GATT के अनुच्छेद 21(b)(iii) में कहा गया है कि 'इस समझौते में कुछ भी ऐसा नहीं माना जाएगा जो किसी भी अनुबंध करने वाले पक्ष (इस मामले में भारत सहित) को कोई भी कार्रवाई करने से रोके, जिसे वह युद्ध के समय या अंतर्राष्ट्रीय संबंधों में अन्य आपात स्थितियों में अपने आवश्यक सुरक्षा हितों की सुरक्षा के लिए आवश्यक समझता है।'*

  (c) विकासशील/गरीब देशों के साथ किए जाने वाले विशेष और विभेदक व्यवहार। **सामान्यीकृत वरीयता प्रणाली** (GSP) **के तहत,** विकसित देश विकासशील देशों में उत्पन्न होने वाले उत्पादों को गैर-पारस्परिक वरीयता (जैसे आयात पर शून्य या कम शुल्क) प्रदान करते हैं। वरीयता देने वाले देश एकतरफा रूप से यह निर्धारित करते हैं कि कौन-से देश और कौन-से उत्पाद उनकी योजनाओं में शामिल हैं।

- **राष्ट्रीय व्यवहार (NT):** इसमें कहा गया है कि विदेशी वस्तुओं के घरेलू बाजारों में प्रवेश करने के बाद आयातित और स्थानीय रूप से उत्पादित वस्तुओं के साथ समान व्यवहार किया जाना चाहिए। यही बात विदेशी और घरेलू सेवाओं और विदेशी और स्थानीय ट्रेडमार्क, कॉपीराइट और पेटेंट पर भी लागू होनी चाहिए। राष्ट्रीय उपचार केवल तभी लागू होता है जब कोई उत्पाद, सेवा या बौद्धिक संपदा की वस्तु बाजार में प्रवेश कर जाती है। इसलिए, आयात पर सीमा शुल्क लगाना राष्ट्रीय उपचार का उल्लंघन नहीं है, भले ही स्थानीय रूप से उत्पादित वस्तुओं/उत्पादों पर बराबर कर न लगाया गया हो।

2. **मुक्त व्यापार (बातचीत के माध्यम से धीरे-धीरे):**

व्यापार बाधाओं को कम करना व्यापार को प्रोत्साहित करने के सबसे स्पष्ट साधनों में से एक है। ये बाधाएँ

टैरिफ (सीमा शुल्क) और कोटा (मात्रात्मक प्रतिबंध) हैं। बाजार खोलना फायदेमंद हो सकता है लेकिन इसके लिए समायोजन की आवश्यकता होती है। WTO समझौते देशों को 'प्रगतिशील उदारीकरण' के माध्यम से धीरे-धीरे बदलाव लाने की अनुमति देते हैं। विकासशील देशों को आमतौर पर अपने दायित्वों को पूरा करने के लिए अधिक समय दिया जाता है। वार्ता के परिणामस्वरूप, 1990 के दशक के मध्य तक औद्योगिक देशों में औद्योगिक वस्तुओं पर टैरिफ दरें लगातार गिरकर 4% से भी कम हो गई थीं।

3. बाध्यकारी और लागू करने योग्य प्रतिबद्धताएँ:

WTO में, जब देश वस्तुओं या सेवाओं के लिए अपने बाजार खोलने पर सहमत होते हैं, तो वे अपनी प्रतिबद्धताओं को बाध्य करते हैं। वस्तुओं के लिए ये बाध्यताएँ सीमा शुल्क दरों की अधिकतम सीमा के **बराबर होती** हैं। कोई देश अपने व्यापारिक साझेदारों के साथ बातचीत किए बिना अपनी अधिकतम दरों (बाध्यकारी) को नहीं बढ़ा सकता है, जिसका अर्थ हो सकता है कि उन्हें व्यापार में होने वाले नुकसान की भरपाई करनी पड़े।

4. पारदर्शिता:

WTO के सदस्यों को अपने व्यापार विनियमन प्रकाशित करने और यह सुनिश्चित करना जरूरी है कि व्यापार को प्रभावित करने वाले निर्णय अन्य WTO सदस्यों और WTO सचिवालय को सूचित किए जाएँ। WTO में एक व्यापार नीति समीक्षा तंत्र भी है जो समय-समय पर WTO के सदस्य देश के कानूनों और विनियमों की समीक्षा करता है।

5. एकल उपक्रम:

सभी WTO समझौतों को एक ही उपक्रम के रूप में एक साथ रखा जाता है। इसका मतलब है कि सदस्य देश चुनिंदा रूप से यह नहीं चुन सकते कि वे किस समझौते में शामिल होंगे। WTO और इसके सभी समझौते एक ऐसा पैकेज है जिसमें सदस्य देशों को या तो सब कुछ या कुछ भी नहीं के आधार पर शामिल होना चाहिए।

WTO में मतदान के जरिए नहीं बल्कि सर्वसम्मति से निर्णय लेने की परंपरा है। इससे सभी सदस्य यह सुनिश्चित कर सकते हैं कि उनके हितों पर उचित रूप से विचार किया जाए, भले ही कभी-कभी वे बहुपक्षीय व्यापार प्रणाली के समग्र हितों में सर्वसम्मति में शामिल होने का फैसला कर सकते हैं। जहाँ सर्वसम्मति संभव नहीं है, वहाँ WTO समझौता मतदान की अनुमति देता है - वोट डाले गए वोटों के बहुमत से और 'एक देश, एक वोट' के आधार पर जीता जाता है।

13.5 GATT के अंतर्गत समझौते (Agreements under GATT)

GATT के अंतर्गत कुछ महत्वपूर्ण समझौते निम्नलिखित हैं:

13.5.1 स्वच्छता और पादप स्वच्छता (SPS) उपाय

स्वच्छता और पादप स्वच्छता उपायों के अनुप्रयोग पर समझौता (**'SPS समझौता'**) 1 जनवरी, 1995 को विश्व व्यापार संगठन की स्थापना के साथ लागू हुआ। स्वच्छता और पादप स्वच्छता उपायों के अनुप्रयोग पर समझौता यह सुनिश्चित करता है कि खाद्य पदार्थों का अंतर्राष्ट्रीय सीमाओं के पार सुरक्षित रूप से व्यापार किया जाए और व्यापार के माध्यम से पशु और पौधों के कीट या रोग न फैलें। SPS समझौता मनुष्यों के लिए खाद्य सुरक्षा और पशु और पौधों के स्वास्थ्य मानकों के लिए बुनियादी नियम निर्धारित करता है।

समझौता देशों को अपने मानक निर्धारित करने की अनुमति देता है। लेकिन यह भी कहता है कि विनियमन विज्ञान पर आधारित होने चाहिए। उन्हें केवल मानव, पशु या पौधे के जीवन या स्वास्थ्य की रक्षा के लिए आवश्यक सीमा तक ही लागू किया जाना चाहिए। और उन्हें मनमाने ढंग से या अनुचित रूप से उन देशों के बीच भेदभाव नहीं करना चाहिए जहाँ समान या मिलती-जुलती परिस्थितियाँ हैं।

यह समझौता देशों को उत्पादों के निरीक्षण के लिए अलग-अलग मानकों और अलग-अलग तरीकों का उपयोग करने की अनुमति देता है। सदस्य देशों को अंतर्राष्ट्रीय मानकों, दिशा-निर्देशों और सिफारिशों का उपयोग करने के

लिए प्रोत्साहित किया जाता है, जहाँ वे मौजूद हैं। हालाँकि, सदस्य ऐसे उपायों का उपयोग कर सकते हैं, जिनके परिणामस्वरूप वैज्ञानिक औचित्य होने पर उच्च मानक प्राप्त होते हैं। वे जोखिमों के उचित आकलन के आधार पर उच्च मानक भी निर्धारित कर सकते हैं, बशर्ते कि दृष्टिकोण सुसंगत हो, मनमाना न हो।

सभी देश यह सुनिश्चित करने के लिए उपाय करते हैं कि खाद्य पदार्थ उपभोक्ताओं के लिए सुरक्षित हों, और जानवरों और पौधों में कीटों या बीमारियों के प्रसार को रोकें। ये स्वच्छता और फाइटोसैनिटरी उपाय कई रूप ले सकते हैं, जैसे कि उत्पादों को रोग-मुक्त क्षेत्र से आने की आवश्यकता, उत्पादों का निरीक्षण, उत्पादों का विशिष्ट उपचार या प्रसंस्करण, कीटनाशक अवशेषों के अनुमेय अधिकतम स्तर निर्धारित करना या भोजन में केवल कुछ योजकों के उपयोग की अनुमति देना। स्वच्छता (मानव और पशु स्वास्थ्य) और फाइटोसैनिटरी (पौधे स्वास्थ्य) उपाय घरेलू रूप से उत्पादित खाद्य पदार्थों या स्थानीय पशु और पौधों की बीमारियों के साथ-साथ अन्य देशों से आने वाले उत्पादों पर भी लागू होते हैं।

13.5.2 कृषि पर समझौता (AOA)

इस समझौते का मुख्य उद्देश्य कृषि को दिए जाने वाले घरेलू समर्थन (सब्सिडी) को अनुशासित और कम करना है, साथ ही सदस्य देशों को उनकी विशिष्ट आवश्यकताओं के संबंध में अपनी घरेलू कृषि नीतियों को डिजाइन करने की स्वतंत्रता देना है।

सरकार द्वारा दिए जाने वाले घरेलू समर्थन (सब्सिडी) की प्रकृति को मोटे तौर पर दो श्रेणियों में विभाजित किया जा सकता है:

- व्यापार पर कोई या न्यूनतम विकृत प्रभाव वाला समर्थन ('ग्रीन बॉक्स')। (*डब्ल्यूटीओ के तहत छूट/अनुमति*)
- व्यापार को विकृत करने वाला समर्थन ('एम्बर बॉक्स') (*डब्ल्यूटीओ के तहत प्रतिबंधित/अनुमति नहीं*)

डब्ल्यूटीओ सभी घरेलू समर्थन को **तीन श्रेणियों** में वर्गीकृत करता है। उपरोक्त दो श्रेणियाँ और एक तीसरी श्रेणी जो मूल रूप से प्रकृति में विकृत करने वाली है लेकिन व्यापार में विकृति मूल्य में कम है और इसलिए डब्ल्यूटीओ इसे अनुमति/छूट देता है।

घरेलू समर्थन

विश्व व्यापार संगठन के तहत अनुमति	*विश्व व्यापार संगठन के तहत अनुमति*	*विश्व व्यापार संगठन के तहत प्रतिबंधित*
1. ग्रीन बॉक्स आरएंडडी सहायता, सिंचाई, बिजली जैसी बुनियादी संरचना सहायता, खाद्य सुरक्षा के लिए सार्वजनिक भंडार के संचयन और धारण से संबंधित व्यय, जरूरतमंद आबादी के वर्ग को घरेलू खाद्य सहायता और उत्पादकों को कोई भी प्रत्यक्ष भुगतान जो उत्पादन से जुड़ा नहीं है।	**2. अन्य छूट प्राप्त वाले उपाय** **विकास उपाय:** निवेश से संबंधित सब्सिडी, कम आय वाले किसानों को कृषि इनपुट सब्सिडी। **नीला बॉक्स:** पशुधन के निश्चित क्षेत्र या संख्या पर किए गए भुगतान। भुगतान प्राप्त करने के लिए उत्पादन की आवश्यकता होती है, लेकिन वास्तविक भुगतान उत्पादन से जुड़ा नहीं होता। **डी-मिनिमिस सहायता** (नीचे समझाया गया है)	**3. एम्बर बॉक्स** कोई भी सहायता जो पहली या दूसरी श्रेणी में नहीं आती है, वह प्रतिबद्धताओं में कमी के अधीन है। WTO सदस्यों को इस प्रकार के समर्थन को कम करने का प्रयास करना चाहिए।

समर्थन का कुल समग्र माप (ए.एम.एस.) और न्यूनतम स्तर (De-minimus):

प्रत्येक सदस्य देश को समर्थन के अपने समग्र माप जैसे मूल्य समर्थन, इनपुट सब्सिडी, ब्याज सब्सिडी आदि की गणना करनी होती है। मूल्य समर्थन की गणना उत्पादन की मात्रा को प्रशासित मूल्य (भारत में यह न्यूनतम समर्थन मूल्य है) और बाह्य संदर्भ मूल्य (विश्व बाजार मूल्य) के बीच के अंतर से गुणा करके की जाती है। इसी तरह किसी भी तरह के समर्थन (उर्वरक सब्सिडी और अन्य) की गणना प्रशासित मूल्य और बाजार मूल्य के अंतर से की जाती है। विकासशील देश के लिए यदि कुल **ए.एम.एस. उत्पादन के मूल्य के 10%** से कम है तो कोई दंड नहीं है और यह ऊपर बिंदु 2 के तहत **'न्यूनतम समर्थन'** के अंतर्गत आता है, लेकिन यदि यह 10% से अधिक है तो यह ऊपर बिंदु 3 के अंतर्गत आएगा और देशों को इसे 10% के नीचे लाने का प्रयास करना चाहिए (विकसित देश के लिए यह सीमा 5% है)।

'भारत की आशंका है कि उसका कुल ए.एम.एस. अनुमत सीमा के 10% से अधिक हो सकता है।' और यह भी एक दायित्व है कि WTO के सभी सदस्य कृषि समिति (WTO में) को ग्रीन बॉक्स, अन्य छूट उपायों, ब्लू बॉक्स और गैर-छूट समर्थन के तहत अपने घरेलू समर्थन उपायों की सीमा और उनके AMS गणनाओं के बारे में सूचित करें।

शांति खंड: बाली सम्मेलन (दिसंबर 2013) के दौरान, सदस्य देशों ने एक 'शांति खंड' पर सहमति व्यक्त की, जो एक समय अवधि को संदर्भित करता है जिसके दौरान सदस्य देश उन देशों के खिलाफ दंड की माँग करने से परहेज करेंगे जो अभी भी 10% घरेलू समर्थन (कुल AMS) की सीमा का उल्लंघन करते हैं। 'शांति खंड' में कहा गया है कि किसी भी देश को खाद्य सुरक्षा कार्यक्रमों (भारत के मामले में यह FCI द्वारा MSP पर खरीद और POsQ के माध्यम से इसका वितरण) से कानूनी रूप से प्रतिबंधित नहीं किया जाएगा, भले ही सब्सिडी ने कृषि पर WTO समझौते में निर्दिष्ट सीमाओं (10%) का उल्लंघन किया हो। 'शांति खंड' एक अंतरिम उपाय था जो किसी भी WTO सदस्य को 10% सब्सिडी सीमा को पार करने के लिए किसी भी विकासशील देश को चुनौती देने से रोकता है। यह दिसंबर 2017 तक चार साल के लिए लागू होने की उम्मीद थी और उसके बाद यह समाप्त हो जाएगा। सदस्यगण दिसंबर 2017 तक किसी समझौते पर पहुँचने के लिए स्थायी समाधान पर काम करने के लिए सहमत हुए थे। भारत सहित देशों को डर था कि दिसंबर 2017 तक 'शांति खंड' समाप्त हो जाएगा और यदि तब तक कोई स्थायी समाधान नहीं निकलता है, तो उनके सब्सिडी कार्यक्रम को अन्य WTO सदस्य चुनौती दे सकते हैं।

लेकिन भारत ने आगे की वार्ताओं में कड़ा मोलभाव किया और अब अस्थायी शांति खंड को एक **मुक्त बयान** से बदल दिया गया है- 'जब तक सार्वजनिक स्टॉकहोल्डिंग और कृषि सब्सिडी के मुद्दे का **स्थायी समाधान** नहीं हो जाता, तब तक कोई भी सदस्य देश 10% सब्सिडी सीमा पार करने के लिए अन्य सदस्यों को चुनौती नहीं दे सकता'। इसलिए अब, कोई समय सीमा नहीं है जिसके भीतर हमें अपनी सब्सिडी को 10% से कम पर सीमित करना है। लेकिन यह केवल उन सब्सिडी के लिए लागू है जो उस समय प्रचलित थीं और नई सब्सिडी के लिए नहीं।

[**केवल जानकारी के लिए:** WTO के मानदंडों के अनुसार, देशों को सार्वजनिक भंडारण से खाद्यान्न निर्यात करने की अनुमति नहीं है क्योंकि उन्हें विनियमित/सब्सिडी दरों पर खरीदा जाता है और भंडारण में भी सब्सिडी होती है।]

13.5.3 सूचना प्रौद्योगिकी समझौता (ITA)

भारत में इलेक्ट्रॉनिक उत्पादों का उत्पादन 1960 के दशक से ही चल रहा है जब सार्वजनिक क्षेत्र के उद्यमों को कंप्यूटिंग डिवाइस बनाने की जिम्मेदारी सौंपी गई थी। अगले दशक में उपभोक्ता इलेक्ट्रॉनिक्स ने अपनी जड़ें जमा लीं और 1991 में आर्थिक उदारीकरण की नीतियों के लागू होने तक एक नया उद्योग स्थापित हो चुका था।

आयात उदारीकरण के शुरुआती चरण में, इलेक्ट्रॉनिक्स क्षेत्र को इस अभ्यास से काफी हद तक बाहर रखा गया था, लेकिन 1996 में भारत के WTO के तहत एक बहुपक्षीय समझौते, सूचना प्रौद्योगिकी समझौते (ITA) में शामिल होने के बाद स्थिति में भारी बदलाव आया। जब 1 जुलाई 1997 को ITA प्रभावी हुआ, तब केवल 29 सदस्य ही समझौते में शामिल हुए थे। (अब तक प्रतिभागियों की संख्या बढ़कर 82 हो गई है, जो आईटी उत्पादों में विश्व व्यापार

का लगभग 97 प्रतिशत है)। आईटीए में बड़ी संख्या में उच्च प्रौद्योगिकी उत्पाद शामिल हैं, जिनमें कंप्यूटर, दूरसंचार उपकरण, अर्धचालक, अर्धचालक विनिर्माण और परीक्षण उपकरण, सॉफ्टवेयर, वैज्ञानिक उपकरण, साथ ही इन उत्पादों के अधिकांश भाग और सहायक उपकरण शामिल हैं।

आईटीए के तहत प्रत्येक भागीदार को समझौते में निर्दिष्ट सभी उत्पादों के लिए सीमा शुल्क को समाप्त करने और शून्य पर बाध्य करने की आवश्यकता होती है।

तदनुसार, भारत ने 2005 तक 217 आईटी उत्पादों पर आयात शुल्क समाप्त करने पर सहमति व्यक्त की। परिणामस्वरूप, आईटी उत्पादों पर भारत का औसत आयात शुल्क 1997 में 37.8% से घटकर 2001 में 12% से नीचे आ गया, इससे पहले कि 1 जनवरी 2005 को शुल्क पूरी तरह समाप्त कर दिए गए।

भारत के आईटीए में शामिल होने के पीछे का कारण समझना कठिन है, क्योंकि भारत आईटीए उत्पादों के वैश्विक बाजार में एक छोटा-सा भागीदार था। 1997 से 2003 के बीच आईटीए के 29 मूल हस्ताक्षरकर्ताओं में भारत का आईटी उत्पादों का निर्यात सबसे कम था। इसके विपरीत, चीन 2003 में आईटी उत्पादों का तीसरा सबसे बड़ा निर्यातक बन गया था, और हांगकांग को साथ में मिलाकर, वे 2003 के बाद से आईटी उत्पादों के सबसे बड़े निर्यातक थे। आईटीए के साथ भारत का अनुभव सबसे निराशाजनक रहा है, जिसने भारत से आईटी उद्योग को लगभग खत्म कर दिया। उस समझौते से वास्तविक लाभ चीन को हुआ है, जिसने 2000-2011 के बीच अपनी वैश्विक बाजार हिस्सेदारी 2% से बढ़ाकर 14% कर ली है।

नए तकनीकी विकास के मद्देनजर, कुछ WTO सदस्यों ने माना कि ITA के मौजूदा उत्पाद कवरेज का विस्तार किया जाना चाहिए (जिसे ITA-II कहा जाएगा) ताकि नई पीढ़ी के सेमी-कंडक्टर, सेमी-कंडक्टर विनिर्माण उपकरण, ऑप्टिकल लेंस, GPS नेविगेशन उपकरण और चुंबकीय अनुनाद इमेजिंग उत्पाद और अल्ट्रा-सोनिक स्कैनिंग उपकरण जैसे चिकित्सा उपकरण शामिल किए जा सकें।

लेकिन भारत सरकार ने फिलहाल ITA विस्तार (ITA-II) वार्ता में भाग नहीं लेने का फैसला किया है। ऐसा इसलिए है क्योंकि सरकार इलेक्ट्रॉनिक्स और सूचना प्रौद्योगिकी के क्षेत्र में एक अच्छा विनिर्माण वातावरण बनाना चाहती है और यह समय भारत के लिए अपने उद्योग को प्रतिस्पर्धा के अनुचित दबावों के सामने लाने के बजाय उसे विकसित करने का है।

हाल ही में भारत ने मोबाइल फोन और कुछ अन्य आईटी से संबंधित उत्पादों पर टैरिफ बढ़ाए हैं और कई देशों ने इस मुद्दे को WTO में उठाया है। लेकिन भारत ने स्पष्ट किया है कि संबंधित आईटी सामान ITA के अंतर्गत नहीं आते हैं। इसने हमेशा से यह माना है कि आईटी और दूरसंचार प्रौद्योगिकी नए अनुप्रयोगों और उपकरणों के साथ विकसित हुई है, जो दिसंबर 1996 में सिंगापुर में डब्ल्यूटीओ के पहले व्यापार मंत्रिस्तरीय सम्मेलन में आईटीए-I पर हस्ताक्षर करने के समय न तो मौजूद थे और न ही उनकी कल्पना की गई थी।

13.5.4 व्यापार संबंधी निवेश उपाय (टीआरआईएमएस)

डब्ल्यूटीओ का टीआरआईएमएस पर समझौता इस विश्वास **पर आधारित है कि व्यापार और निवेश के बीच मजबूत संबंध है। निवेश पर प्रतिबंधात्मक उपाय व्यापार को विकृत करते हैं।** निवेश पर कई प्रतिबंधात्मक उपाय व्यापार को प्रतिबंधित करते हैं और इसलिए स्वीकार्य नहीं हैं। टीआरआईएमएस प्रावधान के अनुसार, देशों को ऐसे निवेश उपायों को नहीं अपनाना चाहिए जो व्यापार को प्रतिबंधित और विकृत करते हैं।

निवेश उपाय वे कदम हैं जो मेजबान देशों द्वारा पारंपरिक रूप से विदेशी निवेश के खिलाफ इस्तेमाल किए जाते हैं। यहाँ, टीआरआईएमएस निर्देश देता है कि डब्ल्यूटीओ सदस्य कोई भी ऐसा उपाय लागू नहीं कर सकते हैं जो विदेशी निवेश के खिलाफ भेदभाव करता हो और जो डब्ल्यूटीओ के बुनियादी सिद्धांतों (जैसे एमएफएन और राष्ट्रीय उपचार) का उल्लंघन करता हो। डब्ल्यूटीओ ने टीआरआईएम के **तहत निषिद्ध निवेश उपायों** की एक सूची दी है जैसे:

- स्थानीय सामग्री की आवश्यकता।
- निर्यात दायित्व।
- आयात या निर्यात पर मात्रात्मक प्रतिबंध।
- घरेलू रोजगार।
- प्रौद्योगिकी हस्तांतरण की आवश्यकता आदि।

टीआरआईएम के तहत विकासशील देशों को कुछ छूट भी दी गई है। टीआरआईएम पर समिति टीआरआईएम समझौते के संचालन और कार्यान्वयन की निगरानी करती है और सदस्य देशों के लिए परामर्श प्रदान करती है।

टीआरआईएम का उद्देश्य सभी सदस्य देशों में निवेश के लिए उचित व्यवहार सुनिश्चित करना है। टीआरआईएम समझौते के अनुसार, सदस्यों को अपने मौजूदा टीआरआईएम के बारे में डब्ल्यूटीओ वस्तु व्यापार परिषद को सूचित करना आवश्यक है जो समझौते के साथ असंगत हैं।

ट्रिम्स (TRIMS) समझौता केवल उन उपायों पर लागू होता है जो **वस्तुओं** के व्यापार को प्रभावित करते हैं। सेवाओं में व्यापार पर सामान्य समझौता **(जीएटीएस) सेवाओं की आपूर्ति के चार तरीकों में से एक के रूप में सेवाओं में विदेशी निवेश का समाधान करता है।**

13.6 सेवाओं में व्यापार पर सामान्य समझौता (GATS) (General Agreements on Trade in Services (GATS))

उरुग्वे दौर में बातचीत की गई (और 1 जनवरी, 1995 को लागू हुई), इसे पिछले कुछ वर्षों में सेवा अर्थव्यवस्था की भारी वृद्धि के जवाब में विकसित किया गया था। सेवाएँ वैश्विक अर्थव्यवस्था के सबसे तेजी से बढ़ते क्षेत्र का प्रतिनिधित्व करती हैं और वैश्विक उत्पादन का दो-तिहाई, वैश्विक रोजगार का एक-तिहाई और वैश्विक व्यापार का लगभग 20% हिस्सा हैं। GATS की मुख्य विशेषताएँ निम्नलिखित हैं:

- GATS के लिए किसी भी सेवा को विनियमन मुक्त या निजीकृत करने की आवश्यकता नहीं है।
- सरकारी सेवाओं को विशेष रूप से समझौते से अलग किया गया है और समझौते में उन्हें इस प्रकार परिभाषित किया गया है कि वे वाणिज्यिक रूप से आपूर्ति नहीं करती हैं और अन्य आपूर्तिकर्ताओं के साथ प्रतिस्पर्धा नहीं करती हैं। ये सेवाएँ GATS अनुशासन के अधीन नहीं हैं और बाजार पहुँच और राष्ट्रीय उपचार पर प्रतिबद्धताएँ उन पर लागू नहीं होती हैं।
- लेकिन GATS का कहना है कि सरकार को सेवाओं को उचित, वस्तुनिष्ठ और निष्पक्ष तरीके से विनियमित करना चाहिए।
- GATS का कहना है कि सरकार को सभी प्रासंगिक कानून और विनियमन प्रकाशित करने चाहिए और अपनी नौकरशाही के भीतर पूछताछ बिंदु स्थापित करने चाहिए। विदेशी कंपनियाँ और सरकारें इन पूछताछ बिंदुओं का उपयोग किसी भी सेवा क्षेत्र में विनियमन के बारे में जानकारी प्राप्त करने के लिए कर सकती हैं।
- GATT का कहना है कि प्रत्येक सरकार को यह तय करने का अधिकार है कि वह किन क्षेत्रों को विदेशी कंपनियों के लिए खोलना चाहती है और किस हद तक। उरुग्वे दौर GATS के लिए केवल शुरुआत थी, जिसके लिए और अधिक बातचीत की आवश्यकता है जो 2000 की शुरुआत में शुरू हुई और अब दोहा विकास एजेंडा का हिस्सा है। इसका लक्ष्य अनुसूचियों में प्रतिबद्धता के स्तर को बढ़ाकर उदारीकरण प्रक्रिया को आगे ले जाना है।

13.7 बौद्धिक संपदा अधिकार (आईपीआर) (Intellectual Property Rights (IPR))

नई दवाओं और उच्च प्रौद्योगिकी उत्पाद का अधिकांश मूल्य आविष्कार, नवाचार, अनुसंधान, डिजाइन और परीक्षण की मात्रा में निहित है। फिल्में, संगीत रिकॉर्डिंग, किताबें, कंप्यूटर सॉफ्टवेयर और ऑनलाइन सेवाएँ उनमें मौजूद जानकारी और रचनात्मकता के कारण खरीदी और बेची जाती हैं, न कि आमतौर पर उन्हें बनाने के लिए इस्तेमाल किए गए प्लास्टिक, धातु या कागज के कारण।

रचनाकारों/सृजकों को दूसरों को उनके आविष्कारों, डिजाइनों या अन्य रचनाओं का उपयोग करने से रोकने और उस अधिकार का उपयोग करके दूसरों द्वारा उनका उपयोग करने के बदले में भुगतान पर बातचीत करने का अधिकार दिया जा सकता है। ये 'बौद्धिक संपदा अधिकार' हैं। ये अधिकार लोगों को नए नवाचारों और शोध के लिए प्रेरित करते हैं। ये अधिकार विभिन्न रूप ले सकते हैं।

- किताबें, पेंटिंग और फिल्में कॉपीराइट के अंतर्गत आती हैं।
- नए आविष्कारों का पेटेंट कराया जा सकता है।
- ब्रांड नाम और उत्पाद लोगो को ट्रेडमार्क के रूप में पंजीकृत किया जा सकता है।

बौद्धिक संपदा अधिकार व्यक्तियों को उनके मस्तिष्क की सृजनात्मकता पर दिए गए अधिकार हैं। वे आमतौर पर निर्माता को एक निश्चित अवधि के लिए अपनी रचना के उपयोग पर एक विशेष अधिकार देते हैं। IPR समाज के लिए दीर्घकालिक लाभ और संभावित अल्पकालिक लागतों के बीच संतुलन बनाते हैं। अल्पावधि में (संरक्षण अवधि के दौरान) मालिक को रॉयल्टी के भुगतान के कारण उत्पाद महँगे हो जाते हैं। लेकिन बौद्धिक संपदा संरक्षण सृजन और आविष्कार को प्रोत्साहित करने पर समाज को दीर्घावधि में लाभ होता है, खासकर जब संरक्षण की अवधि समाप्त हो जाती है और बनाए गए आविष्कार सार्वजनिक डोमेन में प्रवेश करते हैं।

भारत में, IPR वाणिज्य और उद्योग मंत्रालय के उद्योग और आंतरिक व्यापार संवर्धन विभाग के अंतर्गत आते हैं। निम्नलिखित विभिन्न बौद्धिक संपदा अधिकार हैं:

(i) **कॉपीराइट:** कॉपीराइट 'विचारों की अभिव्यक्ति' की रक्षा करते हैं। कलात्मक कार्यों को आम तौर पर विचारों की अभिव्यक्ति माना जाता है- किताबें, पेंटिंग, गाने, फिल्में और कंप्यूटर प्रोग्राम कॉपीराइट के उदाहरण हैं। कॉपीराइट उस प्रक्रिया की रक्षा नहीं करेगा जिसके माध्यम से कोई विशेष कार्य बनाया गया था या उसके भीतर जानकारी का उपयोग (निर्देश, आदि)।

कुकबुक का उपयोग अक्सर 'विचार की अभिव्यक्ति' और 'विचार' के बीच अंतर को स्पष्ट करने के लिए किया जाता है। कुकबुक को बिना अनुमति के पुनः प्रस्तुत नहीं किया जा सकता क्योंकि वे 'विचारों की अभिव्यक्ति' (रेसिपी) हैं। हालाँकि, लोग कुकबुक में दिए गए व्यंजनों का पालन कर सकते हैं क्योंकि वे साहित्यिक कार्य में निहित 'विचारों' की नकल कर रहे हैं। यदि व्यंजनों को पेटेंट द्वारा संरक्षित किया गया था, तो उपयोगकर्ताओं को उनका पालन करने के लिए अनुमति की आवश्यकता होगी, क्योंकि पेटेंट विशेष 'विचारों' को प्राधिकरण के बिना उपयोग किए जाने से बचाते हैं।

कॉपीराइट स्वचालित रूप से होते हैं। आपको इसे सरकारी प्राधिकरण के साथ पंजीकृत कराने की आवश्यकता नहीं है। भारत में, कॉपीराइट 'कॉपीराइट अधिनियम 1957' के माध्यम से संरक्षित हैं। लेखक के जीवनकाल में प्रकाशित साहित्यिक, नाटकीय, संगीत या कलात्मक कार्य के लिए, कॉपीराइट लेखक की मृत्यु के वर्ष के बाद के कैलेंडर वर्ष की शुरुआत से 60 वर्ष तक बना रहेगा। सिनेमैटोग्राफ फिल्म या ध्वनि रिकॉर्डिंग के मामले में, कॉपीराइट उस वर्ष के बाद के कैलेंडर वर्ष की शुरुआत से साठ वर्ष तक बना रहेगा जिसमें फिल्म या ध्वनि रिकॉर्डिंग प्रकाशित हुई है।

कॉपीराइट में अधिकार कार्य की श्रेणी के अनुसार भिन्न होते हैं। कुछ कॉपीराइट किराए के आधार पर दिए जा सकते हैं या उन्हें बेचा भी जा सकता है। उदाहरण के लिए, सिनेमैटोग्राफ फिल्म, ध्वनि रिकॉर्डिंग, कंप्यूटर प्रोग्राम आदि बेचे जा सकते हैं।

(ii) **पेटेंट:** पेटेंट सरकार द्वारा दिया गया एक अधिकार है, जो दूसरों को आपके आविष्कार को बनाने, उपयोग करने या बेचने से रोकता है। पेटेंट नई प्रक्रियाओं, मशीनों या रसायनों जैसे आविष्कारों की रक्षा करते हैं। मुख्य विचार यह है कि पेटेंट केवल उनके 'अभिव्यक्तियों' की नहीं, बल्कि 'विचारों' की रक्षा करते हैं। पेटेंट का मुख्य प्रभाव उनके धारकों को किसी तीसरे पक्ष द्वारा आविष्कार के किसी भी उपयोग को चुनौती देने का अधिकार देना है।

पेटेंट पंजीकृत होना चाहिए। यदि आप कुछ आविष्कार करते हैं और इसे पंजीकृत करने में विफल रहते हैं, तो कोई अन्य व्यक्ति जो स्वतंत्र रूप से आपके आविष्कार का आविष्कार करता है या खोजता है, उसका पेटेंट करा सकता है। पेटेंट की अवधि आम तौर पर पेटेंट के आवेदन की तारीख से 20 साल तक होती है। भारत में, पेटेंट को 'भारतीय पेटेंट अधिनियम 1970' के माध्यम से संरक्षित किया जाता है।

'पेटेंट का एवरग्रीनिंग' उसको संदर्भित करता है जिसके तहत दवा कंपनियाँ दवा के छोटे-मोटे सुधार या अन्य पुनरावृत्तियों के द्वारा समाप्त होने वाले उत्पादों पर पेटेंट का विस्तार करती हैं, बिना चिकित्सीय प्रभावकारिता

बढ़ाए। एवरग्रीनिंग बाजार में जेनेरिक दवाओं के प्रवेश में देरी करता है। पेटेंट के एवरग्रीनिंग को रोकने का निर्णय भारत में जेनेरिक दवाओं की सस्ती और सुलभ आपूर्ति को बनाए रखने में मदद करेगा।

पेटेंट का स्वामी अन्य पक्षों को पारस्परिक रूप से सहमत शर्तों पर आविष्कार का उपयोग करने की अनुमति या लाइसेंस दे सकता है। मालिक आविष्कार का अधिकार किसी और को भी बेच सकता है, जो तब पेटेंट का नया मालिक बन जाएगा।

(iii) **ट्रेडमार्क:** ट्रेडमार्क आमतौर पर एक नाम, शब्द, वाक्यांश, लोगो, प्रतीक, डिजाइन, छवि या इन तत्त्वों का संयोजन होता है। ट्रेडमार्क एक संकेत है जिसका उपयोग आप अपने व्यवसाय के सामान या सेवाओं को अन्य व्यापारियों से अलग करने के लिए कर सकते हैं। पंजीकृत ट्रेडमार्क के माध्यम से, आप अन्य लोगों को इसके नाम या लोगो का उपयोग करने से रोककर अपने ब्रांड (या 'चिह्न') की रक्षा कर सकते हैं। ट्रेडमार्क का पंजीकरण दस साल की अवधि के लिए होता है और इसे नवीनीकृत किया जा सकता है। इसलिए, एक बार प्राप्त होने के बाद, ट्रेडमार्क अनिश्चित काल तक चल सकता है। ट्रेडमार्क का स्वामी कोई व्यक्ति, व्यावसायिक संगठन या कोई कानूनी इकाई हो सकता है। भारत में, ट्रेडमार्क को 'ट्रेडमार्क अधिनियम 1999' के माध्यम से संरक्षित किया जाता है। ट्रेडमार्क को एक पक्ष से दूसरे पक्ष को सौंपा/हस्तांतरित भी किया जा सकता है।

(iv) **व्यापार रहस्य:** मोटे तौर पर, कोई भी गोपनीय व्यावसायिक जानकारी जो किसी उद्यम को प्रतिस्पर्धात्मक बढ़त प्रदान करती है, उसे व्यापार रहस्य माना जा सकता है। व्यापार रहस्यों में विनिर्माण या औद्योगिक रहस्य और वाणिज्यिक रहस्य शामिल हैं। धारक के अलावा अन्य व्यक्तियों द्वारा ऐसी जानकारी का अनधिकृत उपयोग अनुचित व्यवहार और व्यापार रहस्य का उल्लंघन माना जाता है।

व्यापार रहस्यों का विषय आमतौर पर व्यापक शब्दों में परिभाषित किया जाता है और इसमें बिक्री के तरीके, वितरण के तरीके, उपभोक्ता प्रोफाइल, विज्ञापन रणनीतियाँ, आपूर्तिकर्ताओं और ग्राहकों की सूची और विनिर्माण प्रक्रियाएँ शामिल होती हैं। जबकि यह अंतिम निर्धारण कि कौन सी जानकारी व्यापार रहस्य का गठन करती है, प्रत्येक व्यक्तिगत मामले की परिस्थितियों पर निर्भर करेगी, गुप्त जानकारी के संबंध में स्पष्ट रूप से अनुचित व्यवहार में औद्योगिक या वाणिज्यिक जासूसी, अनुबंध का उल्लंघन और विश्वास का उल्लंघन शामिल है।

पेटेंट के विपरीत, व्यापार रहस्यों को पंजीकरण के बिना संरक्षित किया जाता है, अर्थात, व्यापार रहस्यों को बिना किसी प्रक्रियात्मक औपचारिकताओं के संरक्षित किया जाता है। परिणामस्वरूप, एक व्यापार रहस्य को असीमित समय के लिए संरक्षित किया जा सकता है। ट्रिप्स के अनुसार, एक व्यापार रहस्य के लिए निम्नलिखित पूर्वापेक्षाएँ हैं।

- जानकारी गुप्त होनी चाहिए (यानी यह आम तौर पर उन हलकों में ज्ञात नहीं है, या उन तक आसानी से पहुँच में नहीं है, जो आम तौर पर संबंधित जानकारी से निपटते हैं)।
- इसका वाणिज्यिक मूल्य होना चाहिए क्योंकि यह एक रहस्य है।
- इसे गुप्त रखने के लिए जानकारी के सही धारक द्वारा उचित कदम उठाए जाने चाहिए (उदाहरण के लिए, गोपनीयता समझौतों के माध्यम से)।

व्यापार रहस्यों को बेचा और लाइसेंस दिया जा सकता है।

(v) **भौगोलिक संकेत (जीआई):** एक भौगोलिक संकेत वह संकेत है जिसका उपयोग उन उत्पादों पर किया जाता है जिनकी एक विशिष्ट भौगोलिक उत्पत्ति होती है और उनमें ऐसे गुण या प्रतिष्ठा होती है जो **उस उत्पत्ति के कारण होती है**। जीआई के रूप में कार्य करने के लिए, एक संकेत को किसी उत्पाद को किसी दिए गए स्थान पर उत्पन्न होने के रूप में पहचानना चाहिए। इसके अलावा, उत्पाद के गुण, विशेषताएँ या प्रतिष्ठा मूलतः उत्पत्ति के स्थान के कारण होनी चाहिए। चूँकि गुण उत्पादन के भौगोलिक स्थान पर निर्भर करते हैं, इसलिए उत्पाद और उसके मूल उत्पादन स्थान के बीच

एक स्पष्ट संबंध होता है। संरक्षित भौगोलिक संकेत का उपयोग करने का अधिकार परिभाषित भौगोलिक क्षेत्र में उत्पादकों का है, जो उत्पाद के लिए उत्पादन की विशिष्ट शर्तों का अनुपालन करते हैं।

हालाँकि, संरक्षित भौगोलिक संकेत धारक को किसी को उसी तकनीक का उपयोग करके उत्पाद बनाने से रोकने में सक्षम नहीं बनाता है जो उस संकेत के लिए मानकों में निर्धारित की गई है। भौगोलिक संकेत के लिए सुरक्षा आमतौर पर उस चिह्न पर अधिकार प्राप्त करके प्राप्त की जाती है जो संकेत का गठन करता है। भौगोलिक संकेत का पंजीकरण दस साल की अवधि के लिए होगा, लेकिन समय-समय पर इसका नवीनीकरण किया जा सकता है। ट्रेडमार्क अधिनियम, 1999 के तहत नियुक्त पेटेंट, डिजाइन और ट्रेडमार्क के महानियंत्रक भौगोलिक संकेतों के रजिस्ट्रार होंगे।

विश्व व्यापार संगठन (डब्ल्यूटीओ) के सदस्य के रूप में भारत ने वस्तुओं के भौगोलिक संकेत (पंजीकरण और संरक्षण) अधिनियम, 1999 को अधिनियमित किया और यह 15 सितंबर, 2003 से लागू हुआ।

हाल ही में, भारत ने निम्नलिखित के लिए जीआई टैग प्रदान किया:

- असम के माजुली मास्क।
- असम की माजुली पेंटिंग।
- ओडिशा कटक का सिल्वर तारकशी कार्य (Filigree work)

(vi) **औद्योगिक डिजाइन:** कानूनी अर्थ में, औद्योगिक डिजाइन किसी वस्तु के सजावटी या सौंदर्य संबंधी पहलू का गठन करता है। औद्योगिक डिजाइन में तीन आयामी विशेषताएँ शामिल हो सकती हैं, जैसे कि वस्तु का आकार, या दो आयामी विशेषताएँ, जैसे कि पैटर्न, रेखाएँ या रंग।

औद्योगिक डिजाइन में नए आकार, विन्यास, सतह पैटर्न, अलंकरण और रेखाओं या रंगों की संरचना की नई और मूल विशेषताओं का निर्माण शामिल है, जो तैयार अवस्था में आकर्षक होती हैं और केवल आँखों से ही पहचानी जाती हैं।

औद्योगिक डिजाइन उद्योग और हस्तशिल्प वस्तुओं के विभिन्न प्रकार के उत्पादों पर लागू होते हैं: पैकेज और कंटेनर से लेकर फर्निशिंग और घरेलू सामान, प्रकाश उपकरणों से लेकर आभूषणों तक और इलेक्ट्रॉनिक उपकरणों से लेकर वस्त्रों तक। औद्योगिक डिजाइन ग्राफिक प्रतीकों और ग्राफिकल यूजर इंटरफेस (GUI) के लिए भी प्रासंगिक हो सकते हैं। भारत में औद्योगिक डिजाइन डिजाइन अधिनियम 2000 के तहत संरक्षित हैं।

अधिकांश देशों में, औद्योगिक डिजाइन को 'पंजीकृत डिजाइन' के रूप में औद्योगिक डिजाइन कानून के तहत संरक्षित होने के लिए पंजीकृत होने की आवश्यकता होती है। कुछ देशों में, औद्योगिक डिजाइनों को 'डिजाइन पेटेंट' के रूप में पेटेंट कानून के तहत संरक्षित किया जाता है।

वाणिज्य एवं उद्योग मंत्रालय के उद्योग एवं आंतरिक व्यापार संवर्धन विभाग के अंतर्गत पेटेंट, डिजाइन एवं ट्रेडमार्क महानियंत्रक डिजाइन अधिनियम 2000 के लिए 'डिजाइन नियंत्रक' होंगे। एक बार डिजाइन पंजीकृत हो जाने पर, डिजाइन नियंत्रक डिजाइन के स्वामी को पंजीकरण प्रमाणपत्र प्रदान करेगा। एक बार डिजाइन पंजीकृत हो जाने पर, डिजाइन के पंजीकृत स्वामी के पास पंजीकरण की तिथि से दस वर्षों के दौरान डिजाइन पर कॉपीराइट होगा।

13.8 बौद्धिक संपदा अधिकारों के व्यापार संबंधी पहलू (ट्रिप्स) (Trade Related Aspects of Intellectual Property Rights (TRIPS)

उरुग्वे दौर के दौरान बातचीत के बाद, ट्रिप्स 1 जनवरी 1995 को प्रभावी हुआ और भारत (एक विकासशील देश) के लिए ट्रिप्स दायित्वों का अनुपालन करने की समय सीमा 1 जनवरी, 2005 थी।

इसके अनुसार, पेटेंट अधिनियम, 1970 (भारत का) 2002 और 2005 में दो बार संशोधित किया गया ताकि इसे 2005 तक पूरी तरह से ट्रिप्स के अनुरूप बनाया जा सके।

पेटेंट (संशोधन) अधिनियम 2002 के माध्यम से, 1970 अधिनियम में मौजूद **अनिवार्य लाइसेंस** से संबंधित प्रावधानों को पूरी तरह से नए प्रावधान (धारा 84) से प्रतिस्थापित किया गया। और पेटेंट (संशोधन) अधिनियम, 2005 द्वारा दवाओं के लिए **उत्पाद पेटेंट** प्रदान करने की अनुमति दी गई, जिन्हें 1970 अधिनियम के तहत अनुमति नहीं थी। 1970 अधिनियम के अनुसार केवल प्रक्रिया पेटेंटिंग की अनुमति थी जिसका अर्थ है किसी उत्पाद के निर्माण की विधि का पेटेंट करना।

विचार और ज्ञान व्यापार का एक महत्वपूर्ण हिस्सा बनते जा रहे हैं। तदनुसार, विश्व व्यापार संगठन का ट्रिप्स (TRIPS) न्यूनतम स्तर की सुरक्षा स्थापित करता है जिसे प्रत्येक सदस्य देश को WTO के अन्य सदस्यों की बौद्धिक संपदा को देना होता है।

TRIPS की कुछ महत्वपूर्ण विशेषताएँ निम्नलिखित हैं:

1. **बौद्धिक संपदा अधिकारों की सुरक्षा:** यह सुनिश्चित करता है कि सभी सदस्य देशों में विभिन्न बौद्धिक संपदा अधिकारों के लिए सुरक्षा के पर्याप्त मानक मौजूद हों। TRIPS के लिए शुरुआती बिंदु विश्व बौद्धिक संपदा संगठन (WIPO) के मुख्य अंतर्राष्ट्रीय समझौतों के दायित्व हैं जो WTO के निर्माण से पहले मौजूद थे।
   - औद्योगिक संपदा (पेटेंट, औद्योगिक डिजाइन) की सुरक्षा के लिए पेरिस कन्वेंशन।
   - साहित्यिक और कलात्मक कार्यों (कॉपीराइट) की सुरक्षा के लिए बर्न कन्वेंशन।

   कुछ क्षेत्र उपरोक्त सम्मेलनों के अंतर्गत नहीं आते थे। और कुछ मामलों में, निर्धारित सुरक्षा मानकों को अपर्याप्त माना जाता था। इसलिए, TRIPS समझौते ने बौद्धिक संपदा अधिकारों की सुरक्षा के लिए महत्वपूर्ण संख्या में नए या उच्च मानकों को जोड़ा।
2. **प्रवर्तन (कठोर और निष्पक्ष):** केवल बौद्धिक संपदा कानून होना ही पर्याप्त नहीं है। उन्हें लागू किया जाना चाहिए। समझौते में कहा गया है कि सरकारों को यह सुनिश्चित करना होगा कि उनके कानूनों के तहत बौद्धिक संपदा अधिकारों को लागू किया जा सके, और उल्लंघन के लिए दंड इतना कठोर हो कि आगे उल्लंघन को रोका जा सके। प्रक्रिया निष्पक्ष और न्यायसंगत होनी चाहिए। इसमें अनुचित समय सीमा या अनुचित देरी शामिल नहीं होनी चाहिए।
3. **प्रौद्योगिकी हस्तांतरण:** विकासशील देश विशेष रूप से प्रौद्योगिकी हस्तांतरण को उस सौदे के हिस्से के रूप में देखते हैं जिसमें उन्होंने बौद्धिक संपदा अधिकारों की रक्षा करने पर सहमति व्यक्त की है। ट्रिप्स समझौते में इस पर कई प्रावधान शामिल हैं। जैसे, इसके लिए विकसित देशों की सरकारों को अपनी कंपनियों को कम विकसित देशों को प्रौद्योगिकी हस्तांतरित करने के लिए प्रोत्साहन प्रदान करने की आवश्यकता होती है।

13.9 जेनेरिक दवाएँ और अनिवार्य लाइसेंस (Generic Drugs and Compulsory Licenses)

जेनेरिक दवाएँ: जेनेरिक दवा वह दवा होती है जिसमें ब्रांड नाम वाली दवा के समान ही **सक्रिय तत्त्व** होते हैं और यह एक ही तरह का चिकित्सीय प्रभाव देती है। यह खुराक, सुरक्षा, शक्ति, गुणवत्ता, काम करने का तरीका, लेने का तरीका और इस्तेमाल करने के तरीके में एक जैसी होती है। जेनेरिक दवाओं में ब्रांड नाम वाले उत्पाद के समान **निष्क्रिय तत्त्व** होने की जरूरत नहीं होती, जैसे रंग या स्वाद अलग हो सकते हैं।

हालाँकि, जेनेरिक दवा आम तौर पर ब्रांड नाम वाली दवा के पेटेंट की अवधि समाप्त होने के बाद बेची जाती है, जिसमें 20 साल तक का समय लग सकता है। इसलिए, 20 साल की सुरक्षा अवधि के दौरान, पेटेंट मालिक अपनी लागत वसूलने की कोशिश करता है जो उसने अनुसंधान और विकास पर खर्च की है और इस दौरान दवा काफी महँगी होती है क्योंकि इसे केवल पेटेंट मालिक द्वारा अपने ब्रांड नाम के तहत उत्पादित किया जाता है और अन्य लोग इसका निर्माण और बिक्री नहीं कर सकते। सुरक्षा अवधि समाप्त होने के बाद, कोई भी कंपनी दवा के जेनेरिक संस्करण बेच

सकती है और इसमें कड़ी प्रतिस्पर्धा होती है जो अंततः दवा की कीमत कम कर देती है।

लेकिन (भारतीय पेटेंट अधिनियम 1970) पेटेंट कानून 20 साल की सुरक्षा अवधि के दौरान भी जेनेरिक निर्माताओं को लाइसेंस के रूप में ब्रांडेड दवाओं की उच्च कीमत के मुद्दे का समाधान प्रदान करता है। यह उपाय दवा के स्वैच्छिक और अनिवार्य लाइसेंसिंग के रूप में उपलब्ध है।

1. **स्वैच्छिक लाइसेंस:** इस व्यवस्था के तहत, एक पेटेंट धारक दवा उत्पाद के **जेनेरिक संस्करणों** के निर्माण, आयात और वितरण और बहुत कुछ के लिए तीसरे पक्ष को लाइसेंस (अपने दम पर) दे सकता है। पेटेंट का लाइसेंसधारी कंपनी के एजेंट के रूप में कार्य करेगा। स्वैच्छिक लाइसेंस की शर्तों में मूल्य सीमा, बिक्री के वितरण से रॉयल्टी आदि निर्धारित हो सकती है। [पेटेंट अधिनियम 1970 के तहत कोई कानूनी प्रावधान नहीं दिया गया है क्योंकि इस लाइसेंस तक पहुँच आपसी अनुबंधात्मक समझौते के माध्यम से होती है।]
2. **अनिवार्य लाइसेंस:** यदि पेटेंट स्वामी अपनी एकाधिकार स्थिति का फायदा उठा रहा है और ब्रांडेड दवाओं का निर्माण और आपूर्ति बाजार में नहीं कर रहा है या यदि दवा बाजार में उचित रूप से सस्ती कीमत पर उपलब्ध नहीं कराई जा रही है, तो सरकार दो तरीकों से अनिवार्य लाइसेंस दे सकती है:
   (a) यदि कोई निर्माता खुद सरकार से संपर्क करता है कि वह बहुत सस्ती कीमत पर दवा (**जेनेरिक संस्करण**) का उत्पादन कर सकता है, लेकिन केवल पेटेंट स्वामी और निर्माता के बीच स्वैच्छिक लाइसेंस के लिए बातचीत विफल होने के बाद। [पेटेंट अधिनियम 1970 की धारा 84]
   (b) राष्ट्रीय आपातकाल (कोविड-19 जैसी महामारी) या अत्यधिक अत्यावश्यकता के मामले में, सरकार अधिसूचना जारी कर सकती है कि वह किसी भी निर्माता को अनिवार्य लाइसेंस देगी जो ऐसी शर्तों के साथ दवा के **जेनेरिक संस्करण** का निर्माण करना चाहता है। [पेटेंट अधिनियम 1970 की धारा 92]

लेकिन ऊपर बताए गए अनिवार्य लाइसेंस के दोनों मामलों में निर्माता (अनिवार्य लाइसेंस धारक) को सरकार द्वारा तय की गई रॉयल्टी पेटेंट मालिक को देनी होगी।

अगर किसी सरकारी प्राधिकरण ने अपने देश में किसी व्यक्ति (या संस्था) को पेटेंट दिया है तो WTO के ट्रिप्स समझौते में कहा गया है कि हर दूसरे सदस्य देश (सरकार) को साथी सदस्य के पेटेंट अधिकार को सुरक्षा देनी होगी। लेकिन WTO कुछ परिस्थितियों में पेटेंट धारक के अधिकारों पर उचित प्रतिबंध भी प्रदान करता है। यह प्रतिबंध अन्य सदस्य देशों को पेटेंट अधिकार के दुरुपयोग को रोकने के लिए अनिवार्य लाइसेंस देने के लिए प्रावधान बनाने की अनुमति देकर प्रदान किया गया है और सदस्य देशों को अनिवार्य लाइसेंस देने के आधार निर्धारित करने की स्वतंत्रता दी गई है। *अनिवार्य लाइसेंसिंग का अर्थ है कि सरकार पेटेंट मालिक की सहमति के बिना किसी और को पेटेंट उत्पाद या प्रक्रिया का उत्पादन करने की अनुमति देती है।*

13.10 विश्व व्यापार संगठन - दोहा विकास एजेंडा (WTO-Doha Development Agenda)

दोहा दौर (जिसे 'दोहा विकास एजेंडा' के नाम से भी जाना जाता है) विश्व व्यापार संगठन में व्यापार वार्ता का नवीनतम दौर है। इस दौर की आधिकारिक शुरुआत नवंबर 2001 में दोहा, कतर में विश्व व्यापार संगठन के चौथे मंत्रिस्तरीय सम्मेलन में की गई थी। वार्ता समाप्त करने की मूल समय सीमा 1 जनवरी, 2005 थी, लेकिन यह चूक गई और तब से कई समय सीमाएँ चूक गई हैं और यह अभी भी समाप्त नहीं हुई है। इसका उद्देश्य विकासशील देशों की व्यापार संभावनाओं को बेहतर बनाने पर विशेष ध्यान देने के साथ कम व्यापार बाधाओं और संशोधित व्यापार नियमों की शुरुआत के माध्यम से अंतर्राष्ट्रीय व्यापार प्रणाली में प्रमुख सुधार प्राप्त करना है। कार्य कार्यक्रम में कृषि, सेवा, बौद्धिक संपदा अधिकार, व्यापार सुविधा आदि सहित व्यापार के लगभग 20 क्षेत्र शामिल हैं, लेकिन मुख्य एजेंडा (दोहा दौर का) बहुपक्षीय व्यापार प्रणाली में 'विकास' (विकासशील देशों को विशेष और विभेदक उपचार प्रदान करके उनकी

व्यापार संभावनाओं में सुधार) की केंद्रीयता है। निम्नलिखित कुछ मुद्दे हैं जिन पर विश्व व्यापार संगठन के मंत्रिस्तरीय सम्मेलन में चर्चा और बहस की जा रही है।

1. मत्स्य पालन सब्सिडी:

- WTO के सदस्यों ने 'मत्स्य पालन सब्सिडी पर समझौता' किया है, जो हानिकारक सब्सिडी को रोकने और वैश्विक मछली स्टॉक की सुरक्षा के लिए नए वैश्विक नियम निर्धारित करता है। *(यह समझौता दो-तिहाई सदस्यों द्वारा इसके कानूनी साधन को स्वीकार किए जाने पर लागू होगा)*
- यह समझौता अवैध, अप्रतिबंधित और अनियमित (IUU) मछली पकड़ने के लिए समर्थन को प्रतिबंधित करता है।
- यह अत्यधिक मछली पकड़ने वाले स्टॉक में मछली पकड़ने के लिए समर्थन पर प्रतिबंध लगाता है।
- यह अनियंत्रित उच्च समुद्रों पर मछली पकड़ने के लिए सब्सिडी समाप्त करके अत्यधिक क्षमता और अत्यधिक मछली पकड़ने के लिए सब्सिडी को रोकने की दिशा में पहला लेकिन महत्वपूर्ण कदम है।
- इस समझौते के लागू होने की तिथि से 2 वर्ष की अवधि के लिए, विकासशील देश के सदस्यों, जिनमें एलडीसी सदस्य भी शामिल हैं, द्वारा अनन्य आर्थिक क्षेत्रों (ईईजेड) तक और उसके भीतर दी गई या बनाए रखी गई सब्सिडी को कार्रवाई से छूट दी जाएगी।
- कोई सदस्य एलडीसी सदस्य से जुड़े मामलों को उठाने में उचित संयम बरतेगा।
- एलडीसी सदस्यों सहित विकासशील देश के सदस्यों को समझौते में विभिन्न उपायों के कार्यान्वयन के उद्देश्य से लक्षित तकनीकी सहायता प्रदान की जाएगी। इसके लिए संयुक्त राष्ट्र के खाद्य और कृषि संगठन (एफएओ) और कृषि विकास के लिए अंतर्राष्ट्रीय कोष जैसे प्रासंगिक अंतरराष्ट्रीय संगठनों के सहयोग से एक स्वैच्छिक डब्ल्यूटीओ फंडिंग तंत्र स्थापित किया जाएगा।
- *डब्ल्यूटीओ अधिक से अधिक सदस्यों को समझौते को औपचारिक रूप से स्वीकार करने के लिए प्रेरित कर रहा है।*

2. ई-कॉमर्स पर कार्यक्रम:

सदस्यों ने अगले (14वें) मंत्रिस्तरीय सम्मेलन या 31 मार्च, 2026 तक इलेक्ट्रॉनिक ट्रांसमिशन पर सीमा शुल्क न लगाने की मौजूदा प्रथा को बनाए रखने पर सहमति व्यक्त की। कुछ देश, विशेष रूप से विकसित दुनिया के देश, इलेक्ट्रॉनिक ट्रांसमिशन पर शुल्क लगाने पर 'स्थायी रोक' की माँग कर रहे हैं। **भारत इस तरह के कदम के खिलाफ है** और उसने इस तरह की रोक के विस्तार के लिए पूर्व शर्तें रखी हैं। व्यापार निकाय के दूसरे मंत्रिस्तरीय सम्मेलन में 1998 के 'वैश्विक ई-कॉमर्स पर घोषणा' में शामिल 'रोक' में कहा गया था कि 'सदस्य देश इलेक्ट्रॉनिक ट्रांसमिशन पर सीमा शुल्क न लगाने की अपनी मौजूदा प्रथा को जारी रखेंगे'। यह रोक- जो 'अस्थायी' प्रकृति की है- हर द्विवार्षिक एमसी में बढ़ाई जाती है।

डब्ल्यूटीओ मौजूदा अधिदेश के आधार पर ई-कॉमर्स पर कार्यक्रम के तहत काम जारी रखने पर सहमत हो गया है। (*भारत ई-कॉमर्स पर वैश्विक नियम स्थापित करने के लिए विकसित देशों द्वारा बातचीत के लिए दबाव डालने के किसी भी प्रयास के खिलाफ है, क्योंकि ई-कॉमर्स पर घरेलू नियम अस्थिर हैं। और वर्तमान में, भारत की ई-कॉमर्स संस्थाओं में चीन और विकसित देशों की दिग्गज कंपनियों के साथ प्रतिस्पर्धा करने की ताकत नहीं है*)

3. खाद्य असुरक्षा:

- डब्ल्यूटीओ ने विशेष रूप से मानवीय आपात स्थितियों में जरूरतमंद लोगों के लिए खाद्य की बढ़ी हुई उत्पादकता और उत्पादन, व्यापार, उपलब्धता और पहुँच तथा सामर्थ्य सुनिश्चित करने के उद्देश्य से सहयोग करने का संकल्प लिया।
- मानवीय खाद्य खरीद के लिए विश्व खाद्य कार्यक्रम (डब्ल्यूएफपी) को निर्यात प्रतिबंधों से छूट दी गई है।

4. डब्ल्यूटीओ सुधार:

डब्ल्यूटीओ के सदस्यों ने डब्ल्यूटीओ के कार्यों की व्यापक समीक्षा करने पर सहमति व्यक्त की है ताकि यह सुनिश्चित किया जा सके कि संगठन बहुपक्षीय व्यापार प्रणाली के सामने आने वाली चुनौतियों का अधिक प्रभावी ढंग से जवाब देने में सक्षम है।

बढ़ते संरक्षणवाद, विवाद समाधान के लिए अपीलीय न्यायाधिकरण में अपर्याप्त सदस्य, क्षेत्रीय व्यापार समझौतों (आरटीए) और मुक्त व्यापार समझौतों (एफटीए) की बढ़ती संख्या आदि के परिणामस्वरूप सदस्य देश मुक्त व्यापार सुनिश्चित करने और बहुपक्षवाद को बढ़ावा देने के लिए एक संस्था के रूप में डब्ल्यूटीओ की प्रभावशीलता पर सवाल उठा रहे हैं। डब्ल्यूटीओ सुधारों पर चल रही चर्चाओं में, भारत का प्रस्ताव विकास के महत्व की फिर से पुष्टि करने और समावेशी विकास को बढ़ावा देने का प्रयास करता है। भारत के प्रस्ताव के व्यापक तत्त्वों में शामिल हैं:

- बहुपक्षीय व्यापार प्रणाली के मूल मूल्यों को संरक्षित करना;
- विवाद निपटान प्रणाली में गतिरोध को हल करना;
- विकास संबंधी चिंताओं की रक्षा करना; और
- पारदर्शिता और अधिसूचनाएँ।

13.11 मुक्त व्यापार समझौते (एफटीए) और आरसीईपी (Free Trade Agreements (FTAs and RCEP)

एक मुक्त व्यापार समझौता (एफटीए) एक तरजीही व्यवस्था है जिसमें सदस्य आपस में व्यापार पर टैरिफ कम करते हैं, जबकि गैर-सदस्यों के साथ व्यापार के लिए अपने स्वयं के टैरिफ को बनाए रखते हैं। दुनियाभर में, FTAs का प्रसार हो रहा है, खासकर 1995 में WTO की स्थापना के बाद से। लेकिन, अब तक भारत ने मुख्य रूप से अन्य एशियाई देशों के साथ साझेदारी करने पर ध्यान केंद्रित किया है, और सेवाओं की तुलना में वस्तुओं में अधिक। WTO समझौतों के तहत बहुपक्षवाद के लिए अपनी दीर्घकालिक प्रतिबद्धता और वैश्विक रुझानों के अनुरूप, भारत ने विशेष रूप से 2003-04 के बाद से अपने व्यापार और विदेश नीति के प्रमुख घटक के रूप में FTAs का उपयोग किया है।

भारत के श्रीलंका, अफगानिस्तान, थाईलैंड, सिंगापुर, भूटान, नेपाल, कोरिया, मलेशिया और जापान के साथ द्विपक्षीय FTAs हैं और क्षेत्रीय व्यापार समझौते, दक्षिण एशियाई मुक्त व्यापार समझौता (SAFTA, 2004) और भारत-आसियान समझौता (2010) हैं।

व्यापार पर इन मुक्त व्यापार समझौतों (FTAs) का प्रभाव:

देशों के बीच व्यापार प्रवाह दोनों देशों के आकार (जीडीपी) के सीधे आनुपातिक हैं और उनके बीच की दूरी के व्युत्क्रमानुपाती हैं। दूरी देशों के बीच सभी व्यापार लागतों का प्रतिनिधित्व करती है, जिसमें न केवल परिवहन लागत शामिल है, बल्कि भाषा, मुद्रा, नीति आदि से संबंधित लागतें भी शामिल हैं।

भारत के FTA ने FTA देशों के साथ व्यापार में उतनी वृद्धि की है जितनी अन्यथा नहीं होती। लेकिन निर्यात की तुलना में आयात में व्यापार में वृद्धि अधिक रही है, संभवत: इसलिए क्योंकि भारत अपेक्षाकृत उच्च टैरिफ बनाए रखता है और इसलिए FTA पर हस्ताक्षर करने के बाद अपने FTA भागीदारों की तुलना में टैरिफ में बड़ी कटौती हुई है।

हाल का घटनाक्रम: भारत ने हाल ही में कुछ देशों के साथ FTA पर हस्ताक्षर किए हैं और कनाडा, यूके, इजराइल और यूरोपीय संघ के साथ FTA को अंतिम रूप देने के विभिन्न चरणों में है।

- **भारत-यूएई** व्यापक आर्थिक भागीदारी समझौता (CEPA) वस्तुओं और सेवाओं में व्यापार, उत्पत्ति के नियम, सीमा शुल्क प्रक्रिया, सरकारी खरीद, IPR, ई-कॉमर्स जैसे विभिन्न क्षेत्रों को कवर करता है। दोनों देशों ने 80% उत्पादों पर टैरिफ हटा दिए हैं। एफटीए यूएई को भारत के 90% निर्यात को शून्य शुल्क पहुँच प्रदान करेगा। एफटीए से रत्न, आभूषण, वस्त्र, चमड़े के जूते, खेल के सामान, इंजीनियरिंग सामान और फार्मास्यूटिकल्स जैसे कई श्रम-उन्मुख व्यवसायों को लाभ होगा। यह मई 2022 में लागू हुआ।

- **भारत-ऑस्ट्रेलिया** आर्थिक सहयोग और व्यापार समझौता (ECTA) वस्तुओं में व्यापार, उत्पत्ति के नियम, सेवाओं में व्यापार, व्यापार में तकनीकी बाधाएँ (TBT), स्वच्छता और फाइटोसैनिटरी (SPS) उपाय, विवाद निपटान, प्राकृतिक व्यक्तियों की आवाजाही, दूरसंचार, सीमा शुल्क प्रक्रिया, दवा उत्पाद और अन्य क्षेत्रों में सहयोग जैसे क्षेत्रों को कवर करता है। भारत को ऑस्ट्रेलिया द्वारा अपनी 100% टैरिफ लाइनों पर प्रदान की जाने वाली तरजीही बाजार पहुँच से लाभ होगा। दूसरी ओर, भारत ऑस्ट्रेलिया को अपनी 70% से अधिक टैरिफ लाइनों पर तरजीही पहुँच प्रदान करेगा। सेवाओं में, भारत और ऑस्ट्रेलिया दोनों ने विभिन्न उप-क्षेत्रों में बाजार पहुँच और सबसे पसंदीदा राष्ट्र की पेशकश की है। यह दिसंबर 2022 में लागू हुआ।
- **भारत-ईएफटीए व्यापार सौदा:** भारत ने यूरोपीय मुक्त व्यापार संघ (ईएफटीए) के साथ व्यापार और आर्थिक भागीदारी समझौते (टीईपीए) पर हस्ताक्षर किए, जिसमें आइसलैंड, लिकटेंस्टीन, नॉर्वे और स्विट्जरलैंड जैसे चार देश शामिल हैं। यह एक अभिनव और अच्छी तरह से संतुलित समझौता है जो वस्तुओं और सेवाओं के साथ-साथ द्विपक्षीय निवेशों में दो-तरफा व्यापार को कवर करता है। समझौते के तहत, चार सदस्यीय ईएफटीए ने 15 वर्षों में भारत में 100 बिलियन डॉलर के निवेश की प्रतिबद्धता जताई है और दोनों ब्लॉकों के बीच टैरिफ कम होने की उम्मीद है। भारत का ईएफटीए सदस्यों के साथ लगातार व्यापार घाटा है। भारत सोना और अन्य वस्तुओं का आयात करता है जबकि यह ईएफटीए सदस्यों को रसायन, अर्ध-कीमती पत्थर आदि निर्यात करता है।

क्षेत्रीय व्यापक आर्थिक भागीदारी (RCEP)

पूर्वी एशिया क्षेत्र के देशों के बीच मुक्त व्यापार समझौतों के माध्यम से एक-दूसरे के साथ व्यापार और आर्थिक संबंध फल-फूल रहे हैं। दक्षिण पूर्व एशियाई देशों के संगठन **(आसियान)** के छह साझेदारों **चीन** (एसीएफटीए), **कोरिया गणराज्य** (एकेएफटीए), जापान (एजेसीईपी), भारत (एआईएफटीए) के साथ-साथ **ऑस्ट्रेलिया** और **न्यूजीलैंड** (एएएनजेडएफटीए) के साथ मुक्त व्यापार समझौते हैं। पक्षों के बीच जुड़ाव को व्यापक और गहरा करने और क्षेत्र के आर्थिक विकास में पक्षों की भागीदारी बढ़ाने के लिए, 16 भाग लेने वाले देशों के नेताओं ने क्षेत्रीय व्यापक आर्थिक भागीदारी (आरसीईपी) की स्थापना की। आरसीईपी को मौजूदा **आसियान+1 एफटीए** के आधार पर आर्थिक संबंधों को मजबूत करने और व्यापार और निवेश संबंधी गतिविधियों को बढ़ाने के साथ-साथ पक्षों के बीच विकास के अंतर को कम करने में योगदान देने की भावना से बनाया गया था।

आरसीईपी का उद्देश्य 16 सदस्यों के बीच एक आधुनिक, व्यापक, उच्च गुणवत्ता वाला और पारस्परिक रूप से लाभकारी आर्थिक साझेदारी समझौता करना था। लेकिन नवंबर 2019 में भारत ने निम्नलिखित मुख्य मुद्दों के कारण RCEP डील से खुद को अलग कर लिया:

- भारत के पास पहले से ही RCEP के अधिकांश देशों (चीन एक अपवाद है) के साथ FTA है और भारत का सभी देशों के साथ व्यापार घाटा है। RCEP डील के जरिए बाजार को और खोलने से भारत में उत्पादों की डंपिंग हो सकती थी।
- RCEP डील में '**उत्पत्ति के नियम**' (किसी उत्पाद के वास्तविक स्रोत को निर्धारित करने के लिए मानदंडों का एक सेट) के लिए उचित प्रावधान नहीं थे, जिससे चीन को अन्य देशों के जरिए भारत में अपने उत्पाद डंप करने की अनुमति मिल सकती थी।
- हमारे डेयरी उद्योग में छोटे और सीमांत किसानों का वर्चस्व है। RCEP डील पर हस्ताक्षर करने से **ऑस्ट्रेलिया और न्यूजीलैंड** से प्रसंस्कृत दूध उत्पादों की बाढ़ आ जाती, जो इन उत्पादों में अत्यधिक लागत प्रतिस्पर्धी हैं, जिसके परिणामस्वरूप 12.5 करोड़ छोटे और सीमांत किसानों की आजीविका पर प्रतिकूल प्रभाव पड़ता है।
- RCEP के सदस्य देश अपने बाजारों में भारतीय श्रम और सेवाओं को पर्याप्त पहुँच नहीं दे रहे थे।
- RCEP डील में निवेश प्रकरण के अनुसार, भारत अपने विदेशी भागीदारों को भारत में निवेश करने के लिए प्रौद्योगिकी हस्तांतरण/ज्ञान के लिए बाध्य नहीं

कर सकता। और यदि भारतीय भागीदार विदेशी कंपनी/भागीदार की कुछ प्रौद्योगिकी/बौद्धिक संपदा का उपयोग कर रहा है, तो उसे उस पर रॉयल्टी का भुगतान करना होगा और भारत सरकार उस पर कोई **सीमा नहीं लगा सकती**।

- भारत का चीन के साथ कोई FTA नहीं है और फिर भी चीन से भारी मात्रा में आयात होता है। RCEP पर हस्ताक्षर करने से चीन को अधिक पहुँच मिलती और चीन से सस्ते उत्पाद भारतीय बाजार में भर जाते। भारत एक स्व-चालित (auto-trigger) तंत्र की माँग कर रहा था जिसके माध्यम से वह उन मामलों में उत्पादों पर टैरिफ बढ़ा सकता था जहाँ आयात एक निश्चित सीमा को पार कर जाता है, लेकिन सदस्य देश सहमत नहीं थे।
- भारत RCEP डील में उत्पादों पर टैरिफ/शुल्क में कमी के लिए 2014 को आधार वर्ष के रूप में माँग रहा था, लेकिन यह भी पूरा नहीं हुआ। वास्तव में, इन व्यापार सौदों में सदस्य देशों से किसी विशेष आधार वर्ष से प्रतिशत के आधार पर आयात शुल्क कम करने के लिए कहा जाता है। तथ्य यह है कि भारत में पहले आयात शुल्क/टैरिफ कम थे, जिसे मोदी सरकार ने 2014 में बढ़ा दिया। यदि भारत 2014 से कुछ प्रतिशत टैरिफ कम करने के लिए प्रतिबद्ध है, तब भी हमारे टैरिफ RCEP सदस्य देशों के लिए अपेक्षाकृत अधिक होंगे और हम अपने बाजार तक पहुँच को रोक सकते हैं।
- भारत के लिए, RCEP बहुत अधिक अंतर नहीं ला सकता है क्योंकि इसने आसियान के साथ FTA और जापान और दक्षिण कोरिया के साथ व्यापक आर्थिक भागीदारी समझौते (CEPA) किए हैं।

भारत के पास भविष्य में इस सौदे में शामिल होने का विकल्प है। लेकिन अगर यह RCEP सौदे में शामिल नहीं होता है, तो इसे इन देशों के बाजार तक पहुँच में चुनौती का सामना करना पड़ेगा। चूँकि इन देशों के बीच टैरिफ कम होंगे, इसलिए हम भारत में जो निर्यात बढ़ाने की कोशिश कर रहे हैं, वह चुनौतीपूर्ण होगा क्योंकि अपेक्षाकृत उच्च टैरिफ (इन देशों द्वारा हमारे उत्पादों पर) हमारे निर्यात को कम प्रतिस्पर्धी बना देगा। और हम जिस विदेशी निवेश को आकर्षित करने की कोशिश कर रहे हैं, उसे भी चुनौती का सामना करना पड़ेगा क्योंकि भारत जैसे किसी भी देश में निवेश के लिए आने वाली बहुराष्ट्रीय कंपनियाँ केवल भारतीय बाजार को ही लक्ष्य नहीं बनाती हैं, बल्कि वे पूरे क्षेत्र को लक्ष्य बनाती हैं। इसलिए, अगर इन बहुराष्ट्रीय कंपनियों को पता है कि भारत ने इस सौदे से बाहर निकलने का विकल्प चुना है, तो उनके लिए भारत में विनिर्माण करके अपने उत्पादों का निर्यात करना एक मुद्दा है।

आदर्श रूप से, पहले भारत को खुद को कुशल बनाना चाहिए और फिर उसे इस सौदे में शामिल होना चाहिए। दक्षता सापेक्ष है और हमें किस स्तर की दक्षता पर किसी व्यापार सौदे में शामिल होना चाहिए, यह एक व्यक्तिपरक मामला है और भू-राजनीति और सुरक्षा के अन्य पहलू भी हैं। किसी व्यापार सौदे में कोई भी भागीदार जो उत्पादन/आपूर्ति श्रृंखला में अधिक कुशल है, उसे व्यापार सौदे का अधिकतम लाभ मिलेगा।

घरेलू उद्योग की सुरक्षा के लिए WTO के अनुरूप उपाय निम्नलिखित हैं:

- ***एंटी-डंपिंग ड्यूटी*** *जब किसी देश (मान लीजिए A) द्वारा किसी अन्य देश (मान लीजिए B) को देश A में प्रचलित मूल्य की तुलना में कम कीमत पर माल निर्यात किया जाता है, तो इसे डंपिंग कहा जाता है। और इसे रोकने के लिए, देश B को देश A से आने वाले आयातों पर अतिरिक्त शुल्क/टैरिफ (अपने सामान्य सीमा शुल्क/आयात शुल्क के अलावा) लगाने की अनुमति है। इस अतिरिक्त टैरिफ को 'एंटी-डंपिंग ड्यूटी' कहा जाता है।*

  एंटी-डंपिंग माल की डंपिंग और उसके व्यापार विकृत प्रभाव से उत्पन्न स्थिति को सुधारने के लिए एक उपाय है। इस प्रकार, एंटी-डंपिंग ड्यूटी का उद्देश्य डंपिंग के व्यापार विकृत प्रभाव को सुधारना और निष्पक्ष व्यापार को फिर से स्थापित करना है। निष्पक्ष प्रतिस्पर्धा के साधन के रूप में एंटी-डंपिंग उपाय के उपयोग की अनुमति WTO द्वारा दी गई है। वास्तव में, एंटी-डंपिंग निष्पक्ष व्यापार सुनिश्चित करने का एक साधन है और यह घरेलू उद्योग के लिए सुरक्षा का उपाय नहीं है। यह डंपिंग के कारण होने वाली क्षति के विरुद्ध घरेलू उद्योग को राहत प्रदान करता है तथा यह देश विशेष पर लागू होता है।

प्रतिकारी शुल्क: जब कोई सरकार अपने निर्यातकों को सब्सिडी दे रही होती है, तो आयात करने वाला देश अपने बाजार में प्रवेश करने वाले उत्पादों पर अतिरिक्त टैरिफ/शुल्क (अपने सामान्य सीमा शुल्क/आयात शुल्क के अलावा) लगा सकता है। इस अतिरिक्त शुल्क को *'प्रतिकारी शुल्क'* कहा जाता है। इसे सब्सिडी-विरोधी शुल्क भी कहा जाता है तथा यह देश विशेष पर लागू होता है।

- *सुरक्षा शुल्क* तब लगाया जाता है, जब किसी विशेष देश/देशों के बावजूद किसी विशेष उत्पाद के आयात में वृद्धि होती है। सुरक्षा शुल्क एक WTO अनुपालक अस्थायी उपाय है, जिसे किसी देश के घरेलू उद्योग को सस्ते आयात से होने वाले किसी भी नुकसान से बचाने के लिए एक निश्चित समय सीमा के लिए लाया जाता है।
- *गैर-टैरिफ बाधाएँ (एनटीबी):* व्यापार बाधाएँ टैरिफ (आयात शुल्क) या गैर-टैरिफ के रूप में हो सकती हैं। आधुनिक मुक्त व्यापार समझौते टैरिफ (आयात शुल्क) को कम करते हैं लेकिन विभिन्न प्रकार की गैर-टैरिफ बाधाएँ (एनटीबी) लगाते हैं। एनटीबी अक्सर विनियमन, मानकों, परीक्षण, प्रमाणन आदि के रूप में आती हैं। एनटीबी के विभिन्न उदाहरण हैं:
  - आयात लाइसेंसिंग।
  - सीमा शुल्क पर माल के मूल्यांकन के लिए नियम।
  - शिपमेंट से पहले निरीक्षण (आयात पर आगे की जाँच) जिसका उद्देश्य मानव, पशु या पौधे के स्वास्थ्य और पर्यावरण की रक्षा करना है।
  - उत्पत्ति के नियम।
  - मात्रात्मक प्रतिबंध।

13.12 अंतर्राष्ट्रीय मुद्रा कोष (IMF) एंव विश्व बैंक (International Monetary Fund (IMF) and World Bank)

विश्व बैंक और आईएमएफ के बीच तुलना निम्नलिखित है:

विश्व बैंक	आईएमएफ
उद्देश्य: • युद्ध प्रभावित देशों का पुनर्निर्माण (प्राप्त)। • विकासशील देशों (एलडीसी-अल्पविकसित देशों में भी) में जीवन और स्तर को ऊपर उठाने के लिए विकास को बढ़ावा देना। • गरीबी को खत्म करना। • वित्त, तकनीकी सहायता (विकास कार्यक्रमों, पर्यावरण और बुनियादी ढाँचे से संबंधित) और गारंटी प्रदान करके विकासशील देशों में निवेश को बढ़ावा देना।	उद्देश्य: • अंतर्राष्ट्रीय मौद्रिक सहयोग को बढ़ावा देना (भुगतान लेनदेन को सुविधाजनक बनाना)। • सदस्य देशों को भुगतान संतुलन की समस्याओं को दूर करने में सहायता करना। • विनिमय दर स्थिरता सुनिश्चित करना। • संतुलित अंतर्राष्ट्रीय व्यापार सुनिश्चित करना। • मुद्राओं की परिवर्तनीयता पर प्रतिबंधों को कम करना। • निगरानी (यह सदस्य देशों की आर्थिक नीतियों की समीक्षा करता है और जोखिमों का आकलन करता है, विशेष रूप से वित्तीय जोखिमों का)।

	• बैंकिंग, वित्त, BoP से संबंधित अधिकारियों को प्रशिक्षण जैसी तकनीकी सहायता प्रदान करता है। • आर्थिक रुझानों और क्रॉस-कंट्री अनुभवों के विश्लेषण के आधार पर सरकारों और केंद्रीय बैंकों को नीतिगत सलाह देता है।
<u>धन का स्रोत:</u> • शेयर पूँजी (जीडीपी में हिस्सेदारी के आधार पर सदस्य देशों द्वारा सदस्यता ली गई)। • अंतर्राष्ट्रीय वित्तीय बाजारों में बांड जारी करना (धन का मुख्य स्रोत)।	<u>धन का स्रोत:</u> • कोटा (सदस्य देशों द्वारा सब्सक्राइब किया गया) (निधि का मुख्य स्रोत)। ■ 25% सोना या विदेशी मुद्रा में। ■ 75% घरेलू मुद्रा में। • विशिष्ट देशों से उधार।
<u>ऋण:</u> • आमतौर पर विकासशील और एलडीसी देशों को 25 से 30 साल के दीर्घकालिक ऋण। • आमतौर पर बिना किसी शर्त के रियायती ऋण। • नीतिगत सुधारों और परियोजनाओं दोनों के लिए ऋण।	<u>ऋण</u> • आमतौर पर सभी सदस्य देशों को उन चीजों को सुधारने के लिए सशर्त अल्पकालिक ऋण दिया जाता है, जिसके परिणामस्वरूप संकट पैदा हुआ। • आमतौर पर गैर-रियायती ऋण। • केवल नीतिसंबंधी सुधारों के लिए ऋण दिया जाता है, न कि विशिष्ट परियोजनाओं के लिए।
<u>वोट:</u> वोट = मूल वोट + प्रत्येक शेयर के लिए 1 वोट (1 शेयर = $ एक लाख) मूल वोट सभी सदस्य देशों को समान रूप से आवंटित किए जाते हैं।	<u>वोट:</u> वोट = मूल वोट + एक लाख एसडीआर के प्रत्येक कोटे के लिए 1 वोट। मूल वोट सभी सदस्य देशों को समान रूप से आवंटित किए जाते हैं।
<u>संगठनात्मक संरचना</u> बैंक की सभी शक्तियाँ गवर्नर्स बोर्ड के पास निहित हैं, जो सर्वोच्च निर्णय लेने वाला निकाय है जिसके अधीन निदेशक मंडल होता है, जबकि बैंक का नेतृत्व अध्यक्ष करते हैं। यह परंपरा है कि अध्यक्ष हमेशा अमेरिका से होता है। प्रत्येक सदस्य देश एक गवर्नर (वित्त मंत्री) और एक वैकल्पिक गवर्नर (RBI गवर्नर) नियुक्त करता है। बोर्ड ऑफ गवर्नर्स की बैठक आमतौर पर साल में एक बार होती है।	<u>संगठनात्मक संरचना</u> *IMF की सभी शक्तियाँ बोर्ड ऑफ गवर्नर्स के पास निहित हैं, जो सर्वोच्च निर्णय लेने वाला निकाय है, जिसके अधीन निदेशक मंडल होता है, जबकि IMF का नेतृत्व प्रबंध निदेशक करते हैं।* यह एक परंपरा है कि प्रबंध निदेशक हमेशा यूरोप से होता है। प्रत्येक सदस्य देश एक गवर्नर (वित्त मंत्री) और एक वैकल्पिक गवर्नर (RBI गवर्नर) नियुक्त करता है। बोर्ड ऑफ गवर्नर्स की आमतौर पर साल में एक बार बैठक होती है।

रिपोर्ट:	रिपोर्ट:
• विश्व विकास रिपोर्ट। • अंतर्राष्ट्रीय ऋण सांख्यिकी। • व्यापार करने में आसानी रिपोर्ट। • वैश्विक आर्थिक संभावनाएँ। वाशिंगटन डीसी में मुख्यालय, 189 सदस्य	• विश्व आर्थिक परिदृश्य। • वैश्विक वित्तीय स्थिरता रिपोर्ट। • राजकोषीय मॉनिटर। वाशिंगटन डीसी में मुख्यालय, 190 सदस्य

आईएमएफ/विश्व बैंक में भारत द्वारा प्रस्तावित सुधार (विकासशील देशों का दृष्टिकोण)।
• अध्यक्ष/एमडी की नियुक्ति सभी के लिए खुली, योग्यता आधारित और पारदर्शी होनी चाहिए। • कर्मचारियों की विविधता बढ़ाई जानी चाहिए। • बुनियादी वोट बढ़ाए जाने चाहिए। • संसाधन बढ़ाए जाने चाहिए। • प्रमुख निर्णयों के मामले में दोहरे बहुमत से मतदान (मतदान अधिकार के आधार पर एक बार कोई बड़ा निर्णय लिए जाने पर, आधे सदस्यों को भी इसे मंजूरी देनी चाहिए)।

आईएमएफ और विश्व बैंक को ब्रेटन वुड ट्विन्स कहा जाता है और विश्व बैंक की सदस्यता केवल तभी सशर्त होती है जब कोई देश आईएमएफ का सदस्य हो, तो उसे विश्व बैंक की सदस्यता मिल सकती है (इसके अपवाद भी हो सकते हैं)।

अंतर्राष्ट्रीय मुद्रा कोष (आईएमएफ)

आईएमएफ की स्थापना 1944 में हुई थी। जब कोई देश आईएमएफ में शामिल होता है, तो उसे एक कोटा दिया जाता है जो देश के चार मापदंडों पर आधारित होता है:

- जीडीपी (50%),
- खुलापन (30%),
- आर्थिक परिवर्तनशीलता (चालू और पूँजी खाते में उतार-चढ़ाव, 15%),
- अंतर्राष्ट्रीय भंडार (5%)

कोटा को विशेष आहरण अधिकार (एसडीआर) में दर्शाया जाता है, जो आईएमएफ की लेखा इकाई है।

किसी सदस्य की कोटा सदस्यता वित्तीय संसाधनों की अधिकतम राशि निर्धारित करती है जिसे सदस्य आईएमएफ को प्रदान करने के लिए बाध्य है। आईएमएफ में शामिल होने पर सदस्य को अपनी सदस्यता का पूरा भुगतान करना होगा 25% तक का भुगतान एसडीआर या व्यापक रूप से स्वीकृत मुद्राओं (अमेरिकी डॉलर, यूरो, येन, पाउंड, युआन) में किया जाना चाहिए, जबकि शेष 75% का भुगतान सदस्य की अपनी मुद्रा में किया जाना चाहिए। कोटे की समीक्षा हर पाँच साल बाद की जानी चाहिए।

आईएमएफ से सदस्य द्वारा प्राप्त की जाने वाली वित्तपोषण की राशि भी उसके कोटे पर आधारित होती है। उदाहरण के लिए, कोई सदस्य अपने कोटे का 145 प्रतिशत वार्षिक और 435 प्रतिशत संचयी रूप से उधार ले सकता है। हालाँकि, असाधारण परिस्थितियों में पहुँच अधिक हो सकती है। आईएमएफ केवल सदस्य देशों को ही ऋण देता है। विकास बैंकों के विपरीत, आईएमएफ विशिष्ट परियोजनाओं के लिए ऋण नहीं देता है।

कोटा का उपयोग निम्नलिखित को निर्धारित करने के लिए किया जाता है:

1. सदस्यता (वित्तीय संसाधनों की अधिकतम राशि जो एक सदस्य को IMF को प्रदान करने के लिए बाध्य किया जाता है।),
2. IMF निर्णय लेने में मतदान शक्ति/अधिकार,

3. SDR आवंटन में सदस्य देश का हिस्सा (सदस्य देश पर ऋण के रूप में कार्य करता है।)
4. उधार लेने की क्षमता (वित्तीय सहायता जो एक सदस्य IMF से प्राप्त कर सकता है।)

रिजर्व ट्रैंच स्थिति (RTP): कोटा का वह अनुपात जिसे IMF सदस्य देश अपने स्वयं के उपयोग के लिए नामित कर सकता है। कोटा के रिजर्व ट्रैंच हिस्से को सदस्य राष्ट्र द्वारा अपने विवेक से कभी भी एक्सेस किया जा सकता है (और IMF को उन निधियों को तुरंत चुकाने के लिए बाध्य नहीं है), जबकि सदस्य का शेष कोटा आमतौर पर अप्राप्य होता है। सदस्य राष्ट्र का रिजर्व ट्रैंच आमतौर पर सदस्यों के कोटे का 25% होता है और **इसे देश के विदेशी मुद्रा भंडार में गिना जाता है।**

किसी देश का विदेशी मुद्रा भंडार = विदेशी मुद्रा परिसंपत्तियाँ + सोना + एस.डी.आर. + आर.टी.पी.

(आर.टी.पी. = रिजर्व ट्राँच स्थिति)

विशेष आहरण अधिकार (एस.डी.आर.):

एस.डी.आर. एक अंतर्राष्ट्रीय आरक्षित परिसंपत्ति है, जिसे आई.एम.एफ. ने 1969 में ब्रेटन वुड्स निश्चित विनिमय दर प्रणाली के संदर्भ में अपने सदस्य देशों के आधिकारिक भंडार के पूरक के रूप में बनाया था। एस.डी.आर. का मूल्य शुरू में 0.888671 ग्राम शुद्ध सोने के बराबर परिभाषित किया गया था- जो उस समय एक यू.एस. डॉलर के बराबर भी था। 1973 में ब्रेटन वुड्स प्रणाली के पतन के बाद, एस.डी.आर. को मुद्राओं की एक टोकरी (Basket of currencies) के रूप में फिर से परिभाषित किया गया। वर्तमान में, एस.डी.आर. टोकरी में यू.एस. डॉलर, यूरो, जापानी येन, पाउंड स्टर्लिंग और चीनी रेनमिनबी (आर.एम.बी.)/युआन शामिल हैं।

1 एसडीआर = 0.434 अमेरिकी डॉलर + 0.293 यूरो + 0.123 युआन + 0.076 येन + 0.074 पाउंड

आईएमएफ अपने सदस्यों को संगठन में उनकी स्थिति के अनुपात में एसडीआर आवंटित करता है, जो काफी हद तक वैश्विक अर्थव्यवस्था में उनके हिस्से पर आधारित है। पहला आवंटन 1970-72 में किया गया था। 23 अगस्त 2021 तक, कुल लगभग 660.7 बिलियन एसडीआर बनाए गए हैं (वैश्विक तरलता बढ़ाने के लिए अगस्त 2021 में 456 बिलियन नए एसडीआर बनाए गए थे, जिनमें से भारत को 12.57 बिलियन एसडीआर आवंटित किए गए थे) और सदस्यों को आवंटित किए गए थे। एसडीआर आवंटन (कोटा) में भारत का हिस्सा 2.75% है और आईएमएफ में मतदान शक्ति 2.63% है।

एसडीआर का आदान-प्रदान स्वतंत्र रूप से उपयोग की जाने वाली मुद्राओं (अमेरिकी डॉलर, यूरो, येन, पाउंड, युआन) के लिए किया जा सकता है। एसडीआर में कोई नोट या सिक्के अंकित नहीं होते हैं, यानी यह हार्ड करेंसी के रूप में मौजूद नहीं होता है और इसलिए इसे पेपर गोल्ड या काल्पनिक मुद्रा कहा जाता है। और एसडीआर को निजी संस्थाओं द्वारा नहीं रखा जा सकता है। लेकिन एसडीआर एक ब्याज-असर वाली अंतर्राष्ट्रीय आरक्षित संपत्ति के रूप में भूमिका निभाता है। एसडीआर के आवंटन से इसके सदस्य देशों के आधिकारिक भंडार में वृद्धि होती है। जबकि एसडीआर का उपयोग सीधे वस्तुओं और सेवाओं की खरीद के लिए नहीं किया जा सकता है, देश आपस में उनका आदान-प्रदान कर सकते हैं। एक बार जब एसडीआर को किसी सदस्य देश के आधिकारिक भंडार में जोड़ दिया जाता है, तो देश अन्य आईएमएफ सदस्य देशों के साथ स्वैच्छिक व्यापार व्यवस्था के माध्यम से अपने एसडीआर को हार्ड करेंसी जैसे अमेरिकी डॉलर, येन, पाउंड, युआन के लिए बदल सकता है। यदि कोई सदस्य एसडीआर खरीदता है और उसकी होल्डिंग उसके आवंटन से अधिक हो जाती है, तो उसे अतिरिक्त पर ब्याज मिलता है। इसके विपरीत यदि वह एसडीआर बेचता है और आवंटित से कम एसडीआर रखता है, तो उसे कमी पर ब्याज मिलता है।

आईएमएफ द्वारा प्रदान की जाने वाली विभिन्न वित्तपोषण सुविधाएँ हैं:

- विस्तारित निधि सुविधा।
- आश्रित/सहायक व्यवस्थाएँ।
- एहतियाती और तरलता रेखा।
- लचीली ऋण रेखा।
- आश्रित/सहायक ऋण सुविधा।

- विस्तारित ऋण सुविधा।
- त्वरित ऋण सुविधा।
- त्वरित वित्तपोषण साधन।

भारत और आईएमएफ

- भारत आईएमएफ का संस्थापक सदस्य है।
- आरबीआई ने आईएमएफ के विशेष डेटा प्रसार मानकों (एसडीडीएस) को अपनाया।
- हमारी प्रतिबद्धता के अनुसार, भारत ने 1994 में चालू खाता परिवर्तनीयता को अपनाया।
- राष्ट्रीय आय लेखांकन की पद्धति को 2015 में बदल दिया गया (बाजार मूल्यों में)।
- सरकारी अधिकारियों को प्रशिक्षण प्रदान करने के लिए आईएमएफ का क्षेत्रीय प्रशिक्षण संस्थान दिल्ली में है।
- भारत आईएमएफ का शुद्ध ऋणदाता है।

विश्व बैंक

विश्व बैंक में दो संस्थान अंतर्राष्ट्रीय पुनर्निर्माण और विकास बैंक (आईबीआरडी) और अंतर्राष्ट्रीय विकास संघ (आईडीए) शामिल हैं:

अंतर्राष्ट्रीय पुनर्निर्माण और विकास बैंक (आईबीआरडी)

- IBRD की स्थापना 1944 में द्वितीय विश्व युद्ध के बाद यूरोप के पुनर्निर्माण में मदद करने के लिए ब्रेटन वुड संस्थानों में से एक के रूप में की गई थी।
- लेकिन जैसे-जैसे यूरोप ने अपनी अर्थव्यवस्थाओं का तेजी से पुनर्निर्माण किया, IBRD ने अपना ध्यान **मध्यम आय और ऋण योग्य गरीब देशों** की ओर स्थानांतरित कर दिया, ताकि टिकाऊ, न्यायसंगत और रोजगार सृजन विकास को बढ़ावा दिया जा सके, गरीबी को कम किया जा सके और क्षेत्रीय और वैश्विक महत्व के मुद्दों का समाधान किया जा सके।
- IBRD की स्थापना **आत्मनिर्भर** व्यवसाय के रूप में कार्य करने और मध्यम आय और ऋण योग्य गरीब देशों को ऋण और सलाह प्रदान करने के लिए की गई थी। इसके संसाधनों का उपयोग केवल सदस्यों के लाभ के लिए किया जाता है।
- IBRD अपने अधिकांश फंड विश्व वित्तीय/पूँजी बाजारों से जुटाता है। IBRD अपनी AAA रेटिंग के कारण पूँजी बाजारों से आकर्षक दर पर उधार लेता है, जो 1959 से ही उसके पास है।

अंतर्राष्ट्रीय विकास संघ (IDA)

- IDA की स्थापना 1960 में दुनिया के **सबसे गरीब देशों** की मदद करने के लिए की गई थी और यह विश्व बैंक की मूल ऋण देने वाली शाखा- IBRD का पूरक है।
- IDA का उद्देश्य आर्थिक विकास को बढ़ावा देने, असमानताओं को कम करने और लोगों की जीवन स्थितियों में सुधार करने वाले कार्यक्रमों के लिए **ब्याज मुक्त ऋण** और **अनुदान प्रदान** करके गरीबी को कम करना है। यह सदस्य क्षेत्रों में क्षेत्रों के विकास के लिए वित्त प्रदान करता है।
- IDA दुनिया के 82 सबसे गरीब देशों के लिए सहायता के सबसे बड़े स्रोतों में से एक है, जिनमें से 40 अफ्रीका में हैं।
- IDA को बड़े पैमाने पर इसके सदस्य देशों की सरकारों के योगदान से वित्त पोषित किया जाता है। अतिरिक्त धन IBRD और अंतर्राष्ट्रीय वित्त निगम (IFC) से आता है।
- IBRD और IDA मिलकर विश्व बैंक बनाते हैं। विश्व बैंक में सदस्य देशों की वोटिंग शक्ति IDA में उनके योगदान के अलावा आर्थिक आकार (GDP) पर आधारित है। विश्व बैंक सदस्य देशों/सरकार और सदस्य देशों में निजी एजेंसियों को ऋण देता है।

विश्व बैंक समूह में पाँच संगठन शामिल हैं, IBRD, IDA, IFC, MIGA और ICSID.

अंतर्राष्ट्रीय वित्त निगम (IFC)

अंतर्राष्ट्रीय वित्त निगम (IFC) **निजी क्षेत्र पर विशेष रूप से केंद्रित** सबसे बड़ी वैश्विक विकास संस्था है। यह निवेश को वित्तपोषित करके, अंतर्राष्ट्रीय वित्तीय बाजारों में पूँजी जुटाकर और व्यवसायों और सरकारों को सलाहकार सेवाएँ प्रदान करके विकासशील देशों को सतत विकास हासिल करने में मदद करता है।

बहुपक्षीय निवेश गारंटी एजेंसी (MIGA)

MIGA की स्थापना 1988 में विकासशील देशों में प्रत्यक्ष विदेशी निवेश को बढ़ावा देने, आर्थिक विकास को बढ़ावा देने, गरीबी को कम करने और लोगों के जीवन को बेहतर बनाने के लिए की गई थी। MIGA **निजी निवेशकों को राजनीतिक जोखिम बीमा (गारंटी) प्रदान करके इस जनादेश को पूरा करता है।**

निवेश विवादों के निपटान के लिए अंतर्राष्ट्रीय केंद्र (ICSID)

ICSID **निजी निवेशकों और विदेशी देशों** के बीच निवेश विवादों के समाधान और मध्यस्थता के लिए अंतर्राष्ट्रीय सुविधाएँ प्रदान करता है।

13.13 एशियाई अवसंरचना और निवेश बैंक (AIIB) (Asian Infrastructure and Investment Bank (AIIB))

- 2016 में स्थापित और बीजिंग में मुख्यालय वाला, एशियाई अवसंरचना निवेश बैंक (AIIB) एक बहुपक्षीय वित्तीय संस्थान है जिसकी स्थापना एशिया भर में चुनौतीपूर्ण अवसंरचना आवश्यकताओं को पूरा करने के लिए देशों को एक साथ लाने के लिए की गई है।
- AIIB ऊर्जा और बिजली, परिवहन और दूरसंचार, ग्रामीण अवसंरचना और कृषि विकास, जल आपूर्ति और स्वच्छता, पर्यावरण संरक्षण, और शहरी विकास और रसद में ध्वनि और टिकाऊ परियोजनाओं के लिए संप्रभु (सरकारी) और गैर-संप्रभु (निजी) वित्तपोषण प्रदान करता है।
- *एआईआईबी के समझौते के लेखों के अनुसार, बैंक 'किसी भी सदस्य, या किसी एजेंसी, साधन या उसके राजनीतिक उपखंड, या किसी सदस्य के क्षेत्र में संचालित किसी भी इकाई या उद्यम, साथ ही* ***एशिया क्षेत्र*** *के आर्थिक विकास से संबंधित अंतर्राष्ट्रीय या क्षेत्रीय एजेंसियों या संस्थाओं को वित्तपोषण प्रदान करेगा या सुविधा प्रदान करेगा।'*
- एआईआईबी में सदस्यता अंतर्राष्ट्रीय पुनर्निर्माण और विकास बैंक **(आईबीआरडी)** या एशियाई विकास बैंक **(एडीबी)** के सदस्यों के लिए खुली होगी।
- बैंक की सभी शक्तियाँ बोर्ड ऑफ गवर्नर्स के पास निहित हैं, जो सर्वोच्च निर्णय लेने वाला निकाय है जिसके अधीन निदेशक मंडल होता है, जबकि बैंक का नेतृत्व अध्यक्ष करते हैं। बैंक में चीन के पास सबसे अधिक 26.5% वोटिंग पावर है जबकि भारत के पास 7.6% वोटिंग पावर है। 100 से अधिक देश एआईआईबी में शामिल हो चुके हैं।

13.14 न्यू डेवलपमेंट बैंक (एनडीबी)/ ब्रिक्स बैंक (New Development Bank (NDB)/BRICS Bank

- न्यू डेवलपमेंट बैंक की स्थापना 2015 में हुई थी जिसका मुख्यालय शंघाई में है। यह ब्राजील, रूस, भारत, चीन और दक्षिण अफ्रीका द्वारा स्थापित एक बहुपक्षीय विकास बैंक है।
- बैंक **ब्रिक्स और अन्य उभरती अर्थव्यवस्थाओं और विकासशील देशों** में बुनियादी ढाँचे और सतत विकास परियोजनाओं को वित्तपोषित करता है।
- बैंक ऋण, गारंटी, इक्विटी भागीदारी और अन्य वित्तीय साधनों के माध्यम से **सार्वजनिक या निजी** परियोजनाओं का समर्थन करता है।
- यह वैश्विक वृद्धि और विकास की दिशा में बहुपक्षीय और क्षेत्रीय वित्तीय संस्थानों के प्रयासों का पूरक है।
- बैंक एनडीबी द्वारा समर्थित परियोजनाओं के लिए तकनीकी सहायता भी प्रदान करता है और पर्यावरणीय और सामाजिक स्थिरता की उपलब्धि में योगदान देने के उद्देश्य से सूचना, सांस्कृतिक और कार्मिक आदान-प्रदान में संलग्न होता है।
- बैंक की सभी शक्तियाँ बोर्ड ऑफ गवर्नर्स के पास निहित हैं, जो सर्वोच्च निर्णय लेने वाला निकाय है जिसके अधीन निदेशक मंडल होता है, जबकि बैंक का नेतृत्व अध्यक्ष करते हैं।

- बैंक के समझौते में निर्दिष्ट किया गया है कि **संयुक्त राष्ट्र** के सभी सदस्य बैंक के सदस्य हो सकते हैं, हालाँकि ब्रिक्स देशों का हिस्सा कभी भी मतदान शक्ति के 55% से कम नहीं हो सकता है।
- बैंक की आरंभिक सब्सक्राइब्ड पूंजी 50 बिलियन अमेरिकी डॉलर होगी, जिसे संस्थापक सदस्यों के बीच समान रूप से वितरित किया जाएगा (अर्थात प्रत्येक सदस्य के पास 10 बिलियन डॉलर की सब्सक्राइब्ड पूँजी होगी)। प्रत्येक (पाँच) सदस्य की वोटिंग शक्ति बैंक के पूँजी स्टॉक में उसके सब्सक्राइब्ड शेयरों के बराबर होगी (प्रत्येक शेयर का मूल्य 1,00,000 डॉलर के बराबर है)।
- एनडीबी ने पहले ही बांग्लादेश, संयुक्त अरब अमीरात (यूएई) और मिस्र को अपने सदस्य के रूप में स्वीकार कर लिया है और उरुग्वे अपने प्रवेश पत्र जमा करने के बाद सदस्य बन जाएगा।

विगत वर्षों के प्रश्न

प्रारंभिक परीक्षा

1. 'कृषि पर समझौता', 'स्वच्छता और पादप स्वच्छता उपायों के आवेदन पर समझौता' और 'शांति खंड' शब्द अक्सर समाचारों में निम्नलिखित मामलों के संदर्भ में दिखाई देते हैं: [2017]

(a) खाद्य और कृषि संगठन

(b) जलवायु परिवर्तन पर संयुक्त राष्ट्र फ्रेमवर्क सम्मेलन

(c) विश्व व्यापार संगठन

(d) संयुक्त राष्ट्र पर्यावरण कार्यक्रम

2. 'गोल्ड ट्रैन्च' (रिजर्व ट्रैन्च) से तात्पर्य है: [2020]

(a) विश्व बैंक की एक ऋण प्रणाली

(b) केंद्रीय बैंक के संचालन में से एक

(c) WTO द्वारा अपने सदस्यों को दी गई एक ऋण प्रणाली

(d) IMF द्वारा अपने सदस्यों को दी गई एक ऋण प्रणाली

3. व्यापार-संबंधित निवेश उपायों (TRIMS) के संदर्भ में, निम्नलिखित में से कौन सा कथन सही है/हैं? [2020]

1. विदेशी निवेशकों द्वारा आयात पर मात्रात्मक प्रतिबंध निषिद्ध हैं।
2. वे वस्तुओं और सेवाओं दोनों में व्यापार से संबंधित निवेश उपायों पर लागू होते हैं।
3. वे विदेशी निवेश के विनियमन से संबंधित नहीं हैं।

नीचे दिए गए कोड का उपयोग करके सही उत्तर चुनें:

(a) केवल 1 और 2 (b) केवल 2

(c) केवल 1 और 3 (d) 1, 2 और 3

4. 'रैपिड फाइनेंसिंग इंस्ट्रूमेंट' और 'रैपिड क्रेडिट फैसिलिटी' निम्नलिखित में से किसके द्वारा ऋण देने के प्रावधानों से संबंधित हैं? [2022]

(a) एशियाई विकास बैंक

(b) अंतर्राष्ट्रीय मुद्रा कोष

(c) संयुक्त राष्ट्र पर्यावरण कार्यक्रम वित्त पहल

(d) विश्व बैंक

उत्तर

1. (c) **2.** (d) **3.** (c) **4.** (b)

मुख्य परीक्षा

1. खाद्य सब्सिडी विधेयक से भारत में भूख और कुपोषण खत्म होने की उम्मीद है। इसके प्रभावी क्रियान्वयन में विभिन्न आशंकाओं के साथ-साथ विश्व व्यापार संगठन में उत्पन्न चिंताओं पर आलोचनात्मक चर्चा करें। [2013]

2. भारत में कृषि क्षेत्र को दी जाने वाली प्रत्यक्ष और अप्रत्यक्ष सब्सिडी क्या हैं? कृषि सब्सिडी के संबंध में विश्व व्यापार संगठन (डब्ल्यूटीओ) द्वारा उठाए गए मुद्दे पर चर्चा करें। [2023]

OOO

14

आधारभूत संरचना और निवेश मॉडल
(Infrastructure and Investment Models)

14.1 आधारभूत संरचना का विकास: एक परिचय (Infrastructure Development: An Introduction)

स्वतंत्रता के बाद से सरकार ने सड़क, रेलवे, बंदरगाह, हवाई अड्डे, बिजली आदि जैसी संपूर्ण आधारभूत संरचना को उपलब्ध कराने की पूरी जिम्मेदारी ली। लेकिन इसकी पूँजी की गहन प्रकृति और वित्तीय और मानव संसाधन की कमी के कारण, 1991 के बाद (एलपीजी सुधार) की अवधि में सरकार ने देश में बड़े आधार भूत ढाँचे की कमी को पूरा करने के लिए निजी क्षेत्र की मदद लेने का फैसला किया। अर्थव्यवस्था में आधारभूत संरचना का निर्माण निम्नलिखित तीन मॉडलों पर किया जा सकता है:

आधारभूत संरचना विकास

- **संपूर्ण सरकार**
  सरकार स्वंय आधारभूत संरचना का निर्माण करती है तथा कुछ कार्यों को आउटसोर्स करती है और संचालन तथा रखरखाव सरकार द्वारा ही किया जाता है।
- **सार्वजनिक निजी भागीदारी (पीपीपी)**
  सरकार निजी क्षेत्र के साथ साझीदारी करके अवसंरचना का निर्माण संचालन व रखरखाव करती है।
- **पूर्ण निजी**
  केवल निजी क्षेत्र आधारभूत संरचना का निर्माण संचालन व रखरखाव करता है परंतु शुल्क सरकार द्वारा लगाया जाता है।

14.2 सार्वजनिक निजी भागीदारी-पीपीपी (Public Private Pertnership-PPP)

सार्वजनिक निजी भागीदारी (पीपीपी) सरकार (सार्वजनिक) और निजी क्षेत्र के सहयोग से वस्तुओं और सेवाओं की डिलीवरी के लिए एक परियोजना (आमतौर पर एक आधार भूत ढाँचा परियोजना) को **निष्पादित और बनाए रखने** का एक तरीका है। यह **सहयोग** पीपीपी मॉडल की परिभाषित विशेषता है क्योंकि कुछ प्रकार के सहयोग को पीपीपी मार्ग माना जा सकता है और अन्य को पीपीपी नहीं माना जा सकता है। उदाहरण के लिए, जब कोई सरकारी इकाई सड़क परियोजना का निर्माण कर रही है और उसने सड़क के निर्माण के लिए एक निजी कंपनी से निर्माण सामग्री खरीदी है तो इस तरह के सहयोग को पीपीपी नहीं माना जाता है। *केवल उन परियोजनाओं को पीपीपी मार्ग के माध्यम से कार्यान्वित करने के लिए माना जा सकता है जहाँ निजी क्षेत्र कम से कम अपने जीवनकाल के दौरान आधारभूत ढाँचा परियोजना के संचालन और रखरखाव में शामिल है।*

जब भी सरकार यह निर्णय लेती है कि किसी निश्चित परियोजना को पीपीपी मार्ग के माध्यम से कार्यान्वित किया

जाना है तो वह पारदर्शी प्रतिस्पर्धी बोली के माध्यम से एक निजी भागीदार का चयन करती है। एक बार जब परियोजना के लिए निजी भागीदार का चयन हो जाता है, तो सरकारी इकाई चयनित निजी इकाई के साथ एक **'समझौता/अनुबंध समझौता/रियायत समझौता'** पर हस्ताक्षर करती है। यह समझौता मूल रूप से सरकारी इकाई और निजी इकाई के बीच **सहयोग** के प्रकार को परिभाषित करता है, जिसमें परियोजना के पूरे जीवनकाल के दौरान निजी क्षेत्र और सरकारी क्षेत्र की भूमिकाएँ और जिम्मेदारियाँ क्या होंगी, इसका विवरण दिया गया है। जब **भूमिकाएँ और जिम्मेदारियाँ** ठीक से नहीं निभाई जाती हैं, तो **जोखिम** आता है। इसलिए, परियोजना में भूमिकाओं और जिम्मेदारियों को ठीक से न निभाने से उत्पन्न होने वाले सभी जोखिमों का भी **समझौते में विस्तृत विवरण** दिया गया है। तदनुसार, यदि कोई जोखिम निजी क्षेत्र को सौंपी गई जिम्मेदारी को निभाने में विफलता से उत्पन्न होता है, तो उस जोखिम की लागत निजी क्षेत्र को उठानी होगी और यदि यह सरकार के कारण हो रहा है, तो सरकार उस जोखिम की लागत वहन करेगी।

अब सवाल यह उठता है कि किसी भी मानक पीपीपी परियोजना में सरकार को कौन-सी भूमिकाएँ और जिम्मेदारियाँ सँभालनी चाहिए और निजी इकाई को क्या दिया जाना चाहिए। इसलिए सबसे पहले, किसी परियोजना की सभी भूमिकाओं और जिम्मेदारियों को सूचीबद्ध किया जाता है और उन भूमिकाओं और जिम्मेदारियों की विफलता से उत्पन्न होने वाले संगत जोखिमों की भी पहचान की जाती है। जिन भूमिकाओं और जिम्मेदारियों को सँभालने में निजी पक्ष **अधिक कुशल** है, उन्हें निजी पक्ष को सौंपा जाता है और जिन भूमिकाओं और जिम्मेदारियों को सँभालने में सरकार अधिक सक्षम है, उन्हें सरकार को सौंपा जाता है। इस तरह, परियोजना से उत्पन्न होने वाली सभी भूमिकाएँ और जिम्मेदारियाँ व जोखिम, तथा इसे कौन सँभालेगा, यह सब परियोजना के जीवन काल के लिए समझौते में परिभाषित किया जाता है और समझौता परियोजना के पूरे जीवन काल के लिए **मार्गदर्शक दस्तावेज** बन जाता है। यदि भविष्य में कोई विवाद उत्पन्न होता है, तो उस समझौते पर विचार किया जाता है ताकि यह जाँच की जा सके कि क्या उस तरह के विवादों का उल्लेख उसमें किया गया है और क्या कोई उपाय प्रस्तावित हैं। इसलिए समझौते की प्रकृति भविष्योन्मुखी होनी चाहिए और भविष्य में उत्पन्न होने वाली संभावनाओं और परिदृश्यों को ध्यान में रखते हुए इसे ठीक से डिजाइन किया जाना चाहिए। और यदि वह दस्तावेज खराब तरीके से डिजाइन किया गया है, तो यह उस PPP परियोजना के कार्यान्वयन में एक बड़ी बाधा बन जाता है और परियोजना भविष्य में अटक सकती है।

PPP परियोजना में जोखिम भी सरकार और निजी क्षेत्र के बीच साझा किए जाते हैं।

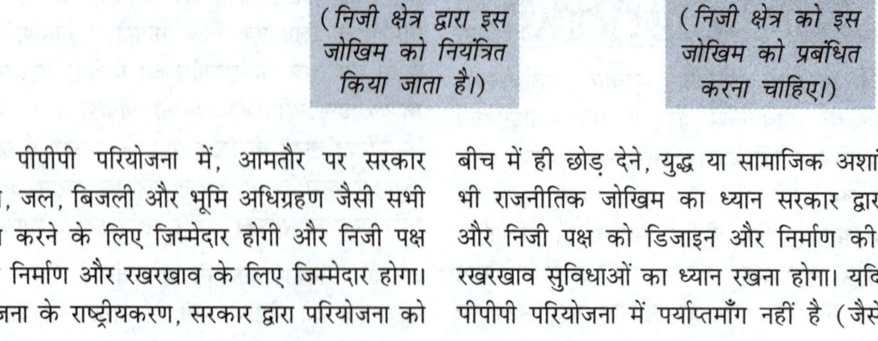

एक सामान्य पीपीपी परियोजना में, आमतौर पर सरकार पर्यावरण, वन, जल, बिजली और भूमि अधिग्रहण जैसी सभी मंजूरियाँ प्राप्त करने के लिए जिम्मेदार होगी और निजी पक्ष परियोजना के निर्माण और रखरखाव के लिए जिम्मेदार होगा। किसी परियोजना के राष्ट्रीयकरण, सरकार द्वारा परियोजना को बीच में ही छोड़ देने, युद्ध या सामाजिक अशांति जैसे किसी भी राजनीतिक जोखिम का ध्यान सरकार द्वारा रखा जाएगा और निजी पक्ष को डिजाइन और निर्माण की गुणवत्ता और रखरखाव सुविधाओं का ध्यान रखना होगा। यदि किसी विशेष पीपीपी परियोजना में पर्याप्तमाँग नहीं है (जैसे हवाई अड्डे

की सुविधाओं का उपयोग करने वाले बहुत कम लोग) तो सरकार किसी प्रकार की माँग की गारंटी प्रदान कर सकती है, यानी, यदि हवाई अड्डे का उपयोग करने वाले लोगों की संख्या एक निर्दिष्ट संख्या से कम हो जाती है तो सरकार जोखिम वहन करेगी या निजी पक्ष को मुआवजा देगी।

वर्तमान में पीपीपी का गठन करने वाली कोई स्पष्ट/मानक परिभाषा नहीं है। **विभिन्न एजेंसियों द्वारा पीपीपी की विभिन्न परिभाषाएँ निम्नलिखित हैं:**

1. पीपीपी को सरकार और एक या अधिक निजी भागीदारों के बीच एक समझौते के रूप में परिभाषित किया जाता है, जिसके अनुसार निजी भागीदार इस तरह से सेवा प्रदान करते हैं कि सरकार के सेवा वितरण उद्देश्य निजी भागीदारों के लाभ उद्देश्यों के साथ संरेखित होते हैं और जहाँ संरेखण की प्रभावशीलता निजी भागीदारों को जोखिम के पर्याप्त हस्तांतरण पर निर्भर करती है। (ओईसीडी)
2. पीपीपी उन व्यवस्थाओं को संदर्भित करता है जहाँ निजी क्षेत्र आधारभूत ढाँचे की परिसंपत्तियों और सेवाओं की आपूर्ति करता है और जो परंपरागत रूप से सरकार द्वारा प्रदान की जाती रही हैं। (आईएमएफ)
3. पीपीपी निजी क्षेत्र और सार्वजनिक निकायों के बीच बनने वाले संबंधों के लिए एक सामान्य शब्द है जिसका उद्देश्य अक्सर सार्वजनिक क्षेत्र की परिसंपत्तियों और सेवाओं को प्रदान करने और वितरित करने में मदद करने के लिए निजी क्षेत्र के संसाधनों और/या विशेषज्ञता को पेश करना होता है। (ईआईबी)
4. एक तरफ सरकार या वैधानिक इकाई और दूसरी तरफ निजी क्षेत्र की कंपनी के बीच एक परियोजना या अनुबंध, उपयोगकर्ता शुल्क के भुगतान पर एक आधारभूत ढाँचा सेवा प्रदान करने के लिए। (आर्थिक मामलों का विभाग, वित्त मंत्रालय, भारत सरकार)

पीपीपी मार्ग के माध्यम से निष्पादित परियोजना के विभिन्न चरण निम्नलिखित हैं:

1. **पहचान चरण:** इसमें रणनीति नियोजन, परियोजना की व्यापक व्यवहार्यता, और **परियोजना के लिए प्रमुख जोखिम** कारकों की पहचान, पैसे के लिए मूल्य विश्लेषण, पीपीपी उपयुक्तता जाँच और पीपीपी विकास के साथ आगे बढ़ने के लिए आंतरिक मंजूरी शामिल है।
2. **विकास चरण:** इसमें जहाँ भी आवश्यक हो सलाहकारों/परामर्शदाताओं की सहायता से तकनीकी, बाजार विश्लेषण और वित्तीय, कानूनी पहलुओं से संबंधित विस्तृत अध्ययन और जाँच शामिल हैं। परियोजना विकास गतिविधियों का आउटपुट, जहाँ तक संभव हो, बोली प्रक्रिया (अगले चरण में) के दौरान संभावित बोलीदाताओं को उपलब्ध कराया जाएगा। इसमें परियोजना संरचना, अनुबंध संबंधी दस्तावेजों की तैयारी और विभिन्न परियोजना मंजूरी और अनुमोदन प्राप्त करना भी शामिल होगा।
3. **खरीद चरण: मोटे तौर पर इसमें सफल बोलीदाता का चयन और पीपीपी अनुबंध का पुरस्कार शामिल होगा।** पारदर्शी, जवाबदेह, गैर-भेदभावपूर्ण, प्रतिस्पर्धी और समय पर खरीद प्रक्रियाओं का पालन किया जाएगा ताकि निजी क्षेत्र द्वारा अधिकतम भागीदारी को प्रोत्साहित किया जा सके और प्रक्रिया में जनता का विश्वास जगाया जा सके।

   निजी क्षेत्र की संस्थाओं की खरीद/**चयन के लिए** उपयोग किए जाने वाले बोली दस्तावेजों में रुचि की अभिव्यक्ति, योग्यता के लिए अनुरोध और प्रस्तावों के लिए अनुरोध में से एक या अधिक शामिल हो सकते हैं। निजी इकाई की वांछित परिणामों की सराहना करने की क्षमता का आकलन करने के लिए, परियोजना की जटिलता के आधार पर तकनीकी प्रस्ताव आमंत्रित किए जाएँगे। वित्तीय प्रस्ताव आदर्श रूप से एकल पैरामीटर के रूप में होंगे।
4. **अनुबंध प्रबंधन चरण: इसमें परियोजना के कार्यान्वयन और परियोजना के जीवनकाल में निगरानी शामिल है।** अनुबंध प्रबंधन एक निष्क्रिय रिपोर्टिंग अभ्यास नहीं है: यह एक सक्रिय प्रक्रिया है जिसमें कई तरह के कौशल शामिल हैं। परियोजनाएँ स्थिर नहीं होती हैं; स्थितियाँ बदलती रहती हैं और

इसलिए निजी क्षेत्र की पार्टी के साथ इंटरफेस पर सार्वजनिक प्राधिकरण की क्षमता महत्त्वपूर्ण है। अनुबंध प्रबंधक को उत्तरदायी और प्रभावी ढंग से कार्रवाई करने के लिए सशक्त बनाने की आवश्यकता है, जिसके लिए प्रभावी और कुशल शासन प्रक्रियाओं और परियोजना प्रबंधन, वाणिज्यिक विशेषज्ञता और बातचीत कौशल सहित कौशल के सही मिश्रण वाले लोगों की आवश्यकता होती है।

बुनियादी संरचना के विकास में पीपीपी की भूमिका

1990 के दशक की शुरुआत में पीपीपी की शुरुआत की गई थी, जिसने सार्वजनिक सेवा वितरण में सार्वजनिक और निजी क्षेत्रों की भूमिकाओं को फिर से परिभाषित किया। पीपीपी मूल रूप से किसी परियोजना को निष्पादित करने और बनाए रखने के पूरी तरह से सरकारी और पूरी तरह से निजी तरीके के बीच की जगह को भरता है। आम तौर पर, ऐसी परियोजना को निष्पादित करने और बनाए रखने के लिए एक विशेष प्रयोजन वाहन (किसी विशिष्ट परियोजना को निष्पादित करने वाली कंपनी) का गठन किया जाता है।

बुनियादी ढाँचा परियोजनाओं में बहुत पूँजी की आवश्यकता होती हैं और उनके निष्पादन के लिए भारी धन की आवश्यकता होती है। विभिन्न देशों की सरकारों ने पीपीपी की शुरुआत की क्योंकि उनमें सार्वजनिक सेवा वितरण में निजी वित्त लाने की क्षमता थी और निजी खिलाड़ी अधिक कुशलता से सेवाएँ प्रदान कर सकते थे, यानी कम से कम लागत पर बेहतर गुणवत्ता के साथ। कई सरकारों ने 1990 के दशक के मध्य तक राजकोषीय घाटे और बढ़ते सार्वजनिक ऋण बोझ का अनुभव किया और उन्हें निजी वित्त अधिक आकर्षक लगा, खासकर बड़ी आधारभूत ढाँचा परियोजनाओं के लिए।

भारत में निजी क्षेत्र काफी बड़ा है और उसके पास विशाल वित्तीय और तकनीकी संसाधन हैं। निजी क्षेत्र सार्वजनिक निजी भागीदारी के माध्यम से बड़ी आधारभूत ढाँचा परियोजनाओं के निष्पादन और वितरण में सरकारी क्षेत्र का बहुत अच्छा पूरक हो सकता है। ऐसे देश में जो कर्ज में डूबा हुआ है और जिसके पास बजट की कमी है, निजी क्षेत्र अपने विशाल वित्तीय संसाधनों के साथ महत्त्वपूर्ण भूमिका निभा सकता है।

लेकिन पीपीपी के माध्यम से आधारभूत संरचना के विकास की प्रक्रिया में निजी भागीदारी कई तरह की बाधाओं और चुनौतियों से भरी हुई है। जबकि भारत में निजी दूरसंचार सेवाएँ एक सफलता की कहानी है, विभिन्न नीति समायोजन और क्षेत्र-विशिष्ट सुधार कार्यक्रमों की शुरुआत के बावजूद पीपीपी समग्र आधारभूत संरचना के निर्माण में एक छोटी सी हिस्सेदारी का गठन करता है।

स्थिर वृहद आर्थिक ढाँचा, ठोस नियामक संरचना, विवादों का समय पर समाधान, निवेशक अनुकूल नीतियाँ, टिकाऊ परियोजना राजस्व, नीतियों की पारदर्शिता और स्थिरता, श्रम कानूनों का प्रभावी विनियमन और उदारीकरण, और अच्छा कॉर्पोरेट प्रशासन आधारभूत आवश्यकताएँ हैं, जो पीपीपी मॉडल की सफलता को परिभाषित करती हैं। चूँकि हम उपरोक्त वातावरण प्रदान करने में विफल रहे हैं, इसलिए भारत में आधारभूत संरचना के विकास में पीपीपी की स्थिति उत्साहजनक नहीं है।

पीपीपी की आलोचनाएँ

- सरकार द्वारा उन परियोजनाओं को चुनना जहाँ वे पैसे के लिए अधिक आश्वस्त हैं यानी, ऐसी परियोजनाएँ जिनसे कम तकनीकी कठिनाइयाँ या अन्य समस्याएँ होने की उम्मीद है और जटिल परियोजनाओं को निजी क्षेत्र की भागीदारी के लिए छोड़ देना।
- **अभी खरीदें, बाद में भुगतान करें योजना:** इससे यह मुद्दा उठता है कि भविष्य की सरकारों या स्थानीय प्राधिकरणों का नीतिगत लचीलापन पिछली सरकारों द्वारा किए गए महत्त्वपूर्ण अनुबंधात्मक पुनर्भुगतान की सेवा करने की आवश्यकता से काफी हद तक बाधित हो सकता है और वर्तमान सरकार भविष्य की सरकारों पर भारी बोझ डाल सकती है।
- जब परियोजनाओं के विफल होने का खतरा होता है, जैसा कि गुजरात के मुंद्रा में टाटा पावर अल्ट्रा मेगा पावर प्रोजेक्ट की पीपीपी परियोजना के मामले में हुआ था, तो कानूनी और राजनीतिक कारकों के कारण सरकार के पास हस्तक्षेप करने और उन्हें सब्सिडी देने के अलावा कोई विकल्प नहीं था।
- यह कल्पना करना कठिन है कि एक निजी खिलाड़ी/एजेंट सरकार (कर लगाने की अपनी विशाल शक्तियों के

साथ) की तुलना में अधिक उधार लेने/धन तक पहुँचने में सक्षम है।

भारत में मौजूदा पीपीपी संरचना में चुनौतियाँ:

आज कई आधारभूत ढाँचा वाली परियोजनाएँ वित्तीय रूप से तनावग्रस्त हैं, जो बैंकों में तनावग्रस्त परिसंपत्तियों (एनपीए) का लगभग एक-तिहाई हिस्सा हैं। नई परियोजनाएँ प्रायोजकों को आकर्षित करने में सक्षम नहीं हैं, जैसा कि हाल की पीपीपी बोलियों में हुआ है और बैंक उधार देने के लिए तैयार नहीं हैं। पीपीपी मॉडल की यह मौजूदा स्थिति नीचे सूचीबद्ध खराब तरीके से डिजाइन किए गए संरचना के कारण है:

1. मौजूदा अनुबंध कुशल सेवा प्रावधान की तुलना में राजकोषीय (सरकारी राजस्व) लाभों पर अधिक ध्यान केंद्रित करते हैं। उदाहरण के लिए, बंदरगाह और हवाई अड्डे के अनुबंधों में, सरकार को **राजस्व का सबसे अधिक हिस्सा** देने वाले बोलीदाता का चयन किया जाता है। बोली जीतने के लिए, निजी पक्ष बहुत आक्रामक बोली लगाता है जो निजी पक्ष के वित्त पर दबाव डालता है और उपयोगकर्ताओं को प्रदान की जाने वाली सेवा की गुणवत्ता को प्रभावित करता है।

2. **जोखिम को सबसे अच्छी तरह से प्रबंधित करने में सक्षम इकाई को आवंटित करने के सिद्धांतों की उपेक्षा।** इसके बजाय, अप्रबंधनीय जोखिम उदाहरण के लिए राजमार्गों (रेलवे और बंदरगाहों) में यातायात जोखिम, भले ही उनके कार्यों से काफी हद तक अप्रभावित हो, निजी पक्षों को हस्तांतरित कर दिया जाता है।

3. हाल ही में सरकार ने विभिन्न परियोजनाओं में भूमि अधिग्रहण, पर्यावरण और वन मंजूरी आदि जैसी अपनी जिम्मेदारियों को निजी पक्षों पर डालना शुरू कर दिया है। इसके कारण निजी पक्ष द्वारा मंजूरी नहीं मिलने पर बीच में ही परियोजना को छोड़ दिया जाता है। इससे सरकार और निजी इकाई के बीच विवाद पैदा होता है और परियोजना में भारी देरी होती है।

4. **विफलता की स्थिति में परियोजनाओं के पुनर्निगोशिएशन के** लिए कोई मौजूदा संरचना नहीं है। यदि कोई नौकरशाह किसी परियोजना का पुनर्गठन करता है, तो कोई पुरस्कार नहीं मिलता; इसके बजाय, यह भ्रष्टाचार के लिए जाँच का कारण बन सकता है। इसलिए, विफल परियोजनाओं के ऐसे मामलों में, नौकरशाह स्वाभाविक रूप से पुनर्निगोशिएशन से बचते हैं और परियोजना में लंबी देरी और अदालती मामले होते हैं।

5. कुछ बोलीदाता **लापरवाह होकर बोली** (कीमतों को उद्धृत करने में बहुत आक्रामक) में शामिल होते हैं क्योंकि उन्हें पता होता है कि अगर परियोजना वित्तीय संकट (उदाहरण के लिए गुजरात में टाटा अल्ट्रा मेगा पावर प्रोजेक्ट) में आती है तो सरकार उनके बचाव मे आ जाएगी। ऐसे मामलों के लिए सरकार परियोजनाओं को विफल होने देगी ताकि बाजार अनुशासन लागू किया जा सके और भविष्य के बोलीदाताओं को लापरवाह बोली लगाने के बारे में चेतावनी दी जा सके।

14.3 आधारभूत संरचना में निवेश मॉडल (Investment Models in Infrastructure)

1. इंजीनियरिंग खरीद निर्माण (ईपीसी) अनुबंध:

ईपीसी निर्माण उद्योग में अनुबंध समझौते का एक प्रमुख रूप है। इंजीनियरिंग और निर्माण ठेकेदार परियोजना का विस्तृत इंजीनियरिंग डिजाइन तैयार करेंगे, सभी आवश्यक उपकरण और सामग्री खरीदेंगे और फिर अपने ग्राहकों को एक कार्यशील सुविधा या संपत्ति देने के लिए निर्माण करेंगे। ईपीसी प्रोजेक्ट देने वाली कंपनियों को आमतौर पर ईपीसी कॉन्ट्रैक्टर कहा जाता है। ईपीसी कॉन्ट्रैक्टर के प्रोजेक्ट स्वामी या क्लाइंट की ईपीसी कॉन्ट्रैक्ट के निष्पादन के दौरान ईपीसी कॉन्ट्रैक्टर के कार्यालयों में आमतौर पर मौजूदगी होगी। क्लाइंट ईपीसी कॉन्ट्रैक्टर की देखरेख के लिए एक प्रोजेक्ट मैनेजमेंट टीम या पीएमटी की नियुक्ति करता है।

2. लागत-प्लस मॉडल:

लागत-प्लस मूल्य निर्धारण मॉडल में, क्रेता विक्रेता को लाभ के लिए उत्पाद के उत्पादन मूल्य के साथ एक निश्चित प्रतिशत का भुगतान करने के लिए सहमत

होता है। लागत-प्लस अनुबंध ठेकेदार को सामग्री की लागत के लिए पूरी तरह से प्रतिपूर्ति करता है और फिर काम की कुल लागत पर पहुँचने के लिए अतिरिक्त धन जोड़ता है। लागत-प्लस मूल्य निर्धारण का उपयोग अक्सर सरकारी अनुबंधों में किया जाता है, और इसकी आलोचना प्रत्यक्ष और अप्रत्यक्ष लागतों के रूप में बेकार व्यय को बढ़ावा देने के रूप में की जाती है। इन लागतों को उत्पाद के लिए प्रति-इकाई लागत में परिवर्तित किया जाता है; फिर लाभ मार्जिन प्रदान करने के लिए इन लागतों का एक पूर्व निर्धारित प्रतिशत जोड़ा जाता है। इस मॉडल का उपयोग तब किया जाता है जब परियोजना की कुल लागत को पहले से जानना मुश्किल होता है। इस मॉडल का मुख्य नुकसान यह है कि यह कंपनियों को अकुशलता के लिए प्रोत्साहन प्रदान करता है, जिससे उन्हें लागत बढ़ाने के लिए प्रोत्साहित किया जाता है।

3. बीओटी/बीओओटी/डीबीएफओटी आदि:

- **बीओटी (बिल्ड ऑपरेट ट्रांसफर):** बीओटी संरचना में, सरकार एक निजी क्षेत्र की इकाई को आधारभूत संरचना के निर्माण और एक निश्चित अवधि के लिए इन सुविधाओं को संचालित करने और बनाए रखने का काम सौंपती है। इसलिए, निजी पार्टी परियोजना का निर्माण करती है, उसका संचालन और रखरखाव करती है और फिर अनुबंध अवधि के अंत में परियोजना को सरकारी प्राधिकरण को हस्तांतरित कर देती है।
- **बीओओटी (बिल्ड ओन ऑपरेट ट्रांसफर):** निजी पार्टी परियोजना का निर्माण करती है, उसका स्वामित्व रखती है और अनुबंध अवधि के लिए उसका संचालन और रखरखाव करती है और फिर अनुबंध अवधि के अंत में परियोजना को सरकार को हस्तांतरित कर देती है। बीओटी मॉडल की तुलना में इस मॉडल को निजी संस्थाओं द्वारा पसंद किया जाता है क्योंकि इस मॉडल में आधारभूत संरचना की संपत्ति/सुविधा का स्वामित्व निजी संस्था के पास होता है जिससे उनके लिए बैंकों से वित्त की व्यवस्था करना आसान हो जाता है क्योंकि आधारभूत ढाँचा संपत्ति संपार्श्विक के रूप में कार्य करती है।
- **DBFOT (डिजाइन बिल्ड फाइनेंस ऑपरेट एंड ट्रांसफर):** निजी पार्टी परियोजना के डिजाइन, निर्माण, वित्तपोषण, संचालन और प्रबंधन की पूरी जिम्मेदारी लेती है और फिर परियोजना जीवन चक्र के अंत में सरकार को हस्तांतरित कर देती है।

4. विशेष प्रयोजन वाहन (एसपीवी)

विशेष प्रयोजन वाहन नाम एक ऐसी इकाई को दिया जाता है जो एक एकल, अच्छी तरह से परिभाषित और विशेष उद्देश्य के लिए बनाई जाती है। तकनीकी रूप से, एसपीवी एक कंपनी है और इसे कंपनी अधिनियम में निर्धारित सभी नियमों और विनियमों का पालन करना होता है।

कंपनी को विशेष प्रयोजन वाहन से अलग करके सामान्य प्रयोजन वाहन कहा जा सकता है। कंपनी कई काम कर सकती है, जिनका उल्लेख एसोसिएशन के ज्ञापन (एमओए) में किया गया है या कंपनी अधिनियम द्वारा अनुमति दी गई है। विशेष प्रयोजन वाहन भी यही काम कर सकता है, लेकिन इसका संचालन का दायरा सीमित होता है और किसी खास परियोजना पर केंद्रित होता है। अगर ऐसा नहीं है, तो विशेष प्रयोजन वाहन को कंपनी कहना बेहतर होगा।

कंपनी की तरह, एसपीवी में प्रमोटर या प्रायोजक होना चाहिए। आमतौर पर, प्रायोजक निगम कंपनी के बाकी हिस्सों से संपत्ति या गतिविधियों को एसपीवी में अलग कर देता है। निवेशकों को सुविधा प्रदान करने के लिए संपत्तियों का यह अलगाव महत्त्वपूर्ण है। संपत्ति या गतिविधियों को मूल कंपनी से दूर रखा जाता है; इसलिए नई इकाई (एसपीवी) का प्रदर्शन मूल इकाई के उतार-चढ़ाव से प्रभावित नहीं होगा। एसपीवी कम जोखिम के अधीन होगा और इस प्रकार ऋणदाताओं को अधिक सुविधा प्रदान करेगा।

14.4 सड़क क्षेत्र (Road Sector)

भारत में सड़क परियोजनाएँ मुख्य रूप से निम्नलिखित तीन मॉडलों पर बनाई जाती हैं:

(i) **इंजीनियरिंग खरीद और निर्माण (ईपीसी):** सरकार केवल **सबसे कम लागत** पर पार्टी द्वारा निविदा प्रस्तुत

करने के आधार पर एक निजी ठेकेदार को सड़क बनाने का ठेका देती है। निजी पार्टी सड़क बनाती है और उसे सरकार को सौंप देती है जो फिर सड़क का रखरखाव करती है। (यह पीपीपी मॉडल नहीं है)

(ii) **बीओटी-टोल:** टोल राजस्व में सरकार को अधिकतम हिस्सेदारी के लिए निविदा प्रस्तुत करने वाली पार्टी के आधार पर सड़क बनाने, रखरखाव और संचालन के लिए निजी पार्टी का चयन किया जाता है। यदि टोल से प्राप्त राजस्व परियोजना की लागत को कवर करने के लिए पर्याप्त नहीं होने की उम्मीद है, तो सरकार व्यवहार्यता अंतर वित्तपोषण (वीजीएफ) नामक अग्रिम अनुदान के रूप में एकमुश्त सहायता देती है और निजी पार्टी का चयन इस आधार पर किया जाता है कि कौन **न्यूनतम वीजीएफ** माँगता है। सभी यातायात और वाणिज्यिक जोखिम निजी पार्टी के पास होते हैं और निजी पार्टी अपने राजस्व के लिए टोल पर निर्भर होती है। (यह एक पीपीपी मॉडल है।)

(iii) **बीओटी-वार्षिकी:** सड़क परियोजना के निर्माण, रखरखाव और संचालन के लिए निजी पार्टी का चयन निविदा प्रस्तुत करने वाली पार्टी द्वारा अनुबंध की पूरी अवधि के लिए सरकार से न्यूनतम वार्षिक भुगतान माँगने के आधार पर किया जाता है। निजी पार्टी परियोजना के निर्माण और रखरखाव की पूरी लागत **सरकार से** वसूलती है और निजी पार्टी को कोई यातायात और वाणिज्यिक जोखिम नहीं होता है। टोल संग्रह का अधिकार सरकार का होगा और वह टोल वसूल सकती है या नहीं भी कर सकती है। (यह एक पीपीपी मॉडल है।)

वार्षिकी मॉडल की सबसे बड़ी खामी यह है कि निजी पार्टी प्रारंभिक निर्माण अवधि के दौरान परियोजना की लगभग पूरी लागत वहन करती है, लेकिन उसे सरकार से समान वार्षिक किश्तों में भुगतान मिलता है और निजी पार्टी को लागत वसूलने और लाभ कमाने में लंबा समय लगता है। और इस वजह से निजी पार्टियाँ वार्षिकी मॉडल के तहत भाग लेने से हिचक रही थीं। इसलिए, केंद्र सरकार ने **जनवरी 2016** में सड़क क्षेत्र के लिए **चौथे** मॉडल को मंजूरी दी।

(iv) **हाइब्रिड वार्षिकी मॉडल:** यह वार्षिकी और ईपीसी मॉडल का मिश्रण है। बोली परियोजना लागत का 40% सरकार द्वारा निजी पक्ष को निर्माण अवधि (आमतौर पर 2-3 वर्ष) के दौरान देय होगा, जो परियोजना की भौतिक प्रगति से जुड़ा होगा। शेष 60% लागत का भुगतान सरकार द्वारा निर्माण पूरा होने के बाद सालाना (सबसे कम वार्षिक भुगतान माँगने वाले बोलीदाता को) किया जाएगा, यानी संचालन और रखरखाव अवधि के दौरान। हाइब्रिड वार्षिकी का लाभ यह है कि, जबकि निजी भागीदार टोल और एन्युटी परियोजनाओं की तरह निर्माण और रखरखाव के जोखिम को वहन करना जारी रखता है, उसे केवल आंशिक रूप से वित्तपोषण जोखिम वहन करना होता है। (यह एक पीपीपी मॉडल है।)

एनएचएआई ने हाल ही में टोल-ऑपरेट-ट्रांसफर (**टीओटी**) मॉडल पर पहले से निर्मित ईपीसी सड़क परियोजनाओं (जिन पर यह टोल एकत्र कर रहा था) को निजी कंपनियों को देना शुरू किया है।

(v) **टीओटी मॉडल:** इस मॉडल के तहत, अधिकतम अग्रिम राशि (एनएचएआई को दी जाने वाली) उद्धृत करने वाला बोलीदाता बोली जीतता है। सफल बोलीदाता पट्टे की अवधि (आमतौर पर 30 साल के लिए) के लिए टोल एकत्र करने के लिए जिम्मेदार होगा और सड़क का संचालन और रखरखाव करेगा। एनएचएआई टीओटी मॉडल के माध्यम से **सार्वजनिक रूप से वित्तपोषित पहले से निर्मित राजमार्ग परियोजनाओं** को दे रहा है ताकि इन परिचालन परियोजनाओं को घरेलू और विदेशी निवेशकों को दीर्घकालिक पट्टे के आधार पर हस्तांतरित करके नए राजमार्ग निर्माण के लिए धन जुटाया जा सके। एनएचएआई अग्रिम प्राप्तियों का उपयोग विशेष रूप से अन्य राजमार्गों के निर्माण के लिए करता है। (यह एक पीपीपी मॉडल है)

दिल्ली-नोएडा डायरेक्ट (डीएनडी) फ्लाईवे बिल्ड ओन ऑपरेट ट्रांसफर (बीओओटी) मॉडल पर आधारित पहली पीपीपी परियोजनाओं में से एक है। एक्सप्रेसवे को 2001 में जनता के लिए खोला गया था।

भारतमाला परियोजना

सबसे बड़ा राजमार्ग निर्माण कार्यक्रम 1998 में तत्कालीन प्रधानमंत्री अटल बिहारी वाजपेयी द्वारा 'राष्ट्रीय राजमार्ग विकास कार्यक्रम (एनएचडीपी)' के तहत शुरू किया गया था। एनएचडीपी चरण-I से चरण-VII तक फैला हुआ है और इसकी कुल लंबाई 55,792 किलोमीटर है। इसका एक बड़ा हिस्सा पूरा हो चुका है और बाकी भारतमाला परियोजना के अंतर्गत आ जाएगा।

भारतमाला परियोजना राजमार्ग क्षेत्र के लिए एक नया अम्ब्रेला कार्यक्रम है, जो प्रभावी हस्तक्षेपों के माध्यम से महत्त्वपूर्ण आधारभूत ढाँचे की कमियों को पाटकर देश भर में माल और यात्री आवागमन की दक्षता को अनुकूलित करने पर केंद्रित है, जैसे:

- आर्थिक गलियारों का विकास
- अंतर गलियारों और फीडर रूट
- राष्ट्रीय गलियारे दक्षता सुधार
- सीमा और अंतर्राष्ट्रीय संपर्क सड़कें
- तटीय और बंदरगाह संपर्क सड़कें
- ग्रीन-फील्ड एक्सप्रेस वे

यह परियोजना भारतीय राष्ट्रीय राजमार्ग प्राधिकरण, राष्ट्रीय राजमार्ग और अवसंरचना विकास निगम लिमिटेड (एनएचआईडीसीएल), सड़क, परिवहन और राजमार्ग मंत्रालय और राज्य पीडब्ल्यूडी के माध्यम से कार्यान्वित की जाती है। *राष्ट्रीय परिवहन विकास नीति समिति की रिपोर्ट के अनुसार, सड़क परिवहन देश भर में माल और यात्री यातायात का क्रमश: 69% और 90% वहन कर रहा है।*

14.5 रेलवे (Railways)

14.5.1 भविष्य की आर्थिक वृद्धि का इंजन

अपनी स्थापना के बाद से, भारतीय रेलवे ने खंडित बाजारों को एकीकृत करने और इस तरह, एक आधुनिक बाजार अर्थव्यवस्था के उद्भव को प्रोत्साहित करने का काम किया है। यह औद्योगिक उत्पादन केंद्रों को बाजारों और कच्चे माल के स्रोतों से जोड़ता है और औद्योगिक विकास को सुविधाजनक बनाता है। यह ऊर्जा क्षेत्र को तेज, विश्वसनीय और लागत प्रभावी थोक परिवहन प्रदान करता है, कोयला क्षेत्रों से बिजली संयंत्रों तक और रिफाइनरियों से पेट्रोलियम उत्पादों को उपभोग केंद्रों तक ले जाता है। यह कृषि उत्पादन केंद्रों को दूर के बाजारों से जोड़ता है और इस प्रकार विभिन्न क्षेत्रों की परिवहन आवश्यकताओं की रीढ़ की हड्डी के रूप में कार्य करता है। यह स्थानों को भी जोड़ता है, जिससे देश भर में लोगों की बड़े पैमाने पर, तेज और कम लागत वाली आवाजाही संभव हो पाती है। इस प्रक्रिया में, भारतीय रेलवे राष्ट्रीय एकीकरण का प्रतीक बन गया है।

भारतीय रेलवे भारत के आर्थिक विकास में योगदान देता है, जो राष्ट्रीय आय का लगभग एक प्रतिशत है। संगठित क्षेत्र में कुल रोजगार में इसका प्रत्यक्ष योगदान छह प्रतिशत है और इसके आश्रित संगठनों के माध्यम से अप्रत्यक्ष रूप से 2.5 प्रतिशत अतिरिक्त रोजगार उपलब्ध है। लगभग 63,000 किलोमीटर लंबे रूट के साथ भारतीय रेलवे देश की परिवहन आवश्यकताओं को पूरा करता है, विशेष रूप से लंबी दूरी के यात्री और माल यातायात के मामले में। इस प्रकार, भारतीय रेलवे ने देश के सामाजिक-आर्थिक विकास में एक प्रमुख भूमिका निभाई है, लेकिन क्षमता वृद्धि की कमी, भीड़भाड़, खराब सेवाओं और कमजोर वित्तीय स्वास्थ्य के कारण हाल के वर्षों में देश के सकल घरेलू उत्पाद में रेलवे की हिस्सेदारी घटकर लगभग 1% रह गई है। लेकिन अगर देश के रेलवे नेटवर्क में कनेक्टिविटी को बढ़ावा देने के लिए बड़े पैमाने पर निवेश किया जाए तो यह अर्थव्यवस्था की वृद्धि को 2-3% तक बढ़ाने की क्षमता रखता है।

उच्च विकास के लिए रेल मार्ग:

रेलवे जैसे सार्वजनिक अवसंरचना निवेश में वृद्धि, अर्थव्यवस्था को दो तरह से प्रभावित करती है:

- अल्पावधि में, यह समग्र माँग को बढ़ाती है और अवसंरचना सेवाओं की पूरक प्रकृति के कारण निजी निवेश को आकर्षित करती है।
- दीर्घावधि में, आपूर्ति पक्ष प्रभाव भी शुरू हो जाता है क्योंकि निर्मित अवसंरचना अर्थव्यवस्था की उत्पादक क्षमता को बढ़ाती है।
- रेलवे में **मजबूत पृष्ठभूमि** के संबंध पाए जाते हैं (अर्थात, जब हम रेलवे का विकास करते हैं, तो इसके लिए लोहा और इस्पात के साथ-साथ इंजीनियरों की भी

आवश्यकता होती है, इसलिए ये उद्योग भी रेलवे के विकास के साथ विकसित होंगे)। रेलवे में 1 रुपए का निवेश बढ़ाने से उत्पादन में 3.3 रुपए की वृद्धि होगी। यह बड़ा गुणक समय के साथ बढ़ रहा है और इसका प्रभाव विनिर्माण क्षेत्र पर सबसे अधिक है, अर्थात यह 'मेक इन इंडिया' के लिए भी अच्छा होगा।

इसके अलावा ऐसे क्षेत्र भी हैं जहाँ रेलवे सेवाएँ उत्पादन के लिए आगत हैं, यानी फॉरवर्ड लिंकेज (रेलवे के विकास के साथ ही बिजली संयंत्र, पर्यटन जैसे अन्य उद्योग भी विकसित होंगे जहाँ रेलवे को इनपुट के रूप में उपयोग किया जाता है)। रेलवे में 1 रुपए का प्रोत्साहन अन्य क्षेत्रों के उत्पादन में लगभग 2.5 रुपए की वृद्धि करेगा। समय के साथ इस **फॉरवर्ड लिंकेज** प्रभाव में कमी आई है, लेकिन यह मुख्य रूप से रेलवे में क्षमता की कमी के कारण है, जिसके कारण परिवहन के अन्य साधनों, मुख्य रूप से सड़क पर निर्भरता बढ़ गई है।

फॉरवर्ड और बैकवर्ड लिंकेज प्रभावों को मिलाकर रेलवे में निवेश का एक बहुत बड़ा गुणक (5 से अधिक) सुझाया गया है, यानी रेलवे निवेश में 1 रुपए की वृद्धि से अर्थव्यवस्था में 5 रुपए का उत्पादन (जीडीपी) बढ़ जाएगा।

इसके अलावा, सड़क परिवहन की तुलना में रेल परिवहन में कई अनुकूल विशेषताएँ हैं। यह सड़क की तुलना में छह गुना अधिक ऊर्जा कुशल है और तीन गुना अधिक किफायती है। रेल परिवहन के मामले में पर्यावरणीय क्षति या गिरावट के संदर्भ में सामाजिक लागत काफी कम है।

रेलवे में 100% तक विदेशी निवेश

रेलवे की आधारभूत संरचना में स्वचालित मार्ग के तहत 100% एफडीआई की अनुमति है, लेकिन ट्रेन संचालन और सुरक्षा में नहीं।

रेलवे एक पूँजी गहन (यानी, विकास के लिए बड़ी मात्रा में धन की आवश्यकता होती है) क्षेत्र है और इसका विकास रेल की आधारभूत संरचना में निवेश के लिए धन की उपलब्धता पर बहुत अधिक निर्भर करता है। वर्तमान में, आंतरिक राजस्व स्रोत (भारतीय रेलवे से उत्पन्न लाभ) और बजट के माध्यम से सरकारी धन नकदी की कमी वाले रेल क्षेत्र की पूँजी की आवश्यकता को पूरा करने के लिए अपर्याप्त हैं। रेल आधारभूत संरचना के निर्माण और रखरखाव में 100% की विदेशी निवेश सीमा में वृद्धि से अत्यधिक भीड़भाड़ वाली रेल आधारभूत संरचना के लिए आवश्यक पूँजी लाने में मदद मिलेगी।

रेलवे सुधारों पर बिबेक देबरॉय समिति की रिपोर्ट

रेलवे स्वतंत्रता के बाद से अपने सबसे बड़े सुधार से गुजर रहा है जैसा कि 'बिबेक देबरॉय समिति' द्वारा प्रस्तावित किया गया है। भारतीय रेलवे को दो भागों में विभाजित किया जाएगा:

- रेलवे इंफ्रास्ट्रक्चर कॉरपोरेशन (RIC), और
- भारतीय रेलवे ट्रेनें (IRT)

चूँकि भारतीय रेलवे ट्रेनें (IRT) रेलवे परिवहन सेवाओं की सार्वजनिक सेवा प्रदाता हैं, इसलिए RIC द्वारा प्रदान की गए आधारभूत संरचना पर निजी ट्रेनें भी चलेंगी। इसलिए मूल रूप से, आरआईसी इंफ्रा पर सरकारी ट्रेनें (आईआरटी) और निजी ट्रेनें दोनों चलेंगी।

चूँकि सरकारी और निजी दोनों ट्रेनें चलेंगी, इसलिए इसके लिए एक 'नियामक निकाय' की आवश्यकता होगी, जिसकी भूमिका केवल टैरिफ निर्धारित करना नहीं होगी, बल्कि आईआरटी (सरकारी ट्रेनें) और निजी ट्रेन ऑपरेटरों के बीच निष्पक्ष प्रतिस्पर्धा (जैसे ट्रैक तक पहुँच) सुनिश्चित करना भी होगा। रेल मंत्रालय व्यापक नीति स्थापित करेगा और नियामक निकाय नीति द्वारा निर्धारित प्रतिस्पर्धा के सिद्धांतों को लागू करेगा और वर्तमान रेलवे बोर्ड केवल आईआरटी के लिए एक कॉर्पोरेट बोर्ड बन जाएगा।

*2022-23 के लिए सकल मूल्य संवर्धन (जीवीए) में परिवहन क्षेत्र की हिस्सेदारी लगभग 4.8% थी, जिसमें सड़क परिवहन की हिस्सेदारी सबसे बड़ी 3.5% थी, इसके बाद **रेलवे (0.9%)**, हवाई परिवहन (0.2%) और जल परिवहन (0.06%) की हिस्सेदारी थी।*

भारत सरकार ने 'न्यू इंडिया न्यू रेलवे' पहल के तहत निजी कंपनियों को पीपीपी मोड के माध्यम से रेलवे क्षेत्र में काम करने की अनुमति दी है।

14.5.2 भारत में हाई स्पीड रेल (HSR)/बुलेट ट्रेनें

मेल और एक्सप्रेस ट्रेनों की औसत गति सिर्फ 55 किमी/घंटा है, जबकि मालगाड़ियाँ औसतन 30 किमी/घंटा की गति से चलती हैं। ज्यादातर मुख्य रेल मार्ग 100% से ज्यादा क्षमता

पर चलते हैं, जिससे देरी और दुर्घटनाएँ होती हैं। भारतीय रेल वर्तमान में क्षमता (माँग से नहीं) के कारण काफी सीमित है।

भारत में प्रति व्यक्ति गतिशीलता ज्यादातर विकसित देशों से कम है। जनसंख्या, जीडीपी, आय स्तर और शहरीकरण में वृद्धि के कारण, आने वाले वर्षों में अंतर-शहर (inter-city) यात्री की यात्रा की माँग में उछाल आने की उम्मीद है।

परिचयः

हाई-स्पीड रेल (HSR) प्रणाली में आधारभूत ढाँचा प्रणाली, रोलिंग स्टॉक (लोकोमोटिव, रेलवे पर इस्तेमाल किए जाने वाले वैगन) और परिचालन स्थितियाँ शामिल हैं। वैश्विक स्तर पर हाई-स्पीड ट्रेनें अपनी तकनीक, आधारभूत संरचना, रोलिंग स्टॉक और प्राप्त करने योग्य गति में भिन्न होती हैं। वर्तमान में, हाई स्पीड रेल तकनीक और आधारभूत संरचना के आधार पर 200 किमी प्रति घंटे से लेकर 350 किमी प्रति घंटे तक की गति प्राप्त कर सकती हैं।

रेल मंत्रालय, भारत सरकार ने निम्नलिखित एचएसआर कॉरिडोर बनाने की योजना बनाई है:

- स्वर्णिम चतुर्भुज
- दिल्ली-चंडीगढ़-अमृतसर
- दिल्ली-चेन्नई
- चेन्नई-बैंगलोर-मैसूर
- मुंबई-अहमदाबाद

भारतीय रेलवे के विजन 2020 में देश में हाई स्पीड रेल लाने के लिए दो-आयामी दृष्टिकोण की परिकल्पना की गई है।

- पहली रणनीति में ट्रंक/मुख्य मार्गों पर अलग-अलग मौजूदा यात्री गलियारों पर गति को मौजूदा 80-100 किमी/घंटा से बढ़ाकर 160-200 किमी/घंटा करने के लिए पारंपरिक तकनीक का उपयोग करना शामिल है। (वंदे भारत इसका एक उदाहरण है।)
- दूसरे दृष्टिकोण में 350 किमी/घंटा (एचएसआर) तक की गति के लिए नए उन्नत हाई-स्पीड कॉरिडोर बनाने के लिए व्यवहार्य इंटरसिटी मार्गों की पहचान करना शामिल है।

हाई-स्पीड रेल (एचएसआर) के लाभ

- यदि हवाई अड्डों तक पहुँच और निकास पर विचार किया जाए तो 800 किलोमीटर से कम दूरी के लिए हवाई यात्रा की तुलना में एचएसआर अधिक समय कुशल है। एचएसआर कई लाभ भी प्रदान करता है, जिसमें शामिल हैं: शहरों को पुनर्जीवित करना, गलियारों के साथ उच्च घनत्व वाले रियल एस्टेट विकास को प्रोत्साहित करना, गलियारे के साथ छोटे शहरों की विकास क्षमता को बढ़ावा देना, बेहतर कनेक्टिविटी के माध्यम से श्रमिकों को रोजगार की पहुँच और विकल्प प्रदान करना, शहरों को एकीकृत आर्थिक क्षेत्रों से जोड़ना और पर्यटन को बढ़ावा देना।
- एचएसआर एयर बस और निजी कार जैसे अन्य सभी साधनों की तुलना में प्रति यूनिट ऊर्जा में अधिक यात्रियों को ले जाता है। इसलिए यह कम से कम पर्यावरण क्षति के साथ अनुकूल वातावरण, विद्युतीकृत रेलवे प्रदान करेगा।
- एचएसआर वैगनों और संबद्ध आधारभूत संरचना के लिए घरेलू विनिर्माण क्षमता विकसित करने का अवसर प्रदान कर सकता है। रेलवे आधुनिकीकरण और एचएसआर, विशेष रूप से, प्रौद्योगिकी और पूँजी गहन हैं। रेल और उसके घटकों का घरेलू विनिर्माण नवाचार, प्रौद्योगिकी हस्तांतरण के अवसरों और उद्योग के लिए माँग को बढ़ावा दे सकता है- विशेष रूप से, वैगनों और संबद्ध आधारभूत संरचना के निर्माण से इस्पात उद्योग।
- HSR बड़े शहरी केंद्रों के साथ-साथ गलियारों के साथ अन्य छोटे और मध्यम शहरों के बीच संपर्क में सुधार करके क्षेत्रीय आर्थिक विकास के अवसर पैदा करता है, और रोजगार, स्वास्थ्य, शिक्षा और समय की बचत तक पहुँच में सुधार करके सामाजिक-आर्थिक लाभ उत्पन्न करता है। छोटे और मध्यम शहरों को जोड़ने की HSR की क्षमता हवाई परिवहन की तुलना में अधिक भौगोलिक रूप से संतुलित विकास की ओर ले जा सकती है जहाँ केवल कुछ चुनिंदा शहर ही लाभान्वित होते हैं।

आलोचना

- HSR ट्रेनें हर उस देश में घाटे में चल रही हैं जहाँ वे वर्तमान में संचालित होती हैं, इस तथ्य के बावजूद कि इन ट्रेनों की टिकटें अक्सर हवाई टिकट से अधिक महँगी होती हैं। ऐसे देश के लिए जहाँ अधिकांश आबादी को राजधानी का किराया भी अपनी पहुँच से

बाहर लगता है, फैंसी HSR का उपयोग करने वाले लोगों की संख्या बहुत सीमित होगी और यह एक फिजूलखर्ची (white elephant) साबित हो सकती है।

- कुछ विशेषज्ञों का मानना है कि भारत की मौजूदा पटरियों को 200 किलोमीटर प्रति घंटे की रफ्तार से ट्रेनें चलाने के लिए सुधारा जा सकता है, तो फिर HSR क्यों, जो यकीनन भारतीय रेलवे के पूरे बजट को समाप्त कर लेगा, जिसे अपनी चरमराती आधारभूत संरचना को अपग्रेड और आधुनिक बनाने के साथ-साथ देश के दूरदराज के इलाकों से संपर्क सुधारने के लिए नई लाइनें जोड़ने की सख्त जरूरत है, जो आजादी के 70 साल बाद भी कटे हुए हैं।

टिप्पणी: भारत के पास दुनिया का चौथा सबसे बड़ा रेल नेटवर्क है। आकार, संचालन के पैमाने और तकनीक को ध्यान में रखते हुए, यह उचित है कि रेलवे अपनी पहली HSR लाइन बनाए ताकि तकनीक सीखने की प्रक्रिया में आगे बढ़ सके। देश में HSR लाइनों के निर्माण को सिर्फ परिवहन की माँग के आधार पर उचित ठहराए जाने वाले स्वचालित प्रोजेक्ट के बजाय राष्ट्र निर्माण अभ्यास के रूप में देखा जाना चाहिए। **'भारत दुनियाभर में हुई तकनीकी प्रगति के प्रति अंजान नहीं रह सकता'।**

हाई स्पीड रेल कॉरिडोर विकसित करने के लिए शुरुआती निवेश बहुत ज्यादा है; हालाँकि, स्थिरता लाभ व्यापक होते हैं और लंबी समय सीमा में होते हैं। इसलिए, HSR के लिए निवेश को उनके द्वारा उत्पन्न दीर्घकालिक विकास लाभों के लिए व्यापक रूप से देखा जाना चाहिए। अंतर-शहरी परिवहन की बड़ी माँग और भविष्य की बढ़ती आय को देखते हुए, कई उच्च घनत्व वाले गलियारों की मौजूदगी भारत के अंतर-शहरी परिवहन परिवर्तन में एक मजबूत मामला बनाती है।

14.5.3 एकनिष्ठ माल गलियारा (Dedicated Freight Corridor) (डीएफसी)

यह स्वतंत्र भारत में बनाई जा रही सबसे बड़ी रेल अवसंरचना परियोजना है। रेल मंत्रालय ने पूर्वी और पश्चिमी डीएफसी (Dedicated Freight Corridor) की योजना, विकास, वित्तीय संसाधनों को जुटाने और निर्माण, रखरखाव और संचालन के लिए एक विशेष प्रयोजन वाहन (SPV) के रूप में एक 100% सहायक कंपनी, "डेडिकेटेड फ्रेट कॉरिडोर कॉर्पोरेशन ऑफ इंडिया लिमिटेड (डीएफसीसीआईएल)" की स्थापना की है। परियोजना कार्यशील है। पूर्वी और पश्चिमी डीएफसी की महत्त्वपूर्ण विशेषताएँ निम्नलिखित हैं:

- Dedicated Freight Corridor Corporation of India Ltd. (DFCCIL) इन परिसंपत्तियों का स्वामित्व और संचालन कर रहा है।
- रेल मंत्रालय इन पटरियों पर ट्रेनें चला रहा है और DFCCIL को "अतिरिक्त शुल्क" का भुगतान कर रहा है। DFCCIL को भविष्य में निजी खिलाड़ियों द्वारा संचालित अन्य मालगाड़ियों से भी एक्सेस चार्ज मिलेगा।
- डीएफसी (Dedicated Freight Corridor) पर परिचालन का केंद्रीकृत नियंत्रण होगा और इन गलियारों पर डबल स्टैकिंग कंटेनर चलेंगे।
- डीएफसी (Dedicated Freight Corridor) पर परिचालन और रखरखाव लागत वर्तमान आईआर नेटवर्क की तुलना में आधी होने की उम्मीद है।
- डीएफसीसीआईएल भारतीय रेलवे ट्रैक पर वर्तमान अधिकतम गति 75 किमी प्रति घंटे के मुकाबले 100 किमी प्रति घंटे की अधिकतम गति से मालगाड़ियाँ चलाएगा, जबकि मालगाड़ियों की औसत गति भी भारतीय रेलवे लाइनों पर मौजूदा 26 किमी प्रति घंटे से बढ़ाकर **डीएफसी पर 70 किमी प्रति घंटे** कर दी जाएगी।
- आईआर ट्रैक पर चलने वाली 70% मालगाड़ियाँ डीएफसी पर चलेंगी और अधिक यात्री ट्रेनों के लिए मौजूदा ट्रैक पर भीड़भाड़ कम करेंगी।
- सरकार ग्राहकों को संपूर्ण परिवहन समाधान प्रदान करने के लिए कॉरिडोर के साथ मल्टीमॉडल लॉजिस्टिक्स पार्क का निर्माण कर रही है।

पूर्वी गलियारा: लुधियाना-मुगलसराय-सोननगर-कोलकाता (1835 किमी)

(लुधियाना-मुगलसराय खंड विश्व बैंक द्वारा ऋण वित्त पोषण मुगलसराय-सोननगर खंड रेल मंत्रालय द्वारा वित्त पोषित सोननगर-कोलकाता खंड पीपीपी मॉडल के माध्यम से)

पश्चिमी गलियारा: दिल्ली - रेवाड़ी - वडोदरा - मुंबई (1483 किमी)

(जापान द्वारा वित्त-पोषित)

समर्पित माल ढुलाई गलियारे में पीपीपी (निवेश/व्यापार मॉडल)

जब रेलवे लाइन या डीएफसी का कोई खंड पीपीपी मॉडल पर बनाया जाता है तो सभी मंजूरी और भूमि अधिग्रहण भारतीय रेलवे (आईआर) द्वारा किया जाता है और ट्रैक का डिजाइन, निर्माण और रखरखाव निजी कंपनियों द्वारा किया जाता है। माल ढुलाई भारतीय रेलवे (आईआर) द्वारा एकत्र की जाती है और उस खंड के माल ढुलाई का 50% भारतीय रेलवे द्वारा निजी पार्टी को दिया जाता है। निजी पार्टी का चयन निविदा प्रक्रिया के माध्यम से किया जाता है। यदि 50% माल ढुलाई (जो निजी पार्टी को जा रही है) से निर्माण और रखरखाव की पूरी लागत कवर होने की उम्मीद नहीं है, तो निजी पार्टी भारतीय रेलवे से व्यवहार्यता अंतर निधि (वीजीएफ) की माँग करेगी और जो निजी पार्टी न्यूनतम निधि माँगेगी, उसका चयन किया जाएगा। यदि 50% माल ढुलाई से निर्माण और रखरखाव की पूरी लागत कवर होने की उम्मीद है, तो उस निजी पार्टी का चयन किया जाएगा जो भारतीय रेलवे को अधिकतम एकमुश्त प्रीमियम (निधि) देगी।

14.5.4 रेलवे स्टेशनों का विकास

रेल मंत्रालय ने भारतीय रेलवे पर स्टेशनों के विकास के लिए अमृत भारत स्टेशन योजना शुरू की है। इस योजना के तहत विकास के लिए लगभग 1309 स्टेशनों की पहचान की गई है। विभिन्न मॉडल हैं:

- **इंजीनियरिंग खरीद निर्माण (ईपीसी) मॉडल:** सरकार रेलवे स्टेशन का संचालन और रखरखाव करने के साथ-साथ योजना बनाने से लेकर मंजूरी प्राप्त करने तक का सारा काम करती है। केवल निर्माण का काम निजी डेवलपर/ठेकेदार द्वारा किया जाता है। नई दिल्ली, मुंबई और अहमदाबाद रेलवे स्टेशनों को इस मॉडल के तहत विकसित करने की योजना बनाई गई है।
- **सार्वजनिक निजी भागीदारी (पीपीपी) मॉडल:** इस मॉडल के तहत, सरकार परियोजना की योजना बनाती है, वैधानिक मंजूरी प्राप्त करती है और फिर रेलवे स्टेशन को अपग्रेड/आधुनिक बनाने के साथ-साथ इसे **संचालित और रखरखाव** करने के लिए डेवलपर का चयन किया जाता है। भोपाल के उपनगरीय इलाके में हबीबगंज, देश का पहला रेलवे स्टेशन है जिसे पीपीपी मॉडल पर पुनर्विकसित किया गया है।

गैर-ईपीसी मॉडल (उदाहरण के लिए लागत प्लस या निवेश पर निश्चित रिटर्न आदि)

14.5.5 रेल विकास प्राधिकरण (आरडीए)

सरकार ने अप्रैल 2017 में, रेलवे में एक बड़े सुधार की शुरुआत की, जिसमें रेल विकास प्राधिकरण (आरडीए) की स्थापना को मंजूरी दी गई, जो रेलवे क्षेत्र के लिए नियामक के रूप में कार्य करेगा। यह परिकल्पना की गई है कि आरडीए में एक अध्यक्ष और तीन अन्य सदस्य शामिल होंगे जो उचित विचार/निर्णय के लिए सरकार को सिफारिशें करेंगे।

आरडीए क्यों?

काफी लंबे समय से यह सुझाव दिया जा रहा था कि आधारभूत संरचना के व्यवस्थित विकास, प्रतिस्पर्धा को सक्षम बनाने और ग्राहकों के हितों की रक्षा के उद्देश्य से एक विनियमन तंत्र होना जरूरी है जो सेवा प्रदाता यानी रेल मंत्रालय से स्वतंत्र हो। पिछले कुछ वर्षों में एक नियामक प्राधिकरण की आवश्यकता तीव्र हो गई थी, क्योंकि रेल मंत्री यात्री किराया बढ़ाने से इनकार कर रहे थे, जिससे माल ढुलाई राजस्व में वृद्धि हो रही थी और यात्री यातायात को और अधिक सब्सिडी मिल रही थी, और परिणामस्वरूप उद्योग की लागत बढ़ रही थी। तब यह महसूस किया गया कि यदि एक स्वतंत्र नियामक किराए और माल ढुलाई दरों में संशोधन करता है जिसे रेलवे के पास स्वीकार करने के अलावा कोई विकल्प नहीं है, तो इस निर्णय से राजनीतिक तीखापन दूर हो जाएगा। आरडीए रेलवे अधिनियम, 1989 के मापदंडों के भीतर काम करेगा और निम्नलिखित व्यापक **कार्य** करेगा:

- टैरिफ की सिफारिश करना, सामाजिक सेवा दायित्व के लिए सिद्धांत तैयार करना और ट्रैक एक्सेस चार्ज के लिए दिशा-निर्देश तैयार करना।
- हितधारक निवेश के लिए निष्पक्ष खेल और समान अवसर सुनिश्चित करना, निजी निवेश के लिए नीतियों के बारे में सुझाव देना, निवेशकों के लिए उचित सुरक्षा सुनिश्चित करना और भविष्य के रियायत समझौतों के बारे में विवाद सुलझाना।
- दक्षता और प्रदर्शन मानक निर्धारित करना।
- नई प्रौद्योगिकियों और मानव संसाधन विकास के अवशोषण के लिए उपाय सुझाना।

- सूचना का प्रसार करना, अंतर्राष्ट्रीय मानदंडों के विरुद्ध सेवा मानकों का बेंचमार्किंग करना और वैश्विक सर्वोत्तम प्रथाओं को सुनिश्चित करना।
- एकनिष्ठ माल गलियारा अवसंरचना तक गैर-भेदभावपूर्ण खुली पहुँच के लिए एक रूपरेखा प्रदान करना।
- सार्वजनिक-निजी भागीदारी पर नीतियों की निगरानी करना।

टिप्पणी: आरडीए सरकार को लागत के अनुरूप सेवाओं के मूल्य निर्धारण, गैर-किराया राजस्व में वृद्धि के लिए उपाय सुझाने, उपभोक्ता हितों की सुरक्षा सुनिश्चित करने, प्रतिस्पर्धा को बढ़ावा देने, बाजार विकास को प्रोत्साहित करने, निवेश के लिए सकारात्मक वातावरण बनाने और कुशल संसाधन आवंटन को बढ़ावा देने सहित महत्त्वपूर्ण नीति और परिचालन मुद्दों पर उचित निर्णय लेने में मदद करेगा। आरडीए यात्री और माल भाड़ा शुल्क निर्धारण में पारदर्शिता प्रदान करेगा तथा सेवा की गुणवत्ता और लागत अनुकूलन सुनिश्चित करके उपभोक्ता हितों की रक्षा करेगा।

14.6 विमानपत्तन/हवाई अड्डे (Airports)

भारतीय हवाई अड्डा प्राधिकरण (एएआई) की स्थापना 1995 में भारतीय हवाई अड्डा प्राधिकरण अधिनियम 1994 के प्रावधानों के तहत भारत में हवाई अड्डों के प्रबंधन के लिए एक ही प्राधिकरण द्वारा की गई थी। नागरिक उड्डयन मंत्रालय के तहत एएआई भारत में जमीन और हवा दोनों पर नागरिक उड्डयन आधारभूत संरचना के निर्माण, उन्नयन, रखरखाव और प्रबंधन के लिए जिम्मेदार है। एएआई कुल 148 हवाई अड्डों का प्रबंधन/स्वामित्व करता है, जिनमें से कुछ हवाई अड्डों को उसने निजी पार्टियों को निर्माण, संचालन और रखरखाव के लिए दिया है और कुछ को केवल संचालन और रखरखाव के उद्देश्य से दिया है।

हवाई अड्डे के निजीकरण के लिए कानूनी ढाँचा प्रदान करने के लिए 2003 में एएआई अधिनियम में संशोधन किया गया था। हवाई अड्डा आर्थिक नियामक प्राधिकरण (एईआरए) की स्थापना 2009 में भारतीय हवाई अड्डा आर्थिक नियामक प्राधिकरण अधिनियम, 2008 के तहत एक वैधानिक निकाय के रूप में की गई थी, जिसका मुख्यालय दिल्ली में है। AERA प्रमुख हवाई अड्डों पर विभिन्न शुल्कों को नियंत्रित करता है *(वे हवाई अड्डे जो सालाना 35 लाख से अधिक यात्रियों को सेवा प्रदान करते हैं उन्हें प्रमुख हवाई अड्डे कहा जाता है)* जबकि गैर-प्रमुख हवाई अड्डों पर शुल्कों को नागरिक उड्डयन मंत्रालय के तहत नागरिक उड्डयन महानिदेशालय (DGCA) द्वारा नियंत्रित किया जाता है।

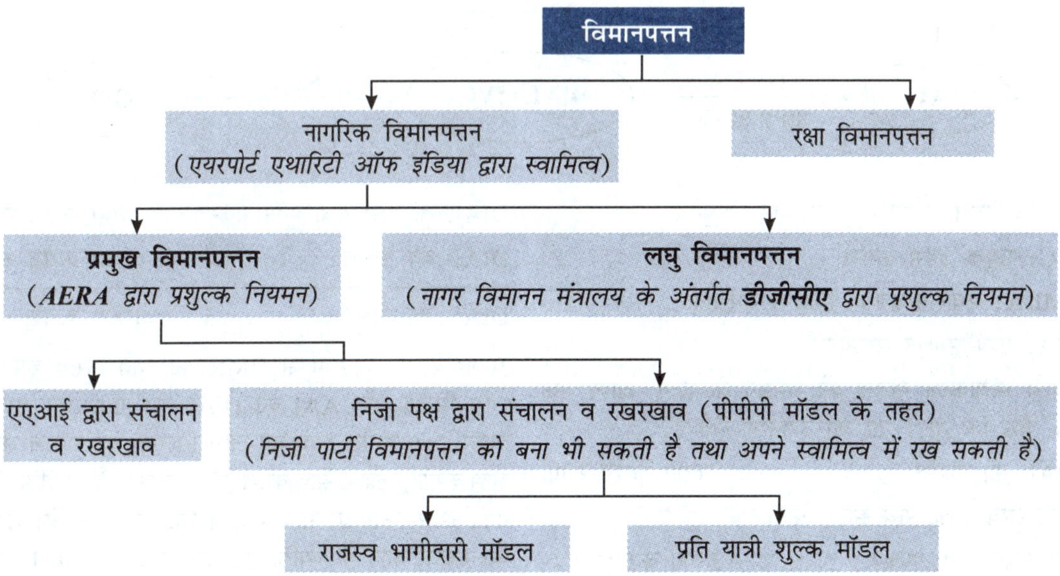

हवाई अड्डों में सार्वजनिक निजी भागीदारी

एएआई के हवाई अड्डों में राजस्व का स्रोत लैंडिंग शुल्क, पार्किंग शुल्क, यात्री सेवा शुल्क, कार्गो हैंडलिंग, विज्ञापन, किराया आदि है और इन राजस्वों के साथ एएआई विभिन्न हवाई अड्डों का संचालन और प्रबंधन करता है और नए हवाई अड्डों का निर्माण करता है। पहले एएआई सभी हवाई अड्डों का संचालन और रखरखाव करता था और इन राजस्वों को एकत्र करता था। लेकिन 2005-06 से, भारत सरकार ने कुछ हवाई अड्डों के संचालन और प्रबंधन की जिम्मेदारी निजी ऑपरेटरों को देना शुरू कर दिया है। निजी पक्षों को हवाई अड्डे की आधारभूत सुविधाओं में नए निवेश करने और हवाई अड्डे का संचालन और रखरखाव करने की जिम्मेदारी दी गई है।

पहले दो हवाई अड्डे राजस्व साझाकरण मॉडल (निजी पक्ष अधिकतम राजस्व हिस्सेदारी उद्धृत करता है) पर क्रमशः दिल्ली और मुंबई जीएमआर और जीवीके को दिए गए थे।

दिल्ली हवाई अड्डे की केस स्टडी

सितंबर 2003 में, मंत्रिमंडल ने संयुक्त उद्यम मोड के माध्यम से दिल्ली और मुंबई हवाई अड्डों के पुनर्गठन को मंजूरी दी। इस निर्णय के अनुसरण में, संयुक्त उद्यम भागीदार के चयन के बाद, एएआई ने एक सहायक कंपनी अर्थात मेसर्स दिल्ली अंतर्राष्ट्रीय हवाई अड्डा प्राइवेट लिमिटेड (डायल) को शामिल किया, और बाद में दिल्ली अंतर्राष्ट्रीय हवाई अड्डा प्राइवेट लिमिटेड के 74% शेयर जीएमआर को बेच दिए (जीएमआर ने सरकार को अधिकतम 45.99% राजस्व हिस्सेदारी की कोटेशन (Quotation) दी थी)। 4 अप्रैल 2006 को, एएआई ने डायल के साथ एक ऑपरेशन मैनेजमेंट डेवलपमेंट एग्रीमेंट (पीपीपी एग्रीमेंट) पर हस्ताक्षर किए। एएआई ने 3 मई 2006 को आईजीआई हवाई अड्डे, दिल्ली को 'जैसा है जहाँ है' के आधार पर डायल को सौंप दिया और डायल को हवाई अड्डे के संचालन, रखरखाव, विकास, डिजाइन, निर्माण, आधुनिकीकरण, वित्त और प्रबंधन के कार्यों को करने का विशेष अधिकार दिया। समझौते में भारत सरकार द्वारा प्रदान की जाने वाली सहायता की प्रकृति और शर्तें निर्धारित की गई, साथ ही सरकार और डायल के बीच पारस्परिक जिम्मेदारियाँ और दायित्व भी निर्धारित किए गए।

परियोजना की संरचना इस प्रकार है:

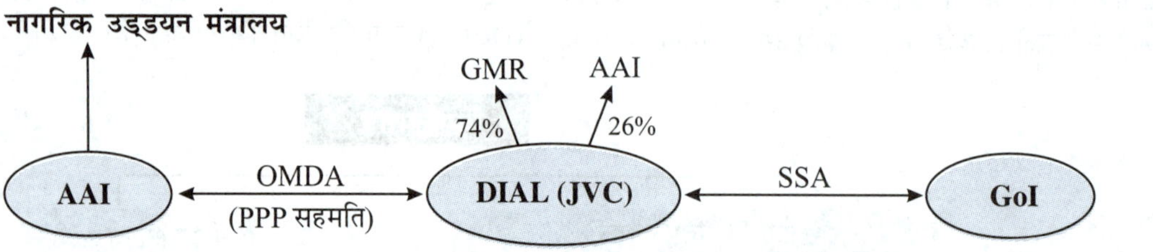

DIAL: दिल्ली इंटरनेशनल एयरपोर्ट लिमिटेड

JVC: संयुक्त उद्यम कंपनी

OMDA: संचालन प्रबंधन विकास समझौता

SSA: राज्य समर्थन समझौता

राजस्व साझाकरण मॉडल को समझने के लिए, आइए एक वर्ष, जैसे कि 2021-22 का उदाहरण लेते हैं:

DIAL का राजस्व	= 5000 करोड़ रुपए
भारत सरकार के साथ साझा किया गया राजस्व (45.99%)	= 2300 करोड़ रुपए
DIAL के पास बचा हुआ राजस्व	= 2700 करोड़ रुपए
DIAL की लागत	= 1700 करोड़ रुपए
DIAL का लाभ	= 1000 करोड़ रुपए

1000 करोड़ रुपए में से GMR को 740 करोड़ रुपए का लाभ मिलेगा और AAI को DIAL का शेयरधारक होने के कारण 260 करोड़ रुपए का लाभ मिलेगा। यह मॉडल राजस्व साझाकरण (लाभ साझाकरण के बजाय) है क्योंकि निजी ऑपरेटर सरकार के साथ राजस्व साझा कर रहा है। DIAL का स्वामी कोई भी व्यक्ति हो, उसे लाभ प्राप्त होना ही है।

बाद में नागरिक उड्डयन मंत्रालय ने पब्लिक प्राइवेट पार्टनरशिप के माध्यम से राजस्व साझाकरण मॉडल पर बैंगलोर और हैदराबाद के हवाई अड्डों को भी ठेके पर दिया।

लेकिन चेन्नई, कोलकाता, लखनऊ, जयपुर, अहमदाबाद और गुवाहाटी जैसे हवाई अड्डों के लिए, एएआई ने खुद ही कुछ हवाई अड्डों का आधुनिकीकरण किया और इन हवाई अड्डों के **संचालन और रखरखाव** के लिए पीपीपी मॉडल पर निजी पार्टियों को (वर्ष 2019 में) दे दिया। जिस निजी पार्टी ने **सरकार को अधिकतम 'प्रति यात्री शुल्क'** देने का वादा किया, **उसे चुना** गया। हाल ही में 'नोएडा इंटरनेशनल एयरपोर्ट प्राइवेट लिमिटेड' को भी इसी मॉडल पर ज्यूरिख इंटरनेशनल को बोली लगाई गई, जहाँ इसने एएआई को प्रति यात्री 400.97 रुपए शुल्क की पेशकश की।

क्षेत्रीय संपर्क योजना (आरसीएस)

उत्पादन और रोजगार पर विमानन क्षेत्र का गुणक प्रभाव क्रमश: 3.25 और 6.10 है। इसका मतलब है कि विमानन क्षेत्र में निवेश किए गए 1 रुपए से अर्थव्यवस्था में उत्पादन में 3.25 रुपए की वृद्धि होगी और विमानन क्षेत्र में सृजित एक नौकरी से अर्थव्यवस्था के अन्य क्षेत्रों में 6.10 नौकरियों का सृजन होगा। इस प्रकार, विमानन क्षेत्र में वृद्धि का अर्थव्यवस्था में निवेश और रोजगार सृजन के संदर्भ में बड़ा प्रभाव पड़ेगा।

तदनुसार, भारत सरकार ने अप्रैल 2017 में उड़ान (UDAN) (उड़े देश का आम नागरिक)/आरसीएस योजना शुरू की। आरसीएस का उद्देश्य आम जनता के लिए उड़ान को किफायती बनाना, पर्यटन को बढ़ावा देना, रोजगार बढ़ाना और संतुलित क्षेत्रीय विकास को बढ़ावा देना है। इस योजना का उद्देश्य भारत के छोटे शहरों और कस्बों को विमानन मानचित्र पर लाना है, जो अब तक वाणिज्यिक एयरलाइनों के लिए उड़ान भरने के लिए अलाभकारी थे।

इस योजना का अभिन्न अंग देश में 450 से अधिक हवाई अड्डों/हवाई पट्टियों का विकास है, जिनमें अपार संभावनाएँ हैं, लेकिन वे निष्क्रिय पड़े हैं और नए हवाई अड्डों का निर्माण किया जा रहा है। नागरिक विमानन मंत्रालय राज्य सरकारों की सहायता से 50-100 करोड़ रुपए की अनुमानित लागत से 'बिना तामझाम' वाले हवाई अड्डे विकसित करना चाहता है।

आरसीएस के क्रियान्वयन के लिए सरकार की दो-आयामी रणनीति है:

- सबसे पहले, अप्रयुक्त मार्गों पर माँग को प्रोत्साहित करने के लिए, इसने लगभग 500 किलोमीटर की एक घंटे की यात्रा के लिए 2500 रुपए (50% सीटों के लिए) किराए की सीमा तय करने का प्रस्ताव दिया है।
- दूसरा, इस योजना को एयरलाइनों के लिए आकर्षक बनाने के लिए, सरकार उन्हें रियायतें देने के साथ-साथ व्यवहार्यता अंतर निधि (वीजीएफ) भी देने की योजना बना रही है।

रियायतें और कर लाभ: चूँकि सरकार आरसीएस मार्गों पर हवाई किराए की सीमा तय करने का प्रस्ताव करती है, इसलिए वह इन मार्गों पर चलने वाले एयरलाइन ऑपरेटरों को व्यवहार्यता अंतर निधि (सब्सिडी) का भुगतान करेगी। एयरलाइनों को वीजीएफ का भुगतान 80:20 के अनुपात में केंद्र और राज्य के योगदान से स्थापित किए जाने वाले 'क्षेत्रीय संपर्क निधि' से किया जाएगा। (केंद्र सरकार सामान्य घरेलू एयरलाइनों की प्रत्येक प्रस्थान उड़ान पर 8500 रुपए तक का शुल्क लगाकर वीजीएफ में योगदान देगी)। केंद्र और राज्य सरकार ने एयरलाइनों के परिचालन व्यय को कम करने और सुरक्षा और अग्निशमन सेवा नि:शुल्क प्रदान करने के लिए विभिन्न कर और गैर-कर रियायतें देने का भी प्रस्ताव रखा है।

एयरलाइन ऑपरेटर का चयन: यह राज्यों पर निर्भर करता है कि वे इस योजना में शामिल होना चाहते हैं या नहीं। एक बार जब कोई राज्य आरसीएस के दायरे में किसी हवाई अड्डे को शामिल करने की माँग करता है, तो प्रतिस्पर्धी बोली के लिए विभिन्न मार्गों की पेशकश की जाएगी। किसी विशेष आरसीएस मार्ग पर ऑपरेटरों का चयन बोलीदाता द्वारा न्यूनतम वीजीएफ माँगे जाने पर आधारित होता है और किसी विशिष्ट उड़ान मार्ग पर परिचालन शुरू करने की तिथि से तीन वर्षों तक परिचालन में रहेगा। किसी विशेष आरसीएस मार्ग पर उड़ानों का संचालन केवल एक ऑपरेटर करेगा।

14.7 औद्योगिक गलियारे (Industrial Corridors)

पृष्ठभूमि:

- औद्योगिक/आर्थिक गलियारे एक कुशल परिवहन प्रणाली की नींव पर एक परिभाषित भूगोल के साथ आर्थिक एजेंटों को जोड़ते हैं। वे विभिन्न आर्थिक नोड्स/हब के बीच महत्त्वपूर्ण कनेक्शन प्रदान करते हैं।
- औद्योगिक गलियारे विश्व स्तरीय आधारभूत ढाँचे का निर्माण करते हैं जैसे कि उच्च गति परिवहन (रेल, सड़क) नेटवर्क, बंदरगाह, आधुनिक हवाई अड्डे, विशेष आर्थिक क्षेत्र/औद्योगिक क्षेत्र, लॉजिस्टिक पार्क/ट्रांसशिपमेंट हब, औद्योगिक आवश्यकताओं को पूरा करने पर केंद्रित ज्ञान पार्क, टाउनशिप/रियल एस्टेट जैसे पूरक आधारभूत ढाँचे और सक्षम नीति ढाँचे के साथ अन्य शहरी आधारभूत ढाँचे।
- औद्योगिक गलियारे अर्थव्यवस्था के विभिन्न क्षेत्रों की अंतर-निर्भरता को पहचानते हैं और उद्योग और आधारभूत ढाँचे के बीच प्रभावी एकीकरण प्रदान करते हैं जिससे समग्र आर्थिक और सामाजिक विकास होता है।
- आधारभूत ढाँचे के विकास के अलावा, गलियारे के साथ व्यापार और उद्योग को दीर्घकालिक लाभ में औद्योगिक उत्पादन इकाइयों तक सुगम पहुँच, परिवहन और संचार लागत में कमी, बेहतर डिलीवरी समय और इन्वेंट्री लागत में कमी से होने वाले लाभ शामिल हैं।
- औद्योगिक गलियारे की रणनीति का उद्देश्य एक मजबूत औद्योगिक आधार विकसित करना है, जो निर्यातोन्मुख उद्योगों और विनिर्माण में निवेश आकर्षित करने के लिए एक शर्त के रूप में विश्व स्तरीय प्रतिस्पर्धी आधारभूत संरचना द्वारा संचालित हो।
- उपरोक्त लाभों को ध्यान में रखते हुए, भारत सरकार ने पाँच औद्योगिक गलियारों की पहचान, करके लॉन्च किया है: -
  - दिल्ली-मुंबई औद्योगिक गलियारा (DMIC)।
  - बैंगलोर-मुंबई आर्थिक गलियारा (BMEC)।
  - चेन्नई-बैंगलोर औद्योगिक गलियारा (CBIC)।
  - विशाखापत्तनम-चेन्नई औद्योगिक गलियारा (VCIC)।
  - अमृतसर-कोलकाता औद्योगिक गलियारा (AKIC)।
- भारत सरकार ने औद्योगिक विकास को बढ़ावा देने के लिए राज्य सरकारों के साथ साझेदारी में एकीकृत औद्योगिक/आर्थिक गलियारे विकसित करने की रणनीति अपनाई है।
- सभी औद्योगिक गलियारों के विकास को एकीकृत करने के लिए एक राष्ट्रीय औद्योगिक गलियारा विकास प्राधिकरण (एनआईसीडीए) की स्थापना की जा रही है। ये औद्योगिक गलियारे औद्योगिकीकरण और नियोजित शहरीकरण को गति प्रदान करेंगे। इनमें से प्रत्येक गलियारे में विनिर्माण एक प्रमुख आर्थिक चालक होगा और ये परियोजनाएँ भारत के सकल घरेलू उत्पाद में विनिर्माण की हिस्सेदारी को 2025 तक 16% से बढ़ाकर 25% करने में 'मेक इन इंडिया' की सफलता के लिए महत्त्वपूर्ण हैं।
- इन गलियारों के साथ-साथ 100 स्मार्ट शहरों के विकास की भी परिकल्पना की गई है, जिन्हें औद्योगिक गलियारों के साथ विनिर्माण को शक्ति प्रदान करने वाले नए कार्यबल को एकीकृत करने और भारत के शहरी आवास परिदृश्य को कम करने के लिए विकसित किया जा रहा है।
- ये औद्योगिक गलियारे तटीय जिलों के साथ नियोजित 14 तटीय आर्थिक क्षेत्रों (सीईजेड) के साथ तालमेल भी स्थापित करेंगे। सागरमाला के तहत प्रस्तावित औद्योगिक क्लस्टरों को इन औद्योगिक गलियारों में मैप किया गया है:
  - मुजफ्फरपुर और कोलकाता में प्रस्तावित चमड़ा क्लस्टर AKIC पर आ सकते हैं और पेराम्बुर में चमड़ा क्लस्टर CBIC और VCIC के जुड़वाँ गलियारों पर आ सकते हैं
  - उत्तरी महाराष्ट्र में प्रस्तावित इलेक्ट्रॉनिक्स क्लस्टर JNPT नोड पर DMIC पर आ सकते हैं

14.8 मल्टी-मॉडल लॉजिस्टिक्स पार्क (Multi-Modal Logistics Park)

'लॉजिस्टिक्स' का अर्थ है उत्पादन और उपभोग, भंडारण, मूल्य संवर्धन और संबद्ध सेवाओं के बिंदुओं के बीच माल

का परिवहन और हैंडलिंग। लॉजिस्टिक्स इंफ्रास्ट्रक्चर में नोड्स और कनेक्शन शामिल हैं, जैसे बंदरगाह, स्टेशन, मल्टीमॉडल लॉजिस्टिक्स पार्क, गोदाम और अन्य व्यावसायिक परिसर, जो सड़क, रेलवे, शिपिंग, अंतर्देशीय जलमार्ग, हवाई मार्ग, पाइपलाइन आदि से जुड़े हैं, जिनका उपयोग कई तरह के वाहक करते हैं। लॉजिस्टिक्स की कार्यक्षमता में ग्राहकों से प्राप्त ऑर्डर को प्रोसेस करना, इन्वेंट्री प्लानिंग और प्रबंधन, पैकेजिंग, वेयरहाउसिंग और परिवहन शामिल हैं।

मल्टीमॉडल ट्रांसपोर्ट से तात्पर्य एक से अधिक परिवहन मोड के माध्यम से एक बिंदु से दूसरे बिंदु तक माल के परिवहन से है। मल्टीमॉडल लॉजिस्टिक्स को एक ऐसी शृंखला के रूप में देखा जा सकता है जो परिवहन के विभिन्न लिंक या मोड- वायु, समुद्र और भूमि को एक पूर्ण प्रक्रिया में जोड़ती है जो एक अनुबंध/परिवहन दस्तावेज पर एक **एकल परिवहन ऑपरेटर,** जिसे मल्टीमॉडल ट्रांसपोर्ट ऑपरेटर (MTO) के रूप में जाना जाता है, की जिम्मेदारी के तहत माल की कुशल और लागत प्रभावी डोर-टू-डोर आवाजाही सुनिश्चित करती है। **मल्टीमॉडल लॉजिस्टिक्स पार्क (MMLP)** अंतिम उपयोगकर्ता के लिए एक स्थान पर सभी प्रकार की परिवहन सुविधाएँ प्रदान करता है या इसे रेल, सड़क, जहाज, हवाई जहाज आधारित इंटर-मॉडल ट्रैफिक हैंडलिंग सुविधा परिसर के रूप में परिभाषित किया जाता है जिसमें कंटेनर टर्मिनल, बल्क कार्गो टर्मिनल, गोदाम, बैंकिंग और कार्यालय स्थान और मशीनीकृत हैंडलिंग, सॉर्टिंग/ग्रेडिंग, कोल्ड चेन, एकत्रीकरण/विभाजन आदि के लिए सुविधाएँ शामिल हैं। मल्टीमॉडल लॉजिस्टिक्स पार्क के प्रमुख घटक वेयरहाउसिंग, परिवहन और मूल्य वर्धित सेवाएँ हैं। मल्टीमॉडल लॉजिस्टिक्स पार्क की अवधारणा भारत में अपेक्षाकृत नई है।

परिचयः

परिवहन और लॉजिस्टिक्स क्षेत्र किसी देश के विकास के लिए मूलभूत हैं। भारत में, 1990 के दशक से, परिवहन अवसंरचना में महत्त्वपूर्ण परिवर्तन हुए हैं। मैकिन्से द्वारा किए गए एक अध्ययन में, परिवहन को भारत में सबसे अधिक पूँजी-प्रधान क्षेत्रों में से एक के रूप में पहचाना गया है, जिसे भारतीय शहरों के तेज शहरीकरण और विकास को बनाए रखने के लिए अगले कई दशकों में भारी निवेश की आवश्यकता है। चूँकि माल ढुलाई (थोक में परिवहन किया जाने वाला सामान) परिवहन का एक महत्त्वपूर्ण हिस्सा है, इसलिए लॉजिस्टिक्स और माल ढुलाई की भूमिका महत्त्वपूर्ण हो जाती है।

भारत में, लॉजिस्टिक्स सेवा प्रदाता छोटे खिलाड़ी हैं, जो मुख्य रूप से असंगठित क्षेत्र से संबंधित हैं। संगठित लॉजिस्टिक्स खिलाड़ियों में से भी, कुछ के पास कई मोड (वायु, जल, रेल और सड़क) और सेवाएँ (परिवहन, भंडारण और मूल्यवर्धित सेवाएँ जैसे पैकेजिंग, कोल्ड चेन और सीमा शुल्क निकासी) हैं। यह भारत में लॉजिस्टिक्स की लागत को प्रतिकूल मॉडल मिश्रण के साथ बढ़ाता है। **भारत में कुल उत्पाद लागत का लॉजिस्टिक्स हिस्सा 18%** है, जबकि चीन में 8-12% और यूरोप में 12% है। इस प्रकार, व्यक्तिगत 'परिवहन' और 'वितरण' सेवाओं के बजाय 'एकीकृत परिवहन समाधान' पर ध्यान केंद्रित करने की आवश्यकता है।

मल्टी मॉडल लॉजिस्टिक्स पार्क क्यों?

मल्टी मॉडल लॉजिस्टिक्स पार्क भारत में लॉजिस्टिक्स लागत को कम करने का एक तरीका है। इनसे चार कार्यात्मकताओं- माल एकत्रीकरण और वितरण, मल्टी मॉडल माल परिवहन, भंडारण और गोदाम के साथ आधुनिक, मशीनीकृत वेयरहाउसिंग स्थान के साथ विभिन्न कमोडिटी समूहों की विशेष आवश्यकताओं को पूरा करने और बॉन्डेड स्टोरेज यार्ड के साथ सीमा शुल्क निकासी, वेयरहाउसिंग प्रबंधन सेवाओं आदि जैसी मूल्यवर्धित सेवाओं को पूरा करके लॉजिस्टिक्स लागत को कम करने की आशा है।

लॉजिस्टिक्स हब के रूप में कार्य करने के लिए मल्टीमॉडल लॉजिस्टिक्स पार्कों का एक नेटवर्क विकसित करने से प्रतिकूल मॉडल मिश्रण, अकुशल बेड़े मिश्रण और अविकसित सामग्री हैंडलिंग आधारभूत संरचना के मुद्दों का समाधान करेगा। लॉजिस्टिक्स पार्कों **से पॉइंट-टू-पॉइंट माल ढुलाई की वर्तमान स्थिति** से नीचे दिए गए चित्र में दर्शाए गए अनुसार माल **ढुलाई के हब और स्पोक मॉडल** की आदर्श स्थिति में परिवर्तित करने में मदद करने की अपेक्षा है।

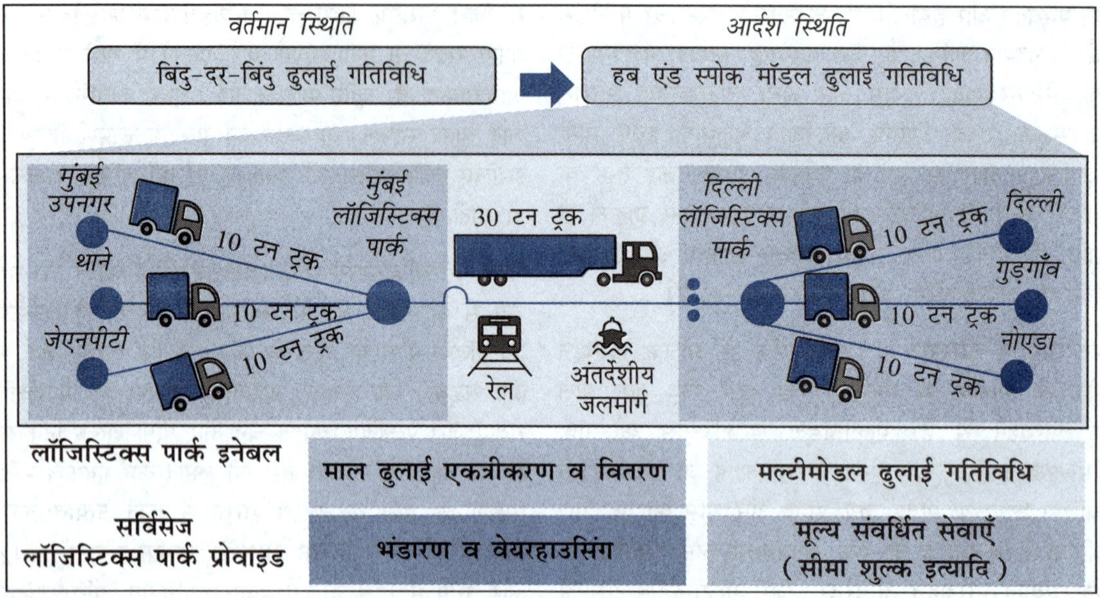

उपरोक्त चित्र में, मुंबई और दिल्ली एमएमएलपी एकत्रीकरण और वियोजन के केंद्र के रूप में कार्य करेंगे। एमएमएलपी की अनुपस्थिति में, ठाणे/जेएनपीटी/मुंबई उपनगरों से माल (माल का परिवहन) छोटे ट्रकों में अलग-अलग दिल्ली/गुड़गाँव/नोएडा तक जाता है।

मुंबई और दिल्ली के बाहरी इलाकों में एमएमएलपी की मौजूदगी के कारण, सबसे पहले जेएनपीटी/ठाणे/मुंबई उपनगरों के आस-पास के उत्पादन क्षेत्रों से माल को मुंबई एमएमएलपी में 'एकत्रित' किया जाएगा और फिर एक बड़े ट्रक/रेलवे पर इसे दिल्ली एमएमएलपी तक पहुँचाया जाएगा जहाँ इसे अलग किया जाएगा और फिर छोटे ट्रकों में गुड़गाँव/नोएडा ले जाया जाएगा।

मल्टी मॉडल लॉजिस्टिक्स पार्क (एमएमएलपी) के लाभ

- एमएमएलपी माल की आवाजाही के लिए सही मोड का उपयोग करके परिवहन लागत को कम करने में मदद करते हैं।
- चूँकि एमएमएलपी माल के पारगमन समय को कम करने में मदद करते हैं, इसलिए यह लॉजिस्टिक्स ऑपरेटरों के साथ-साथ परिवहन मोड के अंतिम उपयोगकर्ता दोनों के लिए इन्वेंट्री लागत को कम करने में मदद करता है।
- चूँकि पारगमन समय कम है, इसलिए एमएमएलपी रेल अवसंरचना, सड़क, गोदाम आदि जैसी परिसंपत्तियों के उचित उपयोग में मदद करते हैं और माल वाहन और अन्य अवसंरचना का उपयोग अन्य व्यवसायों के लिए स्वतंत्र रूप से किया जा सकता है। इस प्रकार, माल के परिवहन की प्रति इकाई लागत काफी कम हो जाती है।
- यह परिवहन के सभी साधनों के इष्टतम मॉडल विकल्प और संतुलित विकास में मदद करता है।

लॉजिस्टिक्स में चुनौतियाँ:

- भारतीय लॉजिस्टिक्स बाजार सड़क और रेल अवसंरचना की खराब गुणवत्ता के कारण उच्च लागत से ग्रस्त है।
- सड़क परिवहन में बड़ी संख्या में छोटे और असंगठित संगठन मौजूद हैं, जिनका कोई उद्योग एकीकरण नहीं है और इसलिए पैमाने की अर्थव्यवस्थाओं की कमी है।
- भारत में रेल माल ढुलाई शुल्क दुनिया में सबसे अधिक है।
- रेल माल ढुलाई में विश्वसनीयता की कमी है और संचालन की गुणवत्ता, गति और ग्राहक अभिविन्यास के मामले में कमी है।
- रेल और सड़क के माध्यम से हवाई माल और बंदरगाहों की गेटवे और हिंटरलैंड कनेक्टिविटी में अपर्याप्तता है।

- बंदरगाहों पर जहाजों की लोडिंग और अनलोडिंग में अक्षमता और देरी है।

सड़क, परिवहन और राजमार्ग मंत्रालय (MoRTH) रेल मंत्रालय, बंदरगाह, जहाजरानी और जलमार्ग मंत्रालय के साथ मिलकर भारतमाला और सागरमाला योजनाओं के तहत डिजाइन, निर्माण, वित्त, संचालन और हस्तांतरण (DBFOT) मोड पर सार्वजनिक निजी भागीदारी (PPP) के तहत 35 मल्टी मॉडल लॉजिस्टिक्स पार्क विकसित कर रहा है। देश का पहला अंतर्राष्ट्रीय मल्टीमॉडल लॉजिस्टिक्स पार्क असम के जोगीघोपा में विकसित किया जा रहा है। इसे राष्ट्रीय राजमार्ग एवं अवसंरचना विकास निगम लिमिटेड (एनएचआईडीसीएल) द्वारा विकसित किया जा रहा है।

14.9 विशेष आर्थिक क्षेत्र (एसईजेड) (Special Economic Zones-SEZ)

एसईजेड एक विशेष रूप से परिभाषित शुल्क-मुक्त क्षेत्र है, जिसे व्यापार संचालन, शुल्क और टैरिफ के उद्देश्य से देश के भीतर एक **विदेशी क्षेत्र** के रूप में माना जाता है, जिसमें निर्यात को बढ़ावा देने वाले प्रत्यक्ष विदेशी निवेश को सुविधाजनक बनाने के लिए विशेष नियम हैं।

परिचयः

सरकार ने एसईजेड अधिनियम 2005 बनाया, जो फरवरी 2006 से लागू हुआ। एसईजेड अधिनियम के मुख्य उद्देश्य हैं:

- अतिरिक्त आर्थिक गतिविधि का सृजन।
- वस्तुओं और सेवाओं के निर्यात को बढ़ावा देना।
- घरेलू और विदेशी स्रोतों से निवेश को बढ़ावा देना।
- रोजगार के अवसरों का सृजन।
- आधारभूत सुविधाओं का विकास।

एसईजेड में निम्नलिखित का प्रावधान है:

- एसईजेड के विकास, संचालन और रखरखाव और एसईजेड में इकाइयाँ स्थापित करने और व्यवसाय करने के लिए सरलीकृत प्रक्रियाएँ;
- एसईजेड की स्थापना के लिए एकल खिड़की मंजूर।
- विशेष आर्थिक क्षेत्र में इकाई स्थापित करने के लिए भी एकल खिड़की मंजूरी।
- केंद्र और राज्य सरकारों से संबंधित मामलों पर एकल खिड़की मंजूरी।
- स्व-प्रमाणन पर जोर देने के साथ सरलीकृत अनुपालन प्रक्रियाएँ और दस्तावेजीकरण कोई भी निजी या विदेशी संस्था और केंद्र और राज्य सरकार या उसकी एजेंसियाँ भारत में एसईजेड स्थापित कर सकती हैं।

घरेलू टैरिफ क्षेत्र (भारत में एसईजेड और कस्टम बॉन्डेड जोन के बाहर स्थित कोई भी क्षेत्र डीटीए के रूप में जाना जाता है) से एसईजेड क्षेत्र में जाने वाली वस्तुओं और सेवाओं को निर्यात माना जाएगा और एसईजेड क्षेत्र से डीटीए में आने वाली वस्तुओं को आयात के रूप में माना जाएगा। एसईजेड इकाइयाँ एक सकारात्मक शुद्ध विदेशी मुद्रा अर्जक होंगी। शुद्ध विदेशी मुद्रा अर्जन की गणना उत्पादन शुरू होने से पाँच साल की अवधि के लिए संचयी रूप से की जाएगी।

एसईजेड इकाइयों को दिए जाने वाले प्रोत्साहन

- आयकर अधिनियम के तहत एसईजेड इकाइयों के लिए निर्यात आय पर पहले 5 वर्षों के लिए 100% आयकर छूट, उसके बाद अगले 5 वर्षों के लिए 50% और अगले 5 वर्षों के लिए निर्यात लाभ का 50%।
- केंद्र और राज्य स्तर की मंजूरी के लिए एकल खिड़की स्वीकृति।
- एसईजेड इकाइयों के विकास, संचालन और रखरखाव के लिए माल का शुल्क मुक्त आयात/घरेलू खरीद।
- नए जीएसटी कानून के तहत एसईजेड में आपूर्ति शून्य दर पर है (यानी डीटीए क्षेत्र से एसईजेड द्वारा माल खरीदे जाने पर कोई जीएसटी नहीं लगाया जाएगा)।

चुनौतियाँ

भारत का SEZ अनुभव आज तक निराशाजनक रहा है। SEZ पर अपनी रिपोर्ट में CAG ने कहा कि: 'SEZ के सभी क्षेत्रों द्वारा इच्छित सामाजिक-आर्थिक उद्देश्यों की प्राप्ति में महत्त्वपूर्ण कमी को देखते हुए, सरकार को गैर-संचालन और कम प्रदर्शन करने वाले क्षेत्रों के विकास में बाधा डालने वाले कारकों की समीक्षा करने की तत्काल आवश्यकता है।'

SEZ के सामने आने वाली विभिन्न चुनौतियाँ निम्नलिखित हैं:

- SEZ में अप्रयुक्त भूमि। विभिन्न क्षेत्रों के लिए SEZ में भूमि का उपयोग करने में लचीलेपन की कमी।

- SEZ, तटीय आर्थिक क्षेत्र, दिल्ली-मुंबई औद्योगिक गलियारा, राष्ट्रीय निवेश और विनिर्माण क्षेत्र, खाद्य पार्क और कपड़ा पार्क जैसे आर्थिक क्षेत्रों के कई मॉडलों का अस्तित्व।
- SEZ की घरेलू बिक्री में नुकसान होता है क्योंकि उन्हें मुक्त व्यापार समझौते के कारण आसियान देशों के साथ कम दरों की तुलना में पूर्ण सीमा शुल्क का भुगतान करना पड़ता है।
- घरेलू फर्मों को SEZ इकाई द्वारा प्रदान की गई सेवाओं के लिए विदेशी मुद्रा में भुगतान करना पड़ता है। हालाँकि, यह मानदंड वस्तुओं की बिक्री के लिए लागू नहीं है, जिसके लिए भुगतान रुपए में किया जा सकता है।
- SEZ पर विभिन्न कर छूटों पर सरकार की ढुलमुल नीति।

सरकार ने बजट 2022-23 में घोषणा की है कि "विशेष आर्थिक क्षेत्र अधिनियम" को एक नए कानून से बदल दिया जाएगा जो राज्यों को 'उद्यम और सेवा केंद्रों के विकास (DESH)' में भागीदार बनने में सक्षम बनाएगा।

14.10 सागरमाला, तटीय आर्थिक क्षेत्र और बंदरगाह (Sagarmala, CEZ and Ports)

सागरमाला परियोजनाः समुद्री रसद भारतीय अर्थव्यवस्था का एक महत्त्वपूर्ण घटक रहा है, जो मात्रा के हिसाब से EXIM (निर्यात और आयात) व्यापार का 90% हिस्सा है। सागरमाला का विजन न्यूनतम आधारभूत संरचना के निवेश के साथ घरेलू और EXIM कार्गो दोनों के लिए रसद लागत को कम करना है। महत्त्वाकांक्षी सागरमाला परियोजना का उद्देश्य प्रमुख और छोटे बंदरगाहों की क्षमता को बढ़ाना और बंदरगाह-आधारित प्रत्यक्ष और अप्रत्यक्ष विकास को बढ़ावा देना है। सागरमाला परियोजना को एक **विशेष विकास पैकेज** के माध्यम से **सड़क, रेल, बंदरगाहों** और हवाई अड्डों के माध्यम से देश के सभी तटीय शहरों को जोड़ने के लिए प्रस्तावित किया गया है।

सागरमाला, पत्तन, पोत परिवहन और जलमार्ग मंत्रालय की प्रमुख केंद्रीय क्षेत्र योजना है, जिसका उद्देश्य भारत की 7,500 किलोमीटर लम्बी तटरेखा, 14,500 किलोमीटर संभावित नौगम्य जलमार्गों और प्रमुख अंतर्राष्ट्रीय समुद्री व्यापार मार्गों पर रणनीतिक स्थान का उपयोग करके देश में बंदरगाह आधारित विकास को बढ़ावा देना है। सागरमाला योजना के तहत, मंत्रालय बंदरगाह अवसंरचना परियोजनाओं, तटीय घाट परियोजनाओं, सड़क और रेल परियोजनाओं, मछली बंदरगाहों, कौशल विकास परियोजनाओं, तटीय सामुदायिक विकास, क्रूज टर्मिनल और रो-पैक्स नौका सेवाओं जैसी परियोजनाओं के लिए राज्य सरकारों को वित्तीय सहायता प्रदान करता है।

सागरमाला कार्यक्रम ने **चार स्तंभों** के तहत 500 से अधिक परियोजनाओं की पहचान की है:

- बंदरगाह आधुनिकीकरण (211)
- बंदरगाहों की दक्षता में सुधार
- प्रमुख बंदरगाहों पर क्षमता में सुधार
- 6-8 नए बंदरगाह
- बंदरगाह संपर्क (200)
- तटीय और अंतर्देशीय जलमार्ग परियोजनाएँ
- बंदरगाह और औद्योगिक संपर्क बंदरगाह आधारित औद्योगीकरण (32)
- 14 तटीय आर्थिक क्षेत्र (सीईजेड)
- ऊर्जा, सामग्री और विनिर्माण में 12 उच्च क्षमता वाले उद्योग
- तटीय सामुदायिक विकास (62)
- कौशल विकास
- मछुआरों और अन्य स्थानीय समुदायों का उत्थान
- द्वीप विकास

तटीय और अंतर्देशीय जलमार्ग परिवहन ऊर्जा कुशल, पर्यावरण के अनुकूल होती है और घरेलू माल ढुलाई के लिए रसद लागत को कम करता है, लेकिन इसके विकास पर अपर्याप्त ध्यान ने भारत में परिवहन के **मॉडल मिश्रण** को विषम बना दिया है, जिसमें सड़क मार्गों का अनुपातहीन रूप से उच्च हिस्सा है। सागरमाला परियोजना के तहत एक मल्टीमॉडल लॉजिस्टिक्स ऑप्टिमाइजेशन मॉडल विकसित किया गया है,

ताकि EXIM और घरेलू कार्गो दोनों के लिए बंदरगाहों से/तक निकासी के सबसे इष्टतम मोड की पहचान की जा सके। परियोजना समग्र रसद लागत को कम करेगी, जिससे अर्थव्यवस्था की समग्र दक्षता में सुधार होगा और निर्यात की प्रतिस्पर्धात्मकता बढ़ेगी।

सड़क : रेल : जहाज के माध्यम से परिवहन लागत की तुलना = **18 : 6 : 1**

रेलवे और सड़क के बाद जलमार्ग परिवहन का सबसे सस्ता तरीका है। सड़क, रेलवे और एयरलाइनों द्वारा कार्गो परिवहन क्रमशः 66%, 32% और 1% के अनुपात में है।

तटीय आर्थिक क्षेत्र (सीईजेड), सागरमाला परियोजना का एक हिस्सा

सीईजेड स्थानिक आर्थिक क्षेत्र हैं, जिसमें तटीय जिलों या जिलों का एक समूह शामिल है, जिनका बंदरगाहों से मजबूत जुड़ाव है। प्रत्येक CEZ बंदरगाहों के निकटवर्ती क्षेत्र में, 100 किलोमीटर के दायरे में हो सकता है, जिसमें निर्यात क्षमता के साथ-साथ एक बड़ा घरेलू बाजार भी हो सकता है। प्रत्येक CEZ के भीतर, कई औद्योगिक क्लस्टर होंगे, जिनमें से प्रत्येक के पास अलग-अलग भूमि बैंक होंगे और किसी दिए गए उद्योग के लिए पैमाने की अर्थव्यवस्थाओं के विश्लेषण के आधार पर न्यूनतम आकार होगा। ये सीमाबद्ध भूमि पार्सल हैं जो वास्तव में औद्योगिक इकाइयों और अपेक्षित आधारभूत ढाँचे को स्थापित कर सकते हैं। देश के समुद्र तट के साथ चौदह CEZ की पहचान की गई है। बंदरगाह पारिस्थितिकी तंत्र का लाभ उठाते हुए, ये CEZ भौगोलिक सीमा प्रदान करेंगे जिसके भीतर बंदरगाह-आधारित औद्योगीकरण विकसित किया जाएगा।

बंदरगाह

(बंदरगाह रेलवे स्टेशन की तरह होता है, जिस पर रेलवे स्टेशनों पर प्लेटफॉर्म की तरह कई टर्मिनल होते हैं। जहाज बंदरगाह के टर्मिनल पर आते हैं और माल को लोड/अनलोड करते हैं, जैसे रेलगाड़ियाँ प्लेटफॉर्म पर आती हैं और यात्री रेलगाड़ी पर चढ़ते/उतरते हैं।)

देश में 13 प्रमुख बंदरगाह (केंद्र सरकार के स्वामित्व/नियंत्रण वाले) और लगभग 187 छोटे बंदरगाह (या तो राज्य सरकार या निजी पक्षों के स्वामित्व वाले) हैं।

भारत सरकार के जहाजरानी मंत्रालय ने प्रमुख बंदरगाह क्षेत्र में नई कंपनियों को लाने के लिए 1996 में पीपीपी के लिए दिशा-निर्देश जारी किए। इसका उद्देश्य निजी निवेश को आकर्षित करना और साथ ही भारत में बंदरगाह सेवाओं में दक्षता, उत्पादकता, सेवा की गुणवत्ता में सुधार करना और प्रतिस्पर्धात्मकता लाना था। कंपनियों को मौजूदा प्रमुख बंदरगाहों में अतिरिक्त नए टर्मिनल बनाने और संचालित करने के लिए आमंत्रित किया गया था।

बंदरगाह संचालक के लिए राजस्व का स्रोत वह शुल्क है जो वह बंदरगाहों पर आने वाले और अपना माल लोड/अनलोड करने वाले जहाजों से वसूलता है।

पीपीपी दिशा-निर्देशों की मुख्य विशेषताएँ इस प्रकार हैं:

- उस निजी कंपनी का चयन किया जाता है जो केंद्र सरकार के साथ राजस्व का अधिकतम हिस्सा साझा करेगा।
- अनुबंध की अवधि 30 वर्ष है जिसके लिए निजी कंपनी टर्मिनल का निर्माण और संचालन करेगा और उसके बाद वह टर्मिनल सरकार को सौंप देगा।
- पीपीपी परियोजनाओं के लिए बिल्ड ऑपरेट ट्रांसफर (बीओटी) और बिल्ड ओन ऑपरेट ट्रांसफर (बीओओटी) मॉडल का पालन किया जाता है।

प्रमुख बंदरगाहों में पहला पीपीपी मुंबई में जवाहरलाल नेहरू पोर्ट ट्रस्ट (जेएनपीटी) के लिए था। 30 साल के अनुबंध के लिए बिल्ड ऑपरेट ट्रांसफर (बीओटी) मॉडल पर जेएनपीटी में एक नया टर्मिनल बनाने के लिए बोलियाँ आमंत्रित की गईं। मेसर्स पी एंड ओ पोर्ट्स, ऑस्ट्रेलिया ने बोली जीती लेकिन बाद में इसे डीपी वर्ल्ड ने अधिगृहीत कर लिया। डीपी वर्ल्ड ने टर्मिनल के निर्माण और संचालन के लिए एक नई कंपनी न्हावा शेवा इंटरनेशनल कंटेनर टर्मिनल (एनएसआईसीटी) का गठन किया, जो विशेष प्रयोजन वाहन (Special Purpose Vehicle) है। टर्मिनल 1999 में शुरू हुआ।

अब, 2021 में, **भारत में प्रमुख बंदरगाहों के** विनियमन, संचालन और नियोजन के लिए **मेजर पोर्ट अथॉरिटीज एक्ट 2021** (मेजर पोर्ट ट्रस्ट एक्ट 1963 को निरस्त करके)

अधिनियमित किया गया। अधिनियम की महत्त्वपूर्ण विशेषताएं निम्नलिखित हैं:

- प्रत्येक प्रमुख बंदरगाह के लिए प्रमुख बंदरगाह प्राधिकरण की स्थापना की जाएगी।
- प्रमुख बंदरगाहों का प्रशासन, नियंत्रण, प्रबंधन प्रमुख बंदरगाह प्राधिकरणों के बोर्डों पर निहित होगा।
- बोर्ड निजी कंपनियों (रियायतग्राही) के साथ पीपीपी समझौते पर हस्ताक्षर कर सकता है।
- **राजस्व हिस्सेदारी** या अन्य ऐसे वित्तीय मॉडल का उपयोग किया जा सकता है।
- रियायतग्राही (निजी डेवलपर) बाजार की स्थितियों के आधार पर टैरिफ तय करेगा।

बजट 2021-22 में, सरकार ने प्रस्ताव दिया है कि वह प्रमुख बंदरगाहों का प्रबंधन और संचालन पीपीपी मॉडल के तहत निजी कंपनियों को देगी।

एक बात जो ध्यान में रखने की जरूरत है वह यह है कि 1991 के बाद, प्रमुख बंदरगाहों पर केवल नए/अतिरिक्त टर्मिनल ही निजी कंपनियों को पीपीपी मॉडल पर दिए गए थे। लेकिन अब (जैसा कि बजट 2021-22 में प्रस्तावित है), सरकार प्रमुख बंदरगाह प्राधिकरण अधिनियम 2021 के माध्यम से संचालन और प्रबंधन के लिए पूरे (प्रमुख) बंदरगाह को पीपीपी कंपनी को देने की योजना बना रही है।

14.11 कोयला, कोयला खान अधिनियम 2015 और एमएमडीआर अधिनियम 2015 (Coal, Coal Mines Act, 2015, and MMDR Act, 2015)

परिचय

भारत के संघीय ढाँचे में, '*खानों और खनिज विकास का विनियमन*' संघ सूची के अंतर्गत आता है। तदनुसार, केंद्र सरकार खनिजों के विकास और निष्कर्षण के संबंध में नियम और विनियमन बनाती है, लेकिन इसने कोयला, पेट्रोलियम और प्राकृतिक गैस और परमाणु खनिजों के मामले को छोड़कर संबंधित राज्य सरकारों को खनन संबंधी गतिविधियों का जिम्मा सौंपा है। राज्य सरकारें संबंधित राज्य की सीमा के भीतर स्थित खनिजों की स्वामी हैं और उनके पास खनिज अधिकारों पर 'कर/रॉयल्टी एकत्र करने का अधिकार है। केंद्र सरकार भारत के प्रादेशिक जल या अनन्य आर्थिक क्षेत्र के भीतर समुद्र में स्थित खनिजों की स्वामी है। राज्य सरकारें खान और खनिज (विकास और विनियमन) अधिनियम, 1957 (एमएमडीआर अधिनियम 1957) के प्रावधानों के तहत केंद्र सरकार की पूर्व अनुमति लेकर राज्य की सीमा के भीतर स्थित सभी खनिजों के लिए खनिज रियायतें/अधिकार प्रदान करती हैं।

एमएमडीआर अधिनियम 1957 कोयले सहित सभी खनिजों पर लागू होता है और **कोयला खान अधिनियम 2015** के माध्यम से कोयला क्षेत्र के लिए विशेष प्रावधान बनाए गए हैं।

पृष्ठभूमि

कोयला खान (राष्ट्रीयकरण) अधिनियम 1973 के पारित होने के साथ, निजी कंपनियों को कोयले के खनन से वंचित कर दिया गया और कोल इंडिया लिमिटेड (सीआईएल) जो एक पीएसयू है, को कोयले के खनन का एकाधिकार मिल गया।

हालाँकि, संशोधनों के माध्यम से निजी कंपनियों और सार्वजनिक उपक्रमों को अस्थाई खनन की अनुमति दी गई, जिसका अर्थ है कि इन कंपनियों को केवल विशिष्ट अंतिम उपयोग परियोजनाओं के लिए ही कोयला ब्लॉक दिए जा सकते हैं और वे खुले बाजार में कोयला नहीं बेच सकते। कोयला ब्लॉकों को संस्तुति के आधार पर केप्टिव माइनिंग के लिए आवंटित किया गया था और बोली लगाने की कोई व्यवस्था नहीं थी, जिसके कारण 'कोलगेट' घोटाला हुआ और अंततः 2014 में सुप्रीम कोर्ट के हस्तक्षेप पर इस प्रक्रिया को रोक दिया गया।

कोयला खान (विशेष प्रावधान) अधिनियम 2015:

अधिनियम की मुख्य विशेषताएँ हैं:

- कोयला खदानों का आवंटन पारदर्शी तरीके से (इलेक्ट्रॉनिक) नीलामी के माध्यम से किया जाएगा। सरकारी कंपनी के मामले में आवंटन बिना नीलामी के किया जा सकता है।
- अंतिम उपयोग केप्टिव माइनिंग का प्रतिबंध हटा दिया गया है (कुछ मामलों को छोड़कर) और कंपनियाँ

नीलामी प्रक्रिया के माध्यम से जीते गए कोयले को बाजार में बेच सकती हैं।

- सरकार वाणिज्यिक खनन के साथ-साथ केप्टिव खनन के लिए भी कोयले की नीलामी करेगी। वाणिज्यिक खनन का मतलब है कि बोली जीतने वाली कंपनी कोयले को खुले बाजार में बेचने के साथ-साथ उसका निर्यात करने के लिए भी स्वतंत्र होगी। केप्टिव माइनिंग के तहत, सरकार स्टील/पावर आदि जैसे विभिन्न क्षेत्रों के लिए कोयला खदानों की नीलामी करती है और बोली जीतने वाली कंपनी उस कोयले का इस्तेमाल केवल उस क्षेत्र में अपनी विशिष्ट परियोजनाओं के लिए कर सकती है।

नीलामी प्रक्रिया से आने वाली आय/पैसा संबंधित राज्य सरकारों को वितरित किया जाएगा।

अर्थव्यवस्था पर सुधारों/परिवर्तनों का प्रभाव:

- 1973 में राष्ट्रीयकरण के बाद से यह कोयला क्षेत्र का सबसे महत्त्वाकांक्षी सुधार है।
- यह कदम कोयला उत्पादन में दक्षता और प्रतिस्पर्धा लाएगा, निवेश और 'सुरक्षित और कुशल खनन' सहित सर्वश्रेष्ठ-इन-क्लास तकनीक को आकर्षित करेगा, और इस क्षेत्र में अधिक प्रत्यक्ष और अप्रत्यक्ष रोजगार सृजित करने में मदद करेगा।
- नया कानून पारदर्शिता, व्यापार करने में आसानी को सर्वोच्च प्राथमिकता देता है और यह सुनिश्चित करता है कि प्राकृतिक संसाधनों का उपयोग राष्ट्रीय विकास के लिए किया जाए।
- चूँकि कोयले की बिक्री के लिए कोयला खदानों की नीलामी से प्राप्त संपूर्ण राजस्व कोयला उत्पादक राज्यों को मिलेगा, इसलिए यह पद्धति उन्हें बढ़े हुए राजस्व से प्रोत्साहित करेगी जिसका उपयोग पिछड़े क्षेत्रों (पश्चिम बंगाल, ओडिशा, झारखंड, छत्तीसगढ़ राज्यों में) और आदिवासियों सहित उनके निवासियों के विकास और वृद्धि के लिए किया जा सकता है।
- अभी तक हम अपने विदेशी मुद्रा भंडार के अरबों डॉलर हर साल कोयले के आयात पर खर्च करते थे, भले ही हमारा देश चौथे सबसे बड़े कोयला भंडार से संपन्न हो। वाणिज्यिक कोयला खनन से होने वाली मात्रा वृद्धि और लागत में कमी से आयात में कमी आएगी और आयात कीमतों को नियंत्रित रखने में मदद मिलेगी।
- इस सुधार से उद्योग का एकीकरण होगा और कोयला खनन, बिजली उत्पादन, पारेषण और खुदरा आपूर्ति में रुचि रखने वाली बड़ी ऊर्ध्वाधर एकीकृत (vertically-integrated) ऊर्जा कंपनियों का उदय होगा।
- उपयोगिताओं और विनिर्माण क्षेत्र को भी कम ऊर्जा लागत से लाभ होगा।

*सरकार ने **राजस्व साझाकरण** के आधार पर **वाणिज्यिक खनन** के लिए कोयला ब्लॉकों की नीलामी शुरू कर दी है, जिसका अर्थ है कि सरकार को राजस्व का अधिकतम हिस्सा उद्धृत करने वाली कंपनी का चयन किया जाएगा।*

खान और खनिज (विकास और विनियमन) अधिनियम 1957

अधिनियम की मुख्य विशेषताएँ (हाल के संशोधनों के अनुसार) इस प्रकार हैं:

- खनन पट्टे संबंधित राज्य सरकारों द्वारा इलेक्ट्रॉनिक नीलामी सहित प्रतिस्पर्धी बोली द्वारा नीलामी के माध्यम से दिए जाते हैं, जिससे अधिक पारदर्शिता आती है और विवेकाधिकार समाप्त हो जाता है।
- पहले सरकार को खनन में शामिल कंपनियों से केवल रॉयल्टी/कर मिलता था। लेकिन अब कंपनियाँ रॉयल्टी के अलावा बोली जीतने के लिए नीलामी प्रक्रिया के दौरान प्रतिबद्ध राशि (प्रति टन के आधार पर) का भुगतान भी करेंगी, जिसका अर्थ है कि सरकार को खनन क्षेत्र से बढ़ी हुई हिस्सेदारी मिलेगी।
- खनन पट्टे 50 वर्ष की अवधि के लिए दिए जाएँगे और 30 वर्ष के लिए पट्टे देने और फिर उसका नवीनीकरण करने की पुरानी प्रथा के विपरीत इसका नवीनीकरण नहीं होगा।
- अवैध खनन पर रोक लगाने के लिए दंडात्मक प्रावधानों को सख्त बनाया गया है और अधिक दंड तथा जेल की सजा का प्रावधान किया गया है। इसके अलावा, अवैध खनन से संबंधित मामलों की फास्ट-ट्रैक सुनवाई के लिए राज्य सरकारों द्वारा विशेष अदालतों के गठन का प्रावधान किया गया है।

- केंद्र सरकार को उन मामलों में हस्तक्षेप करने की शक्ति दी गई है, जहाँ राज्य सरकारें निर्धारित समय-सीमा के भीतर आदेश पारित नहीं करती हैं। इससे देरी खत्म हो जाएगी।
- अधिनियम में राज्य सरकारों द्वारा उन जिलों में जिला खनिज फाउंडेशन (डीएमएफ) के निर्माण का प्रावधान है, जहाँ खनन होता है। यह खनन संबंधी कार्यों से प्रभावित जिलों के लोगों के लाभ के लिए है।

14.12 ऊर्जा क्षेत्र (Power Sector)

उत्पादन (केंद्र/राज्य/निजी)

संचरण (केंद्र/राज्य/निजी)

वितरण (अधिकतर राज्य)

30.06.2024 तक विभिन्न स्रोतों से उत्पादन क्षमता

कोयला	गैस	परमाणु	नवीकरणीय	कुल
49%	5.5%	1.8%	43.7%	100% (446 गीगावाट)

30.06.2024 तक नवीकरणीय उत्पादन क्षमता का ब्यौरा

सौर	बड़ी हाइड्रो	छोटी हाइड्रो	पवन	अन्य	कुल
19%	10.5%	1.1%	10.4%	2.5%	43.5%

(छोटी हाइड्रो परियोजनाएँ 25 मेगावाट से कम क्षमता की हैं। छोटी हाइड्रो और बड़ी हाइड्रो दोनों ही नवीकरणीय ऊर्जा के अंतर्गत आती हैं)।

परिचय:

पिछले कुछ वर्षों में और विशेष रूप से पिछले दो वर्षों में, भारत ने समग्र बिजली उत्पादन क्षमता में प्रभावशाली प्रगति की है, लेकिन बिजली वितरण क्षेत्र के लिए यह सच नहीं है। अब, एक विरोधाभासी स्थिति पैदा हो गई है, एक तरफ राज्य वितरण कंपनियों (DISCOM) के पास बिजली उत्पादन इकाइयों से बिजली खरीदने के लिए साधन/वित्त की कमी है, जिससे गंभीर बिजली कटौती और ब्लैकआउट हो रहे हैं, दूसरी तरफ बिजली उत्पादकों के हाथों में अधिशेष बिजली उपलब्ध है, जिसके कारण बिजली जनरेटर पूरी क्षमता से कम पर चल रहे हैं। राज्य DISCOM की यह खराब स्थिति लगातार राज्य सरकारों द्वारा महत्त्वपूर्ण सुधारों को लागू करने में असमर्थता के कारण है। इसलिए, बिजली क्षेत्र में, बड़ी समस्या बिजली के वितरण से जुड़ी है। एक वितरण कंपनी का मुख्य कार्य बिजली उत्पादकों से बिजली खरीदना और उपभोक्ताओं को उसका वितरण करना है। अतीत में सरकार ने उदय आदि जैसी कई योजनाओं की घोषणा की है, लेकिन इससे DISCOM में कोई संरचनात्मक सुधार नहीं हुआ है। वितरण क्षेत्र में निम्नलिखित प्रमुख मुद्दे हैं:

- **अधिकांशत:** डिस्कॉम राज्य पीएसयू हैं, जिनमें राज्य सरकार का हस्तक्षेप होता है और उनके पास पेशेवर तरीके से काम करने का अभाव है।
- वितरण आधारभूत संरचना की स्थिति खराब है और पीएसयू के पास इस आधारभूत संरचना को उन्नत करने के लिए पूँजी और प्रौद्योगिकी की कमी है।
- सरकारी नियंत्रण के कारण बिजली दरों में वृद्धि करने में असमर्थता वितरण, आधारभूत संरचना को बेहतर बनाने में वित्तीय बाधाओं का कारण बनती है।
- राज्य सरकारों के नियंत्रण में होने के कारण डिस्कॉम साल दर साल लोकलुभावनवाद के साधन के रूप में

काम करते रहे हैं। इसका एक उदाहरण किसानों और अन्य उपभोक्ताओं को मुफ्त और सब्सिडी वाली बिजली देना है।

- बिजली का क्रॉस सब्सिडीकरण: घरों और किसानों को सब्सिडी वाली बिजली प्रदान करने में सरकार को होने वाले नुकसान की भरपाई के लिए औद्योगिक उपभोक्ताओं से उच्च टैरिफ वसूले जाते हैं।
- वर्तमान में अधिकांश डिस्कॉम में कुल तकनीकी और वाणिज्यिक (एटीएंडसी) नुकसान लगभग 18% से 20% है, जिससे डिस्कॉम पर भारी वित्तीय बोझ पड़ता है।

भारत में, बिजली क्षेत्र (उत्पादन, पारेषण, वितरण, व्यापार) विद्युत अधिनियम 2003 द्वारा शासित है। विद्युत संशोधन विधेयक 2021 के माध्यम से विद्युत अधिनियम 2003 में सुझाए गए विभिन्न सुधार/परिवर्तन निम्नलिखित हैं:

विद्युत संशोधन विधेयक 2021

- बिजली वितरण क्षेत्र को लाइसेंस मुक्त करना और निजी DISCOM को अनुमति देना।
- लंबे समय से लंबित विवादों के समाधान में तेजी लाने के लिए बिजली के लिए अपीलीय न्यायाधिकरण को मजबूत करना।
- गरीबों को लक्षित बिजली सब्सिडी का प्रत्यक्ष लाभ हस्तांतरण (DBT)।
- क्रॉस सब्सिडी में किसी भी कमी को पूरा करने के लिए एक सार्वभौमिक दायित्व निधि की स्थापना।
- नवीकरणीय खरीद दायित्वों (RPO) को पूरा करने में विफल रहने वाले DISCOM के लिए जुर्माना बढ़ाना।

ऊर्जा क्षेत्र 'मेकिंग वन इडिया' (ओपन एक्सेस):

- विद्युत अधिनियम 2003 एक ऐसी व्यवस्था लागू करता है जहाँ बिजली उत्पादक और उपभोक्ता उस इकाई को चुन सकते हैं जिसे वे बिजली बेचना या खरीदना चाहते हैं। इसे प्राप्त करने के लिए, अधिनियम गैर-भेदभावपूर्ण खुली पहुँच का प्रावधान करता है, जिसका अर्थ है कि कोई जनरेटर या उपभोक्ता ट्रांसमिशन या वितरण लाइसेंसधारियों से, यानी ऐसी संस्थाओं से जो ट्रांसमिशन और वितरण प्रणालियों के मालिक हैं और उनका संचालन करते हैं, यह अपेक्षा कर सकता है कि वे इन प्रणालियों के माध्यम से इच्छित प्राप्तकर्ता को बिजली हस्तांतरित करने की अनुमति दें। वितरण लाइसेंसधारी तकनीकी कारणों को छोड़कर ऐसी पहुँच से इनकार नहीं कर सकता। अधिनियम में प्रावधान है कि राज्य नियामक आयोगों को क्रॉस सब्सिडी (सीएस) अधिभार के भुगतान के अधीन खुली पहुँच की अनुमति देनी चाहिए।
- *(भारतीय औद्योगिक/वाणिज्यिक उपभोक्ता अपनी खपत की गई बिजली के लिए उच्च टैरिफ का भुगतान कर रहे हैं। यह सुनिश्चित करने के लिए कि घरेलू और कृषि उपभोक्ताओं को अधिक किफायती दर पर बिजली मिले। इसे क्रॉस-सब्सिडी के रूप में जाना जाता है और यह अधिनियम के तहत जारी है। जब कोई वाणिज्यिक उपभोक्ता उस क्षेत्र में वितरण लाइसेंसधारी से नहीं बल्कि किसी स्वतंत्र जनरेटर से बिजली खरीदने का फैसला करता है, तो वह वितरण लाइसेंसधारी क्रॉस-सब्सिडी राशि खो देता है। वाणिज्यिक उपभोक्ताओं पर सीएस सरचार्ज लगाया जाता है ताकि यह सुनिश्चित किया जा सके कि वितरण लाइसेंसधारी इस अतिरिक्त राशि को घरेलू और कृषि उपभोक्ताओं पर न डालें, जिसके परिणामस्वरूप बिजली की लागत में भारी वृद्धि हो सकती है)।*
- अधिनियम में ओपन एक्सेस को व्यवहार्य बनाने के लिए सीएस सरचार्ज में क्रमिक कमी और उन्मूलन का प्रावधान है, जिससे एकल बाजार मूल्य यानी 'मेकिंग वन इडिया' संभव हो सके। ओपन एक्सेस नीति को क्रियान्वित करने और एक राष्ट्रीय बिजली बाजार बनाने के लिए 2008 में पावर एक्सचेंज स्थापित किए गए थे, जहां प्रतिस्पर्धी बोली के माध्यम से मूल्य की खोज होती है। लेकिन क्रॉस सब्सिडी में वृद्धि और पावर एक्सचेंजों से बिजली खरीदने के लिए अतिरिक्त अधिभार ने एक बाजार के लिए महत्त्वपूर्ण बाधाओं के रूप में काम किया है।

अब तक ओपन एक्सेस की अनुमति औद्योगिक ग्राहकों (> 1 MV) को दी जाती है, घरों को नहीं।

नवीकरणीय ऊर्जा

- जीवाश्म ईंधन दुनिया का सबसे बड़ा ऊर्जा स्रोत है, लेकिन इन्हें जलाने से गर्मी को रोकने वाली ग्रीनहाउस

गैसें निकलती हैं, जो ग्लोबल वार्मिंग में योगदान करती हैं। चूँकि पर्यावरण क्षरण दूसरों की तुलना में गरीबों को अधिक नुकसान पहुँचाता है, इसलिए भारत विकास प्रक्रिया को यथासंभव हरित बनाने के लिए प्रतिबद्ध है।

- स्वच्छ ऊर्जा उपकर जो पहले कोयले पर लगाया जाता था, उसे जीएसटी के तहत शामिल कर लिया गया है और कोयले पर 400 रुपए प्रति टन का जीएसटी मुआवजा उपकर लगाया गया है।
- भारत सरकार ने COP26 में 2030 तक गैर-जीवाश्म ईंधन यानी नवीकरणीय ऊर्जा के माध्यम से अपनी ऊर्जा आवश्यकता का 50% हासिल करने की अपनी मंशा की घोषणा की है।
- नवीकरणीय ऊर्जा पर अपने नए फोकस के कारण, पिछले कुछ वर्षों में नवीकरणीय स्रोतों से उत्पन्न बिजली पर टैरिफ में कमी आई है। विभिन्न बिजली स्रोतों से औसत बिजली शुल्क निम्नलिखित है। यह एक विशेष बिंदु पर उत्पादन और ट्रांसमिशन लाइन में फीडिंग के लिए टैरिफ है:
  - ✓ सौर = रु. 2/यूनिट - रु. 2.5/यूनिट
  - ✓ पवन = रु. 2.5/यूनिट - रु. 3/यूनिट
  - ✓ तापीय = रु. 3/यूनिट - रु. 3.5/यूनिट
  - ✓ जलविद्युत = रु. 5/यूनिट - रु. 6/यूनिट
  - ✓ परमाणु = रु. 3/यूनिट - रु. 4/यूनिट

नवीकरणीय ऊर्जा प्रमाणपत्र (RECs)

- एक बार जब नवीकरणीय ऊर्जा जनरेटर/प्रदाता बिजली ग्रिड में उत्पन्न ऊर्जा को फीड कर देता है, तो उसे आरईसी प्राप्त होता है (जिसे फिर ऊर्जा वस्तु के रूप में खुले बाजार में बेचा जा सकता है)।
- आरईसी एक बाजार आधारित साधन है जो प्रमाणित करता है कि वाहक (आरईसी का धारक) नवीकरणीय ऊर्जा संसाधन से उत्पन्न एक मेगावाट-घंटा (MWh) बिजली का स्वामी है।
- आरईसी इस बात का प्रमाण है कि ऊर्जा सौर या पवन ऊर्जा आदि जैसे नवीकरणीय स्रोतों से उत्पन्न की गई है।
- जब कोई व्यक्ति आरईसी खरीदता है, तो उसकी ओर से नवीकरणीय ऊर्जा उत्पन्न की जाती है।
- आरईसी को कई नामों से जाना जा सकता है, जिसमें ग्रीन टैग, ट्रेडेबल रिन्यूएबल सर्टिफिकेट (टीआरसी), रिन्यूएबल इलेक्ट्रिसिटी सर्टिफिकेट या रिन्यूएबल एनर्जी क्रेडिट शामिल हैं।
- महत्त्वाकांक्षी नवीकरणीय ऊर्जा लक्ष्य को गति प्रदान करने के लिए, बिजली वितरण कंपनियों, केप्टिव पावर प्लांट (जो अपनी खपत के लिए बिजली संयंत्र स्थापित करते हैं) और अन्य बड़े बिजली उपभोक्ताओं पर नवीकरणीय स्रोतों से ऊर्जा खरीदने के लिए दायित्व लगाए गए हैं।
- नवीकरणीय खरीद दायित्व (आरपीओ) नामक ये दायित्व भारतीय ऊर्जा एक्सचेंज (आईईएक्स)/पावर एक्सचेंज ऑफ इंडिया (पीएक्सआईएल) से नवीकरणीय ऊर्जा प्रमाणपत्र (आरईसी) खरीदने या बाध्य संस्थाओं द्वारा राष्ट्रीय लोड डिस्पैच सेंटर (एनएलडीसी) से नवीकरणीय ऊर्जा खरीदने का प्रावधान करते हैं।
- ये आरपीओ भारत के नवीकरणीय ऊर्जा कार्यक्रम की रीढ़ हैं। नवीन और नवीकरणीय ऊर्जा मंत्रालय के परामर्श से विद्युत मंत्रालय सभी राज्यों/संघ शासित प्रदेशों के लिए आरपीओ (समान रूप से) का लक्ष्य निर्धारित करता है।

14.13 तेल और गैस क्षेत्र (Oil and Gas Sector)

तेल और गैस की पुरानी व्यवस्था: भारत सरकार ने 1991 में देश में हाइड्रोकार्बन (तेल और गैस) अन्वेषण और उत्पादन क्षेत्र को निजी कंपनियों के लिए खोल दिया। शुरुआत में छोटे और मध्यम आकार के ब्लॉक निजी कंपनियों को दिए गए और 1997-98 के बाद से, नई अन्वेषण और लाइसेंसिंग नीति (एनईएलपी) के अनुसार बड़े ब्लॉक पेश किए जाने लगे। एनईएलपी लाभ साझाकरण मॉडल पर आधारित था जिसके तहत सरकार को अधिकतम लाभ साझा करने का वादा करने वाले ठेकेदार को ब्लॉक की खोज और निष्कर्षण के लिए चुना जाता था। एनईएलपी नीति 18 साल तक अस्तित्व में रही और फिर सरकार 2016 में एक नई *हाइड्रोकार्बन अन्वेषण और लाइसेंसिंग नीति (एचईएलपी)* लाई।

इसकी मुख्य विशेषताएँ निम्नलिखित हैं:

- एक समान लाइसेंसिंग प्रणाली है जो सभी हाइड्रोकार्बन, यानी तेल, गैस, कोल बेड मीथेन आदि को एक ही लाइसेंस और नीति संरचना के तहत कवर करेगी।
- एक 'ओपन एकरेज लाइसेंसिंग पॉलिसी' (ओएएलपी) लागू की गई है जिसके तहत बोलीदाता सरकार को आवेदन कर सकता है। किसी भी ब्लॉक की खोज के लिए जो पहले से खोज के दायरे में नहीं है। सरकार प्रस्ताव की जाँच करेगी और यदि यह उपयुक्त है, तो सरकार आवश्यक पर्यावरणीय और अन्य मंजूरी प्राप्त करने के बाद प्रतिस्पर्धी बोलियाँ आमंत्रित करेगी। इससे उपलब्ध भौगोलिक क्षेत्र का तेजी से कवरेज हो सकेगा।
- अनुबंध **'राजस्व साझाकरण'** मॉडल पर आधारित होंगे। बोलीदाताओं को अपनी बोलियों में सरकार को राजस्व हिस्सेदारी का प्रतिशत उद्धृत करना होगा जो विजेता बोली का चयन करने के लिए एक महत्त्वपूर्ण पैरामीटर होगा। इस मॉडल में ऑपरेटर को उत्पादन के पहले वर्ष से सरकार के साथ राजस्व साझा करना होगा, भले ही ऑपरेटर लाभ कमा रहा हो या हानि। इस मॉडल में ऑपरेटर द्वारा वहन की गई लागतों की लेखापरीक्षा की आवश्यकता नहीं होती है, लेकिन यह निवेशकों के लिए जोखिमपूर्ण है, क्योंकि इसमें ऑपरेटरों द्वारा अपनी लागत वसूलने से पहले ही पहले वर्ष से सरकार के साथ राजस्व साझा करने की आवश्यकता होती है, भले ही वे घाटे में चल रहे हों।
- ठेकेदार को घरेलू बाजार में उत्पादित गैस के **मूल्य निर्धारण और विपणन के लिए स्वतंत्र रूप से स्वतंत्रता होगी।**
- अपतटीय अन्वेषण/उत्पादन को प्रोत्साहित करने के लिए जिसमें उच्च जोखिम और लागत शामिल है, कम रॉयल्टी की एक श्रेणीबद्ध प्रणाली लागू होगी। उथले पानी के लिए रॉयल्टी 7.5%, गहरे पानी के लिए 5% और अत्यधिक गहरे पानी के लिए 2% होगी।

आर्थिक सर्वेक्षण 2019-20 के अनुसार, भारत अमेरिका और चीन के बाद दुनिया का ***तीसरा सबसे बड़ा*** *ऊर्जा उपभोक्ता है। हालाँकि, भारत का तेल उत्पादन दुनिया की प्रमुख अर्थव्यवस्थाओं में सबसे कम है और पिछले कुछ समय से इसमें गिरावट आ रही है।*

वर्तमान में, भारत में प्रति व्यक्ति ऊर्जा खपत विश्व औसत का सिर्फ 30% है।

गैस मूल्य निर्धारण पर किरीट पारिख समिति की सिफारिशें:

इस पैनल का कार्य एक ऐसी व्यवस्था का सुझाव देना था जो 2030 तक गैस से आने वाली ऊर्जा का 15% लक्ष्य पूरा करने में मदद करने के लिए घरेलू उत्पादन को बढ़ाने में मदद करे और साथ ही उपभोक्ताओं को उचित मूल्य प्रदान करे। समिति ने दो स्रोतों से गैस के मूल्य निर्धारण पर विचार किया है:

1. पहला सेट विरासत या पुराने क्षेत्र (जिन्हें एपीएम गैस भी कहा जाता है) हैं जिन्हें लाभ साझा करने की किसी भी शर्त के बिना नामांकन के आधार पर ओएनजीसी और ओआईएल को दिया गया था और इसलिए सरकार इसकी कीमत को नियंत्रित करती है। गैस मुख्य रूप से शहर के गैस वितरण, उर्वरक उत्पादन और बिजली संयंत्र में जाती है।

अनुशंसा: इसे कुछ समय तक आयातित कच्चे तेल की कीमत से एक फ्लोर ($4MMBTU) और सीलिंग मूल्य ($6.5 MMBTU) के साथ जोड़ें और फिर 1 जनवरी, 2027 से पूरी तरह से मूल्य निर्धारण की स्वतंत्रता दें।

2. दूसरा सेट उन लोगों के लिए है जो गहरे पानी, अति गहरे पानी और उच्च दबाव-उच्च तापमान जैसे कठिन भूविज्ञान में हैं।

   अनुशंसा: ऐसे उत्पादकों को विपणन और मूल्य निर्धारण की स्वतंत्रता है जो सरकार द्वारा निर्धारित ऊपरी सीमा से विवश है। समिति ने तीन वर्षों तक सीमा को जारी रखने और 1 जनवरी, 2026 से सीमा को हटाकर पूर्ण मूल्य निर्धारण स्वतंत्रता देने का सुझाव दिया है।

14.14 स्मार्ट सिटी और अमृत (Smart Cities and AMRUT)

1. स्मार्ट सिटी

स्मार्ट सिटी की कोई सार्वभौमिक रूप से स्वीकृत परिभाषा नहीं है और इसकी अवधारणा शहर दर शहर

और देश दर देश अलग-अलग होती है, जो शहर के निवासियों के विकास के स्तर, बदलाव और सुधार की इच्छा, संसाधनों और आकांक्षाओं पर निर्भर करती है। भारत में किसी भी शहरवासी के लिए, स्मार्ट सिटी की तस्वीर में आधारभूत संरचना और सेवाओं की एक इच्छा सूची होती है जो उसकी आकांक्षा के स्तर को दर्शाती है। तदनुसार, एक स्मार्ट शहर जीवन की गुणवत्ता और रोजगार तथा निवेश के अवसर प्रदान करता है और इसे शहरी पारिस्थितिकी तंत्र के चार स्तंभों द्वारा दर्शाया जा सकता है:

- संस्थागत अवसंरचना (ई-गवर्नेंस, कानून और व्यवस्था, सुरक्षा और संरक्षा, बैंकिंग/वित्तीय संस्थान आदि)।
- भौतिक अवसंरचना (सार्वजनिक परिवहन, बिजली और पानी की आपूर्ति, जल निकासी व्यवस्था आदि)।
- सामाजिक अवसंरचना (शिक्षा, स्वास्थ्य सेवा, आवास आदि)।
- आर्थिक अवसंरचना (नौकरी सृजन, आजीविका गतिविधियाँ आदि)।

स्मार्ट शहरों का वित्तपोषण:

स्मार्ट सिटी मिशन एक केंद्र प्रायोजित योजना (सीएसएस) के रूप में संचालित किया जाता है, जहाँ केंद्र सरकार का योगदान राज्यों और शहरी स्थानीय निकायों (यूएलबी) द्वारा दिया जाता है। लेकिन ये निधियाँ परियोजना लागत का केवल एक हिस्सा ही पूरा करती हैं। शेष राशि निम्नलिखित से जुटाई जाने की उम्मीद है:

- उपयोगकर्ता शुल्क, भूमि मुद्रीकरण, ऋण आदि के संग्रह से राज्यों/यूएलबी के अपने संसाधन।
- चौदहवें वित्त आयोग के माध्यम से हस्तांतरित अतिरिक्त संसाधन।
- नगरपालिका बांड जैसे अभिनव वित्त तंत्र।
- द्विपक्षीय और बहुपक्षीय संस्थानों सहित वित्तीय संस्थानों से उधारी।
- पीपीपी के माध्यम से निजी क्षेत्र।

स्मार्ट शहरों को शहर स्तर पर विशेष प्रयोजन वाहन (एसपीवी) की स्थापना के माध्यम से कार्यान्वित किया जाता है। एसपीवी स्मार्ट सिटी विकास परियोजनाओं की योजना बनाता है, उनका मूल्यांकन करता है, उन्हें मंजूरी देता है, धन जारी करता है, उन्हें लागू करता है, प्रबंधित करता है, संचालित करता है, उनकी निगरानी करता है और उनका मूल्यांकन करता है। प्रत्येक स्मार्ट शहर में एक एसपीवी होता है, जिसका नेतृत्व एक पूर्णकालिक सीईओ करता है और इसके बोर्ड में केंद्र सरकार, राज्य सरकार और यूएलबी के नामित व्यक्ति होते हैं। एसपीवी शहर-स्तर पर कंपनी अधिनियम, 2013 के तहत निगमित एक सीमित कंपनी है, जिसमें राज्य/यूटी और यूएलबी 50:50 इक्विटी शेयरधारिता वाले प्रमोटर हैं। निजी क्षेत्र या वित्तीय संस्थानों को एसपीवी में इक्विटी हिस्सेदारी लेने पर विचार किया जा सकता है, बशर्ते कि राज्य/संघ राज्य क्षेत्र और यूएलबी की 50:50 की शेयरधारिता पैटर्न को बनाए रखा जाए और राज्य/संघ राज्य क्षेत्र और यूएलबी के पास मिलकर एसपीवी की बहुलांश हिस्सेदारी और नियंत्रण हो।

एसपीवी के समुचित संचालन के लिए, राज्य/यूएलबी यह सुनिश्चित करेंगे कि:

- एसपीवी को समर्पित और पर्याप्त राजस्व धारा उपलब्ध कराई जाए ताकि इसे आत्मनिर्भर बनाया जा सके और एसपीवी बाजार से राजस्व जुटाने में भी सक्षम हो।
- स्मार्ट सिटी के लिए सरकारी अंशदान का उपयोग केवल आधारभूत संरचना के निर्माण के लिए किया जाता है।

परियोजनाओं का क्रियान्वयन संयुक्त उद्यमों, सहायक कंपनियों, सार्वजनिक-निजी भागीदारी (पीपीपी), टर्नकी अनुबंधों (संपूर्ण कार्य किसी तीसरे पक्ष को अनुबंध के रूप में दिया जाता है) आदि के माध्यम से किया जा सकता है, जिसे राजस्व स्रोतों के साथ उपयुक्त रूप से जोड़ा जा सकता है।

स्मार्ट शहर **'क्षेत्र-आधारित विकास'** दृष्टिकोण अपनाते हैं, अर्थात, क्षेत्रों को चरणबद्ध तरीके से विकसित करते हैं। क्षेत्र-आधारित विकास के तीन मॉडल:

- शहर सुधार (पुनर्सुधार),
- शहर नवीनीकरण (पुनर्विकास)
- शहर विस्तार (ग्रीनफील्ड विकास)

स्मार्ट शहर, आर्थिक और समावेशी विकास

- भारत में, शहरी आबादी वर्तमान में कुल आबादी (130 करोड़) का 30% (40 करोड़) है और यह भारत के सकल घरेलू उत्पाद में 60% से अधिक का योगदान देती है। यह अनुमान है कि अगले 15 वर्षों में शहरी आबादी 60 करोड़ तक पहुँच जाएगी और राष्ट्रीय सकल घरेलू उत्पाद में लगभग 75% का योगदान देगी। तदनुसार, शहरों को आर्थिक विकास के इंजन के रूप में संदर्भित किया जाता है।
- अपनी बेहतर आधारभूत संरचना और सेवाओं के साथ स्मार्ट शहर निवेश और उद्योगों को आकर्षित करते हैं जिससे अर्थव्यवस्थाओं का समूहीकरण होता है (फर्मों को एक दूसरे के पास स्थित होने से लाभ मिलता है) और रोजगार के अवसर पैदा होते हैं।
- स्मार्ट शहर मौजूदा शहरी क्षेत्रों, जिसमें झुग्गी-झोपड़ियाँ भी शामिल हैं, को बेहतर योजनाबद्ध क्षेत्रों में बदल देंगे, जिससे पूरे शहर की रहने की क्षमता में सुधार होगा और शहरी क्षेत्रों में बढ़ती आबादी को समायोजित करने के लिए शहरों के आसपास नए क्षेत्रों का विकास भी होगा।
- स्मार्ट समाधानों के अनुप्रयोग से शहर आधारभूत संरचना और सेवाओं दोनों को बेहतर बनाने के लिए प्रौद्योगिकी, सूचना और डेटा का उपयोग करने में सक्षम होंगे। इस तरह से व्यापक विकास से जीवन की गुणवत्ता में सुधार होगा, रोजगार पैदा होगा, सभी के लिए आय में वृद्धि होगी, विशेष रूप से गरीबों और वंचितों के लिए, जिससे समावेशी शहर बनेंगे।
- ऐसा कहा जाता है कि अपने घरों के स्वामी लोग अधिक संतुष्ट जीवन यापन करते हैं और उनके जीवन में कड़ी मेहनत करने की अधिक प्रेरणा होती है।
- 'सभी के लिए आवास' योजना, जिसके अंतर्गत वर्ष 2022 तक गरीब और वंचित वर्ग को 2 करोड़ घर उपलब्ध कराने की योजना है, गरीबों के जीवन स्तर में सुधार लाएगी और आर्थिक विकास को बढ़ावा देगी।

2. अटल कायाकल्प और शहरी परिवर्तन मिशन (अमृत)

अमृत योजना शहरी क्षेत्रों में जलापूर्ति, सीवरेज और सेप्टेज प्रबंधन, जल निकासी, पैदल यात्री, गैर-मोटर चालित और सार्वजनिक परिवहन सुविधाओं, हरित स्थानों और पार्कों के विकास से संबंधित आधारभूत ढाँचागत सेवाओं को सुनिश्चित करने का उद्देश्य बना रही है, ताकि सभी के जीवन की गुणवत्ता में सुधार हो सके। इस योजना की आधारभूत संरचना के उन्नयन के माध्यम से शहरी जीवन स्थितियों को बदलना की है। इस मिशन का कार्यान्वयन शहरी सुधारों को बढ़ावा देने से जुड़ा है, जैसे कि ई-गवर्नेंस, क्षमता निर्माण, पेशेवर नगरपालिका केडर का गठन, शहरी स्थानीय निकायों को निधि और कार्य सौंपना, भवन उप-नियमों की समीक्षा, नगरपालिका करों के मूल्यांकन और संग्रह में सुधार, शहरी स्थानीय निकायों की क्रेडिट रेटिंग, ऊर्जा और जल लेखा परीक्षा और नागरिक-केंद्रित शहरी नियोजन और अंततः **शहरों और कस्बों को स्मार्ट शहरों में विकसित करने में** सक्षम बनाने के लिए एक आधार तैयार करना। अमृत (AMRUT) में, राज्यों को परियोजनाओं की योजना बनाने और कार्यान्वयन में समान भागीदार बनाया गया है, जिससे सहकारी संघवाद की भावना को साकार किया जा सके। इस केंद्र प्रायोजित योजना (सीएसएस) के तहत, सरकार ने उन्नयन के लिए **500 शहरों** का चयन किया है।

स्मार्ट सिटी मिशन और अमृत (AMRUT) एक साथ शुरू किए गए और आपस में जुड़े हुए हैं। अमृत 500 शहरों और कस्बों में आधारभूत ढाँचा सेवाओं को सुनिश्चित करने के लिए एक परियोजना दृष्टिकोण अपनाता है, जबकि स्मार्ट सिटी मिशन 100 शहरों को बढ़ावा देने के लिए क्षेत्र-आधारित विकास दृष्टिकोण (चरण-दर-चरण क्षेत्रों का विकास) अपनाता है जो मुख्य आधारभूत ढाँचा प्रदान करते हैं और फिर स्मार्टनेस की परतें जोड़ते हैं। अमृत एक **"परियोजना-आधारित"** दृष्टिकोण का अनुसरण करता है, जो निम्न पर केंद्रित है:

- जल आपूर्ति।
- सीवरेज और सेप्टेज प्रबंधन।
- बाढ़ को कम करने के लिए त्वरित जल निकासी।
- गैर-मोटर चालित शहरी परिवहन।
- हरित स्थान/पार्क।

14.15 इनविट और आरईआईटी और एनआईआईएफ (InVITs and REITs and NIIF)

इनविट और आरईआईटी

इंफ्रास्ट्रक्चर इंवेस्टमेंट ट्रस्ट (InVITs) एवं रियल एस्टेट इंवेस्टमेंट ट्रस्ट (REITs) भारतीय ट्रस्ट अधिनियम, 1882 के तहत पंजीकृत ट्रस्ट हैं और सेबी द्वारा विनियमित हैं।

- ये ट्रस्ट फंड/कॉर्पस का प्रबंधन करते हैं जो इंफ्रास्ट्रक्चर और रियल एस्टेट संपत्ति में निवेश किए जाते हैं। इनविट सामान्य रूप से इंफ्रास्ट्रक्चर परियोजनाओं में निवेश करते हैं जबकि आरईआईटी विशेष रूप से रियल एस्टेट परियोजनाओं में निवेश करते हैं। वे दोनों एक ही तरीके से काम करते हैं।
- इनविट/आरईआईटी म्यूचुअल फंड जैसी संस्थाएँ हैं जो व्यक्तिगत निवेशकों, वित्तीय संस्थानों और कंपनियों की भीड़ से छोटी रकम जमा करके इंफ्रास्ट्रक्चर और रियल एस्टेट क्षेत्र में निवेश को सक्षम बनाती हैं।
- अधिकांश मध्यम वर्ग के निवेशक वर्तमान में बड़े निवेश के कारण वाणिज्यिक रियल एस्टेट और इंफ्रास्ट्रक्चर परियोजनाओं में निवेश नहीं करते हैं। आरईआईटी के माध्यम से यह प्रवेश बाधा दूर हो जाती है क्योंकि यह महँगे रियल एस्टेट क्षेत्र को मध्यम वर्ग के निवेशक के लिए सुलभ बनाता है।
- InvITs/REITS से इंफ्रास्ट्रक्चर और रियल एस्टेट उद्योग को मदद मिलेगी क्योंकि इंफ्रास्ट्रक्चर और रियल एस्टेट परियोजनाओं के डेवलपर्स अपनी संपत्ति InvITs/REITs को बेच सकेंगे और नई परियोजनाओं के क्रियान्वयन की ओर बढ़ सकेंगे।
- जब निवेशक InvITs/REITS में निवेश करते हैं तो यह पैसा अलग-अलग इंफ्रास्ट्रक्चर और रियल एस्टेट परियोजनाओं में निवेश किया जाता है। ये InvITs/REITS स्टॉक एक्सचेंजों में सूचीबद्ध होते हैं और इनका कारोबार होता है।
- InvITs/REITS पर कुछ प्रतिबंध हैं जैसे कि InvITs/REITS की परिसंपत्ति मूल्य का 80% राजस्व पैदा करने वाली परियोजनाओं में लगाया जाना चाहिए और बाकी निर्माणाधीन परियोजनाओं में लगाया जा सकता है।
- किराए/टोल या परियोजना परिसंपत्तियों की बिक्री से उत्पन्न नियमित राजस्व InvITs/REITS में आएगा जिसे बाद में निवेशकों को लाभांश के रूप में लौटाया जाएगा।

InvITs/REITs की सामान्य संरचना निम्नलिखित है-

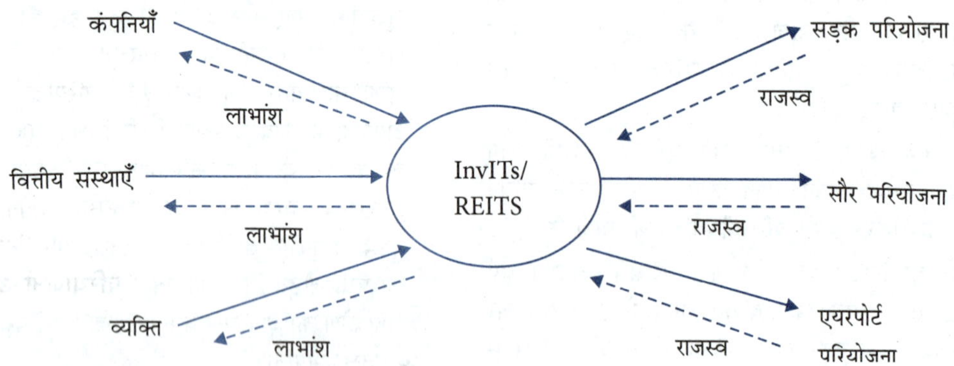

राष्ट्रीय निवेश और अवसंरचना कोष (NIIF)

सरकार ने 2015 में NIIF की स्थापना की थी, जिसका उद्देश्य आधारभूत संरचना के क्षेत्र में व्यावसायिक रूप से व्यवहार्य ग्रीनफील्ड, ब्राउनफील्ड और रुकी हुई परियोजनाओं के वित्तपोषण के लिए घरेलू और अंतर्राष्ट्रीय दोनों स्रोतों से निवेश आकर्षित करना था। NIIF को एक ट्रस्ट के रूप में बनाया गया है और यह वैकल्पिक निवेश कोष (कर लाभ

के लिए) की श्रेणी II के तहत SEBI के साथ पंजीकृत है। यह मूल रूप से एक अर्ध-संप्रभु धन कोष है क्योंकि सरकार के पास केवल 49% स्वामित्व है।

NIIF को निम्नलिखित से धन मिलेगा:

- इक्विटी के माध्यम से विदेशी संप्रभु/अर्ध-संप्रभु/बहुपक्षीय/द्विपक्षीय निवेशक। नकदी समृद्ध केंद्रीय सार्वजनिक उपक्रम, भविष्य निधि, बीमा निधि भी भारत सरकार के शेयर के अलावा NIIF में निवेश कर सकते हैं।
- बाजार उधार (ऋण)।

NIIF निम्नलिखित में निवेश करेगा:

- इक्विटी और ऋण दोनों के माध्यम से आधारभूत ढाँचा परियोजनाओं; और
- इक्विटी के माध्यम से आधारभूत संरचना के वित्तपोषण में शामिल गैर-बैंकिंग वित्तीय कंपनियों (NBFC) और वित्तीय संस्थानों में (FI)।

14.16 राष्ट्रीय अवसंरचना पाइपलाइन-एनआईपी (National Infrastructure Pipeline-NIP)

- वित्त वर्ष 2020-25 के लिए राष्ट्रीय अवसंरचना पाइपलाइन (एनआईपी) नागरिकों को विश्व स्तरीय अवसंरचना प्रदान करने और उनके जीवन की गुणवत्ता में सुधार करने के लिए अपनी तरह की पहली कवायद है। एनआईपी वित्त वर्ष 2020-25 की अवधि के लिए देश के **अवसंरचना दृष्टिकोण** को दर्शाता है। इसका उद्देश्य परियोजना की तैयारी में सुधार करना और अवसंरचना में निवेश आकर्षित करना है।
- वित्त वर्ष 2019-20 से वित्त वर्ष 2024-25 तक प्रत्येक वर्ष के लिए राष्ट्रीय अवसंरचना पाइपलाइन (एनआईपी) तैयार करने के लिए सितंबर 2019 में एक अंतर-मंत्रालयी टास्क फोर्स का गठन किया गया था, जिसने दिसंबर 2019 में रिपोर्ट जारी की।
- एनआईपी से अच्छी तरह से तैयार अवसंरचना परियोजनाओं को सक्षम करने की उम्मीद है जो रोजगार सृजन करेगी, जीवन को आसान बनाएगी और सभी के लिए अवसंरचना तक समान पहुँच प्रदान करेगी, जिससे विकास अधिक समावेशी होगा। एनआईपी का उद्देश्य अल्पकालिक और संभावित जीडीपी वृद्धि को बढ़ावा देने के लिए अवसंरचना विकास में आपूर्ति पक्ष के हस्तक्षेप को सुविधाजनक बनाना भी है। बेहतर आधारभूत ढाँचा क्षमताएँ भारतीय अर्थव्यवस्था की प्रतिस्पर्धात्मकता को भी बढ़ावा देंगी।
- एनआईपी ने भारत में वित्त वर्ष 2020-25 की अवधि के दौरान 102 लाख करोड़ रुपए के कुल आधारभूत संरचना के निवेश का अनुमान लगाया है। ऊर्जा (24%), सड़क (19%), शहरी (16%), और रेलवे (13%) उक्त अवधि के दौरान अनुमानित पूँजीगत व्यय का 70% से अधिक है।
- एनआईपी के अनुसार, केंद्र सरकार (39%) और राज्य सरकार (39%) को परियोजनाओं के वित्तपोषण में बराबर हिस्सा मिलने की आशा है, उसके बाद निजी क्षेत्र (22%) का स्थान है।
- टास्क फोर्स ने केंद्र और राज्य सरकारों द्वारा कई प्रमुख क्षेत्रीय नीतियों और अन्य सुधार पहलों में आवश्यक बदलावों पर अपनी सिफारिशें दी हैं, जैसे कि आधारभूत ढाँचा कंपनियों के लिए एक मजबूत बॉन्ड बाजार विकसित करना, आधारभूत संरचना से जुड़े विवादों का त्वरित समाधान, बेहतर और संतुलित पीपीपी अनुबंधों के माध्यम से इष्टतम जोखिम साझा करना और अनुबंधों की पवित्रता और प्रवर्तनीयता।

14.17 राष्ट्रीय मुद्रीकरण पाइपलाइन-एनएमपी (National Monetisation Pipeline-NMP)

राष्ट्रीय अवसंरचना पाइपलाइन को वित्तपोषित करने के लिए, सरकार ने **राष्ट्रीय मुद्रीकरण पाइपलाइन** (एनएमपी) की स्थापना की है।

परिसंपत्ति मुद्रीकरण में अब तक अप्रयुक्त या कम उपयोग की गई सार्वजनिक संपत्तियों के मूल्य को अनलॉक करके राजस्व के नए स्रोतों का निर्माण शामिल है। कई सार्वजनिक क्षेत्र की संपत्तियों का अर्ध-इष्टतम उपयोग किया जाता है और कंपनियों और सरकार द्वारा उनमें निवेश की गई इक्विटी

के लिए अधिक वित्तीय उत्तोलन और मूल्य बनाने के लिए उचित रूप से मुद्रीकृत किया जा सकता है। सरकार द्वारा 23 अगस्त 2021 को शुरू की गई राष्ट्रीय मुद्रीकरण पाइपलाइन (एनएमपी) की महत्त्वपूर्ण विशेषताएँ निम्नलिखित हैं:

- एनएमपी में वित्त वर्ष 2021-22 से वित्त वर्ष 2024-25 तक चार साल की अवधि में केंद्र सरकार और केंद्रीय सार्वजनिक क्षेत्र के उद्यमों की मुख्य संपत्तियों के माध्यम से 6.0 लाख करोड़ रुपए की कुल मुद्रीकरण क्षमता का अनुमान है।
- यह देखते हुए कि आधारभूत संरचना का निर्माण मुद्रीकरण से अभिन्न रूप से जुड़ा हुआ है, एनएमपी की अवधि इस तरह तय की गई है कि यह राष्ट्रीय अवसंरचना पाइपलाइन (एनआईपी) के तहत शेष अवधि के साथ सह-समाप्त (एक साथ समाप्त) हो।
- एनएमपी के तहत विभिन्न क्षेत्र हैं– सड़क, बंदरगाह, हवाई अड्डे, रेलवे, गोदाम, गैस और उत्पाद पाइपलाइन, बिजली उत्पादन और ट्रांसमिशन, खनन, दूरसंचार, स्टेडियम, आतिथ्य और आवास
- एनआईपी में केंद्र सरकार के 43 लाख करोड़ रुपए (110 लाख करोड़ रुपए) के परिव्यय में से लगभग 14% एनएमपी द्वारा वित्त पोषित किया जाएगा।
- पाइपलाइन को आधारभूत संरचना से संबंधित मंत्रालयों के परामर्श से नीति आयोग द्वारा विकसित किया गया है।
- कार्यक्रम का रणनीतिक उद्देश्य संस्थागत और दीर्घकालिक स्थिर पूँजी का दोहन करके ब्राउनफील्ड सार्वजनिक क्षेत्र की परिसंपत्तियों में निवेश के मूल्य को अनलॉक करना है, जिसे बाद में आगे के सार्वजनिक निवेशों के लिए उपयोग किया जा सकता है।
- इस तरह के अनलॉकिंग की रूपरेखा पूर्ण निजीकरण के बजाय संरचित संविदात्मक समझौतों (पीपीपी समझौतों/रियायतों) और इंफ्रास्ट्रक्चर इन्वेस्टमेंट ट्रस्ट (इनविट्स) के माध्यम से होने की परिकल्पना की गई है। अनुबंध/लेनदेन अवधि के अंत में संपत्तियाँ सरकार को वापस सौंप दी जाएँगी।
- एनएमपी में ब्राउनफील्ड परिसंपत्तियाँ शामिल हैं, जिन्हें निष्पादन जोखिमों से मुक्त किया गया है।
- विनिवेश के माध्यम से मुद्रीकरण और गैर-मुख्य परिसंपत्तियों के मुद्रीकरण को एनएमपी में शामिल नहीं किया गया है
- परिसंपत्ति मुद्रीकरण को केवल एक वित्त पोषण तंत्र के रूप में नहीं देखा जाना चाहिए, बल्कि निजी क्षेत्र की संसाधन दक्षताओं और विकासशील वैश्विक और आर्थिक वास्तविकताओं के साथ गतिशील रूप से अनुकूलन करने की इसकी क्षमता को ध्यान में रखते हुए आधारभूत संरचना के संचालन, वृद्धि और रखरखाव में एक समग्र प्रतिमान बदलाव के रूप में देखा जाना चाहिए।
- इस पहल का अंतिम उद्देश्य 'मुद्रीकरण के माध्यम से आधारभूत संरचना का निर्माण' को सक्षम करना है, जिसमें सार्वजनिक और निजी क्षेत्र सहयोग करते हैं, प्रत्येक अपनी क्षमता के मुख्य क्षेत्रों में उत्कृष्टता प्राप्त करते हैं, ताकि देश के नागरिकों को सामाजिक-आर्थिक विकास और जीवन की गुणवत्ता प्रदान की जा सके।
- परिसंपत्ति मुद्रीकरण डैशबोर्ड के माध्यम से वास्तविक समय की निगरानी की जाएगी।

एनएमपी की चुनौतियाँ

- विभिन्न परिसंपत्तियों में पहचान योग्य राजस्व धाराओं की कमी।
- गैस और पेट्रोलियम पाइपलाइन नेटवर्क में क्षमता उपयोग का स्तर।
- विवाद समाधान तंत्र।
- बिजली क्षेत्र की परिसंपत्तियों में विनियमित टैरिफ।
- चार लेन से कम राष्ट्रीय राजमार्गों में निवेशकों के बीच कम रुचि।

परिसंपत्ति मुद्रीकरण के उदाहरण:

- पीएसयू/भारत सरकार की परिसंपत्ति (मान लीजिए समर्पित माल गलियारा) को एकमुश्त धन के बदले में एक अनुबंध अवधि (मान लीजिए 30 वर्ष) के लिए संचालन और रखरखाव के लिए एक निजी ऑपरेटर को देना।
- एनएचएआई की पहले से निर्मित सड़कों को एकमुश्त धन के बदले में एक निश्चित अवधि के लिए टीओटी

(टोल ऑपरेट ट्रांसफर) मॉडल पर निजी पार्टियों को देना।

- हवाई अड्डों को एक निश्चित अवधि के लिए निजी ऑपरेटरों को एकमुश्त भुगतान के बदले में देना।
- पीजीसीआईएल की ट्रांसमिशन परिसंपत्तियाँ, गेल की तेल और गैस पाइपलाइनें, आईओसीएल, एचपीसीएल को निजी ऑपरेटरों को एक निश्चित अनुबंध अवधि के लिए एकमुश्त भुगतान के बदले में दिया जाएगा।

कुछ गलत धारणाएँ हैं कि एक बार आधारभूत संरचना की संपत्ति का मुद्रीकरण हो जाने के बाद, टैरिफ बढ़ जाएँगे। लेकिन यह सच नहीं हो सकता है क्योंकि टैरिफ को रियायत/समझौते में ही मुद्रास्फीति के साथ विनियमित और सीमित किया जाएगा।

14.18 प्रधानमंत्री गति शक्ति (PM Gati Shakti)

- यह आधारभूत संरचना के विकास और मल्टी-मॉडल कनेक्टिविटी (सड़क, रेल, वायुमार्ग, शिपिंग आदि जैसे परिवहन के विभिन्न साधनों को जोड़ना) के लिए राष्ट्रीय मास्टर प्लान है जो विकास योजना के प्रति हमारे दृष्टिकोण में एक आदर्श बदलाव का संकेत देता है।
- गति शक्ति एक डिजिटल प्लेटफॉर्म है जो रेलवे और रोडवेज सहित कई मंत्रालयों को एकीकृत योजना और समन्वित कार्यान्वयन और आधारभूत संरचना की कनेक्टिविटी परियोजनाओं के निष्पादन के लिए एक साथ लाएगा। यह आधारभूत संरचना की योजना में अंतर-मंत्रालयी और अंतर-विभागीय सहयोग में एक खेल बदलने वाला (game changer) होगा।
- गति-शक्ति में भारतमाला, सागरमाला, अंतर्देशीय जलमार्ग, शुष्क/भूमि बंदरगाह, उड़ान आदि जैसे विभिन्न मंत्रालयों और राज्य सरकारों की आधारभूत ढाँचा योजनाओं को शामिल किया जाएगा। कनेक्टिविटी में सुधार और भारतीय व्यवसायों को अधिक प्रतिस्पर्धी बनाने के लिए कपड़ा क्लस्टर, फार्मास्युटिकल क्लस्टर, रक्षा गलियारे, इलेक्ट्रॉनिक पार्क, औद्योगिक गलियारे, मछली पकड़ने के क्लस्टर, कृषि क्षेत्र जैसे आर्थिक क्षेत्रों को शामिल किया जाएगा।
- पोर्टल भू-स्थानिक डेटा की 200 परतें प्रदान करेगा, जिसमें सड़क, राजमार्ग, रेलवे और टोल प्लाजा जैसे मौजूदा आधारभूत संरचना के साथ-साथ जंगलों, नदियों और जिला सीमाओं के बारे में भौगोलिक जानकारी शामिल है, ताकि योजना बनाने और मंजूरी प्राप्त करने में सहायता मिल सके। यह परियोजनाओं की निगरानी के लिए उपग्रह चित्रांकन (satellite imagery) भी प्रदान करेगा।
- पोर्टल विभिन्न सरकारी विभागों को वास्तविक समय में और एक केंद्रीकृत स्थान पर, विभिन्न परियोजनाओं की प्रगति को ट्रैक करने की अनुमति देगा, विशेष रूप से बहु-क्षेत्रीय और बहु-क्षेत्रीय प्रभाव वाली परियोजनाओं की। इसका उद्देश्य यह सुनिश्चित करना है कि "प्रत्येक विभाग को अब एक-दूसरे की गतिविधियों की जानकारी हो, जिससे परियोजनाओं की योजना बनाते समय और उन्हें क्रियान्वित करते समय महत्त्वपूर्ण डेटा उपलब्ध हो सके।
- पोर्टल राज्य सरकारों को आधारभूत संरचना के निर्माण के लिए समय-सीमा के बारे में निवेशकों को प्रतिबद्धता देने में मदद करेगा।
- DPIIT के तहत एक परियोजना निगरानी समूह वास्तविक समय में प्रमुख परियोजनाओं की प्रगति की निगरानी करेगा, और मंत्रियों के एक अधिकार प्राप्त समूह को किसी भी अंतर-मंत्रालयी मुद्दे की रिपोर्ट करेगा, जो फिर इनका समाधान करने का लक्ष्य रखेगा।
- गति-शक्ति पोर्टल आवश्यक मानवीय हस्तक्षेप को कम करने में मदद करेगा क्योंकि मंत्रालय लगातार संपर्क में रहेंगे, और परियोजनाओं की समीक्षा वास्तविक समय में परियोजना निगरानी समूह द्वारा की जाएगी।
- पोर्टल पर किसी भी नई परियोजना के लिए आवश्यक सभी मंजूरियों को भी दर्शाया जाएगा, जो उसके स्थान के आधार पर होगी- और हितधारकों को सीधे पोर्टल पर संबंधित प्राधिकरण से इन मंजूरियों के लिए आवेदन करने की अनुमति देगा।
- आमतौर पर, हम सड़कों के लिए एक सुरंग और रेलवे के लिए एक और सुरंग बनाते हुए देख सकते हैं; हालाँकि, ऐसा प्लेटफॉर्म मंत्रालयों को समन्वय करने

और एक बड़ी सुरंग बनाने की अनुमति देगा जो दोनों उद्देश्यों को पूरा कर सकती है, जिससे करदाताओं के हजारों करोड़ रुपए बचेंगे।

- यदि कोई रेलवे लाइन बनाई जा रही है, तो सड़क परिवहन मंत्रालय तुरंत एक ओवरपास (ऊपरी पारमार्ग) के लिए मंजूरी दे सकता है, और बिजली मंत्रालय यह सुनिश्चित करने के लिए परियोजनाएँ शुरू कर सकता है कि पटरियों के पूरा होने पर ट्रेनों को तुरंत बिजली मिल सके।
- यह वास्तविक समय डैशबोर्ड बनाने के लिए ISRO इमेजरी के साथ स्थानिक नियोजन उपकरणों सहित प्रौद्योगिकी का व्यापक रूप से लाभ उठाएगा।
- समन्वय की कमी, अग्रिम जानकारी की कमी, सोच और साइलो में काम करने जैसी समस्याओं के कारण मैक्रो प्लानिंग और माइक्रो कार्यान्वयन के बीच व्यापक अंतर के कारण निर्माण में बाधा उत्पन्न हुई है और बजट की बर्बादी हुई है। गति शक्ति इस समस्या का समाधान करेगी क्योंकि मास्टर प्लान के आधार पर काम करने से संसाधनों का अधिकतम उपयोग होगा।
- भारत में लॉजिस्टिक्स लागत वर्तमान में सकल घरेलू उत्पाद का 13% है जो विकसित देशों में लगभग 8% की तुलना में काफी अधिक है। इससे निर्यात में भारत की प्रतिस्पर्धात्मकता को नुकसान पहुँचा है। गति-शक्ति योजना लॉजिस्टिक्स लागत को कम करेगी।

14.19 राष्ट्रीय लॉजिस्टिक्स नीति 2022 (National Logistics Policy, 2022)

राष्ट्रीय लॉजिस्टिक्स नीति का उद्देश्य त्वरित और समावेशी विकास के लिए देश में तकनीकी रूप से सक्षम, एकीकृत, लागत-कुशल, लचीला, टिकाऊ और विश्वसनीय लॉजिस्टिक्स पारिस्थितिकी तंत्र विकसित करना है।

नीति का लक्ष्य है:

- 2030 तक भारत में लॉजिस्टिक्स की लागत को वैश्विक बेंचमार्क (एकल अंक में) के बराबर कम करना।
- लॉजिस्टिक्स प्रदर्शन सूचकांक रैंकिंग में 2030 तक शीर्ष 25 देशों में शामिल होने का प्रयास।
- एक कुशल लॉजिस्टिक्स पारिस्थितिकी तंत्र के लिए डेटा संचालित निर्णय समर्थन तंत्र बनाना।

नीति को एक व्यापक लॉजिस्टिक्स कार्य योजना (सीएलएपी) के माध्यम से लागू किया जाएगा। CLAP के तहत प्रस्तावित हस्तक्षेपों को आठ प्रमुख कार्य क्षेत्रों में विभाजित किया गया है:

1. एकीकृत डिजिटल लॉजिस्टिक्स सिस्टम।
2. भौतिक संपत्तियों का मानकीकरण और सेवा गुणवत्ता मानकों का बेंचमार्किंग।
3. लॉजिस्टिक्स मानव संसाधन विकास और क्षमता निर्माण।
4. राज्य का जुड़ाव।
5. EXIM (निर्यात-आयात) लॉजिस्टिक्स।
6. सेवा सुधार ढाँचा।
7. कुशल लॉजिस्टिक्स के लिए क्षेत्रीय योजना।
8. लॉजिस्टिक्स पार्कों के विकास की सुविधा।

राष्ट्रीय लॉजिस्टिक्स नीति लॉजिस्टिक्स लागत को कम करेगी, अंतर्राष्ट्रीय व्यापार को बढ़ावा देगी, भारत को 'आत्मनिर्भर' बनाने में मदद करेगी, देश में समृद्धि लाएगी और हमारे स्टार्टअप्स के लिए नए अवसर पेश करेगी। यह नीति देश के किसानों के लिए अत्यधिक लाभकारी होगी, जिससे उन्हें अपनी उपज को तेजी से बाजारों तक ले जाने और बर्बादी और देरी को कम करने में मदद मिलेगी, जिससे अर्थव्यवस्था में कीमतें कम होंगी।

पीएम गति शक्ति राष्ट्रीय मास्टर प्लान के साथ-साथ राष्ट्रीय लॉजिस्टिक्स नीति एक संगत व कदम है जो संपूर्ण लॉजिस्टिक्स पारिस्थितिकी तंत्र के विकास के लिए एक व्यापक एजेंडा प्रदान करेगा।

यूनिफाइड लॉजिस्टिक्स इंटरफेस प्लेटफॉर्म (यूएलआईपी) को एक एकीकृत पोर्टल के रूप में विकसित किया गया है जिसमें माल/वस्तुओं के स्थान के बारे में जानकारी वास्तविक समय के आधार पर काफी आसानी से प्राप्त की जा सकती है और यह परिवहन क्षेत्र में सभी डिजिटल सेवाओं को एक ही पोर्टल पर लाने में मदद करेगा।

विगत वर्षों के प्रश्न

प्रारंभिक परीक्षा

1. निम्नलिखित कथनों पर विचार करें: [2019]

(i) इंदिरा गाँधी के शासन में भारत सरकार द्वारा कोयला क्षेत्र का राष्ट्रीयकरण किया गया था।

(ii) अब, कोयला ब्लॉक लॉटरी के आधार पर आवंटित किए जाते हैं।

(iii) हाल ही तक, भारत घरेलू आपूर्ति की कमी को पूरा करने के लिए कोयले का आयात करता था, लेकिन अब भारत कोयला उत्पादन में आत्मनिर्भर है।

ऊपर दिए गए निम्नलिखित कथनों में से कौन सा सही है/हैं?

(a) केवल (i)

(b) (ii) और (iii)

(c) केवल (iii)

(d) (i), (ii) और (iii)

2. निम्नलिखित युग्मों पर विचार करें: [2023]

बंदरगाह	के रूप में प्रसिद्ध
1. कामराजार बंदरगाह	भारत में पहला प्रमुख बंदरगाह जो एक कंपनी के रूप में पंजीकृत है।
2. मुंद्रा बंदरगाह	भारत में सबसे बड़ा निजी स्वामित्व वाला बंदरगाह।
3. विशाखापत्तनम बंदरगाह	भारत में सबसे बड़ा कंटेनर बंदरगाह।

उपर्युक्त युग्मों में से कितने सही ढंग से सुमेलित हैं?

(a) केवल एक युग्म

(b) केवल दो युग्म

(c) तीनों युग्म

(d) कोई भी युग्म नहीं

उत्तर

1. (a) **2.** (b)

मुख्य परीक्षा

1. पूँजी निर्माण के संदर्भ में अर्थव्यवस्था में निवेश का अर्थ स्पष्ट करें। सार्वजनिक इकाई और निजी इकाई के बीच रियायत समझौते को डिजाइन करते समय विचार किए जाने वाले कारकों पर चर्चा करें। [2020]

2. "अधिक तीव्र और समावेशी आर्थिक विकास के लिए आधारभूत संरचना में निवेश आवश्यक है।" भारत के अनुभव के आलोक में चर्चा करें। [2021]

3. आधारभूत ढाँचा परियोजनाओं में सार्वजनिक निजी भागीदारी (पीपीपी) की आवश्यकता क्यों है? भारत में रेलवे स्टेशनों के पुनर्विकास में पीपीपी मॉडल की भूमिका की जाँच करें। [2022]

4. क्या आपको लगता है कि भारत 2030 तक अपनी ऊर्जा जरूरतों का 50 प्रतिशत नवीकरणीय ऊर्जा से पूरा करेगा? अपने उत्तर का औचित्य सिद्ध करें। जीवाश्म ईंधन से नवीकरणीय ऊर्जा में सब्सिडी का स्थानांतरण उपरोक्त उद्देश्य को प्राप्त करने में कैसे मदद करेगा? स्पष्ट करें। [2022]

OOO

15

बजट और आर्थिक सर्वेक्षण
(Budget and Economic Survey)

(बजट और आर्थिक सर्वेक्षण से संबंधित अधिकांश जानकारी पुस्तक में संबंधित विषयों में शामिल की गई है। निम्नलिखित जानकारी बजट और आर्थिक सर्वेक्षण से संबंधित अतिरिक्त जानकारी है जो किसी विशिष्ट अध्याय से संबंधित नहीं है)

15.1 बजट (2025-26) प्रमुख बिंदु (Budget (2025-26) Highlights)

(बजट नाममात्र आँकड़ों पर आधारित है)

केंद्रीय वित्त	2024-25	2025-26
कुल व्यय बजट	₹ 47.2 लाख करोड़	₹ 50.6 लाख करोड़
• राजस्व व्यय	₹ 37.0 लाख करोड़	₹ 39.4 लाख करोड़
• पूँजीगत व्यय	₹ 10.2 लाख करोड़	₹ 11.2 लाख करोड़
कुल प्राप्तियाँ	₹ 47.2 लाख करोड़	₹ 50.6 लाख करोड़
• राजस्व प्राप्तियाँ	₹ 30.9 लाख करोड़	₹ 34.2 लाख करोड़
• पूँजीगत प्राप्तियाँ	₹ 16.3 लाख करोड़	₹ 16.4 लाख करोड़
○ गैर-ऋण पूँजीगत प्राप्तियाँ	₹ 0.6 लाख करोड़	₹ 0.7 लाख करोड़
○ ऋण पूँजीगत प्राप्तियाँ	₹ 15.7 लाख करोड़	₹ 15.7 लाख करोड़
राजकोषीय घाटा	4.8% (15.7 लाख करोड़)	4.4% (15.7 लाख करोड़)
राजस्व घाटा	1.9% (6.1 लाख करोड़)	1.5% (5.2 लाख करोड़)
प्रभावी राजस्व घाटा	1.0%	0.3%
प्राथमिक घाटा	1.3%	0.8%
नाममात्र सकल घरेलू उत्पाद	₹ 324 लाख करोड़	₹ 357 लाख करोड़
नाममात्र वृद्धि	10.1%	
सकल कर राजस्व (केंद्र)	₹ 38.5 लाख करोड़	₹ 42.7 लाख करोड़
कर से सकल घरेलू उत्पाद (केंद्र)	11.9% (₹ 38.5 lcr/₹ 324 lcr)	12.0% (₹ 42.7 lcr/₹ 357 lcr)

बजट का फोकस विकास के चार इंजन पर है:

1. कृषि
2. सूक्ष्म, लघु और मध्यम उद्यम (MSME)
3. निवेश
4. निर्यात

1. कृषि

- **पीएम धन-धान्य कृषि योजना - कृषि जिलों का विकास कार्यक्रम**

  आकांक्षी जिलों के कार्यक्रम की सफलता से प्रेरित होकर, सरकार राज्यों के साथ साझेदारी में 'प्रधानमंत्री धन-धान्य कृषि योजना' शुरू करेगी। मौजूदा योजनाओं और विशेष उपायों के समन्वय के माध्यम से यह कार्यक्रम उन 100 जिलों को कवर करेगा जहाँ उत्पादकता कम है, फसल तीव्रता मध्यम है और ऋण संबंधी मानक औसत से नीचे हैं। इसका उद्देश्य है:

  - कृषि उत्पादकता में वृद्धि करना,
  - फसल विविधीकरण और सतत कृषि पद्धतियों को अपनाना,
  - ग्राम पंचायत और प्रखंड स्तर पर कटाई के बाद भंडारण की सुविधा को बढ़ाना,
  - सिंचाई सुविधाओं में सुधार करना, और
  - दीर्घकालिक एवं अल्पकालिक ऋण की उपलब्धता को सुगम बनाना।

- **ग्रामीण समृद्धि और सशक्तता का निर्माण**

  राज्यों के सहयोग से एक व्यापक बहु-क्षेत्रीय 'ग्रामीण समृद्धि और सशक्तता' कार्यक्रम शुरू किया जाएगा। यह कार्यक्रम कृषि में अल्प-रोजगार की समस्या को कौशल विकास, निवेश, तकनीक और ग्रामीण अर्थव्यवस्था को सशक्त बनाकर दूर करेगा। इसका उद्देश्य ग्रामीण क्षेत्रों में पर्याप्त अवसर उत्पन्न करना है ताकि पलायन एक विकल्प हो, अनिवार्यता नहीं। यह कार्यक्रम ग्रामीण महिलाओं, युवा किसानों, ग्रामीण युवाओं, सीमांत और लघु किसानों तथा भूमिहीन परिवारों पर केंद्रित होगा।

- **दलहन में आत्मनिर्भरता**

  सरकार "दालों में आत्मनिर्भरता हेतु मिशन" नामक एक 6-वर्षीय कार्यक्रम शुरू करेगी, जिसमें तूर (अरहर), उरद और मसूर पर विशेष ध्यान दिया जाएगा। केंद्रीय एजेंसियाँ (NAFED और NCCF) अगले 4 वर्षों के दौरान इन तीन दालों को किसानों से उतनी मात्रा में खरीदने के लिए तैयार रहेंगी, जितनी वे इन एजेंसियों के साथ पंजीकरण करके और समझौता कर के उपलब्ध कराएँगे।

- **फलों और सब्जियों के लिए व्यापक कार्यक्रम**

  राज्यों के सहयोग से फलों और सब्जियों के उत्पादन, कुशल आपूर्ति, प्रसंस्करण और किसानों के लिए लाभकारी मूल्य को बढ़ावा देने हेतु एक व्यापक कार्यक्रम शुरू किया जाएगा। इस कार्यक्रम के कार्यान्वयन के लिए उपयुक्त संस्थागत तंत्र स्थापित किए जाएँगे, जिसमें किसान उत्पादक संगठन (FPOs) और सहकारी संस्थाओं की भागीदारी सुनिश्चित की जाएगी।

- **बिहार में मखाना बोर्ड**

  बिहार राज्य में मखाना के उत्पादन, प्रसंस्करण, मूल्य संवर्धन और विपणन को बेहतर बनाने के लिए राज्य में मखाना बोर्ड की स्थापना की जाएगी। इन गतिविधियों में लगे लोगों को किसान उत्पादक संगठनों (FPOs) के रूप में संगठित किया जाएगा। यह बोर्ड मखाना किसानों को मार्गदर्शन और प्रशिक्षण सहायता प्रदान करेगा तथा यह सुनिश्चित करेगा कि उन्हें सरकार की सभी प्रासंगिक योजनाओं का लाभ प्राप्त हो सके।

- **उच्च उपज वाले बीजों पर राष्ट्रीय मिशन**

  उच्च उपज वाले बीजों पर एक राष्ट्रीय मिशन शुरू किया जाएगा, जिसका उद्देश्य होगा:

  (1) अनुसंधान पारिस्थितिकी तंत्र को सुदृढ़ बनाना,

  (2) उच्च उपज, कीट प्रतिरोधक क्षमता और जलवायु अनुकूलता वाले बीजों का लक्षित विकास और प्रचार-प्रसार करना, और

  (3) जुलाई 2024 से अब तक जारी की गई 100 से अधिक बीज किस्मों की व्यावसायिक उपलब्धता सुनिश्चित करना।

- **मत्स्य पालन**

  भारत विश्व में मछली उत्पादन और जलीय कृषि (एक्वाकल्चर) में दूसरे स्थान पर है। समुद्री खाद्य (सीफूड) निर्यात का मूल्य ₹60 हजार करोड़ है। समुद्री क्षेत्र की अप्रयुक्त संभावनाओं को साकार करने के लिए सरकार भारतीय विशेष आर्थिक क्षेत्र (Eñclusive Economic Zone) और अंतर्राष्ट्रीय समुद्री जल (High Seas) से मत्स्य संसाधनों के सतत दोहन हेतु एक सहायक रूपरेखा तैयार करेगी। इसमें अंडमान और निकोबार तथा लक्षद्वीप द्वीप समूह पर विशेष ध्यान दिया जाएगा।

- **कपास उत्पादकता हेतु मिशन**

  यह 5-वर्षीय मिशन कपास की खेती में उत्पादकता और स्थायित्व में महत्वपूर्ण सुधार लाने में सहायक होगा, साथ ही अति दीर्घ तंतु (Eñtra-Long Staple) कपास की किस्मों को बढ़ावा देगा। किसानों को विज्ञान और प्रौद्योगिकी का सर्वोत्तम सहयोग प्रदान किया जाएगा। यह मिशन कपड़ा क्षेत्र के लिए भारत की एकीकृत 5F विजन के अनुरूप होगा, जिससे किसानों की आय में वृद्धि होगी और पारंपरिक कपड़ा उद्योग को पुनर्जीवित करने के लिए उच्च गुणवत्ता वाले कपास की स्थिर आपूर्ति सुनिश्चित की जा सकेगी।

- **केसीसी के माध्यम से ऋण में वृद्धि**

  किसान क्रेडिट कार्ड (KCC) के माध्यम से 7.7 करोड़ किसानों, मछुआरों और दुग्ध उत्पादकों को अल्पकालिक ऋण की सुविधा प्रदान की जाती है। संशोधित ब्याज सहायता योजना (Modified Interest Subvention Scheme) के तहत केसीसी के माध्यम से लिए गए ऋणों की सीमा ₹3 लाख से बढ़ाकर ₹5 लाख कर दी जाएगी।

- **ग्रामीण अर्थव्यवस्था के उत्प्रेरक के रूप में भारतीय डाक**

  भारतीय डाक, जिसकी 1.5 लाख ग्रामीण डाक शाखाएँ हैं, तथा भारतीय डाक भुगतान बैंक और 2.4 लाख डाक सेवकों के विशाल नेटवर्क से सुसज्जित है, को ग्रामीण अर्थव्यवस्था के लिए एक उत्प्रेरक (Catalyst) के रूप में पुनर्स्थापित किया जाएगा।

  सेवाओं की विस्तृत श्रृंखला में शामिल होंगे:

  - ग्रामीण समुदाय केंद्र सह-स्थान,
  - संस्थागत खाता सेवाएँ,
  - प्रत्यक्ष लाभ अंतरण (DBT), नकद निकासी और EMI संग्रह,
  - सूक्ष्म उद्यमों को ऋण सेवाएँ,
  - बीमा, और
  - सहायक डिजिटल सेवाएँ।

2. सूक्ष्म, लघु और मध्यम उद्यम (MSMEs)

- वर्तमान में 1 करोड़ से अधिक पंजीकृत एमएसएमई हैं, जो 7.5 करोड़ लोगों को रोजगार दे रहे हैं और देश के विनिर्माण क्षेत्र में 36 प्रतिशत योगदान कर रहे हैं। इनकी गुणवत्ता युक्त उत्पादों के कारण भारत वैश्विक विनिर्माण केंद्र के रूप में उभर रहा है तथा ये MSMEs हमारे कुल निर्यात में 45 प्रतिशत की हिस्सेदारी रखते हैं। इन उद्यमों को उच्च दक्षता, तकनीकी उन्नयन और पूँजी तक बेहतर पहुँच सुनिश्चित करने में सहायता देने के लिए, MSMEs वर्गीकरण की निवेश और टर्नओवर सीमा को क्रमशः 2.5 गुना और 2 गुना तक बढ़ाया जाएगा। इससे एमएसएमई को आगे बढ़ने और हमारे युवाओं के लिए रोजगार सृजन का आत्मविश्वास मिलेगा।

₹ में करोड़ में	निवेश		टर्नओवर	
	वर्तमान	संशोधित	वर्तमान	संशोधित
सूक्ष्म (Micro) उद्यम	1	2.5	5	10
लघु (Small) उद्यम	10	25	50	100
मध्यम (Medium) उद्यम	50	125	250	500

- **ऋण तक पहुँच को बेहतर बनाने के लिए, क्रेडिट गारंटी कवर को बढ़ाया जाएगा:**
    - सूक्ष्म और लघु उद्यमों के लिए, क्रेडिट गारंटी सीमा ₹5 करोड़ से बढ़ाकर ₹10 करोड़ की जाएगी, जिससे अगले 5 वर्षों में ₹1.5 लाख करोड़ का अतिरिक्त ऋण उपलब्ध हो सकेगा।
    - स्टार्टअप्स के लिए, यह सीमा ₹10 करोड़ से बढ़ाकर ₹20 करोड़ की जाएगी। आत्मनिर्भर भारत के लिए महत्त्वपूर्ण 27 फोकस सेक्टरों में लिए गए ऋणों पर गारंटी शुल्क को घटाकर 1 प्रतिशत किया जाएगा।
    - सुव्यवस्थित निर्यातक MSMEs के लिए, ₹20 करोड़ तक के सावधि ऋण के लिए।
- **सूक्ष्म उद्यमों के लिए क्रेडिट कार्ड**
    - सरकार उद्यम पोर्टल पर पंजीकृत सूक्ष्म उद्यमों के लिए ₹5 लाख की सीमा वाले विशेष रूप से अनुकूलित (customized) क्रेडिट कार्ड शुरू करेगी। पहले वर्ष में ₹10 लाख ऐसे क्रेडिट कार्ड जारी किए जाएँगे।
- **श्रम-गहन क्षेत्रों के लिए उपाय**

रोजगार और उद्यमिता के अवसरों को बढ़ावा देने के लिए, सरकार श्रम-गहन क्षेत्रों में विशिष्ट नीतिगत एवं सुविधा संबंधी उपायों को अपनाएगी।

- **जूता-चप्पल और चमड़ा उद्योग:** यह योजना चमड़े के जूते और उत्पादों के समर्थन के अलावा गैर-चमड़े की गुणवत्ता वाले जूते के उत्पादन के लिए आवश्यक डिजाइन क्षमता, घटक विनिर्माण और मशीनरी का समर्थन करेगी।
- **खिलौना क्षेत्र :** भारत को खिलौनों के लिए एक वैश्विक केंद्र बनाने के उद्देश्य से यह योजना क्लस्टर विकास, कौशल निर्माण और विनिर्माण पारिस्थितिकी तंत्र पर केंद्रित होगी। इसके माध्यम से उच्च गुणवत्ता वाले, विशिष्ट, नवोन्मेषी और सतत खिलौनों का निर्माण किया जाएगा, जो 'मेड इन इंडिया' ब्रांड का प्रतिनिधित्व करेंगे।
- **खाद्य प्रसंस्करण** (Food Processing) : सरकार बिहार में राष्ट्रीय खाद्य प्रौद्योगिकी, उद्यमिता और प्रबंधन संस्थान (National Institute of Food Technology, Entrepreneurship and Management) की स्थापना करेगी। यह संस्थान पूर्वी भारत में खाद्य प्रसंस्करण गतिविधियों को बढ़ावा देगा। इससे किसानों को उनकी उपज में मूल्य संवर्धन के माध्यम से आय में वृद्धि होगी, और युवाओं के लिए कौशल विकास, उद्यमिता एवं रोजगार के अवसर सृजित होंगे।

- **विनिर्माण मिशन - 'मेक इन इंडिया' को नई गति**
    - सरकार केंद्रीय मंत्रालयों और राज्यों के लिए नीति समर्थन, कार्यान्वयन रोडमैप, शासन और निगरानी ढांचा प्रदान करके "मेक इन इंडिया" को आगे बढ़ाने के लिए छोटे, मध्यम और बड़े उद्योगों को शामिल करते हुए एक राष्ट्रीय विनिर्माण मिशन की स्थापना करेगी।

3. निवेश

- आईआईटी में क्षमता विस्तार
- सभी जिला अस्पतालों में डे केयर कैंसर केंद्र
- भारतीय भाषा पुस्तक योजना: स्कूल और उच्च शिक्षा के लिए भारतीय भाषाओं में पुस्तकों को डिजिटल रूप में उपलब्ध कराना
- वैश्विक विशेषज्ञता और साझेदारी के साथ कौशल विकास के लिए 5 राष्ट्रीय उत्कृष्टता केंद्र स्थापित किए जाएँगे।
- अटल टिंकरिंग लैब्स: अगले 5 वर्षों में सरकारी स्कूलों में 50 हजार लैब्स स्थापित की जाएँगी।
- शिक्षा के लिए आर्टिफिशियल इंटेलिजेंस में उत्कृष्टता केंद्र, जिसकी कुल लागत ₹500 करोड़ होगी।
- ग्रामीण क्षेत्रों के सभी सरकारी माध्यमिक विद्यालयों और प्राथमिक स्वास्थ्य केंद्रों को ब्रॉडबैंड कनेक्टिविटी प्रदान की जाएगी।
- चिकित्सा शिक्षा का विस्तार: अगले 5 वर्षों में 75,000 सीटें जोड़ने के लक्ष्य के साथ 10,000 अतिरिक्त सीटें जोड़ने की योजना।
- पीएम स्वनिधि योजना: बैंकों से अधिक ऋण, यूपीआई से जुड़े क्रेडिट कार्ड और क्षमता निर्माण सहायता के साथ इसका पुनरुद्धार किया जाएगा।

- ऑनलाइन प्लेटफॉर्म श्रमिकों का कल्याण: ई-श्रम पोर्टल पर पंजीकरण एवं प्रधानमंत्री जन आरोग्य योजना के तहत स्वास्थ्य देखभाल की सुविधा।
- बुनियादी ढांचे के लिए राज्यों को सहायता: ₹1.5 लाख करोड़ की राशि के साथ पूँजीगत व्यय के लिए राज्यों को 50 वर्षों के लिए ब्याज मुक्त ऋण और सुधारों के लिए प्रोत्साहन।
- बिजली क्षेत्र में सुधार: वितरण सुधारों को प्रोत्साहित करना और राज्य के अंतर-राज्यीय पारेषण को सुदृढ़ करना। इन सुधारों पर आधारित राज्यों को सकल राज्य घरेलू उत्पाद (GSDP) का अतिरिक्त 0.5% उधार लेने की अनुमति।
- संपत्ति मुद्रीकरण योजना 2025-30: ₹10 लाख करोड़ की पूँजी को नई परियोजनाओं में पुन: निवेश करने के लिए योजना की शुरुआत।
- संशोधित उड़ान (UDAN) योजना: अगले 10 वर्षों में 120 नए गंतव्यों तक क्षेत्रीय संपर्क और 4 करोड़ यात्रियों को यात्रा सुविधा प्रदान करने का लक्ष्य।

4. निर्यात

- **निर्यात संवर्धन मिशन:** सरकार वाणिज्य, एमएसएमई और वित्त मंत्रालयों द्वारा संयुक्त रूप से संचालित क्षेत्रीय और मंत्रिस्तरीय लक्ष्यों के साथ एक निर्यात प्रोत्साहन मिशन स्थापित करेगी। यह निर्यात ऋण की आसान उपलब्धता, सीमा-पार फैक्टरिंग समर्थन, और विदेशी बाजारों में गैर-शुल्क बाधाओं से निपटने के लिए एमएसएमई को सहायता प्रदान करेगा।
- **भारत ट्रेडनेट (Bharat Trade Net):** अंतर्राष्ट्रीय व्यापार के लिए एक डिजिटल सार्वजनिक अवसंरचना 'भारत ट्रेडनेट' (BTN) स्थापित किया जाएगा, जो व्यापार प्रलेखन और वित्तीय समाधान के लिए एकीकृत मंच के रूप में कार्य करेगा।
- **जीसीसी (GCC) के लिए राष्ट्रीय रूपरेखा:** उभरते हुए द्वितीय श्रेणी (टियर 2) शहरों में वैश्विक क्षमता केंद्रों (Global Capability Centres) को बढ़ावा देने के लिए राज्यों को मार्गदर्शन प्रदान करने हेतु एक राष्ट्रीय ढांचा तैयार किया जाएगा।
- **एयर कार्गो के लिए गोदाम सुविधा:** अधोसंरचना और गोदाम सुविधाओं के उन्नयन के लिए, विशेष रूप से उच्च मूल्य के खराब होने वाले बागवानी उत्पादों के हवाई माल के भंडारण हेतु सुविधाएँ विकसित की जाएँगी।

कर सुधार:

- **प्रत्यक्ष कर**
  - नई कर व्यवस्था के अंतर्गत महत्वपूर्ण राहत प्रस्तावित है, जिसमें नई कर श्रेणियाँ और दरें निम्नानुसार हैं:

कुल आय	कर की दर
4,00,000 तक	शून्य (Nil)
4,00,001 से 8,00,000	5 प्रतिशत
8,00,001 से 12,00,000	10 प्रतिशत
12,00,001 से 16,00,000	15 प्रतिशत
16,00,001 से 20,00,000	20 प्रतिशत
20,00,001 से 24,00,000	25 प्रतिशत
24,00,000 से ऊपर	30 प्रतिशत

  - नया आयकर विधेयक पेश किया जाएगा, जो प्रत्यक्ष करों में सुधार हेतु लाया जाएगा। इसका उद्देश्य प्रावधानों को अधिक सरल और स्पष्ट बनाना, और कर दाखिल करने में अनुपालन बोझ को कम करना होगा।
- **अप्रत्यक्ष कर**
  - औद्योगिक वस्तुओं के लिए सीमा शुल्क संरचना का सुव्यवस्थीकरण
  - मेक इन इंडिया - एलईडी/एलसीडी टीवी के लिए ओपन सेल, वस्त्र उद्योग के लिए करघे (लूम), मोबाइल फोन और इलेक्ट्रिक वाहनों (EVs) की लिथियम-आयन बैटरी के लिए पूँजीगत वस्तुओं पर छूट
  - एमआरओ (MRO) को बढ़ावा - जहाज निर्माण और जहाज तोड़ने के लिए उपयोग की जाने वाली वस्तुओं पर 10 वर्षों तक कर छूट, मरम्मत हेतु आयातित रेलवे सामग्रियों के निर्यात की समय सीमा का विस्तार

➢ निर्यात संवर्धन - हस्तशिल्प और चमड़ा क्षेत्रों के लिए शुल्क मुक्त इनपुट (कच्चा माल)

अन्य सुधारः

- बीमा क्षेत्र में प्रत्यक्ष विदेशी निवेश (FDI) की सीमा को 74 प्रतिशत से बढ़ाकर 100 प्रतिशत किया जाएगा। यह बढ़ी हुई सीमा उन कंपनियों के लिए उपलब्ध होगी जो पूरा प्रीमियम भारत में निवेश करेंगी। विदेशी निवेश से संबंधित वर्तमान नियमों और शर्तों की समीक्षा की जाएगी और उन्हें सरल बनाया जाएगा।
- कंपनियों के विलय को शीघ्र स्वीकृति देने की आवश्यकताओं और प्रक्रियाओं को तर्कसंगत बनाया जाएगा। त्वरित विलय (फास्ट-ट्रैक मर्जर) की प्रक्रिया का दायरा भी बढ़ाया जाएगा और इसे और अधिक सरल किया जाएगा।
- जन विश्वास विधेयक 2.0: विभिन्न कानूनों के 100 से अधिक प्रावधानों को अपराध की श्रेणी से बाहर करने के लिए।
- नियामकीय सुधारों का प्रस्ताव देने के लिए एक उच्चस्तरीय समिति का गठन किया जाएगा।
- प्रतिस्पर्धी सहकारी संघवाद की भावना को बढ़ावा देने हेतु 2025 में राज्यों के लिए निवेश अनुकूलता सूचकांक (Investment Friendliness Index) शुरू किया जाएगा।

बजट के पूँजीगत व्यय का विश्लेषण

- वर्ष 2025-26 के बजट में पूँजीगत व्यय (कैपेक्स) को ₹10.2 लाख करोड़ (2024-25) से बढ़ाकर ₹11.2 लाख करोड़ (जो कि जीडीपी का 3.1% है) कर दिया गया है। यह पूँजीगत व्यय केवल केंद्र सरकार का है, लेकिन केंद्र सरकार विभिन्न योजनाओं के तहत राज्यों को भी पूँजीगत व्यय के लिए अनुदान प्रदान करती है, जिससे कुल प्रभावी पूँजीगत व्यय और अधिक बढ़ जाता है।
- इस प्रकार, प्रभावी पूँजीगत व्यय (Effective Capex) को वित्त वर्ष 2024-25 के ₹13.2 लाख करोड़ से बढ़ाकर 2025-26 में ₹15.5 लाख करोड़ (जो कि जीडीपी का 4.3% है) कर दिया गया है।
- पूँजीगत व्यय भी सार्वजनिक क्षेत्र के उपक्रमों (CPSEs) के माध्यम से किया जाता है, जो लगभग ₹4 लाख करोड़ है।
- सरकार अगले पाँच वर्षों (2025-26 से 2029-30) के लिए नई राष्ट्रीय परिसंपत्ति मुद्रीकरण योजना (National Monetization Pipeline & NMP) लाने की योजना बना रही है, जिसकी कुल राशि पिछली NMP से दुगनी होगी।
- NMP से प्राप्त आय सामान्यतः भारत की समेकित निधि (Consolidated Fund of India & CFI) में नहीं जाती, बल्कि बजट के बाहर सार्वजनिक उपक्रमों (PSUs) के माध्यम से खर्च की जाती है।
- पिछले 10 वर्षों में केंद्र सरकार के कुल व्यय में पूँजीगत व्यय और राजस्व व्यय के अनुपात की तुलनाः

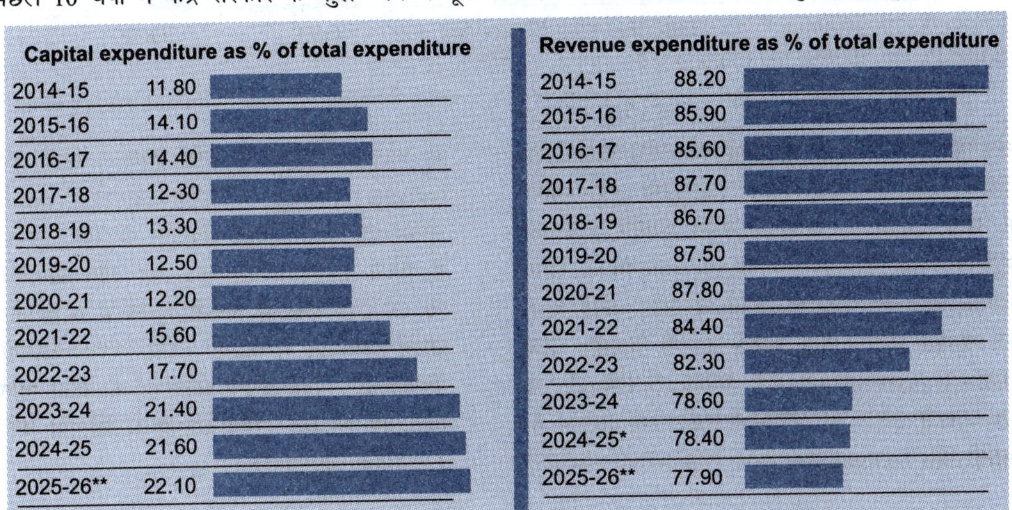

15.2 आर्थिक सर्वेक्षण 2024-25 (Economic Survey 2024-25)

- **वैश्विक परिदृश्यः** वर्ष 2023 में वैश्विक अर्थव्यवस्था में 3.3 प्रतिशत की वृद्धि हुई। अंतर्राष्ट्रीय मुद्रा कोष (IMF) ने 2024 और 2025 के लिए क्रमशः 3.2 प्रतिशत और 3.3 प्रतिशत की वृद्धि का अनुमान लगाया है। संयुक्त राज्य अमेरिका (US) में 2024 में आर्थिक वृद्धि दर 2.8 प्रतिशत रहने की संभावना है और 2025 में इसमें थोड़ी गिरावट आ सकती है।
- **भारतीय अर्थव्यवस्थाः** भारत ने निरंतर आर्थिक वृद्धि प्रदर्शित की है। राष्ट्रीय लेखा के प्रथम अग्रिम अनुमान के अनुसार, वित्त वर्ष 2024-25 (FY25) में भारत की वास्तविक जीडीपी 6.4 प्रतिशत की दर से बढ़ने का अनुमान है। वित्त वर्ष 2024-25 (FY25) की पहली छमाही में वृद्धि को कृषि और सेवाओं द्वारा समर्थन मिला। खरीफ फसल का रिकॉर्ड उत्पादन और अनुकूल कृषि परिस्थितियों के चलते ग्रामीण माँग में सुधार देखा गया। कमजोर वैश्विक माँग और घरेलू मौसमी परिस्थितियों के कारण विनिर्माण क्षेत्र पर दबाव रहा। निजी उपभोग स्थिर बना रहा, जो घरेलू माँग की स्थिरता को दर्शाता है। राजकोषीय अनुशासन और मजबूत बाहरी संतुलन ने सेवा व्यापार अधिशेष और प्रेषण में स्वस्थ वृद्धि द्वारा समर्थित व्यापक आर्थिक स्थिरता (macroeconomic stability) में योगदान दिया।

चार्ट I- 20% वैश्विक अनिश्चितता के बावजूद, भारत की वृद्धि दशकीय औसत के करीब बनी हुई है (स्थिर मूल्यों पर)

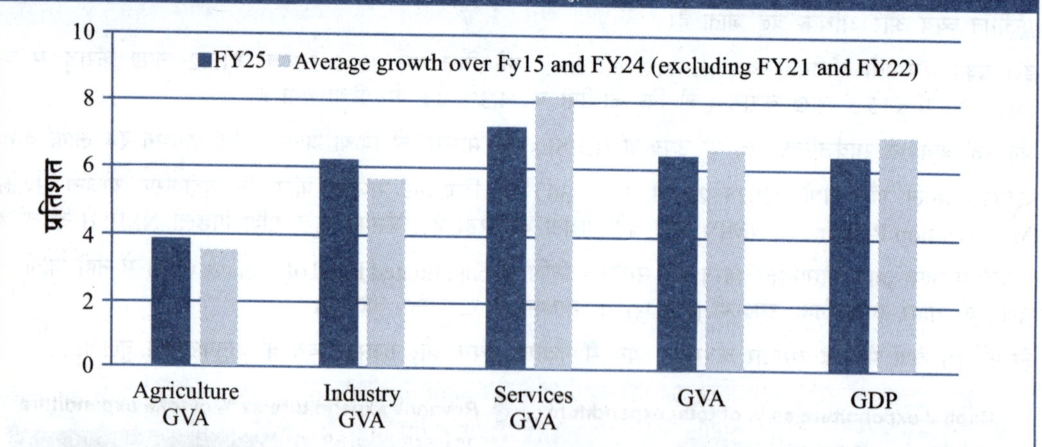

- माल के आयात ने माल के निर्यात को पीछे छोड़ दिया, जिससे भारत का माल व्यापार घाटा बढ़ गया। भारत के सेवा व्यापार अधिशेष ने समग्र व्यापार घाटे को संतुलित किया है। सेवा व्यापार में अधिशेष ने समग्र व्यापार घाटे को संतुलित करने में मदद की। भारत की मजबूत सेवा निर्यात क्षमता ने उसे वैश्विक सेवा निर्यात में सातवाँ सबसे बड़ा हिस्सा दिलाया है, जो इस क्षेत्र में भारत की प्रतिस्पर्धात्मकता को दर्शाता है। प्रवासी प्रेषण (Remittances): सेवा व्यापार अधिशेष के अलावा, विदेशों से प्राप्त प्रेषण ने निजी हस्तांतरण (private transfers) में स्वस्थ शुद्ध प्रवाह (net inflow) सुनिश्चित किया। विश्व बैंक के अनुसार, भारत दुनिया में प्रेषण ($129 बिलियन) का शीर्ष प्राप्तकर्ता था, जो OECD देशों में नौकरी सृजन में वृद्धि के कारण संभव हुआ। इन दो कारकों (सेवा व्यापार अधिशेष और प्रेषण) के संयुक्त प्रभाव से भारत का चालू खाता घाटा वित्त वर्ष 25 की दूसरी तिमाही में जीडीपी का केवल 1.2% तक सीमित रहा।

- भारत के मौद्रिक और वित्तीय क्षेत्रों ने वित्त वर्ष 2024-25 के पहले नौ महीनों में अच्छा प्रदर्शन किया है। चालू वित्तीय वर्ष में बैंक ऋण में स्थिर गति से वृद्धि हुई है, और ऋण वृद्धि जमा वृद्धि की ओर अभिमुख हो गई है। अनुसूचित वाणिज्यिक बैंकों (SCBs) की लाभप्रदता में लगातार सुधार हुआ है, जैसा कि सकल गैर-निष्पादित परिसंपत्तियों (GNPAs) में गिरावट और पूँजी-जोखिम भारित परिसंपत्ति अनुपात (CRAR) में वृद्धि से परिलक्षित होता है। सरकार ने वित्तीय समावेशन के क्षेत्र में भी उल्लेखनीय प्रगति की है, भारतीय रिजर्व बैंक (RBI) का वित्तीय समावेशन सूचकांक मार्च 2021 में 53.9 से बढ़कर मार्च 2024 के अंत में 64.2 हो गया है।
- आर्थिक और व्यापार नीति अनिश्चितताओं की वैश्विक चुनौतियों के बीच भारत का बाह्य क्षेत्र लचीलापन प्रदर्शित करता रहा। वित्त वर्ष 2024-25 के पहले नौ महीनों में कुल निर्यात (माल और सेवाएँ) में स्थिर वृद्धि दर्ज की गई, जो 602.6 अरब अमेरिकी डॉलर (6 प्रतिशत वृद्धि) तक पहुँच गया है। सेवाओं और वस्तुओं के निर्यात (पेट्रोलियम तथा रत्न एवं आभूषण को छोड़कर) में 10.4 प्रतिशत की वृद्धि हुई। इसी अवधि में कुल आयात 682.2 अरब अमेरिकी डॉलर तक पहुँच गया, जो स्थिर घरेलू माँग के चलते 6.9 प्रतिशत की वृद्धि दर्शाता है।
- पूँजी क्षेत्र की बात करें तो, वित्त वर्ष 2024-25 में अब तक विदेशी पोर्टफोलियो निवेश (FPI) ने मिश्रित रुझान दिखाया है। वैश्विक बाजारों में अनिश्चितता और विदेशी पोर्टफोलियो निवेशकों द्वारा मुनाफावसूली के कारण पूँजी का कुछ बहिर्वाह हुआ। हालाँकि, मजबूत व्यापक आर्थिक बुनियादी ढाँचा, अनुकूल व्यापार वातावरण और उच्च आर्थिक वृद्धि दर ने FPI प्रवाह को कुल मिलाकर सकारात्मक बनाए रखा है। सकल प्रत्यक्ष विदेशी निवेश (FDI) प्रवाह ने वित्त वर्ष 25 के पहले आठ महीनों में पुनरुद्धार के संकेत दिए हैं, हालाँकि प्रत्यावर्तन में वृद्धि के कारण शुद्ध प्रत्यक्ष विदेशी निवेश प्रवाह अप्रैल-नवंबर 2023 की तुलना में कम रहा।
- भारत के वैश्विक क्षमता केंद्र (GCCs) रणनीतिक केंद्र के रूप में उभर रहे हैं, जो न केवल भारतीय कॉर्पोरेट परिदृश्य को नया आकार दे रहे हैं, बल्कि वैश्विक व्यापार की दिशा को भी प्रभावित कर रहे हैं। भारत में GCCs की संख्या वित्त वर्ष 2018-19 में लगभग 1430 से बढ़कर वित्त वर्ष 2023-24 में 1700 से अधिक हो गई है। वित्त वर्ष 23-24 तक, भारत में स्थित GCCs में लगभग 19 लाख पेशेवर कार्यरत हैं। पिछले पाँच वर्षों में, भारत वैश्विक GCC विस्तार रणनीति सबसे आगे रहा है, जहाँ 400 से अधिक नए GCCs और लगभग 1100 नई इकाइयाँ स्थापित की गई हैं।
- GCCs मौलिक रूप से भारत में प्रौद्योगिकी परिदृश्य को बदल रहे हैं। अग्रणी संगठन अपने तकनीकी पारिस्थितिकी तंत्र (tech ecosystems) को भारत में केंद्रीकृत कर रहे हैं। यह प्रवृत्ति विशेष रूप से एयरोस्पेस, रक्षा और सेमीकंडक्टर जैसे क्षेत्रों में स्पष्ट रूप से दिखाई दे रही है, जहाँ कंपनियाँ अगली पीढ़ी के प्लेटफॉर्म, उत्पादों और तकनीकों पर ध्यान केंद्रित करने के लिए अपने इंजीनियरिंग प्रयासों को आगे बढ़ा रही हैं। पिछले पाँच वर्षों में, इंजीनियरिंग अनुसंधान एवं विकास (R&D) से जुड़े GCCs की स्थापना दर, कुल GCC स्थापना दर की तुलना में 1.3 गुना तेज रही है, जो उच्च-मूल्य-वर्धित कार्यों की ओर निरंतर झुकाव को दर्शाता है।
- भारत ने अपने विशाल प्रतिभा भंडार का लाभ उठाकर खुद को एक प्रमुख खिलाड़ी के रूप में स्थापित किया है, जो वैश्विक विज्ञान, प्रौद्योगिकी, इंजीनियरिंग, गणित (STEM) कार्यबल का 28 प्रतिशत और वैश्विक सॉफ्टवेयर इंजीनियरिंग प्रतिभा का 23 प्रतिशत हिस्सा प्रदान करता है। पिछले दशक में, भारत में GCC पारिस्थितिकी तंत्र ने उल्लेखनीय परिपक्वता प्राप्त की है और यह उच्च-स्तरीय इंजीनियरिंग भूमिकाओं जैसे उत्पाद प्रबंधक (Product Managers) और आर्किटेक्ट्स की ओर बढ़ा है, जहाँ 35 प्रतिशत परिवर्तन केंद्रों में आर्किटेक्ट्स की मजबूत उपस्थिति देखी गई है। इसके अतिरिक्त, GCCs में वैश्विक भूमिकाओं का तेजी से विस्तार हो रहा है- जो वर्तमान में लगभग 6,500 से बढ़कर 2030 तक 30,000 से अधिक हो जाने की संभावना है, जिसे नेतृत्व विकसित करने हेतु सशक्त प्रशिक्षण कार्यक्रमों द्वारा समर्थित है। कृत्रिम बुद्धिमत्ता (AI) और मशीन लर्निंग (ML) को अपनाने और AI उत्कृष्टता केंद्रों (AI Centres of Excellence) की स्थापना ने GCC परिदृश्य को और सुदृढ़ किया है, जिससे भारत की मजबूत मध्य-प्रबंधन प्रतिभा का कुशल उपयोग संभव हुआ है।

ooo

16

शब्दावली
(Terminology)

(अधिकांश शब्दों को पुस्तक में संबंधित विषयों में शामिल/परिभाषित किया गया है। निम्नलिखित विविध/अतिरिक्त शब्द हैं जो किसी विशिष्ट अध्याय से संबंधित नहीं हैं)।

- **पूर्ण गरीबी (Absolute poverty):** यह एक निर्धारित मानक को संदर्भित करता है जो समय के साथ नहीं बदलता है (*मुद्रास्फीति को ध्यान में रखा जाता है*)। पूर्ण गरीबी की गणना करने के लिए, हम निर्वाह स्तर के जीवन के लिए आवश्यक न्यूनतम भौतिक वस्तुओं का अनुमान लगाते हैं और फिर इसे बाजार मूल्य स्तर पर मौद्रिक शब्दों में परिवर्तित करते हैं। पूर्ण गरीबी का एक आय-संबंधी उदाहरण 'प्रति दिन X रुपए से कम पर रहने वाले व्यक्ति' होंगे।
- **समूहन अर्थव्यवस्था (Agglomeration Economy):** एक स्थानीय अर्थव्यवस्था जिसमें बड़ी संख्या में कंपनियाँ, सेवाएँ और उद्योग एक-दूसरे के बहुत करीब होते हैं और इस निकटता के परिणामस्वरूप लागत में कमी और दक्षता में लाभ उठाते हैं।
- **एल्गोरिथमिक ट्रेडिंग (Algorithmic trading):** इसे ऑटोमेटेड ट्रेडिंग, ब्लैक-बॉक्स ट्रेडिंग या एल्गो-ट्रेडिंग भी कहा जाता है, इसमें एक कंप्यूटर प्रोग्राम का उपयोग किया जाता है जो ट्रेड करने के लिए निर्देशों के एक निर्धारित सेट (एल्गोरिथ्म) का पालन करता है। निर्देशों के परिभाषित सेट समय, मूल्य, मात्रा या किसी गणितीय मॉडल पर आधारित होते हैं। व्यापारी के लिए लाभ के अवसरों के अलावा, एल्गो-ट्रेडिंग मानवीय भावनाओं के व्यापारिक गतिविधियों पर प्रभाव को समाप्त करके बाजारों को अधिक तरल और व्यापार को अधिक व्यवस्थित बनाती है।
- **वैकल्पिक निवेश कोष (Alternative Investment Fund-AIF):** वैकल्पिक निवेश कोष का अर्थ है भारत में स्थापित या निगमित कोई भी कोष (और सेबी द्वारा विनियमित) जो एक निजी रूप से एकत्रित निवेश साधन है जो अपने निवेशकों के लाभ के लिए एक परिभाषित निवेश नीति के अनुसार निवेश करने के लिए परिष्कृत निवेशकों, चाहे वे भारतीय हों या विदेशी, से धन एकत्र करता है।
- **एंकर निवेशक (Anchor investor):** एंकर निवेशक सेबी द्वारा 2009 में शुरू की गई अवधारणा है। एंकर निवेशक संस्थागत निवेशक (व्यक्तिगत नहीं) होते हैं जिन्हें आईपीओ खुलने से पहले शेयरों की सदस्यता लेने/खरीदने के लिए आमंत्रित किया जाता है ताकि यह मुद्दे को लोकप्रिय बनाए और अन्य निवेशकों का विश्वास बढ़ाए और शेयर की माँग में सुधार करे।
- **एंजल निवेशक (Angel Investor):** एंजल निवेशक वह व्यक्ति होता है जो अत्यधिक जोखिम वाली कंपनियों में निवेश करता है, आमतौर पर उन कंपनियों के कोई राजस्व या लाभ होने से पहले। एंजल निवेशक अक्सर उद्यमी के परिवार और दोस्तों में से होते हैं और छोटे स्टार्ट-अप और उद्यमियों में निवेश करते हैं और अधिक अनुकूल शर्तें प्रदान करते हैं। एंजल निवेशक स्टार्ट-अप को उनके व्यवसाय से मिलने वाले संभावित लाभ के बजाय उनके पहले कदम उठाने में मदद करने पर ध्यान केंद्रित करते हैं। एंजल निवेशकों के साथ फंड जुटाना आम तौर पर नेटवर्किंग और क्राउड फंडिंग प्लेटफॉर्म का उपयोग करके अधिक आकस्मिक रूप से किया जाता है। एंजल निवेशक वेंचर केपिटलिस्ट के विपरीत

होते हैं। एंजल निवेशक आम तौर पर स्वयं के पैसे का उपयोग करते हैं, वेंचर केपिटलिस्ट के विपरीत जो कई अन्य निवेशकों से एकत्रित धन का ध्यान रखते हैं और उन्हें रणनीतिक रूप से प्रबंधित फंड में रखते हैं। भारत में एंजल निवेश को सेबी द्वारा वैकल्पिक निवेश कोष (एआईएफ) के तहत विनियमित किया जाता है।

- **परिसंपत्ति देयताएँ असंतुलन (Asset Liability Mismatch):** जब कोई बैंक 5 साल के लिए उधार लेता है और 10 साल के लिए उधार देता है, तो इसका मतलब है कि बैंक को 5 साल बाद अपनी देनदारी का भुगतान करना होगा लेकिन उसने जो ऋण दिया है (बैंक के लिए संपत्ति) वह 10 साल बाद ही आएगा। इसलिए, बैंक की परिसंपत्तियों और देनदारियों के कार्यकाल में एक बेमेल है और बैंक को 5 साल बाद अन्य स्रोतों से धन की व्यवस्था करनी पड़ सकती है। इसलिए, बैंकों और NBFC जैसे अन्य वित्तीय संस्थानों को इस तरह की चुनौती का सामना करना पड़ सकता है, जिसे एसेट लायबिलिटी मिसमैच कहा जाता है।
- **बैलेंस शीट मंदी (Balance Sheet Recession):** बैलेंस शीट मंदी एक प्रकार की आर्थिक मंदी है जो तब होती है जब निजी क्षेत्र, घरेलू या सरकारी क्षेत्रों में से किसी एक (या सभी) के ऋण का उच्च स्तर उन्हें खर्च या निवेश करने के बजाय ऋण का भुगतान करके बचत पर ध्यान केंद्रित करने के लिए मजबूर करता है, जिससे आर्थिक विकास धीमा या कम हो जाता है। कोविड-19 हमें बैलेंस शीट मंदी में ले जा सकता है।
- **द्विपक्षीय जाल (Bilateral Netting):** एक द्विपक्षीय नेटिंग समझौता एक वित्तीय अनुबंध में दो प्रतिपक्षों को एक-दूसरे के खिलाफ दावों की भरपाई करने में सक्षम बनाता है ताकि एक प्रतिपक्ष से दूसरे को देय एकल शुद्ध भुगतान दायित्व निर्धारित किया जा सके।
- **बेल-इन और बेल-आउट (Bail-in and bail-out):** बेल-इन एक वित्तीय संस्थान को उसके लेनदारों और जमाकर्ताओं को उनकी होल्डिंग्स/जमा पर नुकसान उठाकर विफलता से बचाना है। बेल-इन एक बेल-आउट के विपरीत है, जिसमें बाहरी पक्षों द्वारा एक संस्थान/वित्तीय संस्थान को बचाया जाता है, जैसे आमतौर पर करदाताओं के पैसे का उपयोग करके सरकार द्वारा।
- **नकद जमा अनुपात (Cash Deposit Ratio):** बैंकों का नकद-जमा अनुपात, हाथ में नकदी (अर्थात बैंकों में) और आरबीआई के पास शेष राशि (जमा) का बैंक के साथ कुल (माँग और समय) जमा के प्रतिशत के रूप में अनुपात है।
- **नकदी प्रवाह आधारित ऋण (Cash flow-based lending):** नकदी प्रवाह का अर्थ है वह नियमित आय जो किसी व्यवसाय को उसके संचालन से प्राप्त होती है। आमतौर पर, बैंक इस आधार पर ऋण देते हैं कि कोई व्यक्ति कितना संपार्श्विक रखने को तैयार है या कंपनी की संपत्ति क्या है। यह संपार्श्विक/संपत्ति दिए गए ऋण के लिए सुरक्षा के रूप में कार्य करती है। नकदी प्रवाह आधारित ऋण का अर्थ है कि ऋण देते समय बैंकों को संपार्श्विक की तलाश नहीं करनी चाहिए, बल्कि उन्हें यह देखना चाहिए कि क्या व्यवसाय पर्याप्त नियमित आय (नकदी प्रवाह) उत्पन्न कर रहा है ताकि व्यवसाय ऋण चुकाने में सक्षम हो। इस तरह बैंक अधिक ऋण दे पाएँगे और ऋण/जीडीपी अनुपात में सुधार किया जा सकेगा। नकदी प्रवाह ऋण में, एक वित्तीय संस्थान एक ऋण देता है जो प्राप्तकर्ता के पिछले और भविष्य के नकदी प्रवाह द्वारा समर्थित होता है जिसे वे भविष्य में प्राप्त करने का अनुमान लगाते हैं।
- **परिपत्र अर्थव्यवस्था (Circular Economy):** एक परिपत्र अर्थव्यवस्था एक औद्योगिक प्रणाली है जो उद्देश्य और डिजाइन द्वारा पुनर्योजी होती है। यह जीवन के उद्देश्य की अवधारणा को पुनर्स्थापन के साथ प्रतिस्थापित करती है, नवीकरणीय ऊर्जा के उपयोग की ओर स्थानांतरित होती है, विषाक्त रसायनों के उपयोग को समाप्त करती है, जो पुन: उपयोग और जीवमंडल में वापसी को बाधित करते हैं, और सामग्री, उत्पादों, प्रणालियों और व्यापार मॉडल के बेहतर डिजाइन के माध्यम से अपशिष्ट को समाप्त करने का लक्ष्य रखते हैं।
- **कोर मुद्रास्फीति (Core Inflation):** यह अस्थिर घटकों अर्थात खाद्य और ईंधन वस्तुओं को छोड़कर हेडलाइन मुद्रास्फीति का एक उपाय है।
- **मुद्रास्फीति (Creeping Inflation):** जब कीमतों में वृद्धि बहुत धीमी होती है (प्रति वर्ष 3% से कम), इसे मंद स्फीति कहा जाता है। कीमतों में इस तरह की वृद्धि

को आर्थिक विकास के लिए सुरक्षित और आवश्यक माना जाता है।

- **क्रॉस-प्रतिशोध (Cross-Retaliation):** पारंपरिक प्रतिशोध प्रक्रिया के तहत, एक डब्ल्यूटीओ सदस्य उसी क्षेत्र में गैर-अनुपालन करने वाले सदस्य द्वारा प्राप्त व्यापार रियायतों को निलंबित करके विवाद निपटान निकाय (डीएसबी) के फैसले को लागू कर सकता है। हालाँकि, आर्थिक रूप से अधिक शक्तिशाली WTO सदस्यों को, काफी कम शक्तिशाली सदस्यों द्वारा वस्तुओं या सेवाओं में व्यापार रियायतों के निलंबन से नुकसान होने की संभावना नहीं है। उपरोक्त समस्या के समाधान में 'क्रॉस-रिटेलिएशन' प्रस्तावित है और विवाद निपटान तंत्र द्वारा अपनाया गया है। क्रॉस-रिटेलिएशन के तहत शिकायतकर्ता सदस्य देश गैर-शिकायत राष्ट्र के बौद्धिक संपदा अधिकारों को निलंबित कर सकता है। 'क्रॉस-रिटेलिएशन' में चूक करने वाले देशों और विशेष रूप से विकसित देशों द्वारा अनुपालन की बेहतर संभावना है, क्योंकि यह बौद्धिक संपदा अधिकारों के संरक्षण के संबंध में विकसित देशों के बीच निरोधक का कार्य करता है।
- **क्रॉस-सब्सिडी (Cross-Subsidization):** क्रॉस सब्सिडी एक उत्पाद को दूसरे उत्पाद से उत्पन्न लाभ से वित्तपोषित करने की प्रक्रिया है।
- **क्राउड फंडिंग (Crowd funding):** क्राउड फंडिंग या मार्केटप्लेस फाइनेंसिंग एक ऐसी विधि है जिसमें बड़ी संख्या में लोगों से जुटाई गई छोटी राशि के माध्यम से किसी परियोजना या नए उद्यम को वित्तपोषित किया जाता है, आमतौर पर एक पोर्टल (इंटरनेट/सोशल मीडिया) के माध्यम से जो मध्यस्थ के रूप में कार्य करता है। क्राउड फंडिंग सोशल मीडिया और क्राउड फंडिंग वेबसाइट के माध्यम से लोगों के विशाल नेटवर्क की आसान पहुँच का उपयोग निवेशकों और उद्यमियों को एक साथ लाने के लिए करती है। क्राउड फंडिंग में निवेशकों के पूल का विस्तार करके उद्यमिता को बढ़ाने की क्षमता है, जिनसे स्वामियों के पारंपरिक दायरे से परे धन जुटाया जा सकता है।
- **प्रलंबित ऋण (Debt Overhang):** यह एक ऐसे ऋण बोझ को संदर्भित करता है जो इतना बड़ा है कि कोई इकाई भविष्य की परियोजनाओं को वित्तपोषित करने के लिए अतिरिक्त ऋण नहीं ले सकती है। प्रलंबित ऋण वर्तमान निवेश को हतोत्साहित करने का काम करता है, क्योंकि नई परियोजनाओं से होने वाली सारी कमाई केवल ऋण के पुनर्भुगतान में ही चली जाएगी।
- **ऋण पुनर्गठन (Debt Restructuring):** ऋण पुनर्गठन एक ऐसी प्रक्रिया है जिसका उपयोग नकदी प्रवाह की समस्याओं या वित्तीय संकट का सामना करने वाली कंपनियों द्वारा डिफॉल्ट के जोखिम से बचने के लिए किया जाता है। इसे ऋणों पर ब्याज दरों को कम करके या भुगतान अवधि को बढ़ाकर किया जा सकता है। इसमें बॉन्ड हेयरकट भी शामिल हो सकता है, जहाँ कंपनी निवेशकों को देय ब्याज या मूलधन के कुछ हिस्से को बट्टे खाते में डालने (कम करने/हटाने/बुझाने) के लिए बातचीत कर सकती है। इसमें इक्विटी/शेयर स्वैप के लिए ऋण भी शामिल हो सकता है जिसका अर्थ है कि कंपनी के लेनदार कंपनी में इक्विटी/शेयर के बदले में कुछ या सभी ऋण को रद्द करने के लिए सहमत हो सकते हैं। ऋण पुनर्गठन दोनों संस्थाओं के लिए फायदेमंद हो सकता है क्योंकि कंपनी दिवालियापन से बचती है और ऋणदाताओं को आम तौर पर दिवालियापन कार्यवाही के माध्यम से जितना मिलता है उससे अधिक मिलता है।
- **ऋण जाल (Debt Trap):** यह एक ऐसी स्थिति है जिसमें ऋण चुकाना मुश्किल या असंभव हो जाता है, आमतौर पर क्योंकि उच्च ब्याज भुगतान मूलधन के पुनर्भुगतान में समस्या उत्पन्न करते हैं। यह उधारकर्ता को फिर से उधार लेने, या अपने ऋण भुगतान को आगे बढ़ाने के चक्र में ले जाता है।
- **ऋण न्यूनीकरण (Deleverage):** डीलीवरेज का मतलब है कर्ज कम करना (संपत्तियों को बेचकर)। लीवरेज्ड कंपनी का मतलब है ऐसी कंपनी जिसकी बैलेंस शीट पर बहुत ज्यादा कर्ज/लोन हो।
- **डिजिटल बैंकिंग यूनिट (Digital Banking Unit-DBU):** DBU भौतिक बैंकिंग यूनिट हैं जो बिना कागज की जरूरत के सेवाएँ प्रदान करेंगी। इन DBU में

उत्पाद और सेवाएँ दो मोड में प्रदान की जाएँगी, अर्थात् स्व-सेवा और सहायता प्राप्त मोड, जिसमें स्व-सेवा मोड 24'7'365 आधार पर उपलब्ध होगा। बैंक DBU के पदचिह्नों का विस्तार करने के लिए डिजिटल व्यापार सुविधाकर्ताओं और व्यापार संवाददाताओं की सेवाएँ लेने के लिए भी स्वतंत्र हैं। अक्टूबर 2022 में, अनुसूचित वाणिज्यिक बैंकों ने 75 जिलों में 75 DBU लॉन्च किए।

- **ड्यूटी क्रेडिट स्क्रिप (Duty credit scrip):** यह सरकार द्वारा निर्यातकों को प्रदान किया जाने वाला एक महत्वपूर्ण निर्यात संवर्धन प्रोत्साहन है जिसमें सरकार निर्यातकों को कर प्रोत्साहन देती है। सरकार निर्यातक को निर्यात मूल्य के कुछ प्रतिशत (2% से 5%) के बराबर रसीद/कागज देती है। इस पेपर का उपयोग निर्यातक कर भुगतान के विरुद्ध समायोजन करने के लिए करता है, उदाहरण के लिए निर्यात के लिए उपयोग किए जाने वाले कच्चे माल पर आयात शुल्क या विनिर्माण प्रक्रियाओं पर अन्य कर।

- **पैमाने की अर्थव्यवस्थाएँ (Economies of Scale):** ये लागत लाभ हैं जो उद्यम अपने संचालन के पैमाने/आकार के कारण प्राप्त करते हैं। मूल रूप से, जब किसी कारखाने का आकार बढ़ता है, तो प्रति इकाई लागत कम हो जाती है।

- **रोजगार लोच (विकास की) (Employment Elasticity (of growth)):** यह आर्थिक विकास में 1 प्रतिशत बिंदु परिवर्तन से जुड़े **रोजगार** में प्रतिशत परिवर्तन का एक उपाय है। 0.01 की रोजगार लोच का अर्थ है कि सकल घरेलू उत्पाद में प्रत्येक 1 प्रतिशत बिंदु वृद्धि के साथ, रोजगार में केवल .01 प्रतिशत की वृद्धि होती है। रोजगार लोच 1990 के दशक में 0.4 से लगातार गिरकर 2014 में 0.2 और फिर अब 0.1 हो गई है।

- **ऋणों का सदाबहारीकरण (Evergreening of Loans):** यह एक ऐसी प्रथा है जिसके तहत बैंक ऋणग्रस्त कंपनियों को पिछले ऋणों को चुकाने में मदद करने के लिए और भी अधिक ऋण देते हैं।

- **वित्तीय दमन (Financial repression):** यह तब होता है जब सरकारें अपने लिए निधियों को गतिशील करने के लिए नीतियों को लागू करती हैं जो एक अनियंत्रित बाजार के माहौल में कहीं और जातीं।

- **राजकोषीय खिंचाव (Fiscal Drag):** यह एक ऐसी स्थिति है जहाँ आय वृद्धि या मुद्रास्फीति करदाताओं को उच्च कर ब्रैकेट में ले जाती है। यह वास्तव में कर दरों में वृद्धि किए बिना सरकारी कर राजस्व को बढ़ाता है। करों में वृद्धि से कुल माँग और उपभोक्ता खर्च कम हो जाता है क्योंकि लोगों की आय का एक बड़ा हिस्सा अब करों में चला जाता है, जिससे अर्थव्यवस्था पर अपस्फीतिकारी दबाव या खिंचाव होता है। राजकोषीय खिंचाव एक स्वचालित राजकोषीय स्थिरता है क्योंकि यह तेजी से बढ़ती अर्थव्यवस्था को अधिक गरम होने से नियंत्रित करता है।

- **राजकोषीय प्रभुत्व (Fiscal Dominance):** राजकोषीय प्रभुत्व तब होता है जब केंद्रीय बैंक सरकारी प्रतिभूतियों की कीमतों का समर्थन करने और संप्रभु/सरकारी ऋण की सेवा की लागत को कम करने के लिए ब्याज दरों को कम स्तर पर रखने के लिए अपनी मौद्रिक शक्तियों का उपयोग करते हैं। राजकोषीय प्रभुत्व का तात्पर्य है कि राजकोषीय विचार एक स्वतंत्र और विवेकपूर्ण मौद्रिक नीति के दायरे को सीमित करते हैं।

- **राजकोषीय चूक (Fiscal Slippage):** यह देश के बजट में व्यय, प्राप्तियाँ, घाटा आदि जैसे राजकोषीय लक्ष्यों के चूक जाने को संदर्भित करती है।

- **अप्रत्याशित घटना (Force Majeure):** अप्रत्याशित घटना एक फ्रांसीसी मुहावरा है जिसका अर्थ है 'श्रेष्ठ बल'। अप्रत्याशित घटना से संबंधित कानून भारतीय अनुबंध अधिनियम, 1872 की धारा 32 और 56 के अंतर्गत सन्निहित है। यह पार्टियों के बीच सहमति से किया गया एक संविदात्मक प्रावधान है। अप्रत्याशित घटना किसी पार्टी को संविदात्मक दायित्व को पूरा करने में विफलता के लिए देयता से बचाती है। आम तौर पर, अप्रत्याशित घटना में ईश्वरीय कृत्य या प्राकृतिक आपदाएँ, युद्ध या युद्ध जैसी परिस्थितियाँ, महामारी आदि शामिल होते हैं। अप्रत्याशित घटना खंड का

उद्देश्य प्रदर्शन करने वाले पक्ष को किसी ऐसी चीज के परिणामों से बचाना है जिस पर उसका कोई नियंत्रण नहीं है। अप्रत्याशित घटना एक अपवाद है जो अनुबंध के उल्लंघन के बराबर होगा। इस शब्द का इस्तेमाल आम तौर पर वाणिज्यिक अनुबंधों में किया जाता है।

- **अग्र मार्गदर्शन (Forward Guidance):** यह अर्थव्यवस्था की स्थिति और मौद्रिक नीति के संभावित भविष्य की गतिविधि के बारे में केंद्रीय बैंक से संचार को संदर्भित करता है।
- **गिग-अर्थव्यवस्था (Gig-Economy):** स्थायी नौकरियों के विपरीत अल्पकालिक अनुबंधों या फ्रीलांस काम के प्रचलन की विशेषता वाला श्रम बाजार गिग-अर्थव्यवस्था कहलाता है।
- **हार्ड करेंसी (Hard Currency):** यह उस मुद्रा को संदर्भित करता है जो किसी ऐसे देश द्वारा जारी किया जाता है जिसे राजनीतिक और आर्थिक रूप से स्थिर माना जाता है। हार्ड करेंसी को दुनिया भर में वस्तुओं और सेवाओं के भुगतान के रूप में व्यापक रूप से स्वीकार किया जाता है और इसके अपेक्षाकृत स्थिर रहने की उम्मीद है।
- **हेडकाउंट अनुपात (Headcount Ratio):** यह गरीबी रेखा से नीचे रहने वाली आबादी का अनुपात है।
- **हेडलाइन मुद्रास्फीति (Headline Inflation):** यह अर्थव्यवस्था में सभी प्रकार की वस्तुओं के कारण उत्पन्न होने वाली मूल्य मुद्रास्फीति को मापता है।
- **चलायमान धन (Hot Money):** यह उस मुद्रा को संदर्भित करता है जो उच्च अल्पकालिक ब्याज दरों की तलाश में वित्तीय बाजारों के बीच तेजी से और नियमित रूप से चलती है। हॉट मनी लगातार कम ब्याज दरों वाले देशों से उच्च दरों वाले देशों में स्थानांतरित होती रहती है। ये वित्तीय हस्तांतरण विनिमय दर को प्रभावित करते हैं और किसी देश के भुगतान संतुलन को प्रभावित करते हैं।
- **मुद्रास्फीति प्रीमियम (Inflation Premium):** वह उच्च रिटर्न जिसकी निवेशक दीर्घकालिक सुरक्षा में निवेश के बदले में माँग करते हैं, जहाँ मुद्रास्फीति के कारण वास्तविक रिटर्न कम होने की अधिक संभावना होती है।
- **बीमा घनत्व (Insurance Density):** इसे कुल जनसंख्या के लिए प्रीमियम (अमेरिकी डॉलर में) के अनुपात के रूप में मापा जाता है।
- **बीमा प्रवेश (Insurance Penetration):** इसे सकल घरेलू उत्पाद में बीमा प्रीमियम के प्रतिशत के रूप में मापा जाता है।
- **अंतर-संबंधित उधार (Inter-connected Lending):** यह एक ऐसी स्थिति को संदर्भित करता है जहाँ बैंक का प्रमोटर/स्वामी भी उधारकर्ता होता है और इस तरह, प्रमोटर के लिए जमाकर्ताओं के पैसे को अपनी स्वयं की समूह कंपनियों में डालना संभव होता है।
- **अदृश्य हाथ (Invisible Hand):** इस वाक्यांश को 'एडम स्मिथ' ने अपनी पुस्तक 'द वेल्थ ऑफ नेशंस' में लिखा था। यह अदृश्य शक्तियों (माँग और आपूर्ति) के लिए एक रूपक है जो मुक्त बाजार अर्थव्यवस्था को आगे बढ़ाते हैं। व्यक्तिगत स्वार्थ और उत्पादन के साथ-साथ उपभोग की स्वतंत्रता के माध्यम से, समग्र रूप से समाज का सर्वोत्तम हित पूरा होता है।
- **निवेश गुणक (Investment Multiplier):** यह उत्पादन (जीडीपी) में परिवर्तन और निवेश में परिवर्तन का अनुपात है। उदाहरण के लिए, यदि 100 करोड़ रुपए के निवेश के परिणामस्वरूप, जीडीपी में 100 करोड़ रुपए की वृद्धि होती है। 300 करोड़ तो निवेश गुणक 3 के बराबर है। इसका मतलब है कि अगर निवेश गुणक अधिक है, तो हम कम निवेश के साथ उत्पादन (जीडीपी) में उच्च वृद्धि हासिल कर सकते हैं।
- **श्रम बल (Labour Force):** नियोजित व्यक्तियों की संख्या और बेरोजगार व्यक्तियों की संख्या को श्रम बल कहा जाता है।
- **श्रम बल भागीदारी दर (LFPR) (Labour Force Participation Rate (LFPR)):** श्रम बल भागीदारी दर को श्रम बल में जनसंख्या के प्रतिशत के रूप में परिभाषित किया जाता है। (श्रम बल/जनसंख्या)
- **लाफर वक्र (Laffer Curve):** आर्थर लाफर द्वारा लाफर वक्र का विकास कर दरों और सरकार द्वारा एकत्र किए गए कर राजस्व की राशि के बीच संबंध दिखाने के लिए किया गया था। कर दर में वृद्धि के साथ, पहले

कर राजस्व बढ़ता है और एक निश्चित कर दर पर, कर राजस्व अधिकतम होता है और उसके बाद, कर राजस्व में गिरावट शुरू होती है।

- **साख पत्र (Letter of Credit):** यह बैंक की ओर से एक पत्र है जो गारंटी देता है कि विक्रेता को खरीदार का भुगतान समय पर और सही राशि के लिए प्राप्त होगा। इस घटना में कि खरीदार खरीद पर भुगतान करने में असमर्थ है, बैंक को खरीद की पूरी या शेष राशि को कवर करना होगा। दरअसल, व्यापार के मामले में, जब कोई विक्रेता कुछ बेचता है तो खरीदार आम तौर पर 15/30 दिनों के बाद भुगतान करता है। लेकिन अपने भुगतान को सुरक्षित करने के लिए, विक्रेता खरीदार से 'लेटर ऑफ क्रेडिट' माँगता है, जो वह बैंक से प्राप्त करता है। और बैंक लेटर ऑफ क्रेडिट इसलिए देता है क्योंकि बैंक खरीदार पर भरोसा करता है और खरीदार लंबे समय से बैंक के साथ बैंकिंग कर रहे हैं और बैंक लेटर ऑफ क्रेडिट प्रदान करने के लिए खरीदार से कुछ मार्जिन/सुरक्षा भी माँग सकता है।
- **अंडरटेकिंग पत्र (Letter of Undertaking):** अंतर्राष्ट्रीय बैंकिंग प्रणाली में, यह बैंक गारंटी का एक प्रावधान है, जिसके तहत एक भारतीय बैंक अपने ग्राहक (जैसे किसी विदेशी देश से कुछ आयात करने के लिए) को किसी अन्य भारतीय बैंक की विदेशी शाखा से अल्पकालिक ऋण के रूप में धन जुटाने की अनुमति देता है।
- **साख रेखा (Line of Credit):** यह एक पूर्व-निर्धारित राशि है जिसे बैंक आपको उधार देने के लिए सहमत हुआ है। आप अपनी जरूरत के अनुसार लाइन ऑफ क्रेडिट से अधिकतम राशि तक निकाल सकते हैं। आप केवल उधार ली गई राशि पर ही ब्याज देंगे।
- **उत्तोलन अनुपात (Leverage Ratio):** यह किसी कंपनी के पास उसकी इक्विटी/शेयर धारक पूँजी की तुलना में ऋण का अनुपात है।
- **तरलता कवरेज अनुपात (Liquidity Coverage Ratio (LCR):** LCR की गणना संस्था (बैंक/NBFC) की उच्च-गुणवत्ता वाली तरल संपत्तियों (उदाहरण के लिए नकदी, सरकारी प्रतिभूतियाँ, विदेशी सरकारों द्वारा जारी या गारंटीकृत प्रतिभूतियाँ आदि) को 30 दिनों की अवधि में उसके कुल शुद्ध नकदी प्रवाह से विभाजित करके की जाती है। IL-FS और HDFL संकट की पृष्ठभूमि में, RBI ने 24 मई 2019 को इस क्षेत्र में तरलता के मुद्दों से निपटने में मदद करने के लिए बड़ी NBFC के लिए LCR शुरू करने का प्रस्ताव रखा। NBFC को 1 दिसंबर, 2020 से शुरू होने वाले अगले 30 केलेंडर दिनों में कुल शुद्ध नकदी बहिर्वाह के 50% की न्यूनतम उच्च-गुणवत्ता वाली तरल संपत्ति बनाए रखनी होगी। मान लीजिए कि अगले 30 दिनों के लिए बैंक का अपेक्षित नकदी बहिर्वाह/खर्च 150 रुपए है और नकदी प्रवाह 50 रुपए होने की आशा है,जिसका अर्थ है कि अगले 30-दिन की अवधि के लिए शुद्ध नकदी बहिर्वाह 100 रुपए है। ऐसे मामले में यदि बैंक के पास 60 रुपए की नकदी और सरकारी प्रतिभूतियाँ (जिन्हें उच्च गुणवत्ता वाली तरल संपत्ति कहा जाता है) हैं, तो LCR = (उच्च गुणवत्ता वाली तरल संपत्ति)/(30 दिन की अवधि के लिए बैंकों का शुद्ध नकदी बहिर्वाह) = 60 रुपए / 100 रुपए = 60%।
- **बाजार विकृति (Market Distortion):** यह एक आर्थिक परिदृश्य है जो तब होता है जब किसी शासी निकाय द्वारा किसी बाजार में हस्तक्षेप किया जाता है। यह हस्तक्षेप मूल्यसीमा, मूल्य तल, कर या सब्सिडी या मात्रा आदि से संबंधित किसी अन्य प्रकार के प्रतिबंध का रूप ले सकता है। बाजार विकृतियाँ बाजार विफलताएँ पैदा करती हैं, जो आर्थिक रूप से आदर्श स्थिति नहीं है। बाजार विकृतियाँ अक्सर सरकारी नीतियों का उप-उत्पाद होती हैं जिनका उद्देश्य सभी बाजार प्रतिभागियों की सामान्य भलाई की रक्षा करना और उसे बढ़ाना होता है।
- **बाजार विफलता (Market Failure):** यह मुक्त बाजार में वस्तुओं और सेवाओं के अकुशल वितरण द्वारा परिभाषित आर्थिक स्थिति है। बाजार विफलता में, तर्कसंगत व्यवहार के लिए व्यक्तिगत प्रोत्साहन समूह के लिए तर्कसंगत परिणामों की ओर नहीं ले जाते हैं। सार्वजनिक वस्तुएँ बाजार विफलता के उदाहरण हैं।
- **न्यूनतम निर्यात मूल्य (एमईपी) (Minimum Export Price-MEP):** यह वह मूल्य है जिसके नीचे निर्यात

की अनुमति नहीं है। इसे मूल्य वृद्धि को रोकने और घरेलू आपूर्ति में व्यवधान को रोकने के लिए लगाया जाता है।

- **न्यूनतम आयात मूल्य (एमआईपी) (Minimum Import Price-MIP):** यह वह मूल्य है जिसके नीचे आयात की अनुमति नहीं है। इसे आयात को रोकने और घरेलू उत्पादकों की सुरक्षा के लिए लगाया जाता है।
- **मौद्रिक संचरण (Monetary Transmission):** यह आरबीआई की नीतिगत कार्रवाइयों का परिसंपत्ति मूल्यों और सामान्य आर्थिक स्थितियों के संदर्भ में अर्थव्यवस्था में व्यापक रूप से हस्तांतरण है।
- **म्यूचुअल फंड (Mutual Fund):** यह एक प्रकार का वित्तीय साधन है जो कई निवेशकों से एकत्रित धन के पूल से बना है, जिसे स्टॉक, बॉन्ड, मनी मार्केट इंस्ट्रूमेंट और अन्य परिसंपत्तियों जैसी प्रतिभूतियों में निवेश किया जाता है। म्यूचुअल फंड पेशेवर मनी मैनेजर द्वारा संचालित होते हैं, जो फंड की परिसंपत्तियों को आवंटित करते हैं और फंड के निवेशकों के लिए पूँजीगत लाभ या आय उत्पन्न करने का प्रयास करते हैं। म्यूचुअल फंड छोटे या व्यक्तिगत निवेशकों को इक्विटी, बॉन्ड और अन्य प्रतिभूतियों के पेशेवर रूप से प्रबंधित पोर्टफोलियो तक पहुँच प्रदान करते हैं। इसलिए, प्रत्येक शेयरधारक फंड के लाभ या हानि में आनुपातिक रूप से भाग लेता है।
- **राष्ट्रीय लघु बचत कोष (NSSF)(National Small Savings Funds (NSSF):** भारत के सार्वजनिक खाते के तहत 1999 में स्थापित एक कोष है। सार्वजनिक भविष्य निधि (PPF), डाकघर जमा योजना, सुकन्या समृद्धि योजना आदि जैसी विभिन्न लघु बचत योजनाओं के तहत प्राप्तियाँ इस कोष में जाती हैं।
- **नकारात्मक सहमति (Negative Consensus):** WTO के विवाद निपटान निकाय के तहत, WTO पैनल के निर्णय को केवल नकारात्मक सहमति से ही खारिज किया जा सकता है, यानी सभी उपस्थित सदस्य देशों को निर्णय को अस्वीकार करना होगा।
- **गैर-परिवर्तनीय डिबेंचर (NCD)(Non-Convertible Debentures-NCD):** गैर-परिवर्तनीय डिबेंचर (NCD) वित्तीय साधन हैं जो कंपनियों द्वारा मध्यम से दीर्घकालिक पूँजी जुटाने के लिए जारी किए जाते हैं। NCD एक निश्चित अवधि वाले ऋण साधन हैं और इनमें निवेश करने वाले लोगों को एक निश्चित दर पर नियमित ब्याज मिलता है। कुछ डिबेंचर को एक निश्चित समय के बाद शेयरों में बदला जा सकता है। यह मालिक के विवेक पर किया जाता है। हालाँकि, NCD के मामले में यह संभव नहीं है। इसलिए उन्हें गैर-परिवर्तनीय के रूप में जाना जाता है। NCD सुरक्षित या असुरक्षित दोनों हो सकते हैं। वे स्टॉक एक्सचेंजों में सूचीबद्ध हैं।
- **गैर-टैरिफ बाधाएँ (Non-Tariff Barriers):** ये व्यापार बाधाएँ हैं जो टैरिफ के अलावा अन्य तरीकों से माल के आयात या निर्यात को प्रतिबंधित करती हैं। डब्ल्यूटीओ व्यापार के लिए विभिन्न गैर-टैरिफ बाधाओं की पहचान करता है, जिसमें आयात लाइसेंसिंग, शिपमेंट से पहले निरीक्षण, उत्पत्ति के नियम, कस्टम विलंबक और अन्य तंत्र शामिल हैं जो व्यापार को रोकते या प्रतिबंधित करते हैं।
- **ओपन एक्सेस (बिजली) (Open Access - Electricity):** ओपन एक्सेस लाइसेंसधारियों (कंपनी जिसने ऐसा बुनियादी ढाँचा प्रदान किया है) के ट्रांसमिशन और वितरण बुनियादी ढाँचे का गैर-भेदभावपूर्ण उपयोग है, जो उपभोक्ताओं (1 MW से अधिक या उसके बराबर माँग वाले) द्वारा अपनी पसंद के स्रोत से बिजली खरीदने के लिए किया जाता है।
- **खुलापन (अर्थव्यवस्था का) (Openness (of an economy):** इसे किसी देश के निर्यात और वस्तुओं और सेवाओं के आयात के रूप में उसके सकल घरेलू उत्पाद के प्रतिशत के रूप में मापा जाता है।
- **परिचालन अनुपात (Operating Ratio):** राजस्व/बिक्री के प्रतिशत के रूप में कंपनी का परिचालन व्यय। परिचालन अनुपात दिखाता है कि राजस्व या बिक्री उत्पन्न करते समय लागत कम रखने में कंपनी का प्रबंधन कितना कुशल है। यदि यह अनुपात घट रहा है तो इसका मतलब है कि कंपनी अधिक कुशल बन रही है।

- **ओवरड्राफ्ट (Overdraft):** यह एक ऋण देने वाली संस्था से एक अल्पकालिक ऋण सुविधा है जो तब दी जाती है जब कोई खाता शून्य हो जाता है। ओवरड्राफ्ट खाताधारक को तब भी पैसे निकालने की अनुमति देता है जब खाते में कोई धनराशि न हो या निकासी की राशि को कवर करने के लिए पर्याप्त धनराशि न हो। **नकद ऋण** ओवरड्राफ्ट के समान है, लेकिन आमतौर पर व्यक्तिगत उपभोक्ताओं के बजाय व्यवसायों को दिया जाता है और इसमें आम तौर पर किसी प्रकार की संपार्श्विक राशि शामिल होती है। **ओवरड्राफ्ट** आमतौर पर खुदरा ग्राहकों को दिया जाता है और बैंक बचत खाते से जुड़ा होता है।
- **ओवरहेड पूँजी (Overhead Capital):** ओवरहेड कैपिटल को आर्थिक ओवरहेड कैपिटल और सामाजिक ओवरहेड कैपिटल में विभाजित किया जा सकता है। आर्थिक ओवरहेड केपिटल से तात्पर्य सड़क, रेलवे, बिजली पारेषण प्रणाली आदि जैसी चीजों से है; और सामाजिक ओवरहेड केपिटल शिक्षा, स्वास्थ्य, पुलिस, अग्निशमन आदि जैसी गतिविधियों में निवेश है।
- **अर्थव्यवस्था का अति तापन (Overheating of Economy):** ओवरहीटिंग अर्थव्यवस्था एक ऐसी अर्थव्यवस्था है जो अस्थिर दर से विस्तार कर रही है। ओवरहीटिंग अर्थव्यवस्था के दो मुख्य संकेत हैं, पहला मुद्रास्फीति की बढ़ती दरें; और दूसरा एक बेरोजगारी दर जो अर्थव्यवस्था के लिए सामान्य दर से नीचे होती है।
- **निर्धनता (Poverty):** यह एक ऐसी स्थिति है जिसमें किसी व्यक्ति या समुदाय के पास समाज में स्वीकार्य माने जाने वाले न्यूनतम जीवन स्तर और कल्याण का आनंद लेने के लिए वित्तीय संसाधनों और आवश्यक चीजों की कमी होती है।
- **निर्धनता का अंतर (Poverty Gap):** निर्धनता का अंतर वह अनुपात है जिसके द्वारा निर्धनों की औसत आय निर्धनता रेखा से नीचे आती है। निर्धनता के अंतर का उपयोग निर्धनता की तीव्रता को दर्शाने के लिए किया जाता है।
- **प्रावधान (Provisioning):** जब कोई बैंक ऋण देता है, तो उसे जमाकर्ताओं की सुरक्षा के लिए कुछ निधियाँ अलग रखनी पड़ती हैं (रिजर्व में रखना पड़ता है और ऋण नहीं दे सकता)। इसे ऋण के विरुद्ध प्रावधान कहते हैं और इसे दिए गए ऋण के प्रतिशत के रूप में व्यक्त किया जाता है। सामान्य/मानक ऋणों के लिए प्रावधान की आवश्यकता बहुत कम हो सकती है, लेकिन एनपीए बन चुके ऋणों के लिए प्रावधान की आवश्यकता बहुत अधिक हो सकती है। यदि RBI कहता है कि प्रावधान 1% है, तो इसका मतलब है कि यदि कोई बैंक 100 रुपए का ऋण देता है, तो उसे 1 रुपए अलग से आरक्षित निधि में रखने की आवश्यकता है।
- **सार्वजनिक फ्लोट (Public Float):** स्टॉक एक्सचेंज पर कारोबार किए जाने वाले शेयरों के प्रतिशत को 'सार्वजनिक फ्लोट' कहा जाता है और इन शेयरों को रखने वाले निवेशकों को 'सार्वजनिक निवेशक' कहा जाता है। शेष शेयर लॉक होते हैं और उनका कारोबार नहीं होता है और उन्हें प्रमोटर, कर्मचारी, सरकार आदि द्वारा रखा जाता है। 'आरंभिक सार्वजनिक पेशकश (IPO)' के दौरान, सार्वजनिक फ्लोट की न्यूनतम आवश्यकता 10% है और तीन वर्षों के भीतर सार्वजनिक फ्लोट 25% होना चाहिए। प्रमोटरों के पास कम से कम 20% शेयर होने चाहिए।
- **पंप प्राइमिंग (Pump Priming):** यह सरकार द्वारा खर्च और कर कटौती के माध्यम से, आमतौर पर मंदी के दौर में, अर्थव्यवस्था को प्रोत्साहित करने के लिए की गई कार्रवाई है। पंप प्राइमिंग शब्द पुराने पंपों के संचालन से लिया गया है – पंप को ठीक से काम करने के लिए सेक्शन वाल्व को पानी में मिलाना पड़ता था।
- **सापेक्ष गरीबी (Relative Poverty):** यह एक मानक को संदर्भित करता है जिसे उस समाज के संदर्भ में परिभाषित किया जाता है जिसमें कोई व्यक्ति रहता है और इसलिए जो समय के साथ बदलता रहता है। आय से संबंधित एक उदाहरण 'औसत भारतीय आय के X% से कम पर रहने वाले व्यक्ति' होंगे।
- **राजस्व तटस्थ कर दर (Revenue Neutral Tax Rate):** कर सुधारों में किसी भी बदलाव के परिणामस्वरूप देश द्वारा एकत्र किए गए राजस्व की

मात्रा में कमी हो सकती है। इसलिए, ऐसा कोई तरीका होना चाहिए जिसके माध्यम से इस प्रणाली में बदलाव से सरकार द्वारा संग्रह प्रभावित न हो। राजस्व तटस्थ दर या आरएनआर जैसा कि आमतौर पर जाना जाता है, वह कर दर है जो यह सुनिश्चित करती है कि नई कर व्यवस्था द्वारा एकत्र किया गया राजस्व पिछली व्यवस्था द्वारा एकत्र किए गए राजस्व के समान ही है। नई कर दरें राजस्व तटस्थ दर के अनुसार डिजाइन की गई हैं।

- **रिवर्स चार्ज तंत्र (जीएसटी के तहत) (Reverse Charge Mechanism (under GST)):** यह एक ऐसी प्रणाली है, जिसमें आपूर्तिकर्ता के बजाय माल या सेवाओं का प्राप्तकर्ता जीएसटी का भुगतान/जमा करने के लिए उत्तरदायी होता है। आमतौर पर, हम जीएसटी में देखते हैं कि आपूर्तिकर्ता खरीदार से जीएसटी वसूलता है और फिर वह सरकार के पास जीएसटी जमा करता है। लेकिन कुछ मामलों में (अपवाद), खरीदार/प्राप्तकर्ता को सरकार के पास जीएसटी जमा करने की आवश्यकता होती है और निश्चित रूप से वह कर का बोझ भी वहन करता है।
- **पुनर्वित्त (Refinance):** पुनर्वित्त का अर्थ है मौजूदा ऋण को नए ऋण से बदलना जो पुराने ऋण के ऋण का भुगतान करता है। पुनर्वित्त तब होता है जब कोई व्यक्ति या व्यवसाय ब्याज दर, भुगतान अनुसूची और पिछले ऋण समझौते की शर्तों को संशोधित करता है। देनदार अक्सर ऋण समझौते को पुनर्वित्त करने का विकल्प चुनते हैं जब ब्याज दर का माहौल काफी हद तक बदल जाता है, जिससे नए समझौते से ऋण भुगतान पर संभावित बचत होती है। पुनर्वित्त में किसी व्यक्ति या व्यवसाय की ऋण शर्तों और ऋण स्थिति का पुनर्मूल्यांकन शामिल होता है।
- **विनियामक सहनशीलता (Regulatory Forbearance):** विनियामक सहनशीलता एक कानूनी अधिकार का प्रयोग करने से बचने की कार्रवाई है, विशेष रूप से विनियामक द्वारा ऋण के भुगतान को लागू करने से। इसलिए, विनियामक सहनशीलता तब होती है जब कोई विनियामक निकाय सहिष्णुता दिखा रहा हो और नियमों/विनियमों को लागू करने में बहुत सख्त न हो और बहुत अधिक छूट दे रहा हो।
- **रोलओवर ऋण (Rollover/Loan Credit Facility):** लोन/क्रेडिट सुविधा एक प्रकार का लोन है जो पूर्वनिर्धारित लोन अवधि के भीतर पूरी तरह से चुकाए न जाने पर अपने आप रिन्यू हो जाता है। अन्य प्रकार के लोन के मामले में डिफॉल्ट में जाने के बजाय, कर्ज को बस एक नए लोन में ले जाया जाता है। नए लोन की शर्तें और नियम मूल लोन से अलग हो सकते हैं।
- **राउंड ट्रिपिंग (एफडीआई की)(Round Tripping (of FDI)):** किसी देश (उदाहरण के लिए भारत) से पैसा किसी विदेशी देश (मॉरीशस) में जाता है और फिर भारत में प्रत्यक्ष विदेशी निवेश (एफडीआई) के रूप में वापस आता है। ऐसा मॉरीशस में अधिक उदार कर दरों या भारत से काला धन बाहर भेजने और फिर एफडीआई के रूप में भारत में वापस आने के कारण हो सकता है।
- **शेल कंपनी (Shell Company):** कंपनी अधिनियम या किसी अन्य अधिनियम में शेल कंपनी की कोई स्पष्ट परिभाषा नहीं है। लेकिन आम तौर पर, शेल कंपनियों में कई तरह की कंपनियाँ (सहायक कंपनियाँ) शामिल होती हैं जिन्हें पैसे को डायवर्ट करने या मनी लॉन्ड्रिंग के उद्देश्य से बनाया गया होता है।

  ज्यादातर शेल कंपनियाँ कोई उत्पाद नहीं बनाती हैं या किसी उत्पाद में डील नहीं करती हैं या कोई सेवा प्रदान नहीं करती हैं। इनका उपयोग ज्यादातर बिना किसी वास्तविक आर्थिक गतिविधि के वित्तीय लेनदेन करने के लिए किया जाता है। आम तौर पर, ये कंपनियाँ केवल कागजों में ही संपत्तिधारी होती हैं, वास्तविकता में नहीं। इस प्रकार के निगम सभी जरूरी तौर पर अवैध नहीं होते, लेकिन कभी-कभी इनका इस्तेमाल अवैध तरीके से किया जाता है, जैसे कि कानून प्रवर्तन एजेंसियों या जनता से व्यवसाय के स्वामित्व को छिपाने के लिए।
- **सहायक कंपनी (Subsidiary Company):** एक सहायक कंपनी जिसे डॉटर कंपनी (daughter company) भी कहा जाता है, वह एक ऐसी कंपनी होती है जिसका स्वामित्व और नियंत्रण (50% से ज्यादा) किसी दूसरी कंपनी के पास होता है। स्वामित्व वाली कंपनी को पैरेंट कंपनी या कभी-कभी होल्डिंग कंपनी कहा जाता है।

- **प्रतिभूतिकरण (Securitization):** प्रतिभूतिकरण वित्तीय परिसंपत्तियों (जैसे दिए गए ऋण) को एकत्रित करके और उन्हें बाजार में बेचने योग्य प्रतिभूतियों में फिर से पैक करने की प्रक्रिया है जिन्हें निवेशकों को बेचा जा सकता है। उदाहरण के लिए, एक NBFC ने अलग-अलग कंपनियों को ऋण दिया है। अब ये अलग-अलग ऋण पत्र NBFC के लिए एक परिसंपत्ति हैं। मान लीजिए कि ऋण पत्र 100 करोड़ रुपए के हैं। अब, इस परिसंपत्ति से 100 रुपए प्रति शेयर के मूल्य वाले एक लाख शेयर बनाए गए हैं और इन शेयरों को अलग-अलग लोगों को बेचा जा सकता है। एनबीएफसी को तत्काल लिक्विडिटी/पैसा मिलेगा और शेयर की कीमत इस बात पर निर्भर करेगी कि लोन का भुगतान ठीक से किया जा रहा है या नहीं। अगर जिन कंपनियों को एनबीएफसी ने लोन दिया है, वे मूलधन या ब्याज वापस नहीं कर रही हैं, तो सिक्योरिटी/शेयर की कीमत गिर जाएगी। *बैंक/एनबीएफसी इन लोन पेपर्स को सीधे बेच सकते हैं ('कुछ प्रतिबंधों के साथ डायरेक्ट असाइनमेंट') या वे इस लोन पेपर से सिक्योरिटी ('सिक्योरिटाइजेशन') भी बना सकते हैं और बेच सकते हैं, जब उन्हें लिक्विडिटी की जरूरत होती है तो दोनों ही तरीके अपनाए जाते हैं।*
- **संप्रभू धन निधि (एसडब्ल्यूएफ) Sovereign Wealth Fund (SWF):** एक राज्य (सरकार) के स्वामित्व वाला निवेश फंड या इकाई है जो आमतौर पर निर्यात अधिशेष, राजकोषीय अधिशेष, निजीकरण से प्राप्त आय आदि से स्थापित किया जाता है। देश आमतौर पर अपनी राजस्व धाराओं में विविधता लाने के लिए एसडब्ल्यूएफ बनाते हैं। उदाहरण के लिए, यूएई अपनी संपत्ति के लिए तेल निर्यात पर निर्भर करता है। इसलिए, यह अपने भंडार का एक हिस्सा एसडब्ल्यूएफ को समर्पित करता है जो विविध परिसंपत्तियों में निवेश करता है जो तेल से संबंधित जोखिमों के खिलाफ ढाल के रूप में कार्य कर सकते हैं।
- **स्वेट इक्विटी (Sweat Equity):** मालिक या कर्मचारी कंपनी में हिस्सेदारी (शेयर) के बदले में बाजार दर से कम वेतन पर नकदी की कमी वाली स्टार्टअप जैसी कंपनियों में काम करते हैं, जिससे उन्हें उम्मीद है कि जब व्यवसाय अंततः लाभदायक हो जाएगा या बिक जाएगा तो इससे लाभ होगा। इसे स्वेट इक्विटी कहा जाता है यानी, बदले में कंपनी में शेयर प्राप्त करना पैसे देकर शेयर खरीदने के बजाय अपने प्रयास से निवेश करना।
- **प्रणालीगत परिवर्तन (Systemic Change):** प्रणालीगत परिवर्तन का अर्थ है कि परिवर्तन मौलिक होना चाहिए और यह प्रभावित करता है कि पूरी प्रणाली कैसे काम करती है। प्रणालीगत परिवर्तन का अर्थ क्रमिक संस्थागत सुधार हो सकता है, लेकिन उन सुधारों का आधार और उद्देश्य प्रणाली के मौलिक गुणों और सिद्धांतों का परिवर्तन होना चाहिए। प्रणालीगत परिवर्तन एक ऐसा परिवर्तन है जो केवल एक भाग के बजाय प्रणाली के सभी भागों में व्याप्त होता है।
- **उद्यम पूँजी (Venture Capital):** यह निजी इक्विटी का एक रूप है और एक प्रकार का वित्तपोषण है जो निवेशक स्टार्ट-अप कंपनियों और छोटे व्यवसायों को प्रदान करते हैं जिनके बारे में माना जाता है कि उनमें दीर्घकालिक विकास क्षमता है। वेंचर केपिटल आम तौर पर संपन्न निवेशकों, निवेश बैंकों और किसी अन्य वित्तीय संस्थानों से आता है।
- **वक्र मुद्रास्फीति (Skewflation):** स्क्यूफ्लेशन का अर्थ है अर्थव्यवस्था के विभिन्न क्षेत्रों में मुद्रास्फीति का विषम होना, यानी कुछ क्षेत्रों में भारी मुद्रास्फीति, कुछ में कोई मुद्रास्फीति और कुछ में अपस्फीति का सामना करना पड़ रहा है।
- **मुद्रास्फीतिजनित मंदी (Stagflation):** यह मुद्रास्फीति और वृद्धि के सामान्य सिद्धांत का अपवाद है। आम तौर पर, जब आर्थिक वृद्धि कम होती है (माँग कम होने के कारण) तो मुद्रास्फीति भी कम होती है। लेकिन अगर आपूर्ति पक्ष के मुद्दे जैसे आपूर्ति श्रृंखला में व्यवधान, श्रमिक विरोध, कारखानों में तालाबंदी आदि होते हैं तो मुद्रास्फीति बढ़ जाती है (लागत के कारण मुद्रास्फीति) और अर्थव्यवस्था धीमी हो जाती है। इसलिए, मुद्रास्फीतिजनित मंदी में वृद्धि कम होती है लेकिन मुद्रास्फीति और बेरोजगारी अधिक होती है। यह पहली बार 1973 में ओपेक द्वारा तेल की कीमतों में

चार गुना वृद्धि के कारण शुरू हुआ था, जिसने सभी कीमतों को बढ़ा दिया था, जिससे आर्थिक विकास धीमा हो गया था।

- **प्रोत्साहन (Stimulus):** प्रोत्साहन नीति निर्माताओं द्वारा उपायों के एक पैकेज के माध्यम से एक सुस्त अर्थव्यवस्था को गति देने का एक प्रयास है। राजकोषीय प्रोत्साहन के मामले में, सरकार अर्थव्यवस्था को प्रोत्साहित करने के लिए उपभोक्ताओं के हाथों में अधिक पैसा डालने के लिए अपने खर्च को बढ़ाती है और कर दरों में कटौती करती है। मौद्रिक प्रोत्साहन में केंद्रीय बैंक उपभोक्ता खर्च को बढ़ावा देने के लिए धन की आपूर्ति का विस्तार या धन की लागत (ब्याज दरों) को कम करेगा।
- **स्टॉक/शेयर वारंट (Stock/Share Warrant):** यह कंपनी द्वारा निवेशक को जारी किया गया एक दस्तावेज है जो वारंट धारक (निवेशक) को पूर्व-निर्धारित समय अवधि पर या उसके बाद पूर्व निर्धारित मूल्य पर कंपनी के इक्विटी शेयरों की सदस्यता लेने का अधिकार देता है। वारंट धारक को इक्विटी शेयरों की सदस्यता लेने का अधिकार दिया जाता है, लेकिन दायित्व नहीं। यदि वारंट धारक इक्विटी शेयरों की सदस्यता लेने के अपने विकल्प का प्रयोग नहीं करता है, तो भुगतान की गई प्रारंभिक राशि (वारंट धारक द्वारा वारंट खरीदने के लिए भुगतान की गई कुल राशि का कुछ प्रतिशत) जब्त हो जाती है।
- **टैरिफ दर कोटा (TRQ) (Tariff rate quotas):** TRQs किसी उत्पाद की पूर्व-निर्धारित मात्रा को उस उत्पाद पर सामान्य रूप से लागू शुल्क दर की तुलना में कम आयात शुल्क दरों (in-quotaduty) पर आयात करने की अनुमति देता है।
- **कर आधार (Tax Base):** कर आधार को वित्तीय धाराओं या परिसंपत्तियों के कुल मूल्य के रूप में परिभाषित किया जाता है, जिस पर सरकार द्वारा कर लगाया जा सकता है। उदाहरण के लिए, आयकर के मामले में, कर आधार वह सभी आय है जिस पर सरकार द्वारा कर लगाया जा सकता है (कर योग्य आय)। यदि आय की न्यूनतम राशि/सीमा जिस पर कर लगाया जाता है, घटा दी जाती है, तो यह स्वतः ही कर आधार को बढ़ा (व्यापक कर) देगा; यदि इसे बढ़ाया जाता है, तो कर आधार संकुचित हो जाएगा। सेवा कर के मामले में, कर आधार सेवाओं का मूल्य है जिस पर सेवा कर लगाया जाता है। उदाहरण के लिए, यदि सीसीडी 10 करोड़ रुपए की चाय/कॉफी बेचता है और निश्चित रूप से यह 10 करोड़ पर सेवा कर/जीएसटी एकत्र करता है, तो कर आधार 10 करोड़ रुपए होगा। संपत्ति कर के मामले में, कर आधार संपत्ति का मूल्य है जिस पर संपत्ति कर लगाया जाता है। क्योंकि कर आधार का आकार सरकार को उपलब्ध कर योग्य राजस्व को प्रभावित करता है, इसलिए कर आधार का आकार और वृद्धि किसी भी सरकार के नियोजन प्रयासों के लिए महत्वपूर्ण है।
- **कराधान उछाल (Tax Buoyancy):** कर उछाल जीडीपी या राष्ट्रीय आय में वृद्धि के जवाब में राजस्व जुटाने की दक्षता और जवाबदेही को मापने का एक संकेतक है। इसे कर राजस्व में वृद्धि और नाममात्र सकल घरेलू उत्पाद में वृद्धि के अनुपात के रूप में मापा जाता है *(अर्थात, कर राजस्व में प्रतिशत परिवर्तन और नाममात्र सकल घरेलू उत्पाद में प्रतिशत परिवर्तन का अनुपात। एक से अधिक कर उछाल अर्थव्यवस्था के लिए अच्छा है।*
- **कर लोच (Tax Elasticity):** कर लोच कर दर में परिवर्तन के लिए कर राजस्व की प्रतिक्रिया को मापता है और इसे कर राजस्व में प्रतिशत परिवर्तन और कर दर में प्रतिशत परिवर्तन के अनुपात के रूप में परिभाषित किया जाता है।
- **कर व्यय (Tax Expenditure):** कर व्यय सरकार द्वारा दी गई विभिन्न छूटों और रियायतों के परिणामस्वरूप छोड़े गए राजस्व को संदर्भित करता है। ये छूट विकास को बढ़ावा देने के लिए कुछ विशिष्ट क्षेत्रों और कठिन क्षेत्रों में स्थित उद्योगों और संतुलित क्षेत्रीय विकास को बढ़ावा देने के लिए दी जाती हैं।
- **व्यापार की शर्तें (टीओटी)(Terms of Trade (ToT):** यह निर्यात मूल्य सूचकांक और आयात मूल्य सूचकांक का अनुपात है। यदि कोई देश केवल सेब (कीमत 120 रु./किग्रा) निर्यात कर रहा है और केवल संतरे (कीमत 40 रु./किग्रा) आयात कर रहा है, तो व्यापार की शर्तें

(टीओटी) केवल सेब की कीमत और संतरे की कीमत का अनुपात है, यानी 120 रु./40 रु. = 3. इसलिए, टीओटी एक माप है कि एक अर्थव्यवस्था निर्यात की गई वस्तुओं की एक इकाई के लिए कितना आयात प्राप्त कर सकती है, जो इस उदाहरण में 3 गुना है।

- **टपकन सिद्धांत प्रभाव (Trickle down effect):** जब बड़ी कंपनियों और अमीर लोगों की आय बढ़ती है तो वे इस आय को अर्थव्यवस्था में निवेश/खर्च करते हैं जो अंतत: पिरामिड के निचले हिस्से में रहने वाले गरीब लोगों तक पहुँचती है। जब गरीब लोगों को आय मिलती है तो वे माँग और आर्थिक विकास को बढ़ाने के लिए (अपनी मजदूरी) खर्च करते हैं। ट्रिकल-डाउन अर्थशास्त्र का एक सिद्धांत है जो दावा करता है कि अमीरों के लिए लाभ सभी को मिलता है। ये लाभ व्यवसायों, उच्च आय वाले लोगों, पूँजीगत लाभ और लाभांश पर कर कटौती हैं। ट्रिकल-डाउन सिद्धांत अधिक विशिष्ट है। इसके अनुसार अमीर लोगों/निगमों पर लक्षित कर कटौती सामान्यत: कर कटौती से बेहतर काम करती है।
- **मुद्रा का वेग (Velocity of Money):** वेग से तात्पर्य उस संख्या से है जितनी बार उपलब्ध मुद्रा स्टॉक नाममात्र जीडीपी के बराबर लेनदेन को वित्तपोषित करने के लिए आगे बढ़ सकता है या हाथ बदल सकता है। इसे 'नाममात्र जीडीपी'/धन आपूर्ति के रूप में व्युत्पन्न किया जाता है।
- **गतिमान मुद्रास्फीति (Walking Inflation):** जब कीमतें मामूली रूप से बढ़ती हैं और वार्षिक मुद्रास्फीति दर एकल अंक (3%-10%) में होती है, तो इसे गतिमान या ट्रॉटिंग मुद्रास्फीति कहा जाता है। इस दर पर मुद्रास्फीति सरकार के लिए चेतावनी संकेत है कि इसे उच्च होने से पहले नियंत्रित किया जाए।
- **मजदूरी मुद्रास्फीति (Wage Inflation):** वस्तुओं की कीमतों में सामान्य वृद्धि जो मजदूरी में वृद्धि से पहले और उसके परिणामस्वरूप होती है।
- **कटौती कर (WHT) (Withholding tax (WHT):** रोक कर, या प्रतिधारण कर, आय प्राप्तकर्ता के बजाय आय के भुगतानकर्ता द्वारा सरकार को भुगतान किया जाने वाला आयकर है। इस प्रकार कर को प्राप्तकर्ता को देय आय से रोक लिया जाता है या घटा दिया जाता है। WHT स्रोत पर कर कटौती (TOsQ) के समान है, लेकिन गैर-निवासियों यानी विदेशी लेनदेन के लिए भुगतान के लिए लागू है।
- **जोंबी (फर्म) (Zombie (firms):** जोंबी फर्म को आमतौर पर ब्याज कवरेज अनुपात का उपयोग करके पहचाना जाता है जो किसी फर्म के ब्याज और कर भुगतान से पहले के लाभ का उसके कुल ब्याज व्यय से अनुपात होता है। एक से कम ब्याज कवरेज अनुपात वाली फर्म अपनी आय से अपने ब्याज दायित्वों को पूरा करने में असमर्थ होती है और उन्हें जोंबी के रूप में वर्गीकृत किया जाता है।

OOO

NOTES

NOTES

NOTES